平　成　29　年　度

衛生行政報告例

厚生労働省政策統括官（統計・情報政策、政策評価担当）編
一般財団法人　厚　生　労　働　統　計　協　会

まえがき

この報告書は、都道府県・指定都市・中核市における保健・衛生関係業務について、衛生行政報告例として報告を求めているものを平成29年度分について取りまとめたものです。

衛生行政報告例は、精神保健福祉、栄養、食品衛生、生活衛生、母体保護、薬事関係等の行政実績を把握するものであり、我が国の衛生行政の基礎的な資料となっています。

この報告書が、国及び地方公共団体の行政運営に活用されるだけでなく、広く関係各方面においても活用され、我が国の衛生行政のより一層の充実発展に役立てていただければ幸いです。

刊行にあたり、本統計作成に御尽力いただいた関係各位に深く感謝するとともに、今後一層の御協力をお願いする次第です。

平成31年２月

厚生労働省政策統括官（統計・情報政策、政策評価担当）

調査担当係
政策統括官付参事官付
行政報告統計室　衛生統計第一係

電 話 (03) 5253 1111
内線 7511
http://www.mhlw.go.jp/

平成 29 年度

衛生行政報告例

目次

衛生検査

生活衛生

食品衛生

乳肉衛生

医　療

薬　事

母体保護

難病・小児慢性特定疾病

狂犬病予防

付　表

本報告書に掲載の統計表については、「政府統計の総合窓口(e-Stat）」（http://www.e-stat.go.jp）にも掲載している。

〔閲覧可能な統計表一覧〕

次の統計表は、本報告書には掲載していないが、「政府統計の総合窓口(e-Stat)」(http://www.e-stat.go.jp) に掲載している。

精神保健福祉

第７表　精神保健福祉センターにおける技術指導・援助延件数・教育研修実施件数，機関・都道府県－指定都市（再掲）別

栄　養

第4-3表　給食施設数・管理栄養士数・栄養士数・調理師数（特定給食施設－指定施設），都道府県－指定都市－中核市（再掲）・施設の種類別

第4-4表　給食施設数・管理栄養士数・栄養士数・調理師数（特定給食施設－１回300食以上又は１日750食以上），都道府県－指定都市－中核市（再掲）・施設の種類別

第4-5表　給食施設数・管理栄養士数・栄養士数・調理師数（特定給食施設－１回100食以上又は１日250食以上），都道府県－指定都市－中核市（再掲）・施設の種類別

第５表　特定給食施設に対する指導・監督数，都道府県－指定都市－中核市（再掲）・施設の種類別

衛生検査

第2-1表　地方衛生研究所における衛生検査件数（住民からの依頼によるもの），依頼経路・検査の種類・都道府県－指定都市－中核市（再掲）別

第2-2表　地方衛生研究所における衛生検査件数（保健所からの依頼によるもの），依頼経路・検査の種類・都道府県－指定都市－中核市（再掲）別

第2-3表　地方衛生研究所における衛生検査件数（保健所以外の行政機関からの依頼によるもの），依頼経路・検査の種類・都道府県－指定都市－中核市（再掲）別

第2-4表　地方衛生研究所における衛生検査件数（その他（医療機関、学校、事業所等）からの依頼によるもの），依頼経路・検査の種類・都道府県－指定都市－中核市（再掲）別

第2-5表　地方衛生研究所における衛生検査件数（依頼によらないもの），依頼経路・検査の種類・都道府県－指定都市－中核市（再掲）別

生活衛生

第3-1表　特定建築物施設数・管理技術者選任建築物数・立入検査等回数；調査項目・調査件数－不適件数（興行場），都道府県－指定都市－中核市（再掲）・建築物の種類別

第3-2表　特定建築物施設数・管理技術者選任建築物数・立入検査等回数；調査項目・調査件数－不適件数（百貨店），都道府県－指定都市－中核市（再掲）・建築物の種類別

第3-3表　特定建築物施設数・管理技術者選任建築物数・立入検査等回数；調査項目・調査件数－不適件数（店舗），都道府県－指定都市－中核市（再掲）・建築物の種類別

第3-4表　特定建築物施設数・管理技術者選任建築物数・立入検査等回数；調査項目・調査件数－不適件数（事務所），都道府県－指定都市－中核市（再掲）・建築物の種類別

第3-5表　特定建築物施設数・管理技術者選任建築物数・立入検査等回数；調査項目・調査件数－不適件数（学校），都道府県－指定都市－中核市（再掲）・建築物の種類別

第3-6表　特定建築物施設数・管理技術者選任建築物数・立入検査等回数；調査項目・調査件数－不適件数（旅館），都道府県－指定都市－中核市（再掲）・建築物の種類別

第3-7表　特定建築物施設数・管理技術者選任建築物数・立入検査等回数；調査項目・調査件数－不適件数（その他），都道府県－指定都市－中核市（再掲）・建築物の種類別

食品衛生

第14表　食品等の収去試験状況（魚介類・魚介類加工品・アイスクリーム類－氷菓・清涼飲料水），収去件数・試験場所・試験の内容・不良理由・都道府県－指定都市－中核市（再掲）別

薬　事

第４表　指定薬物等を取り扱う施設の立入検査施行施設数・違反発見施設数・違反・処分・告発件数，都道府県別

難病・小児慢性特定疾病

第１表　特定医療費（指定難病）受給者証所持者数，対象疾患・都道府県別

第８表　小児慢性特定疾病医療受給者証所持者数，対象疾患群・都道府県－指定都市－中核市（再掲）別

Ⅰ　衛生行政報告例の概要

1　報告の目的及び沿革

衛生行政報告例は、衛生関係諸法規の施行に伴う各都道府県・指定都市及び中核市における衛生行政の実態を把握し、衛生行政運営の基礎資料を得ることを目的とした統計法に基づく一般統計調査である。

衛生行政報告例は、明治19年以降内務報告例（明治19年内務省令第17号）として報告されていたものを、昭和13年の厚生省設置に伴い、「厚生省報告例」（昭和13年訓令第13号）として制定したものであり、昭和24年の全般的な報告事項の整理改善の際に、本報告例の所管が官房総務課から統計調査部に移管された。

昭和29年には厚生省発統第３号厚生事務次官通達により、報告例と保健所運営報告との性格分離等の大改正が行われ現在の報告例の基礎が整備され、さらに平成12年度からは、地方自治法の改正に伴い厚生省報告例が廃止され、新たに衛生行政報告例として実施することとなり、今日に至っている。

2　報告の対象

都道府県、指定都市及び中核市

3　報告の種類

年度報（51表）及び隔年報（11表）とする。

4　報告の事項

精神保健福祉関係、栄養関係、衛生検査関係、生活衛生関係、食品衛生関係、乳肉衛生関係、医療関係、薬事関係、母体保護関係、難病・小児慢性特定疾病関係、狂犬病予防関係

5　報告の方法及び系統

(1)　都道府県知事、指定都市及び中核市の長は、所定の報告事項について定められた期限までに、厚生労働省政策統括官（統計・情報政策、政策評価担当）に提出する。

(2)　報告の系統は次のとおりである。

厚生労働省―――都道府県・指定都市・中核市

6　報告の時期

年度報（国への提出期限　翌年度５月末日）

隔年報（国への提出期限　翌年２月末日）

7　集計

厚生労働省政策統括官（統計・情報政策、政策評価担当）において行った。

Ⅱ　結果の概要

利用上の注意

(1) 表章記号の規約

計数のない場合	—
計数不明又は計数を表章することが不適当な場合	…
計数項目のあり得ない場合	・
減少数又は減少率の場合	△
比率が微小(0.05未満)の場合	0.0

(2) 掲載している割合の数値は四捨五入しているため、内訳の合計が「総数」に合わない場合がある。

(3) 人口10万対比率及び人工妊娠中絶実施率は、総務省統計局発表の「人口推計（平成29年10月１日現在）」により算出した。

(4) 東日本大震災の影響により、「結果の概要」に掲載している平成22年度の数値については宮城県及び福島県の一部地域、平成22年の数値の一部については宮城県が含まれていない。詳細は、各頁の表、図又は参考表の脚注に記載している。

1　精神保健福祉関係

(1) 精神障害者申請通報届出数、措置入院患者数及び医療保護入院届出数

平成 29 年度の一般・警察官等からの「申請通報届出数」は 26,782 件で、前年度に比べ 1,564 件（5.5%）減少している。また、「申請通報届出のあった者のうち診察を受けた者数」は 9,536 人で、前年度に比べ 239 人（2.4%）減少している。（表１）

平成 29 年度末現在の「措置入院患者数」は 1,444 人で、前年度に比べ 58 人（3.9%）減少している（表１、図１）。

平成 29 年度の「医療保護入院届出数」は 185,654 件で、前年度に比べ 4,779 件（2.6%）増加している（表１、図２）。

表１　精神障害者申請通報届出数、措置入院患者数及び医療保護入院届出数の年次推移

	平成25年度 (2013)	26年度 ('14)	27年度 ('15)	28年度 ('16)	29年度 ('17)	対前年度 増減数	対前年度 増減率 (%)
申請通報届出数(件)（各年度）	23 177	24 729	25 922	28 346	26 782	△ 1 564	△ 5.5
申請通報届出のあった者のうち診察を受けた者数(人)（各年度）	9 404	9 094	9 484	9 775	9 536	△ 239	△ 2.4
措置入院患者数(人)（各年度末現在）	1 482	1 479	1 519	1 502	1 444	△ 58	△ 3.9
（人口10万対）	1.2	1.2	1.2	1.2	1.1		
医療保護入院届出数(件)[1]（各年度）	211 980	170 079	177 640	180 875	185 654	4 779	2.6

注：1) 平成26年４月１日の精神保健及び精神障害者福祉に関する法律の一部を改正する法律の施行により、保護者制度が廃止され、医療保護入院の同意者が従来の保護者又は扶養義務者から、家族等のうちいずれかの者となった。

図１　措置入院患者数の年次推移

各年（度）末現在

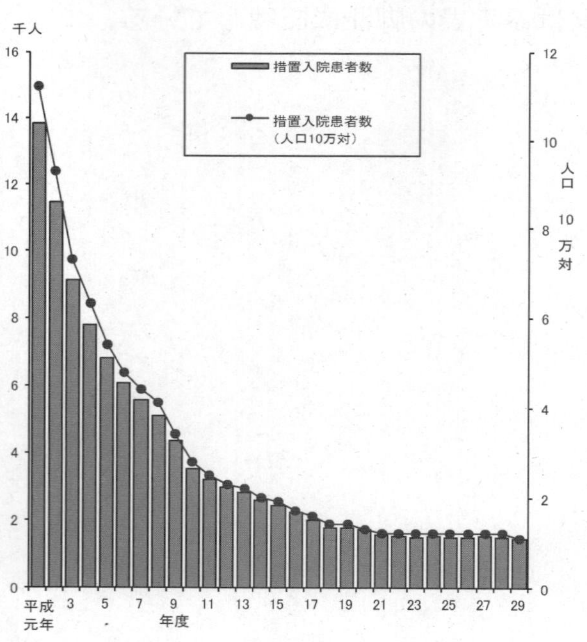

図２　医療保護入院届出数の年次推移[2)]

各年（度）

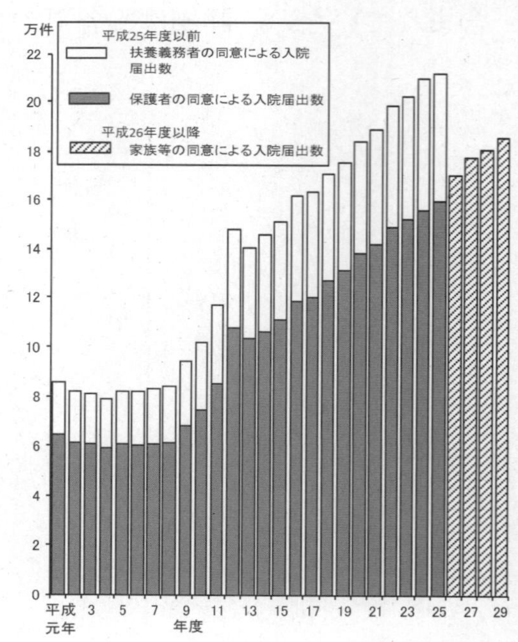

注：平成８年までは、暦年の数値である。
1) 平成22年度は、東日本大震災の影響により、宮城県のうち仙台市以外の市町村が含まれていない。
2) 平成26年４月１日の精神保健及び精神障害者福祉に関する法律の一部を改正する法律の施行により、保護者制度が廃止され、医療保護入院の同意者が従来の保護者又は扶養義務者から、家族等のうちいずれかの者となった。

(2) 精神障害者保健福祉手帳交付台帳登載数

平成 29 年度末現在の精神障害者保健福祉手帳交付台帳登載数（有効期限切れを除く。）は 991,816 人で、前年度に比べ 70,794 人（7.7%）増加している（表２）。

表２　精神障害者保健福祉手帳交付台帳登載数（有効期限切れを除く。）の年次推移

（単位：人）　各年度末現在

		平成25年度（2013）	26年度（'14）	27年度（'15）	28年度（'16）	29年度（'17）	対前年度 増減数	対前年度 増減率（%）
精神障害者保健福祉手帳交付台帳登載数（有効期限切れを除く。）		751 150	803 653	863 649	921 022	991 816	70 794	7.7
（人口10万対）		590.1	632.4	679.5	725.6	782.8		
	1級	105 376	108 557	112 347	116 012	120 651	4 639	4.0
	2級	460 538	488 121	519 356	550 819	590 557	39 738	7.2
	3級	185 236	206 975	231 946	254 191	280 608	26 417	10.4

(3) 精神保健福祉センターにおける相談延人員

平成 29 年度の精神保健福祉センターにおける相談延人員は 128,148 人となっている。主な相談内容別にみると、「社会復帰」が 58,928 人（46.0%）と最も多く、次いで「思春期」12,730 人（9.9%）、「心の健康づくり」11,434 人（8.9%）となっている。

また、相談延人員のうち相談内容が「（再掲）ひきこもり」は 23,404 人（18.3%）、「（再掲）発達障害」は 9,719 人（7.6%）となっている。（図３）

図３　精神保健福祉センターにおける主な相談内容別延人員

平成 29 年度

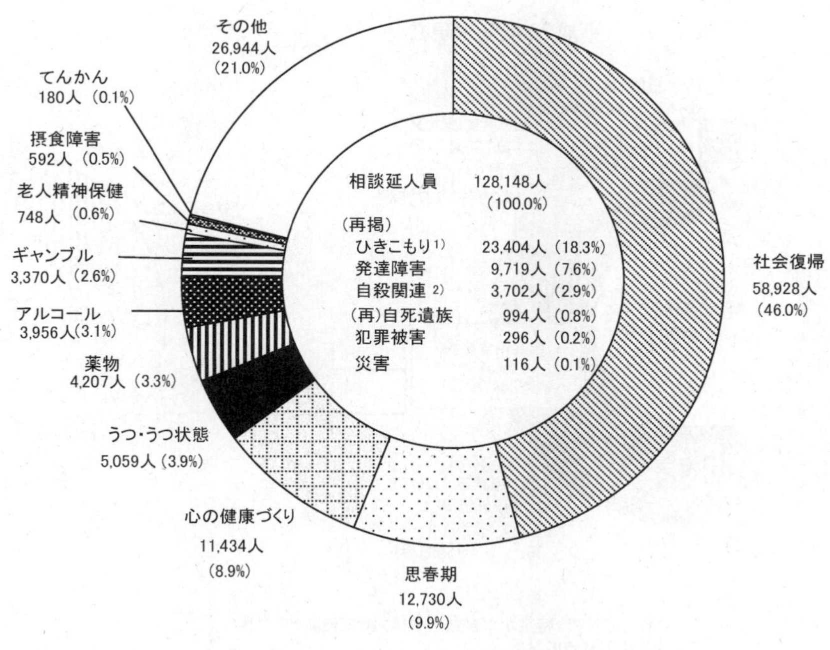

注：1)「ひきこもり」とは、仕事や学校に行かず、かつ家族以外の人との交流をほとんどせずに、６か月以上続けて自宅にひきこもっている状態にある７歳から49歳までの者をいう。
2)「自殺関連」とは、相談内容が、自殺の危険、予告・通知、実行中、未遂、遺族等からの相談のいずれかに該当するものをいう。

2　栄養関係

平成 29 年度末現在の「給食施設」は 91,002 施設となっており、そのうち「特定給食施設」は 50,542 施設（55.5%）で、「その他の給食施設」は 40,460 施設（44.5%）となっている（表３、図４）。

特定給食施設の「指定施設」は 2,816 施設（3.1%）となっている（図４）。

特定給食施設の種類別構成割合をみると、「学校」（31.2%）が最も多く、次いで「児童福祉施設」（26.1%）、「病院」（11.2%）となっている（図５）。

表３　給食施設数の年次推移

（単位：施設）　　各年度末現在

	平成25年度 (2013)	26年度 ('14)	27年度 ('15)	28年度 ('16)	29年度 ('17)	対前年度 増減数	対前年度 増減率 (%)
給食施設	87 139	87 702	88 645	90 419	91 002	583	0.6
特定給食施設	49 111	49 332	49 744	50 350	50 542	192	0.4
学校	16 032	15 884	15 769	15 766	15 772	6	0.0
病院	5 688	5 666	5 659	5 655	5 670	15	0.3
介護老人保健施設	2 767	2 761	2 811	2 823	2 865	42	1.5
老人福祉施設	4 361	4 474	4 672	4 753	4 832	79	1.7
児童福祉施設	11 446	11 727	12 467	13 056	13 206	150	1.1
社会福祉施設	811	791	791	764	764	0	0.0
事業所	5 816	5 735	5 607	5 551	5 492	△ 59	△ 1.1
寄宿舎	563	579	574	553	556	3	0.5
矯正施設	121	118	116	114	115	1	0.9
自衛隊	193	198	189	193	190	△ 3	△ 1.6
一般給食センター	429	411	402	396	376	△ 20	△ 5.1
その他	884	988	687	726	704	△ 22	△ 3.0
その他の給食施設	38 028	38 370	38 901	40 069	40 460	391	1.0

図４　特定給食施設－その他の給食施設の構成割合

図５　特定給食施設の種類別構成割合

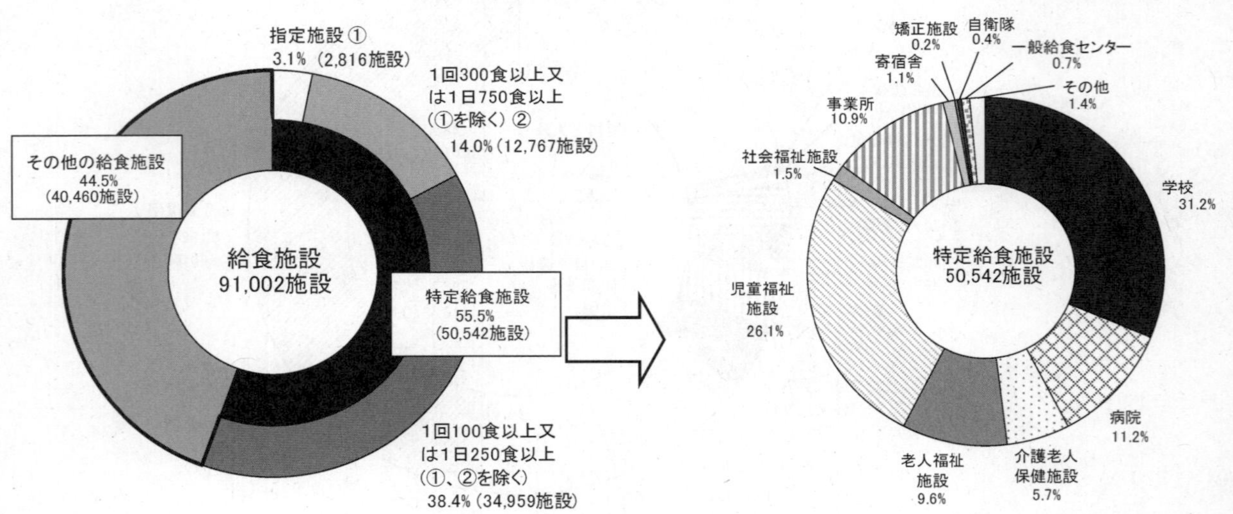

特定給食施設（※）の3分類

※健康増進法第20条第１項に規定される施設で、特定かつ多数の者に対して継続的に1回100食以上又は1日250食以上の食事を供給する施設をいう。

指定施設 ①

・医学的な管理を必要とする者に食事を提供する特定給食施設であって、継続的に1回300食以上又は1日750食以上の食事を供給するもの

・上記以外の管理栄養士による特別な栄養管理を必要とする特定給食施設であって、継続的に1回500食以上又は1日1,500食以上の食事を供給するもの

1回300食以上又は1日750食以上（①を除く）②

1回100食以上又は1日250食以上（①、②を除く）

3　生活衛生関係

平成 29 年度末現在の生活衛生関係施設数についてみると、「常設の興行場」は 4,760 施設で、前年度に比べ 13 施設（0.3%）増加しており、このうち「映画館」は 1,475 施設で、27 施設（1.9%）増加している。

「旅館業」は 82,150 施設で、前年度に比べ 2,308 施設（2.9%）増加しており、このうち「ホテル営業」は 10,402 施設で、301 施設（3.0%）増加、「旅館営業」は 38,622 施設で、867 施設（2.2%）減少している。

「公衆浴場」は 25,121 施設で、前年度に比べ 210 施設（0.8%）減少しており、このうち「一般公衆浴場」は 3,729 施設で、171 施設（4.4%）減少している。

「理容所」は 120,965 施設で、前年度に比べ 1,574 施設（1.3%）減少し、「美容所」は 247,578 施設で、4,218 施設（1.7%）増加している。

「クリーニング業」は 96,041 施設で、前年度に比べ 3,668 施設（3.7%）減少し、このうち「クリーニング所（取次所を除く。）」は 26,992 施設で 855 施設（3.1%）減少している。（表４、図６）

表４　生活衛生関係施設数の年次推移

（単位：施設）　　　　各年度末現在

	平成25年度 (2013)	26年度 ('14)	27年度 ('15)	28年度 ('16)	29年度 ('17)	対前年度 増減数	対前年度 増減率 (%)
常設の興行場	4 782	4 745	4 785	4 747	4 760	13	0.3
映画館	1 524	1 496	1 490	1 448	1 475	27	1.9
スポーツ施設	364	360	355	356	357	1	0.3
その他	2 894	2 889	2 940	2 943	2 928	△ 15	△ 0.5
旅館業	79 519	78 898	78 519	79 842	82 150	2 308	2.9
ホテル営業	9 809	9 879	9 967	10 101	10 402	301	3.0
旅館営業	43 363	41 899	40 661	39 489	38 622	△ 867	△ 2.2
簡易宿所営業	25 560	26 349	27 169	29 559	32 451	2 892	9.8
下宿営業	787	771	722	693	675	△ 18	△ 2.6
公衆浴場	26 580	26 221	25 703	25 331	25 121	△ 210	△ 0.8
一般公衆浴場	4 542	4 293	4 078	3 900	3 729	△ 171	△ 4.4
その他	22 038	21 928	21 625	21 431	21 392	△ 39	△ 0.2
理容所	128 127	126 546	124 584	122 539	120 965	△ 1 574	△ 1.3
美容所	234 089	237 525	240 299	243 360	247 578	4 218	1.7
クリーニング業	113 567	108 513	104 180	99 709	96 041	△ 3 668	△ 3.7
クリーニング所（取次所を除く。）	32 005	30 371	29 423	27 847	26 992	△ 855	△ 3.1
取次所	79 773	76 341	72 888	69 929	67 110	△ 2 819	△ 4.0
無店舗取次店[1)]	1 789	1 801	1 869	1 933	1 939	6	0.3

注：1）「無店舗取次店」は営業者数である。

図６　主な生活衛生関係施設数の年次推移

各年（度）末現在

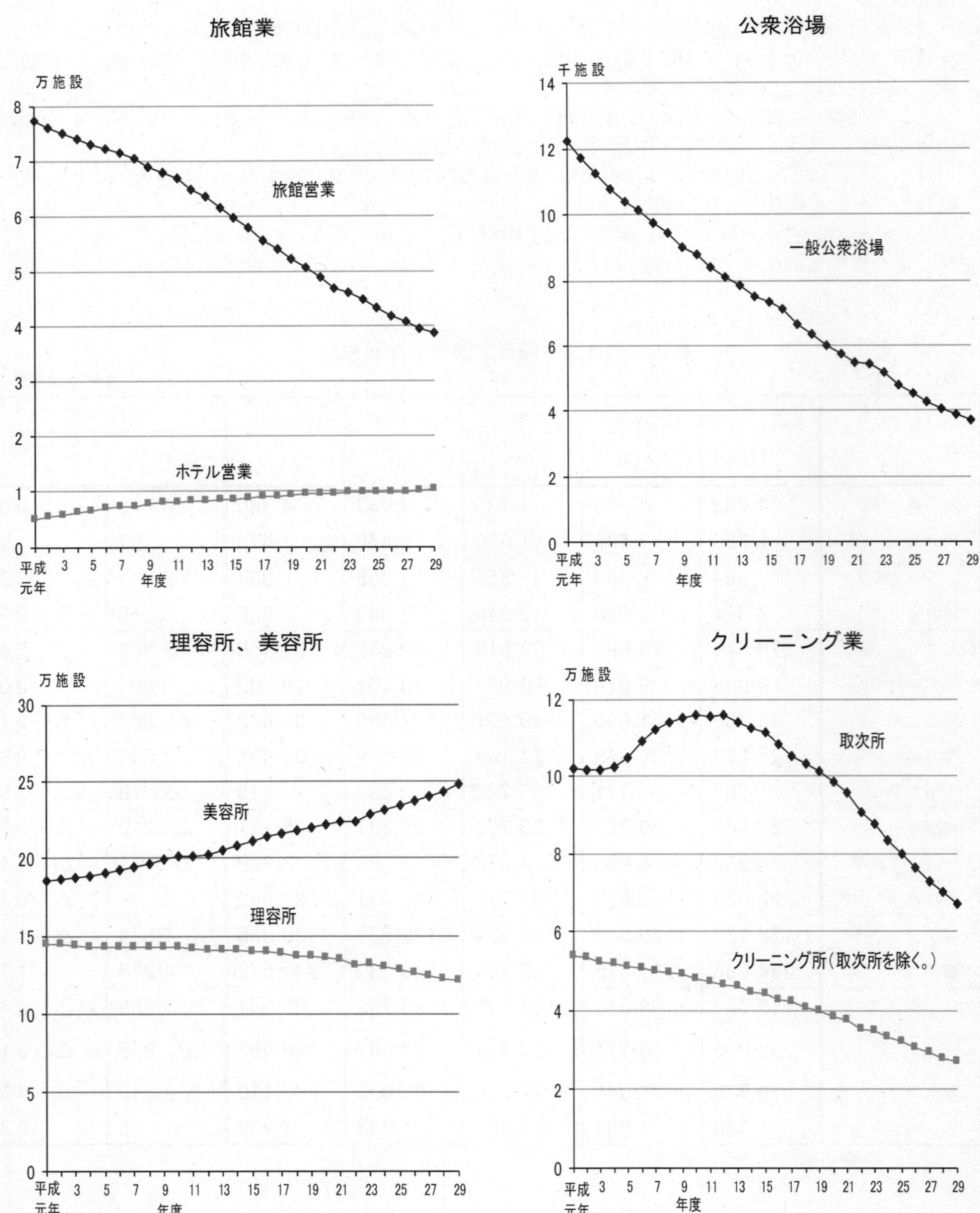

注：平成８年までは、暦年の数値である。
1）平成22年度は、東日本大震災の影響により、宮城県のうち仙台市以外の市町村、福島県の相双保健福祉事務所管轄内の市町村が含まれていない。

4　食品衛生関係

平成 29 年度末現在の「許可を要する食品関係営業施設」は 2,441,483 施設、前年度に比べ 6,547 施設（0.3%）減少している。

営業許可種別にみると、「飲食店営業」の 1,420,182 施設、「乳類販売業」の 223,662 施設、「喫茶店営業」の 201,385 施設が上位を占めているが、いずれも前年度に比べ減少している。

「菓子（パンを含む。）製造業」は 167,972 施設、「そうざい製造業」は 39,859 施設で、ともに年々増加している。（表５、図７）

表５　主な許可を要する食品関係営業施設数の年次推移

（単位：施設）　　各年度末現在

		平成25年度 (2013)	26年度 ('14)	27年度 ('15)	28年度 ('16)	29年度 ('17)	対前年度 増減数	対前年度 増減率 (%)
許可を要する食品関係営業施設		2 494 569	2 480 547	2 468 352	2 448 030	2 441 483	△ 6 547	△ 0.3
（再掲）	飲食店営業	1 425 737	1 422 809	1 424 920	1 420 492	1 420 182	△ 310	△ 0.0
	（再掲） 一般食堂・レストラン等	760 649	753 853	750 779	746 891	745 191	△ 1 700	△ 0.2
	（再掲）仕出し屋・弁当屋	82 903	82 473	81 538	80 920	81 122	202	0.2
	菓子（パンを含む。）製造業	157 073	159 443	161 066	162 418	167 972	5 554	3.4
	魚介類販売業	147 416	147 918	147 691	147 662	148 556	894	0.6
	喫茶店営業	238 510	228 720	220 138	209 604	201 385	△ 8 219	△ 3.9
	乳類販売業	250 836	245 588	238 274	230 480	223 662	△ 6 818	△ 3.0
	食肉販売業	140 627	141 871	141 996	143 328	144 484	1 156	0.8
	豆腐製造業	8 518	8 017	7 525	6 971	6 563	△ 408	△ 5.9
	めん類製造業	11 582	11 453	11 200	11 053	10 899	△ 154	△ 1.4
	そうざい製造業	37 778	38 325	38 878	39 202	39 859	657	1.7

図７　営業許可種別にみた主な食品関係営業施設数の年次推移

各年（度）末現在

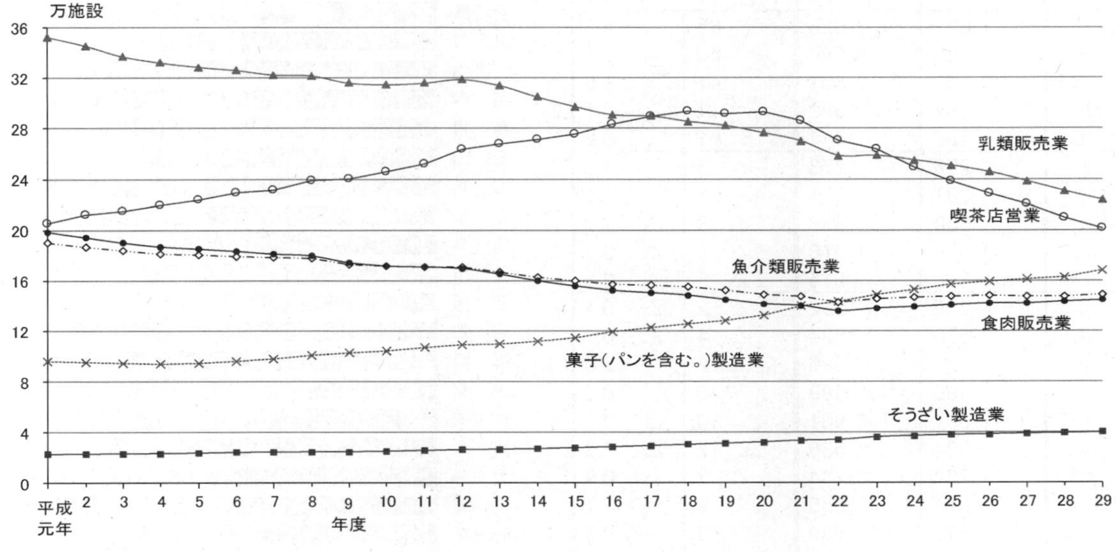

注：平成８年までは、暦年の数値である。
1）平成 22 年度は、東日本大震災の影響により、宮城県のうち仙台市以外の市町村、福島県の相双保健福祉事務所管轄内の市町村が含まれていない。

5　薬事関係

平成 29 年度末現在の薬局数は 59, 138 施設で、前年度に比べ 460 施設（0. 8%）増加している（表６）。

また、人口 10 万人あたりの薬局数は 46. 7 施設で、都道府県別にみると、佐賀県が 63. 6 施設と最も多く、次いで山口県が 58. 6 施設、広島県が 57. 0 施設となっている。一方、福井県が 37. 4 施設と最も少なく、次いで埼玉県が 38. 7 施設、千葉県が 38. 9 施設となっている。（図８）

表６　都道府県別にみた薬局数

（単位：施設）　　　　　　　　各年度末現在

	平成29年度 (2017)	28年度 ('16)	対前年度 増減数	対前年度 増減率 (%)
全　国	59 138	58 678	460	0.8
北海道	2 344	2 350	△ 6	△ 0.3
青　森	608	607	1	0.2
岩　手	594	583	11	1.9
宮　城	1 148	1 142	6	0.5
秋　田	536	533	3	0.6
山　形	580	579	1	0.2
福　島	894	895	△ 1	△ 0.1
茨　城	1 290	1 274	16	1.3
栃　木	877	866	11	1.3
群　馬	891	887	4	0.5
埼　玉	2 829	2 797	32	1.1
千　葉	2 429	2 374	55	2.3
東　京	6 646	6 604	42	0.6
神奈川	3 836	3 825	11	0.3
新　潟	1 135	1 131	4	0.4
富　山	445	440	5	1.1
石　川	526	514	12	2.3
福　井	291	286	5	1.7
山　梨	453	443	10	2.3
長　野	966	951	15	1.6
岐　阜	1 021	1 018	3	0.3
静　岡	1 813	1 817	△ 4	△ 0.2
愛　知	3 321	3 278	43	1.3
三　重	812	800	12	1.5
滋　賀	597	586	11	1.9
京　都	1 091	1 026	65	6.3
大　阪	4 092	4 046	46	1.1
兵　庫	2 632	2 591	41	1.6
奈　良	541	530	11	2.1
和歌山	488	487	1	0.2
鳥　取	276	273	3	1.1
島　根	331	325	6	1.8
岡　山	830	838	△ 8	△ 1.0
広　島	1 613	1 618	△ 5	△ 0.3
山　口	810	815	△ 5	△ 0.6
徳　島	390	392	△ 2	△ 0.5
香　川	530	534	△ 4	△ 0.7
愛　媛	598	586	12	2.0
高　知	399	399	0	0.0
福　岡	2 891	2 901	△ 10	△ 0.3
佐　賀	524	536	△ 12	△ 2.2
長　崎	737	744	△ 7	△ 0.9
熊　本	844	835	9	1.1
大　分	572	559	13	2.3
宮　崎	595	595	0	0.0
鹿児島	901	897	4	0.4
沖　縄	571	571	0	0.0

図８　都道府県別にみた薬局数（人口 10 万対）

平成 29 年度末現在

全国　46.7　施設

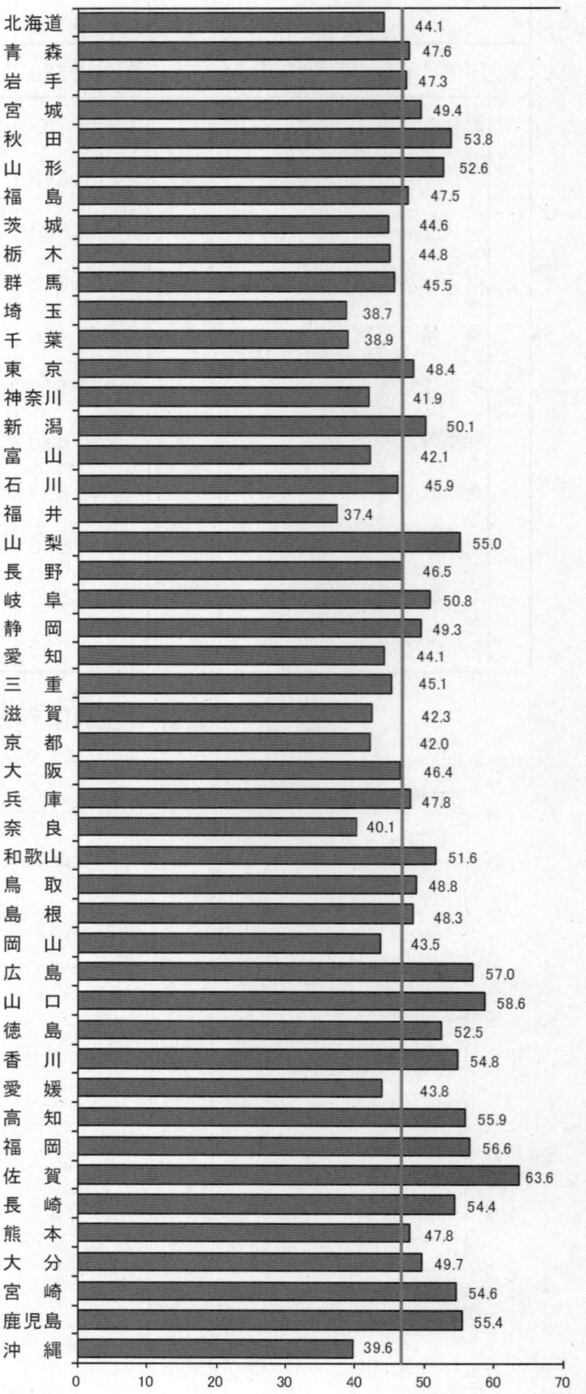

6　母体保護関係

平成 29 年度の人工妊娠中絶件数は 164, 621 件で、前年度に比べ 3, 394 件(2. 0%)減少している。「20 歳未満」について各歳でみると、「19 歳」が 6, 113 件と最も多く、次いで「18 歳」が 3, 523 件となっている。

人工妊娠中絶実施率（女子人口千対）は 6. 4 となっており、年齢階級別にみると、「20～24 歳」が 13. 0、「25～29 歳」が 10. 5 となっている。「20 歳未満」について各歳でみると、「19 歳」が 10. 1、「18 歳」が 6. 0 となっている。（表 7 、図 9 、図 10）

表7　人工妊娠中絶件数及び実施率の年次推移

（単位：件）　　　　各年度

	平成25年度 (2013)	26年度 ('14)	27年度 ('15)	28年度 ('16)	29年度 ('17)	対前年度 増減数	対前年度 増減率 (%)
総数	186 253	181 905	176 388	168 015	164 621	△ 3 394	△ 2.0
20歳未満	19 359	17 854	16 113	14 666	14 128	△ 538	△ 3.7
15歳未満	318	303	270	220	218	△ 2	△ 0.9
15歳	1 005	786	633	619	518	△ 101	△ 16.3
16歳	2 648	2 183	1 845	1 452	1 421	△ 31	△ 2.1
17歳	3 817	3 283	2 884	2 517	2 335	△ 182	△ 7.2
18歳	4 807	4 679	4 181	3 747	3 523	△ 224	△ 6.0
19歳	6 764	6 620	6 300	6 111	6 113	2	0.0
20～24歳	40 268	39 851	39 430	38 561	39 270	709	1.8
25～29歳	37 999	36 594	35 429	33 050	32 222	△ 828	△ 2.5
30～34歳	36 757	36 621	35 884	34 256	33 082	△ 1 174	△ 3.4
35～39歳	34 115	33 111	31 765	30 307	29 641	△ 666	△ 2.2
40～44歳	16 477	16 558	16 368	15 782	14 876	△ 906	△ 5.7
45～49歳	1 237	1 281	1 340	1 352	1 363	11	0.8
50歳以上	22	17	18	14	11	△ 3	△ 21.4
不詳	19	18	41	27	28	1	3.7
実施率（女子人口千対）							
総数[1)]	7.0	6.9	6.8	6.5	6.4		
20歳未満[2)]	6.6	6.1	5.5	5.0	4.8		
15歳	1.7	1.4	1.1	1.1	0.9		
16歳	4.5	3.7	3.2	2.5	2.5		
17歳	6.6	5.6	4.9	4.3	4.0		
18歳	8.0	8.0	7.1	6.3	6.0		
19歳	11.2	11.0	10.8	10.2	10.1		
20～24歳	13.3	13.2	13.5	12.9	13.0		
25～29歳	11.3	11.2	11.2	10.6	10.5		
30～34歳	9.8	10.0	10.0	9.6	9.5		
35～39歳	7.6	7.7	7.7	7.6	7.6		
40～44歳	3.4	3.4	3.4	3.3	3.2		
45～49歳	0.3	0.3	0.3	0.3	0.3		

注：1) 実施率の「総数」は、分母に15～49歳の女子人口を用い、分子に50歳以上の数値を除いた人工妊娠中絶件数を用いて計算した。
　　2) 実施率の「20歳未満」は、分母に15～19歳の女子人口を用い、分子に15歳未満を含めた人工妊娠中絶件数を用いて計算した。

図９　年齢階級別にみた人工妊娠中絶実施率（女子人口千対）

平成 29 年度

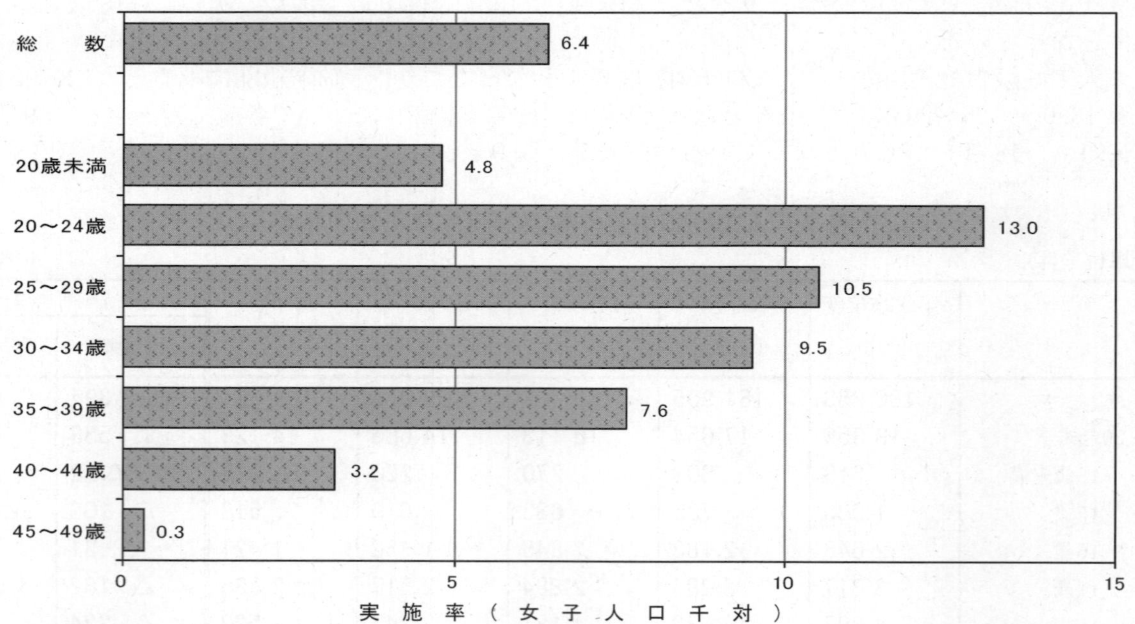

注：1)「総数」は、分母に15～49歳の女子人口を用い、分子に50歳以上の数値を除いた人工妊娠中絶件数を用いて計算した。
　　2)「20歳未満」は、分母に15～19歳の女子人口を用い、分子に15歳未満を含めた人工妊娠中絶件数を用いて計算した。

図 10　年齢階級別にみた人工妊娠中絶実施率（女子人口千対）の年次推移

各年（度）

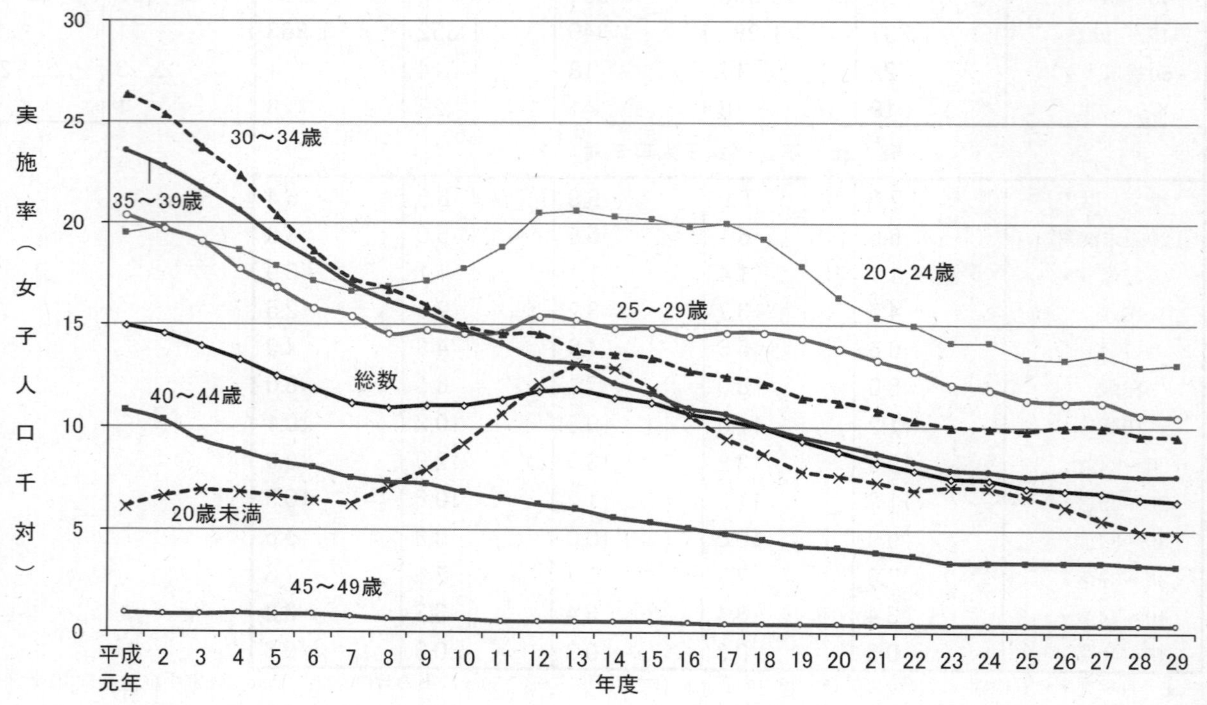

注：平成 13 年までは「母体保護統計報告」による暦年の数値であり、平成 14 年度以降は「衛生行政報告例」による年度の数値である。
　1)平成 22 年度は、東日本大震災の影響により、福島県の相双保健福祉事務所管轄内の市町村が含まれていない。
　2)「総数」は、分母に 15～49 歳の女子人口を用い、分子に 50 歳以上の数値を除いた人工妊娠中絶件数を用いて計算した。
　3)「20 歳未満」は、分母に 15～19 歳の女子人口を用い、分子に 15 歳未満を含めた人工妊娠中絶件数を用いて計算した。

参考表

参考表１　措置入院患者数・医療保護入院届出数，年次別

	措置入院患者数（人）（各年(度)末現在）	措置入院患者数（人口10万対）（各年(度)末現在）	医療保護入院[2] 届出数（件）（各年(度)）	保護者の同意による入院届出数（件）（各年(度)）	扶養義務者の同意による入院届出数（件）（各年(度)）
平成元年	13 843	11.2	85 900	64 190	21 710
2年	11 457	9.3	81 867	61 350	20 517
3年	9 120	7.3	81 155	60 794	20 361
4年	7 794	6.3	79 026	59 178	19 848
5年	6 793	5.4	81 911	60 456	21 455
6年	6 064	4.8	81 888	60 074	21 814
7年	5 570	4.4	82 881	60 432	22 449
8年	5 110	4.1	84 227	61 195	23 032
9年度	4 338	3.4	94 091	68 330	25 761
10年度	3 547	2.8	101 758	74 586	27 172
11年度	3 201	2.5	116 849	85 305	31 544
12年度	2 964	2.3	147 551	107 932	39 619
13年度	2 817	2.2	140 450	103 238	37 212
14年度	2 600	2.0	145 387	106 273	39 114
15年度	2 418	1.9	151 160	111 034	40 126
16年度	2 222	1.7	161 587	118 434	43 153
17年度	2 000	1.6	163 370	119 811	43 559
18年度	1 770	1.4	170 700	126 995	43 705
19年度	1 774	1.4	175 624	131 234	44 390
20年度	1 713	1.3	184 345	138 004	46 341
21年度	1 579	1.2	188 879	142 093	46 786
22年度[1]	1 515	1.2	198 487	148 913	49 574
23年度	1 512	1.2	202 500	152 156	50 344
24年度	1 531	1.2	209 547	156 006	53 541
25年度	1 482	1.2	211 980	159 764	52 216
26年度	1 479	1.2	170 079	-	-
27年度	1 519	1.2	177 640	-	-
28年度	1 502	1.2	180 875	-	-
29年度	1 444	1.1	185 654	-	-

注：平成８年までは、暦年の数値である。
1) 平成22年度は、東日本大震災の影響により、宮城県のうち仙台市以外の市町村が含まれていない。
2) 平成26年４月１日の精神保健及び精神障害者福祉に関する法律の一部を改正する法律の施行により、保護者制度が廃止され、医療保護入院の同意者が従来の保護者又は扶養義務者から、家族等のうちいずれかの者となった。

参考表２　主な生活衛生関係施設数，年次別

（単位：施設）　　　　　　　　各年(度)末現在

	ホテル営業	旅館営業	一般公衆浴場	理容所	美容所	クリーニング所（取次所を除く。）	取次所
平成元年	4 970	77 269	12 228	144 522	185 452	53 980	101 806
2年	5 374	75 952	11 725	144 214	186 506	53 477	101 385
3年	5 837	74 889	11 234	143 524	187 277	52 315	101 705
4年	6 231	73 899	10 783	143 045	188 582	51 669	102 141
5年	6 633	73 033	10 388	142 619	189 975	51 229	104 839
6年	6 923	72 325	10 112	142 715	192 111	50 699	109 117
7年	7 174	71 556	9 741	142 544	193 918	49 954	111 907
8年	7 412	70 393	9 461	142 718	196 512	49 563	113 991
9年度	7 769	68 982	9 020	142 809	198 889	49 215	115 010
10年度	7 944	67 891	8 790	142 786	201 379	48 103	115 896
11年度	8 110	66 766	8 422	141 321	200 682	47 324	115 703
12年度	8 220	64 831	8 117	140 911	202 434	46 595	115 752
13年度	8 363	63 388	7 851	140 599	205 204	45 848	113 953
14年度	8 518	61 583	7 516	140 374	208 311	44 505	112 607
15年度	8 686	59 754	7 324	140 130	210 795	44 041	111 068
16年度	8 811	58 003	7 130	139 548	213 313	42 664	108 089
17年度	8 990	55 567	6 653	138 855	215 719	41 998	105 134
18年度	9 180	54 107	6 326	137 292	217 769	40 638	103 061
19年度	9 442	52 295	6 009	136 768	219 573	39 632	101 191
20年度	9 603	50 846	5 722	135 615	221 394	38 165	98 586
21年度	9 688	48 966	5 494	134 552	223 645	37 393	95 805
22年度[1]	9 710	46 906	5 449	130 755	223 277	35 330	90 825
23年度	9 863	46 196	5 189	131 687	228 429	34 767	87 386
24年度	9 796	44 744	4 804	130 210	231 134	33 106	83 274
25年度	9 809	43 363	4 542	128 127	234 089	32 005	79 773
26年度	9 879	41 899	4 293	126 546	237 525	30 371	76 341
27年度	9 967	40 661	4 078	124 584	240 299	29 423	72 888
28年度	10 101	39 489	3 900	122 539	243 360	27 847	69 929
29年度	10 402	38 622	3 729	120 965	247 578	26 992	67 110

注：平成８年までは、暦年の数値である。
1) 平成22年度は、東日本大震災の影響により、宮城県のうち仙台市以外の市町村、福島県の相双保健福祉事務所管轄内の市町村が含まれていない。

参考表３　主な許可を要する食品関係営業施設数，年次別

（単位：施設）　　　　　　　　　　　　　　　　　　　　　　　　　　　　各年（度）末現在

	飲食店営業	菓子(パンを含む。)製造業	魚介類販売業	喫茶店営業	乳類販売業	食肉販売業	そうざい製造業
平成元年	1 448 985	96 162	190 256	205 195	352 758	198 595	22 670
2年	1 445 144	95 278	186 968	212 275	345 982	194 374	22 890
3年	1 434 480	94 228	183 631	215 012	337 271	190 162	23 094
4年	1 432 076	94 130	181 410	219 496	332 311	186 986	23 319
5年	1 436 024	94 719	180 466	223 885	328 764	185 162	23 652
6年	1 448 361	96 184	179 455	229 277	326 126	183 422	24 086
7年	1 460 686	97 817	178 159	231 571	322 504	181 184	24 342
8年	1 480 669	100 412	177 467	239 282	321 723	179 810	24 602
9年度	1 475 160	102 513	173 192	240 152	315 863	174 403	24 641
10年度	1 485 701	104 400	171 478	245 868	314 431	171 734	24 982
11年度	1 502 891	106 717	171 040	252 134	315 833	170 922	25 646
12年度	1 544 720	109 119	170 755	263 940	318 665	169 766	26 220
13年度	1 546 154	109 904	167 020	267 671	313 720	165 101	26 631
14年度	1 537 720	111 780	162 838	271 536	304 720	159 919	26 986
15年度	1 526 198	114 556	159 674	275 202	296 997	155 791	27 715
16年度	1 506 751	119 221	157 233	282 853	290 471	152 317	28 445
17年度	1 503 459	122 460	156 709	289 088	289 644	150 397	29 363
18年度	1 496 480	125 454	155 011	293 402	285 378	148 324	30 222
19年度	1 479 218	128 178	152 308	291 587	282 056	144 981	31 228
20年度	1 457 371	132 451	149 089	292 889	276 516	141 571	32 220
21年度	1 446 479	140 133	147 714	285 967	270 016	140 065	33 506
22年度[1)]	1 419 489	143 221	142 939	270 933	258 603	135 973	34 054
23年度	1 424 504	148 686	145 509	263 925	258 802	137 814	36 081
24年度	1 424 792	153 184	146 617	249 670	255 028	139 223	37 067
25年度	1 425 737	157 073	147 416	238 510	250 836	140 627	37 778
26年度	1 422 809	159 443	147 918	228 720	245 588	141 871	38 325
27年度	1 424 920	161 066	147 691	220 138	238 274	141 996	38 878
28年度	1 420 492	162 418	147 662	209 604	230 480	143 328	39 202
29年度	1 420 182	167 972	148 556	201 385	223 662	144 484	39 859

注：平成８年までは、暦年の数値である。
　1）平成22年度は、東日本大震災の影響により、宮城県のうち仙台市以外の市町村、福島県の相双保健福祉事務所管轄内の市町村が含まれていない。

参考表４　年齢階級別人工妊娠中絶実施率（女子人口千対），年次別

各年（度）

	総数[1)]	20歳未満[2)]	20～24歳	25～29歳	30～34歳	35～39歳	40～44歳	45～49歳
平成元年	14.9	6.1	19.5	20.4	26.4	23.5	10.8	0.9
2年	14.5	6.6	19.8	19.7	25.4	22.7	10.3	0.8
3年	13.9	6.9	19.1	19.1	23.7	21.7	9.3	0.8
4年	13.2	6.8	18.6	17.7	22.3	20.6	8.8	0.9
5年	12.4	6.6	17.8	16.8	20.4	19.2	8.3	0.8
6年	11.8	6.4	17.1	15.8	18.6	18.1	8.0	0.8
7年	11.1	6.2	16.6	15.4	17.2	16.9	7.5	0.7
8年	10.9	7.0	16.8	14.5	16.7	16.1	7.3	0.6
9年	11.0	7.9	17.1	14.7	15.9	15.5	7.2	0.6
10年	11.0	9.1	17.7	14.5	14.9	14.7	6.8	0.6
11年	11.3	10.6	18.8	14.6	14.5	14.0	6.5	0.5
12年	11.7	12.1	20.5	15.4	14.5	13.2	6.2	0.5
13年	11.8	13.0	20.6	15.2	13.7	13.0	6.0	0.5
14年度	11.4	12.8	20.3	14.8	13.5	12.1	5.6	0.5
15年度	11.2	11.9	20.2	14.8	13.3	11.6	5.4	0.5
16年度	10.6	10.5	19.8	14.4	12.7	10.9	5.1	0.4
17年度	10.3	9.4	20.0	14.6	12.4	10.6	4.8	0.4
18年度	9.9	8.7	19.2	14.6	12.1	10.0	4.5	0.4
19年度	9.3	7.8	17.8	14.3	11.4	9.5	4.2	0.4
20年度	8.8	7.6	16.3	13.8	11.2	9.1	4.1	0.4
21年度	8.3	7.3	15.3	13.2	10.8	8.7	3.9	0.3
22年度[3)]	7.9	6.9	14.9	12.7	10.3	8.3	3.7	0.3
23年度	7.5	7.1	14.1	12.0	10.0	7.9	3.4	0.3
24年度	7.4	7.0	14.1	11.8	9.9	7.8	3.4	0.3
25年度	7.0	6.6	13.3	11.3	9.8	7.6	3.4	0.3
26年度	6.9	6.1	13.2	11.2	10.0	7.7	3.4	0.3
27年度	6.8	5.5	13.5	11.2	10.0	7.7	3.4	0.3
28年度	6.5	5.0	12.9	10.6	9.6	7.6	3.3	0.3
29年度	6.4	4.8	13.0	10.5	9.5	7.6	3.2	0.3

注：平成13年までは「母体保護統計報告」による暦年の数値であり、平成14年度以降は「衛生行政報告例」による年度の数値である。
　1）「総数」は、分母に15～49歳の女子人口を用い、分子に50歳以上の数値を除いた人工妊娠中絶件数を用いて計算した。
　2）「20歳未満」は、分母に15～19歳の女子人口を用い、分子に15歳未満を含めた人工妊娠中絶件数を用いて計算した。
　3）平成22年度は、東日本大震災の影響により、福島県の相双保健福祉事務所管轄内の市町村が含まれていない。

Ⅲ 統　　計　　表

表章記号の規約

計数のない場合	—
計数不明又は計数を表章することが不適当な場合	…
係数項目のあり得ない場合	・
比率が微小(0.05未満)の場合	0.0

第１表（４－１）　精神障害者申請・通報・届出及び移送の

	総						数		
	申請通報届出件数	調査により診察の必要がないと認めた者	診察を受けた者				移送を行った件数		
			１次診察のみ実施	２次診察実施			調査から１次診察場所まで	１次診察場所から２次診察場所まで	２次診察場所から病院まで
				法第29条該当症状の者	法第29条該当症状でなかった者				
					措置以外の入院	入院以外の処遇			
全国	**26 782**	**16 755**	**1 462**	**6 899**	**512**	**663**	**4 010**	**1 531**	**3 236**
北海道	1 823	1 739	13	64	2	4	4	1	8
青森	83	35	13	35	－	－	9	11	32
岩手	247	231	1	15	－	－	3	7	1
宮城	298	100	41	143	5	9	47	43	104
秋田	71	33	16	22	－	－	11	9	22
山形	167	57	21	81	2	5	18	29	30
福島	244	103	89	45	4	7	14	25	34
茨城	432	216	21	156	13	11	94	102	10
栃木	520	142	130	205	3	40	264	2	89
群馬	405	132	113	122	26	12	172	64	－
埼玉	1 193	346	158	556	46	77	760	615	376
千葉	2 175	1 719	9	375	14	41	1	14	155
東京	3 707	2 003	－	1 351	24	79	－	－	1 044
神奈川	2 147	765	－	1 030	136	193	939	65	38
新潟	336	212	31	87	1	6	27	37	78
富山	123	81	3	33	2	1	2	－	28
石川	130	68	3	55	－	4	32	21	46
福井	126	28	36	60	－	2	68	4	4
山梨	136	53	35	23	14	11	80	－	－
長野	437	160	67	185	18	7	120	89	23
岐阜	738	715	1	20	1	1	1	－	2
静岡	852	696	30	93	23	10	120	－	34
愛知	2 000	1 813	1	141	19	15	－	－	19
三重	291	71	61	98	－	－	217	20	－
滋賀	265	143	16	72	4	－	110	7	1
京都	532	279	121	68	14	11	81	－	52
大阪	1 016	572	61	380	3	－	147	－	247
兵庫	1 053	938	2	60	26	13	2	－	11
奈良	263	178	5	56	2	1	66	5	－
和歌山	200	165	16	14	4	1	21	12	2
鳥取	72	37	19	16	－	1	3	3	8
島根	168	54	21	82	1	9	17	75	3
岡山	373	246	61	55	10	1	102	35	3
広島	453	189	2	209	11	42	－	1	198
山口	158	68	35	49	5	1	28	39	27
徳島	258	239	－	16	－	3	－	－	10
香川	245	168	30	47	2	1	18	21	40
愛媛	322	305	1	15	1	－	8	12	1
高知	130	81	4	42	3	－	14	12	39
福岡	1 125	719	52	282	49	20	157	3	98
佐賀	123	65	16	41	1	1	－	－	39
長崎	193	91	3	89	5	5	5	8	80
熊本	304	190	12	80	13	9	35	19	58
大分	168	98	17	51	2	－	58	20	－
宮崎	216	95	57	58	3	3	39	8	31
鹿児島	178	153	3	20	－	2	9	11	17
沖縄	286	164	15	102	－	4	87	82	94
指定都市(再掲)									
札幌市	784	767	1	9	2	4	－	－	5
仙台市	115	65	－	48	1	1	－	1	48
さいたま市	333	139	21	140	9	14	166	152	－
千葉市	387	285	7	75	6	10	1	12	35
横浜市	881	344	－	443	38	56	318	－	4
川崎市	361	79	－	190	31	61	195	－	－
相模原市	126	61	－	34	5	7	65	65	34
新潟市	189	130	15	42	1	2	10	7	36
静岡市	137	103	－	29	4	1	30	－	－
浜松市	195	112	26	40	13	4	54	－	34
名古屋市	941	881	－	50	4	6	－	－	6
京都市	371	212	102	51	4	2	78	－	42
大阪市	511	336	18	157	－	－	134	－	116
堺市	240	204	13	23	－	－	13	－	16
神戸市	357	325	－	15	14	2	2	－	1
岡山市	193	130	34	26	3	－	55	19	1
広島市	243	125	－	91	－	27	－	－	91
北九州市	257	194	7	49	5	1	16	1	14
福岡市	384	237	2	99	29	15	5	－	39
熊本市	152	102	6	26	11	7	17	－	20

状況，申請通報届出経路・処理状況・都道府県－指定都市（再掲）別

平成29年度

一般からの申請								
申請通報届出件数	調査により診察の必要がないと認めた者	診察を受けた者				移送を行った件数		
		1次診察のみ実施	2次診察実施			調査から1次診察場所まで	1次診察場所から2次診察場所まで	2次診察場所から病院まで
			法第29条該当症状の者	法第29条該当症状でなかった者				
				措置以外の入院	入院以外の処遇			
294	**107**	**36**	**139**	**5**	**7**	**35**	**35**	**43**
11	2	–	8	1	–	–	–	–
2	–	–	2	–	–	1	–	–
–	–	–	–	–	–	–	–	–
6	2	1	1	–	2	–	–	1
–	–	–	–	–	–	–	–	–
27	1	1	23	1	1	2	8	4
2	–	1	1	–	1	1	1	1
5	3	–	2	–	–	1	2	1
2	1	–	1	–	–	–	–	1
–	–	–	–	–	–	–	–	–
5	4	–	1	–	–	1	1	1
1	1	–	–	–	–	–	–	–
1	1	–	–	–	–	–	–	–
6	5	–	2	–	–	–	–	2
5	6	–	–	–	–	–	–	–
7	1	–	5	–	–	–	–	2
4	–	–	4	–	–	1	3	3
13	1	6	6	–	–	7	–	1
–	–	–	–	–	–	–	–	–
4	–	1	3	–	–	1	–	2
4	3	–	1	–	–	–	–	–
19	17	–	1	1	–	1	–	–
15	9	–	6	–	–	–	–	4
2	–	1	1	–	–	1	–	–
7	2	1	3	1	–	4	–	–
–	–	–	–	–	–	–	–	–
4	3	–	1	–	–	–	–	–
6	6	–	–	–	–	–	–	–
4	4	–	–	–	–	–	–	–
1	1	–	–	–	–	–	–	–
23	6	6	11	–	–	1	–	5
29	2	6	21	–	–	7	13	1
–	–	–	–	–	–	–	–	–
6	2	–	4	–	–	–	–	1
1	–	–	1	–	–	–	1	1
2	1	–	1	–	–	–	–	1
4	2	2	–	–	–	–	–	–
–	–	–	–	–	–	–	–	–
2	1	–	1	–	–	–	1	–
5	4	–	–	–	–	–	–	–
4	–	–	3	–	1	–	–	3
7	5	–	2	–	–	–	–	2
6	4	–	1	–	1	–	–	1
5	1	2	2	–	–	1	1	–
19	–	6	12	1	–	2	–	–
12	4	2	5	–	1	3	4	2
6	2	–	3	–	–	–	–	3
3	–	–	2	1	–	–	–	–
–	–	–	–	–	–	–	–	–
–	–	–	–	–	–	–	–	–
–	–	–	–	–	–	–	–	–
5	4	–	2	–	–	–	–	2
–	–	–	–	–	–	–	–	–
–	–	–	–	–	–	–	–	–
5	6	–	–	–	–	–	–	–
1	1	–	–	–	–	–	–	–
1	–	–	–	1	–	–	–	–
5	4	–	1	–	–	–	–	1
–	–	–	–	–	–	–	–	–
2	2	–	–	–	–	–	–	–
–	–	–	–	–	–	–	–	–
2	2	–	–	–	–	–	–	–
–	–	–	–	–	–	–	–	–
1	–	–	1	–	–	–	–	1
1	–	–	–	–	–	–	–	–
2	2	–	–	–	–	–	–	–
5	4	–	–	–	1	–	–	–

（報告表　1）

第１表（４－２）　精神障害者申請・通報・届出及び移送の

	警察官からの通報								
	申請通報届出件数	調査により診察の必要がないと認めた者	診察を受けた者				移送を行った件数		
			1次診察のみ実施	2次診察実施			調査から1次診察場所まで	1次診察場所から2次診察場所まで	2次診察場所から病院まで
				法第29条該当症状の者	法第29条該当症状でなかった者				
					措置以外の入院	入院以外の処遇			
全国	**18 942**	**10 335**	**1 304**	**5 814**	**435**	**560**	**3 882**	**1 409**	**2 845**
北海道	1 320	1 265	8	44	1	－	4	1	2
青森	40	2	11	27	－	－	7	10	27
岩手	196	191	－	5	－	－	2	2	－
宮城	225	46	35	134	3	7	47	43	96
秋田	35	7	10	19	－	－	10	9	19
山形	77	3	16	52	1	4	16	21	23
福島	147	21	78	38	4	6	13	23	27
茨城	278	104	16	124	11	9	88	91	9
栃木	373	31	130	179	2	31	264	2	63
群馬	278	42	109	97	22	8	171	61	－
埼玉	889	113	152	504	43	67	756	612	375
千葉	1 868	1 506	9	295	11	31	1	14	154
東京	2 750	1 242	－	1 159	24	75	－	－	1 023
神奈川	1 789	475	－	983	122	189	936	63	32
新潟	144	40	23	74	1	6	26	36	73
富山	84	49	3	27	2	1	2	－	25
石川	55	14	3	36	－	2	30	18	29
福井	88	13	25	48	－	2	61	4	3
山梨	101	20	35	23	14	9	80	－	－
長野	321	73	62	162	17	7	116	88	19
岐阜	627	610	1	14	1	1	1	－	1
静岡	625	496	29	77	18	5	115	－	30
愛知	1 525	1 431	－	65	14	7	－	－	3
三重	232	23	57	91	－	－	207	20	－
滋賀	180	74	14	61	2	－	106	－	－
京都	252	31	107	50	10	8	81	－	34
大阪	671	267	51	351	2	－	147	－	219
兵庫	720	654	1	29	16	6	1	－	2
奈良	154	72	5	53	2	1	63	5	－
和歌山	144	113	15	12	4	－	20	9	2
鳥取	22	6	10	5	－	1	2	3	3
島根	77	1	15	54	1	6	10	58	2
岡山	216	104	56	46	9	1	97	34	3
広島	219	2	2	178	9	29	－	1	170
山口	80	2	31	42	4	1	26	37	22
徳島	216	202	－	12	－	2	－	－	7
香川	127	67	24	33	2	1	17	21	28
愛媛	225	213	－	11	1	－	8	10	1
高知	54	15	4	34	1	－	13	11	32
福岡	632	284	50	236	42	18	157	3	54
佐賀	62	14	16	32	－	－	－	－	30
長崎	120	30	3	79	4	4	5	8	70
熊本	189	86	12	72	12	7	35	19	52
大分	123	63	15	44	1	－	57	18	－
宮崎	147	53	50	39	2	3	37	8	24
鹿児島	100	86	1	12	－	1	6	7	12
沖縄	145	79	10	52	－	4	41	39	45
指定都市(再掲)									
札幌市	493	487	－	3	1	－	－	－	1
仙台市	80	35	－	44	－	1	－	1	44
さいたま市	272	90	20	129	9	14	165	150	－
千葉市	301	223	7	58	4	5	1	12	35
横浜市	719	210	－	420	33	55	318	－	－
川崎市	310	41	－	183	27	59	195	－	－
相模原市	102	39	－	32	5	7	63	63	32
新潟市	60	14	10	33	1	2	10	7	33
静岡市	83	53	－	26	4	－	30	－	－
浜松市	155	81	26	36	9	3	54	－	30
名古屋市	766	742	－	19	3	2	－	－	－
京都市	160	19	95	40	4	2	78	－	31
大阪市	300	145	12	143	－	－	134	－	102
堺市	126	92	13	21	－	－	13	－	14
神戸市	258	236	－	9	10	2	1	－	－
岡山市	123	66	31	23	3	－	55	19	1
広島市	93	－	－	76	－	17	－	－	76
北九州市	152	103	7	37	4	1	16	1	3
福岡市	237	113	2	81	25	14	5	－	22
熊本市	79	35	6	23	10	5	17	－	17

状況，申請通報届出経路・処理状況・都道府県－指定都市（再掲）別

平成29年度

検察官からの通報								
申請通報届出件数	調査により診察の必要がないと認めた者	診察を受けた者				移送を行った件数		
		1次診察のみ実施	2次診察実施			調査から1次診察場所まで	1次診察場所から2次診察場所まで	2次診察場所から病院まで
			法第29条該当症状の者	法第29条該当症状でなかった者				
				措置以外の入院	入院以外の処遇			
2 042	969	101	835	67	71	83	78	275
230	219	4	5	－	2	－	－	3
18	13	－	5	－	－	1	1	4
41	30	1	10	－	－	1	5	1
28	15	4	8	1	－	－	－	7
21	14	5	2	－	－	－	－	2
47	43	1	3	－	－	－	－	3
27	15	10	5	－	－	－	1	5
46	9	3	29	2	2	4	9	－
52	24	－	21	1	7	－	－	21
41	8	4	22	4	3	1	－	－
70	7	6	47	3	7	－	－	－
101	10	－	79	3	7	－	－	1
230	48	－	178	－	4	－	－	7
83	22	－	42	14	4	2	2	2
90	73	7	10	－	－	1	1	2
26	25	－	1	－	－	－	－	1
23	8	－	13	－	2	－	－	13
13	4	5	4	－	－	－	－	－
3	1	－	－	－	2	－	－	－
47	26	4	16	1	－	2	1	1
37	33	－	4	－	－	－	－	－
75	50	1	15	4	5	4	－	4
112	37	1	60	4	7	－	－	3
11	2	3	6	－	－	9	－	－
9	－	－	7	1	－	－	7	1
33	2	14	17	4	3	－	－	17
41	7	9	24	1	－	－	－	24
45	10	1	21	10	3	－	－	1
59	56	－	3	－	－	3	－	－
26	22	1	2	－	1	1	3	－
5	3	2	－	－	－	－	－	－
7	1	－	4	－	1	－	1	－
35	24	3	8	－	－	4	1	－
36	1	－	24	2	8	－	－	24
10	1	3	5	1	－	2	1	3
15	13	－	2	－	－	－	－	2
26	11	3	12	－	－	1	－	10
23	20	－	3	－	－	－	2	－
14	7	－	5	2	－	1	－	5
60	11	1	39	7	2	－	－	38
6	－	－	6	－	－	－	－	6
11	2	－	7	1	1	－	－	7
26	22	－	4	－	－	－	－	4
5	－	－	4	1	－	－	－	－
19	11	1	7	－	－	－	－	7
10	7	－	3	－	－	－	－	3
49	2	4	43	－	－	46	43	43
136	132	－	2	－	2	－	－	2
14	10	－	4	－	－	－	－	4
13	3	1	9	－	－	－	－	－
21	－	－	17	2	2	－	－	－
38	13	－	19	5	1	－	－	－
16	3	－	7	4	2	－	－	－
2	－	－	2	－	－	2	2	2
40	30	4	6	－	－	－	－	－
22	18	－	3	－	1	－	－	－
14	6	－	4	3	1	－	－	4
41	11	－	25	1	4	－	－	1
19	2	7	10	－	－	－	－	10
23	4	5	14	－	－	－	－	14
2	2	－	－	－	－	－	－	－
14	6	－	4	4	－	－	－	－
16	12	1	3	－	－	－	－	－
18	－	－	12	－	6	－	－	12
14	4	－	9	1	－	－	－	8
22	1	－	16	4	1	－	－	16
17	14	－	3	－	－	－	－	3

（報告表　1）

第１表（４－３） 精神障害者申請・通報・届出及び移送の

	保護観察所の長からの通報								
	申請通報届出件数	調査により診察の必要がないと認めた者	診察を受けた者				移送を行った件数		
			1次診察のみ実施	2次診察実施			調査から1次診察場所まで	1次診察場所から2次診察場所まで	2次診察場所から病院まで
				法第29条該当症状の者	法第29条該当症状でなかった者				
					措置以外の入院	入院以外の処遇			
全国	**23**	**19**	**1**	**2**	**-**	**1**	**1**	**1**	**1**
北海道	1	1	-	-	-	-	-	-	-
青森	-	-	-	-	-	-	-	-	-
岩手	-	-	-	-	-	-	-	-	-
宮城	-	-	-	-	-	-	-	-	-
秋田	-	-	-	-	-	-	-	-	-
山形	-	-	-	-	-	-	-	-	-
福島	-	-	-	-	-	-	-	-	-
茨城	1	-	1	-	-	-	1	-	-
栃木	1	-	-	1	-	-	-	-	1
群馬	-	-	-	-	-	-	-	-	-
埼玉	1	1	-	-	-	-	-	-	-
千葉	-	-	-	-	-	-	-	-	-
東京	-	-	-	-	-	-	-	-	-
神奈川	-	-	-	-	-	-	-	-	-
新潟	-	-	-	-	-	-	-	-	-
富山	-	-	-	-	-	-	-	-	-
石川	-	-	-	-	-	-	-	-	-
福井	1	1	-	-	-	-	-	-	-
山梨	-	-	-	-	-	-	-	-	-
長野	-	-	-	-	-	-	-	-	-
岐阜	-	-	-	-	-	-	-	-	-
静岡	-	-	-	-	-	-	-	-	-
愛知	-	-	-	-	-	-	-	-	-
三重	-	-	-	-	-	-	-	-	-
滋賀	1	-	-	1	-	-	-	-	-
京都	-	-	-	-	-	-	-	-	-
大阪	-	-	-	-	-	-	-	-	-
兵庫	-	-	-	-	-	-	-	-	-
奈良	1	1	-	-	-	-	-	-	-
和歌山	-	-	-	-	-	-	-	-	-
鳥取	-	-	-	-	-	-	-	-	-
島根	1	-	-	-	-	1	-	1	-
岡山	-	-	-	-	-	-	-	-	-
広島	-	-	-	-	-	-	-	-	-
山口	-	-	-	-	-	-	-	-	-
徳島	-	-	-	-	-	-	-	-	-
香川	-	-	-	-	-	-	-	-	-
愛媛	-	-	-	-	-	-	-	-	-
高知	-	-	-	-	-	-	-	-	-
福岡	-	-	-	-	-	-	-	-	-
佐賀	-	-	-	-	-	-	-	-	-
長崎	-	-	-	-	-	-	-	-	-
熊本	-	-	-	-	-	-	-	-	-
大分	-	-	-	-	-	-	-	-	-
宮崎	-	-	-	-	-	-	-	-	-
鹿児島	15	15	-	-	-	-	-	-	-
沖縄	-	-	-	-	-	-	-	-	-
指定都市(再掲)									
札幌市	-	-	-	-	-	-	-	-	-
仙台市	-	-	-	-	-	-	-	-	-
さいたま市	-	-	-	-	-	-	-	-	-
千葉市	-	-	-	-	-	-	-	-	-
横浜市	-	-	-	-	-	-	-	-	-
川崎市	-	-	-	-	-	-	-	-	-
相模原市	-	-	-	-	-	-	-	-	-
新潟市	-	-	-	-	-	-	-	-	-
静岡市	-	-	-	-	-	-	-	-	-
浜松市	-	-	-	-	-	-	-	-	-
名古屋市	-	-	-	-	-	-	-	-	-
京都市	-	-	-	-	-	-	-	-	-
大阪市	-	-	-	-	-	-	-	-	-
堺市	-	-	-	-	-	-	-	-	-
神戸市	-	-	-	-	-	-	-	-	-
岡山市	-	-	-	-	-	-	-	-	-
広島市	-	-	-	-	-	-	-	-	-
北九州市	-	-	-	-	-	-	-	-	-
福岡市	-	-	-	-	-	-	-	-	-
熊本市	-	-	-	-	-	-	-	-	-

状況，申請通報届出経路・処理状況・都道府県－指定都市（再掲）別

平成29年度

矯正施設の長からの通報								
申請通報届出件数	調査により診察の必要がないと認めた者	診察を受けた者				移送を行った件数		
		1次診察のみ実施	2次診察実施			調査から1次診察場所まで	1次診察場所から2次診察場所まで	2次診察場所から病院まで
			法第29条該当症状の者	法第29条該当症状でなかった者				
				措置以外の入院	入院以外の処遇			
5 449	**5 324**	**20**	**80**	**4**	**23**	**7**	**4**	**66**
260	252	1	6	−	2	−	−	3
23	20	2	1	−	−	−	−	1
10	10	−	−	−	−	−	−	−
38	37	1	−	−	−	−	−	−
15	12	1	1	−	−	1	−	1
13	10	3	−	−	−	−	−	−
67	66	−	1	−	−	−	−	1
102	100	1	1	−	−	−	−	−
91	86	−	2	−	2	−	−	2
86	82	−	3	−	1	−	3	−
226	221	−	2	−	3	2	−	−
203	202	−	−	−	2	−	−	−
726	712	−	14	−	−	−	−	14
269	263	−	3	−	−	1	−	2
97	93	1	3	−	−	−	−	3
6	6	−	−	−	−	−	−	−
48	46	−	2	−	−	1	−	1
9	9	−	−	−	−	−	−	−
32	32	−	−	−	−	−	−	−
62	61	−	1	−	−	1	−	−
70	69	−	1	−	−	−	−	1
133	133	−	−	−	−	−	−	−
347	336	−	9	1	1	−	−	9
46	46	−	−	−	−	−	−	−
68	67	1	−	−	−	−	−	−
247	246	−	1	−	−	−	−	1
300	295	1	4	−	−	−	−	4
280	268	−	8	−	4	−	−	8
45	45	−	−	−	−	−	−	−
29	29	−	−	−	−	−	−	−
22	22	1	−	−	−	−	−	−
51	50	−	−	−	1	−	−	−
122	118	2	1	1	−	1	−	−
190	184	−	1	−	5	−	−	1
67	65	1	1	−	−	−	−	1
24	23	−	−	−	1	−	−	−
87	88	1	1	−	−	−	−	1
73	72	1	−	−	−	−	−	−
60	58	−	2	−	−	−	−	2
426	420	1	5	−	−	−	−	5
51	51	−	−	1	−	−	−	−
55	54	−	1	−	−	−	−	1
81	78	−	1	1	1	−	−	1
35	34	−	1	−	−	−	1	−
31	31	−	−	−	−	−	−	−
41	41	−	−	−	−	−	−	−
85	81	1	3	−	−	−	−	3
152	148	1	2	−	2	−	−	2
20	20	−	−	−	−	−	−	−
46	46	−	−	−	−	−	−	−
64	62	−	−	−	2	−	−	−
119	117	−	2	−	−	−	−	2
35	35	−	−	−	−	−	−	−
22	22	−	−	−	−	−	−	−
84	80	1	3	−	−	−	−	3
31	31	−	−	−	−	−	−	−
25	25	−	−	−	−	−	−	−
128	124	−	4	−	−	−	−	4
192	191	−	1	−	−	−	−	1
186	185	1	−	−	−	−	−	−
112	110	−	2	−	−	−	−	2
82	81	−	1	−	−	−	−	1
54	52	2	−	−	−	−	−	−
130	125	−	1	−	4	−	−	1
89	87	−	2	−	−	−	−	2
122	121	−	1	−	−	−	−	1
51	49	−	−	1	1	−	−	−

（報告表　1）

第１表（４－４） 精神障害者申請・通報・届出及び移送の

	精神科病院の管理者からの届出								
	申請通報届出件数	調査により診察の必要がないと認めた者	診察を受けた者				移送を行った件数		
			1次診察のみ実施	2次診察実施			調査から1次診察場所まで	1次診察場所から2次診察場所まで	2次診察場所から病院まで
				法第29条該当症状の者	法第29条該当症状でなかった者				
					措置以外の入院	入院以外の処遇			
全国	**29**	**1**	**－**	**26**	**1**	**1**	**－**	**3**	**6**
北海道	1	－	－	1	－	－	－	－	－
青森	－	－	－	－	－	－	－	－	－
岩手	－	－	－	－	－	－	－	－	－
宮城	1	－	－	－	1	－	－	－	－
秋田	－	－	－	－	－	－	－	－	－
山形	3	－	－	3	－	－	－	－	－
福島	1	1	－	－	－	－	－	－	－
茨城	－	－	－	－	－	－	－	－	－
栃木	1	－	－	1	－	－	－	－	1
群馬	－	－	－	－	－	－	－	－	－
埼玉	1	－	－	1	－	－	－	1	－
千葉	2	－	－	1	－	1	－	－	－
東京	－	－	－	－	－	－	－	－	－
神奈川	－	－	－	－	－	－	－	－	－
新潟	－	－	－	－	－	－	－	－	－
富山	－	－	－	－	－	－	－	－	－
石川	－	－	－	－	－	－	－	－	－
福井	2	－	－	2	－	－	－	－	－
山梨	－	－	－	－	－	－	－	－	－
長野	2	－	－	2	－	－	－	－	1
岐阜	－	－	－	－	－	－	－	－	－
静岡	－	－	－	－	－	－	－	－	－
愛知	1	－	－	1	－	－	－	－	－
三重	－	－	－	－	－	－	－	－	－
滋賀	－	－	－	－	－	－	－	－	－
京都	－	－	－	－	－	－	－	－	－
大阪	－	－	－	－	－	－	－	－	－
兵庫	1	－	－	1	－	－	－	－	－
奈良	－	－	－	－	－	－	－	－	－
和歌山	－	－	－	－	－	－	－	－	－
鳥取	－	－	－	－	－	－	－	－	－
島根	3	－	－	3	－	－	－	2	－
岡山	－	－	－	－	－	－	－	－	－
広島	2	－	－	2	－	－	－	－	2
山口	－	－	－	－	－	－	－	－	－
徳島	1	－	－	1	－	－	－	－	－
香川	1	－	－	1	－	－	－	－	1
愛媛	1	－	－	1	－	－	－	－	－
高知	－	－	－	－	－	－	－	－	－
福岡	2	－	－	2	－	－	－	－	1
佐賀	－	－	－	－	－	－	－	－	－
長崎	－	－	－	－	－	－	－	－	－
熊本	2	－	－	2	－	－	－	－	－
大分	－	－	－	－	－	－	－	－	－
宮崎	－	－	－	－	－	－	－	－	－
鹿児島	－	－	－	－	－	－	－	－	－
沖縄	1	－	－	1	－	－	－	－	－
指定都市(再掲)									
札幌市	－	－	－	－	－	－	－	－	－
仙台市	1	－	－	－	1	－	－	－	－
さいたま市	1	－	－	1	－	－	－	1	－
千葉市	1	－	－	－	－	1	－	－	－
横浜市	－	－	－	－	－	－	－	－	－
川崎市	－	－	－	－	－	－	－	－	－
相模原市	－	－	－	－	－	－	－	－	－
新潟市	－	－	－	－	－	－	－	－	－
静岡市	－	－	－	－	－	－	－	－	－
浜松市	－	－	－	－	－	－	－	－	－
名古屋市	1	－	－	1	－	－	－	－	－
京都市	－	－	－	－	－	－	－	－	－
大阪市	－	－	－	－	－	－	－	－	－
堺市	－	－	－	－	－	－	－	－	－
神戸市	－	－	－	－	－	－	－	－	－
岡山市	－	－	－	－	－	－	－	－	－
広島市	1	－	－	1	－	－	－	－	1
北九州市	1	－	－	1	－	－	－	－	1
福岡市	1	－	－	1	－	－	－	－	－
熊本市	－	－	－	－	－	－	－	－	－

状況，申請通報届出経路・処理状況・都道府県－指定都市（再掲）別

平成29年度

心身喪失等の状態で重大な他害行為を行った者に係る通報								
申請通報届出件数	調査により診察の必要がないと認めた者	診察を受けた者				移送を行った件数		
		1次診察のみ実施	2次診察実施			調査から1次診察場所まで	1次診察場所から2次診察場所まで	2次診察場所から病院まで
			法第29条該当症状の者	法第29条該当症状でなかった者				
				措置以外の入院	入院以外の処遇			
3	-	-	3	-	-	2	1	-
-	-	-	-	-	-	-	-	-
-	-	-	-	-	-	-	-	-
-	-	-	-	-	-	-	-	-
-	-	-	-	-	-	-	-	-
-	-	-	-	-	-	-	-	-
-	-	-	-	-	-	-	-	-
-	-	-	-	-	-	-	-	-
-	-	-	-	-	-	-	-	-
-	-	-	-	-	-	-	-	-
-	-	-	-	-	-	-	-	-
1	-	-	1	-	-	1	1	-
-	-	-	-	-	-	-	-	-
-	-	-	-	-	-	-	-	-
-	-	-	-	-	-	-	-	-
-	-	-	-	-	-	-	-	-
-	-	-	-	-	-	-	-	-
-	-	-	-	-	-	-	-	-
-	-	-	-	-	-	-	-	-
-	-	-	-	-	-	-	-	-
1	-	-	1	-	-	-	-	-
-	-	-	-	-	-	-	-	-
-	-	-	-	-	-	-	-	-
-	-	-	-	-	-	-	-	-
-	-	-	-	-	-	-	-	-
-	-	-	-	-	-	-	-	-
-	-	-	-	-	-	-	-	-
-	-	-	-	-	-	-	-	-
1	-	-	1	-	-	1	-	-
-	-	-	-	-	-	-	-	-
-	-	-	-	-	-	-	-	-
-	-	-	-	-	-	-	-	-
-	-	-	-	-	-	-	-	-
-	-	-	-	-	-	-	-	-
-	-	-	-	-	-	-	-	-
-	-	-	-	-	-	-	-	-
-	-	-	-	-	-	-	-	-
-	-	-	-	-	-	-	-	-
-	-	-	-	-	-	-	-	-
-	-	-	-	-	-	-	-	-
-	-	-	-	-	-	-	-	-
-	-	-	-	-	-	-	-	-
-	-	-	-	-	-	-	-	-
-	-	-	-	-	-	-	-	-
-	-	-	-	-	-	-	-	-
-	-	-	-	-	-	-	-	-
-	-	-	-	-	-	-	-	-
-	-	-	-	-	-	-	-	-
-	-	-	-	-	-	-	-	-
1	-	-	1	-	-	1	1	-
-	-	-	-	-	-	-	-	-
-	-	-	-	-	-	-	-	-
-	-	-	-	-	-	-	-	-
-	-	-	-	-	-	-	-	-
-	-	-	-	-	-	-	-	-
-	-	-	-	-	-	-	-	-
-	-	-	-	-	-	-	-	-
-	-	-	-	-	-	-	-	-
-	-	-	-	-	-	-	-	-
-	-	-	-	-	-	-	-	-
-	-	-	-	-	-	-	-	-
1	-	-	1	-	-	1	-	-
-	-	-	-	-	-	-	-	-
-	-	-	-	-	-	-	-	-
-	-	-	-	-	-	-	-	-
-	-	-	-	-	-	-	-	-
-	-	-	-	-	-	-	-	-

（報告表　1）

第２表（３－１）　精神障害者措置入院・仮退院状況，

	措置患者				仮退院患者（「措置患者」の再掲）	
	前年度末患者数	本年度中新規患者数	本年度中解除患者数	本年度末患者数	前年度末患者数	本年度末患者数
全国	**1 473**	**7 017**	**7 046**	**1 444**	**16**	**27**
北海道	35	64	72	27	-	-
青森	13	35	36	12	1	-
岩手	9	15	15	9	-	-
宮城	19	143	135	27	-	-
秋田	9	22	29	2	-	-
山形	12	81	80	13	1	-
福島	19	45	46	18	-	-
茨城	47	141	147	41	-	1
栃木	74	203	216	61	-	-
群馬	18	125	116	27	-	-
埼玉	96	599	583	112	-	-
千葉	73	385	372	86	1	8
東京	197	1 352	1 365	184	11	2
神奈川	93	1 030	1 014	109	-	13
新潟	19	87	89	17	-	-
富山	20	36	38	18	-	-
石川	15	55	55	15	-	1
福井	4	60	58	6	-	-
山梨	5	23	24	4	-	-
長野	60	185	199	46	2	1
岐阜	5	22	18	9	-	-
静岡	33	119	120	32	-	-
愛知	66	145	149	62	-	-
三重	25	98	103	20	-	-
滋賀	8	71	71	8	-	-
京都	19	73	79	13	-	-
大阪	57	379	384	52	-	-
兵庫	15	70	72	13	-	-
奈良	5	56	57	4	-	-
和歌山	2	14	15	1	-	-
鳥取	5	16	15	6	-	-
島根	8	82	76	14	-	-
岡山	12	56	58	10	-	-
広島	66	215	205	76	-	-
山口	10	49	52	7	-	-
徳島	8	16	16	8	-	-
香川	14	47	38	23	-	-
愛媛	9	15	18	6	-	-
高知	10	46	46	10	-	-
福岡	83	295	290	88	-	-
佐賀	32	41	41	32	-	-
長崎	23	88	97	14	-	-
熊本	48	88	96	40	-	1
大分	17	51	50	18	-	-
宮崎	16	58	65	9	-	-
鹿児島	16	19	25	10	-	-
沖縄	24	102	101	25	-	-
指定都市(再掲)						
札幌市	5	9	10	4	-	-
仙台市	7	48	49	6	-	-
さいたま市	25	146	146	25	-	-
千葉市	15	80	82	13	-	8
横浜市	41	428	428	41	-	-
川崎市	10	190	181	19	-	-
相模原市	11	49	54	6	-	-
新潟市	3	42	35	10	-	-
静岡市	5	24	23	6	-	-
浜松市	3	40	36	7	-	-
名古屋市	23	52	52	23	-	-
京都市	10	51	52	9	-	-
大阪市	24	157	153	28	-	-
堺市	11	23	29	5	-	-
神戸市	3	15	14	4	-	-
岡山市	7	27	33	1	-	-
広島市	21	97	86	32	-	-
北九州市	17	62	64	15	-	-
福岡市	17	99	85	31	-	-
熊本市	28	34	42	20	-	-

措置患者の転帰状況

平成29年度

一般からの申請による措置患者						
前年度10月中の措置患者数	本年度10月1日までの症状消退届提出者数	症状消退届提出時の転帰状況				
		入院継続	通院医療	転医	死亡	その他
13	12	9	2	1	-	-
1	1	1	-	-	-	-
1	1	-	1	-	-	-
2	2	2	-	-	-	-
1	1	-	1	-	-	-
-	-	-	-	-	-	-
1	1	1	-	-	-	-
-	-	-	-	-	-	-
-	-	-	-	-	-	-
1	1	1	-	-	-	-
-	-	-	-	-	-	-
-	-	-	-	-	-	-
-	-	-	-	-	-	-
-	-	-	-	-	-	-
-	-	-	-	-	-	-
-	-	-	-	-	-	-
1	-	-	-	-	-	-
-	-	-	-	-	-	-
-	-	-	-	-	-	-
-	-	-	-	-	-	-
-	-	-	-	-	-	-
-	-	-	-	-	-	-
-	-	-	-	-	-	-
-	-	-	-	-	-	-
-	-	-	-	-	-	-
-	-	-	-	-	-	-
-	-	-	-	-	-	-
-	-	-	-	-	-	-
-	-	-	-	-	-	-
-	-	-	-	-	-	-
-	-	-	-	-	-	-
-	-	-	-	-	-	-
1	1	1	-	-	-	-
-	-	-	-	-	-	-
-	-	-	-	-	-	-
-	-	-	-	-	-	-
-	-	-	-	-	-	-
-	-	-	-	-	-	-
1	1	1	-	-	-	-
-	-	-	-	-	-	-
-	-	-	-	-	-	-
-	-	-	-	-	-	-
1	1	-	-	1	-	-
-	-	-	-	-	-	-
-	-	-	-	-	-	-
-	-	-	-	-	-	-
1	1	1	-	-	-	-
1	1	1	-	-	-	-
-	-	-	-	-	-	-
1	1	-	1	-	-	-
-	-	-	-	-	-	-
-	-	-	-	-	-	-
-	-	-	-	-	-	-
-	-	-	-	-	-	-
-	-	-	-	-	-	-
-	-	-	-	-	-	-
-	-	-	-	-	-	-
-	-	-	-	-	-	-
-	-	-	-	-	-	-
-	-	-	-	-	-	-
-	-	-	-	-	-	-
-	-	-	-	-	-	-
-	-	-	-	-	-	-
-	-	-	-	-	-	-
-	-	-	-	-	-	-
-	-	-	-	-	-	-
-	-	-	-	-	-	-
-	-	-	-	-	-	-

（報告表　2）

第２表（３－２） 精神障害者措置入院・仮退院状況，

措置患者の転帰状況

	警察官からの通報による措置患者						
	前年度10月中の措置患者数	本年度10月１日までの症状消退届提出者数	症状消退届提出時の転帰状況				
			入院継続	通院医療	転医	死亡	その他
全国	**564**	**541**	**391**	**92**	**47**	**–**	**11**
北海道	2	2	2	–	–	–	–
青森	7	7	5	1	1	–	–
岩手	8	6	5	1	–	–	–
宮城	9	9	7	1	–	–	1
秋田	1	1	1	–	–	–	–
山形	7	7	7	–	–	–	–
福島	4	4	4	–	–	–	–
茨城	17	12	9	2	1	–	–
栃木	14	14	12	2	–	–	–
群馬	7	7	5	2	–	–	–
埼玉	41	40	31	8	1	–	–
千葉	26	22	15	4	1	–	2
東京	121	121	75	13	31	–	2
神奈川	85	85	71	6	7	–	1
新潟	9	9	4	4	1	–	–
富山	9	2	2	–	–	–	–
石川	5	5	4	1	–	–	–
福井	4	4	2	2	–	–	–
山梨	3	3	2	1	–	–	–
長野	15	15	8	6	1	–	–
岐阜	2	2	2	–	–	–	–
静岡	18	16	13	2	1	–	–
愛知	4	4	4	–	–	–	–
三重	11	11	8	3	–	–	–
滋賀	4	4	4	–	–	–	–
京都	7	7	4	3	–	–	–
大阪	17	17	14	1	–	–	2
兵庫	3	3	2	1	–	–	–
奈良	5	5	3	2	–	–	–
和歌山	3	3	2	1	–	–	–
鳥取	1	1	1	–	–	–	–
島根	4	4	4	–	–	–	–
岡山	2	2	2	–	–	–	–
広島	24	22	14	8	–	–	–
山口	5	5	4	1	–	–	–
徳島	1	1	–	1	–	–	–
香川	5	5	4	1	–	–	–
愛媛	1	1	1	–	–	–	–
高知	–	–	–	–	–	–	–
福岡	20	20	15	4	–	–	1
佐賀	4	4	1	1	–	–	2
長崎	8	8	3	3	2	–	–
熊本	7	7	4	3	–	–	–
大分	5	5	5	–	–	–	–
宮崎	3	3	2	1	–	–	–
鹿児島	4	4	2	2	–	–	–
沖縄	2	2	2	–	–	–	–
指定都市（再掲）							
札幌市	–	–	–	–	–	–	–
仙台市	2	2	2	–	–	–	–
さいたま市	9	9	7	2	–	–	–
千葉市	7	7	3	2	–	–	2
横浜市	39	39	33	1	5	–	–
川崎市	23	23	19	4	–	–	–
相模原市	1	1	1	–	–	–	–
新潟市	4	4	1	3	–	–	–
静岡市	3	3	2	–	1	–	–
浜松市	7	7	6	1	–	–	–
名古屋市	1	1	1	–	–	–	–
京都市	6	6	3	3	–	–	–
大阪市	7	7	6	–	–	–	1
堺市	3	3	3	–	–	–	–
神戸市	3	3	2	1	–	–	–
岡山市	1	1	1	–	–	–	–
広島市	9	9	5	4	–	–	–
北九州市	–	–	–	–	–	–	–
福岡市	9	9	5	3	–	–	1
熊本市	2	2	1	1	–	–	–

都道府県－指定都市（再掲）別

平成29年度

検察官からの通報による措置患者						
前年度10月中の措置患者数	本年度10月1日までの症状消退届提出者数	症状消退届提出時の転帰状況				
		入院継続	通院医療	転医	死亡	その他
78	69	48	10	9	–	2
1	1	1	–	–	–	–
1	1	1	–	–	–	–
3	3	3	–	–	–	–
–	–	–	–	–	–	–
–	–	–	–	–	–	–
–	–	–	–	–	–	–
–	–	–	–	–	–	–
4	4	1	2	1	–	–
1	1	1	–	–	–	–
3	3	3	–	–	–	–
2	2	1	1	–	–	–
3	3	2	–	–	–	1
16	16	9	1	6	–	–
7	7	5	1	1	–	–
2	2	–	1	–	–	1
2	1	1	–	–	–	–
1	1	1	–	–	–	–
1	1	1	–	–	–	–
–	–	–	–	–	–	–
1	1	1	–	–	–	–
2	1	1	–	–	–	–
1	–	–	–	–	–	–
3	2	2	–	–	–	–
–	–	–	–	–	–	–
2	2	2	–	–	–	–
1	1	–	–	1	–	–
9	4	4	–	–	–	–
1	1	1	–	–	–	–
–	–	–	–	–	–	–
–	–	–	–	–	–	–
–	–	–	–	–	–	–
–	–	–	–	–	–	–
–	–	–	–	–	–	–
2	2	2	–	–	–	–
–	–	–	–	–	–	–
–	–	–	–	–	–	–
–	–	–	–	–	–	–
–	–	–	–	–	–	–
–	–	–	–	–	–	–
6	6	3	3	–	–	–
–	–	–	–	–	–	–
–	–	–	–	–	–	–
–	–	–	–	–	–	–
–	–	–	–	–	–	–
2	2	1	1	–	–	–
–	–	–	–	–	–	–
1	1	1	–	–	–	–
1	1	1	–	–	–	–
–	–	–	–	–	–	–
–	–	–	–	–	–	–
1	1	–	–	–	–	1
3	3	3	–	–	–	–
2	2	1	1	–	–	–
1	1	1	–	–	–	–
1	1	–	–	–	–	1
–	–	–	–	–	–	–
–	–	–	–	–	–	–
–	–	–	–	–	–	–
1	1	–	–	1	–	–
7	2	2	–	–	–	–
–	–	–	–	–	–	–
–	–	–	–	–	–	–
–	–	–	–	–	–	–
–	–	–	–	–	–	–
2	2	1	1	–	–	–
1	1	1	–	–	–	–
–	–	–	–	–	–	–

（報告表　2）

第２表（３－３）　精神障害者措置入院・仮退院状況，措置患者の転帰状況

	矯正施設の長からの通報による措置患者						
	前年度10月中の措置患者数	本年度10月１日までの症状消退届提出者数	症状消退届提出時の転帰状況				
			入院継続	通院医療	転医	死亡	その他
全国	**7**	**6**	**3**	**2**	**1**	**–**	**–**
北海道	–	–	–	–	–	–	–
青森	–	–	–	–	–	–	–
岩手	1	1	1	–	–	–	–
宮城	–	–	–	–	–	–	–
秋田	–	–	–	–	–	–	–
山形	–	–	–	–	–	–	–
福島	–	–	–	–	–	–	–
茨城	–	–	–	–	–	–	–
栃木	–	–	–	–	–	–	–
群馬	–	–	–	–	–	–	–
埼玉	1	1	–	–	1	–	–
千葉	–	–	–	–	–	–	–
東京	2	2	2	–	–	–	–
神奈川	–	–	–	–	–	–	–
新潟	–	–	–	–	–	–	–
富山	1	–	–	–	–	–	–
石川	–	–	–	–	–	–	–
福井	1	1	–	1	–	–	–
山梨	–	–	–	–	–	–	–
長野	–	–	–	–	–	–	–
岐阜	–	–	–	–	–	–	–
静岡	–	–	–	–	–	–	–
愛知	–	–	–	–	–	–	–
三重	–	–	–	–	–	–	–
滋賀	–	–	–	–	–	–	–
京都	–	–	–	–	–	–	–
大阪	–	–	–	–	–	–	–
兵庫	–	–	–	–	–	–	–
奈良	–	–	–	–	–	–	–
和歌山	–	–	–	–	–	–	–
鳥取	–	–	–	–	–	–	–
島根	–	–	–	–	–	–	–
岡山	1	1	–	1	–	–	–
広島	–	–	–	–	–	–	–
山口	–	–	–	–	–	–	–
徳島	–	–	–	–	–	–	–
香川	–	–	–	–	–	–	–
愛媛	–	–	–	–	–	–	–
高知	–	–	–	–	–	–	–
福岡	–	–	–	–	–	–	–
佐賀	–	–	–	–	–	–	–
長崎	–	–	–	–	–	–	–
熊本	–	–	–	–	–	–	–
大分	–	–	–	–	–	–	–
宮崎	–	–	–	–	–	–	–
鹿児島	–	–	–	–	–	–	–
沖縄	–	–	–	–	–	–	–
指定都市（再掲）							
札幌市	–	–	–	–	–	–	–
仙台市	–	–	–	–	–	–	–
さいたま市	1	1	–	–	1	–	–
千葉市	–	–	–	–	–	–	–
横浜市	–	–	–	–	–	–	–
川崎市	–	–	–	–	–	–	–
相模原市	–	–	–	–	–	–	–
新潟市	–	–	–	–	–	–	–
静岡市	–	–	–	–	–	–	–
浜松市	–	–	–	–	–	–	–
名古屋市	–	–	–	–	–	–	–
京都市	–	–	–	–	–	–	–
大阪市	–	–	–	–	–	–	–
堺市	–	–	–	–	–	–	–
神戸市	–	–	–	–	–	–	–
岡山市	–	–	–	–	–	–	–
広島市	–	–	–	–	–	–	–
北九州市	–	–	–	–	–	–	–
福岡市	–	–	–	–	–	–	–
熊本市	–	–	–	–	–	–	–

緊急措置入院状況

平成29年度

診察を受けた者	緊急措置入院の必要なしと診察された者	緊急措置入院の必要ありと診察された者のその後の処遇		
		措置入院	措置入院以外の入院	入院以外の処遇
3 698	1 038	2 164	299	197
42	3	34	5	－
1	－	1	－	－
－	－	－	－	－
2	－	2	－	－
－	－	－	－	－
14	1	11	1	1
－	－	－	－	－
70	18	40	7	5
264	130	121	－	13
163	74	51	26	12
69	17	41	7	4
136	25	97	8	6
1 143	249	819	23	52
222	55	128	28	11
－	－	－	－	－
2	1	1	－	－
－	－	－	－	－
37	7	25	2	3
69	35	19	10	5
108	41	46	16	5
12	1	11	－	－
82	25	41	10	6
81	8	56	13	4
125	50	44	14	17
108	30	61	14	3
136	94	15	18	9
285	52	189	28	16
50	15	22	10	3
69	21	42	3	3
6	－	2	4	－
4	－	1	2	1
8	2	6	－	－
5	－	3	2	－
5	2	3	－	－
－	－	－	－	－
1	－	1	－	－
－	－	－	－	－
2	－	2	－	－
－	－	－	－	－
273	63	172	30	8
1	－	1	－	－
2	－	2	－	－
27	6	11	7	3
43	13	23	7	－
24	－	14	4	6
1	－	1	－	－
6	－	5	－	1
6	－	3	3	－
－	－	－	－	－
10	3	6	1	－
33	5	24	3	1
90	22	53	9	6
95	31	44	16	4
20	1	15	3	1
－	－	－	－	－
28	2	21	4	1
54	23	20	6	5
18	2	13	3	－
78	53	9	13	3
134	24	97	7	6
13	4	7	2	－
16	3	8	5	－
2	－	1	1	－
－	－	－	－	－
45	7	30	5	3
97	23	60	11	3
22	6	8	5	3

（報告表　2）

第３表（２－１） 医療保護入院・応急入院及び

	医療保					
	指定医の診察に基づく同意者					
	配偶者	親権者	扶養義務者	後見人	保佐人	市区町村長
全国	**39 906**	**8 221**	**126 771**	**2 240**	**623**	**7 540**
北海道	1 952	502	6 113	97	24	212
青森	509	344	2 088	18	7	65
岩手	320	103	1 194	19	－	27
宮城	700	125	2 532	26	13	113
秋田	481	33	1 825	14	6	71
山形	559	255	1 956	42	10	93
福島	581	109	2 090	28	9	85
茨城	723	151	2 417	17	4	99
栃木	505	186	1 453	17	4	92
群馬	614	110	1 929	29	18	113
埼玉	2 514	442	7 347	144	27	463
千葉	1 560	228	4 894	102	20	350
東京	3 886	912	12 102	316	85	1 194
神奈川	2 512	455	7 325	149	32	531
新潟	833	170	2 833	48	20	71
富山	421	41	1 476	26	5	68
石川	689	77	1 990	33	11	77
福井	361	43	1 249	16	8	51
山梨	296	73	1 006	18	4	51
長野	570	125	1 854	20	5	73
岐阜	564	70	1 630	12	7	64
静岡	853	208	2 770	37	19	138
愛知	1 804	255	4 806	64	9	338
三重	587	97	1 794	16	7	136
滋賀	360	156	865	19	4	22
京都	750	55	2 424	66	16	153
大阪	2 857	397	8 781	187	56	986
兵庫	1 748	256	5 606	115	34	314
奈良	473	48	1 609	24	9	67
和歌山	184	22	683	13	3	44
鳥取	299	12	871	19	3	21
島根	334	36	4	24	8	61
岡山	672	151	2 447	60	38	88
広島	842	347	2 459	46	12	75
山口	526	54	1 767	31	3	76
徳島	260	43	889	12	4	35
香川	174	52	592	4	1	25
愛媛	434	47	1 354	15	2	78
高知	297	36	1 161	22	4	62
福岡	2 058	423	6 574	96	38	372
佐賀	383	449	928	17	4	47
長崎	352	40	1 258	7	－	48
熊本	859	230	3 118	57	13	157
大分	370	37	1 199	14	1	68
宮崎	248	82	976	13	2	25
鹿児島	524	54	1 860	32	9	43
沖縄	508	80	2 673	39	5	98
指定都市(再掲)						
札幌市	889	101	2 889	41	17	89
仙台市	382	64	1 290	16	6	67
さいたま市	276	27	707	15	1	29
千葉市	270	44	857	11	4	71
横浜市	1 113	313	3 034	65	15	244
川崎市	356	45	1 081	15	6	91
相模原市	146	11	320	15	4	20
新潟市	329	46	993	14	7	32
静岡市	157	75	568	7	4	26
浜松市	213	83	727	15	5	36
名古屋市	591	117	1 685	20	1	168
京都市	223	15	731	20	7	42
大阪市	176	29	467	7	6	34
堺市	552	171	1 755	26	15	210
神戸市	572	105	1 882	38	6	130
岡山市	440	149	1 517	43	17	60
広島市	502	99	1 501	29	9	37
北九州市	420	33	1 258	19	9	103
福岡市	488	79	1 276	13	4	50
熊本市	426	183	1 511	31	10	78

移送による入院届出状況，都道府県－指定都市（再掲）別

平成29年度

護	入	院					応急入院	
特定医師の診察に基づく同意者						退院届出数	指定医の診察に基づく応急入院	特定医師の診察に基づく応急入院
配偶者	親権者	扶養義務者	後見人	保佐人	市区町村長			
71	**39**	**238**	**1**	**－**	**4**	**182 400**	**3 183**	**41**
5	8	5	－	－	3	8 652	181	1
－	2	－	－	－	－	2 913	1	－
－	－	2	－	－	－	1 492	18	－
－	－	－	－	－	－	3 138	－	－
－	－	－	－	－	－	2 387	2	－
4	1	10	－	－	－	2 828	61	－
－	－	－	－	－	－	2 882	29	－
1	－	－	－	－	－	3 504	10	－
－	－	－	－	－	－	2 285	－	－
－	－	－	－	－	－	2 556	12	－
－	－	－	－	－	－	10 877	58	－
6	－	15	－	－	－	6 835	43	－
－	2	7	－	－	－	18 390	207	1
－	－	－	－	－	－	10 997	30	－
－	－	3	1	－	－	4 068	6	－
－	－	－	－	－	－	1 996	10	－
7	1	10	－	－	－	2 863	41	1
2	－	2	－	－	－	1 736	49	－
1	－	1	－	－	－	1 428	10	－
－	3	3	－	－	－	2 518	37	－
－	－	8	－	－	－	2 302	86	－
1	－	5	－	－	－	3 855	77	－
2	6	20	－	－	－	7 189	250	2
－	－	－	－	－	－	2 574	55	27
1	3	1	－	－	－	1 384	31	－
－	－	1	－	－	－	3 491	95	－
4	－	17	－	－	－	13 218	661	2
2	－	11	－	－	－	7 978	331	2
1	3	2	－	－	－	2 196	104	2
－	－	4	－	－	－	646	9	－
2	1	2	－	－	－	1 204	10	－
1	－	－	－	－	－	1 383	4	－
1	－	6	－	－	－	3 474	84	－
11	2	22	－	－	1	3 678	28	1
2	－	1	－	－	－	2 477	7	－
2	－	13	－	－	－	1 191	72	－
4	2	9	－	－	－	811	43	－
－	－	－	－	－	－	1 981	9	－
－	－	－	－	－	－	1 551	14	－
4	3	22	－	－	－	9 372	218	1
－	－	－	－	－	－	1 737	－	－
－	－	－	－	－	－	1 026	1	－
1	1	12	－	－	－	4 393	97	1
－	－	－	－	－	－	1 717	3	－
2	－	4	－	－	－	1 392	24	－
－	－	－	－	－	－	2 514	8	－
4	1	20	－	－	－	3 321	57	－
－	－	－	－	－	－	3 916	139	－
－	－	－	－	－	－	1 536	－	－
－	－	－	－	－	－	1 021	1	－
－	－	－	－	－	－	1 252	16	－
－	－	－	－	－	－	4 808	14	－
－	－	－	－	－	－	1 582	－	－
－	－	－	－	－	－	545	7	－
－	－	3	－	－	－	1 490	3	－
－	－	－	－	－	－	874	24	－
1	－	4	－	－	－	1 051	18	－
2	6	15	－	－	－	2 539	101	2
－	－	1	－	－	－	1 062	6	－
－	－	－	－	－	－	643	80	－
－	－	1	－	－	－	2 728	172	－
1	－	1	－	－	－	2 735	161	－
1	－	6	－	－	－	2 292	82	－
5	1	19	－	－	－	2 094	20	－
－	－	6	－	－	－	1 734	56	1
－	－	－	－	－	－	1 928	32	－
1	1	11	－	－	－	2 222	58	1

（報告表　3）

第３表（２－２）　医療保護入院・応急入院及び

	移送による入院（「医療					
	医療保					
	指定医の診察に基づく同意者					
	配偶者	親権者	扶養義務者	後見人	保佐人	市区町村長
全国	**13**	**1**	**69**	**－**	**－**	**6**
北海道	－	－	1	－	－	－
青森	－	－	－	－	－	－
岩手	－	－	－	－	－	－
宮城	－	－	1	－	－	－
秋田	－	－	－	－	－	－
山形	1	－	11	－	－	1
福島	7	－	22	－	－	1
茨城	－	－	－	－	－	－
栃木	－	－	－	－	－	－
群馬	－	－	－	－	－	－
埼玉	－	－	－	－	－	－
千葉	1	－	1	－	－	－
東京	－	－	－	－	－	－
神奈川	－	－	－	－	－	－
新潟	－	－	－	－	－	－
富山	－	－	－	－	－	－
石川	－	－	－	－	－	－
福井	－	－	－	－	－	－
山梨	－	－	－	－	－	－
長野	－	－	－	－	－	－
岐阜	－	－	－	－	－	－
静岡	－	－	－	－	－	－
愛知	－	－	－	－	－	－
三重	－	－	－	－	－	－
滋賀	－	－	1	－	－	－
京都	3	1	18	－	－	3
大阪	－	－	2	－	－	1
兵庫	－	－	－	－	－	－
奈良	－	－	8	－	－	－
和歌山	－	－	－	－	－	－
鳥取	－	－	－	－	－	－
島根	－	－	－	－	－	－
岡山	－	－	1	－	－	－
広島	－	－	－	－	－	－
山口	1	－	1	－	－	－
徳島	－	－	－	－	－	－
香川	－	－	－	－	－	－
愛媛	－	－	－	－	－	－
高知	－	－	－	－	－	－
福岡	－	－	－	－	－	－
佐賀	－	－	－	－	－	－
長崎	－	－	－	－	－	－
熊本	－	－	－	－	－	－
大分	－	－	－	－	－	－
宮崎	－	－	1	－	－	－
鹿児島	－	－	1	－	－	－
沖縄	－	－	－	－	－	－
指定都市（再掲）						
札幌市	－	－	－	－	－	－
仙台市	－	－	1	－	－	－
さいたま市	－	－	－	－	－	－
千葉市	1	－	1	－	－	－
横浜市	－	－	－	－	－	－
川崎市	－	－	－	－	－	－
相模原市	－	－	－	－	－	－
新潟市	－	－	－	－	－	－
静岡市	－	－	－	－	－	－
浜松市	－	－	－	－	－	－
名古屋市	－	－	－	－	－	－
京都市	－	－	6	－	－	1
大阪市	－	－	－	－	－	－
堺市	－	－	2	－	－	－
神戸市	－	－	－	－	－	－
岡山市	－	－	1	－	－	－
広島市	－	－	－	－	－	－
北九州市	－	－	－	－	－	－
福岡市	－	－	－	－	－	－
熊本市	－	－	－	－	－	－

移送による入院届出状況，都道府県－指定都市（再掲）別

平成29年度

保護入院」「応急入院」の再掲）							
護入院						応急入院	
特定医師の診察に基づく同意者						指定医の診察に基づく応急入院	特定医師の診察に基づく応急入院
配偶者	親権者	扶養義務者	後見人	保佐人	市区町村長		
-	-	-	-	-	-	10	-
-	-	-	-	-	-	-	-
-	-	-	-	-	-	-	-
-	-	-	-	-	-	-	-
-	-	-	-	-	-	-	-
-	-	-	-	-	-	-	-
-	-	-	-	-	-	1	-
-	-	-	-	-	-	2	-
-	-	-	-	-	-	-	-
-	-	-	-	-	-	-	-
-	-	-	-	-	-	-	-
-	-	-	-	-	-	-	-
-	-	-	-	-	-	-	-
-	-	-	-	-	-	-	-
-	-	-	-	-	-	4	-
-	-	-	-	-	-	-	-
-	-	-	-	-	-	-	-
-	-	-	-	-	-	-	-
-	-	-	-	-	-	-	-
-	-	-	-	-	-	-	-
-	-	-	-	-	-	1	-
-	-	-	-	-	-	-	-
-	-	-	-	-	-	-	-
-	-	-	-	-	-	-	-
-	-	-	-	-	-	-	-
-	-	-	-	-	-	-	-
-	-	-	-	-	-	-	-
-	-	-	-	-	-	-	-
-	-	-	-	-	-	-	-
-	-	-	-	-	-	-	-
-	-	-	-	-	-	-	-
-	-	-	-	-	-	-	-
-	-	-	-	-	-	1	-
-	-	-	-	-	-	1	-
-	-	-	-	-	-	-	-
-	-	-	-	-	-	-	-
-	-	-	-	-	-	-	-
-	-	-	-	-	-	-	-
-	-	-	-	-	-	-	-
-	-	-	-	-	-	-	-
-	-	-	-	-	-	-	-
-	-	-	-	-	-	-	-
-	-	-	-	-	-	-	-
-	-	-	-	-	-	-	-
-	-	-	-	-	-	-	-
-	-	-	-	-	-	-	-
-	-	-	-	-	-	-	-
-	-	-	-	-	-	-	-
-	-	-	-	-	-	-	-
-	-	-	-	-	-	-	-
-	-	-	-	-	-	-	-
-	-	-	-	-	-	-	-
-	-	-	-	-	-	-	-
-	-	-	-	-	-	-	-
-	-	-	-	-	-	2	-
-	-	-	-	-	-	-	-
-	-	-	-	-	-	-	-
-	-	-	-	-	-	-	-
-	-	-	-	-	-	-	-
-	-	-	-	-	-	-	-
-	-	-	-	-	-	-	-
-	-	-	-	-	-	-	-
-	-	-	-	-	-	-	-
-	-	-	-	-	-	1	-
-	-	-	-	-	-	-	-
-	-	-	-	-	-	-	-
-	-	-	-	-	-	-	-
-	-	-	-	-	-	-	-

（報告表　3）

第４表（11－１）　精神医療審査会の審査状況（定期の

定期の報告等

	総数					医療保護入院時の届出					
	審査件数	審査結果件数			審査中	審査件数	審査結果件数			審査中	審査件数
		現在の入院形態が適当	他の入院形態への移行が適当	入院継続不要			現在の入院形態が適当	他の入院形態への移行が適当	入院継続不要		
全国	**276 810**	**276 855**	**12**	**18**	**1 099**	**190 222**	**190 123**	**8**	**18**	**757**	**-**
北海道	13 029	13 051	-	-	67	9 085	9 090	-	-	52	-
青森	4 318	4 318	-	-	-	3 088	3 088	-	-	-	-
岩手	1 835	1 832	3	-	-	1 377	1 377	-	-	-	-
宮城	5 379	5 382	-	-	4	3 505	3 507	-	-	4	-
秋田	3 678	3 679	-	-	-	2 434	2 434	-	-	-	-
山形	3 788	3 784	-	-	12	2 835	2 830	-	-	11	-
福島	4 541	4 540	-	-	1	2 902	2 901	-	-	1	-
茨城	5 256	5 256	-	-	-	3 412	3 412	-	-	-	-
栃木	3 954	3 954	-	-	-	2 259	2 259	-	-	-	-
群馬	4 390	4 440	-	-	41	2 813	2 841	-	-	24	-
埼玉	17 002	16 976	-	-	26	11 377	11 362	-	-	15	-
千葉	11 584	11 581	1	8	125	7 272	7 248	1	8	73	-
東京	25 453	25 452	-	1	-	20 721	20 720	-	1	-	-
神奈川	15 648	15 621	1	8	60	11 046	11 022	1	8	43	-
新潟	6 738	6 718	-	-	35	3 969	3 952	-	-	20	-
富山	3 383	3 383	-	-	-	2 037	2 037	-	-	-	-
石川	4 119	4 119	-	-	-	2 877	2 877	-	-	-	-
福井	2 323	2 323	-	-	-	1 728	1 728	-	-	-	-
山梨	2 139	2 139	-	-	-	1 497	1 497	-	-	-	-
長野	3 738	3 738	-	-	-	2 653	2 653	-	-	-	-
岐阜	3 465	3 466	1	-	-	2 348	2 348	1	-	-	-
静岡	5 533	5 522	-	-	145	4 018	4 020	-	-	95	-
愛知	9 890	9 897	-	-	69	7 322	7 329	-	-	56	-
三重	4 091	4 091	-	-	-	2 636	2 636	-	-	-	-
滋賀	2 173	2 185	-	-	36	1 449	1 453	-	-	32	-
京都	4 931	4 943	-	-	43	3 464	3 452	-	-	23	-
大阪	18 833	18 827	-	-	7	13 418	13 412	-	-	7	-
兵庫	11 020	11 017	-	-	67	8 075	8 070	-	-	53	-
奈良	3 074	3 074	-	-	-	2 230	2 230	-	-	-	-
和歌山	1 382	1 388	-	-	1	952	952	-	-	1	-
鳥取	1 897	1 896	-	-	1	1 235	1 235	-	-	-	-
島根	1 979	1 978	-	-	1	1 163	1 163	-	-	-	-
岡山	5 393	5 426	-	-	63	3 650	3 667	-	-	42	-
広島	7 137	7 147	-	-	9	4 611	4 613	-	-	9	-
山口	4 466	4 465	-	-	42	2 457	2 443	-	-	36	-
徳島	1 574	1 574	-	-	-	1 238	1 238	-	-	-	-
香川	1 181	1 170	-	-	28	820	813	-	-	17	-
愛媛	2 888	2 893	-	-	44	1 934	1 927	-	-	31	-
高知	2 634	2 634	-	-	-	1 582	1 582	-	-	-	-
福岡	14 230	14 238	-	-	19	9 640	9 640	-	-	11	-
佐賀	3 275	3 277	-	-	10	1 966	1 965	-	-	9	-
長崎	2 753	2 748	2	-	61	1 705	1 684	1	-	38	-
熊本	6 681	6 681	-	-	-	4 438	4 438	-	-	-	-
大分	3 202	3 201	-	1	-	1 689	1 688	-	1	-	-
宮崎	1 924	1 920	-	-	17	1 346	1 341	-	-	15	-
鹿児島	4 223	4 232	4	-	45	2 524	2 527	4	-	29	-
沖縄	4 686	4 679	-	-	20	3 425	3 422	-	-	10	-
指定都市(再掲)											
札幌市	5 710	5 714	-	-	4	3 886	3 890	-	-	3	-
仙台市	2 851	2 851	-	-	-	1 825	1 825	-	-	-	-
さいたま市	1 642	1 642	-	-	-	1 199	1 199	-	-	-	-
千葉市	1 622	1 611	1	8	16	1 240	1 227	1	8	12	-
横浜市	6 435	6 435	-	-	-	4 784	4 784	-	-	-	-
川崎市	2 369	2 370	-	-	6	1 714	1 713	-	-	5	-
相模原市	756	737	1	-	28	553	541	1	-	18	-
新潟市	2 764	2 758	-	-	12	1 415	1 410	-	-	8	-
静岡市	1 066	1 058	-	-	35	881	875	-	-	27	-
浜松市	1 481	1 455	-	-	51	1 080	1 061	-	-	36	-
名古屋市	3 564	3 571	-	-	9	2 554	2 559	-	-	8	-
京都市	1 837	1 849	-	-	43	1 038	1 026	-	-	23	-
大阪市	888	883	-	-	6	866	861	-	-	6	-
堺市	3 581	3 580	-	-	1	2 727	2 726	-	-	1	-
神戸市	3 509	3 516	-	-	38	2 764	2 769	-	-	32	-
岡山市	3 245	3 275	-	-	43	2 335	2 348	-	-	30	-
広島市	3 025	3 025	-	-	-	2 178	2 178	-	-	-	-
北九州市	2 527	2 527	-	-	-	1 848	1 848	-	-	-	-
福岡市	2 931	2 939	-	-	19	1 991	1 991	-	-	11	-
熊本市	2 988	2 988	-	-	-	2 243	2 243	-	-	-	-

報告等・退院等の請求），都道府県－指定都市（再掲）別

平成29年度

入院中の定期報告等													
任意入院				医療保護入院					措置入院				
審査結果件数			審査中	審査件数	審査結果件数			審査中	審査件数	審査結果件数			審査中
現在の入院形態が適当	他の入院形態への移行が適当	入院継続不要			現在の入院形態が適当	他の入院形態への移行が適当	入院継続不要			現在の入院形態が適当	他の入院形態への移行が適当	入院継続不要	
－	－	－	－	**84 840**	**84 977**	**－**	**－**	**331**	**1 748**	**1 755**	**4**	**－**	**11**
－	－	－	－	3 898	3 913	－	－	15	46	48	－	－	－
－	－	－	－	1 210	1 210	－	－	－	20	20	－	－	－
－	－	－	－	447	447	－	－	－	11	8	3	－	－
－	－	－	－	1 852	1 853	－	－	－	22	22	－	－	－
－	－	－	－	1 234	1 235	－	－	－	10	10	－	－	－
－	－	－	－	941	942	－	－	1	12	12	－	－	－
－	－	－	－	1 623	1 623	－	－	－	16	16	－	－	－
－	－	－	－	1 755	1 755	－	－	－	89	89	－	－	－
－	－	－	－	1 561	1 561	－	－	－	134	134	－	－	－
－	－	－	－	1 560	1 582	－	－	17	17	17	－	－	－
－	－	－	－	5 555	5 545	－	－	10	70	69	－	－	1
－	－	－	－	4 219	4 236	－	－	52	93	97	－	－	－
－	－	－	－	4 613	4 613	－	－	－	119	119	－	－	－
－	－	－	－	4 568	4 564	－	－	17	34	35	－	－	－
－	－	－	－	2 756	2 753	－	－	15	13	13	－	－	－
－	－	－	－	1 313	1 313	－	－	－	33	33	－	－	－
－	－	－	－	1 214	1 214	－	－	－	28	28	－	－	－
－	－	－	－	592	592	－	－	－	3	3	－	－	－
－	－	－	－	637	637	－	－	－	5	5	－	－	－
－	－	－	－	999	999	－	－	－	86	86	－	－	－
－	－	－	－	1 102	1 103	－	－	－	15	15	－	－	－
－	－	－	－	1 472	1 460	－	－	49	43	42	－	－	1
－	－	－	－	2 462	2 462	－	－	13	106	106	－	－	－
－	－	－	－	1 409	1 409	－	－	－	46	46	－	－	－
－	－	－	－	712	718	－	－	3	12	14	－	－	1
－	－	－	－	1 446	1 470	－	－	20	21	21	－	－	－
－	－	－	－	5 375	5 375	－	－	－	40	40	－	－	－
－	－	－	－	2 912	2 914	－	－	14	33	33	－	－	－
－	－	－	－	840	840	－	－	－	4	4	－	－	－
－	－	－	－	428	433	－	－	－	2	3	－	－	－
－	－	－	－	655	655	－	－	－	7	6	－	－	1
－	－	－	－	801	800	－	－	1	15	15	－	－	－
－	－	－	－	1 723	1 739	－	－	21	20	20	－	－	－
－	－	－	－	2 427	2 432	－	－	－	99	102	－	－	－
－	－	－	－	2 002	2 015	－	－	6	7	7	－	－	－
－	－	－	－	321	321	－	－	－	15	15	－	－	－
－	－	－	－	335	331	－	－	10	26	26	－	－	1
－	－	－	－	941	952	－	－	13	13	14	－	－	－
－	－	－	－	1 026	1 026	－	－	－	26	26	－	－	－
－	－	－	－	4 471	4 480	－	－	5	119	118	－	－	3
－	－	－	－	1 257	1 260	－	－	－	52	52	－	－	1
－	－	－	－	1 026	1 044	－	－	21	22	20	1	－	2
－	－	－	－	2 175	2 175	－	－	－	68	68	－	－	－
－	－	－	－	1 499	1 499	－	－	－	14	14	－	－	－
－	－	－	－	565	566	－	－	2	13	13	－	－	－
－	－	－	－	1 679	1 684	－	－	16	20	21	－	－	－
－	－	－	－	1 232	1 227	－	－	10	29	30	－	－	－
－	－	－	－	1 815	1 815	－	－	1	9	9	－	－	－
－	－	－	－	1 018	1 018	－	－	－	8	8	－	－	－
－	－	－	－	427	427	－	－	－	16	16	－	－	－
－	－	－	－	369	369	－	－	4	13	15	－	－	－
－	－	－	－	1 640	1 640	－	－	－	11	11	－	－	－
－	－	－	－	655	657	－	－	1	－	－	－	－	－
－	－	－	－	201	194	－	－	10	2	2	－	－	－
－	－	－	－	1 347	1 346	－	－	4	2	2	－	－	－
－	－	－	－	175	174	－	－	7	10	9	－	－	1
－	－	－	－	395	388	－	－	15	6	6	－	－	－
－	－	－	－	977	979	－	－	1	33	33	－	－	－
－	－	－	－	786	810	－	－	20	13	13	－	－	－
－	－	－	－	1	1	－	－	－	21	21	－	－	－
－	－	－	－	847	847	－	－	－	7	7	－	－	－
－	－	－	－	739	741	－	－	6	6	6	－	－	－
－	－	－	－	902	919	－	－	13	8	8	－	－	－
－	－	－	－	813	813	－	－	－	34	34	－	－	－
－	－	－	－	655	655	－	－	－	24	24	－	－	－
－	－	－	－	909	918	－	－	5	31	30	－	－	3
－	－	－	－	709	709	－	－	－	36	36	－	－	－

（報告表　4）

第４表（11－２） 精神医療審査会の審査状況（定期の

退院等の請求（退院の請求）

	総											
	請求件数		請						求			
			本人		代理人		配偶者		親権者		扶養義務者	
	1回	2回以上	1回	2回以上	1回	2回以上	1回	2回以上	1回	2回以上	1回	2回以上
全国	**3 033**	**702**	**2 777**	**649**	**210**	**34**	**10**	**4**	**6**	**–**	**30**	**15**
北海道	69	3	51	2	17	1	1	–	–	–	–	–
青森	11	29	11	29	–	–	–	–	–	–	–	–
岩手	20	–	20	–	–	–	–	–	–	–	–	–
宮城	38	6	38	6	–	–	–	–	–	–	–	–
秋田	16	5	16	5	–	–	–	–	–	–	–	–
山形	30	5	27	5	1	–	1	–	–	–	1	–
福島	28	4	28	4	–	–	–	–	–	–	–	–
茨城	16	1	16	1	–	–	–	–	–	–	–	–
栃木	14	–	14	–	–	–	–	–	–	–	–	–
群馬	34	3	34	3	–	–	–	–	–	–	–	–
埼玉	169	32	166	32	2	–	1	–	–	–	–	–
千葉	189	50	187	50	–	–	1	–	–	–	1	–
東京	169	21	160	20	7	1	1	–	–	–	1	–
神奈川	349	31	346	28	1	2	–	–	–	–	2	1
新潟	64	22	62	22	–	–	–	–	–	–	2	–
富山	7	–	7	–	–	–	–	–	–	–	–	–
石川	29	2	27	2	1	–	–	–	1	–	–	–
福井	14	–	13	–	–	–	–	–	–	–	1	–
山梨	25	–	25	–	–	–	–	–	–	–	–	–
長野	66	33	61	29	–	–	2	4	–	–	3	–
岐阜	23	4	20	4	–	–	–	–	–	–	3	–
静岡	85	4	82	4	–	–	–	–	1	–	2	–
愛知	112	22	99	19	11	3	–	–	1	–	1	–
三重	32	2	32	2	–	–	–	–	–	–	–	–
滋賀	42	–	36	–	5	–	–	–	–	–	1	–
京都	93	24	84	22	7	2	–	–	–	–	2	–
大阪	275	82	256	69	15	2	–	–	–	–	4	11
兵庫	83	5	76	5	5	–	–	–	2	–	–	–
奈良	61	10	57	10	4	–	–	–	–	–	–	–
和歌山	7	–	7	–	–	–	–	–	–	–	–	–
鳥取	8	1	7	1	–	–	–	–	–	–	1	–
島根	16	1	16	1	–	–	–	–	–	–	–	–
岡山	107	22	105	22	–	–	–	–	–	–	2	–
広島	44	2	33	2	11	–	–	–	–	–	–	–
山口	52	30	52	30	–	–	–	–	–	–	–	–
徳島	21	5	21	5	–	–	–	–	–	–	–	–
香川	27	16	27	16	–	–	–	–	–	–	–	–
愛媛	19	5	19	5	–	–	–	–	–	–	–	–
高知	43	15	40	15	1	–	1	–	1	–	–	–
福岡	219	66	129	57	89	9	–	–	–	–	1	–
佐賀	20	13	17	12	2	1	1	–	–	–	–	–
長崎	41	9	38	9	3	–	–	–	–	–	–	–
熊本	40	13	34	12	6	1	–	–	–	–	–	–
大分	20	11	18	11	2	–	–	–	–	–	–	–
宮崎	48	18	38	18	10	–	–	–	–	–	–	–
鹿児島	81	49	71	36	9	10	–	–	–	–	1	3
沖縄	57	26	54	24	1	2	1	–	–	–	1	–
指定都市(再掲)												
札幌市	26	1	14	1	12	–	–	–	–	–	–	–
仙台市	17	5	17	5	–	–	–	–	–	–	–	–
さいたま市	30	1	28	1	1	–	1	–	–	–	–	–
千葉市	28	3	28	3	–	–	–	–	–	–	–	–
横浜市	165	15	164	15	1	–	–	–	–	–	–	–
川崎市	34	–	33	–	–	–	–	–	–	–	1	–
相模原市	30	3	30	2	–	1	–	–	–	–	–	–
新潟市	35	19	33	19	–	–	–	–	–	–	2	–
静岡市	29	3	29	3	–	–	–	–	–	–	–	–
浜松市	27	1	25	1	–	–	–	–	1	–	1	–
名古屋市	46	8	40	5	4	3	–	–	1	–	1	–
京都市	36	7	32	7	2	–	–	–	–	–	2	–
大阪市	23	–	22	–	1	–	–	–	–	–	–	–
堺市	34	4	33	4	–	–	–	–	–	–	1	–
神戸市	23	–	19	–	2	–	–	–	2	–	–	–
岡山市	80	19	80	19	–	–	–	–	–	–	–	–
広島市	27	1	25	1	2	–	–	–	–	–	–	–
北九州市	33	2	18	2	15	–	–	–	–	–	–	–
福岡市	43	4	21	1	22	3	–	–	–	–	–	–
熊本市	24	10	18	9	6	1	–	–	–	–	–	–

報告等・退院等の請求），都道府県－指定都市（再掲）別

平成29年度

数												
者						審査件数	審査結果件数		審査結果等要旨の通知時期			審査中
後見人		保佐人		市区町村長			入院又は処遇は適当	入院又は処遇は不適当	1月以内	1月超	その他	
1回	2回以上	1回	2回以上	1回	2回以上							
－	－	－	－	－	－	**2 796**	**2 484**	**132**	**1 324**	**1 179**	**204**	**166**
－	－	－	－	－	－	65	44	4	9	38	7	4
－	－	－	－	－	－	32	32	－	15	17	－	－
－	－	－	－	－	－	14	16	－	7	9	－	1
－	－	－	－	－	－	41	40	－	15	25	－	4
－	－	－	－	－	－	22	23	－	18	5	6	1
－	－	－	－	－	－	35	24	－	12	12	10	3
－	－	－	－	－	－	30	29	1	7	22	12	－
－	－	－	－	－	－	17	17	－	13	4	－	－
－	－	－	－	－	－	11	13	1	1	13	－	－
－	－	－	－	－	－	25	27	－	16	11	－	3
－	－	－	－	－	－	132	124	6	61	69	56	10
－	－	－	－	－	－	149	124	4	32	93	－	14
－	－	－	－	－	－	123	108	15	－	－	－	－
－	－	－	－	－	－	200	195	3	67	131	75	13
－	－	－	－	－	－	55	52	－	31	24	－	9
－	－	－	－	－	－	4	4	－	2	2	－	－
－	－	－	－	－	－	31	31	－	13	18	－	－
－	－	－	－	－	－	8	5	1	3	3	1	1
－	－	－	－	－	－	13	13	－	4	9	－	－
－	－	－	－	－	－	70	69	1	45	25	－	－
－	－	－	－	－	－	27	25	1	22	4	1	－
－	－	－	－	－	－	80	69	3	49	22	10	6
－	－	－	－	－	－	131	114	4	45	73	17	9
－	－	－	－	－	－	34	33	1	17	17	－	－
－	－	－	－	－	－	27	19	8	11	16	－	－
－	－	－	－	－	－	88	65	2	50	17	－	－
－	－	－	－	－	－	235	179	26	101	124	－	28
－	－	－	－	－	－	61	57	4	37	24	－	－
－	－	－	－	－	－	51	45	2	43	4	－	8
－	－	－	－	－	－	7	7	－	6	1	－	－
－	－	－	－	－	－	9	8	－	2	6	－	1
－	－	－	－	－	－	15	15	－	9	6	－	－
－	－	－	－	－	－	96	91	6	90	7	－	－
－	－	－	－	－	－	34	34	－	17	17	－	－
－	－	－	－	－	－	70	63	1	31	33	－	9
－	－	－	－	－	－	24	24	－	21	3	－	－
－	－	－	－	－	－	38	32	2	21	13	5	8
－	－	－	－	－	－	20	21	－	13	8	4	3
－	－	－	－	－	－	34	32	－	1	30	－	3
－	－	－	－	－	－	238	216	22	136	102	－	3
－	－	－	－	－	－	17	17	－	16	1	－	－
－	－	－	－	－	－	42	40	2	33	9	－	－
－	－	－	－	－	－	53	52	2	35	19	－	1
－	－	－	－	－	－	31	37	1	15	13	－	1
－	－	－	－	－	－	63	48	3	39	12	－	3
－	－	－	－	－	－	130	92	5	35	62	－	12
－	－	－	－	－	－	64	59	1	58	6	－	8
－	－	－	－	－	－	20	18	－	7	10	7	3
－	－	－	－	－	－	22	22	－	11	11	－	－
－	－	－	－	－	－	18	18	3	13	8	－	1
－	－	－	－	－	－	31	17	2	5	12	－	4
－	－	－	－	－	－	93	92	1	29	64	－	－
－	－	－	－	－	－	23	22	1	18	5	－	1
－	－	－	－	－	－	23	22	1	16	7	－	1
－	－	－	－	－	－	33	30	－	22	11	－	5
－	－	－	－	－	－	31	25	－	13	11	－	2
－	－	－	－	－	－	26	21	2	15	8	4	4
－	－	－	－	－	－	51	34	2	5	31	17	4
－	－	－	－	－	－	43	22	－	20	2	－	－
－	－	－	－	－	－	10	6	4	1	9	－	－
－	－	－	－	－	－	38	17	5	9	13	－	3
－	－	－	－	－	－	16	16	－	13	3	－	－
－	－	－	－	－	－	73	67	6	67	6	－	－
－	－	－	－	－	－	20	20	－	16	4	－	－
－	－	－	－	－	－	28	27	1	14	14	－	－
－	－	－	－	－	－	39	32	7	29	10	－	3
－	－	－	－	－	－	34	35	1	25	11	－	－

（報告表 4）

第４表（11－３） 精神医療審査会の審査状況（定期の

退院等の請求（退院の請求）

	任											意
	請求件数		請									求
			本人		代理人		配偶者		親権者		扶養義務者	
	1回	2回以上	1回	2回以上	1回	2回以上	1回	2回以上	1回	2回以上	1回	2回以上
全国	**17**	**1**	**15**	**1**	**2**	**–**	**–**	**–**	**–**	**–**	**–**	**–**
北海道	1	–	1	–	–	–	–	–	–	–	–	–
青森	–	–	–	–	–	–	–	–	–	–	–	–
岩手	–	–	–	–	–	–	–	–	–	–	–	–
宮城	–	–	–	–	–	–	–	–	–	–	–	–
秋田	–	–	–	–	–	–	–	–	–	–	–	–
山形	–	–	–	–	–	–	–	–	–	–	–	–
福島	–	–	–	–	–	–	–	–	–	–	–	–
茨城	–	–	–	–	–	–	–	–	–	–	–	–
栃木	–	–	–	–	–	–	–	–	–	–	–	–
群馬	–	–	–	–	–	–	–	–	–	–	–	–
埼玉	–	–	–	–	–	–	–	–	–	–	–	–
千葉	5	–	5	–	–	–	–	–	–	–	–	–
東京	–	–	–	–	–	–	–	–	–	–	–	–
神奈川	1	–	1	–	–	–	–	–	–	–	–	–
新潟	–	–	–	–	–	–	–	–	–	–	–	–
富山	–	–	–	–	–	–	–	–	–	–	–	–
石川	–	–	–	–	–	–	–	–	–	–	–	–
福井	–	–	–	–	–	–	–	–	–	–	–	–
山梨	–	–	–	–	–	–	–	–	–	–	–	–
長野	–	1	–	1	–	–	–	–	–	–	–	–
岐阜	–	–	–	–	–	–	–	–	–	–	–	–
静岡	–	–	–	–	–	–	–	–	–	–	–	–
愛知	–	–	–	–	–	–	–	–	–	–	–	–
三重	–	–	–	–	–	–	–	–	–	–	–	–
滋賀	–	–	–	–	–	–	–	–	–	–	–	–
京都	–	–	–	–	–	–	–	–	–	–	–	–
大阪	2	–	2	–	–	–	–	–	–	–	–	–
兵庫	1	–	1	–	–	–	–	–	–	–	–	–
奈良	–	–	–	–	–	–	–	–	–	–	–	–
和歌山	–	–	–	–	–	–	–	–	–	–	–	–
鳥取	–	–	–	–	–	–	–	–	–	–	–	–
島根	–	–	–	–	–	–	–	–	–	–	–	–
岡山	1	–	1	–	–	–	–	–	–	–	–	–
広島	–	–	–	–	–	–	–	–	–	–	–	–
山口	–	–	–	–	–	–	–	–	–	–	–	–
徳島	–	–	–	–	–	–	–	–	–	–	–	–
香川	–	–	–	–	–	–	–	–	–	–	–	–
愛媛	–	–	–	–	–	–	–	–	–	–	–	–
高知	–	–	–	–	–	–	–	–	–	–	–	–
福岡	5	–	4	–	1	–	–	–	–	–	–	–
佐賀	–	–	–	–	–	–	–	–	–	–	–	–
長崎	–	–	–	–	–	–	–	–	–	–	–	–
熊本	–	–	–	–	–	–	–	–	–	–	–	–
大分	–	–	–	–	–	–	–	–	–	–	–	–
宮崎	1	–	–	–	1	–	–	–	–	–	–	–
鹿児島	–	–	–	–	–	–	–	–	–	–	–	–
沖縄	–	–	–	–	–	–	–	–	–	–	–	–
指定都市（再掲）												
札幌市	1	–	1	–	–	–	–	–	–	–	–	–
仙台市	–	–	–	–	–	–	–	–	–	–	–	–
さいたま市	–	–	–	–	–	–	–	–	–	–	–	–
千葉市	–	–	–	–	–	–	–	–	–	–	–	–
横浜市	–	–	–	–	–	–	–	–	–	–	–	–
川崎市	–	–	–	–	–	–	–	–	–	–	–	–
相模原市	–	–	–	–	–	–	–	–	–	–	–	–
新潟市	–	–	–	–	–	–	–	–	–	–	–	–
静岡市	–	–	–	–	–	–	–	–	–	–	–	–
浜松市	–	–	–	–	–	–	–	–	–	–	–	–
名古屋市	–	–	–	–	–	–	–	–	–	–	–	–
京都市	–	–	–	–	–	–	–	–	–	–	–	–
大阪市	–	–	–	–	–	–	–	–	–	–	–	–
堺市	–	–	–	–	–	–	–	–	–	–	–	–
神戸市	–	–	–	–	–	–	–	–	–	–	–	–
岡山市	1	–	1	–	–	–	–	–	–	–	–	–
広島市	–	–	–	–	–	–	–	–	–	–	–	–
北九州市	2	–	2	–	–	–	–	–	–	–	–	–
福岡市	–	–	–	–	–	–	–	–	–	–	–	–
熊本市	–	–	–	–	–	–	–	–	–	–	–	–

報告等・退院等の請求），都道府県－指定都市（再掲）別

平成29年度

入院者												
者						審査件数	審査結果件数		審査結果等要旨の通知時期			審査中
後見人		保佐人		市区町村長			入院又は処遇は適当	入院又は処遇は不適当	1月以内	1月超	その他	
1回	2回以上	1回	2回以上	1回	2回以上							
－	－	－	－	－	－	2	－	1	1	－	1	－
－	－	－	－	－	－	－	－	－	－	－	－	－
－	－	－	－	－	－	－	－	－	－	－	－	－
－	－	－	－	－	－	－	－	－	－	－	－	－
－	－	－	－	－	－	－	－	－	－	－	－	－
－	－	－	－	－	－	－	－	－	－	－	－	－
－	－	－	－	－	－	－	－	－	－	－	－	－
－	－	－	－	－	－	－	－	－	－	－	－	－
－	－	－	－	－	－	－	－	－	－	－	－	－
－	－	－	－	－	－	－	－	－	－	－	－	－
－	－	－	－	－	－	－	－	－	－	－	－	－
－	－	－	－	－	－	－	－	－	－	－	－	－
－	－	－	－	－	－	－	－	－	－	－	－	－
－	－	－	－	－	－	－	－	－	－	－	－	－
－	－	－	－	－	－	－	－	－	－	－	1	－
－	－	－	－	－	－	－	－	－	－	－	－	－
－	－	－	－	－	－	－	－	－	－	－	－	－
－	－	－	－	－	－	－	－	－	－	－	－	－
－	－	－	－	－	－	－	－	－	－	－	－	－
－	－	－	－	－	－	－	－	－	－	－	－	－
－	－	－	－	－	－	－	－	－	－	－	－	－
－	－	－	－	－	－	－	－	－	－	－	－	－
－	－	－	－	－	－	－	－	－	－	－	－	－
－	－	－	－	－	－	－	－	－	－	－	－	－
－	－	－	－	－	－	－	－	－	－	－	－	－
－	－	－	－	－	－	－	－	－	－	－	－	－
－	－	－	－	－	－	－	－	－	－	－	－	－
－	－	－	－	－	－	1	－	1	1	－	－	－
－	－	－	－	－	－	－	－	－	－	－	－	－
－	－	－	－	－	－	－	－	－	－	－	－	－
－	－	－	－	－	－	－	－	－	－	－	－	－
－	－	－	－	－	－	－	－	－	－	－	－	－
－	－	－	－	－	－	－	－	－	－	－	－	－
－	－	－	－	－	－	－	－	－	－	－	－	－
－	－	－	－	－	－	－	－	－	－	－	－	－
－	－	－	－	－	－	－	－	－	－	－	－	－
－	－	－	－	－	－	－	－	－	－	－	－	－
－	－	－	－	－	－	－	－	－	－	－	－	－
－	－	－	－	－	－	－	－	－	－	－	－	－
－	－	－	－	－	－	－	－	－	－	－	－	－
－	－	－	－	－	－	－	－	－	－	－	－	－
－	－	－	－	－	－	－	－	－	－	－	－	－
－	－	－	－	－	－	－	－	－	－	－	－	－
－	－	－	－	－	－	－	－	－	－	－	－	－
－	－	－	－	－	－	1	－	－	－	－	－	－
－	－	－	－	－	－	－	－	－	－	－	－	－
－	－	－	－	－	－	－	－	－	－	－	－	－
－	－	－	－	－	－	－	－	－	－	－	－	－
－	－	－	－	－	－	－	－	－	－	－	－	－
－	－	－	－	－	－	－	－	－	－	－	－	－
－	－	－	－	－	－	－	－	－	－	－	－	－
－	－	－	－	－	－	－	－	－	－	－	－	－
－	－	－	－	－	－	－	－	－	－	－	－	－
－	－	－	－	－	－	－	－	－	－	－	－	－
－	－	－	－	－	－	－	－	－	－	－	－	－
－	－	－	－	－	－	－	－	－	－	－	－	－
－	－	－	－	－	－	－	－	－	－	－	－	－
－	－	－	－	－	－	－	－	－	－	－	－	－
－	－	－	－	－	－	－	－	－	－	－	－	－
－	－	－	－	－	－	－	－	－	－	－	－	－
－	－	－	－	－	－	－	－	－	－	－	－	－
－	－	－	－	－	－	－	－	－	－	－	－	－
－	－	－	－	－	－	－	－	－	－	－	－	－
－	－	－	－	－	－	－	－	－	－	－	－	－
－	－	－	－	－	－	－	－	－	－	－	－	－
－	－	－	－	－	－	－	－	－	－	－	－	－
－	－	－	－	－	－	－	－	－	－	－	－	－

（報告表　4）

第４表（11－４）　精神医療審査会の審査状況（定期の

退院等の請求（退院の請求）

	医療保											
	請求件数		請求									
			本人		代理人		配偶者		親権者		扶養義務者	
	1回	2回以上	1回	2回以上	1回	2回以上	1回	2回以上	1回	2回以上	1回	2回以上
全国	**2 447**	**593**	**2 242**	**555**	**178**	**31**	**6**	**4**	**3**	**－**	**18**	**3**
北海道	63	3	45	2	17	1	1	－	－	－	－	－
青森	9	7	9	7	－	－	－	－	－	－	－	－
岩手	15	－	15	－	－	－	－	－	－	－	－	－
宮城	28	6	28	6	－	－	－	－	－	－	－	－
秋田	16	5	16	5	－	－	－	－	－	－	－	－
山形	25	5	24	5	1	－	－	－	－	－	－	－
福島	23	4	23	4	－	－	－	－	－	－	－	－
茨城	9	－	9	－	－	－	－	－	－	－	－	－
栃木	11	－	11	－	－	－	－	－	－	－	－	－
群馬	21	2	21	2	－	－	－	－	－	－	－	－
埼玉	127	31	124	31	2	－	1	－	－	－	－	－
千葉	143	48	142	48	－	－	－	－	－	－	1	－
東京	135	18	128	17	5	1	1	－	－	－	1	－
神奈川	238	30	237	28	1	2	－	－	－	－	－	－
新潟	55	22	53	22	－	－	－	－	－	－	2	－
富山	6	－	6	－	－	－	－	－	－	－	－	－
石川	25	1	24	1	1	－	－	－	－	－	－	－
福井	11	－	11	－	－	－	－	－	－	－	－	－
山梨	24	－	24	－	－	－	－	－	－	－	－	－
長野	47	21	44	17	－	－	1	4	－	－	2	－
岐阜	21	4	19	4	－	－	－	－	－	－	2	－
静岡	68	4	68	4	－	－	－	－	－	－	－	－
愛知	92	15	80	12	10	3	－	－	1	－	1	－
三重	26	2	26	2	－	－	－	－	－	－	－	－
滋賀	33	－	31	－	2	－	－	－	－	－	－	－
京都	72	19	65	17	6	2	－	－	－	－	1	－
大阪	249	70	231	68	14	2	－	－	－	－	4	－
兵庫	78	5	71	5	5	－	－	－	2	－	－	－
奈良	52	10	49	10	3	－	－	－	－	－	－	－
和歌山	5	－	5	－	－	－	－	－	－	－	－	－
鳥取	8	1	7	1	－	－	－	－	－	－	1	－
島根	13	1	13	1	－	－	－	－	－	－	－	－
岡山	94	18	93	18	－	－	－	－	－	－	1	－
広島	39	1	29	1	10	－	－	－	－	－	－	－
山口	48	26	48	26	－	－	－	－	－	－	－	－
徳島	20	5	20	5	－	－	－	－	－	－	－	－
香川	22	16	22	16	－	－	－	－	－	－	－	－
愛媛	18	2	18	2	－	－	－	－	－	－	－	－
高知	30	7	29	7	1	－	－	－	－	－	－	－
福岡	175	56	102	49	72	7	－	－	－	－	1	－
佐賀	16	13	15	12	－	1	1	－	－	－	－	－
長崎	27	8	24	8	3	－	－	－	－	－	－	－
熊本	31	8	26	7	5	1	－	－	－	－	－	－
大分	18	10	16	10	2	－	－	－	－	－	－	－
宮崎	41	16	33	16	8	－	－	－	－	－	－	－
鹿児島	78	47	69	35	9	9	－	－	－	－	－	3
沖縄	42	26	39	24	1	2	1	－	－	－	1	－
指定都市（再掲）												
札幌市	25	1	13	1	12	－	－	－	－	－	－	－
仙台市	13	5	13	5	－	－	－	－	－	－	－	－
さいたま市	23	1	21	1	1	－	1	－	－	－	－	－
千葉市	23	3	23	3	－	－	－	－	－	－	－	－
横浜市	124	15	123	15	1	－	－	－	－	－	－	－
川崎市	15	－	15	－	－	－	－	－	－	－	－	－
相模原市	19	3	19	2	－	1	－	－	－	－	－	－
新潟市	30	19	28	19	－	－	－	－	－	－	2	－
静岡市	25	3	25	3	－	－	－	－	－	－	－	－
浜松市	21	1	21	1	－	－	－	－	－	－	－	－
名古屋市	38	7	32	4	4	3	－	－	1	－	1	－
京都市	21	2	19	2	1	－	－	－	－	－	1	－
大阪市	9	－	9	－	－	－	－	－	－	－	－	－
堺市	32	3	31	3	－	－	－	－	－	－	1	－
神戸市	22	－	18	－	2	－	－	－	2	－	－	－
岡山市	73	17	73	17	－	－	－	－	－	－	－	－
広島市	24	－	22	－	2	－	－	－	－	－	－	－
北九州市	27	2	14	2	13	－	－	－	－	－	－	－
福岡市	26	4	11	1	15	3	－	－	－	－	－	－
熊本市	20	6	15	5	5	1	－	－	－	－	－	－

報告等・退院等の請求），都道府県－指定都市（再掲）別

平成29年度

護入院者												
者						審査件数	審査結果件数		審査結果等要旨の通知時期			審査中
後見人		保佐人		市区町村長			入院又は処遇は適当	入院又は処遇は不適当	1月以内	1月超	その他	
1回	2回以上	1回	2回以上	1回	2回以上							
－	**－**	**－**	**－**	**－**	**－**	**2 331**	**2 086**	**85**	**1 094**	**985**	**148**	**139**
－	－	－	－	－	－	60	42	4	9	36	7	4
－	－	－	－	－	－	16	16	－	3	13	－	－
－	－	－	－	－	－	11	13	－	6	7	－	1
－	－	－	－	－	－	32	31	－	13	18	－	3
－	－	－	－	－	－	22	23	－	18	5	6	1
－	－	－	－	－	－	30	22	－	11	11	9	－
－	－	－	－	－	－	28	27	1	7	20	9	－
－	－	－	－	－	－	9	9	－	5	4	－	－
－	－	－	－	－	－	9	10	1	1	10	－	－
－	－	－	－	－	－	16	18	－	10	8	－	2
－	－	－	－	－	－	108	105	－	50	55	38	8
－	－	－	－	－	－	124	103	3	31	72	－	13
－	－	－	－	－	－	102	94	8	－	－	－	－
－	－	－	－	－	－	158	158	1	50	109	48	8
－	－	－	－	－	－	49	46	－	26	23	－	8
－	－	－	－	－	－	4	4	－	2	2	－	－
－	－	－	－	－	－	26	26	－	11	15	－	－
－	－	－	－	－	－	6	5	－	3	2	－	1
－	－	－	－	－	－	12	12	－	3	9	－	－
－	－	－	－	－	－	52	51	1	36	16	－	－
－	－	－	－	－	－	25	24	－	20	4	1	－
－	－	－	－	－	－	66	57	1	41	17	7	6
－	－	－	－	－	－	106	88	2	37	53	15	9
－	－	－	－	－	－	28	28	－	15	13	－	－
－	－	－	－	－	－	19	14	5	9	10	－	－
－	－	－	－	－	－	65	50	2	37	15	－	－
－	－	－	－	－	－	216	162	23	89	115	－	26
－	－	－	－	－	－	56	53	3	35	21	－	－
－	－	－	－	－	－	45	39	1	37	3	－	8
－	－	－	－	－	－	5	5	－	4	1	－	－
－	－	－	－	－	－	9	8	－	2	6	－	1
－	－	－	－	－	－	13	13	－	8	5	－	－
－	－	－	－	－	－	82	79	4	77	6	－	－
－	－	－	－	－	－	30	30	－	13	17	－	－
－	－	－	－	－	－	62	56	－	26	30	－	9
－	－	－	－	－	－	23	23	－	20	3	－	－
－	－	－	－	－	－	34	29	1	19	12	4	7
－	－	－	－	－	－	16	17	－	11	6	4	2
－	－	－	－	－	－	18	15	－	－	15	－	3
－	－	－	－	－	－	192	179	16	104	91	－	－
－	－	－	－	－	－	17	17	－	16	1	－	－
－	－	－	－	－	－	31	30	1	26	5	－	－
－	－	－	－	－	－	39	39	－	25	14	－	－
－	－	－	－	－	－	28	33	－	13	10	－	1
－	－	－	－	－	－	55	44	2	35	11	－	2
－	－	－	－	－	－	125	89	5	34	60	－	10
－	－	－	－	－	－	52	50	－	46	6	－	6
－	－	－	－	－	－	20	18	－	7	10	7	3
－	－	－	－	－	－	18	18	－	10	8	－	－
－	－	－	－	－	－	12	15	－	8	7	－	－
－	－	－	－	－	－	26	15	2	5	10	－	3
－	－	－	－	－	－	83	82	1	25	58	－	－
－	－	－	－	－	－	13	14	－	11	3	－	－
－	－	－	－	－	－	16	16	－	11	5	－	1
－	－	－	－	－	－	30	27	－	19	11	－	5
－	－	－	－	－	－	28	22	－	13	9	－	2
－	－	－	－	－	－	20	16	1	11	6	3	4
－	－	－	－	－	－	44	28	1	4	25	15	4
－	－	－	－	－	－	23	10	－	9	1	－	－
－	－	－	－	－	－	4	3	1	－	4	－	－
－	－	－	－	－	－	35	15	5	9	11	－	2
－	－	－	－	－	－	15	15	－	12	3	－	－
－	－	－	－	－	－	65	61	4	60	5	－	－
－	－	－	－	－	－	16	16	－	12	4	－	－
－	－	－	－	－	－	24	24	－	12	12	－	－
－	－	－	－	－	－	23	23	3	18	8	－	－
－	－	－	－	－	－	26	26	－	17	9	－	－

（報告表　4）

第４表（11－５） 精神医療審査会の審査状況（定期の

退院等の請求（退院の請求）

	措置											
	請求件数		請求									
			本人		代理人		配偶者		親権者		扶養義務者	
	1回	2回以上	1回	2回以上	1回	2回以上	1回	2回以上	1回	2回以上	1回	2回以上
全国	**568**	**108**	**519**	**93**	**30**	**3**	**4**	**–**	**3**	**–**	**12**	**12**
北海道	4	–	4	–	–	–	–	–	–	–	–	–
青森	2	22	2	22	–	–	–	–	–	–	–	–
岩手	5	–	5	–	–	–	–	–	–	–	–	–
宮城	10	–	10	–	–	–	–	–	–	–	–	–
秋田	–	–	–	–	–	–	–	–	–	–	–	–
山形	5	–	3	–	–	–	1	–	–	–	1	–
福島	5	–	5	–	–	–	–	–	–	–	–	–
茨城	7	1	7	1	–	–	–	–	–	–	–	–
栃木	3	–	3	–	–	–	–	–	–	–	–	–
群馬	13	1	13	1	–	–	–	–	–	–	–	–
埼玉	42	1	42	1	–	–	–	–	–	–	–	–
千葉	41	2	40	2	–	–	1	–	–	–	–	–
東京	34	3	32	3	2	–	–	–	–	–	–	–
神奈川	110	1	108	–	–	–	–	–	–	–	2	1
新潟	9	–	9	–	–	–	–	–	–	–	–	–
富山	1	–	1	–	–	–	–	–	–	–	–	–
石川	4	1	3	1	–	–	–	–	1	–	–	–
福井	3	–	2	–	–	–	–	–	–	–	1	–
山梨	1	–	1	–	–	–	–	–	–	–	–	–
長野	19	11	17	11	–	–	1	–	–	–	1	–
岐阜	2	–	1	–	–	–	–	–	–	–	1	–
静岡	17	–	14	–	–	–	–	–	1	–	2	–
愛知	20	7	19	7	1	–	–	–	–	–	–	–
三重	6	–	6	–	–	–	–	–	–	–	–	–
滋賀	9	–	5	–	3	–	–	–	–	–	1	–
京都	21	5	19	5	1	–	–	–	–	–	1	–
大阪	24	12	23	1	1	–	–	–	–	–	–	11
兵庫	4	–	4	–	–	–	–	–	–	–	–	–
奈良	9	–	8	–	1	–	–	–	–	–	–	–
和歌山	2	–	2	–	–	–	–	–	–	–	–	–
鳥取	–	–	–	–	–	–	–	–	–	–	–	–
島根	3	–	3	–	–	–	–	–	–	–	–	–
岡山	12	4	11	4	–	–	–	–	–	–	1	–
広島	5	1	4	1	1	–	–	–	–	–	–	–
山口	4	4	4	4	–	–	–	–	–	–	–	–
徳島	1	–	1	–	–	–	–	–	–	–	–	–
香川	5	–	5	–	–	–	–	–	–	–	–	–
愛媛	1	3	1	3	–	–	–	–	–	–	–	–
高知	13	8	11	8	–	–	1	–	1	–	–	–
福岡	39	10	23	8	16	2	–	–	–	–	–	–
佐賀	4	–	2	–	2	–	–	–	–	–	–	–
長崎	14	1	14	1	–	–	–	–	–	–	–	–
熊本	9	5	8	5	1	–	–	–	–	–	–	–
大分	2	1	2	1	–	–	–	–	–	–	–	–
宮崎	6	2	5	2	1	–	–	–	–	–	–	–
鹿児島	3	2	2	1	–	1	–	–	–	–	1	–
沖縄	15	–	15	–	–	–	–	–	–	–	–	–
指定都市（再掲）												
札幌市	–	–	–	–	–	–	–	–	–	–	–	–
仙台市	4	–	4	–	–	–	–	–	–	–	–	–
さいたま市	7	–	7	–	–	–	–	–	–	–	–	–
千葉市	5	–	5	–	–	–	–	–	–	–	–	–
横浜市	41	–	41	–	–	–	–	–	–	–	–	–
川崎市	19	–	18	–	–	–	–	–	–	–	1	–
相模原市	11	–	11	–	–	–	–	–	–	–	–	–
新潟市	5	–	5	–	–	–	–	–	–	–	–	–
静岡市	4	–	4	–	–	–	–	–	–	–	–	–
浜松市	6	–	4	–	–	–	–	–	1	–	1	–
名古屋市	8	1	8	1	–	–	–	–	–	–	–	–
京都市	15	5	13	5	1	–	–	–	–	–	1	–
大阪市	14	–	13	–	1	–	–	–	–	–	–	–
堺市	2	1	2	1	–	–	–	–	–	–	–	–
神戸市	1	–	1	–	–	–	–	–	–	–	–	–
岡山市	6	2	6	2	–	–	–	–	–	–	–	–
広島市	3	1	3	1	–	–	–	–	–	–	–	–
北九州市	4	–	2	–	2	–	–	–	–	–	–	–
福岡市	17	–	10	–	7	–	–	–	–	–	–	–
熊本市	4	4	3	4	1	–	–	–	–	–	–	–

報告等・退院等の請求），都道府県－指定都市（再掲）別

平成29年度

入院者												
者						審査件数	審査結果件数		審査結果等要旨の通知時期			審査中
後見人		保佐人		市区町村長			入院又は処遇は適当	入院又は処遇は不適当	1月以内	1月超	その他	
1回	2回以上	1回	2回以上	1回	2回以上							
–	–	–	–	–	–	**462**	**398**	**46**	**229**	**194**	**55**	**27**
–	–	–	–	–	–	4	2	–	–	2	–	–
–	–	–	–	–	–	16	16	–	12	4	–	–
–	–	–	–	–	–	3	3	–	1	2	–	–
–	–	–	–	–	–	9	9	–	2	7	–	1
–	–	–	–	–	–	–	–	–	–	–	–	–
–	–	–	–	–	–	5	2	–	1	1	1	3
–	–	–	–	–	–	2	2	–	–	2	3	–
–	–	–	–	–	–	8	8	–	8	–	–	–
–	–	–	–	–	–	2	3	–	–	3	–	–
–	–	–	–	–	–	9	9	–	6	3	–	1
–	–	–	–	–	–	24	19	6	11	14	18	2
–	–	–	–	–	–	25	21	1	1	21	–	1
–	–	–	–	–	–	21	14	7	–	–	–	–
–	–	–	–	–	–	42	37	2	17	22	26	5
–	–	–	–	–	–	6	6	–	5	1	–	1
–	–	–	–	–	–	–	–	–	–	–	–	–
–	–	–	–	–	–	5	5	–	2	3	–	–
–	–	–	–	–	–	2	–	1	–	1	1	–
–	–	–	–	–	–	1	1	–	1	–	–	–
–	–	–	–	–	–	18	18	–	9	9	–	–
–	–	–	–	–	–	2	1	1	2	–	–	–
–	–	–	–	–	–	14	12	2	8	5	3	–
–	–	–	–	–	–	25	26	2	8	20	2	–
–	–	–	–	–	–	6	5	1	2	4	–	–
–	–	–	–	–	–	8	5	3	2	6	–	–
–	–	–	–	–	–	23	15	–	13	2	–	–
–	–	–	–	–	–	19	17	3	12	9	–	2
–	–	–	–	–	–	4	4	–	1	3	–	–
–	–	–	–	–	–	6	6	1	6	1	–	–
–	–	–	–	–	–	2	2	–	2	–	–	–
–	–	–	–	–	–	–	–	–	–	–	–	–
–	–	–	–	–	–	2	2	–	1	1	–	–
–	–	–	–	–	–	14	12	2	13	1	–	–
–	–	–	–	–	–	4	4	–	4	–	–	–
–	–	–	–	–	–	8	7	1	5	3	–	–
–	–	–	–	–	–	1	1	–	1	–	–	–
–	–	–	–	–	–	4	3	1	2	1	1	1
–	–	–	–	–	–	4	4	–	2	2	–	1
–	–	–	–	–	–	16	17	–	1	15	–	–
–	–	–	–	–	–	46	37	6	32	11	–	3
–	–	–	–	–	–	–	–	–	–	–	–	–
–	–	–	–	–	–	11	10	1	7	4	–	–
–	–	–	–	–	–	14	13	2	10	5	–	1
–	–	–	–	–	–	3	4	1	2	3	–	–
–	–	–	–	–	–	7	4	1	4	1	–	1
–	–	–	–	–	–	5	3	–	1	2	–	2
–	–	–	–	–	–	12	9	1	12	–	–	2
–	–	–	–	–	–	–	–	–	–	–	–	–
–	–	–	–	–	–	4	4	–	1	3	–	–
–	–	–	–	–	–	6	3	3	5	1	–	1
–	–	–	–	–	–	5	2	–	–	2	–	1
–	–	–	–	–	–	10	10	–	4	6	–	–
–	–	–	–	–	–	10	8	1	7	2	–	1
–	–	–	–	–	–	7	6	1	5	2	–	–
–	–	–	–	–	–	3	3	–	3	–	–	–
–	–	–	–	–	–	3	3	–	–	2	–	–
–	–	–	–	–	–	6	5	1	4	2	1	–
–	–	–	–	–	–	7	6	1	1	6	2	–
–	–	–	–	–	–	20	12	–	11	1	–	–
–	–	–	–	–	–	6	3	3	1	5	–	–
–	–	–	–	–	–	3	2	–	–	2	–	1
–	–	–	–	–	–	1	1	–	1	–	–	–
–	–	–	–	–	–	8	6	2	7	1	–	–
–	–	–	–	–	–	4	4	–	4	–	–	–
–	–	–	–	–	–	4	3	1	2	2	–	–
–	–	–	–	–	–	16	9	4	11	2	–	3
–	–	–	–	–	–	8	9	1	8	2	–	–

（報告表　4）

第４表（11－６） 精神医療審査会の審査状況（定期の

退院等の請求（退院の請求）

	そ											の
	請求件数		請									求
			本人		代理人		配偶者		親権者		扶養義務者	
	1回	2回以上	1回	2回以上	1回	2回以上	1回	2回以上	1回	2回以上	1回	2回以上
全国	**1**	**–**	**1**	**–**	**–**	**–**	**–**	**–**	**–**	**–**	**–**	**–**
北海道	1	–	1	–	–	–	–	–	–	–	–	–
青森	–	–	–	–	–	–	–	–	–	–	–	–
岩手	–	–	–	–	–	–	–	–	–	–	–	–
宮城	–	–	–	–	–	–	–	–	–	–	–	–
秋田	–	–	–	–	–	–	–	–	–	–	–	–
山形	–	–	–	–	–	–	–	–	–	–	–	–
福島	–	–	–	–	–	–	–	–	–	–	–	–
茨城	–	–	–	–	–	–	–	–	–	–	–	–
栃木	–	–	–	–	–	–	–	–	–	–	–	–
群馬	–	–	–	–	–	–	–	–	–	–	–	–
埼玉	–	–	–	–	–	–	–	–	–	–	–	–
千葉	–	–	–	–	–	–	–	–	–	–	–	–
東京	–	–	–	–	–	–	–	–	–	–	–	–
神奈川	–	–	–	–	–	–	–	–	–	–	–	–
新潟	–	–	–	–	–	–	–	–	–	–	–	–
富山	–	–	–	–	–	–	–	–	–	–	–	–
石川	–	–	–	–	–	–	–	–	–	–	–	–
福井	–	–	–	–	–	–	–	–	–	–	–	–
山梨	–	–	–	–	–	–	–	–	–	–	–	–
長野	–	–	–	–	–	–	–	–	–	–	–	–
岐阜	–	–	–	–	–	–	–	–	–	–	–	–
静岡	–	–	–	–	–	–	–	–	–	–	–	–
愛知	–	–	–	–	–	–	–	–	–	–	–	–
三重	–	–	–	–	–	–	–	–	–	–	–	–
滋賀	–	–	–	–	–	–	–	–	–	–	–	–
京都	–	–	–	–	–	–	–	–	–	–	–	–
大阪	–	–	–	–	–	–	–	–	–	–	–	–
兵庫	–	–	–	–	–	–	–	–	–	–	–	–
奈良	–	–	–	–	–	–	–	–	–	–	–	–
和歌山	–	–	–	–	–	–	–	–	–	–	–	–
鳥取	–	–	–	–	–	–	–	–	–	–	–	–
島根	–	–	–	–	–	–	–	–	–	–	–	–
岡山	–	–	–	–	–	–	–	–	–	–	–	–
広島	–	–	–	–	–	–	–	–	–	–	–	–
山口	–	–	–	–	–	–	–	–	–	–	–	–
徳島	–	–	–	–	–	–	–	–	–	–	–	–
香川	–	–	–	–	–	–	–	–	–	–	–	–
愛媛	–	–	–	–	–	–	–	–	–	–	–	–
高知	–	–	–	–	–	–	–	–	–	–	–	–
福岡	–	–	–	–	–	–	–	–	–	–	–	–
佐賀	–	–	–	–	–	–	–	–	–	–	–	–
長崎	–	–	–	–	–	–	–	–	–	–	–	–
熊本	–	–	–	–	–	–	–	–	–	–	–	–
大分	–	–	–	–	–	–	–	–	–	–	–	–
宮崎	–	–	–	–	–	–	–	–	–	–	–	–
鹿児島	–	–	–	–	–	–	–	–	–	–	–	–
沖縄	–	–	–	–	–	–	–	–	–	–	–	–
指定都市（再掲）												
札幌市	–	–	–	–	–	–	–	–	–	–	–	–
仙台市	–	–	–	–	–	–	–	–	–	–	–	–
さいたま市	–	–	–	–	–	–	–	–	–	–	–	–
千葉市	–	–	–	–	–	–	–	–	–	–	–	–
横浜市	–	–	–	–	–	–	–	–	–	–	–	–
川崎市	–	–	–	–	–	–	–	–	–	–	–	–
相模原市	–	–	–	–	–	–	–	–	–	–	–	–
新潟市	–	–	–	–	–	–	–	–	–	–	–	–
静岡市	–	–	–	–	–	–	–	–	–	–	–	–
浜松市	–	–	–	–	–	–	–	–	–	–	–	–
名古屋市	–	–	–	–	–	–	–	–	–	–	–	–
京都市	–	–	–	–	–	–	–	–	–	–	–	–
大阪市	–	–	–	–	–	–	–	–	–	–	–	–
堺市	–	–	–	–	–	–	–	–	–	–	–	–
神戸市	–	–	–	–	–	–	–	–	–	–	–	–
岡山市	–	–	–	–	–	–	–	–	–	–	–	–
広島市	–	–	–	–	–	–	–	–	–	–	–	–
北九州市	–	–	–	–	–	–	–	–	–	–	–	–
福岡市	–	–	–	–	–	–	–	–	–	–	–	–
熊本市	–	–	–	–	–	–	–	–	–	–	–	–

報告等・退院等の請求），都道府県－指定都市（再掲）別

平成29年度

他												
者						審査件数	審査結果件数		審査結果等要旨の通知時期			審査中
後見人		保佐人		市区町村長			入院又は処遇は適当	入院又は処遇は不適当	1月以内	1月超	その他	
1回	2回以上	1回	2回以上	1回	2回以上							
–	–	–	–	–	–	1	–	–	–	–	–	–
–	–	–	–	–	–	1	–	–	–	–	–	–
–	–	–	–	–	–	–	–	–	–	–	–	–
–	–	–	–	–	–	–	–	–	–	–	–	–
–	–	–	–	–	–	–	–	–	–	–	–	–
–	–	–	–	–	–	–	–	–	–	–	–	–
–	–	–	–	–	–	–	–	–	–	–	–	–
–	–	–	–	–	–	–	–	–	–	–	–	–
–	–	–	–	–	–	–	–	–	–	–	–	–
–	–	–	–	–	–	–	–	–	–	–	–	–
–	–	–	–	–	–	–	–	–	–	–	–	–
–	–	–	–	–	–	–	–	–	–	–	–	–
–	–	–	–	–	–	–	–	–	–	–	–	–
–	–	–	–	–	–	–	–	–	–	–	–	–
–	–	–	–	–	–	–	–	–	–	–	–	–
–	–	–	–	–	–	–	–	–	–	–	–	–
–	–	–	–	–	–	–	–	–	–	–	–	–
–	–	–	–	–	–	–	–	–	–	–	–	–
–	–	–	–	–	–	–	–	–	–	–	–	–
–	–	–	–	–	–	–	–	–	–	–	–	–
–	–	–	–	–	–	–	–	–	–	–	–	–
–	–	–	–	–	–	–	–	–	–	–	–	–
–	–	–	–	–	–	–	–	–	–	–	–	–
–	–	–	–	–	–	–	–	–	–	–	–	–
–	–	–	–	–	–	–	–	–	–	–	–	–
–	–	–	–	–	–	–	–	–	–	–	–	–
–	–	–	–	–	–	–	–	–	–	–	–	–
–	–	–	–	–	–	–	–	–	–	–	–	–
–	–	–	–	–	–	–	–	–	–	–	–	–
–	–	–	–	–	–	–	–	–	–	–	–	–
–	–	–	–	–	–	–	–	–	–	–	–	–
–	–	–	–	–	–	–	–	–	–	–	–	–
–	–	–	–	–	–	–	–	–	–	–	–	–
–	–	–	–	–	–	–	–	–	–	–	–	–
–	–	–	–	–	–	–	–	–	–	–	–	–
–	–	–	–	–	–	–	–	–	–	–	–	–
–	–	–	–	–	–	–	–	–	–	–	–	–
–	–	–	–	–	–	–	–	–	–	–	–	–
–	–	–	–	–	–	–	–	–	–	–	–	–
–	–	–	–	–	–	–	–	–	–	–	–	–
–	–	–	–	–	–	–	–	–	–	–	–	–
–	–	–	–	–	–	–	–	–	–	–	–	–
–	–	–	–	–	–	–	–	–	–	–	–	–
–	–	–	–	–	–	–	–	–	–	–	–	–
–	–	–	–	–	–	–	–	–	–	–	–	–
–	–	–	–	–	–	–	–	–	–	–	–	–
–	–	–	–	–	–	–	–	–	–	–	–	–
–	–	–	–	–	–	–	–	–	–	–	–	–
–	–	–	–	–	–	–	–	–	–	–	–	–
–	–	–	–	–	–	–	–	–	–	–	–	–
–	–	–	–	–	–	–	–	–	–	–	–	–
–	–	–	–	–	–	–	–	–	–	–	–	–
–	–	–	–	–	–	–	–	–	–	–	–	–
–	–	–	–	–	–	–	–	–	–	–	–	–
–	–	–	–	–	–	–	–	–	–	–	–	–
–	–	–	–	–	–	–	–	–	–	–	–	–
–	–	–	–	–	–	–	–	–	–	–	–	–
–	–	–	–	–	–	–	–	–	–	–	–	–
–	–	–	–	–	–	–	–	–	–	–	–	–
–	–	–	–	–	–	–	–	–	–	–	–	–
–	–	–	–	–	–	–	–	–	–	–	–	–
–	–	–	–	–	–	–	–	–	–	–	–	–
–	–	–	–	–	–	–	–	–	–	–	–	–
–	–	–	–	–	–	–	–	–	–	–	–	–
–	–	–	–	–	–	–	–	–	–	–	–	–
–	–	–	–	–	–	–	–	–	–	–	–	–
–	–	–	–	–	–	–	–	–	–	–	–	–
–	–	–	–	–	–	–	–	–	–	–	–	–
–	–	–	–	–	–	–	–	–	–	–	–	–

（報告表　4）

第４表（11－７） 精神医療審査会の審査状況（定期の

退院等の請求（処遇改善の請求）

	総											
	請求件数		請							求		
			本人		代理人		配偶者		親権者		扶養義務者	
	1回	2回以上	1回	2回以上	1回	2回以上	1回	2回以上	1回	2回以上	1回	2回以上
全国	**531**	**78**	**478**	**73**	**46**	**5**	**－**	**－**	**1**	**－**	**6**	**－**
北海道	10	－	8	－	2	－	－	－	－	－	－	－
青森	－	－	－	－	－	－	－	－	－	－	－	－
岩手	6	－	6	－	－	－	－	－	－	－	－	－
宮城	2	－	2	－	－	－	－	－	－	－	－	－
秋田	－	－	－	－	－	－	－	－	－	－	－	－
山形	－	－	－	－	－	－	－	－	－	－	－	－
福島	3	2	3	2	－	－	－	－	－	－	－	－
茨城	1	－	1	－	－	－	－	－	－	－	－	－
栃木	－	－	－	－	－	－	－	－	－	－	－	－
群馬	2	1	2	1	－	－	－	－	－	－	－	－
埼玉	9	3	9	3	－	－	－	－	－	－	－	－
千葉	16	2	16	2	－	－	－	－	－	－	－	－
東京	88	2	84	2	4	－	－	－	－	－	－	－
神奈川	46	6	44	6	－	－	－	－	－	－	2	－
新潟	32	4	32	4	－	－	－	－	－	－	－	－
富山	－	－	－	－	－	－	－	－	－	－	－	－
石川	1	－	－	－	1	－	－	－	－	－	－	－
福井	2	－	2	－	－	－	－	－	－	－	－	－
山梨	1	－	1	－	－	－	－	－	－	－	－	－
長野	7	2	6	2	－	－	－	－	－	－	1	－
岐阜	2	－	2	－	－	－	－	－	－	－	－	－
静岡	11	－	10	－	－	－	－	－	1	－	－	－
愛知	21	－	19	－	1	－	－	－	－	－	1	－
三重	1	－	1	－	－	－	－	－	－	－	－	－
滋賀	8	－	5	－	3	－	－	－	－	－	－	－
京都	10	3	10	3	－	－	－	－	－	－	－	－
大阪	91	26	80	25	10	1	－	－	－	－	1	－
兵庫	20	4	17	4	3	－	－	－	－	－	－	－
奈良	13	3	12	3	1	－	－	－	－	－	－	－
和歌山	－	－	－	－	－	－	－	－	－	－	－	－
鳥取	－	－	－	－	－	－	－	－	－	－	－	－
島根	3	－	3	－	－	－	－	－	－	－	－	－
岡山	7	－	7	－	－	－	－	－	－	－	－	－
広島	2	－	2	－	－	－	－	－	－	－	－	－
山口	25	3	25	3	－	－	－	－	－	－	－	－
徳島	－	－	－	－	－	－	－	－	－	－	－	－
香川	－	－	－	－	－	－	－	－	－	－	－	－
愛媛	1	－	1	－	－	－	－	－	－	－	－	－
高知	1	－	1	－	－	－	－	－	－	－	－	－
福岡	22	3	12	1	10	2	－	－	－	－	－	－
佐賀	3	－	1	－	2	－	－	－	－	－	－	－
長崎	28	5	26	5	2	－	－	－	－	－	－	－
熊本	11	4	8	3	3	1	－	－	－	－	－	－
大分	5	1	4	1	1	－	－	－	－	－	－	－
宮崎	13	2	12	2	1	－	－	－	－	－	－	－
鹿児島	6	2	4	1	1	1	－	－	－	－	1	－
沖縄	1	－	－	－	1	－	－	－	－	－	－	－
指定都市（再掲）												
札幌市	1	－	1	－	－	－	－	－	－	－	－	－
仙台市	－	－	－	－	－	－	－	－	－	－	－	－
さいたま市	5	－	5	－	－	－	－	－	－	－	－	－
千葉市	5	－	5	－	－	－	－	－	－	－	－	－
横浜市	36	5	36	5	－	－	－	－	－	－	－	－
川崎市	1	－	1	－	－	－	－	－	－	－	－	－
相模原市	2	－	2	－	－	－	－	－	－	－	－	－
新潟市	18	3	18	3	－	－	－	－	－	－	－	－
静岡市	2	－	2	－	－	－	－	－	－	－	－	－
浜松市	7	－	6	－	－	－	－	－	1	－	－	－
名古屋市	19	－	17	－	1	－	－	－	－	－	1	－
京都市	8	－	8	－	－	－	－	－	－	－	－	－
大阪市	－	－	－	－	－	－	－	－	－	－	－	－
堺市	13	－	11	－	1	－	－	－	－	－	1	－
神戸市	11	－	9	－	2	－	－	－	－	－	－	－
岡山市	7	－	7	－	－	－	－	－	－	－	－	－
広島市	1	－	1	－	－	－	－	－	－	－	－	－
北九州市	－	－	－	－	－	－	－	－	－	－	－	－
福岡市	13	2	6	－	7	2	－	－	－	－	－	－
熊本市	10	4	7	3	3	1	－	－	－	－	－	－

報告等・退院等の請求），都道府県－指定都市（再掲）別

平成29年度

数												
者						審査件数	審査結果件数		審査結果等要旨の通知時期			審査中
後見人		保佐人		市区町村長			入院又は処遇は適当	入院又は処遇は不適当	1月以内	1月超	その他	
1回	2回以上	1回	2回以上	1回	2回以上							
–	–	–	–	–	–	433	373	26	172	173	21	25
–	–	–	–	–	–	10	8	–	1	7	–	–
–	–	–	–	–	–	–	–	–	–	–	–	–
–	–	–	–	–	–	6	4	–	3	1	–	2
–	–	–	–	–	–	2	2	–	–	2	1	–
–	–	–	–	–	–	–	–	–	–	–	–	–
–	–	–	–	–	–	–	–	–	–	–	–	–
–	–	–	–	–	–	3	3	–	1	2	5	–
–	–	–	–	–	–	1	1	–	–	1	–	–
–	–	–	–	–	–	–	–	–	–	–	–	–
–	–	–	–	–	–	2	2	–	1	1	–	–
–	–	–	–	–	–	7	7	–	5	1	1	1
–	–	–	–	–	–	7	3	–	2	1	–	2
–	–	–	–	–	–	58	56	2	–	–	–	–
–	–	–	–	–	–	28	26	2	9	19	8	–
–	–	–	–	–	–	21	21	–	14	7	–	1
–	–	–	–	–	–	–	–	–	–	–	–	–
–	–	–	–	–	–	1	1	–	–	1	–	–
–	–	–	–	–	–	–	–	–	–	–	–	–
–	–	–	–	–	–	1	1	–	–	1	–	–
–	–	–	–	–	–	3	3	–	2	1	–	–
–	–	–	–	–	–	2	2	–	2	–	–	–
–	–	–	–	–	–	9	8	–	6	2	1	2
–	–	–	–	–	–	21	17	–	2	15	4	2
–	–	–	–	–	–	–	–	–	–	–	–	–
–	–	–	–	–	–	5	3	2	2	3	–	–
–	–	–	–	–	–	11	9	–	6	3	–	–
–	–	–	–	–	–	79	58	14	16	61	–	9
–	–	–	–	–	–	20	16	4	14	6	–	–
–	–	–	–	–	–	14	11	1	11	1	–	2
–	–	–	–	–	–	–	–	–	–	–	–	–
–	–	–	–	–	–	–	–	–	–	–	–	–
–	–	–	–	–	–	3	3	–	3	–	–	–
–	–	–	–	–	–	4	4	–	4	–	–	–
–	–	–	–	–	–	2	2	–	1	1	–	–
–	–	–	–	–	–	22	19	–	10	9	–	3
–	–	–	–	–	–	–	–	–	–	–	–	–
–	–	–	–	–	–	–	–	–	–	–	–	–
–	–	–	–	–	–	–	1	–	–	1	1	–
–	–	–	–	–	–	–	–	–	–	–	–	–
–	–	–	–	–	–	21	21	–	14	7	–	1
–	–	–	–	–	–	2	2	–	1	1	–	–
–	–	–	–	–	–	24	24	–	19	5	–	–
–	–	–	–	–	–	14	13	–	9	4	–	–
–	–	–	–	–	–	6	7	–	2	5	–	–
–	–	–	–	–	–	15	11	–	8	3	–	–
–	–	–	–	–	–	8	3	1	3	1	–	–
–	–	–	–	–	–	1	1	–	1	–	–	–
–	–	–	–	–	–	1	2	–	–	2	–	–
–	–	–	–	–	–	–	–	–	–	–	–	–
–	–	–	–	–	–	1	1	–	–	–	–	–
–	–	–	–	–	–	5	1	–	–	1	–	2
–	–	–	–	–	–	25	23	2	7	18	–	–
–	–	–	–	–	–	–	–	–	–	–	–	–
–	–	–	–	–	–	2	2	–	1	1	–	–
–	–	–	–	–	–	13	13	–	10	3	–	–
–	–	–	–	–	–	1	1	–	1	–	–	–
–	–	–	–	–	–	6	5	–	3	2	1	2
–	–	–	–	–	–	19	15	–	1	14	4	2
–	–	–	–	–	–	8	6	–	4	2	–	–
–	–	–	–	–	–	–	–	–	–	–	–	–
–	–	–	–	–	–	13	8	3	4	7	–	1
–	–	–	–	–	–	8	7	1	6	2	–	–
–	–	–	–	–	–	4	4	–	4	–	–	–
–	–	–	–	–	–	1	1	–	1	–	–	–
–	–	–	–	–	–	–	–	–	–	–	–	–
–	–	–	–	–	–	11	11	–	9	2	–	1
–	–	–	–	–	–	14	13	–	9	4	–	–

（報告表　4）

第４表（11－８）　精神医療審査会の審査状況（定期の

退院等の請求（処遇改善の請求）

	任意											
	請求件数		請求									
			本人		代理人		配偶者		親権者		扶養義務者	
	1回	2回以上	1回	2回以上	1回	2回以上	1回	2回以上	1回	2回以上	1回	2回以上
全国	**17**	**2**	**16**	**2**	**1**	**－**	**－**	**－**	**－**	**－**	**－**	**－**
北海道	－	－	－	－	－	－	－	－	－	－	－	－
青森	－	－	－	－	－	－	－	－	－	－	－	－
岩手	－	－	－	－	－	－	－	－	－	－	－	－
宮城	－	－	－	－	－	－	－	－	－	－	－	－
秋田	－	－	－	－	－	－	－	－	－	－	－	－
山形	－	－	－	－	－	－	－	－	－	－	－	－
福島	－	－	－	－	－	－	－	－	－	－	－	－
茨城	－	－	－	－	－	－	－	－	－	－	－	－
栃木	－	－	－	－	－	－	－	－	－	－	－	－
群馬	－	－	－	－	－	－	－	－	－	－	－	－
埼玉	－	－	－	－	－	－	－	－	－	－	－	－
千葉	－	－	－	－	－	－	－	－	－	－	－	－
東京	－	－	－	－	－	－	－	－	－	－	－	－
神奈川	3	－	3	－	－	－	－	－	－	－	－	－
新潟	1	－	1	－	－	－	－	－	－	－	－	－
富山	－	－	－	－	－	－	－	－	－	－	－	－
石川	－	－	－	－	－	－	－	－	－	－	－	－
福井	－	－	－	－	－	－	－	－	－	－	－	－
山梨	－	－	－	－	－	－	－	－	－	－	－	－
長野	1	1	1	1	－	－	－	－	－	－	－	－
岐阜	－	－	－	－	－	－	－	－	－	－	－	－
静岡	1	－	1	－	－	－	－	－	－	－	－	－
愛知	1	－	1	－	－	－	－	－	－	－	－	－
三重	－	－	－	－	－	－	－	－	－	－	－	－
滋賀	－	－	－	－	－	－	－	－	－	－	－	－
京都	1	－	1	－	－	－	－	－	－	－	－	－
大阪	8	1	8	1	－	－	－	－	－	－	－	－
兵庫	－	－	－	－	－	－	－	－	－	－	－	－
奈良	－	－	－	－	－	－	－	－	－	－	－	－
和歌山	－	－	－	－	－	－	－	－	－	－	－	－
鳥取	－	－	－	－	－	－	－	－	－	－	－	－
島根	－	－	－	－	－	－	－	－	－	－	－	－
岡山	－	－	－	－	－	－	－	－	－	－	－	－
広島	－	－	－	－	－	－	－	－	－	－	－	－
山口	－	－	－	－	－	－	－	－	－	－	－	－
徳島	－	－	－	－	－	－	－	－	－	－	－	－
香川	－	－	－	－	－	－	－	－	－	－	－	－
愛媛	－	－	－	－	－	－	－	－	－	－	－	－
高知	－	－	－	－	－	－	－	－	－	－	－	－
福岡	－	－	－	－	－	－	－	－	－	－	－	－
佐賀	－	－	－	－	－	－	－	－	－	－	－	－
長崎	－	－	－	－	－	－	－	－	－	－	－	－
熊本	－	－	－	－	－	－	－	－	－	－	－	－
大分	－	－	－	－	－	－	－	－	－	－	－	－
宮崎	－	－	－	－	－	－	－	－	－	－	－	－
鹿児島	－	－	－	－	－	－	－	－	－	－	－	－
沖縄	1	－	－	－	1	－	－	－	－	－	－	－
指定都市（再掲）												
札幌市	－	－	－	－	－	－	－	－	－	－	－	－
仙台市	－	－	－	－	－	－	－	－	－	－	－	－
さいたま市	－	－	－	－	－	－	－	－	－	－	－	－
千葉市	－	－	－	－	－	－	－	－	－	－	－	－
横浜市	1	－	1	－	－	－	－	－	－	－	－	－
川崎市	－	－	－	－	－	－	－	－	－	－	－	－
相模原市	1	－	1	－	－	－	－	－	－	－	－	－
新潟市	－	－	－	－	－	－	－	－	－	－	－	－
静岡市	－	－	－	－	－	－	－	－	－	－	－	－
浜松市	1	－	1	－	－	－	－	－	－	－	－	－
名古屋市	1	－	1	－	－	－	－	－	－	－	－	－
京都市	1	－	1	－	－	－	－	－	－	－	－	－
大阪市	－	－	－	－	－	－	－	－	－	－	－	－
堺市	－	－	－	－	－	－	－	－	－	－	－	－
神戸市	－	－	－	－	－	－	－	－	－	－	－	－
岡山市	－	－	－	－	－	－	－	－	－	－	－	－
広島市	－	－	－	－	－	－	－	－	－	－	－	－
北九州市	－	－	－	－	－	－	－	－	－	－	－	－
福岡市	－	－	－	－	－	－	－	－	－	－	－	－
熊本市	－	－	－	－	－	－	－	－	－	－	－	－

報告等・退院等の請求），都道府県－指定都市（再掲）別

平成29年度

入院者												
者						審査件数	審査結果件数		審査結果等要旨の通知時期			審査中
後見人		保佐人		市区町村長			入院又は処遇は適当	入院又は処遇は不適当	1月以内	1月超	その他	
1回	2回以上	1回	2回以上	1回	2回以上							
-	-	-	-	-	-	13	8	2	1	9	1	2
-	-	-	-	-	-	-	-	-	-	-	-	-
-	-	-	-	-	-	-	-	-	-	-	-	-
-	-	-	-	-	-	2	-	-	-	-	-	2
-	-	-	-	-	-	-	-	-	-	-	-	-
-	-	-	-	-	-	-	-	-	-	-	-	-
-	-	-	-	-	-	-	-	-	-	-	-	-
-	-	-	-	-	-	-	-	-	-	-	-	-
-	-	-	-	-	-	-	-	-	-	-	-	-
-	-	-	-	-	-	-	-	-	-	-	-	-
-	-	-	-	-	-	-	-	-	-	-	-	-
-	-	-	-	-	-	-	-	-	-	-	-	-
-	-	-	-	-	-	-	-	-	-	-	-	-
-	-	-	-	-	-	-	-	-	-	-	-	-
-	-	-	-	-	-	3	2	1	-	3	1	-
-	-	-	-	-	-	1	1	-	-	1	-	-
-	-	-	-	-	-	-	-	-	-	-	-	-
-	-	-	-	-	-	-	-	-	-	-	-	-
-	-	-	-	-	-	-	-	-	-	-	-	-
-	-	-	-	-	-	-	-	-	-	-	-	-
-	-	-	-	-	-	-	-	-	-	-	-	-
-	-	-	-	-	-	-	-	-	-	-	-	-
-	-	-	-	-	-	1	1	-	-	1	-	-
-	-	-	-	-	-	1	1	-	-	1	-	-
-	-	-	-	-	-	-	-	-	-	-	-	-
-	-	-	-	-	-	-	-	-	-	-	-	-
-	-	-	-	-	-	1	-	-	-	-	-	-
-	-	-	-	-	-	3	2	1	-	3	-	-
-	-	-	-	-	-	-	-	-	-	-	-	-
-	-	-	-	-	-	-	-	-	-	-	-	-
-	-	-	-	-	-	-	-	-	-	-	-	-
-	-	-	-	-	-	-	-	-	-	-	-	-
-	-	-	-	-	-	-	-	-	-	-	-	-
-	-	-	-	-	-	-	-	-	-	-	-	-
-	-	-	-	-	-	-	-	-	-	-	-	-
-	-	-	-	-	-	-	-	-	-	-	-	-
-	-	-	-	-	-	-	-	-	-	-	-	-
-	-	-	-	-	-	-	-	-	-	-	-	-
-	-	-	-	-	-	-	-	-	-	-	-	-
-	-	-	-	-	-	-	-	-	-	-	-	-
-	-	-	-	-	-	-	-	-	-	-	-	-
-	-	-	-	-	-	-	-	-	-	-	-	-
-	-	-	-	-	-	-	-	-	-	-	-	-
-	-	-	-	-	-	-	-	-	-	-	-	-
-	-	-	-	-	-	-	-	-	-	-	-	-
-	-	-	-	-	-	-	-	-	-	-	-	-
-	-	-	-	-	-	-	-	-	-	-	-	-
-	-	-	-	-	-	1	1	-	1	-	-	-
-	-	-	-	-	-	-	-	-	-	-	-	-
-	-	-	-	-	-	-	-	-	-	-	-	-
-	-	-	-	-	-	-	-	-	-	-	-	-
-	-	-	-	-	-	-	-	-	-	-	-	-
-	-	-	-	-	-	2	1	1	-	2	-	-
-	-	-	-	-	-	-	-	-	-	-	-	-
-	-	-	-	-	-	1	1	-	-	1	-	-
-	-	-	-	-	-	-	-	-	-	-	-	-
-	-	-	-	-	-	-	-	-	-	-	-	-
-	-	-	-	-	-	1	1	-	-	1	-	-
-	-	-	-	-	-	1	1	-	-	1	-	-
-	-	-	-	-	-	1	-	-	-	-	-	-
-	-	-	-	-	-	-	-	-	-	-	-	-
-	-	-	-	-	-	-	-	-	-	-	-	-
-	-	-	-	-	-	-	-	-	-	-	-	-
-	-	-	-	-	-	-	-	-	-	-	-	-
-	-	-	-	-	-	-	-	-	-	-	-	-
-	-	-	-	-	-	-	-	-	-	-	-	-
-	-	-	-	-	-	-	-	-	-	-	-	-
-	-	-	-	-	-	-	-	-	-	-	-	-

（報告表　4）

第４表（11－９）　精神医療審査会の審査状況（定期の

退院等の請求（処遇改善の請求）

	医療保											
	請求件数		請求									
			本人		代理人		配偶者		親権者		扶養義務者	
	1回	2回以上	1回	2回以上	1回	2回以上	1回	2回以上	1回	2回以上	1回	2回以上
全国	**447**	**75**	**403**	**70**	**39**	**5**	**－**	**－**	**－**	**－**	**5**	**－**
北海道	10	－	8	－	2	－	－	－	－	－	－	－
青森	－	－	－	－	－	－	－	－	－	－	－	－
岩手	6	－	6	－	－	－	－	－	－	－	－	－
宮城	2	－	2	－	－	－	－	－	－	－	－	－
秋田	－	－	－	－	－	－	－	－	－	－	－	－
山形	－	－	－	－	－	－	－	－	－	－	－	－
福島	3	2	3	2	－	－	－	－	－	－	－	－
茨城	1	－	1	－	－	－	－	－	－	－	－	－
栃木	－	－	－	－	－	－	－	－	－	－	－	－
群馬	2	1	2	1	－	－	－	－	－	－	－	－
埼玉	7	3	7	3	－	－	－	－	－	－	－	－
千葉	11	2	11	2	－	－	－	－	－	－	－	－
東京	78	2	74	2	4	－	－	－	－	－	－	－
神奈川	32	6	31	6	－	－	－	－	－	－	1	－
新潟	26	4	26	4	－	－	－	－	－	－	－	－
富山	－	－	－	－	－	－	－	－	－	－	－	－
石川	1	－	－	－	1	－	－	－	－	－	－	－
福井	2	－	2	－	－	－	－	－	－	－	－	－
山梨	1	－	1	－	－	－	－	－	－	－	－	－
長野	5	1	4	1	－	－	－	－	－	－	1	－
岐阜	1	－	1	－	－	－	－	－	－	－	－	－
静岡	7	－	7	－	－	－	－	－	－	－	－	－
愛知	18	－	16	－	1	－	－	－	－	－	1	－
三重	1	－	1	－	－	－	－	－	－	－	－	－
滋賀	6	－	5	－	1	－	－	－	－	－	－	－
京都	8	3	8	3	－	－	－	－	－	－	－	－
大阪	81	25	70	24	10	1	－	－	－	－	1	－
兵庫	20	4	17	4	3	－	－	－	－	－	－	－
奈良	11	3	11	3	－	－	－	－	－	－	－	－
和歌山	－	－	－	－	－	－	－	－	－	－	－	－
鳥取	－	－	－	－	－	－	－	－	－	－	－	－
島根	3	－	3	－	－	－	－	－	－	－	－	－
岡山	7	－	7	－	－	－	－	－	－	－	－	－
広島	2	－	2	－	－	－	－	－	－	－	－	－
山口	22	2	22	2	－	－	－	－	－	－	－	－
徳島	－	－	－	－	－	－	－	－	－	－	－	－
香川	－	－	－	－	－	－	－	－	－	－	－	－
愛媛	1	－	1	－	－	－	－	－	－	－	－	－
高知	1	－	1	－	－	－	－	－	－	－	－	－
福岡	18	3	10	1	8	2	－	－	－	－	－	－
佐賀	2	－	－	－	2	－	－	－	－	－	－	－
長崎	22	5	20	5	2	－	－	－	－	－	－	－
熊本	8	4	6	3	2	1	－	－	－	－	－	－
大分	5	1	4	1	1	－	－	－	－	－	－	－
宮崎	11	2	10	2	1	－	－	－	－	－	－	－
鹿児島	5	2	3	1	1	1	－	－	－	－	1	－
沖縄	－	－	－	－	－	－	－	－	－	－	－	－
指定都市（再掲）												
札幌市	1	－	1	－	－	－	－	－	－	－	－	－
仙台市	－	－	－	－	－	－	－	－	－	－	－	－
さいたま市	4	－	4	－	－	－	－	－	－	－	－	－
千葉市	4	－	4	－	－	－	－	－	－	－	－	－
横浜市	29	5	29	5	－	－	－	－	－	－	－	－
川崎市	－	－	－	－	－	－	－	－	－	－	－	－
相模原市	－	－	－	－	－	－	－	－	－	－	－	－
新潟市	14	3	14	3	－	－	－	－	－	－	－	－
静岡市	2	－	2	－	－	－	－	－	－	－	－	－
浜松市	5	－	5	－	－	－	－	－	－	－	－	－
名古屋市	17	－	15	－	1	－	－	－	－	－	1	－
京都市	6	－	6	－	－	－	－	－	－	－	－	－
大阪市	－	－	－	－	－	－	－	－	－	－	－	－
堺市	12	－	10	－	1	－	－	－	－	－	1	－
神戸市	11	－	9	－	2	－	－	－	－	－	－	－
岡山市	7	－	7	－	－	－	－	－	－	－	－	－
広島市	1	－	1	－	－	－	－	－	－	－	－	－
北九州市	－	－	－	－	－	－	－	－	－	－	－	－
福岡市	9	2	4	－	5	2	－	－	－	－	－	－
熊本市	8	4	6	3	2	1	－	－	－	－	－	－

報告等・退院等の請求），都道府県－指定都市（再掲）別

平成29年度

護					入院者									
者						審査件数	審査結果件数		審査結果等要旨の通知時期			審査中
後見人		保佐人		市区町村長								
1回	2回以上	1回	2回以上	1回	2回以上		入院又は処遇は適当	入院又は処遇は不適当	1月以内	1月超	その他	
-	-	-	-	-	-	**376**	**325**	**23**	**144**	**153**	**15**	**21**
-	-	-	-	-	-	10	8	-	1	7	-	-
-	-	-	-	-	-	-	-	-	-	-	-	-
-	-	-	-	-	-	4	4	-	3	1	-	-
-	-	-	-	-	-	2	2	-	-	2	1	-
-	-	-	-	-	-	-	-	-	-	-	-	-
-	-	-	-	-	-	-	-	-	-	-	-	-
-	-	-	-	-	-	3	3	-	1	2	5	-
-	-	-	-	-	-	1	1	-	-	1	-	-
-	-	-	-	-	-	-	-	-	-	-	-	-
-	-	-	-	-	-	2	2	-	1	1	-	-
-	-	-	-	-	-	6	6	-	4	1	-	1
-	-	-	-	-	-	6	3	-	2	1	-	1
-	-	-	-	-	-	54	52	2	-	-	-	-
-	-	-	-	-	-	22	21	1	6	16	4	-
-	-	-	-	-	-	16	16	-	10	6	-	1
-	-	-	-	-	-	-	-	-	-	-	-	-
-	-	-	-	-	-	1	1	-	-	1	-	-
-	-	-	-	-	-	-	-	-	-	-	-	-
-	-	-	-	-	-	1	1	-	-	1	-	-
-	-	-	-	-	-	2	2	-	1	-	-	-
-	-	-	-	-	-	1	1	-	1	-	-	-
-	-	-	-	-	-	5	3	-	3	-	1	2
-	-	-	-	-	-	18	15	-	2	13	3	2
-	-	-	-	-	-	-	-	-	-	-	-	-
-	-	-	-	-	-	3	2	1	1	2	-	-
-	-	-	-	-	-	9	8	-	5	3	-	-
-	-	-	-	-	-	74	53	13	16	55	-	9
-	-	-	-	-	-	20	16	4	14	6	-	-
-	-	-	-	-	-	12	9	1	9	1	-	2
-	-	-	-	-	-	-	-	-	-	-	-	-
-	-	-	-	-	-	-	-	-	-	-	-	-
-	-	-	-	-	-	3	3	-	3	-	-	-
-	-	-	-	-	-	4	4	-	4	-	-	-
-	-	-	-	-	-	2	2	-	1	1	-	-
-	-	-	-	-	-	18	15	-	8	7	-	3
-	-	-	-	-	-	-	-	-	-	-	-	-
-	-	-	-	-	-	-	-	-	-	-	-	-
-	-	-	-	-	-	-	-	-	-	-	1	-
-	-	-	-	-	-	-	-	-	-	-	-	-
-	-	-	-	-	-	17	18	-	11	7	-	-
-	-	-	-	-	-	2	2	-	1	1	-	-
-	-	-	-	-	-	20	20	-	16	4	-	-
-	-	-	-	-	-	12	11	-	7	4	-	-
-	-	-	-	-	-	6	7	-	2	5	-	-
-	-	-	-	-	-	13	11	-	8	3	-	-
-	-	-	-	-	-	7	3	1	3	1	-	-
-	-	-	-	-	-	-	-	-	-	-	-	-
-	-	-	-	-	-	1	2	-	-	2	-	-
-	-	-	-	-	-	-	-	-	-	-	-	-
-	-	-	-	-	-	1	1	-	-	-	-	-
-	-	-	-	-	-	4	1	-	-	1	-	1
-	-	-	-	-	-	21	20	1	5	16	-	-
-	-	-	-	-	-	-	-	-	-	-	-	-
-	-	-	-	-	-	-	-	-	-	-	-	-
-	-	-	-	-	-	10	10	-	7	3	-	-
-	-	-	-	-	-	1	1	-	1	-	-	-
-	-	-	-	-	-	4	2	-	2	-	1	2
-	-	-	-	-	-	17	14	-	1	13	3	2
-	-	-	-	-	-	6	5	-	3	2	-	-
-	-	-	-	-	-	-	-	-	-	-	-	-
-	-	-	-	-	-	12	6	3	4	5	-	1
-	-	-	-	-	-	8	7	1	6	2	-	-
-	-	-	-	-	-	4	4	-	4	-	-	-
-	-	-	-	-	-	1	1	-	1	-	-	-
-	-	-	-	-	-	-	-	-	-	-	-	-
-	-	-	-	-	-	7	8	-	6	2	-	-
-	-	-	-	-	-	12	11	-	7	4	-	-

（報告表　4）

第４表（11－10）　精神医療審査会の審査状況（定期の

退院等の請求（処遇改善の請求）

	措置											
	請求件数		請求									
			本人		代理人		配偶者		親権者		扶養義務者	
	1回	2回以上	1回	2回以上	1回	2回以上	1回	2回以上	1回	2回以上	1回	2回以上
全国	**67**	**1**	**59**	**1**	**6**	**－**	**－**	**－**	**1**	**－**	**1**	**－**
北海道	－	－	－	－	－	－	－	－	－	－	－	－
青森	－	－	－	－	－	－	－	－	－	－	－	－
岩手	－	－	－	－	－	－	－	－	－	－	－	－
宮城	－	－	－	－	－	－	－	－	－	－	－	－
秋田	－	－	－	－	－	－	－	－	－	－	－	－
山形	－	－	－	－	－	－	－	－	－	－	－	－
福島	－	－	－	－	－	－	－	－	－	－	－	－
茨城	－	－	－	－	－	－	－	－	－	－	－	－
栃木	－	－	－	－	－	－	－	－	－	－	－	－
群馬	－	－	－	－	－	－	－	－	－	－	－	－
埼玉	2	－	2	－	－	－	－	－	－	－	－	－
千葉	5	－	5	－	－	－	－	－	－	－	－	－
東京	10	－	10	－	－	－	－	－	－	－	－	－
神奈川	11	－	10	－	－	－	－	－	－	－	1	－
新潟	5	－	5	－	－	－	－	－	－	－	－	－
富山	－	－	－	－	－	－	－	－	－	－	－	－
石川	－	－	－	－	－	－	－	－	－	－	－	－
福井	－	－	－	－	－	－	－	－	－	－	－	－
山梨	－	－	－	－	－	－	－	－	－	－	－	－
長野	1	－	1	－	－	－	－	－	－	－	－	－
岐阜	1	－	1	－	－	－	－	－	－	－	－	－
静岡	3	－	2	－	－	－	－	－	1	－	－	－
愛知	2	－	2	－	－	－	－	－	－	－	－	－
三重	－	－	－	－	－	－	－	－	－	－	－	－
滋賀	2	－	－	－	2	－	－	－	－	－	－	－
京都	1	－	1	－	－	－	－	－	－	－	－	－
大阪	2	－	2	－	－	－	－	－	－	－	－	－
兵庫	－	－	－	－	－	－	－	－	－	－	－	－
奈良	2	－	1	－	1	－	－	－	－	－	－	－
和歌山	－	－	－	－	－	－	－	－	－	－	－	－
鳥取	－	－	－	－	－	－	－	－	－	－	－	－
島根	－	－	－	－	－	－	－	－	－	－	－	－
岡山	－	－	－	－	－	－	－	－	－	－	－	－
広島	－	－	－	－	－	－	－	－	－	－	－	－
山口	3	1	3	1	－	－	－	－	－	－	－	－
徳島	－	－	－	－	－	－	－	－	－	－	－	－
香川	－	－	－	－	－	－	－	－	－	－	－	－
愛媛	－	－	－	－	－	－	－	－	－	－	－	－
高知	－	－	－	－	－	－	－	－	－	－	－	－
福岡	4	－	2	－	2	－	－	－	－	－	－	－
佐賀	1	－	1	－	－	－	－	－	－	－	－	－
長崎	6	－	6	－	－	－	－	－	－	－	－	－
熊本	3	－	2	－	1	－	－	－	－	－	－	－
大分	－	－	－	－	－	－	－	－	－	－	－	－
宮崎	2	－	2	－	－	－	－	－	－	－	－	－
鹿児島	1	－	1	－	－	－	－	－	－	－	－	－
沖縄	－	－	－	－	－	－	－	－	－	－	－	－
指定都市(再掲)												
札幌市	－	－	－	－	－	－	－	－	－	－	－	－
仙台市	－	－	－	－	－	－	－	－	－	－	－	－
さいたま市	1	－	1	－	－	－	－	－	－	－	－	－
千葉市	1	－	1	－	－	－	－	－	－	－	－	－
横浜市	6	－	6	－	－	－	－	－	－	－	－	－
川崎市	1	－	1	－	－	－	－	－	－	－	－	－
相模原市	1	－	1	－	－	－	－	－	－	－	－	－
新潟市	4	－	4	－	－	－	－	－	－	－	－	－
静岡市	－	－	－	－	－	－	－	－	－	－	－	－
浜松市	1	－	－	－	－	－	－	－	1	－	－	－
名古屋市	1	－	1	－	－	－	－	－	－	－	－	－
京都市	1	－	1	－	－	－	－	－	－	－	－	－
大阪市	－	－	－	－	－	－	－	－	－	－	－	－
堺市	1	－	1	－	－	－	－	－	－	－	－	－
神戸市	－	－	－	－	－	－	－	－	－	－	－	－
岡山市	－	－	－	－	－	－	－	－	－	－	－	－
広島市	－	－	－	－	－	－	－	－	－	－	－	－
北九州市	－	－	－	－	－	－	－	－	－	－	－	－
福岡市	4	－	2	－	2	－	－	－	－	－	－	－
熊本市	2	－	1	－	1	－	－	－	－	－	－	－

報告等・退院等の請求），都道府県－指定都市（再掲）別

平成29年度

入院者												
者						審査件数	審査結果件数		審査結果等要旨の通知時期			審査中
後見人		保佐人		市区町村長								
1回	2回以上	1回	2回以上	1回	2回以上		入院又は処遇は適当	入院又は処遇は不適当	1月以内	1月超	その他	
–	–	–	–	–	–	44	40	1	27	11	5	2
–	–	–	–	–	–	–	–	–	–	–	–	–
–	–	–	–	–	–	–	–	–	–	–	–	–
–	–	–	–	–	–	–	–	–	–	–	–	–
–	–	–	–	–	–	–	–	–	–	–	–	–
–	–	–	–	–	–	–	–	–	–	–	–	–
–	–	–	–	–	–	–	–	–	–	–	–	–
–	–	–	–	–	–	–	–	–	–	–	–	–
–	–	–	–	–	–	–	–	–	–	–	–	–
–	–	–	–	–	–	–	–	–	–	–	–	–
–	–	–	–	–	–	–	–	–	–	–	–	–
–	–	–	–	–	–	1	1	–	1	–	1	–
–	–	–	–	–	–	1	–	–	–	–	–	1
–	–	–	–	–	–	4	4	–	–	–	–	–
–	–	–	–	–	–	3	3	–	3	–	3	–
–	–	–	–	–	–	4	4	–	4	–	–	–
–	–	–	–	–	–	–	–	–	–	–	–	–
–	–	–	–	–	–	–	–	–	–	–	–	–
–	–	–	–	–	–	–	–	–	–	–	–	–
–	–	–	–	–	–	–	–	–	–	–	–	–
–	–	–	–	–	–	1	1	–	1	1	–	–
–	–	–	–	–	–	1	1	–	1	–	–	–
–	–	–	–	–	–	3	4	–	3	1	–	–
–	–	–	–	–	–	2	1	–	–	1	1	–
–	–	–	–	–	–	–	–	–	–	–	–	–
–	–	–	–	–	–	2	1	1	1	1	–	–
–	–	–	–	–	–	1	1	–	1	–	–	–
–	–	–	–	–	–	2	3	–	–	3	–	–
–	–	–	–	–	–	–	–	–	–	–	–	–
–	–	–	–	–	–	2	2	–	2	–	–	–
–	–	–	–	–	–	–	–	–	–	–	–	–
–	–	–	–	–	–	–	–	–	–	–	–	–
–	–	–	–	–	–	–	–	–	–	–	–	–
–	–	–	–	–	–	–	–	–	–	–	–	–
–	–	–	–	–	–	–	–	–	–	–	–	–
–	–	–	–	–	–	4	4	–	2	2	–	–
–	–	–	–	–	–	–	–	–	–	–	–	–
–	–	–	–	–	–	–	–	–	–	–	–	–
–	–	–	–	–	–	–	1	–	–	1	–	–
–	–	–	–	–	–	–	–	–	–	–	–	–
–	–	–	–	–	–	4	3	–	3	–	–	1
–	–	–	–	–	–	–	–	–	–	–	–	–
–	–	–	–	–	–	4	4	–	3	1	–	–
–	–	–	–	–	–	2	2	–	2	–	–	–
–	–	–	–	–	–	–	–	–	–	–	–	–
–	–	–	–	–	–	2	–	–	–	–	–	–
–	–	–	–	–	–	1	–	–	–	–	–	–
–	–	–	–	–	–	–	–	–	–	–	–	–
–	–	–	–	–	–	–	–	–	–	–	–	–
–	–	–	–	–	–	–	–	–	–	–	–	–
–	–	–	–	–	–	–	–	–	–	–	–	–
–	–	–	–	–	–	1	–	–	–	–	–	1
–	–	–	–	–	–	2	2	–	2	–	–	–
–	–	–	–	–	–	–	–	–	–	–	–	–
–	–	–	–	–	–	1	1	–	1	–	–	–
–	–	–	–	–	–	3	3	–	3	–	–	–
–	–	–	–	–	–	–	–	–	–	–	–	–
–	–	–	–	–	–	1	2	–	1	1	–	–
–	–	–	–	–	–	1	–	–	–	–	1	–
–	–	–	–	–	–	1	1	–	1	–	–	–
–	–	–	–	–	–	–	–	–	–	–	–	–
–	–	–	–	–	–	1	2	–	–	2	–	–
–	–	–	–	–	–	–	–	–	–	–	–	–
–	–	–	–	–	–	–	–	–	–	–	–	–
–	–	–	–	–	–	–	–	–	–	–	–	–
–	–	–	–	–	–	–	–	–	–	–	–	–
–	–	–	–	–	–	4	3	–	3	–	–	1
–	–	–	–	–	–	2	2	–	2	–	–	–

（報告表　4）

第４表（11－11）　精神医療審査会の審査状況（定期の

退院等の請求（処遇改善の請求）

	その											
	請求件数		請求									
			本人		代理人		配偶者		親権者		扶養義務者	
	1回	2回以上	1回	2回以上	1回	2回以上	1回	2回以上	1回	2回以上	1回	2回以上
全国	-	-	-	-	-	-	-	-	-	-	-	-
北海道	-	-	-	-	-	-	-	-	-	-	-	-
青森	-	-	-	-	-	-	-	-	-	-	-	-
岩手	-	-	-	-	-	-	-	-	-	-	-	-
宮城	-	-	-	-	-	-	-	-	-	-	-	-
秋田	-	-	-	-	-	-	-	-	-	-	-	-
山形	-	-	-	-	-	-	-	-	-	-	-	-
福島	-	-	-	-	-	-	-	-	-	-	-	-
茨城	-	-	-	-	-	-	-	-	-	-	-	-
栃木	-	-	-	-	-	-	-	-	-	-	-	-
群馬	-	-	-	-	-	-	-	-	-	-	-	-
埼玉	-	-	-	-	-	-	-	-	-	-	-	-
千葉	-	-	-	-	-	-	-	-	-	-	-	-
東京	-	-	-	-	-	-	-	-	-	-	-	-
神奈川	-	-	-	-	-	-	-	-	-	-	-	-
新潟	-	-	-	-	-	-	-	-	-	-	-	-
富山	-	-	-	-	-	-	-	-	-	-	-	-
石川	-	-	-	-	-	-	-	-	-	-	-	-
福井	-	-	-	-	-	-	-	-	-	-	-	-
山梨	-	-	-	-	-	-	-	-	-	-	-	-
長野	-	-	-	-	-	-	-	-	-	-	-	-
岐阜	-	-	-	-	-	-	-	-	-	-	-	-
静岡	-	-	-	-	-	-	-	-	-	-	-	-
愛知	-	-	-	-	-	-	-	-	-	-	-	-
三重	-	-	-	-	-	-	-	-	-	-	-	-
滋賀	-	-	-	-	-	-	-	-	-	-	-	-
京都	-	-	-	-	-	-	-	-	-	-	-	-
大阪	-	-	-	-	-	-	-	-	-	-	-	-
兵庫	-	-	-	-	-	-	-	-	-	-	-	-
奈良	-	-	-	-	-	-	-	-	-	-	-	-
和歌山	-	-	-	-	-	-	-	-	-	-	-	-
鳥取	-	-	-	-	-	-	-	-	-	-	-	-
島根	-	-	-	-	-	-	-	-	-	-	-	-
岡山	-	-	-	-	-	-	-	-	-	-	-	-
広島	-	-	-	-	-	-	-	-	-	-	-	-
山口	-	-	-	-	-	-	-	-	-	-	-	-
徳島	-	-	-	-	-	-	-	-	-	-	-	-
香川	-	-	-	-	-	-	-	-	-	-	-	-
愛媛	-	-	-	-	-	-	-	-	-	-	-	-
高知	-	-	-	-	-	-	-	-	-	-	-	-
福岡	-	-	-	-	-	-	-	-	-	-	-	-
佐賀	-	-	-	-	-	-	-	-	-	-	-	-
長崎	-	-	-	-	-	-	-	-	-	-	-	-
熊本	-	-	-	-	-	-	-	-	-	-	-	-
大分	-	-	-	-	-	-	-	-	-	-	-	-
宮崎	-	-	-	-	-	-	-	-	-	-	-	-
鹿児島	-	-	-	-	-	-	-	-	-	-	-	-
沖縄	-	-	-	-	-	-	-	-	-	-	-	-
指定都市（再掲）												
札幌市	-	-	-	-	-	-	-	-	-	-	-	-
仙台市	-	-	-	-	-	-	-	-	-	-	-	-
さいたま市	-	-	-	-	-	-	-	-	-	-	-	-
千葉市	-	-	-	-	-	-	-	-	-	-	-	-
横浜市	-	-	-	-	-	-	-	-	-	-	-	-
川崎市	-	-	-	-	-	-	-	-	-	-	-	-
相模原市	-	-	-	-	-	-	-	-	-	-	-	-
新潟市	-	-	-	-	-	-	-	-	-	-	-	-
静岡市	-	-	-	-	-	-	-	-	-	-	-	-
浜松市	-	-	-	-	-	-	-	-	-	-	-	-
名古屋市	-	-	-	-	-	-	-	-	-	-	-	-
京都市	-	-	-	-	-	-	-	-	-	-	-	-
大阪市	-	-	-	-	-	-	-	-	-	-	-	-
堺市	-	-	-	-	-	-	-	-	-	-	-	-
神戸市	-	-	-	-	-	-	-	-	-	-	-	-
岡山市	-	-	-	-	-	-	-	-	-	-	-	-
広島市	-	-	-	-	-	-	-	-	-	-	-	-
北九州市	-	-	-	-	-	-	-	-	-	-	-	-
福岡市	-	-	-	-	-	-	-	-	-	-	-	-
熊本市	-	-	-	-	-	-	-	-	-	-	-	-

報告等・退院等の請求），都道府県－指定都市（再掲）別

平成29年度

他												
者						審査件数	審査結果件数		審査結果等要旨の通知時期			審査中
後見人		保佐人		市区町村長			入院又は処遇は適当	入院又は処遇は不適当	1月以内	1月超	その他	
1回	2回以上	1回	2回以上	1回	2回以上							
－	－	－	－	－	－	－	－	－	－	－	－	－
－	－	－	－	－	－	－	－	－	－	－	－	－
－	－	－	－	－	－	－	－	－	－	－	－	－
－	－	－	－	－	－	－	－	－	－	－	－	－
－	－	－	－	－	－	－	－	－	－	－	－	－
－	－	－	－	－	－	－	－	－	－	－	－	－
－	－	－	－	－	－	－	－	－	－	－	－	－
－	－	－	－	－	－	－	－	－	－	－	－	－
－	－	－	－	－	－	－	－	－	－	－	－	－
－	－	－	－	－	－	－	－	－	－	－	－	－
－	－	－	－	－	－	－	－	－	－	－	－	－
－	－	－	－	－	－	－	－	－	－	－	－	－
－	－	－	－	－	－	－	－	－	－	－	－	－
－	－	－	－	－	－	－	－	－	－	－	－	－
－	－	－	－	－	－	－	－	－	－	－	－	－
－	－	－	－	－	－	－	－	－	－	－	－	－
－	－	－	－	－	－	－	－	－	－	－	－	－
－	－	－	－	－	－	－	－	－	－	－	－	－
－	－	－	－	－	－	－	－	－	－	－	－	－
－	－	－	－	－	－	－	－	－	－	－	－	－
－	－	－	－	－	－	－	－	－	－	－	－	－
－	－	－	－	－	－	－	－	－	－	－	－	－
－	－	－	－	－	－	－	－	－	－	－	－	－
－	－	－	－	－	－	－	－	－	－	－	－	－
－	－	－	－	－	－	－	－	－	－	－	－	－
－	－	－	－	－	－	－	－	－	－	－	－	－
－	－	－	－	－	－	－	－	－	－	－	－	－
－	－	－	－	－	－	－	－	－	－	－	－	－
－	－	－	－	－	－	－	－	－	－	－	－	－
－	－	－	－	－	－	－	－	－	－	－	－	－
－	－	－	－	－	－	－	－	－	－	－	－	－
－	－	－	－	－	－	－	－	－	－	－	－	－
－	－	－	－	－	－	－	－	－	－	－	－	－
－	－	－	－	－	－	－	－	－	－	－	－	－
－	－	－	－	－	－	－	－	－	－	－	－	－
－	－	－	－	－	－	－	－	－	－	－	－	－
－	－	－	－	－	－	－	－	－	－	－	－	－
－	－	－	－	－	－	－	－	－	－	－	－	－
－	－	－	－	－	－	－	－	－	－	－	－	－
－	－	－	－	－	－	－	－	－	－	－	－	－
－	－	－	－	－	－	－	－	－	－	－	－	－
－	－	－	－	－	－	－	－	－	－	－	－	－
－	－	－	－	－	－	－	－	－	－	－	－	－
－	－	－	－	－	－	－	－	－	－	－	－	－
－	－	－	－	－	－	－	－	－	－	－	－	－
－	－	－	－	－	－	－	－	－	－	－	－	－
－	－	－	－	－	－	－	－	－	－	－	－	－
－	－	－	－	－	－	－	－	－	－	－	－	－
－	－	－	－	－	－	－	－	－	－	－	－	－
－	－	－	－	－	－	－	－	－	－	－	－	－
－	－	－	－	－	－	－	－	－	－	－	－	－
－	－	－	－	－	－	－	－	－	－	－	－	－
－	－	－	－	－	－	－	－	－	－	－	－	－
－	－	－	－	－	－	－	－	－	－	－	－	－
－	－	－	－	－	－	－	－	－	－	－	－	－
－	－	－	－	－	－	－	－	－	－	－	－	－
－	－	－	－	－	－	－	－	－	－	－	－	－
－	－	－	－	－	－	－	－	－	－	－	－	－
－	－	－	－	－	－	－	－	－	－	－	－	－
－	－	－	－	－	－	－	－	－	－	－	－	－
－	－	－	－	－	－	－	－	－	－	－	－	－
－	－	－	－	－	－	－	－	－	－	－	－	－
－	－	－	－	－	－	－	－	－	－	－	－	－
－	－	－	－	－	－	－	－	－	－	－	－	－
－	－	－	－	－	－	－	－	－	－	－	－	－
－	－	－	－	－	－	－	－	－	－	－	－	－
－	－	－	－	－	－	－	－	－	－	－	－	－
－	－	－	－	－	－	－	－	－	－	－	－	－
－	－	－	－	－	－	－	－	－	－	－	－	－
－	－	－	－	－	－	－	－	－	－	－	－	－
－	－	－	－	－	－	－	－	－	－	－	－	－
－	－	－	－	－	－	－	－	－	－	－	－	－

（報告表　4）

第５表（２－１）　精神障害者保健福祉手帳交付

	総数									
	前年度末[1]現在	新規交付（年度中）	転入（年度中）	転出（年度中）	返還（年度中）	障害の等級の変更（年度中）増	障害の等級の変更（年度中）減	年度末現在	有効期限切れ（年度末現在の再掲）	認定更新（年度中）
全国	**937 084**	**121 674**	**12 793**	**7 816**	**18 536**	**32 485**	**32 485**	**1 045 199**	**53 383**	**416 786**
北海道	46 209	4 532	545	239	621	1 618	1 618	50 426	3 440	22 947
青森	10 734	1 238	51	15	126	50	50	11 882	597	5 125
岩手	9 308	1 432	80	51	148	348	348	10 621	586	3 520
宮城	12 298	1 591	221	119	209	659	659	13 782	1 055	6 763
秋田	6 167	756	97	66	188	337	337	6 766	304	3 081
山形	5 446	473	47	44	137	120	120	5 785	126	2 551
福島	11 661	1 987	86	54	136	349	349	13 544	906	4 866
茨城	15 167	2 598	173	116	29	583	583	17 793	1 603	5 973
栃木	10 958	1 948	90	57	413	29	29	12 526	563	4 976
群馬	10 927	1 432	102	156	209	462	462	12 096	1 079	4 374
埼玉	48 785	7 819	827	684	3 108	2 274	2 274	53 639	824	18 883
千葉	40 518	4 911	632	329	459	1 472	1 472	45 273	1 679	17 724
東京	100 999	14 664	1 361	679	474	400	400	115 871	7 339	43 201
神奈川	75 183	9 222	1 397	685	1 308	4 329	4 329	83 809	2 841	35 073
新潟	15 505	1 822	206	255	601	474	474	16 677	1 070	6 971
富山	5 740	915	40	25	117	261	261	6 553	267	2 531
石川	7 102	1 155	54	24	207	18	18	8 080	355	3 058
福井	5 818	759	22	16	22	180	180	6 561	311	2 586
山梨	6 218	696	51	43	207	321	321	6 715	657	3 129
長野	18 513	2 425	85	53	321	742	742	20 649	698	8 175
岐阜	14 264	1 637	126	60	353	765	765	15 614	422	6 047
静岡	20 728	2 641	229	260	286	682	682	23 052	786	9 339
愛知	60 690	6 770	845	497	1 521	3 369	3 369	66 287	906	26 961
三重	11 993	1 669	109	65	136	577	577	13 570	668	5 272
滋賀	11 003	1 007	98	61	126	382	382	11 921	2 359	4 132
京都	18 800	2 849	299	160	193	859	859	21 595	2 381	9 840
大阪	80 981	11 312	2 060	1 434	2 969	1 479	1 479	89 950	3 371	34 349
兵庫	38 496	4 485	534	189	254	1 786	1 786	43 072	2 149	18 199
奈良	9 412	1 656	121	68	158	497	497	10 963	493	3 895
和歌山	6 754	861	51	40	371	219	219	7 255	73	2 870
鳥取	6 668	534	39	24	98	68	68	7 119	798	2 411
島根	6 377	667	40	28	146	201	201	6 910	231	2 753
岡山	12 835	1 908	188	159	330	264	264	14 442	922	4 799
広島	30 141	3 224	307	177	245	1 184	1 184	33 250	1 627	14 004
山口	10 845	855	79	69	247	337	337	11 463	776	4 771
徳島	4 755	566	25	13	43	25	25	5 290	327	1 953
香川	5 153	567	61	27	62	243	243	5 692	273	2 430
愛媛	8 530	847	83	21	18	145	145	9 421	305	3 836
高知	5 016	645	30	28	165	18	18	5 498	286	2 220
福岡	39 824	5 584	708	442	414	1 417	1 417	45 260	2 396	16 400
佐賀	5 132	790	60	24	45	168	168	5 913	385	2 324
長崎	10 936	937	74	41	168	413	413	11 738	891	4 591
熊本	15 974	1 555	227	141	380	689	689	17 235	1 149	7 562
大分	8 153	1 152	61	8	35	372	372	9 323	470	3 359
宮崎	7 617	1 567	40	20	533	28	28	8 671	382	2 691
鹿児島	12 866	1 360	97	50	165	483	483	14 108	1 321	5 493
沖縄	9 885	1 654	35	-	35	789	789	11 539	936	8 778
指定都市（再掲）										
札幌市	23 778	2 299	281	70	276	894	894	26 012	970	10 356
仙台市	7 487	791	135	47	120	418	418	8 246	484	3 704
さいたま市	9 192	1 236	214	261	278	344	344	10 103	418	3 581
千葉市	7 068	929	135	-	10	265	265	8 122	364	3 083
横浜市	32 249	3 399	504	153	710	2 004	2 004	35 289	711	15 187
川崎市	11 135	1 213	241	262	136	587	587	12 191	292	5 097
相模原市	6 904	805	288	57	69	289	289	7 871	125	4 085
新潟市	5 582	772	74	98	63	116	116	6 267	356	2 130
静岡市	4 532	581	59	23	73	34	34	5 076	159	2 057
浜松市	5 457	530	40	124	76	154	154	5 827	65	2 600
名古屋市	22 639	2 202	470	53	529	1 037	1 037	24 729	609	10 305
京都市	15 131	1 624	186	99	111	627	627	16 731	907	7 253
大阪市	31 232	3 863	767	461	1 777	213	213	33 624	466	13 136
堺市	8 035	994	156	99	187	278	278	8 899	292	3 509
神戸市	14 572	1 583	217	122	211	668	668	16 039	811	6 759
岡山市	5 283	863	89	57	22	45	45	6 156	422	2 045
広島市	14 181	1 553	169	119	236	623	623	15 548	562	6 946
北九州市	7 618	1 211	105	267	167	251	251	8 500	367	3 208
福岡市	13 431	2 203	330	95	142	543	543	15 727	654	4 916
熊本市	7 965	739	115	99	100	352	352	8 620	496	3 598

注：1）「前年度末現在」は、本年度中に遡及更新を行った場合を除き、前年度末までに有効期限が切れた精神障害者保健福祉手帳所持者の数は含まれない。

台帳登載数，障害の等級区分・都道府県－指定都市（再掲）別

平成29年度

1級									
前年度末[1]現在	新規交付（年度中）	転入（年度中）	転出（年度中）	返還（年度中）	障害の等級の変更（年度中）		年度末現在	有効期限切れ（年度末現在の再掲）	認定更新（年度中）
					増	減			
118 037	**11 314**	**819**	**562**	**5 000**	**7 083**	**4 014**	**127 677**	**7 026**	**54 697**
3 865	314	22	12	159	253	148	4 135	432	1 941
3 795	324	6	2	71	28	－	4 080	208	1 864
3 591	461	17	8	84	89	134	3 932	231	1 328
1 773	173	20	13	73	116	150	1 846	230	1 079
1 709	161	21	20	76	132	84	1 843	96	868
1 627	24	2	2	59	21	23	1 590	39	814
1 419	154	7	1	46	48	45	1 536	105	609
1 631	261	12	4	2	132	63	1 967	269	625
2 423	420	4	6	22	11	1	2 829	125	1 159
4 357	351	4	47	88	151	137	4 591	214	1 752
4 138	612	41	36	473	577	175	4 684	70	1 550
6 650	471	39	23	183	419	178	7 195	307	3 100
6 116	695	89	26	106	41	－	6 809	455	2 542
8 459	693	83	54	403	773	539	9 012	264	4 424
1 704	148	17	14	146	114	69	1 754	147	743
462	66	3	1	40	40	22	508	25	196
493	54	3	－	28	6	－	528	29	221
320	43	1	－	5	25	7	377	31	145
721	54	6	－	75	53	50	709	109	363
9 266	963	6	17	216	386	184	10 204	300	4 340
3 759	408	11	11	195	287	196	4 063	106	1 547
1 651	174	7	5	98	97	53	1 773	27	753
6 301	846	77	44	528	902	320	7 234	55	3 033
1 140	97	7	2	39	96	60	1 239	69	486
870	56	4	2	36	58	26	924	257	298
1 753	195	11	9	54	151	78	1 969	247	927
7 830	708	119	95	604	258	193	8 023	320	3 214
4 284	323	31	18	65	327	240	4 642	295	2 114
1 327	255	16	6	53	132	82	1 589	71	580
668	60	7	－	60	35	15	695	16	291
944	30	5	－	38	27	3	965	124	320
1 474	111	1	3	82	81	15	1 567	35	640
1 538	181	13	17	101	62	37	1 639	144	554
2 517	190	14	11	82	153	148	2 633	201	1 132
2 439	71	9	2	117	71	64	2 407	160	1 102
884	55	1	－	18	5	4	923	122	351
391	23	4	2	17	51	26	424	22	207
978	86	7	6	10	29	26	1 058	48	495
370	57	1	1	21	2	－	408	29	153
3 107	219	30	23	75	196	88	3 366	177	1 277
388	41	3	－	11	34	7	448	57	195
1 273	41	6	1	46	53	82	1 244	122	520
3 488	117	18	15	208	134	64	3 470	155	1 728
429	43	4	－	18	52	17	493	31	167
645	128	5	1	34	3	－	746	37	227
388	32	2	2	25	53	14	434	70	177
2 682	325	3	－	10	319	147	3 172	343	2 546
1 278	109	12	2	71	78	42	1 362	94	479
1 227	112	6	8	42	88	82	1 301	105	588
657	60	10	10	95	87	19	690	35	245
1 307	124	9	－	5	85	33	1 487	86	655
3 308	238	25	9	194	342	217	3 493	36	1 690
985	49	14	17	37	87	79	1 002	35	842
783	52	16	8	32	39	30	820	13	424
721	40	－	6	30	30	21	734	62	245
330	43	1	－	26	12	－	360	13	140
415	31	1	2	26	19	10	428	6	194
1 399	96	43	11	110	140	74	1 483	36	630
1 550	128	6	8	41	122	58	1 699	107	726
2 689	176	42	27	279	27	－	2 628	33	1 129
1 180	120	9	9	47	90	58	1 285	41	512
1 131	106	14	8	60	115	55	1 243	86	531
469	38	7	3	6	9	－	514	55	173
1 351	116	8	8	78	89	89	1 389	72	661
555	41	4	13	27	28	24	564	14	213
934	88	18	6	14	68	36	1 052	41	347
1 130	35	8	10	47	61	23	1 154	47	547

（報告表　5）

第５表（２－２） 精神障害者保健福祉手帳交付

	２ 級									
	前年度末[1] 現　在	新規交付 （年度中）	転　入 （年度中）	転　出 （年度中）	返　還 （年度中）	障害の等級の変更（年度中）		年度末現在	有効期限切れ （年度末現在の再掲）	認定更新 （年度中）
						増	減			
全国	**560 857**	**57 710**	**7 173**	**4 237**	**9 257**	**18 591**	**13 138**	**617 699**	**27 142**	**260 131**
北海道	26 535	1 560	294	119	327	999	578	28 364	1 794	13 802
青森	5 726	714	32	11	47	22	28	6 408	322	2 791
岩手	4 293	735	44	33	55	212	123	5 073	276	1 705
宮城	7 446	812	132	66	99	411	232	8 404	612	4 226
秋田	3 461	412	47	34	91	159	157	3 797	145	1 740
山形	2 434	133	28	25	54	84	30	2 570	56	1 252
福島	6 655	917	47	29	69	195	147	7 569	486	2 915
茨城	8 689	1 304	97	65	5	331	250	10 101	886	3 599
栃木	6 649	1 173	48	30	160	15	9	7 686	352	3 071
群馬	5 040	726	38	67	86	250	192	5 709	628	2 094
埼玉	30 172	3 921	424	327	1 675	1 215	1 007	32 723	440	12 217
千葉	24 207	2 439	323	196	211	807	638	26 731	885	11 010
東京	51 797	5 033	724	288	239	357	38	57 346	1 592	24 369
神奈川	43 102	4 436	726	350	623	2 580	1 675	48 196	1 451	20 760
新潟	12 623	1 480	151	209	393	225	244	13 633	804	5 721
富山	3 869	535	24	16	64	131	127	4 352	180	1 751
石川	5 666	991	34	17	153	11	7	6 525	278	2 466
福井	4 100	455	11	10	15	122	56	4 607	219	1 880
山梨	4 451	384	31	25	119	164	153	4 733	317	2 253
長野	7 866	1 185	52	31	90	292	391	8 883	295	3 362
岐阜	8 686	852	77	38	136	381	345	9 477	191	3 817
静岡	12 419	1 185	133	127	143	381	282	13 566	415	5 786
愛知	39 006	3 255	513	283	762	1 842	1 435	42 136	438	17 724
三重	7 794	903	64	38	71	367	200	8 819	396	3 622
滋賀	6 701	469	52	35	72	248	132	7 231	1 111	2 763
京都	10 325	1 013	166	68	86	570	271	11 649	1 135	5 825
大阪	50 432	5 093	1 258	833	1 459	864	583	54 772	1 982	22 380
兵庫	23 478	1 747	285	80	119	911	806	25 416	1 161	11 304
奈良	5 853	845	61	47	80	295	186	6 741	242	2 523
和歌山	3 476	280	26	17	166	144	72	3 671	42	1 580
鳥取	5 115	392	13	18	56	26	40	5 432	593	1 874
島根	3 581	349	25	16	55	104	91	3 897	131	1 639
岡山	8 443	922	116	74	179	143	116	9 255	537	3 288
広島	19 910	1 647	175	118	127	629	528	21 588	905	9 619
山口	5 455	279	40	32	96	191	142	5 695	368	2 513
徳島	2 368	226	16	8	23	20	3	2 596	99	1 058
香川	3 353	247	32	10	30	133	105	3 620	170	1 648
愛媛	6 093	565	63	8	6	98	73	6 732	206	2 967
高知	3 587	372	17	15	91	14	3	3 881	202	1 629
福岡	24 487	2 697	395	242	259	954	448	27 584	1 416	10 821
佐賀	3 277	399	36	14	31	96	71	3 692	207	1 615
長崎	6 855	402	36	23	95	276	135	7 316	542	3 009
熊本	10 200	1 016	152	98	146	400	286	11 238	752	4 889
大分	5 691	730	23	5	10	217	153	6 493	293	2 400
宮崎	4 336	741	18	10	250	25	3	4 857	217	1 599
鹿児島	9 650	895	53	32	113	328	153	10 628	931	4 319
沖縄	5 505	844	21	-	21	352	394	6 307	442	4 936
指定都市（再掲）										
札幌市	12 611	616	151	29	147	589	293	13 498	391	5 724
仙台市	4 587	459	86	22	57	254	150	5 157	269	2 387
さいたま市	5 269	429	111	112	131	196	142	5 620	182	2 218
千葉市	4 031	448	79	-	2	137	124	4 569	163	1 788
横浜市	17 844	1 513	260	84	353	1 204	749	19 635	322	8 977
川崎市	6 136	527	132	131	63	350	223	6 728	143	2 721
相模原市	3 947	371	154	20	19	196	118	4 511	78	2 335
新潟市	4 467	624	64	80	30	58	57	5 046	264	1 742
静岡市	2 340	189	34	12	29	21	12	2 531	40	1 129
浜松市	3 589	224	23	55	42	78	70	3 747	37	1 779
名古屋市	14 488	924	288	30	319	667	355	15 663	274	6 793
京都市	8 520	652	108	47	43	404	207	9 387	445	4 407
大阪市	17 559	1 212	455	225	794	186	26	18 367	286	7 744
堺市	5 572	648	93	72	111	148	125	6 153	164	2 524
神戸市	9 387	737	111	76	116	338	322	10 059	507	4 413
岡山市	3 083	273	52	27	12	36	9	3 396	222	1 268
広島市	9 330	836	106	80	122	344	263	10 151	282	4 731
北九州市	4 874	664	60	153	93	169	79	5 442	231	2 160
福岡市	7 725	972	177	45	103	361	174	8 913	364	3 041
熊本市	5 515	502	76	70	43	220	131	6 069	331	2 529

注：1）「前年度末現在」は、本年度中に遡及更新を行った場合を除き、前年度末までに有効期限が切れた精神障害者保健福祉手帳所持者の数は含まれない。

台帳登載数，障害の等級区分・都道府県－指定都市（再掲）別

平成29年度

3 級									
前年度末[1]現在	新規交付（年度中）	転入（年度中）	転出（年度中）	返還（年度中）	障害の等級の変更（年度中） 増	障害の等級の変更（年度中） 減	年度末現在	有効期限切れ（年度末現在の再掲）	認定更新（年度中）
258 190	52 650	4 801	3 017	4 279	6 811	15 333	299 823	19 215	101 958
15 809	2 658	229	108	135	366	892	17 927	1 214	7 204
1 213	200	13	2	8	－	22	1 394	67	470
1 424	236	19	10	9	47	91	1 616	79	487
3 079	606	69	40	37	132	277	3 532	213	1 458
997	183	29	12	21	46	96	1 126	63	473
1 385	316	17	17	24	15	67	1 625	31	485
3 587	916	32	24	21	106	157	4 439	315	1 342
4 847	1 033	64	47	22	120	270	5 725	448	1 749
1 886	355	38	21	231	3	19	2 011	86	746
1 530	355	60	42	35	61	133	1 796	237	528
14 475	3 286	362	321	960	482	1 092	16 232	314	5 116
9 661	2 001	270	110	65	246	656	11 347	487	3 614
43 086	8 936	548	365	129	2	362	51 716	5 292	16 290
23 622	4 093	588	281	282	976	2 115	26 601	1 126	9 889
1 178	194	38	32	62	135	161	1 290	119	507
1 409	314	13	8	13	90	112	1 693	62	584
943	110	17	7	26	1	11	1 027	48	371
1 398	261	10	6	2	33	117	1 577	61	561
1 046	258	14	18	13	104	118	1 273	231	513
1 381	277	27	5	15	64	167	1 562	103	473
1 819	377	38	11	22	97	224	2 074	125	683
6 658	1 282	89	128	45	204	347	7 713	344	2 800
15 383	2 669	255	170	231	625	1 614	16 917	413	6 204
3 059	669	38	25	26	114	317	3 512	203	1 164
3 432	482	42	24	18	76	224	3 766	991	1 071
6 722	1 641	122	83	53	138	510	7 977	999	3 088
22 719	5 511	683	506	906	357	703	27 155	1 069	8 755
10 734	2 415	218	91	70	548	740	13 014	693	4 781
2 232	556	44	15	25	70	229	2 633	180	792
2 610	521	18	23	145	40	132	2 889	15	999
609	112	21	6	4	15	25	722	81	217
1 322	207	14	9	9	16	95	1 446	65	474
2 854	805	59	68	50	59	111	3 548	241	957
7 714	1 387	118	48	36	402	508	9 029	521	3 253
2 951	505	30	35	34	75	131	3 361	248	1 156
1 503	285	8	5	2	－	18	1 771	106	544
1 409	297	25	15	15	59	112	1 648	81	575
1 459	196	13	7	2	18	46	1 631	51	374
1 059	216	12	12	53	2	15	1 209	55	438
12 230	2 668	283	177	80	267	881	14 310	803	4 302
1 467	350	21	10	3	38	90	1 773	121	514
2 808	494	32	17	27	84	196	3 178	227	1 062
2 286	422	57	28	26	155	339	2 527	242	945
2 033	379	34	3	7	103	202	2 337	146	792
2 636	698	17	9	249	－	25	3 068	128	865
2 828	433	42	16	27	102	316	3 046	320	997
1 698	485	11	－	4	118	248	2 060	151	1 296
9 889	1 574	118	39	58	227	559	11 152	485	4 153
1 673	220	43	17	21	76	186	1 788	110	729
3 266	747	93	139	52	61	183	3 793	201	1 118
1 730	357	47	－	3	43	108	2 066	115	640
11 097	1 648	219	60	163	458	1 038	12 161	353	4 520
4 014	637	95	114	36	150	285	4 461	114	1 534
2 174	382	118	29	18	54	141	2 540	34	1 326
394	108	10	12	3	28	38	487	30	143
1 862	349	24	11	18	1	22	2 185	106	788
1 453	275	16	67	8	57	74	1 652	22	627
6 752	1 182	139	12	100	230	608	7 583	299	2 882
5 061	844	72	44	27	101	362	5 645	355	2 120
10 984	2 475	270	209	704	－	187	12 629	147	4 263
1 283	226	54	18	29	40	95	1 461	87	473
4 054	740	92	38	35	215	291	4 737	218	1 815
1 731	552	30	27	4	－	36	2 246	145	604
3 500	601	55	31	36	190	271	4 008	208	1 554
2 189	506	41	101	47	54	148	2 494	122	835
4 772	1 143	135	44	25	114	333	5 762	249	1 528
1 320	202	31	19	10	71	198	1 397	118	522

（報告表　5）

第６表（４－１） 精神保健福祉センターにおける相談、デイ・ケア、

	相談、デイ・ケア、訪問指導					（再				掲）
		（再掲）新規者の受付経路					延			
	実人員	保健所	市町村	医療機関	その他	実人員	総数	老人精神保健	社会復帰	アルコール
全国	**24 338**	**654**	**1 159**	**1 662**	**11 223**	**23 046**	**128 148**	**748**	**58 928**	**3 956**
北海道	238	5	9	15	153	233	546	－	13	13
青森	174	1	2	8	72	123	375	－	39	2
岩手	161	2	20	8	92	161	423	2	45	35
宮城	1 036	26	37	66	357	654	2 441	2	144	63
秋田	65	2	1	－	41	65	335	－	70	3
山形	140	3	3	6	45	140	927	2	1	211
福島	62	2	1	3	56	62	77	－	8	4
茨城	252	24	12	14	92	252	373	5	4	30
栃木	381	4	1	42	137	366	3 264	－	347	47
群馬	218	15	5	18	82	135	186	2	3	31
埼玉	5 734	33	224	250	1 154	5 538	23 526	270	10 601	379
千葉	1 465	15	110	53	1 241	1 461	2 312	49	322	108
東京	1 319	212	131	242	734	1 239	42 704	121	37 272	1 260
神奈川	1 321	83	131	55	742	1 298	3 331	21	1 341	291
新潟	309	2	39	30	238	308	728	6	50	22
富山	220	5	2	10	96	218	1 972	41	956	20
石川	272	5	5	17	132	271	1 259	2	266	24
福井	167	3	5	7	57	167	1 184	－	468	11
山梨	260	3	4	17	236	217	1 082	5	114	41
長野	390	6	－	14	108	390	2 007	1	294	370
岐阜	246	23	8	3	75	241	241	－	3	1
静岡	631	7	27	57	291	631	2 995	3	37	284
愛知	337	9	5	33	179	336	1 231	1	139	24
三重	124	1	3	2	97	124	258	－	138	13
滋賀	623	1	17	52	213	623	3 164	6	30	34
京都	519	5	2	74	438	519	1 293	28	301	64
大阪	1 135	33	102	34	704	1 109	4 572	12	21	66
兵庫	166	4	8	3	67	166	671	2	131	5
奈良	23	－	－	2	13	23	77	－	－	2
和歌山	142	－	－	7	135	115	376	2	18	3
鳥取	697	6	23	24	257	680	3 760	5	1 079	9
島根	231	8	4	9	112	231	733	1	1	3
岡山	833	24	41	74	306	701	5 337	13	1 658	76
広島	580	13	12	64	147	580	3 872	72	974	51
山口	52	－	2	2	48	52	67	－	15	3
徳島	219	6	8	3	95	216	620	－	162	13
香川	265	5	13	18	140	261	1 022	31	43	8
愛媛	304	1	9	7	287	288	1 439	－	64	24
高知	413	6	16	16	191	413	1 722	11	589	21
福岡	675	22	48	90	348	608	1 572	3	614	64
佐賀	152	2	9	14	76	152	219	5	10	17
長崎	155	2	3	42	108	133	219	－	47	7
熊本	610	5	32	33	332	564	1 038	12	63	57
大分	225	1	4	28	70	225	1 042	4	405	25
宮崎	309	13	8	16	272	309	624	5	6	21
鹿児島	198	5	9	12	140	198	410	2	15	9
沖縄	290	1	4	68	217	250	522	1	7	87
指定都市(再掲)										
札幌市	70	1	7	3	59	65	140	－	11	10
仙台市	847	22	23	34	277	483	1 729	1	130	57
さいたま市	946	27	150	87	682	946	4 128	28	365	150
千葉市	1 325	11	107	52	1 155	1 325	1 777	49	277	108
横浜市	265	3	－	4	258	265	501	3	288	96
川崎市	753	72	113	12	246	750	2 256	17	1 016	131
相模原市	288	8	18	39	223	268	559	1	37	64
新潟市	230	－	31	19	180	229	471	6	43	21
静岡市	225	2	15	35	139	225	653	3	37	17
浜松市	342	5	8	16	106	342	2 215	－	－	249
名古屋市	123	6	－	29	88	123	248	－	8	13
京都市	332	2	－	13	317	332	789	27	83	53
大阪市	114	－	56	－	58	97	185	1	－	－
堺市	390	11	8	5	104	381	3 374	2	－	－
神戸市	35	－	3	－	32	35	43	1	－	2
岡山市	474	20	40	56	202	402	1 836	3	8	43
広島市	217	9	－	42	95	217	545	2	219	10
北九州市	60	－	－	－	20	60	84	－	－	－
福岡市	200	13	39	6	142	197	384	－	1	58
熊本市	282	2	20	18	151	271	381	12	34	38

訪問指導・電話相談等人員数・普及啓発活動開催回数，都道府県－指定都市（再掲）別

平成29年度

相談								（再掲）デイ・ケア		（再掲）訪問指導	
人員											
薬物	ギャンブル	思春期	心の健康づくり	うつ・うつ状態	摂食障害	てんかん	その他	実人員	延人員	実人員	延人員
4 207	3 370	12 730	11 434	5 059	592	180	26 944	1 637	53 382	2 117	11 345
63	98	54	75	12	6	–	212	5	50	–	–
4	21	23	1	16	–	–	269	55	2 234	6	42
6	1	15	5	89	2	–	223	–	–	–	–
17	12	297	1 325	52	10	–	519	87	3 163	304	947
2	5	2	16	11	–	–	226	–	–	6	38
1	54	133	5	12	1	–	507	7	190	–	–
9	6	3	39	5	–	–	3	–	–	–	–
37	23	31	177	9	1	–	56	–	–	–	–
37	70	295	74	671	86	8	1 629	33	711	–	–
3	6	54	45	1	1	–	40	25	200	58	67
160	144	2 221	2 527	458	29	3	6 734	194	8 869	116	657
446	54	202	234	116	4	–	777	–	–	12	44
1 339	903	1 560	113	43	16	9	68	595	18 996	471	3 268
112	76	59	170	207	11	18	1 025	–	–	339	892
4	7	80	177	48	2	1	331	3	92	20	44
71	75	296	–	60	–	–	453	–	–	9	31
16	9	105	581	165	1	1	89	17	275	5	7
3	10	58	450	26	–	–	158	–	–	27	95
–	5	391	445	47	–	1	33	43	374	20	40
29	50	33	305	38	–	–	887	–	–	18	24
1	3	–	229	4	–	–	–	5	43	–	–
50	364	1 403	206	448	39	–	161	7	80	17	35
147	76	70	519	188	32	1	34	–	–	2	2
7	44	6	24	19	1	–	6	–	–	–	–
26	48	2 350	168	78	151	13	260	55	385	48	322
24	26	81	163	89	29	–	488	120	6 087	1	1
471	370	69	186	59	6	–	3 312	–	–	61	243
72	20	354	11	20	–	–	56	15	302	5	8
39	–	–	–	2	–	–	34	–	–	–	–
240	4	16	51	23	3	–	16	31	337	–	–
13	45	672	177	191	62	16	1 491	–	–	31	53
28	104	68	520	2	–	–	6	46	386	1	1
20	101	249	335	1 096	30	99	1 660	–	–	398	4 120
433	104	471	65	303	47	2	1 350	118	5 782	14	35
6	12	1	2	5	–	–	23	–	–	1	11
28	1	313	90	6	1	–	6	–	–	4	6
23	46	189	207	66	4	–	405	–	–	15	64
16	102	250	262	62	–	–	659	8	34	8	8
7	34	57	527	118	5	5	348	–	–	23	38
152	62	31	63	19	1	–	563	64	1 962	17	48
2	21	36	101	13	1	–	13	–	–	–	–
8	37	2	–	45	1	–	72	16	214	6	17
19	37	32	632	33	3	1	149	29	530	22	51
9	43	7	50	1	–	–	498	39	1 789	4	4
3	23	42	5	13	2	1	503	–	–	8	52
3	9	26	73	47	3	1	222	–	–	–	–
1	5	23	4	23	1	–	370	20	297	20	30
13	11	44	17	1	–	–	33	5	50	–	–
2	2	219	801	43	–	–	474	60	2 024	304	947
22	65	1 974	1 376	75	26	2	45	–	–	81	595
22	21	200	233	115	4	–	748	–	–	2	3
31	46	2	4	2	–	–	29	–	–	–	–
52	7	34	82	128	9	18	762	–	–	319	805
14	23	23	84	77	2	–	234	–	–	20	87
3	7	13	151	44	2	–	181	–	–	1	2
3	79	6	111	377	–	–	20	7	80	2	3
41	276	1 363	50	68	39	–	129	–	–	15	32
14	18	35	10	145	2	1	2	–	–	–	–
19	23	78	100	86	14	–	306	59	3 539	–	–
37	1	36	2	–	–	–	108	–	–	17	46
253	4	–	1	2	–	–	3 112	–	–	44	197
2	–	19	2	1	–	–	16	–	–	2	2
14	28	95	57	48	–	2	1 538	–	–	338	2 428
1	8	4	65	3	–	–	233	61	3 144	–	–
25	37	–	22	–	–	–	–	–	–	4	24
93	19	18	7	4	–	–	184	–	–	3	3
7	19	9	158	11	1	1	91	–	–	15	33

（報告表　6）

第６表（４－２）　精神保健福祉センターにおける相談、デイ・ケア、

	電話による相談延人員											
	総数	老人精神保健	社会復帰	アルコール	薬物	ギャンブル	思春期	心の健康づくり	うつ・うつ状態	摂食障害	てんかん	その他
全国	**352 472**	**3 741**	**53 206**	**6 302**	**3 241**	**3 882**	**11 025**	**110 644**	**23 861**	**961**	**828**	**134 781**
北海道	6 698	152	70	86	62	111	220	1 633	882	27	42	3 413
青森	1 863	8	20	19	6	28	40	809	32	4	1	896
岩手	8 022	53	205	84	15	335	45	288	531	5	–	6 461
宮城	16 292	231	123	113	20	47	222	7 643	313	18	5	7 557
秋田	2 609	15	17	30	1	11	16	455	204	7	1	1 852
山形	2 873	58	13	183	9	36	55	362	150	3	6	1 998
福島	3 606	15	76	53	102	29	55	2 312	158	1	–	805
茨城	5 468	86	69	99	50	48	125	3 900	210	17	6	858
栃木	9 313	27	87	127	8	47	42	5 175	592	28	4	3 176
群馬	5 282	85	39	116	30	40	255	2 894	376	21	6	1 420
埼玉	26 660	519	7 678	700	216	209	2 107	5 404	732	40	4	9 051
千葉	7 437	94	1 515	92	288	119	132	2 239	894	14	6	2 044
東京	29 059	158	7 890	618	293	338	751	8 319	2 059	88	54	8 491
神奈川	32 338	328	7 490	703	275	125	360	4 777	3 089	81	58	15 052
新潟	7 285	42	279	87	29	30	88	2 019	939	8	186	3 578
富山	2 503	1	252	39	16	234	134	591	67	2	–	1 167
石川	7 799	50	5 682	64	21	31	185	908	378	3	3	474
福井	2 853	6	151	26	19	15	31	2 260	96	–	–	249
山梨	2 215	17	536	49	–	20	605	770	133	11	–	74
長野	10 671	26	2 986	418	49	104	150	2 326	1 987	15	15	2 595
岐阜	7 817	19	1 547	113	8	53	7	5 868	85	4	4	109
静岡	9 737	208	102	103	25	192	240	4 978	2 854	20	5	1 010
愛知	10 060	44	311	103	106	95	151	8 570	272	20	6	382
三重	5 434	3	534	42	19	76	20	4 494	151	3	1	91
滋賀	4 569	20	30	68	26	61	2 305	924	310	181	12	632
京都	9 408	396	2 150	106	257	65	110	3 150	440	39	–	2 695
大阪	12 728	229	1 470	50	391	59	73	2 323	838	137	8	7 150
兵庫	7 067	135	1 619	149	51	65	170	2 388	549	17	5	1 919
奈良	737	3	–	32	6	8	6	8	9	2	–	663
和歌山	2 605	8	82	24	27	17	12	642	346	10	–	1 437
鳥取	1 952	8	131	18	1	18	154	98	277	8	1	1 238
島根	1 809	18	33	17	7	168	51	1 253	30	2	1	229
岡山	10 973	55	3 408	104	16	7	176	832	972	21	42	5 340
広島	7 519	76	701	80	202	81	204	2 216	267	14	2	3 676
山口	4 174	1	401	34	12	29	19	1 368	23	1	–	2 286
徳島	1 603	15	946	26	4	4	207	267	31	4	3	96
香川	5 642	111	281	21	35	56	140	2 143	113	7	1	2 734
愛媛	3 986	15	1 056	105	27	70	102	1 647	234	–	–	730
高知	2 657	39	107	41	17	109	55	387	139	7	1	1 755
福岡	13 128	62	987	230	257	179	152	1 474	556	19	12	9 200
佐賀	4 953	12	38	75	17	76	136	4 059	85	6	2	447
長崎	2 761	11	139	26	22	80	14	15	126	19	22	2 287
熊本	12 153	150	307	385	142	134	198	3 261	724	11	8	6 833
大分	4 996	65	1 569	166	27	76	225	2 307	102	–	–	459
宮崎	7 230	49	7	288	10	53	167	169	107	10	294	6 076
鹿児島	2 909	8	54	76	17	49	192	704	261	2	–	1 546
沖縄	3 019	10	18	114	3	45	121	15	138	4	1	2 550
指定都市(再掲)												
札幌市	3 896	128	15	58	13	40	201	810	567	13	19	2 032
仙台市	12 853	82	50	91	11	25	137	5 796	207	18	1	6 435
さいたま市	6 025	257	225	314	73	86	1 731	2 756	231	18	4	330
千葉市	2 294	67	1 243	5	1	3	20	503	65	–	–	387
横浜市	8 980	31	1 638	126	61	71	59	889	335	12	9	5 749
川崎市	11 143	265	5 648	422	117	30	230	548	1 038	65	26	2 754
相模原市	2 839	4	12	62	12	–	38	2 308	14	–	–	389
新潟市	4 646	38	140	65	21	26	55	1 177	694	3	–	2 427
静岡市	2 129	74	17	18	4	36	23	125	1 689	9	–	134
浜松市	3 058	39	61	30	5	111	46	2 252	187	9	3	315
名古屋市	2 616	28	215	33	38	40	83	1 899	205	5	3	67
京都市	6 071	87	53	83	28	53	70	2 698	388	20	–	2 591
大阪市	4 805	42	16	17	66	25	38	1 574	173	127	5	2 722
堺市	4 783	136	1 415	18	310	14	21	56	36	–	–	2 777
神戸市	3 259	95	213	89	12	2	65	1 653	352	4	–	774
岡山市	6 096	28	318	66	2	1	102	204	125	16	8	5 226
広島市	4 805	62	198	60	11	53	106	975	200	7	–	3 133
北九州市	2 914	6	84	25	19	35	6	102	–	2	–	2 635
福岡市	2 606	11	28	127	68	93	45	76	31	6	–	2 121
熊本市	6 587	107	198	145	19	53	88	1 097	28	6	6	4 840

訪問指導・電話相談等人員数・普及啓発活動開催回数，都道府県－指定都市（再掲）別

平成29年度

電子メールによる相談延人員											
総数	老人精神保健	社会復帰	アルコール	薬物	ギャンブル	思春期	心の健康づくり	うつ・うつ状態	摂食障害	てんかん	その他
2 842	**20**	**422**	**125**	**61**	**28**	**288**	**634**	**180**	**10**	**1**	**1 073**
75	－	－	3	11	4	2	45	2	－	－	8
－	－	－	－	－	－	－	－	－	－	－	－
－	－	－	－	－	－	－	－	－	－	－	－
－	－	－	－	－	－	－	－	－	－	－	－
－	－	－	－	－	－	－	－	－	－	－	－
23	－	－	－	－	－	－	4	4	－	－	15
8	1	1	－	－	－	－	5	－	－	－	1
16	－	－	2	－	－	1	－	1	－	－	12
7	－	－	－	1	－	－	－	1	－	－	5
179	3	26	6	1	－	4	38	16	1	－	84
769	4	94	70	7	13	122	319	94	6	－	40
64	3	1	1	29	1	1	3	4	－	－	21
－	－	－	－	－	－	－	－	－	－	－	－
269	－	187	32	8	2	2	1	1	－	－	36
－	－	－	－	－	－	－	－	－	－	－	－
36	－	36	－	－	－	－	－	－	－	－	－
－	－	－	－	－	－	－	－	－	－	－	－
17	－	－	－	－	－	－	11	2	－	－	4
3	－	－	－	－	－	－	3	－	－	－	－
－	－	－	－	－	－	－	－	－	－	－	－
－	－	－	－	－	－	－	－	－	－	－	－
12	－	－	－	－	－	－	11	1	－	－	－
210	5	6	2	－	1	18	133	17	1	1	26
4	－	1	－	－	－	－	－	2	－	－	1
124	－	2	－	－	－	113	－	3	－	－	6
19	－	3	－	1	－	－	2	－	－	－	13
566	1	3	1	1	－	－	2	6	－	－	552
3	－	－	－	－	－	－	－	－	－	－	3
6	－	－	－	－	－	－	－	－	－	－	6
－	－	－	－	－	－	－	－	－	－	－	－
－	－	－	－	－	－	－	－	－	－	－	－
－	－	－	－	－	－	－	－	－	－	－	－
128	－	48	－	－	－	－	2	2	－	－	76
9	－	－	－	－	－	－	－	－	－	－	9
－	－	－	－	－	－	－	－	－	－	－	－
12	－	3	2	－	2	－	3	1	－	－	1
65	2	3	2	1	1	1	22	5	－	－	28
19	－	1	1	－	2	1	3	2	－	－	9
－	－	－	－	－	－	－	－	－	－	－	－
18	－	－	－	－	－	－	4	3	－	－	11
23	1	1	－	－	－	2	9	2	1	－	7
－	－	－	－	－	－	－	－	－	－	－	－
5	－	－	－	－	1	－	3	1	－	－	－
11	－	4	－	1	－	－	5	－	－	－	1
45	－	－	－	－	－	19	4	3	－	－	19
－	－	－	－	－	－	－	－	－	－	－	－
97	－	2	3	－	1	2	2	7	1	－	79
－	－	－	－	－	－	－	－	－	－	－	－
－	－	－	－	－	－	－	－	－	－	－	－
329	1	89	31	1	1	76	109	13	－	－	8
10	2	1	－	－	1	－	3	2	－	－	1
－	－	－	－	－	－	－	－	－	－	－	－
267	－	187	32	8	2	1	1	1	－	－	35
2	－	－	－	－	－	1	－	－	－	－	1
－	－	－	－	－	－	－	－	－	－	－	－
－	－	－	－	－	－	－	－	－	－	－	－
－	－	－	－	－	－	－	－	－	－	－	－
18	1	4	－	－	－	3	5	2	－	－	3
－	－	－	－	－	－	－	－	－	－	－	－
23	1	3	1	－	－	－	2	6	－	－	10
543	－	－	－	1	－	－	－	－	－	－	542
3	－	－	－	－	－	－	－	－	－	－	3
60	－	－	－	－	－	－	－	－	－	－	60
9	－	－	－	－	－	－	－	－	－	－	9
－	－	－	－	－	－	－	－	－	－	－	－
－	－	－	－	－	－	－	－	－	－	－	－
5	－	－	－	－	1	－	3	1	－	－	－

（報告表　6）

第６表（４－３） 精神保健福祉センターにおける相談、デイ・ケア、

	（再掲）ひきこもり[1]					（再掲）発達障害		
	相談延人員	デイ・ケア延人員	訪問指導延人員	電話による相談延人員	電子メールによる相談延人員	相談延人員	電話による相談延人員	電子メールによる相談延人員
全国	**23 404**	**3 931**	**2 791**	**17 953**	**1 160**	**9 719**	**11 187**	**313**
北海道	41	30	-	71	1	175	443	5
青森	211	-	42	93	-	80	90	-
岩手	110	-	-	110	-	2	49	-
宮城	758	-	23	389	-	27	43	-
秋田	280	-	38	208	-	2	33	-
山形	302	94	-	104	-	220	96	2
福島	2	-	-	16	-	9	117	-
茨城	172	-	-	440	-	18	63	-
栃木	147	42	-	48	-	359	179	-
群馬	70	-	2	439	7	2	104	5
埼玉	2 376	-	317	1 158	234	1 562	1 300	187
千葉	41	-	42	179	-	64	217	2
東京	242	-	394	826	-	256	1 079	-
神奈川	593	-	111	602	22	145	515	13
新潟	49	92	-	144	-	5	50	-
富山	872	-	7	272	30	383	68	6
石川	565	275	6	110	-	400	700	-
福井	734	-	89	-	-	2	-	-
山梨	704	374	38	755	3	64	47	-
長野	399	-	2	186	-	742	638	-
岐阜	201	43	-	197	-	1	701	-
静岡	1 413	-	31	329	-	6	369	-
愛知	471	-	2	322	60	120	129	10
三重	93	-	-	164	-	7	8	-
滋賀	1 108	385	88	840	60	464	834	69
京都	251	-	-	129	-	13	345	3
大阪	2 954	-	177	2 118	529	187	266	2
兵庫	368	302	6	44	-	55	94	1
奈良	-	-	-	3	-	1	5	-
和歌山	46	337	-	14	-	8	1	-
鳥取	894	-	10	50	-	1 899	490	-
島根	532	303	1	140	-	1	14	-
岡山	1 870	-	1 136	2 786	115	379	219	2
広島	519	788	15	134	2	1 137	197	-
山口	16	-	-	20	-	-	10	-
徳島	277	-	4	239	-	122	95	-
香川	432	-	63	143	8	46	55	3
愛媛	625	34	7	163	1	204	325	-
高知	832	-	30	79	-	178	174	-
福岡	217	-	-	1 187	2	82	334	-
佐賀	40	-	-	22	1	14	55	1
長崎	46	-	-	53	-	2	40	-
熊本	381	530	28	665	-	81	191	-
大分	495	207	-	373	-	86	145	-
宮崎	319	-	52	477	14	57	41	2
鹿児島	17	-	-	29	-	47	175	-
沖縄	319	95	30	1 083	71	5	44	-
指定都市(再掲)								
札幌市	35	30	-	49	-	15	333	-
仙台市	229	-	23	244	-	7	21	-
さいたま市	1 795	-	305	870	192	1 367	820	184
千葉市	40	-	1	25	-	52	20	-
横浜市	1	-	-	41	-	4	52	-
川崎市	463	-	108	495	22	141	425	13
相模原市	129	-	3	58	-	-	-	-
新潟市	29	-	-	39	-	4	19	-
静岡市	2	-	3	3	-	6	28	-
浜松市	1 351	-	28	34	-	-	326	-
名古屋市	4	-	-	39	1	13	76	-
京都市	235	-	-	117	-	3	69	-
大阪市	30	-	3	497	3	16	21	-
堺市	2 918	-	174	1 597	526	110	179	2
神戸市	-	-	-	13	-	-	47	1
岡山市	1 081	-	509	2 126	60	34	20	-
広島市	14	167	-	38	2	5	48	-
北九州市	-	-	-	9	-	-	-	-
福岡市	198	-	-	82	-	69	60	-
熊本市	27	-	12	23	-	58	86	-

注：1) 「ひきこもり」とは、仕事や学校に行かず、かつ家族以外の人との交流をほとんどせずに、６か月以上続けて自宅にひきこもっている状態にある７歳から49歳までの者をいう。
2) 「自殺関連」とは、相談内容が、自殺の危険、予告・通知、実行中、未遂、遺族等からの相談のいずれかに該当するものをいう。

訪問指導・電話相談等人員数・普及啓発活動開催回数，都道府県－指定都市（再掲）別

平成29年度

（再掲）自殺関連[2)]							
相談延人員	（再掲）自死遺族	訪問指導延人員	（再掲）自死遺族	電話による相談延人員	（再掲）自死遺族	電子メールによる相談延人員	（再掲）自死遺族
3 702	**994**	**315**	**51**	**17 893**	**2 023**	**356**	**27**
41	23	－	－	168	23	13	－
7	－	－	－	246	55	－	－
22	10	－	－	369	195	－	－
19	1	4	－	1 234	8	－	－
－	－	－	－	66	7	－	－
46	46	－	－	201	11	5	－
6	－	－	－	277	133	－	－
1	1	－	－	87	4	1	－
336	15	－	－	209	61	3	－
12	9	－	－	513	89	22	－
918	171	80	26	1 474	168	188	5
15	1	－	－	330	13	－	－
37	－	－	－	593	47	－	－
131	5	16	－	752	238	2	－
9	－	1	－	76	19	－	－
327	50	－	－	39	6	－	－
102	－	1	－	165	11	－	－
－	－	－	－	－	－	－	－
128	61	2	－	372	29	－	－
64	62	－	－	381	19	－	－
5	3	－	－	128	14	－	－
96	81	－	－	885	99	2	－
68	28	－	－	554	58	11	2
48	40	－	－	376	33	1	－
126	18	32	3	353	99	5	1
85	23	1	－	1 237	60	3	1
218	201	5	5	157	69	13	11
8	－	－	－	540	12	－	－
28	21	－	－	588	4	6	6
4	3	－	－	54	45	－	－
82	15	1	－	67	2	－	－
27	3	－	－	61	12	－	－
133	4	127	13	852	19	63	－
272	10	2	－	141	23	1	1
－	－	11	－	400	－	－	－
25	1	1	－	89	19	－	－
27	2	1	－	131	1	6	－
－	－	－	－	35	1	1	－
60	8	1	－	93	8	－	－
71	27	24	－	2 365	178	3	－
11	－	－	－	130	－	－	－
6	－	1	－	38	2	－	－
53	37	4	4	301	50	－	－
10	7	－	－	106	38	－	－
8	－	－	－	87	6	6	－
8	6	－	－	547	32	－	－
2	1	－	－	26	3	1	－
10	－	－	－	109	12	－	－
14	－	4	－	1 071	－	－	－
233	69	76	26	435	77	61	4
15	1	－	－	9	－	－	－
5	－	－	－	257	84	－	－
26	5	4	－	250	5	1	－
100	－	12	－	18	－	1	－
9	－	1	－	51	15	－	－
30	18	－	－	187	95	－	－
47	47	－	－	116	3	－	－
8	8	－	－	86	43	1	1
69	23	－	－	509	55	－	－
79	76	－	－	24	15	2	－
60	60	5	5	60	46	11	11
－	－	－	－	248	－	－	－
118	4	123	13	263	10	－	－
2	1	－	－	22	8	1	1
22	22	24	－	402	6	－	－
38	1	－	－	1 743	143	－	－
10	2	4	4	97	21	－	－

（報告表　6）

第６表（４－４）　精神保健福祉センターにおける相談、デイ・ケア、

	（再掲）犯罪被害				（再掲）災害			
	相談延人員	訪問指導延人員	電話による相談延人員	電子メールによる相談延人員	相談延人員	訪問指導延人員	電話による相談延人員	電子メールによる相談延人員
全国	**296**	**14**	**737**	**32**	**116**	**292**	**291**	**－**
北海道	2	－	8	－	－	－	3	－
青森	－	－	－	－	－	－	－	－
岩手	－	－	10	－	24	－	28	－
宮城	－	－	6	－	1	290	18	－
秋田	－	－	1	－	－	－	－	－
山形	－	－	1	－	－	－	－	－
福島	－	－	3	－	1	－	51	－
茨城	－	－	－	－	1	－	－	－
栃木	－	－	2	－	64	－	1	－
群馬	－	－	11	21	－	－	9	－
埼玉	18	6	20	1	2	－	2	－
千葉	2	－	32	－	2	－	13	－
東京	－	－	22	－	1	－	5	－
神奈川	5	6	21	1	－	－	－	－
新潟	1	－	11	－	－	－	10	－
富山	118	－	12	－	－	－	－	－
石川	－	－	－	－	－	－	－	－
福井	－	－	－	－	－	－	－	－
山梨	－	－	－	－	－	－	－	－
長野	3	2	4	－	－	－	－	－
岐阜	－	－	3	－	－	－	－	－
静岡	12	－	3	－	－	－	13	－
愛知	15	－	432	－	－	－	1	－
三重	－	－	－	－	－	－	－	－
滋賀	8	－	18	9	－	－	－	－
京都	18	－	1	－	－	－	－	－
大阪	1	－	2	－	－	－	－	－
兵庫	－	－	3	－	－	－	2	－
奈良	－	－	－	－	－	－	－	－
和歌山	－	－	－	－	－	－	－	－
鳥取	－	－	1	－	11	－	－	－
島根	－	－	1	－	－	－	－	－
岡山	43	－	11	－	－	－	－	－
広島	16	－	7	－	－	－	3	－
山口	－	－	1	－	－	－	－	－
徳島	－	－	1	－	－	－	－	－
香川	2	－	2	－	－	－	－	－
愛媛	1	－	2	－	－	－	－	－
高知	8	－	2	－	1	－	2	－
福岡	－	－	11	－	－	－	5	－
佐賀	9	－	41	－	4	－	17	－
長崎	2	－	3	－	－	－	－	－
熊本	10	－	13	－	4	2	105	－
大分	－	－	6	－	－	－	2	－
宮崎	1	－	9	－	－	－	－	－
鹿児島	1	－	－	－	－	－	－	－
沖縄	－	－	－	－	－	－	1	－
指定都市(再掲)								
札幌市	－	－	7	－	－	－	3	－
仙台市	－	－	2	－	－	290	16	－
さいたま市	17	6	19	1	2	－	2	－
千葉市	2	－	3	－	2	－	8	－
横浜市	－	－	6	－	－	－	－	－
川崎市	5	6	13	1	－	－	－	－
相模原市	－	－	－	－	－	－	－	－
新潟市	1	－	11	－	－	－	10	－
静岡市	1	－	2	－	－	－	－	－
浜松市	11	－	1	－	－	－	－	－
名古屋市	－	－	431	－	－	－	1	－
京都市	18	－	1	－	－	－	－	－
大阪市	－	－	2	－	－	－	－	－
堺市	－	－	－	－	－	－	－	－
神戸市	－	－	1	－	－	－	－	－
岡山市	－	－	2	－	－	－	－	－
広島市	－	－	1	－	－	－	－	－
北九州市	－	－	－	－	－	－	－	－
福岡市	－	－	4	－	－	－	－	－
熊本市	－	－	7	－	1	－	80	－

訪問指導・電話相談等人員数・普及啓発活動開催回数，都道府県－指定都市（再掲）別

平成29年度

普及啓発									
地域住民への講演、交流会				精神障害者（家族）に対する教室等				精神ボランティア育成	
開催回数	延人員	(再掲)薬物関連問題(アルコールを除く。)		開催回数	延人員	(再掲)薬物関連問題(アルコールを除く。)		開催回数	延人員
		開催回数	延人員			開催回数	延人員		
782	81 226	102	11 245	2 890	21 636	974	5 422	128	2 849
9	473	-	-	90	632	28	135	1	33
-	-	-	-	44	296	-	-	-	-
5	500	1	24	40	163	2	12	-	-
17	1 479	-	-	128	1 409	8	51	-	-
-	-	-	-	12	100	-	-	-	-
2	321	-	-	2	59	-	-	-	-
2	304	1	121	18	114	18	114	-	-
5	579	2	169	144	821	59	272	-	-
20	2 408	2	370	82	262	35	63	1	36
17	1 313	-	-	62	503	16	22	-	-
7	1 467	-	-	215	1 385	28	72	-	-
31	6 008	11	1 974	83	843	31	171	9	100
34	2 766	19	1 012	341	2 633	183	1 582	10	33
90	12 213	-	-	192	1 580	62	215	16	749
9	1 630	1	34	33	374	13	86	-	-
16	1 496	2	200	38	118	15	52	-	-
44	2 085	1	42	18	176	5	90	14	267
70	850	3	14	-	-	-	-	-	-
13	3 491	8	3 156	14	57	-	-	-	-
13	1 864	1	64	19	258	-	-	-	-
3	420	-	-	-	-	-	-	-	-
32	2 142	1	121	92	725	40	201	10	157
24	3 032	11	372	127	721	65	295	23	258
8	1 388	1	160	12	132	-	-	-	-
8	639	1	136	24	400	11	27	-	-
15	1 484	4	171	64	320	21	75	17	424
57	6 672	2	599	75	643	29	98	-	-
16	1 400	2	135	89	1 041	15	232	5	171
3	140	-	-	-	-	-	-	-	-
6	374	2	84	7	162	2	9	-	-
12	651	-	-	21	99	-	-	3	70
2	68	-	-	29	173	-	-	-	-
21	1 134	1	27	4	42	-	-	-	-
5	775	-	-	153	983	89	467	-	-
5	817	-	-	35	68	12	32	1	24
6	38	-	-	2	66	-	-	3	92
1	62	-	-	52	243	12	36	-	-
26	3 285	3	99	7	109	1	19	-	-
10	310	1	144	57	287	-	-	-	-
54	4 301	13	445	174	1 623	79	461	4	177
12	1 169	1	160	48	270	3	9	11	258
29	4 735	3	661	75	471	-	-	-	-
4	359	1	30	140	876	86	514	-	-
12	1 352	2	317	6	97	-	-	-	-
-	-	-	-	12	114	6	10	-	-
3	794	-	-	2	22	-	-	-	-
4	2 438	1	404	8	166	-	-	-	-
9	473	-	-	1	18	-	-	1	33
16	1 384	-	-	116	1 285	-	-	-	-
2	135	-	-	130	983	4	6	-	-
15	1 039	1	58	69	417	22	76	6	38
56	9 188	-	-	13	160	-	-	-	-
6	788	-	-	62	340	12	21	16	749
23	1 787	-	-	103	790	48	146	-	-
6	1 214	1	34	6	60	-	-	-	-
14	1 040	-	-	29	353	11	78	-	-
2	181	1	121	26	225	6	46	10	157
3	2 316	1	126	21	271	1	4	21	226
6	779	2	88	50	216	16	60	7	83
24	4 393	1	241	18	119	3	8	-	-
26	1 300	-	-	35	443	11	54	-	-
12	838	1	35	10	360	4	145	5	171
16	801	1	27	3	32	-	-	-	-
5	775	-	-	13	105	-	-	-	-
26	1 573	1	210	57	407	45	286	4	177
22	2 378	12	235	59	534	34	175	-	-
3	167	1	30	79	371	47	185	-	-

（報告表　6）

第７表（２－１） 精神保健福祉センターにおける技術指導・援助

	実			施			
	技	術	指	導	・		
	総数	老人精神保健	社会復帰	アルコール	薬物	ギャンブル	思春期
全国	42 437	2 849	12 420	1 412	911	291	1 534
北海道	1 115	10	119	159	63	1	8
青森	111	1	45	－	2	1	4
岩手	832	－	59	8	－	－	2
宮城	1 121	11	299	43	54	8	34
秋田	138	－	22	6	3	7	－
山形	164	2	2	4	2	5	8
福島	447	－	35	16	9	2	3
茨城	100	－	27	－	15	－	－
栃木	52	1	14	－	－	－	3
群馬	12	1	－	5	2	－	1
埼玉	6 891	375	597	507	72	17	435
千葉	365	2	148	11	51	9	16
東京	12 349	2 233	7 184	113	85	10	161
神奈川	1 562	7	335	50	39	9	21
新潟	176	8	42	6	9	－	4
富山	186	6	38	4	3	－	14
石川	1 045	4	204	17	21	23	140
福井	52	－	21	－	3	－	1
山梨	174	－	73	4	9	－	8
長野	1 860	－	459	14	15	18	5
岐阜	79	－	15	6	1	－	－
静岡	513	20	70	2	20	－	19
愛知	547	14	175	20	26	16	14
三重	260	－	131	20	11	8	2
滋賀	153	－	6	10	－	3	10
京都	309	3	66	15	15	2	12
大阪	2 496	19	313	29	115	13	37
兵庫	415	1	149	5	9	5	9
奈良	2	－	－	2	－	－	－
和歌山	88	－	－	14	4	18	4
鳥取	305	7	114	10	6	2	44
島根	96	－	5	1	2	18	2
岡山	3 172	46	899	89	－	1	144
広島	289	－	14	6	49	4	6
山口	82	－	2	1	5	1	18
徳島	546	4	40	31	52	4	104
香川	71	2	8	3	－	－	2
愛媛	116	－	15	3	10	－	3
高知	429	5	39	12	20	2	53
福岡	1 001	21	265	13	17	12	21
佐賀	142	2	41	9	3	1	22
長崎	369	1	206	5	8	36	2
熊本	1 533	38	74	105	59	15	57
大分	123	－	26	1	7	－	3
宮崎	286	5	1	13	4	15	28
鹿児島	101	－	－	7	6	5	31
沖縄	162	－	23	13	5	－	19
指定都市(再掲)							
札幌市	430	7	117	19	8	－	4
仙台市	536	－	210	21	－	－	1
さいたま市	6 081	360	595	470	59	14	428
千葉市	45	－	－	－	－	－	12
横浜市	138	2	21	12	12	9	4
川崎市	568	4	287	18	19	－	9
相模原市	59	1	－	11	－	－	4
新潟市	88	8	4	6	5	－	4
静岡市	133	20	12	2	13	－	3
浜松市	142	－	41	－	－	－	16
名古屋市	262	11	129	12	11	7	8
京都市	57	－	－	6	－	1	3
大阪市	1 926	9	112	4	84	1	35
堺市	182	－	82	9	8	－	－
神戸市	93	－	68	1	1	－	1
岡山市	2 920	41	747	84	－	1	139
広島市	184	－	11	3	5	4	4
北九州市	349	8	156	5	－	－	4
福岡市	214	12	89	1	3	－	5
熊本市	850	35	65	60	24	7	38

注：1）「ひきこもり」とは、仕事や学校に行かず、かつ家族以外の人との交流をほとんどせずに、６か月以上続けて自宅にひきこもっている状態にある７歳から49歳までの者をいう。
2）「自殺関連」とは、相談内容が、自殺の危険、予告・通知、実行中、未遂、遺族等からの相談のいずれかに該当するものをいう。

延件数・教育研修実施件数・組織育成支援件数，都道府県－指定都市（再掲）別

平成29年度

件			数			
援助（延件数）						教育研修
心の健康づくり	ひきこもり[1]	自殺関連[2]	犯罪被害	災害	その他	延件数
4 707	**3 363**	**3 280**	**207**	**634**	**10 829**	**4 715**
13	37	459	2	8	236	62
16	14	12	1	－	15	5
9	75	462	10	24	183	199
69	84	103	14	362	40	18
1	10	3	5	－	81	3
8	16	32	－	－	85	29
36	2	278	1	16	49	83
－	56	－	－	－	2	65
－	－	3	－	－	31	25
－	－	1	－	－	2	71
3 535	463	89	30	－	771	135
28	25	65	3	2	5	100
35	48	78	10	－	2 392	193
27	30	210	1	2	831	268
24	10	37	－	－	36	25
22	24	18	2	－	55	21
126	121	216	10	40	123	164
5	13	3	－	－	6	3
19	25	23	2	2	9	29
22	107	118	－	2	1 100	179
25	6	17	－	－	9	37
47	103	126	1	6	99	95
43	54	55	－	1	129	130
6	12	52	－	12	6	52
2	1	33	－	－	88	9
17	1	35	4	－	139	99
9	112	44	5	4	1 796	185
13	3	61	4	20	136	67
－	－	－	－	－	－	12
3	9	8	－	－	28	19
21	23	21	8	5	44	31
4	16	10	2	－	36	13
84	561	278	7	5	1 058	567
27	9	9	1	2	162	93
－	44	10	1	－	－	25
34	168	51	1	3	54	40
6	7	1	－	－	42	31
3	13	20	1	－	48	12
35	54	28	3	8	170	37
108	203	72	6	8	255	265
30	1	8	4	1	20	40
－	48	31	－	－	32	923
179	619	70	21	84	212	116
3	9	4	7	6	57	62
1	117	19	1	3	79	26
7	2	2	－	－	41	19
5	8	5	39	8	37	33
2	36	9	－	－	228	40
－	6	8	－	290	－	3
3 535	429	51	30	－	110	73
21	12	－	－	－	－	40
10	1	21	－	－	46	57
2	15	3	－	－	211	41
2	2	3	－	－	36	9
20	6	3	－	－	32	5
11	9	17	－	2	44	15
32	22	16	－	－	15	57
35	13	15	－	1	20	87
－	1	5	－	－	41	33
5	15	3	－	－	1 658	47
1	17	7	3	－	55	33
4	－	2	－	1	15	11
77	546	255	7	5	1 018	504
27	7	3	1	－	119	60
27	14	36	－	－	99	56
39	8	2	－	－	55	109
140	201	48	1	64	167	59

（報告表　7）

第７表（２－２） 精神保健福祉センターにおける技術指導・援助延件数・教育研修実施件数・組織育成支援件数，都道府県－指定都市(再掲)別

平成29年度

	組織育成支援件数					
	総数	患者会	家族会	依存症の自助団体・回復施設	職親会	その他
全国	**4 052**	**612**	**672**	**667**	**29**	**2 072**
北海道	2	-	-	-	-	2
青森	2	-	1	-	-	1
岩手	145	72	7	-	-	66
宮城	22	-	-	2	-	20
秋田	20	-	1	10	-	9
山形	21	-	1	-	-	20
福島	-	-	-	-	-	-
茨城	13	-	4	8	-	1
栃木	46	-	15	12	-	19
群馬	76	-	52	13	-	11
埼玉	143	17	2	14	-	110
千葉	796	-	20	29	-	747
東京	572	97	36	-	17	422
神奈川	63	1	12	32	-	18
新潟	16	-	1	-	-	15
富山	14	-	6	-	-	8
石川	119	-	40	26	-	53
福井	123	95	11	9	-	8
山梨	77	10	3	3	2	59
長野	178	54	85	15	-	24
岐阜	64	24	14	6	-	20
静岡	95	-	40	14	-	41
愛知	55	-	9	7	-	39
三重	78	1	47	15	-	15
滋賀	42	2	13	2	-	25
京都	226	30	18	127	-	51
大阪	89	1	4	8	-	76
兵庫	95	-	2	39	10	44
奈良	15	4	1	10	-	-
和歌山	27	2	12	-	-	13
鳥取	136	39	52	-	-	45
島根	16	-	15	-	-	1
岡山	17	-	2	13	-	2
広島	22	1	8	4	-	9
山口	61	8	10	40	-	3
徳島	30	1	2	20	-	7
香川	46	-	-	46	-	-
愛媛	16	3	2	11	-	-
高知	-	-	-	-	-	-
福岡	80	16	11	38	-	15
佐賀	49	6	-	39	-	4
長崎	103	59	36	8	-	-
熊本	102	59	7	9	-	27
大分	31	6	15	5	-	5
宮崎	23	-	-	18	-	5
鹿児島	66	2	39	13	-	12
沖縄	20	2	16	2	-	-
指定都市(再掲)						
札幌市	2	-	-	-	-	2
仙台市	3	-	-	2	-	1
さいたま市	24	-	-	12	-	12
千葉市	32	-	-	-	-	32
横浜市	2	-	2	-	-	-
川崎市	32	-	-	29	-	3
相模原市	18	1	10	1	-	6
新潟市	3	-	-	-	-	3
静岡市	26	-	3	12	-	11
浜松市	52	-	36	1	-	15
名古屋市	31	-	2	7	-	22
京都市	226	30	18	127	-	51
大阪市	13	-	2	2	-	9
堺市	18	1	-	6	-	11
神戸市	40	-	2	23	-	15
岡山市	-	-	-	-	-	-
広島市	16	1	8	-	-	7
北九州市	34	13	-	21	-	-
福岡市	30	3	1	11	-	15
熊本市	35	4	6	6	-	19

（報告表　7）

第８表　精神保健福祉センターにおける職種別

	総数			医師			保健師		
	実人員	再掲		実人員	再掲		実人員	再掲	
		精神保健福祉士	精神保健福祉相談員		精神保健福祉士	精神保健福祉相談員		精神保健福祉士	精神保健福祉相談員
全国	**1 216**	**71**	**180**	**121**	**－**	**4**	**222**	**34**	**59**
北海道	37	2	－	4	－	－	6	1	－
青森	15	－	3	1	－	－	1	－	1
岩手	8	1	1	－	－	－	2	－	1
宮城	38	－	11	4	－	－	8	－	4
秋田	7	－	7	1	－	1	3	－	3
山形	7	－	－	1	－	－	2	－	－
福島	12	－	－	3	－	－	4	－	－
茨城	15	－	1	1	－	－	1	－	1
栃木	14	3	－	2	－	－	3	2	－
群馬	33	－	－	4	－	－	12	－	－
埼玉	85	－	－	3	－	－	10	－	－
千葉	31	3	16	4	－	1	3	－	1
東京	161	30	1	17	－	－	14	7	1
神奈川	119	5	14	10	－	－	14	3	－
新潟	16	－	10	2	－	－	1	－	1
富山	9	1	2	1	－	－	3	1	2
石川	18	－	－	1	－	－	3	－	－
福井	6	－	4	－	－	－	1	－	1
山梨	10	－	－	1	－	－	2	－	－
長野	18	－	－	1	－	－	2	－	－
岐阜	12	－	－	2	－	－	3	－	－
静岡	38	1	17	4	－	1	10	1	5
愛知	31	1	17	3	－	－	6	1	3
三重	11	1	2	1	－	－	2	－	2
滋賀	21	－	－	1	－	－	4	－	－
京都	36	－	9	6	－	－	9	－	9
大阪	65	－	16	6	－	－	10	－	6
兵庫	28	6	19	2	－	1	8	6	7
奈良	8	－	2	2	－	－	1	－	－
和歌山	9	－	1	1	－	－	2	－	－
鳥取	11	2	－	2	－	－	1	－	－
島根	26	－	－	1	－	－	1	－	－
岡山	29	－	－	5	－	－	6	－	－
広島	43	3	－	5	－	－	11	3	－
山口	10	2	1	1	－	－	2	－	1
徳島	8	－	3	1	－	－	3	－	1
香川	10	－	5	－	－	－	3	－	1
愛媛	9	－	－	2	－	－	7	－	－
高知	7	1	2	1	－	－	1	－	－
福岡	52	－	2	6	－	－	11	－	－
佐賀	8	－	1	1	－	－	4	－	1
長崎	15	1	－	1	－	－	5	1	－
熊本	19	2	2	1	－	－	4	2	2
大分	16	3	2	2	－	－	4	3	2
宮崎	11	－	－	1	－	－	3	－	－
鹿児島	10	3	1	1	－	－	4	3	1
沖縄	14	－	8	1	－	－	2	－	2
指定都市(再掲)									
札幌市	20	－	－	1	－	－	3	－	－
仙台市	18	－	11	2	－	－	4	－	4
さいたま市	30	－	－	2	－	－	7	－	－
千葉市	8	3	6	1	－	1	1	－	1
横浜市	26	－	14	3	－	－	4	－	－
川崎市	46	3	－	2	－	－	5	1	－
相模原市	14	2	－	3	－	－	2	2	－
新潟市	8	－	4	1	－	－	1	－	1
静岡市	8	－	4	1	－	－	3	－	－
浜松市	13	1	10	1	－	1	3	1	2
名古屋市	13	1	6	2	－	－	3	1	－
京都市	23	－	9	3	－	－	9	－	9
大阪市	21	－	6	1	－	－	7	－	6
堺市	13	－	－	2	－	－	2	－	－
神戸市	14	3	7	1	－	－	5	3	4
岡山市	13	－	－	1	－	－	3	－	－
広島市	23	－	－	3	－	－	7	－	－
北九州市	13	－	－	2	－	－	2	－	－
福岡市	16	－	2	2	－	－	3	－	－
熊本市	9	－	－	－	－	－	2	－	－

職員配置状況，都道府県－指定都市（再掲）別

平成29年度末現在

看護師			作業療法士			精神保健福祉士		その他		
実人員	再掲		実人員	再掲		実人員	再掲	実人員	再掲	
	精神保健福祉士	精神保健福祉相談員		精神保健福祉士	精神保健福祉相談員		精神保健福祉相談員		精神保健福祉士	精神保健福祉相談員
62	3	1	41	7	1	180	70	590	27	45
–	–	–	2	–	–	1	–	24	1	–
1	–	–	2	–	–	–	–	10	–	2
–	–	–	–	–	–	–	–	6	1	–
5	–	–	3	–	–	2	–	16	–	7
–	–	–	–	–	–	–	–	3	–	3
–	–	–	–	–	–	–	–	4	–	–
–	–	–	–	–	–	–	–	5	–	–
6	–	–	–	–	–	–	–	7	–	–
–	–	–	1	–	–	–	–	8	1	–
1	–	–	–	–	–	–	–	16	–	–
–	–	–	4	–	–	43	–	25	–	–
1	–	–	1	–	–	11	11	11	3	3
37	3	–	9	5	–	–	–	84	15	–
3	–	–	4	2	–	37	10	51	–	4
–	–	–	–	–	–	5	5	8	–	4
–	–	–	–	–	–	–	–	5	–	–
2	–	–	–	–	–	1	–	11	–	–
–	–	–	–	–	–	1	1	4	–	2
–	–	–	–	–	–	3	–	4	–	–
–	–	–	–	–	–	3	–	12	–	–
–	–	–	–	–	–	–	–	7	–	–
–	–	–	–	–	–	10	9	14	–	2
–	–	–	–	–	–	10	9	12	–	5
–	–	–	–	–	–	1	–	7	1	–
–	–	–	–	–	–	6	–	10	–	–
3	–	–	2	–	–	1	–	15	–	–
–	–	–	–	–	–	16	10	33	–	–
–	–	–	–	–	–	8	7	10	–	4
–	–	–	–	–	–	2	2	3	–	–
–	–	–	–	–	–	1	1	5	–	–
–	–	–	–	–	–	2	–	6	2	–
1	–	–	1	–	–	1	–	21	–	–
–	–	–	1	–	–	5	–	12	–	–
1	–	–	3	–	–	–	–	23	–	–
–	–	–	–	–	–	–	–	7	2	–
–	–	–	–	–	–	–	–	4	–	2
–	–	–	–	–	–	2	1	5	–	3
–	–	–	–	–	–	–	–	–	–	–
–	–	–	–	–	–	2	2	3	1	–
–	–	–	3	–	–	5	2	27	–	–
–	–	–	–	–	–	–	–	3	–	–
–	–	–	2	–	–	–	–	7	–	–
–	–	–	1	–	–	–	–	13	–	–
–	–	–	1	–	–	–	–	9	–	–
–	–	–	–	–	–	1	–	6	–	–
–	–	–	–	–	–	–	–	5	–	–
1	–	1	1	–	1	–	–	9	–	4
–	–	–	1	–	–	–	–	15	–	–
1	–	–	1	–	–	1	–	9	–	7
–	–	–	–	–	–	15	–	6	–	–
–	–	–	–	–	–	1	1	5	3	3
–	–	–	–	–	–	10	10	9	–	4
3	–	–	4	2	–	12	–	20	–	–
–	–	–	–	–	–	3	–	6	–	–
–	–	–	–	–	–	2	2	4	–	1
–	–	–	–	–	–	4	4	–	–	–
–	–	–	–	–	–	5	5	4	–	2
–	–	–	–	–	–	5	4	3	–	2
2	–	–	1	–	–	–	–	8	–	–
–	–	–	–	–	–	–	–	13	–	–
–	–	–	–	–	–	6	–	3	–	–
–	–	–	–	–	–	3	2	5	–	1
–	–	–	–	–	–	4	–	5	–	–
–	–	–	2	–	–	–	–	11	–	–
–	–	–	1	–	–	1	–	7	–	–
–	–	–	–	–	–	4	2	7	–	–
–	–	–	1	–	–	–	–	6	–	–

（報告表　8）

第１表　栄養士免許交付数，都道府県別

平成29年度

	栄養士免許交付数
全　　国	**18 551**
北 海 道	674
青　森	206
岩　手	124
宮　城	413
秋　田	136
山　形	127
福　島	240
茨　城	419
栃　木	243
群　馬	325
埼　玉	1 143
千　葉	802
東　京	1 466
神 奈 川	1 199
新　潟	251
富　山	127
石　川	141
福　井	169
山　梨	170
長　野	266
岐　阜	334
静　岡	419
愛　知	1 303
三　重	228
滋　賀	195
京　都	392
大　阪	1 397
兵　庫	901
奈　良	253
和 歌 山	163
鳥　取	59
島　根	67
岡　山	704
広　島	552
山　口	147
徳　島	239
香　川	102
愛　媛	123
高　知	101
福　岡	1 000
佐　賀	130
長　崎	271
熊　本	236
大　分	206
宮　崎	91
鹿 児 島	243
沖　縄	54

（報告表　9）

第２表　調理師免許交付数・免許の取消し・登録の消除，資格・都道府県別

平成29年度

	免許交付数					免許の取消し			登録の消除
	総数	指定養成施設卒業者	講習課程修了者	都道府県知事試験合格者	附則第3項による講習認定	総数	法第6条第1号に該当する者	法第6条第2号に該当する者	
全国	**32 477**	**13 789**	**1**	**18 686**	**1**	**–**	**–**	**–**	**71**
北海道	1 850	756	1	1 093	–	–	–	–	2
青森	418	231	–	187	–	–	–	–	–
岩手	429	272	–	157	–	–	–	–	–
宮城	510	219	–	291	–	–	–	–	–
秋田	229	72	–	157	–	–	–	–	–
山形	416	263	–	153	–	–	–	–	–
福島	536	130	–	406	–	–	–	–	–
茨城	628	244	–	384	–	–	–	–	1
栃木	716	308	–	408	–	–	–	–	–
群馬	424	221	–	203	–	–	–	–	–
埼玉	1 724	879	–	845	–	–	–	–	–
千葉	1 568	626	–	941	1	–	–	–	8
東京	3 364	1 378	–	1 986	–	–	–	–	2
神奈川	1 666	490	–	1 176	–	–	–	–	10
新潟	651	403	–	248	–	–	–	–	–
富山	190	71	–	119	–	–	–	–	–
石川	301	141	–	160	–	–	–	–	1
福井	289	100	–	189	–	–	–	–	3
山梨	157	25	–	132	–	–	–	–	–
長野	718	239	–	479	–	–	–	–	4
岐阜	442	222	–	220	–	–	–	–	2
静岡	781	340	–	441	–	–	–	–	1
愛知	1 585	840	–	745	–	–	–	–	8
三重	428	144	–	284	–	–	–	–	3
滋賀	…	…	…	…	…	…	…	…	…
京都	…	…	…	…	…	…	…	…	…
大阪	…	…	…	…	…	…	…	…	…
兵庫	…	…	…	…	…	…	…	…	…
奈良	328	80	–	248	–	–	–	–	–
和歌山	…	…	…	…	…	…	…	…	…
鳥取	171	55	–	116	–	–	–	–	–
島根	154	51	–	103	–	–	–	–	–
岡山	369	161	–	208	–	–	–	–	6
広島	572	316	–	256	–	–	–	–	1
山口	378	176	–	202	–	–	–	–	3
徳島	…	…	…	…	…	…	…	…	…
香川	256	129	–	127	–	–	–	–	–
愛媛	358	174	–	184	–	–	–	–	1
高知	176	62	–	114	–	–	–	–	–
福岡	1 634	667	–	967	–	–	–	–	–
佐賀	334	194	–	140	–	–	–	–	–
長崎	376	149	–	227	–	–	–	–	2
熊本	574	209	–	365	–	–	–	–	–
大分	405	228	–	177	–	–	–	–	–
宮崎	474	278	–	196	–	–	–	–	1
鹿児島	510	237	–	273	–	–	–	–	–
沖縄	487	208	–	279	–	–	–	–	–
関西広域連合[1]	4 901	1 801	–	3 100	–	–	–	–	12

注：1）関西広域連合が実施した滋賀県、京都府、大阪府、兵庫県、和歌山県、徳島県分の数字である。　（報告表　10）

第３表（２－１） 給食施設数・管理栄養士数・栄養士数・

	総数			管理栄養士のみいる施設		管理栄養士
	施設数	管理栄養士数	栄養士数	施設数	管理栄養士数	施設数
総数	**91 002**	**63 763**	**61 744**	**19 659**	**27 714**	**17 761**
学校	17 765	8 434	7 272	5 830	6 379	1 341
病院	8 445	26 493	13 848	2 525	6 801	5 736
介護老人保健施設	3 788	5 458	3 907	1 275	2 036	2 313
老人福祉施設	13 518	11 302	10 101	3 914	5 390	4 459
児童福祉施設	26 632	5 805	17 904	2 785	3 210	2 169
社会福祉施設	4 189	2 015	2 824	977	1 169	649
事業所	8 886	1 966	2 174	1 203	1 370	448
寄宿舎	1 885	285	508	201	221	54
矯正施設	155	67	24	49	52	11
自衛隊	242	181	72	157	162	18
一般給食センター	394	336	639	43	64	140
その他	5 103	1 421	2 471	700	860	423
特定給食施設	**50 542**	**47 758**	**40 577**	**12 803**	**18 970**	**12 290**
学校	15 772	8 097	6 903	5 540	6 079	1 312
病院	5 670	22 162	11 522	1 445	4 959	4 211
介護老人保健施設	2 865	4 376	3 163	909	1 534	1 875
老人福祉施設	4 832	6 344	4 823	1 669	2 593	2 647
児童福祉施設	13 206	3 317	10 136	1 474	1 725	1 307
社会福祉施設	764	655	741	223	308	225
事業所	5 492	1 744	1 762	1 093	1 232	396
寄宿舎	556	156	264	106	120	32
矯正施設	115	62	21	46	49	9
自衛隊	190	165	54	141	146	18
一般給食センター	376	322	628	40	61	137
その他	704	358	560	117	164	121
その他の給食施設	**40 460**	**16 005**	**21 167**	**6 856**	**8 744**	**5 471**
学校	1 993	337	369	290	300	29
病院	2 775	4 331	2 326	1 080	1 842	1 525
介護老人保健施設	923	1 082	744	366	502	438
老人福祉施設	8 686	4 958	5 278	2 245	2 797	1 812
児童福祉施設	13 426	2 488	7 768	1 311	1 485	862
社会福祉施設	3 425	1 360	2 083	754	861	424
事業所	3 394	222	412	110	138	52
寄宿舎	1 329	129	244	95	101	22
矯正施設	40	5	3	3	3	2
自衛隊	52	16	18	16	16	-
一般給食センター	18	14	11	3	3	3
その他	4 399	1 063	1 911	583	696	302

調理師数，特定給食施設－その他の給食施設・施設の種類別

平成29年度末現在

・栄養士どちらもいる施設		栄養士のみいる施設		管理栄養士・栄養士どちらもいない施設数	調理師のいる施設		調理師のいない施設数
管理栄養士数	栄養士数	施設数	栄養士数		施設数	調理師数	
36 049	**31 950**	**22 998**	**29 794**	**30 584**	**65 941**	**176 735**	**25 061**
2 055	2 326	4 273	4 946	6 321	13 662	43 597	4 103
19 692	13 735	88	113	96	7 567	35 887	878
3 422	3 660	162	247	38	3 303	9 283	485
5 912	6 562	2 771	3 539	2 374	10 215	26 579	3 303
2 595	3 069	10 647	14 835	11 031	17 042	29 351	9 590
846	906	1 538	1 918	1 025	2 871	6 860	1 318
596	608	1 421	1 566	5 814	6 306	12 853	2 580
64	73	365	435	1 265	1 283	2 403	602
15	15	9	9	86	31	96	124
19	26	44	46	23	234	1 661	8
272	398	122	241	89	348	1 761	46
561	572	1 558	1 899	2 422	3 079	6 404	2 024
28 788	**24 452**	**12 042**	**16 125**	**13 407**	**40 614**	**128 767**	**9 928**
2 018	2 288	3 964	4 615	4 956	12 474	41 664	3 298
17 203	11 506	11	16	3	5 393	30 615	277
2 842	3 029	75	134	6	2 577	7 519	288
3 751	4 153	444	670	72	4 374	13 522	458
1 592	1 936	5 542	8 200	4 883	9 049	17 000	4 157
347	362	274	379	42	646	2 133	118
512	521	1 113	1 241	2 890	4 550	10 302	942
36	40	188	224	230	444	1 110	112
13	13	8	8	52	21	70	94
19	26	26	28	5	184	1 464	6
261	391	118	237	81	339	1 736	37
194	187	279	373	187	563	1 632	141
7 261	**7 498**	**10 956**	**13 669**	**17 177**	**25 327**	**47 968**	**15 133**
37	38	309	331	1 365	1 188	1 933	805
2 489	2 229	77	97	93	2 174	5 272	601
580	631	87	113	32	726	1 764	197
2 161	2 409	2 327	2 869	2 302	5 841	13 057	2 845
1 003	1 133	5 105	6 635	6 148	7 993	12 351	5 433
499	544	1 264	1 539	983	2 225	4 727	1 200
84	87	308	325	2 924	1 756	2 551	1 638
28	33	177	211	1 035	839	1 293	490
2	2	1	1	34	10	26	30
−	−	18	18	18	50	197	2
11	7	4	4	8	9	25	9
367	385	1 279	1 526	2 235	2 516	4 772	1 883

（報告表　12）

第３表（２－２）　給食施設数・管理栄養士数・栄養士数・

	総		数	管理栄養士のみいる施設		管理栄養士
	施設数	管理栄養士数	栄養士数	施設数	管理栄養士数	施設数
（特定給食施設の再掲）						
指定施設	**2 816**	**11 949**	**5 827**	**1 028**	**2 678**	**1 616**
学校	96	80	33	47	54	13
病院	1 640	10 623	5 151	356	1 883	1 284
介護老人保健施設	3	7	5	－	－	2
老人福祉施設	4	14	8	－	－	3
児童福祉施設	1	2	－	1	2	－
社会福祉施設	8	30	14	3	6	5
事業所	795	857	332	488	585	209
寄宿舎	18	21	14	9	11	8
矯正施設	52	48	9	37	40	6
自衛隊	77	81	21	64	68	12
一般給食センター	103	168	216	15	20	69
その他	19	18	24	8	9	5
1回300食以上又は1日750食以上	**12 767**	**8 824**	**7 343**	**4 903**	**5 635**	**1 669**
学校	10 492	6 658	5 289	4 341	4 830	1 151
病院	262	1 066	595	51	190	211
介護老人保健施設	29	61	47	8	15	19
老人福祉施設	45	106	76	15	31	28
児童福祉施設	241	117	245	44	55	52
社会福祉施設	15	36	37	3	17	10
事業所	1 292	513	578	347	380	114
寄宿舎	70	37	46	23	30	7
矯正施設	22	12	8	7	7	3
自衛隊	48	44	6	41	42	2
一般給食センター	213	128	375	18	29	61
その他	38	46	41	5	9	11
1回100食以上又は1日250食以上	**34 959**	**26 985**	**27 407**	**6 872**	**10 657**	**9 005**
学校	5 184	1 359	1 581	1 152	1 195	148
病院	3 768	10 473	5 776	1 038	2 886	2 716
介護老人保健施設	2 833	4 308	3 111	901	1 519	1 854
老人福祉施設	4 783	6 224	4 739	1 654	2 562	2 616
児童福祉施設	12 964	3 198	9 891	1 429	1 668	1 255
社会福祉施設	741	589	690	217	285	210
事業所	3 405	374	852	258	267	73
寄宿舎	468	98	204	74	79	17
矯正施設	41	2	4	2	2	－
自衛隊	65	40	27	36	36	4
一般給食センター	60	26	37	7	12	7
その他	647	294	495	104	146	105

調理師数，特定給食施設－その他の給食施設・施設の種類別

平成29年度末現在

・栄養士どちらもいる施設		栄養士のみいる施設		管理栄養士・栄養士どちらもいない施設数	調理師のいる施設		調理師のいない施設数
管理栄養士数	栄養士数	施設数	栄養士数		施設数	調理師数	
9 271	**5 710**	**90**	**117**	**82**	**2 708**	**19 803**	**108**
26	18	14	15	22	81	324	15
8 740	5 151	－	－	－	1 610	14 393	30
7	2	1	3	－	3	28	－
14	7	1	1	－	4	50	－
－	－	－	－	－	－	－	1
24	14	－	－	－	8	71	－
272	276	52	56	46	783	3 223	12
10	13	1	1	－	18	76	－
8	8	1	1	8	11	50	41
13	20	1	1	－	76	829	1
148	181	16	35	3	98	674	5
9	20	3	4	3	16	85	3
3 189	**3 271**	**3 336**	**4 072**	**2 859**	**10 922**	**41 092**	**1 845**
1 828	2 076	2 720	3 213	2 280	8 899	34 089	1 593
876	595	－	－	－	253	1 590	9
46	41	2	6	－	29	109	－
75	70	2	6	－	42	214	3
62	95	98	150	47	160	383	81
19	34	2	3	－	14	84	1
133	134	378	444	453	1 184	2 997	108
7	7	29	39	11	65	221	5
5	5	3	3	9	3	9	19
2	2	4	4	1	46	346	2
99	192	87	183	47	197	935	16
37	20	11	21	11	30	115	8
16 328	**15 471**	**8 616**	**11 936**	**10 466**	**26 984**	**67 872**	**7 975**
164	194	1 230	1 387	2 654	3 494	7 251	1 690
7 587	5 760	11	16	3	3 530	14 632	238
2 789	2 986	72	125	6	2 545	7 382	288
3 662	4 076	441	663	72	4 328	13 258	455
1 530	1 841	5 444	8 050	4 836	8 889	16 617	4 075
304	314	272	376	42	624	1 978	117
107	111	683	741	2 391	2 583	4 082	822
19	20	158	184	219	361	813	107
－	－	4	4	35	7	11	34
4	4	21	23	4	62	289	3
14	18	15	19	31	44	127	16
148	147	265	348	173	517	1 432	130

（報告表　12）

第４表（10－１） 給食施設数・管理栄養士数・栄養士数・

特定給食施設

	総		数	管理栄養士のみいる施設		管理栄養士
	施設数	管理栄養士数	栄養士数	施設数	管理栄養士数	施設数
全国	**50 542**	**47 758**	**40 577**	**12 803**	**18 970**	**12 290**
北海道	1 907	2 158	1 415	656	981	536
青森	362	299	513	54	74	124
岩手	412	419	432	105	184	122
宮城	751	924	620	275	425	200
秋田	448	355	476	97	123	121
山形	467	441	370	103	186	129
福島	761	729	786	167	261	208
茨城	991	834	975	193	282	277
栃木	1 009	728	1 023	180	210	248
群馬	1 010	931	936	240	347	247
埼玉	2 495	2 153	2 565	464	655	675
千葉	2 194	1 940	1 701	695	854	501
東京	5 551	4 689	4 680	1 509	1 868	1 158
神奈川	3 059	3 002	2 373	878	1 205	754
新潟	1 199	890	513	318	489	200
富山	657	483	571	102	134	176
石川	656	536	690	110	156	163
福井	501	402	296	126	201	92
山梨	369	248	375	61	74	95
長野	766	729	532	188	292	163
岐阜	805	722	557	194	284	175
静岡	1 643	1 567	1 418	392	571	425
愛知	2 810	2 470	1 372	732	1 169	508
三重	820	640	507	153	225	157
滋賀	542	511	404	96	167	112
京都	934	1 009	818	227	341	280
大阪	3 779	3 348	2 426	834	1 326	819
兵庫	2 214	2 018	1 412	513	843	518
奈良	501	529	432	110	199	133
和歌山	440	332	339	79	124	107
鳥取	262	256	291	47	76	94
島根	327	363	364	72	114	100
岡山	658	912	560	263	451	181
広島	983	1 152	789	263	421	288
山口	629	733	388	241	406	133
徳島	337	434	200	155	249	79
香川	496	531	312	179	304	107
愛媛	376	463	323	110	190	100
高知	361	384	392	65	101	128
福岡	2 228	2 396	2 180	567	849	594
佐賀	389	393	393	100	151	103
長崎	652	689	497	186	316	167
熊本	837	901	713	213	317	226
大分	425	500	449	92	133	152
宮崎	430	440	295	140	223	101
鹿児島	606	685	556	166	269	173
沖縄	493	490	348	93	150	141

調理師数，都道府県－指定都市－中核市（再掲）・施設の種類別

平成29年度末現在

・栄養士どちらもいる施設		栄養士のみいる施設		管理栄養士・栄養士どちらもいない施設数	調理師のいる施設		調理師のいない施設数
管理栄養士数	栄養士数	施設数	栄養士数		施設数	調理師数	
28 788	24 452	12 042	16 125	13 407	40 614	128 767	9 928
1 177	946	409	469	306	1 630	5 495	277
225	314	137	199	47	306	1 237	56
235	214	161	218	24	386	1 898	26
499	375	204	245	72	578	1 739	173
232	260	164	216	66	371	1 361	77
255	228	120	142	115	441	2 058	26
468	483	244	303	142	686	2 565	75
552	559	312	416	209	726	2 126	265
518	527	386	496	195	882	2 752	127
584	536	307	400	216	839	2 623	171
1 498	1 566	755	999	601	1 987	5 647	508
1 086	898	662	803	336	1 955	6 315	239
2 821	2 599	1 451	2 081	1 433	4 724	13 302	827
1 797	1 488	653	885	774	2 536	6 916	523
401	305	172	208	509	961	3 351	238
349	369	148	202	231	542	1 486	115
380	361	210	329	173	535	1 779	121
201	175	88	121	195	344	1 096	157
174	207	123	168	90	262	758	107
437	343	154	189	261	536	1 795	230
438	375	139	182	297	620	2 037	185
996	858	440	560	386	1 412	4 402	231
1 301	970	318	402	1 252	2 242	6 284	568
415	354	128	153	382	589	1 676	231
344	228	112	176	222	470	1 623	72
668	524	206	294	221	802	2 520	132
2 022	1 433	776	993	1 350	2 511	6 841	1 268
1 175	880	398	532	785	1 723	5 319	491
330	256	122	176	136	421	1 158	80
208	203	112	136	142	343	1 028	97
180	201	67	90	54	238	884	24
249	186	116	178	39	254	879	73
461	341	144	219	70	550	1 931	108
731	567	162	222	270	669	2 011	314
327	208	145	180	110	484	1 620	145
185	145	44	55	59	307	1 172	30
227	185	84	127	126	382	1 142	114
273	218	85	105	81	299	1 174	77
283	305	63	87	105	336	1 157	25
1 547	1 270	562	910	505	1 611	5 471	617
242	222	129	171	57	318	1 294	71
373	276	172	221	127	491	1 849	161
584	456	193	257	205	684	2 482	153
367	285	102	164	79	354	1 305	71
217	177	100	118	89	380	1 482	50
416	332	170	224	97	467	1 891	139
340	244	93	104	166	430	1 836	63

（報告表　12）

第４表（10－２） 給食施設数・管理栄養士数・栄養士数・

特定給食施設

	総		数	管理栄養士のみいる施設		管理栄養士
	施設数	管理栄養士数	栄養士数	施設数	管理栄養士数	施設数
指定都市（再掲）						
札幌市	682	871	440	297	438	173
仙台市	316	504	217	167	261	73
さいたま市	453	363	469	106	138	121
千葉市	339	339	284	125	151	74
横浜市	1 225	1 236	915	365	497	316
川崎市	464	511	461	118	159	132
相模原市	232	262	200	68	108	59
新潟市	442	336	158	110	180	73
静岡市	254	274	273	49	64	77
浜松市	378	442	277	118	183	96
名古屋市	1 043	861	519	234	391	179
京都市	507	592	467	121	185	160
大阪市	1 229	1 001	594	283	407	211
堺市	354	362	267	90	154	70
神戸市	650	520	389	132	212	141
岡山市	250	303	172	107	176	41
広島市	385	426	295	106	156	102
北九州市	464	504	279	137	211	93
福岡市	574	642	613	119	175	160
熊本市	351	434	281	81	117	99
中核市（再掲）						
旭川市	135	127	139	26	44	36
函館市	104	103	103	23	38	29
青森市	70	70	114	8	15	25
八戸市	66	67	87	7	11	27
盛岡市	119	135	131	31	57	28
秋田市	133	122	161	31	35	34
郡山市	117	129	114	23	34	26
いわき市	102	108	120	20	36	36
宇都宮市	277	168	240	67	76	43
前橋市	152	168	162	28	51	35
高崎市	220	209	183	78	100	46
川越市	87	125	109	19	26	34
越谷市	71	77	43	12	26	17
船橋市	200	167	119	88	99	23
柏市	139	146	96	48	55	27
八王子市	288	229	275	75	92	56
横須賀市	133	119	82	37	51	26
富山市	240	184	204	47	67	48
金沢市	233	234	340	34	48	72
長野市	101	147	97	31	72	31
岐阜市	190	214	159	51	74	50
豊橋市	122	98	76	15	28	25
豊田市	154	195	61	98	131	28
岡崎市	134	86	43	28	44	18
大津市	113	118	91	21	46	27
高槻市	180	164	112	35	60	41
東大阪市	188	168	138	34	73	54
豊中市	124	124	85	33	53	33
枚方市	166	150	151	23	37	43
姫路市	237	203	131	60	104	39
西宮市	179	176	116	46	66	40
尼崎市	185	154	118	38	63	37
奈良市	147	129	127	32	57	29
和歌山市	187	117	134	18	34	41
倉敷市	167	299	135	73	141	56
福山市	161	143	117	27	43	35
呉市	82	96	43	28	51	17
下関市	126	130	95	40	60	27
高松市	200	196	119	76	120	38
松山市	112	141	136	27	46	35
高知市	154	186	204	19	33	45
久留米市	143	152	188	36	42	38
長崎市	223	254	130	72	140	42
佐世保市	124	107	114	17	18	42
大分市	161	169	152	34	45	46
宮崎市	123	145	58	49	87	19
鹿児島市	226	249	230	45	70	53
那覇市	101	83	62	25	39	19

調理師数，都道府県－指定都市－中核市（再掲）・施設の種類別

平成29年度末現在

・栄養士どちらもいる施設		栄養士のみいる施設		管理栄養士・栄養士どちらもいない施設数	調理師のいる施設		調理師のいない施設数
管理栄養士数	栄養士数	施設数	栄養士数		施設数	調理師数	
433	322	104	118	108	565	1 655	117
243	148	58	69	18	218	635	98
225	255	160	214	66	379	987	74
188	142	120	142	20	281	729	58
739	609	219	306	325	1 044	2 654	181
352	310	103	151	111	367	1 006	97
154	116	55	84	50	183	558	49
156	110	38	48	221	318	1 015	124
210	191	66	82	62	219	746	35
259	158	87	119	77	316	901	62
470	332	143	187	487	763	1 718	280
407	293	114	174	112	416	1 354	91
594	363	183	231	552	659	1 681	570
208	120	117	147	77	295	749	59
308	241	105	148	272	458	1 215	192
127	98	55	74	47	212	697	38
270	222	55	73	122	249	706	136
293	175	88	104	146	334	1 084	130
467	354	138	259	157	240	798	334
317	212	52	69	119	289	971	62
83	82	50	57	23	104	419	31
65	65	30	38	22	96	258	8
55	82	23	32	14	54	236	16
56	59	24	28	8	57	206	9
78	58	54	73	6	110	496	9
87	104	42	57	26	95	334	38
95	80	31	34	37	106	498	11
72	73	33	47	13	85	284	17
92	94	116	146	51	240	675	37
117	88	50	74	39	123	419	29
109	114	57	69	39	198	618	22
99	88	15	21	19	78	260	9
51	27	13	16	29	54	177	17
68	44	63	75	26	179	566	21
91	54	34	42	30	129	402	10
137	147	89	128	68	226	624	62
68	53	24	29	46	121	412	12
117	127	59	77	86	202	571	38
186	189	89	151	38	190	634	43
75	72	18	25	21	62	339	39
140	118	35	41	54	146	509	44
70	49	16	27	66	108	371	14
64	47	13	14	15	126	419	28
42	29	13	14	75	112	322	22
72	46	30	45	35	87	300	26
104	68	38	44	66	84	225	96
95	86	30	52	70	129	351	59
71	60	17	25	41	89	296	35
113	93	48	58	52	96	220	70
99	70	48	61	90	159	503	78
110	79	31	37	62	158	543	21
91	69	36	49	74	148	511	37
72	50	48	77	38	118	280	29
83	85	39	49	89	113	283	74
158	82	32	53	6	144	430	23
100	60	35	57	64	98	211	63
45	35	7	8	30	51	153	31
70	54	33	41	26	86	288	40
76	70	32	49	54	147	395	53
95	100	26	36	24	87	405	25
153	159	30	45	60	142	395	12
110	112	47	76	22	135	535	8
114	66	54	64	55	140	474	83
89	70	33	44	32	101	348	23
124	90	38	62	43	125	419	36
58	36	21	22	34	112	466	11
179	124	73	106	55	143	606	83
44	38	22	24	35	94	379	7

（報告表　12）

第４表（10－３） 給食施設数・管理栄養士数・栄養士数・

その他の給食施設

	総数 施設数	総数 管理栄養士数	総数 栄養士数	管理栄養士のみいる施設 施設数	管理栄養士のみいる施設 管理栄養士数	管理栄養士 施設数
全国	**40 460**	**16 005**	**21 167**	**6 856**	**8 744**	**5 471**
北海道	1 596	712	818	373	440	227
青森	577	147	489	59	70	63
岩手	411	136	346	60	71	58
宮城	578	318	331	150	184	108
秋田	253	60	200	28	32	28
山形	429	131	151	76	93	31
福島	872	228	433	88	99	108
茨城	953	450	661	154	195	179
栃木	546	211	394	90	109	88
群馬	434	150	237	67	80	54
埼玉	2 337	656	1 190	261	334	240
千葉	933	369	575	172	202	135
東京	4 383	1 471	2 835	510	679	584
神奈川	2 320	834	1 318	359	442	302
新潟	1 526	438	468	212	269	141
富山	518	129	224	46	52	54
石川	460	147	281	43	58	67
福井	600	181	194	84	102	55
山梨	347	115	219	41	47	46
長野	594	274	335	91	117	120
岐阜	881	259	245	124	155	75
静岡	837	302	417	131	160	104
愛知	1 084	484	419	196	279	140
三重	674	270	276	111	142	101
滋賀	485	162	154	74	94	48
京都	871	434	458	172	230	155
大阪	1 584	742	592	383	494	199
兵庫	2 139	873	803	392	513	269
奈良	342	155	104	100	111	33
和歌山	372	93	136	47	51	37
鳥取	119	37	68	15	16	18
島根	243	123	167	59	80	37
岡山	737	570	429	195	287	168
広島	796	445	405	182	252	136
山口	519	212	247	115	143	51
徳島	277	222	132	96	133	48
香川	240	115	109	59	81	25
愛媛	566	288	291	126	154	111
高知	318	156	194	57	67	70
福岡	1 232	775	842	285	411	269
佐賀	524	211	332	90	116	67
長崎	1 121	330	526	183	224	87
熊本	700	283	429	133	159	105
大分	761	401	477	135	173	141
宮崎	846	297	375	155	184	91
鹿児島	1 075	522	730	228	299	176
沖縄	450	87	111	49	61	22

調理師数, 都道府県－指定都市－中核市（再掲）・施設の種類別

平成29年度末現在

・栄養士どちらもいる施設		栄養士のみいる施設		管理栄養士・栄養士どちらもいない施設数	調理師のいる施設		調理師のいない施設数
管理栄養士数	栄養士数	施設数	栄養士数		施設数	調理師数	
7 261	**7 498**	**10 956**	**13 669**	**17 177**	**25 327**	**47 968**	**15 133**
272	253	478	565	518	1 123	2 282	473
77	98	310	391	145	416	823	161
65	80	217	266	76	361	869	50
134	134	166	197	154	323	571	255
28	38	132	162	65	188	437	65
38	35	99	116	223	355	791	74
129	152	244	281	432	570	1 019	302
255	272	306	389	314	621	1 166	332
102	128	206	266	162	413	771	133
70	70	141	167	172	274	504	160
322	357	686	833	1 150	1 172	2 004	1 165
167	166	329	409	297	676	1 360	257
792	868	1 397	1 967	1 892	2 311	3 744	2 072
392	398	701	920	958	1 428	2 440	892
169	183	246	285	927	974	1 811	552
77	87	115	137	303	265	478	253
89	115	126	166	224	309	583	151
79	81	97	113	364	343	607	257
68	74	113	145	147	210	357	137
157	182	119	153	264	375	722	219
104	96	130	149	552	434	729	447
142	139	231	278	371	574	1 124	263
205	175	190	244	558	695	1 250	389
128	139	110	137	352	425	760	249
68	63	74	91	289	330	613	155
204	217	186	241	358	591	1 217	280
248	248	275	344	727	929	1 580	655
360	372	338	431	1 140	1 240	2 313	899
44	42	54	62	155	217	440	125
42	45	75	91	213	299	593	73
21	22	39	46	47	93	197	26
43	47	95	120	52	150	300	93
283	225	163	204	211	491	989	246
193	196	159	209	319	466	858	330
69	66	161	181	192	286	522	233
89	54	61	78	72	233	518	44
34	28	63	81	93	132	222	108
134	151	122	140	207	354	755	212
89	114	65	80	126	236	543	82
364	376	362	466	316	894	1 873	338
95	95	195	237	172	343	722	181
106	103	380	423	471	633	1 187	488
124	157	238	272	224	494	1 044	206
228	173	238	304	247	508	1 011	253
113	116	238	259	362	623	1 301	223
223	245	404	485	267	638	1 370	437
26	23	82	88	297	312	598	138

（報告表　12）

第４表（10－４）　給食施設数・管理栄養士数・栄養士数・

その他の給食施設

	総数			管理栄養士のみいる施設		管理栄養士
	施設数	管理栄養士数	栄養士数	施設数	管理栄養士数	施設数
指定都市(再掲)						
札幌市	442	233	196	119	150	59
仙台市	267	162	129	93	110	46
さいたま市	279	80	168	28	37	33
千葉市	240	99	131	51	60	31
横浜市	1 053	398	655	152	195	153
川崎市	388	147	244	69	80	58
相模原市	139	56	75	22	28	19
新潟市	466	131	126	60	80	39
静岡市	222	44	91	21	27	12
浜松市	108	60	40	36	44	14
名古屋市	450	204	193	77	116	65
京都市	438	272	259	100	140	98
大阪市	559	313	212	148	210	81
堺市	155	55	37	29	34	15
神戸市	450	289	208	114	164	88
岡山市	212	174	111	64	90	50
広島市	224	151	135	59	80	54
北九州市	273	192	168	75	127	50
福岡市	228	147	155	48	63	52
熊本市	219	117	155	48	64	44
中核市(再掲)						
旭川市	67	25	45	10	12	11
函館市	80	27	45	15	15	10
青森市	117	26	90	9	11	13
八戸市	95	25	68	11	13	11
盛岡市	80	39	63	21	27	12
秋田市	-	-	-	-	-	-
郡山市	186	50	89	18	20	21
いわき市	143	35	52	15	17	17
宇都宮市	100	41	53	24	26	11
前橋市	65	29	35	15	16	8
高崎市	77	22	39	8	12	8
川越市	127	40	77	14	16	14
越谷市	103	26	24	14	18	7
船橋市	82	57	71	15	22	26
柏市	25	11	16	7	7	4
八王子市	106	36	59	23	27	7
横須賀市	69	22	35	12	14	6
富山市	186	64	102	18	19	31
金沢市	97	45	105	8	11	23
長野市	119	58	76	15	17	31
岐阜市	164	59	38	27	34	18
豊橋市	66	37	13	19	32	4
豊田市	64	54	41	19	20	19
岡崎市	44	12	12	5	5	5
大津市	114	27	42	16	20	6
高槻市	63	23	31	12	15	7
東大阪市	76	26	26	13	13	12
豊中市	72	33	25	21	23	7
枚方市	39	25	26	8	10	14
姫路市	159	90	93	42	55	29
西宮市	212	58	64	29	33	21
尼崎市	275	75	55	32	45	18
奈良市	111	42	36	34	35	6
和歌山市	78	29	43	11	14	14
倉敷市	109	117	66	36	65	26
福山市	119	104	85	27	53	32
呉市	76	45	28	18	24	13
下関市	89	36	46	22	25	9
高松市	84	41	28	23	33	5
松山市	127	87	84	35	45	33
高知市	104	55	90	13	16	31
久留米市	73	66	72	12	16	31
長崎市	257	86	109	47	54	26
佐世保市	172	67	94	37	46	20
大分市	193	136	118	40	57	45
宮崎市	124	94	68	38	54	29
鹿児島市	258	190	204	64	103	60
那覇市	66	21	18	10	15	5

調理師数，都道府県－指定都市－中核市（再掲）・施設の種類別

平成29年度末現在

・栄養士どちらもいる施設		栄養士のみいる施設		管理栄養士・栄養士どちらもいない施設数	調理師のいる施設		調理師のいない施設数
管理栄養士数	栄養士数	施設数	栄養士数		施設数	調理師数	
83	65	107	131	157	254	496	188
52	57	61	72	67	128	215	139
43	46	88	122	130	151	236	128
39	39	82	92	76	138	231	102
203	197	341	458	407	588	988	465
67	70	125	174	136	241	416	147
28	26	40	49	58	84	143	55
51	49	67	77	300	243	440	223
17	17	63	74	126	132	221	90
16	17	21	23	37	85	153	23
88	75	90	118	218	265	467	185
132	128	95	131	145	315	618	123
103	96	85	116	245	384	612	175
21	18	16	19	95	76	132	79
125	118	66	90	182	295	661	155
84	74	30	37	68	115	218	97
71	87	36	48	75	110	211	114
65	79	77	89	71	176	289	97
84	66	67	89	61	126	254	102
53	77	65	78	62	141	292	78
13	13	30	32	16	47	92	20
12	10	29	35	26	58	98	22
15	20	63	70	32	74	126	43
12	15	42	53	31	77	153	18
12	13	45	50	2	68	166	12
-	-	-	-	-	-	-	-
30	34	43	55	104	112	191	74
18	19	25	33	86	78	138	65
15	16	32	37	33	63	111	37
13	10	22	25	20	42	97	23
10	9	28	30	33	51	90	26
24	24	39	53	60	83	163	44
8	10	13	14	69	40	71	63
35	32	26	39	15	57	107	25
4	7	7	9	7	16	28	9
9	9	36	50	40	57	96	49
8	12	19	23	32	55	120	14
45	50	42	52	95	116	228	70
34	37	43	68	23	60	111	37
41	43	25	33	48	58	103	61
25	20	18	18	101	75	138	89
5	5	8	8	35	50	109	16
34	26	13	15	13	39	79	25
7	7	4	5	30	24	38	20
7	11	25	31	67	67	109	47
8	13	14	18	30	23	47	40
13	13	11	13	40	35	54	41
10	8	10	17	34	48	82	24
15	21	4	5	13	28	55	11
35	52	30	41	58	89	192	70
25	29	28	35	134	111	183	101
30	23	27	32	198	126	190	149
7	9	23	27	48	62	143	49
15	16	19	27	34	60	89	18
52	31	25	35	22	90	187	19
51	45	28	40	32	79	159	40
21	18	9	10	36	38	76	38
11	10	31	36	27	43	77	46
8	6	17	22	39	48	77	36
42	45	36	39	23	81	188	46
39	65	21	25	39	82	189	22
50	53	18	19	12	61	158	12
32	27	70	82	114	123	198	134
21	26	61	68	54	105	220	67
79	52	55	66	53	121	243	72
40	41	25	27	32	106	298	18
87	88	88	116	46	147	345	111
6	5	12	13	39	55	121	11

（報告表　12）

第４表（10－５） 給食施設数・管理栄養士数・栄養士数・

指定施設

	総数			管理栄養士のみいる施設		管理栄養士
	施設数	管理栄養士数	栄養士数	施設数	管理栄養士数	施設数
全国	**2 816**	**11 949**	**5 827**	**1 028**	**2 678**	**1 616**
北海道	99	467	263	30	105	68
青森	22	70	101	3	3	19
岩手	14	83	15	8	38	6
宮城	42	245	79	17	69	25
秋田	23	101	93	4	15	19
山形	29	117	51	6	24	19
福島	34	188	93	12	33	22
茨城	32	150	74	8	35	22
栃木	63	216	137	15	22	39
群馬	36	210	129	8	32	27
埼玉	99	515	364	26	58	66
千葉	82	412	201	16	41	63
東京	372	1 208	793	162	228	187
神奈川	217	809	376	99	172	102
新潟	48	198	44	27	97	20
富山	19	86	53	4	13	12
石川	37	167	88	3	7	29
福井	9	70	26	4	24	5
山梨	17	43	43	3	6	9
長野	41	249	112	12	56	27
岐阜	38	175	124	7	17	25
静岡	103	388	158	52	96	43
愛知	246	745	331	129	274	96
三重	43	180	102	11	31	31
滋賀	23	160	48	6	21	16
京都	67	274	112	23	56	35
大阪	259	1 084	412	100	249	144
兵庫	164	550	195	77	196	69
奈良	21	130	52	5	28	16
和歌山	15	60	43	4	16	10
鳥取	15	68	49	4	21	11
島根	22	107	49	5	21	16
岡山	24	199	45	12	91	12
広島	52	249	113	13	47	38
山口	32	178	39	13	75	18
徳島	25	110	38	14	49	11
香川	21	108	34	8	51	13
愛媛	24	117	46	4	16	19
高知	14	95	68	2	11	12
福岡	92	548	252	21	71	69
佐賀	13	67	31	3	10	10
長崎	34	152	53	12	46	22
熊本	47	211	112	12	34	32
大分	18	84	44	4	12	13
宮崎	28	112	57	9	27	19
鹿児島	14	48	13	8	20	6
沖縄	27	146	72	3	14	24

調理師数，都道府県－指定都市－中核市（再掲）・施設の種類別

平成29年度末現在

・栄養士どちらもいる施設		栄養士のみいる施設		管理栄養士・栄養士どちらもいない施設数	調理師のいる施設		調理師のいない施設数
管理栄養士数	栄養士数	施設数	栄養士数		施設数	調理師数	
9 271	5 710	90	117	82	2 708	19 803	108
362	263	–	–	1	94	890	5
67	101	–	–	–	21	214	1
45	15	–	–	–	14	271	–
176	79	–	–	–	40	295	2
86	93	–	–	–	21	153	2
93	50	1	1	3	29	334	–
155	93	–	–	–	33	367	1
115	72	2	2	–	30	270	2
194	130	7	7	2	61	376	2
178	128	1	1	–	35	325	1
457	357	6	7	1	92	668	7
371	196	3	5	–	79	591	3
980	782	9	11	14	363	1 941	9
637	371	4	5	12	214	1 246	3
101	44	–	–	1	44	479	4
73	49	3	4	–	18	172	1
160	86	2	2	3	33	282	4
46	26	–	–	–	9	156	–
37	39	2	4	3	16	107	1
193	108	2	4	–	39	330	2
158	115	4	9	2	37	308	1
292	152	6	6	2	103	683	–
471	318	9	13	12	241	1 317	5
149	101	1	1	–	42	274	1
139	47	1	1	–	22	198	1
218	102	6	10	3	66	408	1
835	406	5	6	10	244	1 549	15
354	183	12	12	6	151	1 016	13
102	52	–	–	–	21	190	–
44	40	1	3	–	14	98	1
47	49	–	–	–	14	111	1
86	49	–	–	1	20	165	2
108	45	–	–	–	23	215	1
202	113	–	–	1	50	319	2
103	39	–	–	1	31	318	1
61	38	–	–	–	24	233	1
57	34	–	–	–	20	146	1
101	45	1	1	–	23	192	1
84	68	–	–	–	14	108	–
477	251	1	1	1	89	830	3
57	31	–	–	–	13	149	–
106	53	–	–	–	32	317	2
177	111	1	1	2	44	401	3
72	44	–	–	1	17	144	1
85	57	–	–	–	27	281	1
28	13	–	–	–	14	89	–
132	72	–	–	–	27	277	–

（報告表　12）

第４表（10－６） 給食施設数・管理栄養士数・栄養士数・

指定施設

	総数			管理栄養士のみいる施設		管理栄養士
	施設数	管理栄養士数	栄養士数	施設数	管理栄養士数	施設数
指定都市（再掲）						
札幌市	34	199	100	10	48	24
仙台市	24	167	41	11	55	13
さいたま市	19	88	73	5	16	10
千葉市	21	90	40	6	13	12
横浜市	78	298	135	40	74	31
川崎市	38	144	81	19	23	16
相模原市	13	73	25	4	14	7
新潟市	15	84	17	9	36	6
静岡市	12	63	29	4	8	8
浜松市	21	129	33	9	21	12
名古屋市	47	238	87	22	73	24
京都市	43	214	83	14	37	26
大阪市	83	350	110	43	73	37
堺市	23	150	32	10	40	13
神戸市	41	157	53	19	59	19
岡山市	13	103	32	6	46	7
広島市	17	100	42	4	15	12
北九州市	23	126	47	4	18	18
福岡市	26	186	88	6	20	20
熊本市	18	113	45	5	12	11
中核市（再掲）						
旭川市	8	38	40	2	9	6
函館市	11	37	34	2	12	8
青森市	7	25	29	2	2	5
八戸市	6	19	20	1	1	5
盛岡市	5	43	12	2	15	3
秋田市	9	49	61	－	－	9
郡山市	11	75	32	4	11	7
いわき市	4	17	7	2	3	2
宇都宮市	12	32	36	3	7	7
前橋市	8	61	26	2	10	6
高崎市	5	29	23	2	6	3
川越市	10	39	31	4	5	5
越谷市	2	16	4	－	－	2
船橋市	9	34	13	2	4	7
柏市	6	27	11	2	3	4
八王子市	21	71	71	7	11	13
横須賀市	9	38	17	5	7	4
富山市	8	50	29	2	7	6
金沢市	21	87	51	3	7	13
長野市	10	65	22	5	33	5
岐阜市	9	68	33	1	6	7
豊橋市	7	42	15	2	10	5
豊田市	19	55	22	11	28	8
岡崎市	5	19	10	2	3	3
大津市	6	42	8	3	16	3
高槻市	6	46	15	1	7	5
東大阪市	6	32	16	2	14	3
豊中市	16	37	24	7	15	5
枚方市	15	61	40	5	12	9
姫路市	50	92	33	28	51	8
西宮市	6	39	17	1	1	5
尼崎市	8	37	19	4	6	4
奈良市	6	27	9	2	8	4
和歌山市	4	25	18	1	7	3
倉敷市	4	63	4	3	35	1
福山市	4	21	7	－	－	4
呉市	5	32	8	2	13	3
下関市	6	36	15	1	8	5
高松市	8	38	20	3	14	5
松山市	7	44	26	－	－	7
高知市	9	72	50	1	2	8
久留米市	6	43	17	2	6	4
長崎市	13	72	20	7	35	6
佐世保市	11	42	22	2	2	9
大分市	8	38	25	1	3	6
宮崎市	9	50	14	5	17	4
鹿児島市	－	－	－	－	－	－
那覇市	6	29	10	2	8	4

調理師数，都道府県－指定都市－中核市（再掲）・施設の種類別

平成29年度末現在

・栄養士どちらもいる施設		栄養士のみいる施設		管理栄養士・栄養士どちらもいない施設数	調理師のいる施設		調理師のいない施設数
管理栄養士数	栄養士数	施設数	栄養士数		施設数	調理師数	
151	100	－	－	－	33	291	1
112	41	－	－	－	23	186	1
72	69	4	4	－	19	111	－
77	35	3	5	－	18	131	3
224	132	2	3	5	77	410	1
121	81	－	－	3	38	195	－
59	24	1	1	1	12	94	1
48	17	－	－	－	14	175	1
55	29	－	－	－	12	106	－
108	33	－	－	－	21	175	－
165	87	－	－	1	46	260	1
177	79	2	4	1	42	286	1
277	108	1	2	2	81	476	2
110	32	－	－	－	20	188	3
98	50	3	3	－	39	239	2
57	32	－	－	－	12	136	1
85	42	－	－	1	16	134	1
108	47	－	－	1	22	184	1
166	88	－	－	－	25	234	1
101	44	1	1	1	17	183	1
29	40	－	－	－	8	128	－
25	34	－	－	1	10	58	1
23	29	－	－	－	6	65	1
18	20	－	－	－	6	45	－
28	12	－	－	－	5	129	－
49	61	－	－	－	9	80	－
64	32	－	－	－	11	152	－
14	7	－	－	－	4	43	－
25	35	1	1	1	12	82	－
51	26	－	－	－	7	85	1
23	23	－	－	－	5	32	－
34	29	1	2	－	9	47	1
16	4	－	－	－	2	25	－
30	13	－	－	－	9	80	－
24	11	－	－	－	6	53	－
60	71	－	－	1	19	82	2
31	17	－	－	－	9	83	－
43	29	－	－	－	7	84	1
80	49	2	2	3	17	159	4
32	22	－	－	－	10	120	－
62	33	－	－	1	8	86	1
32	15	－	－	－	7	71	－
27	22	－	－	－	18	159	1
16	10	－	－	－	5	32	－
26	8	－	－	－	5	61	1
39	15	－	－	－	6	61	－
18	15	1	1	－	6	52	－
22	23	1	1	3	12	66	4
49	39	1	1	－	15	74	－
41	24	9	9	5	40	217	10
38	17	－	－	－	6	47	－
31	19	－	－	－	8	74	－
19	9	－	－	－	6	42	－
18	18	－	－	－	4	37	－
28	4	－	－	－	4	30	－
21	7	－	－	－	4	18	－
19	8	－	－	－	5	44	－
28	15	－	－	－	6	52	－
24	20	－	－	－	7	49	1
44	26	－	－	－	7	81	－
70	50	－	－	－	9	69	－
37	17	－	－	－	6	85	－
37	20	－	－	－	13	119	－
40	22	－	－	－	9	113	2
35	25	－	－	1	7	70	1
33	14	－	－	－	8	115	1
－	－	－	－	－	－	－	－
21	10	－	－	－	6	57	－

（報告表　12）

第４表（10－７）　給食施設数・管理栄養士数・栄養士数・

１回300食以上又は１日750食以上

	総		数	管理栄養士のみいる施設		管理栄養士
	施設数	管理栄養士数	栄養士数	施設数	管理栄養士数	施設数
全国	**12 767**	**8 824**	**7 343**	**4 903**	**5 635**	**1 669**
北海道	479	410	282	225	244	75
青森	57	52	60	24	25	17
岩手	104	99	101	34	46	31
宮城	178	175	129	90	99	31
秋田	92	62	59	38	42	13
山形	75	48	76	20	25	13
福島	183	114	106	69	85	22
茨城	225	173	193	66	82	49
栃木	249	117	238	69	71	37
群馬	215	185	137	108	121	30
埼玉	680	392	598	188	211	117
千葉	647	458	370	307	345	57
東京	1 764	1 061	766	726	762	116
神奈川	883	550	345	408	430	60
新潟	265	164	127	106	123	25
富山	122	81	75	47	49	19
石川	110	79	77	43	52	15
福井	87	33	10	31	31	1
山梨	86	43	86	20	22	18
長野	165	96	81	63	68	17
岐阜	203	145	150	63	81	40
静岡	440	317	345	148	176	74
愛知	717	530	241	253	339	84
三重	207	150	137	66	81	34
滋賀	128	104	136	32	47	25
京都	233	180	141	82	96	44
大阪	1 044	444	564	221	258	119
兵庫	544	311	252	176	207	70
奈良	140	91	181	19	23	45
和歌山	42	31	40	12	15	11
鳥取	45	55	64	11	15	25
島根	41	62	35	18	32	14
岡山	172	158	55	122	135	14
広島	229	184	108	103	111	33
山口	138	154	61	76	97	20
徳島	81	72	15	52	63	3
香川	94	106	49	54	71	16
愛媛	93	97	83	39	56	16
高知	59	36	49	15	19	15
福岡	581	437	233	269	317	70
佐賀	79	55	51	31	34	7
長崎	140	104	58	70	81	8
熊本	176	136	51	94	112	12
大分	107	88	66	40	45	23
宮崎	113	94	50	56	65	21
鹿児島	165	199	135	67	87	32
沖縄	90	92	77	32	39	31

調理師数，都道府県－指定都市－中核市（再掲）・施設の種類別

平成29年度末現在

・栄養士どちらもいる施設		栄養士のみいる施設		管理栄養士・栄養士どちらもいない施設数	調理師のいる施設		調理師のいない施設数
管理栄養士数	栄養士数	施設数	栄養士数		施設数	調理師数	
3 189	**3 271**	**3 336**	**4 072**	**2 859**	**10 922**	**41 092**	**1 845**
166	138	130	144	49	437	1 528	42
27	46	10	14	6	51	275	6
53	55	36	46	3	102	642	2
76	69	51	60	6	154	511	24
20	20	31	39	10	79	346	13
23	40	31	36	11	74	450	1
29	41	62	65	30	173	748	10
91	101	68	92	42	191	698	34
46	75	124	163	19	238	999	11
64	65	56	72	21	202	790	13
181	263	258	335	117	619	2 235	61
113	111	244	259	39	621	2 628	26
299	239	480	527	442	1 662	5 336	102
120	126	198	219	217	816	2 392	67
41	41	67	86	67	222	850	43
32	38	27	37	29	114	345	8
27	27	38	50	14	104	465	6
2	3	7	7	48	45	149	42
21	29	41	57	7	67	263	19
28	24	49	57	36	125	534	40
64	88	41	62	59	175	795	28
141	173	137	172	81	402	1 552	38
191	131	88	110	292	602	2 045	115
69	73	46	64	61	172	557	35
57	76	32	60	39	112	589	16
84	82	51	59	56	213	771	20
186	197	285	367	419	515	1 709	529
104	113	112	139	186	466	1 700	78
68	83	62	98	14	132	382	8
16	20	16	20	3	36	170	6
40	49	9	15	－	44	299	1
30	22	7	13	2	37	228	4
23	17	33	38	3	160	672	12
73	66	40	42	53	194	648	35
57	27	29	34	13	127	413	11
9	3	11	12	15	81	370	－
35	28	14	21	10	81	331	13
41	52	28	31	10	86	448	7
17	22	17	27	12	54	202	5
120	146	67	87	175	369	1 473	212
21	14	30	37	11	69	333	10
23	24	32	34	30	111	438	29
24	14	30	37	40	156	549	20
43	38	22	28	22	99	433	8
29	30	17	20	19	108	430	5
112	85	45	50	21	147	785	18
53	47	27	30	－	78	586	12

（報告表　12）

第４表（10－８） 給食施設数・管理栄養士数・栄養士数・

１回300食以上又は１日750食以上

	総数			管理栄養士のみいる施設		管理栄養士
	施設数	管理栄養士数	栄養士数	施設数	管理栄養士数	施設数
指定都市(再掲)						
札幌市	235	232	84	157	163	21
仙台市	78	81	36	57	62	4
さいたま市	177	114	149	65	68	40
千葉市	97	59	55	44	45	4
横浜市	385	218	112	174	177	18
川崎市	132	73	66	46	47	13
相模原市	72	53	37	35	40	10
新潟市	103	65	42	43	50	8
静岡市	52	44	64	12	13	11
浜松市	123	95	65	52	65	16
名古屋市	299	110	53	79	86	13
京都市	127	67	46	43	48	12
大阪市	408	124	76	104	108	6
堺市	92	27	97	9	10	15
神戸市	158	69	43	56	58	7
岡山市	75	58	19	57	58	－
広島市	104	63	34	49	52	9
北九州市	141	73	19	56	67	3
福岡市	152	92	24	61	76	8
熊本市	84	46	9	42	45	1
中核市(再掲)						
旭川市	37	22	18	9	13	2
函館市	25	11	12	11	11	－
青森市	10	8	17	1	1	3
八戸市	6	8	13	2	2	3
盛岡市	34	29	25	14	16	3
秋田市	37	19	15	18	18	1
郡山市	41	17	24	11	11	3
いわき市	8	14	11	3	7	5
宇都宮市	98	40	70	37	38	2
前橋市	19	19	27	4	4	5
高崎市	71	56	26	49	51	4
川越市	11	18	17	3	5	6
越谷市	9	17	6	3	9	3
船橋市	78	41	32	41	41	－
柏市	55	35	28	30	30	3
八王子市	82	32	32	28	29	1
横須賀市	43	22	14	16	17	2
富山市	55	31	24	24	25	4
金沢市	26	28	30	10	12	8
長野市	13	8	13	1	1	4
岐阜市	72	49	64	24	29	15
豊橋市	24	19	26	4	6	7
豊田市	65	69	8	53	61	7
岡崎市	31	23	12	8	17	4
大津市	19	20	15	5	9	4
高槻市	68	18	23	12	12	4
東大阪市	34	24	39	6	7	13
豊中市	18	10	10	6	7	3
枚方市	41	3	37	－	－	2
姫路市	32	5	4	4	5	－
西宮市	64	29	17	29	29	－
尼崎市	54	21	31	10	10	10
奈良市	44	11	59	5	5	6
和歌山市	6	7	12	1	1	4
倉敷市	48	43	10	39	42	1
福山市	46	30	17	20	20	5
呉市	18	8	1	8	8	－
下関市	31	41	10	19	21	5
高松市	45	42	15	28	37	4
松山市	26	27	46	7	14	8
高知市	32	8	27	3	3	5
久留米市	36	31	34	22	22	5
長崎市	49	21	17	19	20	1
佐世保市	28	12	9	10	10	1
大分市	53	36	16	23	25	5
宮崎市	57	30	20	25	26	4
鹿児島市	71	119	60	24	36	15
那覇市	28	20	12	17	18	2

調理師数, 都道府県－指定都市－中核市（再掲）・施設の種類別

平成29年度末現在

・栄養士どちらもいる施設		栄養士のみいる施設		管理栄養士・栄養士どちらもいない施設数	調理師のいる施設		調理師のいない施設数
管理栄養士数	栄養士数	施設数	栄養士数		施設数	調理師数	
69	49	34	35	23	218	527	17
19	19	17	17	－	61	145	17
46	63	60	86	12	170	520	7
14	11	43	44	6	90	266	7
41	40	66	72	127	367	941	18
26	33	28	33	45	115	366	17
13	13	19	24	8	64	231	8
15	15	19	27	33	76	209	27
31	44	16	20	13	47	247	5
30	26	29	39	26	107	286	16
24	18	31	35	176	240	530	59
19	16	28	30	44	113	400	14
16	10	56	66	242	77	194	331
17	22	59	75	9	88	211	4
11	12	30	31	65	129	341	29
－	－	17	19	1	74	248	1
11	16	18	18	28	95	243	9
6	4	13	15	69	94	365	47
16	13	6	11	77	8	14	144
1	1	6	8	35	82	204	2
9	3	15	15	11	33	106	4
－	－	10	12	4	24	48	1
7	15	2	2	4	8	26	2
6	12	1	1	－	6	45	－
13	7	15	18	2	32	104	2
1	1	12	14	6	29	71	8
6	9	14	15	13	38	151	3
7	11	－	－	－	4	26	4
2	5	55	65	4	95	306	3
15	17	5	10	5	17	79	2
5	12	14	14	4	68	237	3
13	16	1	1	1	11	80	－
8	4	2	2	1	8	50	1
－	－	31	32	6	74	254	4
5	7	20	21	2	53	167	2
3	4	28	28	25	79	259	3
5	4	9	10	16	42	149	1
6	7	12	17	15	49	137	6
16	18	8	12	－	26	142	－
7	8	4	5	4	9	100	4
20	40	20	24	13	63	241	9
13	13	6	13	7	23	112	1
8	7	1	1	4	60	148	5
6	4	8	8	11	23	114	8
11	10	4	5	6	14	84	5
6	7	16	16	36	12	24	56
17	19	6	20	9	24	79	10
3	5	2	5	7	11	82	7
3	4	28	33	11	4	8	37
－	－	4	4	24	22	59	10
－	－	17	17	18	63	260	1
11	12	14	19	20	48	236	6
6	6	31	53	2	42	87	2
6	12	－	－	1	5	24	1
1	1	8	9	－	43	137	5
10	8	9	9	12	36	77	10
－	－	1	1	9	10	23	8
20	8	2	2	5	27	97	4
5	9	6	6	7	37	104	8
13	38	7	8	4	20	142	6
5	5	13	22	11	30	63	2
9	19	9	15	－	36	157	－
1	1	14	16	15	31	94	18
2	1	8	8	9	27	66	1
11	7	9	9	16	47	137	6
4	10	10	10	18	55	162	2
83	44	14	16	18	60	345	11
2	2	9	10	－	28	147	－

（報告表　12）

第４表（10－９）　給食施設数・管理栄養士数・栄養士数・

１回100食以上又は１日250食以上

	総数			管理栄養士のみいる施設		管理栄養士
	施設数	管理栄養士数	栄養士数	施設数	管理栄養士数	施設数
全国	**34 959**	**26 985**	**27 407**	**6 872**	**10 657**	**9 005**
北海道	1 329	1 281	870	401	632	393
青森	283	177	352	27	46	88
岩手	294	237	316	63	100	85
宮城	531	504	412	168	257	144
秋田	333	192	324	55	66	89
山形	363	276	243	77	137	97
福島	544	427	587	86	143	164
茨城	734	511	708	119	165	206
栃木	697	395	648	96	117	172
群馬	759	536	670	124	194	190
埼玉	1 716	1 246	1 603	250	386	492
千葉	1 465	1 070	1 130	372	468	381
東京	3 415	2 420	3 121	621	878	855
神奈川	1 959	1 643	1 652	371	603	592
新潟	886	528	342	185	269	155
富山	516	316	443	51	72	145
石川	509	290	525	64	97	119
福井	405	299	260	91	146	86
山梨	266	162	246	38	46	68
長野	560	384	339	113	168	119
岐阜	564	402	283	124	186	110
静岡	1 100	862	915	192	299	308
愛知	1 847	1 195	800	350	556	328
三重	570	310	268	76	113	92
滋賀	391	247	220	58	99	71
京都	634	555	565	122	189	201
大阪	2 476	1 820	1 450	513	819	556
兵庫	1 506	1 157	965	260	440	379
奈良	340	308	199	86	148	72
和歌山	383	241	256	63	93	86
鳥取	202	133	178	32	40	58
島根	264	194	280	49	61	70
岡山	462	555	460	129	225	155
広島	702	719	568	147	263	217
山口	459	401	288	152	234	95
徳島	231	252	147	89	137	65
香川	381	317	229	117	182	78
愛媛	259	249	194	67	118	65
高知	288	253	275	48	71	101
福岡	1 555	1 411	1 695	277	461	455
佐賀	297	271	311	66	107	86
長崎	478	433	386	104	189	137
熊本	614	554	550	107	171	182
大分	300	328	339	48	76	116
宮崎	289	234	188	75	131	61
鹿児島	427	438	408	91	162	135
沖縄	376	252	199	58	97	86

調理師数，都道府県－指定都市－中核市（再掲）・施設の種類別

平成29年度末現在

・栄養士どちらもいる施設		栄養士のみいる施設		管理栄養士・栄養士どちらもいない施設数	調理師のいる施設		調理師のいない施設数
管理栄養士数	栄養士数	施設数	栄養士数		施設数	調理師数	
16 328	**15 471**	**8 616**	**11 936**	**10 466**	**26 984**	**67 872**	**7 975**
649	545	279	325	256	1 099	3 077	230
131	167	127	185	41	234	748	49
137	144	125	172	21	270	985	24
247	227	153	185	66	384	933	147
126	147	133	177	56	271	862	62
139	138	88	105	101	338	1 274	25
284	349	182	238	112	480	1 450	64
346	386	242	322	167	505	1 158	229
278	322	255	326	174	583	1 377	114
342	343	250	327	195	602	1 508	157
860	946	491	657	483	1 276	2 744	440
602	591	415	539	297	1 255	3 096	210
1 542	1 578	962	1 543	977	2 699	6 025	716
1 040	991	451	661	545	1 506	3 278	453
259	220	105	122	441	695	2 022	191
244	282	118	161	202	410	969	106
193	248	170	277	156	398	1 032	111
153	146	81	114	147	290	791	115
116	139	80	107	80	179	388	87
216	211	103	128	225	372	931	188
216	172	94	111	236	408	934	156
563	533	297	382	303	907	2 167	193
639	521	221	279	948	1 399	2 922	448
197	180	81	88	321	375	845	195
148	105	79	115	183	336	836	55
366	340	149	225	162	523	1 341	111
1 001	830	486	620	921	1 752	3 583	724
717	584	274	381	593	1 106	2 603	400
160	121	60	78	122	268	586	72
148	143	95	113	139	293	760	90
93	103	58	75	54	180	474	22
133	115	109	165	36	197	486	67
330	279	111	181	67	367	1 044	95
456	388	122	180	216	425	1 044	277
167	142	116	146	96	326	889	133
115	104	33	43	44	202	569	29
135	123	70	106	116	281	665	100
131	121	56	73	71	190	534	69
182	215	46	60	93	268	847	20
950	873	494	822	329	1 153	3 168	402
164	177	99	134	46	236	812	61
244	199	140	187	97	348	1 094	130
383	331	162	219	163	484	1 532	130
252	203	80	136	56	238	728	62
103	90	83	98	70	245	771	44
276	234	125	174	76	306	1 017	121
155	125	66	74	166	325	973	51

（報告表　12）

第４表（10－10） 給食施設数・管理栄養士数・栄養士数・

１回100食以上又は１日250食以上

	総数			管理栄養士のみいる施設		管理栄養士
	施設数	管理栄養士数	栄養士数	施設数	管理栄養士数	施設数
指定都市(再掲)						
札幌市	413	440	256	130	227	128
仙台市	214	256	140	99	144	56
さいたま市	257	161	247	36	54	71
千葉市	221	190	189	75	93	58
横浜市	762	720	668	151	246	267
川崎市	294	294	314	53	89	103
相模原市	147	136	138	29	54	42
新潟市	324	187	99	58	94	59
静岡市	190	167	180	33	43	58
浜松市	234	218	179	57	97	68
名古屋市	697	513	379	133	232	142
京都市	337	311	338	64	100	122
大阪市	738	527	408	136	226	168
堺市	239	185	138	71	104	42
神戸市	451	294	293	57	95	115
岡山市	162	142	121	44	72	34
広島市	264	263	219	53	89	81
北九州市	300	305	213	77	126	72
福岡市	396	364	501	52	79	132
熊本市	249	275	227	34	60	87
中核市(再掲)						
旭川市	90	67	81	15	22	28
函館市	68	55	57	10	15	21
青森市	53	37	68	5	12	17
八戸市	54	40	54	4	8	19
盛岡市	80	63	94	15	26	22
秋田市	87	54	85	13	17	24
郡山市	65	37	58	8	12	16
いわき市	90	77	102	15	26	29
宇都宮市	167	96	134	27	31	34
前橋市	125	88	109	22	37	24
高崎市	144	124	134	27	43	39
川越市	66	68	61	12	16	23
越谷市	60	44	33	9	17	12
船橋市	113	92	74	45	54	16
柏市	78	84	57	16	22	20
八王子市	185	126	172	40	52	42
横須賀市	81	59	51	16	27	20
富山市	177	103	151	21	35	38
金沢市	186	119	259	21	29	51
長野市	78	74	62	25	38	22
岐阜市	109	97	62	26	39	28
豊橋市	91	37	35	9	12	13
豊田市	70	71	31	34	42	13
岡崎市	98	44	21	18	24	11
大津市	88	56	68	13	21	20
高槻市	106	100	74	22	41	32
東大阪市	148	112	83	26	52	38
豊中市	90	77	51	20	31	25
枚方市	110	86	74	18	25	32
姫路市	155	106	94	28	48	31
西宮市	109	108	82	16	36	35
尼崎市	123	96	68	24	47	23
奈良市	97	91	59	25	44	19
和歌山市	177	85	104	16	26	34
倉敷市	115	193	121	31	64	54
福山市	111	92	93	7	23	26
呉市	59	56	34	18	30	14
下関市	89	53	70	20	31	17
高松市	147	116	84	45	69	29
松山市	79	70	64	20	32	20
高知市	113	106	127	15	28	32
久留米市	101	78	137	12	14	29
長崎市	161	161	93	46	85	35
佐世保市	85	53	83	5	6	32
大分市	100	95	111	10	17	35
宮崎市	57	65	24	19	44	11
鹿児島市	155	130	170	21	34	38
那覇市	67	34	40	6	13	13

調理師数，都道府県－指定都市－中核市（再掲）・施設の種類別

平成29年度末現在

・栄養士どちらもいる施設		栄養士のみいる施設		管理栄養士・栄養士どちらもいない施設数	調理師のいる施設		調理師のいない施設数
管理栄養士数	栄養士数	施設数	栄養士数		施設数	調理師数	
213	173	70	83	85	314	837	99
112	88	41	52	18	134	304	80
107	123	96	124	54	190	356	67
97	96	74	93	14	173	332	48
474	437	151	231	193	600	1 303	162
205	196	75	118	63	214	445	80
82	79	35	59	41	107	233	40
93	78	19	21	188	228	631	96
124	118	50	62	49	160	393	30
121	99	58	80	51	188	440	46
281	227	112	152	310	477	928	220
211	198	84	140	67	261	668	76
301	245	126	163	308	501	1 011	237
81	66	58	72	68	187	350	52
199	179	72	114	207	290	635	161
70	66	38	55	46	126	313	36
174	164	37	55	93	138	329	126
179	124	75	89	76	218	535	82
285	253	132	248	80	207	550	189
215	167	45	60	83	190	584	59
45	39	35	42	12	63	185	27
40	31	20	26	17	62	152	6
25	38	21	30	10	40	145	13
32	27	23	27	8	45	116	9
37	39	39	55	4	73	263	7
37	42	30	43	20	57	183	30
25	39	17	19	24	57	195	8
51	55	33	47	13	77	215	13
65	54	60	80	46	133	287	34
51	45	45	64	34	99	255	26
81	79	43	55	35	125	349	19
52	43	13	18	18	58	133	8
27	19	11	14	28	44	102	16
38	31	32	43	20	96	232	17
62	36	14	21	28	70	182	8
74	72	61	100	42	128	283	57
32	32	15	19	30	70	180	11
68	91	47	60	71	146	350	31
90	122	79	137	35	147	333	39
36	42	14	20	17	43	119	35
58	45	15	17	40	75	182	34
25	21	10	14	59	78	188	13
29	18	12	13	11	48	112	22
20	15	5	6	64	84	176	14
35	28	26	40	29	68	155	20
59	46	22	28	30	66	140	40
60	52	23	31	61	99	220	49
46	32	14	19	31	66	148	24
61	50	19	24	41	77	138	33
58	46	35	48	61	97	227	58
72	62	14	20	44	89	236	20
49	38	22	30	54	92	201	31
47	35	17	24	36	70	151	27
59	55	39	49	88	104	222	73
129	77	24	44	6	97	263	18
69	45	26	48	52	58	116	53
26	27	6	7	21	36	86	23
22	31	31	39	21	53	139	36
47	41	26	43	47	103	242	44
38	36	19	28	20	60	182	19
78	104	17	23	49	103	263	10
64	76	38	61	22	93	293	8
76	45	40	48	40	96	261	65
47	47	25	36	23	65	169	20
78	58	29	53	26	71	212	29
21	12	11	12	16	49	189	8
96	80	59	90	37	83	261	72
21	26	13	14	35	60	175	7

（報告表　12）

第5表（2－1） 特定給食施設に対する指導・監督数，

	指			定			施
	指導・助言件数			立入検査件数	勧告件数		命令
	管理栄養士配置	栄養管理	（再掲）肥満及びやせに関する栄養管理		管理栄養士配置	栄養管理	管理栄養士配置
全国	**219**	**3 151**	**123**	**264**	**－**	**－**	**－**
北海道	－	77	－	20	－	－	－
青森	－	8	－	－	－	－	－
岩手	－	4	－	14	－	－	－
宮城	－	28	－	24	－	－	－
秋田	1	5	－	11	－	－	－
山形	1	5	－	－	－	－	－
福島	－	33	－	－	－	－	－
茨城	－	4	－	－	－	－	－
栃木	－	47	－	－	－	－	－
群馬	4	51	2	－	－	－	－
埼玉	4	119	3	1	－	－	－
千葉	2	131	－	－	－	－	－
東京	99	820	30	1	－	－	－
神奈川	15	173	22	－	－	－	－
新潟	－	47	－	－	－	－	－
富山	14	17	－	－	－	－	－
石川	7	10	－	13	－	－	－
福井	－	9	－	6	－	－	－
山梨	－	12	2	－	－	－	－
長野	－	30	－	2	－	－	－
岐阜	4	26	2	4	－	－	－
静岡	1	74	3	10	－	－	－
愛知	8	306	3	49	－	－	－
三重	2	41	4	－	－	－	－
滋賀	－	6	－	8	－	－	－
京都	－	6	3	－	－	－	－
大阪	19	260	35	－	－	－	－
兵庫	23	348	10	23	－	－	－
奈良	1	39	－	6	－	－	－
和歌山	－	8	－	3	－	－	－
鳥取	－	5	－	－	－	－	－
島根	－	20	－	－	－	－	－
岡山	5	10	2	－	－	－	－
広島	1	48	1	9	－	－	－
山口	－	12	－	9	－	－	－
徳島	－	44	－	－	－	－	－
香川	－	21	－	－	－	－	－
愛媛	－	20	－	3	－	－	－
高知	－	1	－	7	－	－	－
福岡	－	78	－	6	－	－	－
佐賀	－	15	－	－	－	－	－
長崎	－	13	1	－	－	－	－
熊本	6	30	－	16	－	－	－
大分	1	22	－	4	－	－	－
宮崎	－	34	－	14	－	－	－
鹿児島	1	8	－	－	－	－	－
沖縄	－	26	－	1	－	－	－

都道府県－指定都市－中核市（再掲）別

平成29年度

設			指定施設以外の特定給食施設					
件数	罰則処分件数		指導・助言件数	（再掲）肥満及びやせに関する栄養管理	立入検査件数	勧告件数	命令件数	罰則処分件数
栄養管理	管理栄養士配置	栄養管理						
－	**－**	**－**	**37 226**	**3 134**	**2 067**	**－**	**－**	**－**
－	－	－	1 459	163	180	－	－	－
－	－	－	154	3	－	－	－	－
－	－	－	149	26	174	－	－	－
－	－	－	225	16	103	－	－	－
－	－	－	147	6	27	－	－	－
－	－	－	94	11	－	－	－	－
－	－	－	301	40	－	－	－	－
－	－	－	362	95	－	－	－	－
－	－	－	533	19	－	－	－	－
－	－	－	1 419	645	－	－	－	－
－	－	－	1 066	80	6	－	－	－
－	－	－	2 505	123	－	－	－	－
－	－	－	7 796	259	－	－	－	－
－	－	－	1 334	102	－	－	－	－
－	－	－	383	55	－	－	－	－
－	－	－	371	22	－	－	－	－
－	－	－	210	19	31	－	－	－
－	－	－	376	24	－	－	－	－
－	－	－	125	13	－	－	－	－
－	－	－	381	3	45	－	－	－
－	－	－	319	96	1	－	－	－
－	－	－	886	87	95	－	－	－
－	－	－	2 745	109	454	－	－	－
－	－	－	345	3	－	－	－	－
－	－	－	93	70	82	－	－	－
－	－	－	213	24	－	－	－	－
－	－	－	1 923	479	－	－	－	－
－	－	－	3 297	167	172	－	－	－
－	－	－	412	14	31	－	－	－
－	－	－	209	10	62	－	－	－
－	－	－	38	－	－	－	－	－
－	－	－	42	11	－	－	－	－
－	－	－	350	28	－	－	－	－
－	－	－	634	32	49	－	－	－
－	－	－	272	33	49	－	－	－
－	－	－	674	9	－	－	－	－
－	－	－	274	11	－	－	－	－
－	－	－	139	6	14	－	－	－
－	－	－	61	13	123	－	－	－
－	－	－	1 644	45	23	－	－	－
－	－	－	641	12	－	－	－	－
－	－	－	535	16	－	－	－	－
－	－	－	542	92	191	－	－	－
－	－	－	583	2	22	－	－	－
－	－	－	520	27	128	－	－	－
－	－	－	170	4	－	－	－	－
－	－	－	275	10	5	－	－	－

（報告表　13）

第５表（２－２）　特定給食施設に対する指導・監督数，

	指			定			施
	指導・助言件数			立入検査件数	勧告件数		命令
	管理栄養士配置	栄養管理	（再掲）肥満及びやせに関する栄養管理		管理栄養士配置	栄養管理	管理栄養士配置
指定都市（再掲）							
札幌市	-	34	-	11	-	-	-
仙台市	-	27	-	24	-	-	-
さいたま市	-	4	-	-	-	-	-
千葉市	2	21	-	-	-	-	-
横浜市	4	44	20	-	-	-	-
川崎市	6	115	2	-	-	-	-
相模原市	5	10	-	-	-	-	-
新潟市	-	14	-	-	-	-	-
静岡市	-	4	-	10	-	-	-
浜松市	-	1	-	-	-	-	-
名古屋市	5	232	-	49	-	-	-
京都市	-	2	-	-	-	-	-
大阪市	2	88	30	-	-	-	-
堺市	7	16	-	-	-	-	-
神戸市	21	70	7	19	-	-	-
岡山市	-	-	-	-	-	-	-
広島市	1	2	1	-	-	-	-
北九州市	-	7	-	6	-	-	-
福岡市	-	22	-	-	-	-	-
熊本市	-	4	-	4	-	-	-
中核市（再掲）							
旭川市	-	1	-	7	-	-	-
函館市	-	-	-	-	-	-	-
青森市	-	2	-	-	-	-	-
八戸市	-	1	-	-	-	-	-
盛岡市	-	-	-	5	-	-	-
秋田市	-	-	-	8	-	-	-
郡山市	-	4	-	-	-	-	-
いわき市	-	-	-	-	-	-	-
宇都宮市	-	18	-	-	-	-	-
前橋市	-	9	-	-	-	-	-
高崎市	-	5	-	-	-	-	-
川越市	-	20	-	1	-	-	-
越谷市	-	2	-	-	-	-	-
船橋市	-	16	-	-	-	-	-
柏市	-	9	-	-	-	-	-
八王子市	-	67	-	1	-	-	-
横須賀市	-	4	-	-	-	-	-
富山市	8	8	-	-	-	-	-
金沢市	-	-	-	13	-	-	-
長野市	-	1	-	2	-	-	-
岐阜市	-	4	-	4	-	-	-
豊橋市	-	-	-	-	-	-	-
豊田市	-	-	-	-	-	-	-
岡崎市	-	1	-	-	-	-	-
大津市	-	6	-	-	-	-	-
高槻市	-	4	-	-	-	-	-
東大阪市	-	8	-	-	-	-	-
豊中市	-	3	-	-	-	-	-
枚方市	-	8	-	-	-	-	-
姫路市	-	40	-	4	-	-	-
西宮市	-	6	-	-	-	-	-
尼崎市	-	14	-	-	-	-	-
奈良市	-	8	-	6	-	-	-
和歌山市	-	-	-	-	-	-	-
倉敷市	-	6	1	-	-	-	-
福山市	-	5	-	4	-	-	-
呉市	-	-	-	5	-	-	-
下関市	-	7	-	6	-	-	-
高松市	-	7	-	-	-	-	-
松山市	-	4	-	3	-	-	-
高知市	-	-	-	5	-	-	-
久留米市	-	16	-	-	-	-	-
長崎市	-	-	-	-	-	-	-
佐世保市	-	8	-	-	-	-	-
大分市	1	4	-	4	-	-	-
宮崎市	-	-	-	8	-	-	-
鹿児島市	-	-	-	-	-	-	-
那覇市	-	7	-	1	-	-	-

都道府県－指定都市－中核市（再掲）別

平成29年度

設			指定施設以外の特定給食施設					
件数	罰則処分件数							
栄養管理	管理栄養士配置	栄養管理	指導・助言件数	（再掲）肥満及びやせに関する栄養管理	立入検査件数	勧告件数	命令件数	罰則処分件数
–	–	–	495	110	110	–	–	–
–	–	–	152	9	103	–	–	–
–	–	–	44	8	–	–	–	–
–	–	–	119	7	–	–	–	–
–	–	–	302	77	–	–	–	–
–	–	–	877	11	–	–	–	–
–	–	–	127	13	–	–	–	–
–	–	–	93	40	–	–	–	–
–	–	–	46	7	95	–	–	–
–	–	–	72	22	–	–	–	–
–	–	–	2 308	70	445	–	–	–
–	–	–	61	2	–	–	–	–
–	–	–	512	188	–	–	–	–
–	–	–	214	129	–	–	–	–
–	–	–	318	75	128	–	–	–
–	–	–	57	9	–	–	–	–
–	–	–	92	27	1	–	–	–
–	–	–	122	6	23	–	–	–
–	–	–	171	2	–	–	–	–
–	–	–	130	13	28	–	–	–
–	–	–	17	–	63	–	–	–
–	–	–	8	2	–	–	–	–
–	–	–	33	–	–	–	–	–
–	–	–	18	–	–	–	–	–
–	–	–	14	4	42	–	–	–
–	–	–	16	6	11	–	–	–
–	–	–	34	29	–	–	–	–
–	–	–	58	1	–	–	–	–
–	–	–	171	–	–	–	–	–
–	–	–	133	22	–	–	–	–
–	–	–	139	8	–	–	–	–
–	–	–	170	–	6	–	–	–
–	–	–	26	–	–	–	–	–
–	–	–	230	10	–	–	–	–
–	–	–	109	3	–	–	–	–
–	–	–	557	–	–	–	–	–
–	–	–	26	–	–	–	–	–
–	–	–	63	–	–	–	–	–
–	–	–	6	2	31	–	–	–
–	–	–	11	1	45	–	–	–
–	–	–	31	–	1	–	–	–
–	–	–	41	3	–	–	–	–
–	–	–	–	–	9	–	–	–
–	–	–	11	4	–	–	–	–
–	–	–	37	16	–	–	–	–
–	–	–	24	–	–	–	–	–
–	–	–	76	–	–	–	–	–
–	–	–	10	–	–	–	–	–
–	–	–	16	–	–	–	–	–
–	–	–	366	–	44	–	–	–
–	–	–	18	–	–	–	–	–
–	–	–	102	2	–	–	–	–
–	–	–	137	2	31	–	–	–
–	–	–	15	3	11	–	–	–
–	–	–	137	5	–	–	–	–
–	–	–	31	4	22	–	–	–
–	–	–	–	–	26	–	–	–
–	–	–	39	7	35	–	–	–
–	–	–	59	3	–	–	–	–
–	–	–	29	2	14	–	–	–
–	–	–	19	12	60	–	–	–
–	–	–	130	–	–	–	–	–
–	–	–	13	4	–	–	–	–
–	–	–	102	–	–	–	–	–
–	–	–	22	–	22	–	–	–
–	–	–	–	–	108	–	–	–
–	–	–	46	4	–	–	–	–
–	–	–	164	–	5	–	–	–

（報告表　13）

第１表　地方衛生研究所における

	総数	依頼によるもの				依頼によらないもの
		住民	保健所	保健所以外の行政機関	その他（医療機関、学校、事業所等）	
総数	**1 541 222**	**18 084**	**305 508**	**712 630**	**116 198**	**388 802**
結核						
分離・同定・検出	3 811	−	3 452	127	133	99
核酸検査	6 481	−	5 236	625	69	551
化学療法剤に対する耐性検査	196	−	93	96	−	7
性病						
梅毒	19 289	−	11 239	110	7 940	−
その他	4 811	−	2 549	506	1 662	94
ウイルス・リケッチア等検査						
分離・同定・検出						
ウイルス	74 025	−	26 987	18 558	8 705	19 775
リケッチア	2 822	−	1 030	382	63	1 347
クラミジア・マイコプラズマ	6 182	−	4 014	168	1 866	134
抗体検査						
ウイルス	26 406	−	2 158	17 848	401	5 999
リケッチア	1 903	−	641	245	700	317
クラミジア・マイコプラズマ	2 066	−	1 536	501	29	−
病原微生物の動物試験	1 380	−	3	477	329	571
原虫・寄生虫等						
原虫	1 080	36	208	289	18	529
寄生虫	2 466	29	144	552	1 069	672
そ族・節足動物	29 422	17	2 433	15 917	1 575	9 480
真菌・その他	200	−	15	1	2	182
食中毒						
病原微生物検査						
細菌	18 872	−	17 908	342	9	613
ウイルス	13 072	−	12 264	554	−	254
核酸検査	11 151	−	10 176	241	12	722
理化学的検査	319	−	104	47	−	168
動物を用いる検査	16	−	13	3	−	−
その他	115	−	112	3	−	−
臨床検査						
血液検査（血液一般検査）	−	−	−	−	−	−
血清等検査						
エイズ（HIV）検査	33 280	321	20 138	886	11 699	236
HBs抗原、抗体検査	3 724	−	2 328	429	−	967
その他	18 101	−	17 616	396	−	89
生化学検査						
先天性代謝異常検査	46 405	−	−	8 365	38 010	30
その他	1 362	−	−	102	896	364
尿検査						
尿一般	7 634	−	7 604	30	−	−
神経芽細胞腫	503	356	−	−	147	−
その他	1 196	−	6	620	330	240
アレルギー検査（抗原検査・抗体検査）	−	−	−	−	−	−
その他	25 596	14 106	2 185	889	8 358	58
食品等検査						
微生物学的検査	61 719	66	37 388	5 705	1 166	17 394
理化学的検査（残留農薬・食品添加物等）	128 110	15	26 012	8 953	238	92 892
動物を用いる検査	827	8	166	577	4	72
その他	1 938	−	722	469	171	576
（上記以外）細菌検査						
分離・同定・検出	80 443	1 083	26 586	20 717	22 130	9 927
核酸検査	18 153	52	7 551	2 600	1 436	6 514
抗体検査	2 585	−	463	238	16	1 868
化学療法剤に対する耐性検査	4 911	−	1 042	420	273	3 176

注：地方衛生研究所には、これに準ずる施設も含まれる。

衛生検査件数，依頼経路・検査の種類別

平成29年度

	総数	依頼によるもの				依頼によらないもの
		住民	保健所	保健所以外の行政機関	その他（医療機関、学校、事業所等）	
医薬品・家庭用品等検査						
医薬品	22 153	–	802	20 813	48	490
医薬部外品	831	–	216	605	4	6
化粧品	2 645	–	552	1 905	–	188
医療機器	354	–	129	145	49	31
毒劇物	121	–	121	–	–	–
家庭用品	5 985	–	3 184	2 236	4	561
その他	2 339	–	101	1 630	5	603
栄養関係検査	1 159	–	750	30	46	333
水道等水質検査						
水道原水						
細菌学的検査	557	12	10	398	117	20
理化学的検査	7 435	–	3 284	3 120	23	1 008
生物学的検査	110	1	3	78	6	22
飲用水						
細菌学的検査	8 699	961	4 479	1 096	2 103	60
理化学的検査	22 452	813	13 297	4 720	1 699	1 923
利用水等（プール水等を含む）						
細菌学的検査	10 040	38	7 448	1 356	882	316
理化学的検査	10 130	32	4 921	4 265	735	177
廃棄物関係検査						
一般廃棄物						
細菌学的検査	170	–	4	142	–	24
理化学的検査	4 389	–	272	2 056	–	2 061
生物学的検査	12	–	–	12	–	–
産業廃棄物						
細菌学的検査	196	–	55	136	–	5
理化学的検査	5 033	–	1 494	3 018	20	501
生物学的検査	–	–	–	–	–	–
環境・公害関係検査						
大気検査						
SO_2・NO_2・O_x等	251 707	–	367	195 568	–	55 772
浮遊粒子状物質	132 132	–	–	101 886	–	30 246
降下煤塵	19 107	–	–	19 107	–	–
有害化学物質・重金属等	26 116	–	70	24 902	–	1 144
酸性雨	14 729	–	–	12 713	2	2 014
その他	70 622	–	474	53 156	–	16 992
水質検査						
公共用水域	29 459	49	650	24 384	10	4 366
工場・事業場排水	10 957	–	2 110	7 924	164	759
浄化槽放流水	859	–	31	768	12	48
その他	12 400	62	1 352	9 539	82	1 365
騒音・振動	8 397	9	–	6 019	–	2 369
悪臭検査	418	–	–	418	–	–
土壌・底質検査	1 641	–	–	979	–	662
環境生物検査						
藻類・プランクトン・魚介類	6 149	–	19	1 891	–	4 239
その他	1 295	3	–	520	8	764
一般室内環境	627	–	21	213	1	392
その他	2 163	–	–	541	26	1 596
放射能						
環境試料（雨水・空気・土壌等）	82 379	–	16	53 250	15	29 098
食品	19 188	6	5 794	3 441	502	9 445
その他	54 285	–	16	11 993	–	42 276
温泉（鉱泉）泉質検査	1 432	9	205	257	137	824
その他	27 778	–	1 139	26 412	42	185

（報告表　14）

第２表（８－１）　地方衛生研究所における衛生検査

	総数	結核			性病		ウイルス・リケッチア			
							分離・同定・検出			抗
		分離・同定・検出	核酸検査	化学療法剤に対する耐性検査	梅毒	その他	ウイルス	リケッチア	クラミジア・マイコプラズマ	ウイルス
全国	**1 541 222**	**3 811**	**6 481**	**196**	**19 289**	**4 811**	**74 025**	**2 822**	**6 182**	**26 406**
北海道	57 723	−	151	−	−	−	1 203	−	−	454
青森	8 289	−	22	−	−	−	322	3	2	−
岩手	39 037	−	25	−	−	−	1 225	−	−	−
宮城	44 980	−	55	−	−	−	1 207	−	−	303
秋田	17 350	−	46	−	−	−	1 123	86	−	70
山形	8 145	−	1 512	−	−	−	2 408	20	183	729
福島	16 686	−	55	−	−	−	851	3	−	572
茨城	6 173	29	148	−	−	−	965	8	−	42
栃木	11 730	218	−	−	586	−	578	93	11	217
群馬	14 760	164	106	2	9	−	416	−	−	637
埼玉	39 616	69	326	17	699	−	3 438	−	−	183
千葉	26 098	−	455	8	−	−	2 173	24	−	401
東京	277 495	40	161	91	10 868	3 275	12 577	13	4 373	3 992
神奈川	65 428	1 758	405	−	766	152	6 456	20	175	1 454
新潟	19 841	4	20	−	26	−	2 521	1 029	17	365
富山	14 097	−	74	−	−	−	1 111	15	−	1 023
石川	1 086	−	−	−	−	−	−	−	−	−
福井	16 363	−	−	−	−	−	748	−	−	207
山梨	10 675	3	2	1	−	−	446	−	−	176
長野	33 814	−	64	−	−	−	572	−	−	1 206
岐阜	11 435	158	130	−	−	−	793	67	−	82
静岡	63 920	8	64	−	1 105	−	1 278	173	171	509
愛知	22 170	−	495	−	−	−	3 203	6	178	2 106
三重	20 718	−	67	−	−	−	988	113	−	2 968
滋賀	8 503	−	56	−	−	−	638	13	−	80
京都	159 667	57	204	−	3 248	−	827	−	−	148
大阪	41 151	282	592	46	64	−	5 066	31	−	1 284
兵庫	47 711	120	397	31	199	12	1 991	3	11	−
奈良	7 399	73	84	−	−	−	810	−	−	−
和歌山	20 389	−	−	−	−	−	1 444	134	−	138
鳥取	48 035	−	1	−	−	−	302	12	−	94
島根	42 586	−	12	−	−	−	2 151	38	−	43
岡山	81 602	−	72	−	−	−	685	39	−	186
広島	15 218	86	54	−	−	−	2 808	270	7	88
山口	30 778	696	2	−	563	−	553	10	−	536
徳島	2 863	44	50	−	17	−	247	5	3	82
香川	15 037	2	6	−	−	−	796	46	−	80
愛媛	19 533	−	57	−	−	−	592	−	−	1 689
高知	2 141	−	35	−	−	−	861	34	1	402
福岡	40 315	−	152	−	1 137	1 372	1 497	21	867	1 371
佐賀	29 117	−	19	−	2	−	970	45	18	−
長崎	12 362	−	116	−	−	−	1 846	122	−	84
熊本	11 392	−	−	−	−	−	788	161	−	120
大分	30 206	−	70	−	−	−	434	16	165	80
宮崎	6 781	−	61	−	−	−	1 249	141	−	644
鹿児島	4 223	−	−	−	−	−	597	8	−	180
沖縄	16 584	−	58	−	−	−	271	−	−	1 381

注：地方衛生研究所には、これに準ずる施設も含まれる。

件数，検査の種類・都道府県－指定都市－中核市（再掲）別

平成29年度

等検査			原虫・寄生虫等				食中毒					
体検査		病原微生物の動物試験	原虫	寄生虫	そ族・節足動物	真菌・その他	病原微生物検査			理化学的検査	動物を用いる検査	その他
リケッチア	クラミジア・マイコプラズマ						細菌	ウイルス	核酸検査			
1 903	**2 066**	**1 380**	**1 080**	**2 466**	**29 422**	**200**	**18 872**	**13 072**	**11 151**	**319**	**16**	**115**
3	－	－	1	1 148	130	－	433	449	124	60	2	－
－	－	－	－	－	－	－	－	168	－	－	－	－
－	－	－	－	－	－	－	75	20	30	－	10	－
－	－	－	5	－	－	－	178	90	335	－	－	－
86	－	477	－	－	74	－	89	－	308	－	－	－
42	－	－	－	－	－	－	－	107	163	4	－	－
－	－	－	－	－	－	－	156	81	175	－	－	－
－	－	－	－	－	－	－	654	475	8	7	－	20
4	－	571	179	－	－	－	140	262	47	－	－	－
－	－	－	－	－	2	－	125	66	66	－	－	－
－	349	－	187	189	226	－	532	109	407	－	－	14
41	－	－	－	7	29	12	481	799	497	23	－	15
14	－	－	183	156	2 227	－	6 689	4 180	－	－	－	－
9	448	－	131	71	2 053	161	1 863	949	1 235	－	－	6
8	－	－	177	179	－	－	967	191	1 085	2	－	10
5	－	－	－	16	－	－	－	74	－	－	－	11
－	－	－	－	－	－	－	－	－	－	－	－	－
－	－	－	－	－	－	－	138	－	121	－	－	－
－	－	－	－	3	48	－	90	329	－	－	－	－
－	－	－	9	－	－	－	1	－	359	－	－	－
－	－	－	82	－	603	－	264	47	445	－	－	－
38	725	3	9	25	5	－	190	173	940	5	－	1
－	29	－	－	56	3 340	－	589	474	356	3	－	17
99	－	－	1	－	－	－	－	－	－	－	－	－
－	－	－	－	－	－	－	495	224	27	－	－	－
－	－	329	－	－	4 933	－	443	302	258	－	－	－
118	－	－	107	216	12 804	26	805	623	183	5	4	－
－	14	－	－	3	－	－	529	524	644	1	－	13
－	－	－	－	－	5	－	57	105	146	143	－	－
40	－	－	2	3	850	－	97	24	28	－	－	－
2	－	－	－	－	－	－	82	45	－	10	－	3
25	－	－	－	－	－	－	82	120	98	－	－	－
28	－	－	－	－	－	－	－	108	－	1	－	－
10	－	－	－	5	－	－	68	325	328	2	－	5
－	－	－	－	253	23	1	15	64	64	3	－	－
12	－	－	－	－	－	－	34	47	－	－	－	－
4	－	－	7	－	－	－	173	142	315	－	－	－
102	－	－	－	－	－	－	－	－	67	1	－	－
11	－	－	－	－	－	－	28	90	90	－	－	－
－	501	－	－	52	1 179	－	696	432	63	2	－	－
23	－	－	－	－	－	－	96	106	175	8	－	－
40	－	－	－	－	50	－	152	72	255	11	－	－
94	－	－	－	84	－	－	480	235	692	4	－	－
68	－	－	－	－	92	－	31	－	142	2	－	－
179	－	－	－	－	－	－	178	－	126	11	－	－
786	－	－	－	－	－	－	409	248	749	－	－	－
12	－	－	－	－	749	－	268	193	－	11	－	－

（報告表　14）

第２表（８－２）　地方衛生研究所における衛生検査

	総数	結核			性病		ウイルス・リケッチア			
							分離・同定・検出			抗
		分離・同定・検出	核酸検査	化学療法剤に対する耐性検査	梅毒	その他	ウイルス	リケッチア	クラミジア・マイコプラズマ	ウイルス
指定都市(再掲)										
札幌市	44 026	−	85	−	−	−	478	−	−	−
仙台市	4 234	−	6	−	−	−	404	−	−	−
さいたま市	19 990	37	35	15	699	−	1 924	−	−	−
千葉市	20 337	−	−	−	−	−	685	1	−	−
横浜市	15 174	−	151	−	−	−	3 494	6	−	−
川崎市	7 004	128	8	−	−	−	965	5	−	−
相模原市	3 997	269	−	−	454	−	296	−	−	−
新潟市	8 236	4	−	−	−	−	597	−	−	−
静岡市	4 467	8	34	−	428	−	505	−	−	47
浜松市	16 896	−	−	−	677	−	168	−	−	−
名古屋市	13 644	−	87	−	−	−	1 058	−	178	−
京都市	61 476	−	147	−	3 248	−	652	−	−	−
大阪市	・	・	・	・	・	・	・	・	・	・
堺市	7 223	−	−	−	−	−	651	−	−	−
神戸市	5 354	3	220	7	−	12	689	3	11	−
岡山市	・	・	・	・	・	・	・	・	・	・
広島市	6 445	−	54	−	−	−	820	39	−	−
北九州市	6 039	−	−	−	−	506	530	−	−	−
福岡市	22 465	−	42	−	1 137	−	276	−	−	627
熊本市	2 838	−	−	−	−	−	281	−	−	−
中核市(再掲)										
旭川市	・	・	・	・	・	・	・	・	・	・
函館市	4 310	−	−	−	−	−	−	−	−	−
青森市	・	・	・	・	・	・	・	・	・	・
八戸市	・	・	・	・	・	・	・	・	・	・
盛岡市	・	・	・	・	・	・	・	・	・	・
秋田市	・	・	・	・	・	・	・	・	・	・
郡山市	3 421	−	−	−	−	−	−	−	−	−
いわき市	・	・	・	・	・	・	・	・	・	・
宇都宮市	4 406	−	−	−	586	−	−	−	−	−
前橋市	・	・	・	・	・	・	・	・	・	・
高崎市	・	・	・	・	・	・	・	・	・	・
川越市	・	・	・	・	・	・	・	・	・	・
越谷市	・	・	・	・	・	・	・	・	・	・
船橋市	・	・	・	・	・	・	・	・	・	・
柏市	・	・	・	・	・	・	・	・	・	・
八王子市	・	・	・	・	・	・	・	・	・	・
横須賀市	13 625	−	110	−	159	152	185	−	152	−
富山市	・	・	・	・	・	・	・	・	・	・
金沢市	・	・	・	・	・	・	・	・	・	・
長野市	・	・	・	・	・	・	・	・	・	・
岐阜市	3 406	158	−	−	−	−	49	−	−	−
豊橋市	・	・	・	・	・	・	・	・	・	・
豊田市	・	・	・	・	・	・	・	・	・	・
岡崎市	・	・	・	・	・	・	・	・	・	・
大津市	・	・	・	・	・	・	・	・	・	・
高槻市	513	−	−	−	−	−	−	−	−	−
東大阪市	2 886	226	−	−	−	−	2	−	−	−
豊中市	・	・	・	・	・	・	・	・	・	・
枚方市	・	・	・	・	・	・	・	・	・	・
姫路市	32 547	7	7	−	199	−	24	−	−	−
西宮市	・	・	・	・	・	・	・	・	・	・
尼崎市	6 168	−	−	−	−	−	67	−	−	−
奈良市	・	・	・	・	・	・	・	・	・	・
和歌山市	6 622	−	−	−	−	−	927	47	−	−
倉敷市	・	・	・	・	・	・	・	・	・	・
福山市	・	・	・	・	・	・	・	・	・	・
呉市	・	・	・	・	・	・	・	・	・	・
下関市	・	・	・	・	・	・	・	・	・	・
高松市	・	・	・	・	・	・	・	・	・	・
松山市	・	・	・	・	・	・	・	・	・	・
高知市	・	・	・	・	・	・	・	・	・	・
久留米市	・	・	・	・	・	・	・	・	・	・
長崎市	7 189	−	23	−	−	−	−	−	−	−
佐世保市	・	・	・	・	・	・	・	・	・	・
大分市	・	・	・	・	・	・	・	・	・	・
宮崎市	・	・	・	・	・	・	・	・	・	・
鹿児島市	・	・	・	・	・	・	・	・	・	・
那覇市	・	・	・	・	・	・	・	・	・	・

注：地方衛生研究所には、これに準ずる施設も含まれる。

件数，検査の種類・都道府県－指定都市－中核市（再掲）別

平成29年度

等検査		病原微生物の動物試験	原虫・寄生虫等				食中毒					
体検査							病原微生物検査			理化学的検査	動物を用いる検査	その他
リケッチア	クラミジア・マイコプラズマ		原虫	寄生虫	そ族・節足動物	真菌・その他	細菌	ウイルス	核酸検査			
–	–	–	–	–	–	–	322	189	–	–	–	–
–	–	–	–	–	–	–	81	–	130	–	–	–
–	349	–	–	2	7	–	199	109	132	–	–	–
–	–	–	–	6	15	–	355	387	476	23	–	4
5	–	–	–	15	1 804	2	1 212	651	786	–	–	5
–	–	–	–	2	121	–	186	142	–	–	–	–
–	448	–	–	1	–	–	107	122	139	–	–	–
–	–	–	–	–	–	–	267	191	–	–	–	10
–	114	–	–	–	5	–	83	82	82	5	–	–
–	611	–	–	24	–	–	107	91	180	–	–	–
–	–	–	–	–	3 340	–	457	210	314	3	–	17
–	–	329	–	–	2 515	–	443	209	258	–	–	–
・	・	・	・	・	・	・	・	・	・	・	・	・
–	–	–	–	16	2 711	–	38	–	32	–	–	–
–	–	–	–	–	–	–	249	183	278	1	–	11
・	・	・	・	・	・	・	・	・	・	・	・	・
2	–	–	–	5	–	–	68	257	324	–	–	5
–	501	–	–	–	1 114	–	112	64	63	2	–	–
–	–	–	–	52	–	–	491	303	–	–	–	–
–	–	–	–	–	–	–	123	1	101	3	–	–
・	・	・	・	・	・	・	・	・	・	・	・	・
–	–	–	–	844	–	–	22	–	22	–	–	–
・	・	・	・	・	・	・	・	・	・	・	・	・
・	・	・	・	・	・	・	・	・	・	・	・	・
・	・	・	・	・	・	・	・	・	・	・	・	・
・	・	・	・	・	・	・	・	・	・	・	・	・
–	–	–	–	–	–	–	–	–	–	–	–	–
・	・	・	・	・	・	・	・	・	・	・	・	・
–	–	–	–	–	–	–	126	110	36	–	–	–
・	・	・	・	・	・	・	・	・	・	・	・	・
・	・	・	・	・	・	・	・	・	・	・	・	・
・	・	・	・	・	・	・	・	・	・	・	・	・
・	・	・	・	・	・	・	・	・	・	・	・	・
・	・	・	・	・	・	・	・	・	・	・	・	・
・	・	・	・	・	・	・	・	・	・	・	・	・
・	・	・	・	・	・	・	・	・	・	・	・	・
–	–	–	–	–	–	–	35	34	70	–	–	–
・	・	・	・	・	・	・	・	・	・	・	・	・
・	・	・	・	・	・	・	・	・	・	・	・	・
・	・	・	・	・	・	・	・	・	・	・	・	・
–	–	–	–	–	–	–	189	47	109	–	–	–
・	・	・	・	・	・	・	・	・	・	・	・	・
・	・	・	・	・	・	・	・	・	・	・	・	・
・	・	・	・	・	・	・	・	・	・	・	・	・
・	・	・	・	・	・	・	・	・	・	・	・	・
–	–	–	–	–	–	–	–	–	–	–	–	–
–	–	–	–	1	–	–	34	50	50	–	–	–
・	・	・	・	・	・	・	・	・	・	・	・	・
・	・	・	・	・	・	・	・	・	・	・	・	・
–	–	–	–	–	–	–	109	179	254	–	–	–
・	・	・	・	・	・	・	・	・	・	・	・	・
–	–	–	–	–	–	–	171	162	–	–	–	2
・	・	・	・	・	・	・	・	・	・	・	・	・
–	–	–	2	3	–	–	66	20	–	–	–	–
・	・	・	・	・	・	・	・	・	・	・	・	・
・	・	・	・	・	・	・	・	・	・	・	・	・
・	・	・	・	・	・	・	・	・	・	・	・	・
・	・	・	・	・	・	・	・	・	・	・	・	・
・	・	・	・	・	・	・	・	・	・	・	・	・
・	・	・	・	・	・	・	・	・	・	・	・	・
・	・	・	・	・	・	・	・	・	・	・	・	・
・	・	・	・	・	・	・	・	・	・	・	・	・
–	–	–	–	–	50	–	96	72	117	–	–	–
・	・	・	・	・	・	・	・	・	・	・	・	・
・	・	・	・	・	・	・	・	・	・	・	・	・
・	・	・	・	・	・	・	・	・	・	・	・	・
・	・	・	・	・	・	・	・	・	・	・	・	・
・	・	・	・	・	・	・	・	・	・	・	・	・

（報告表　14）

第２表（８－３）　地方衛生研究所における衛生検査

	臨床検査								
	血液検査（血液一般検査）	血清等検査			生化学検査		尿検査		
		エイズ（ＨＩＶ）検査	ＨＢｓ抗原、抗体検査	その他	先天性代謝異常検査	その他	尿一般	神経芽細胞腫	その他
全国	**－**	**33 280**	**3 724**	**18 101**	**46 405**	**1 362**	**7 634**	**503**	**1 196**
北海道	－	427	－	－	16 438	896	－	503	330
青森	－	－	－	－	－	－	－	－	－
岩手	－	13	－	693	－	－	－	－	－
宮城	－	－	－	－	－	－	－	－	－
秋田	－	－	－	－	－	－	－	－	－
山形	－	－	347	326	－	－	－	－	－
福島	－	235	39	272	－	－	－	－	－
茨城	－	586	105	－	－	－	－	－	－
栃木	－	604	－	465	－	－	－	－	－
群馬	－	13	－	6	－	－	－	－	－
埼玉	－	733	673	6 589	7 465	－	－	－	－
千葉	－	658	－	－	－	－	7 604	－	－
東京	－	15 429	692	3 945	－	－	－	－	－
神奈川	－	1 652	25	1 019	－	－	－	－	－
新潟	－	129	130	948	－	－	－	－	－
富山	－	130	－	－	8 365	466	－	－	830
石川	－	－	－	－	－	－	－	－	－
福井	－	－	－	－	－	－	－	－	－
山梨	－	－	－	－	－	－	－	－	－
長野	－	－	－	－	－	－	－	－	－
岐阜	－	245	－	－	－	－	－	－	－
静岡	－	1 304	1 095	1 005	－	－	－	－	－
愛知	－	2 943	－	2	－	－	30	－	30
三重	－	－	－	－	14 137	－	－	－	－
滋賀	－	2	－	－	－	－	－	－	－
京都	－	1 873	－	359	－	－	－	－	－
大阪	－	1 046	188	－	－	－	－	－	－
兵庫	－	599	14	14	－	－	－	－	－
奈良	－	－	－	－	－	－	－	－	－
和歌山	－	12	－	－	－	－	－	－	－
鳥取	－	2	－	－	－	－	－	－	－
島根	－	2	－	－	－	－	－	－	－
岡山	－	31	－	－	－	－	－	－	－
広島	－	4	87	267	－	－	－	－	－
山口	－	－	－	－	－	－	－	－	－
徳島	－	4	－	－	－	－	－	－	－
香川	－	138	－	－	－	－	－	－	－
愛媛	－	8	－	196	－	－	－	－	－
高知	－	－	－	－	－	－	－	－	－
福岡	－	3 820	33	1 944	－	－	－	－	－
佐賀	－	6	－	－	－	－	－	－	－
長崎	－	321	－	51	－	－	－	－	6
熊本	－	9	114	－	－	－	－	－	－
大分	－	5	182	－	－	－	－	－	－
宮崎	－	285	－	－	－	－	－	－	－
鹿児島	－	5	－	－	－	－	－	－	－
沖縄	－	7	－	－	－	－	－	－	－

注：地方衛生研究所には、これに準ずる施設も含まれる。

件数，検査の種類・都道府県－指定都市－中核市（再掲）別

平成29年度

		食品等検査				（左記以外）細菌検査			
アレルギー検査（抗原検査・抗体検査）	その他	微生物学的検査	理化学的検査（残留農薬・食品添加物等）	動物を用いる検査	その他	分離・同定・検出	核酸検査	抗体検査	化学療法剤に対する耐性検査
－	**25 596**	**61 719**	**128 110**	**827**	**1 938**	**80 443**	**18 153**	**2 585**	**4 911**
－	22 318	1 514	1 416	46	79	5 093	525	550	281
－	－	－	252	48	－	89	89	－	89
－	－	417	329	－	－	1 088	154	－	－
－	730	3 286	542	－	4	2 033	1 692	－	268
－	－	495	284	13	4	361	571	－	5
－	670	－	244	－	－	87	－	－	－
－	－	869	429	6	62	557	398	－	40
－	－	1 060	414	－	－	899	72	－	－
－	185	1 867	944	－	－	55	42	－	4
－	－	50	29	－	－	185	172	107	161
－	－	649	545	10	20	2 733	826	－	899
－	－	1 058	1 037	11	3	684	292	2	112
－	－	22 586	91 403	45	793	6 520	689	1 522	516
－	－	6 856	6 758	43	213	19 319	1 468	3	382
－	－	1 544	1 478	16	73	1 281	207	－	－
－	134	70	－	－	－	347	1 002	3	－
－	－	－	－	－	－	－	－	－	－
－	－	283	219	6	－	261	342	－	175
－	－	873	704	－	－	85	－	－	34
－	729	170	384	11	－	162	183	－	22
－	－	805	1 062	－	－	1 091	704	－	－
－	－	842	1 015	22	26	257	66	－	219
－	－	505	1 731	69	－	886	70	117	37
－	－	68	447	25	－	1	27	30	12
－	575	810	1 302	－	2	335	267	－	180
－	－	764	1 276	24	48	641	251	3	－
－	－	3 810	2 322	16	12	2 380	1 094	－	536
－	－	1 318	1 038	54	17	16 972	832	6	155
－	－	368	2 238	－	－	1 152	765	－	78
－	－	1 531	621	－	131	861	192	－	4
－	2	36	574	12	－	122	217	－	－
－	－	153	－	－	10	457	289	11	239
－	－	36	245	27	6	66	170	98	32
－	－	1 154	1 157	156	63	490	495	32	95
－	－	182	310	26	－	137	98	－	33
－	－	4	151	－	－	29	29	－	－
－	－	488	308	53	42	337	396	3	82
－	48	561	318	－	9	408	10	－	－
－	－	40	88	22	36	230	－	－	－
－	48	2 145	1 678	5	113	3 759	1 244	－	162
－	－	597	266	－	3	887	415	－	－
－	157	802	566	31	1	4 813	180	2	13
－	－	377	459	9	16	625	591	－	－
－	－	137	353	11	－	594	802	－	－
－	－	226	745	6	－	347	49	3	－
－	－	51	417	4	152	557	－	－	－
－	－	262	12	－	－	170	176	93	46

（報告表　14）

第２表（８－４） 地方衛生研究所における衛生検査

	臨床検査								
	血液検査（血液一般検査）	血清等検査			生化学検査		尿検査		
		エイズ（HIV）検査	HBs抗原、抗体検査	その他	先天性代謝異常検査	その他	尿一般	神経芽細胞腫	その他
指定都市（再掲）									
札幌市	–	415	–	–	16 438	896	–	503	330
仙台市	–	–	–	–	–	–	–	–	–
さいたま市	–	719	673	1 899	7 465	–	–	–	–
千葉市	–	658	–	–	–	–	7 604	–	–
横浜市	–	27	–	–	–	–	–	–	–
川崎市	–	8	–	1 019	–	–	–	–	–
相模原市	–	491	–	–	–	–	–	–	–
新潟市	–	–	–	–	–	–	–	–	–
静岡市	–	560	428	429	–	–	–	–	–
浜松市	–	737	667	570	–	–	–	–	–
名古屋市	–	2 910	–	–	–	–	–	–	–
京都市	–	1 873	–	–	–	–	–	–	–
大阪市	·	·	·	·	·	·	·	·	·
堺市	–	611	–	–	–	–	–	–	–
神戸市	–	14	–	–	–	–	–	–	–
岡山市	·	·	·	·	·	·	·	·	·
広島市	–	3	87	267	–	–	–	–	–
北九州市	–	512	33	–	–	–	–	–	–
福岡市	–	3 306	–	1 944	–	–	–	–	–
熊本市	–	6	–	–	–	–	–	–	–
中核市（再掲）									
旭川市	·	·	·	·	·	·	·	·	·
函館市	–	–	–	–	–	–	–	–	–
青森市	·	·	·	·	·	·	·	·	·
八戸市	·	·	·	·	·	·	·	·	·
盛岡市	·	·	·	·	·	·	·	·	·
秋田市	·	·	·	·	·	·	·	·	·
郡山市	–	–	–	–	–	–	–	–	–
いわき市	·	·	·	·	·	·	·	·	·
宇都宮市	–	591	–	465	–	–	–	–	–
前橋市	·	·	·	·	·	·	·	·	·
高崎市	·	·	·	·	·	·	·	·	·
川越市	·	·	·	·	·	·	·	·	·
越谷市	·	·	·	·	·	·	·	·	·
船橋市	·	·	·	·	·	·	·	·	·
柏市	·	·	·	·	·	·	·	·	·
八王子市	·	·	·	·	·	·	·	·	·
横須賀市	–	171	–	–	–	–	–	–	–
富山市	·	·	·	·	·	·	·	·	·
金沢市	·	·	·	·	·	·	·	·	·
長野市	·	·	·	·	·	·	·	·	·
岐阜市	–	245	–	–	–	–	–	–	–
豊橋市	·	·	·	·	·	·	·	·	·
豊田市	·	·	·	·	·	·	·	·	·
岡崎市	·	·	·	·	·	·	·	·	·
大津市	·	·	·	·	·	·	·	·	·
高槻市	–	–	–	–	–	–	–	–	–
東大阪市	–	16	–	–	–	–	–	–	–
豊中市	·	·	·	·	·	·	·	·	·
枚方市	·	·	·	·	·	·	·	·	·
姫路市	–	78	14	14	–	–	–	–	–
西宮市	·	·	·	·	·	·	·	·	·
尼崎市	–	430	–	–	–	–	–	–	–
奈良市	·	·	·	·	·	·	·	·	·
和歌山市	–	12	–	–	–	–	–	–	–
倉敷市	·	·	·	·	·	·	·	·	·
福山市	·	·	·	·	·	·	·	·	·
呉市	·	·	·	·	·	·	·	·	·
下関市	·	·	·	·	·	·	·	·	·
高松市	·	·	·	·	·	·	·	·	·
松山市	·	·	·	·	·	·	·	·	·
高知市	·	·	·	·	·	·	·	·	·
久留米市	·	·	·	·	·	·	·	·	·
長崎市	–	321	–	51	–	–	–	–	6
佐世保市	·	·	·	·	·	·	·	·	·
大分市	·	·	·	·	·	·	·	·	·
宮崎市	·	·	·	·	·	·	·	·	·
鹿児島市	·	·	·	·	·	·	·	·	·
那覇市	·	·	·	·	·	·	·	·	·

注：地方衛生研究所には、これに準ずる施設も含まれる。

件数，検査の種類・都道府県－指定都市－中核市（再掲）別

平成29年度

		食品等検査				（左記以外）細菌検査			
アレルギー検査（抗原検査・抗体検査）	その他	微生物学的検査	理化学的検査（残留農薬・食品添加物等）	動物を用いる検査	その他	分離・同定・検出	核酸検査	抗体検査	化学療法剤に対する耐性検査
－	22 313	515	462	－	5	145	－	－	－
－	－	1 378	542	－	－	95	63	－	－
－	－	474	507	10	8	927	232	－	437
－	－	722	360	3	－	217	－	2	56
－	－	1 333	2 048	－	126	1 260	440	3	164
－	－	2 129	709	36	80	375	49	－	－
－	－	565	236	－	－	64	10	－	－
－	－	1 475	998	－	－	697	－	－	－
－	－	432	151	5	10	－	－	－	－
－	－	292	218	4	16	83	66	－	11
－	－	423	901	－	－	124	－	－	－
－	－	713	1 073	10	－	620	230	－	－
・	・	・	・	・	・	・	・	・	・
－	－	680	171	－	2	544	48	－	70
－	－	657	381	－	－	463	32	1	35
・	・	・	・	・	・	・	・	・	・
－	－	808	396	23	3	395	361	32	11
－	－	496	814	5	43	12	78	－	101
－	48	1 434	669	－	22	3 617	1 142	－	61
－	－	241	67	－	－	30	14	－	－
・	・	・	・	・	・	・	・	・	・
－	－	342	336	－	74	2 491	－	－	－
・	・	・	・	・	・	・	・	・	・
・	・	・	・	・	・	・	・	・	・
・	・	・	・	・	・	・	・	・	・
・	・	・	・	・	・	・	・	・	・
－	－	－	－	－	－	－	－	－	－
・	・	・	・	・	・	・	・	・	・
－	185	1 159	492	－	－	－	－	－	－
・	・	・	・	・	・	・	・	・	・
・	・	・	・	・	・	・	・	・	・
・	・	・	・	・	・	・	・	・	・
・	・	・	・	・	・	・	・	・	・
・	・	・	・	・	・	・	・	・	・
・	・	・	・	・	・	・	・	・	・
・	・	・	・	・	・	・	・	・	・
－	－	993	196	－	－	10 350	100	－	9
・	・	・	・	・	・	・	・	・	・
・	・	・	・	・	・	・	・	・	・
・	・	・	・	・	・	・	・	・	・
－	－	584	208	－	－	86	28	－	－
・	・	・	・	・	・	・	・	・	・
・	・	・	・	・	・	・	・	・	・
・	・	・	・	・	・	・	・	・	・
・	・	・	・	・	・	・	・	・	・
－	－	－	－	－	－	－	－	－	－
－	－	371	239	－	－	311	26	－	－
・	・	・	・	・	・	・	・	・	・
・	・	・	・	・	・	・	・	・	・
－	－	357	224	－	－	16 468	553	5	6
・	・	・	・	・	・	・	・	・	・
－	－	273	101	－	2	32	－	－	－
・	・	・	・	・	・	・	・	・	・
－	－	1 079	189	－	11	856	192	－	4
・	・	・	・	・	・	・	・	・	・
・	・	・	・	・	・	・	・	・	・
・	・	・	・	・	・	・	・	・	・
・	・	・	・	・	・	・	・	・	・
・	・	・	・	・	・	・	・	・	・
・	・	・	・	・	・	・	・	・	・
・	・	・	・	・	・	・	・	・	・
・	・	・	・	・	・	・	・	・	・
－	22	743	439	5	1	4 650	20	－	13
・	・	・	・	・	・	・	・	・	・
・	・	・	・	・	・	・	・	・	・
・	・	・	・	・	・	・	・	・	・
・	・	・	・	・	・	・	・	・	・
・	・	・	・	・	・	・	・	・	・

（報告表　14）

第２表（８－５）　地方衛生研究所における衛生検査

	医薬品・家庭用品等検査							栄養関係検査	水道	
									水道原	
	医薬品	医薬部外品	化粧品	医療機器	毒劇物	家庭用品	その他		細菌学的検査	理化学的検査
全国	**22 153**	**831**	**2 645**	**354**	**121**	**5 985**	**2 339**	**1 159**	**557**	**7 435**
北海道	13	–	–	–	–	335	50	60	9	9
青森	6	–	–	–	–	20	–	–	–	–
岩手	17	–	–	–	–	–	–	–	–	–
宮城	1	–	–	–	–	73	–	–	26	–
秋田	1	5	–	1	–	18	–	–	–	–
山形	–	–	–	–	–	22	–	–	–	–
福島	11	–	–	2	–	80	–	–	4	–
茨城	62	–	–	3	–	150	10	–	4	4
栃木	7	5	–	2	–	53	555	–	8	16
群馬	–	–	–	–	–	–	–	–	–	–
埼玉	50	2	–	3	–	85	138	–	–	148
千葉	12	1	–	–	–	252	135	–	101	7
東京	20 691	627	2 374	238	120	885	–	1 033	26	6 423
神奈川	215	–	116	1	–	768	535	–	–	145
新潟	79	–	–	1	–	65	5	30	–	–
富山	43	–	–	–	–	–	–	–	16	52
石川	–	–	–	–	–	–	–	–	–	–
福井	1	–	–	–	–	–	–	–	–	30
山梨	1	–	–	1	–	61	–	–	–	50
長野	18	–	–	2	–	58	30	–	–	–
岐阜	20	–	–	18	–	65	461	–	–	–
静岡	78	12	–	5	–	154	31	–	–	–
愛知	387	15	100	60	–	663	44	–	6	32
三重	13	2	–	–	–	40	5	–	–	–
滋賀	–	–	–	–	–	15	3	–	24	27
京都	38	54	5	–	–	584	17	–	–	–
大阪	93	5	35	5	–	563	26	15	20	142
兵庫	62	18	–	–	–	82	2	–	50	253
奈良	–	–	–	–	–	–	–	18	–	–
和歌山	3	–	–	–	–	26	–	–	–	–
鳥取	16	–	–	–	–	–	–	–	–	–
島根	–	–	–	–	–	–	–	–	–	–
岡山	3	–	–	–	–	65	–	–	–	–
広島	49	–	15	10	–	149	160	3	–	–
山口	31	–	–	–	–	33	–	–	–	15
徳島	11	78	–	–	–	75	19	–	–	–
香川	20	–	–	–	1	15	–	–	4	4
愛媛	20	6	–	1	–	20	–	–	254	59
高知	1	1	–	–	–	78	–	–	–	–
福岡	50	–	–	–	–	174	23	–	–	1
佐賀	14	–	–	–	–	8	33	–	5	6
長崎	1	–	–	–	–	60	25	–	–	–
熊本	–	–	–	–	–	45	3	–	–	–
大分	–	–	–	–	–	82	–	–	–	–
宮崎	–	–	–	–	–	53	29	–	–	4
鹿児島	15	–	–	1	–	11	–	–	–	8
沖縄	–	–	–	–	–	–	–	–	–	–

注：地方衛生研究所には、これに準ずる施設も含まれる。

件数，検査の種類・都道府県－指定都市－中核市（再掲）別

平成29年度

等　水　質　検　査					廃　棄　物　関　係　検　査					
水	飲　用　水		利用水等(プール水等を含む)		一　般　廃　棄　物			産　業　廃　棄　物		
生物学的検査	細菌学的検査	理化学的検査	細菌学的検査	理化学的検査	細菌学的検査	理化学的検査	生物学的検査	細菌学的検査	理化学的検査	生物学的検査
110	**8 699**	**22 452**	**10 040**	**10 130**	**170**	**4 389**	**12**	**196**	**5 033**	**-**
1	84	101	189	99	-	-	-	-	20	-
-	-	-	2	-	-	-	-	-	-	-
-	678	688	44	-	-	-	-	-	-	-
-	39	33	133	-	11	11	-	4	38	-
-	1	-	96	24	-	-	-	18	717	-
-	20	-	-	-	-	-	-	-	-	-
-	79	81	202	99	-	-	-	-	-	-
-	4	4	117	-	-	-	-	-	-	-
-	-	52	310	194	7	7	-	10	317	-
-	9	-	77	-	-	-	-	-	-	-
22	958	1 021	121	-	-	773	-	-	358	-
-	442	457	54	13	-	-	-	-	-	-
-	433	12 174	1 187	5 176	-	-	-	-	-	-
-	939	2 196	1 363	827	30	31	-	6	12	-
-	17	48	145	57	-	93	-	-	22	-
-	-	104	107	-	-	-	-	-	-	-
-	-	-	-	-	-	-	-	-	-	-
10	66	22	33	31	-	-	-	-	27	-
-	-	-	52	-	22	22	-	-	30	-
-	-	-	45	-	11	261	-	7	305	-
-	384	448	176	110	-	-	-	-	109	-
-	-	-	331	266	-	-	-	13	31	-
9	87	195	129	70	-	-	-	-	-	-
-	-	-	-	-	-	-	-	-	-	-
1	-	12	-	-	-	-	-	-	-	-
-	54	54	75	22	-	73	-	32	36	-
41	63	347	688	677	-	-	-	-	1	-
10	501	669	1 416	992	-	10	-	-	15	-
-	404	463	252	186	-	-	-	-	-	-
-	993	583	462	258	-	-	12	-	-	-
-	-	168	31	-	-	288	-	-	70	-
-	-	-	-	-	-	-	-	-	-	-
-	-	-	-	-	-	-	-	5	82	-
-	91	148	600	500	-	-	-	-	-	-
-	18	9	-	-	-	-	-	-	21	-
5	-	-	9	-	-	-	-	-	51	-
-	448	470	117	84	5	272	-	13	1 573	-
4	790	698	99	64	48	48	-	-	129	-
-	-	-	-	-	-	-	-	-	-	-
-	976	1 029	1 037	106	36	2 496	-	48	557	-
2	-	5	-	-	-	-	-	40	227	-
-	46	45	285	169	-	-	-	-	-	-
-	26	97	56	106	-	-	-	-	121	-
-	-	-	-	-	-	-	-	-	89	-
-	41	23	-	-	-	-	-	-	-	-
5	8	8	-	-	-	-	-	-	-	-
-	-	-	-	-	-	4	-	-	75	-

（報告表　14）

第２表（８－６）　地方衛生研究所における衛生検査

	医薬品・家庭用品等検査							栄養関係検査	水道	
									水道原	
	医薬品	医薬部外品	化粧品	医療機器	毒劇物	家庭用品	その他		細菌学的検査	理化学的検査
指定都市（再掲）										
札幌市	－	－	－	－	－	134	－	－	－	－
仙台市	－	－	－	－	－	73	－	－	6	－
さいたま市	－	－	－	－	－	81	23	－	－	－
千葉市	－	－	－	－	－	80	－	－	98	4
横浜市	174	－	－	－	－	328	－	－	－	－
川崎市	－	－	－	－	－	122	19	－	－	－
相模原市	－	－	－	－	－	60	－	－	－	－
新潟市	－	－	－	－	－	61	－	30	－	－
静岡市	20	－	－	－	－	132	－	－	－	－
浜松市	－	－	－	－	－	22	4	－	－	－
名古屋市	－	－	－	－	－	529	32	－	－	－
京都市	10	－	－	－	－	570	7	－	－	－
大阪市	・	・	・	・	・	・	・	・	・	・
堺市	－	－	－	－	－	256	6	－	－	－
神戸市	－	－	－	－	－	19	－	－	－	－
岡山市	・	・	・	・	・	・	・	・	・	・
広島市	－	－	－	－	－	140	－	3	－	－
北九州市	－	－	－	－	－	64	－	－	－	－
福岡市	－	－	－	－	－	60	－	－	－	－
熊本市	－	－	－	－	－	20	3	－	－	－
中核市（再掲）										
旭川市	・	・	・	・	・	・	・	・	・	・
函館市	－	－	－	－	－	13	－	60	－	－
青森市	・	・	・	・	・	・	・	・	・	・
八戸市	・	・	・	・	・	・	・	・	・	・
盛岡市	・	・	・	・	・	・	・	・	・	・
秋田市	・	・	・	・	・	・	・	・	・	・
郡山市	－	－	－	－	－	－	－	－	－	－
いわき市	・	・	・	・	・	・	・	・	・	・
宇都宮市	－	－	－	－	－	23	－	－	－	－
前橋市	・	・	・	・	・	・	・	・	・	・
高崎市	・	・	・	・	・	・	・	・	・	・
川越市	・	・	・	・	・	・	・	・	・	・
越谷市	・	・	・	・	・	・	・	・	・	・
船橋市	・	・	・	・	・	・	・	・	・	・
柏市	・	・	・	・	・	・	・	・	・	・
八王子市	・	・	・	・	・	・	・	・	・	・
横須賀市	－	－	－	－	－	37	－	－	－	－
富山市	・	・	・	・	・	・	・	・	・	・
金沢市	・	・	・	・	・	・	・	・	・	・
長野市	・	・	・	・	・	・	・	・	・	・
岐阜市	－	－	－	－	－	23	－	－	－	－
豊橋市	・	・	・	・	・	・	・	・	・	・
豊田市	・	・	・	・	・	・	・	・	・	・
岡崎市	・	・	・	・	・	・	・	・	・	・
大津市	・	・	・	・	・	・	・	・	・	・
高槻市	－	－	－	－	－	－	－	－	－	－
東大阪市	－	－	－	－	－	90	20	－	－	－
豊中市	・	・	・	・	・	・	・	・	・	・
枚方市	・	・	・	・	・	・	・	・	・	・
姫路市	－	－	－	－	－	33	－	－	38	12
西宮市	・	・	・	・	・	・	・	・	・	・
尼崎市	－	－	－	－	－	20	2	－	－	8
奈良市	・	・	・	・	・	・	・	・	・	・
和歌山市	－	－	－	－	－	10	－	－	－	－
倉敷市	・	・	・	・	・	・	・	・	・	・
福山市	・	・	・	・	・	・	・	・	・	・
呉市	・	・	・	・	・	・	・	・	・	・
下関市	・	・	・	・	・	・	・	・	・	・
高松市	・	・	・	・	・	・	・	・	・	・
松山市	・	・	・	・	・	・	・	・	・	・
高知市	・	・	・	・	・	・	・	・	・	・
久留米市	・	・	・	・	・	・	・	・	・	・
長崎市	－	－	－	－	－	40	－	－	－	－
佐世保市	・	・	・	・	・	・	・	・	・	・
大分市	・	・	・	・	・	・	・	・	・	・
宮崎市	・	・	・	・	・	・	・	・	・	・
鹿児島市	・	・	・	・	・	・	・	・	・	・
那覇市	・	・	・	・	・	・	・	・	・	・

注：地方衛生研究所には、これに準ずる施設も含まれる。

件数，検査の種類・都道府県－指定都市－中核市（再掲）別

平成29年度

等水質検査					廃棄物関係検査					
水	飲用水		利用水等(プール水等を含む)		一般廃棄物			産業廃棄物		
生物学的検査	細菌学的検査	理化学的検査	細菌学的検査	理化学的検査	細菌学的検査	理化学的検査	生物学的検査	細菌学的検査	理化学的検査	生物学的検査
－	－	－	83	－	－	－	－	－	－	－
－	35	33	－	－	－	－	－	－	30	－
－	609	609	－	－	－	－	－	－	－	－
－	385	400	54	13	－	－	－	－	－	－
－	－	4	287	19	－	－	－	－	－	－
－	104	94	394	191	－	－	－	－	－	－
－	93	86	138	101	－	－	－	－	－	－
－	17	48	95	57	－	74	－	－	－	－
－	－	－	207	178	－	－	－	－	－	－
－	－	－	124	88	－	－	－	13	31	－
－	4	4	129	27	－	－	－	－	－	－
－	54	54	75	22	－	73	－	－	－	－
・	・	・	・	・	・	・	・	・	・	・
－	15	16	407	458	－	－	－	－	1	－
－	115	119	557	291	－	－	－	－	－	－
・	・	・	・	・	・	・	・	・	・	・
－	91	148	105	83	－	－	－	－	－	－
－	－	－	180	－	12	76	－	－	1	－
－	832	1 001	853	106	24	2 420	－	－	－	－
－	26	25	56	106	－	－	－	－	36	－
・	・	・	・	・	・	・	・	・	・	・
－	－	－	9	－	－	－	－	－	－	－
・	・	・	・	・	・	・	・	・	・	・
・	・	・	・	・	・	・	・	・	・	・
・	・	・	・	・	・	・	・	・	・	・
・	・	・	・	・	・	・	・	・	・	・
－	－	－	－	－	－	－	－	－	－	－
・	・	・	・	・	・	・	・	・	・	・
－	－	52	139	116	－	－	－	－	24	－
・	・	・	・	・	・	・	・	・	・	・
・	・	・	・	・	・	・	・	・	・	・
・	・	・	・	・	・	・	・	・	・	・
・	・	・	・	・	・	・	・	・	・	・
・	・	・	・	・	・	・	・	・	・	・
・	・	・	・	・	・	・	・	・	・	・
・	・	・	・	・	・	・	・	・	・	・
－	44	45	264	263	30	31	－	6	12	－
・	・	・	・	・	・	・	・	・	・	・
・	・	・	・	・	・	・	・	・	・	・
・	・	・	・	・	・	・	・	・	・	・
－	383	448	127	78	－	－	－	－	15	－
・	・	・	・	・	・	・	・	・	・	・
・	・	・	・	・	・	・	・	・	・	・
・	・	・	・	・	・	・	・	・	・	・
・	・	・	・	・	・	・	・	・	・	・
－	－	－	154	154	－	－	－	－	－	－
－	38	106	127	65	－	－	－	－	－	－
・	・	・	・	・	・	・	・	・	・	・
・	・	・	・	・	・	・	・	・	・	・
10	261	254	346	446	－	10	－	－	9	－
・	・	・	・	・	・	・	・	・	・	・
－	101	100	513	255	－	－	－	－	6	－
・	・	・	・	・	・	・	・	・	・	・
－	962	552	446	258	－	－	－	－	－	－
・	・	・	・	・	・	・	・	・	・	・
・	・	・	・	・	・	・	・	・	・	・
・	・	・	・	・	・	・	・	・	・	・
・	・	・	・	・	・	・	・	・	・	・
・	・	・	・	・	・	・	・	・	・	・
・	・	・	・	・	・	・	・	・	・	・
・	・	・	・	・	・	・	・	・	・	・
・	・	・	・	・	・	・	・	・	・	・
－	46	45	260	169	－	－	－	－	－	－
・	・	・	・	・	・	・	・	・	・	・
・	・	・	・	・	・	・	・	・	・	・
・	・	・	・	・	・	・	・	・	・	・
・	・	・	・	・	・	・	・	・	・	・
・	・	・	・	・	・	・	・	・	・	・

（報告表　14）

第２表（８－７）　地方衛生研究所における衛生検査

	環境・公害関									
	大気検査						水質検査			
	SO_2・NO_2・O_X 等	浮遊粒子状物質	降下煤塵	有害化学物質・重金属等	酸性雨	その他	公共用水域	工場・事業場排水	浄化槽放流水	その他
全国	**251 707**	**132 132**	**19 107**	**26 116**	**14 729**	**70 622**	**29 459**	**10 957**	**859**	**12 400**
北海道	129	–	–	336	41	334	408	148	–	29
青森	3 285	2 920	–	71	730	30	26	2	–	5
岩手	21 116	7 103	–	1 871	52	–	1 377	447	–	150
宮城	22 342	6 935	–	718	128	247	89	485	26	167
秋田	4 015	4 015	–	–	147	80	455	284	–	21
山形	–	–	–	–	–	–	–	12	–	–
福島	1 825	1 089	–	24	52	–	229	91	–	73
茨城	–	–	–	–	–	–	–	–	–	–
栃木	–	227	1 095	144	78	28	105	313	–	248
群馬	700	48	–	1 732	1 620	7 106	551	84	–	–
埼玉	1 394	2 058	–	915	525	242	1 600	310	–	285
千葉	–	730	4 745	88	365	84	614	382	33	150
東京	1 608	–	–	–	–	–	–	–	–	1 567
神奈川	–	–	–	7	–	–	88	185	–	4
新潟	276	196	–	900	1 063	67	2 275	545	39	880
富山	–	–	–	–	–	–	95	–	–	–
石川	–	–	–	–	–	–	598	162	–	301
福井	6 062	6 062	–	136	730	10	274	132	–	214
山梨	4 745	730	–	60	–	44	830	257	55	62
長野	4 810	1 691	15	395	2 785	6 539	3 222	3	–	110
岐阜	258	258	–	124	110	9	568	206	–	832
静岡	27 369	15 493	–	1 672	56	3 337	2 344	181	–	245
愛知	4	720	129	711	104	20	787	14	–	88
三重	–	–	–	–	–	–	–	–	–	–
滋賀	–	–	–	–	–	–	–	13	–	–
京都	40 852	23 446	619	250	104	20 770	275	369	138	187
大阪	–	–	–	421	137	104	378	445	30	215
兵庫	15	2 337	10 903	607	348	47	874	1 300	68	518
奈良	–	–	–	–	–	–	–	–	–	–
和歌山	4 780	4 444	–	57	366	415	452	492	26	284
鳥取	9 786	2 171	–	551	106	13 219	1 459	133	–	87
島根	6 935	9 879	–	696	1 512	7 321	681	131	31	–
岡山	51 465	13 241	–	9 180	48	53	488	599	174	–
広島	–	12	730	744	367	96	404	220	–	15
山口	9 496	8 395	–	394	62	45	349	132	–	8
徳島	18	–	–	67	52	–	1 573	67	8	–
香川	60	24	127	1 366	105	791	386	306	–	3 660
愛媛	6 591	4 745	–	56	52	141	993	232	111	6
高知	–	–	–	–	–	–	–	–	–	33
福岡	431	348	379	1 307	1 135	169	1 298	414	55	353
佐賀	6 570	5 840	–	24	52	161	90	309	–	38
長崎	–	–	–	–	99	301	467	–	–	–
熊本	210	218	–	180	187	249	874	540	–	996
大分	11 275	3 725	–	250	679	8 559	1 034	135	65	153
宮崎	–	–	–	10	224	–	400	816	–	395
鹿児島	–	–	–	–	–	–	–	4	–	–
沖縄	3 285	3 032	365	52	508	4	449	57	–	21

注：地方衛生研究所には、これに準ずる施設も含まれる。

件数，検査の種類・都道府県－指定都市－中核市（再掲）別

平成29年度

係		検			査		放	射	能		
			環境生物検査								
騒音・振動	悪臭検査	土壌・底質検査	藻類・プランクトン・魚介類	その他	一般室内環境	その他	環境試料（雨水・空気・土壌等）	食品	その他	温泉（鉱泉）泉質検査	その他
8 397	**418**	**1 641**	**6 149**	**1 295**	**627**	**2 163**	**82 379**	**19 188**	**54 285**	**1 432**	**27 778**
–	–	–	–	–	115	51	57	318	16	148	49
108	–	–	–	–	–	–	–	–	–	–	–
255	–	11	135	–	–	97	603	278	36	–	–
2 349	8	4	–	–	–	–	–	377	–	–	8
722	–	18	–	–	–	–	2 498	122	–	–	–
–	–	–	–	–	–	383	559	307	–	–	–
34	–	–	16	–	–	–	–	3 113	4 774	–	8
–	–	–	–	–	–	–	222	101	–	–	–
1	8	–	–	6	–	–	502	241	49	70	–
–	3	2	16	–	–	–	483	4	–	9	–
5	–	357	16	16	–	78	64	120	27	–	38
–	–	3	–	–	2	–	15	973	9	5	–
–	–	–	1 558	20	–	315	–	–	1 969	–	26 092
–	–	–	–	30	280	268	352	928	193	–	59
25	–	95	144	40	64	–	40	12	72	–	139
–	–	–	–	–	–	–	–	–	–	4	–
–	–	25	–	–	–	–	–	–	–	–	–
11	12	–	–	–	–	–	–	–	–	–	–
–	10	–	60	1	–	–	480	192	97	19	–
462	28	24	–	6	–	6	8 935	141	25	–	8
–	7	13	–	–	–	83	480	82	36	–	–
244	31	21	81	–	–	19	30	366	–	223	14
16	–	–	22	–	164	–	–	318	–	4	–
–	–	–	–	–	–	–	1 602	11	7	55	–
–	–	–	–	–	–	–	100	4	3 297	–	1
312	32	22	–	16	–	–	5 328	9 591	40 312	–	12
–	–	–	–	39	–	–	2 357	569	32	–	43
–	21	11	–	–	2	–	536	57	–	107	369
–	–	–	–	–	–	–	–	52	–	–	–
16	86	2	–	–	–	–	122	388	–	10	–
154	–	230	3 512	–	–	5	14 503	16	–	–	14
–	–	–	–	–	–	–	10 999	–	–	–	671
33	–	10	–	–	–	–	4 308	10	8	–	–
–	–	19	–	–	–	848	1 963	9	10	–	–
2 464	–	81	550	841	–	–	4 256	9	–	–	–
71	–	1	–	–	–	–	–	–	–	–	–
995	148	513	3	–	–	–	97	6	–	6	–
112	–	3	–	–	–	2	–	177	–	6	–
–	–	–	–	–	–	–	–	60	–	–	–
–	12	50	–	4	–	1	106	27	3 297	–	103
–	–	18	1	–	–	–	12 009	29	–	–	–
–	–	36	–	276	–	–	861	–	–	–	–
6	–	22	–	–	–	7	2 333	95	13	–	150
2	–	17	3	–	–	–	183	4	2	765	–
–	–	6	15	–	–	–	507	6	1	1	–
–	–	–	–	–	–	–	–	–	–	–	–
–	12	27	17	–	–	–	4 889	75	3	–	–

（報告表　14）

第２表（８－８）　地方衛生研究所における衛生検査

	環境・公害関									
	大気検査						水質検査			
	SO_2・NO_2・O_X等	浮遊粒子状物質	降下煤塵	有害化学物質・重金属等	酸性雨	その他	公共用水域	工場・事業場排水	浄化槽放流水	その他
指定都市（再掲）										
札幌市	–	–	–	336	12	80	64	127	–	25
仙台市	15	–	–	301	72	241	57	228	26	29
さいたま市	310	88	–	112	365	196	352	182	–	59
千葉市	–	730	4 745	88	365	84	614	382	33	150
横浜市	–	–	–	–	–	–	84	–	–	–
川崎市	–	–	–	–	–	–	–	–	–	–
相模原市	–	–	–	–	–	–	–	15	–	4
新潟市	–	–	–	320	55	48	1 436	465	39	873
静岡市	–	–	–	216	56	–	6	54	–	8
浜松市	4 374	3 265	–	24	–	3 225	541	120	–	237
名古屋市	4	720	129	711	104	20	787	14	–	88
京都市	16 912	8 963	619	94	52	11 836	82	58	138	118
大阪市	·	·	·	·	·	·	·	·	·	·
堺市	–	–	–	–	–	–	26	357	–	44
神戸市	–	–	–	324	–	42	365	5	–	32
岡山市	·	·	·	·	·	·	·	·	·	·
広島市	–	12	730	261	367	96	250	165	–	15
北九州市	–	114	3	281	2	27	52	186	–	22
福岡市	–	220	364	74	574	112	306	67	55	197
熊本市	–	70	–	12	90	–	399	129	–	750
中核市（再掲）										
旭川市	·	·	·	·	·	·	·	·	·	·
函館市	–	–	–	–	–	–	–	–	–	–
青森市	·	·	·	·	·	·	·	·	·	·
八戸市	·	·	·	·	·	·	·	·	·	·
盛岡市	·	·	·	·	·	·	·	·	·	·
秋田市	·	·	·	·	·	·	·	·	·	·
郡山市	1 825	1 089	–	24	52	–	229	79	–	73
いわき市	·	·	·	·	·	·	·	·	·	·
宇都宮市	–	–	–	–	–	2	14	105	–	177
前橋市	·	·	·	·	·	·	·	·	·	·
高崎市	·	·	·	·	·	·	·	·	·	·
川越市	·	·	·	·	·	·	·	·	·	·
越谷市	·	·	·	·	·	·	·	·	·	·
船橋市	·	·	·	·	·	·	·	·	·	·
柏市	·	·	·	·	·	·	·	·	·	·
八王子市	·	·	·	·	·	·	·	·	·	·
横須賀市	–	–	–	7	–	–	4	136	–	–
富山市	·	·	·	·	·	·	·	·	·	·
金沢市	·	·	·	·	·	·	·	·	·	·
長野市	·	·	·	·	·	·	·	·	·	·
岐阜市	–	–	–	12	–	–	357	168	–	–
豊橋市	·	·	·	·	·	·	·	·	·	·
豊田市	·	·	·	·	·	·	·	·	·	·
岡崎市	·	·	·	·	·	·	·	·	·	·
大津市	·	·	·	·	·	·	·	·	·	·
高槻市	–	–	–	–	–	–	47	50	1	69
東大阪市	–	–	–	421	137	104	285	36	–	–
豊中市	·	·	·	·	·	·	·	·	·	·
枚方市	·	·	·	·	·	·	·	·	·	·
姫路市	15	1 665	9 817	132	189	5	53	230	68	254
西宮市	·	·	·	·	·	·	·	·	·	·
尼崎市	–	672	1 086	151	159	–	456	1 065	–	232
奈良市	·	·	·	·	·	·	·	·	·	·
和歌山市	–	–	–	–	–	–	303	324	26	244
倉敷市	·	·	·	·	·	·	·	·	·	·
福山市	·	·	·	·	·	·	·	·	·	·
呉市	·	·	·	·	·	·	·	·	·	·
下関市	·	·	·	·	·	·	·	·	·	·
高松市	·	·	·	·	·	·	·	·	·	·
松山市	·	·	·	·	·	·	·	·	·	·
高知市	·	·	·	·	·	·	·	·	·	·
久留米市	·	·	·	·	·	·	·	·	·	·
長崎市	–	–	–	–	–	–	–	–	–	–
佐世保市	·	·	·	·	·	·	·	·	·	·
大分市	·	·	·	·	·	·	·	·	·	·
宮崎市	·	·	·	·	·	·	·	·	·	·
鹿児島市	·	·	·	·	·	·	·	·	·	·
那覇市	·	·	·	·	·	·	·	·	·	·

注：地方衛生研究所には、これに準ずる施設も含まれる。

件数，検査の種類・都道府県－指定都市－中核市（再掲）別

平成29年度

係	検				査		放	射	能	温泉（鉱泉）泉質検査	その他
騒音・振動	悪臭検査	土壌・底質検査	環境生物検査		一般室内環境	その他	環境試料（雨水・空気・土壌等）	食品	その他		
			藻類・プランクトン・魚介類	その他							
−	−	−	−	−	−	−	14	39	16	−	−
−	−	4	−	−	−	−	−	377	−	−	8
5	−	−	−	−	−	2	−	100	−	−	38
−	−	3	−	−	−	−	−	535	−	−	−
−	−	−	−	−	−	268	−	478	−	−	−
−	−	−	−	−	−	−	−	97	−	−	21
−	−	−	−	−	−	−	12	177	109	−	−
−	−	47	9	−	64	−	36	12	72	−	139
−	31	−	−	−	−	−	24	127	−	−	−
10	−	−	18	−	−	19	6	239	−	−	14
16	−	−	22	−	69	−	−	213	−	−	−
−	32	19	−	−	−	−	−	9 368	−	−	−
·	·	·	·	·	·	·	·	·	·	·	·
−	−	−	−	−	−	−	−	20	−	−	43
−	−	−	−	−	−	−	−	45	−	−	190
·	·	·	·	·	·	·	·	·	·	·	·
−	−	19	−	−	−	−	−	−	−	−	−
−	8	−	−	−	−	−	−	−	−	−	25
−	4	20	−	4	−	1	−	−	−	−	−
−	−	−	−	−	−	7	−	88	4	−	150
·	·	·	·	·	·	·	·	·	·	·	·
−	−	−	−	−	−	−	−	87	−	−	10
·	·	·	·	·	·	·	·	·	·	·	·
·	·	·	·	·	·	·	·	·	·	·	·
·	·	·	·	·	·	·	·	·	·	·	·
·	·	·	·	·	·	·	·	·	·	·	·
34	−	−	16	−	−	−	−	−	−	−	−
·	·	·	·	·	·	·	·	·	·	·	·
1	−	−	−	−	−	−	−	3	−	−	−
·	·	·	·	·	·	·	·	·	·	·	·
·	·	·	·	·	·	·	·	·	·	·	·
·	·	·	·	·	·	·	·	·	·	·	·
·	·	·	·	·	·	·	·	·	·	·	·
·	·	·	·	·	·	·	·	·	·	·	·
·	·	·	·	·	·	·	·	·	·	·	·
·	·	·	·	·	·	·	·	·	·	·	·
−	−	−	−	30	−	−	−	−	−	−	−
·	·	·	·	·	·	·	·	·	·	·	·
·	·	·	·	·	·	·	·	·	·	·	·
·	·	·	·	·	·	·	·	·	·	·	·
−	7	3	−	−	−	−	−	82	−	−	−
·	·	·	·	·	·	·	·	·	·	·	·
·	·	·	·	·	·	·	·	·	·	·	·
·	·	·	·	·	·	·	·	·	·	·	·
·	·	·	·	·	·	·	·	·	·	·	·
−	−	−	−	−	−	−	38	−	−	−	−
−	−	−	−	−	−	−	−	131	−	−	−
·	·	·	·	·	·	·	·	·	·	·	·
·	·	·	·	·	·	·	·	·	·	·	·
−	21	−	−	−	2	−	−	−	−	−	179
·	·	·	·	·	·	·	·	·	·	·	·
−	−	11	−	−	−	−	91	−	−	−	−
·	·	·	·	·	·	·	·	·	·	·	·
−	84	−	−	−	−	−	−	5	−	−	−
·	·	·	·	·	·	·	·	·	·	·	·
·	·	·	·	·	·	·	·	·	·	·	·
·	·	·	·	·	·	·	·	·	·	·	·
·	·	·	·	·	·	·	·	·	·	·	·
·	·	·	·	·	·	·	·	·	·	·	·
·	·	·	·	·	·	·	·	·	·	·	·
·	·	·	·	·	·	·	·	·	·	·	·
·	·	·	·	·	·	·	·	·	·	·	·
−	−	−	−	−	−	−	−	−	−	−	−
·	·	·	·	·	·	·	·	·	·	·	·
·	·	·	·	·	·	·	·	·	·	·	·
·	·	·	·	·	·	·	·	·	·	·	·
·	·	·	·	·	·	·	·	·	·	·	·
·	·	·	·	·	·	·	·	·	·	·	·

（報告表　14）

第３表（４－１） 衛生検査機関における機器

	ＤＮＡシークエンサー			ＰＣＲ遺伝子増幅装置			定量ＰＣＲ装置		
	地方衛生研究所	保健所	その他の公的研究機関等	地方衛生研究所	保健所	その他の公的研究機関等	地方衛生研究所	保健所	その他の公的研究機関等
全国	**121**	**9**	**2**	**713**	**182**	**56**	**263**	**110**	**17**
北海道	5	1	－	28	12	1	7	14	7
青森	1	－	－	6	1	－	2	1	－
岩手	3	－	－	6	1	－	2	1	－
宮城	2	－	－	16	－	1	6	－	－
秋田	－	－	－	10	3	2	4	1	－
山形	1	－	－	12	－	－	3	－	－
福島	1	1	－	14	4	1	4	2	－
茨城	2	－	－	8	－	－	4	－	－
栃木	3	－	－	8	－	－	7	－	－
群馬	3	－	－	8	2	1	5	3	－
埼玉	3	－	1	32	5	1	7	2	－
千葉	8	1	－	47	24	－	13	11	－
東京	8	－	－	56	23	－	13	23	－
神奈川	9	－	－	53	－	1	23	－	1
新潟	3	－	－	16	－	3	6	－	1
富山	3	－	－	11	2	1	4	2	1
石川	2	－	－	4	4	－	1	3	－
福井	1	－	－	4	－	－	4	－	－
山梨	1	－	－	4	－	－	3	－	－
長野	2	1	－	4	6	3	2	3	－
岐阜	3	－	－	14	－	－	8	－	－
静岡	3	－	－	14	－	1	7	－	－
愛知	2	3	－	17	9	8	9	7	1
三重	2	－	－	11	12	2	6	4	－
滋賀	1	－	－	6	3	－	2	1	－
京都	4	－	－	18	－	－	5	－	－
大阪	7	－	－	67	7	－	13	4	－
兵庫	8	－	－	29	9	1	14	2	－
奈良	1	－	－	11	3	－	4	2	－
和歌山	3	－	－	6	－	－	5	－	－
鳥取	2	－	－	3	－	－	2	－	－
島根	1	－	－	15	1	3	6	－	1
岡山	1	－	1	8	6	9	4	5	2
広島	2	－	－	22	10	2	11	3	－
山口	2	－	－	15	1	－	3	1	－
徳島	－	－	－	8	－	－	3	－	－
香川	1	－	－	9	7	1	3	1	1
愛媛	1	－	－	6	3	－	4	2	－
高知	1	－	－	8	3	1	2	1	－
福岡	5	－	－	22	6	3	10	4	－
佐賀	2	－	－	17	－	－	5	－	－
長崎	1	1	－	7	6	1	3	4	1
熊本	2	－	－	6	－	2	3	－	－
大分	1	－	－	6	4	－	3	1	－
宮崎	1	1	－	10	4	－	3	1	－
鹿児島	1	－	－	4	－	－	3	－	－
沖縄	2	－	－	7	1	7	2	1	1

設備状況，機器・都道府県－指定都市－中核市（再掲）別

平成29年度末現在

ブロッティング装置			パルスフィールド電気泳動装置			電子顕微鏡			ＩＣＰ－ＭＳ		
地方衛生研究所	保健所	その他の公的研究機関等	地方衛生研究所	保健所	その他の公的研究機関等	地方衛生研究所	保健所	その他の公的研究機関等	地方衛生研究所	保健所	その他の公的研究機関等
83	10	6	109	23	1	82	2	5	70	11	6
5	－	－	4	1	－	4	－	－	2	－	－
－	－	－	2	－	－	1	－	－	1	－	－
－	－	－	2	－	－	2	－	－	2	－	－
2	－	－	2	－	－	2	－	－	2	－	－
1	－	－	1	－	1	1	－	－	－	－	－
1	－	－	1	－	－	－	－	－	－	－	－
1	1	－	1	1	－	2	－	1	－	1	1
－	－	－	3	－	－	－	－	－	－	－	－
6	－	－	2	－	－	2	－	－	1	－	－
1	2	1	2	－	－	2	－	－	1	－	－
4	－	－	5	－	－	2	－	1	2	－	2
2	－	－	3	1	－	5	－	－	3	－	－
4	－	－	6	3	－	7	－	－	2	－	－
7	－	－	10	－	－	6	－	－	5	－	－
2	－	－	2	－	－	3	－	－	2	－	－
2	－	1	2	1	－	1	－	－	－	2	1
－	2	－	1	1	－	1	1	－	1	－	－
－	－	－	2	－	－	2	－	－	2	－	－
－	－	－	2	－	－	－	－	－	1	－	－
1	1	－	1	1	－	1	－	－	1	2	－
3	－	－	4	－	－	－	－	－	2	－	－
4	－	－	4	－	－	2	－	－	3	－	－
3	2	－	2	3	－	3	－	1	2	1	1
3	－	－	1	2	－	1	－	－	1	－	－
－	1	－	1	－	－	－	1	－	1	1	－
2	－	－	2	－	－	1	－	－	3	－	－
7	－	－	5	－	－	4	－	－	3	－	－
5	－	－	3	－	－	1	－	－	3	－	－
－	－	－	1	1	－	－	－	－	－	－	－
－	－	－	2	－	－	－	－	－	2	－	－
2	－	－	1	－	－	2	－	－	1	－	－
－	－	－	2	－	－	1	－	－	1	－	－
－	－	4	1	2	－	2	－	2	2	－	－
3	1	－	3	1	－	4	－	－	2	1	－
1	－	－	2	－	－	－	－	－	－	－	－
2	－	－	1	－	－	－	－	－	1	－	－
1	－	－	2	－	－	2	－	－	1	－	－
－	－	－	1	1	－	1	－	－	2	－	－
－	－	－	2	1	－	1	－	－	－	－	－
3	－	－	3	2	－	5	－	－	6	1	－
－	－	－	1	－	－	－	－	－	－	－	1
1	－	－	1	1	－	1	－	－	1	1	－
2	－	－	2	－	－	3	－	－	2	－	－
－	－	－	2	－	－	1	－	－	1	－	－
1	－	－	3	－	－	2	－	－	1	1	－
－	－	－	1	－	－	1	－	－	－	－	－
1	－	－	2	－	－	－	－	－	1	－	－

（報告表　15）

第３表（４－２）　衛生検査機関における機器

	ＤＮＡシークエンサー			ＰＣＲ遺伝子増幅装置			定量ＰＣＲ装置		
	地方衛生研究所	保健所	その他の公的研究機関等	地方衛生研究所	保健所	その他の公的研究機関等	地方衛生研究所	保健所	その他の公的研究機関等
指定都市(再掲)									
札幌市	3	－	－	10	1	－	3	1	－
仙台市	1	－	－	6	－	－	3	－	－
さいたま市	1	－	－	13	－	－	3	－	－
千葉市	2	－	－	8	－	－	3	－	－
横浜市	2	－	－	14	－	－	7	－	－
川崎市	2	－	－	6	－	1	4	－	1
相模原市	1	－	－	5	－	－	3	－	－
新潟市	1	－	－	6	－	1	3	－	1
静岡市	1	－	－	5	－	－	2	－	－
浜松市	1	－	－	4	－	1	3	－	－
名古屋市	1	－	－	6	－	5	5	－	1
京都市	2	－	－	14	－	－	3	－	－
大阪市	・	－	－	・	1	－	・	1	－
堺市	2	－	－	8	－	－	2	－	－
神戸市	3	－	－	10	－	－	4	－	－
岡山市	・	－	－	・	2	1	・	2	1
広島市	1	－	－	12	－	2	4	－	－
北九州市	1	－	－	5	－	1	2	－	－
福岡市	2	－	－	10	－	－	4	－	－
熊本市	1	－	－	2	－	－	1	－	－
中核市(再掲)									
旭川市	・	1	－	・	1	－	・	1	－
函館市	－	－	－	3	－	－	1	－	－
青森市	・	－	－	・	1	－	・	1	－
八戸市	・	－	－	・	－	－	・	－	－
盛岡市	・	－	－	・	1	－	・	1	－
秋田市	・	－	－	・	3	2	・	1	－
郡山市	・	－	－	・	2	1	・	1	－
いわき市	・	1	－	・	2	－	・	1	－
宇都宮市	1	－	－	2	－	－	2	－	－
前橋市	・	－	－	・	1	－	・	2	－
高崎市	・	－	－	・	1	－	・	1	－
川越市	・	－	－	・	3	－	・	1	－
越谷市	・	－	－	・	2	－	・	1	－
船橋市	・	1	－	・	3	－	・	2	－
柏市	・	－	－	・	3	－	・	2	－
八王子市	・	－	－	・	1	－	・	1	－
横須賀市	1	－	－	8	－	－	2	－	－
富山市	・	－	－	・	2	－	・	2	－
金沢市	・	－	－	・	4	－	・	3	－
長野市	・	1	－	・	4	－	・	3	－
岐阜市	1	－	－	4	－	－	2	－	－
豊橋市	・	1	－	・	1	1	・	2	－
豊田市	・	1	－	・	2	2	・	2	－
岡崎市	・	1	－	・	2	－	・	2	－
大津市	・	－	－	・	3	－	・	1	－
高槻市	・	－	－	・	2	－	・	1	－
東大阪市	－	－	－	4	－	－	2	－	－
豊中市	・	－	－	・	3	－	・	1	－
枚方市	・	－	－	・	1	－	・	1	－
姫路市	1	－	－	4	3	－	3	－	－
西宮市	・	－	－	・	1	1	・	1	－
尼崎市	1	－	－	2	－	－	2	－	－
奈良市	・	－	－	・	3	－	・	2	－
和歌山市	1	－	－	2	－	－	3	－	－
倉敷市	・	－	－	・	2	－	・	1	－
福山市	・	－	－	・	3	－	・	2	－
呉市	・	－	－	・	1	－	・	1	－
下関市	・	－	－	・	1	－	・	1	－
高松市	・	－	－	・	3	－	・	1	－
松山市	・	－	－	・	3	－	・	2	－
高知市	・	－	－	・	3	1	・	1	－
久留米市	・	－	－	・	2	－	・	2	－
長崎市	－	1	－	－	3	－	－	2	－
佐世保市	・	－	－	・	3	1	・	2	1
大分市	・	－	－	・	4	－	・	1	－
宮崎市	・	1	－	・	4	－	・	1	－
鹿児島市	・	－	－	・	－	－	・	－	－
那覇市	・	－	－	・	1	－	・	1	－

設備状況，機器・都道府県－指定都市－中核市（再掲）別

平成29年度末現在

ブロッティング装置			パルスフィールド電気泳動装置			電子顕微鏡			ICP－MS		
地方衛生研究所	保健所	その他の公的研究機関等	地方衛生研究所	保健所	その他の公的研究機関等	地方衛生研究所	保健所	その他の公的研究機関等	地方衛生研究所	保健所	その他の公的研究機関等
1	–	–	1	–	–	2	–	–	1	–	–
1	–	–	1	–	–	2	–	–	1	–	–
1	–	–	2	–	–	1	–	–	–	–	–
1	–	–	1	–	–	2	–	–	2	–	–
3	–	–	2	–	–	2	–	–	1	–	–
1	–	–	2	–	–	2	–	–	1	–	–
–	–	–	1	–	–	–	–	–	1	–	–
1	–	–	1	–	–	2	–	–	1	–	–
2	–	–	1	–	–	–	–	–	1	–	–
1	–	–	1	–	–	1	–	–	1	–	–
1	–	–	1	–	–	2	–	1	1	–	1
2	–	–	1	–	–	–	–	–	1	–	–
•	–	–	•	–	–	•	–	–	•	–	–
–	–	–	1	–	–	–	–	–	1	–	–
3	–	–	1	–	–	–	–	–	1	–	–
•	–	–	•	1	–	•	–	–	•	–	–
1	–	–	2	–	–	2	–	–	1	–	–
–	–	–	1	–	–	2	–	–	2	–	–
1	–	–	1	–	–	1	–	–	3	–	–
1	–	–	1	–	–	1	–	–	1	–	–
•	–	–	•	1	–	•	–	–	•	–	–
–	–	–	–	–	–	–	–	–	–	–	–
•	–	–	•	–	–	•	–	–	•	–	–
•	–	–	•	–	–	•	–	–	•	–	–
•	–	–	•	–	–	•	–	–	•	–	–
•	–	–	•	–	1	•	–	–	•	–	–
•	–	–	•	–	–	•	–	–	•	–	–
•	1	–	•	1	–	•	–	–	•	1	–
1	–	–	1	–	–	–	–	–	–	–	–
•	1	–	•	–	–	•	–	–	•	–	–
•	1	–	•	–	–	•	–	–	•	–	–
•	–	–	•	–	–	•	–	–	•	–	–
•	–	–	•	–	–	•	–	–	•	–	–
•	–	–	•	1	–	•	–	–	•	–	–
•	–	–	•	–	–	•	–	–	•	–	–
•	–	–	•	–	–	•	–	–	•	–	–
1	–	–	1	–	–	1	–	–	1	–	–
•	–	–	•	1	–	•	–	–	•	2	–
•	2	–	•	1	–	•	1	–	•	–	–
•	1	–	•	1	–	•	–	–	•	1	–
1	–	–	1	–	–	–	–	–	1	–	–
•	–	–	•	1	–	•	–	–	•	1	–
•	1	–	•	1	–	•	–	–	•	–	–
•	1	–	•	1	–	•	–	–	•	–	–
•	1	–	•	–	–	•	1	–	•	1	–
•	–	–	•	–	–	•	–	–	•	–	–
–	–	–	–	–	–	–	–	–	–	–	–
•	–	–	•	–	–	•	–	–	•	–	–
•	–	–	•	–	–	•	–	–	•	–	–
–	–	–	–	–	–	–	–	–	1	–	–
•	–	–	•	–	–	•	–	–	•	–	–
–	–	–	–	–	–	–	–	–	–	–	–
•	–	–	•	1	–	•	–	–	•	–	–
–	–	–	1	–	–	–	–	–	1	–	–
•	–	–	•	1	–	•	–	–	•	–	–
•	1	–	•	1	–	•	–	–	•	1	–
•	–	–	•	–	–	•	–	–	•	–	–
•	–	–	•	–	–	•	–	–	•	–	–
•	–	–	•	–	–	•	–	–	•	–	–
•	–	–	•	1	–	•	–	–	•	–	–
•	–	–	•	1	–	•	–	–	•	–	–
•	–	–	•	1	–	•	–	–	•	–	–
–	–	–	–	1	–	–	–	–	–	–	–
•	–	–	•	–	–	•	–	–	•	1	–
•	–	–	•	–	–	•	–	–	•	–	–
•	–	–	•	–	–	•	–	–	•	1	–
•	–	–	•	–	–	•	–	–	•	–	–
•	–	–	•	–	–	•	–	–	•	–	–

（報告表　15）

第３表（４－３）　衛生検査機関における機器

	ＬＣ－ＭＳ			ガスクロマトグラフ質量分析装置			キャピラリー電気泳動装置		
	地方衛生研究所	保健所	その他の公的研究機関等	地方衛生研究所	保健所	その他の公的研究機関等	地方衛生研究所	保健所	その他の公的研究機関等
全国	**206**	**29**	**17**	**437**	**89**	**31**	**40**	**6**	**2**
北海道	10	1	–	21	18	–	1	–	–
青森	1	–	–	4	–	–	–	–	–
岩手	5	–	–	10	–	–	–	–	–
宮城	3	–	–	11	–	–	–	–	–
秋田	1	–	1	6	2	–	–	–	–
山形	1	–	–	2	–	–	–	–	–
福島	2	1	2	2	4	5	–	–	–
茨城	2	–	–	3	–	–	1	–	–
栃木	4	–	–	10	–	–	1	–	–
群馬	–	2	3	4	1	3	–	–	–
埼玉	7	2	1	7	4	8	–	–	1
千葉	6	–	–	17	–	–	2	–	–
東京	32	1	–	41	7	–	1	–	–
神奈川	16	–	–	29	–	–	3	–	–
新潟	6	–	1	12	–	–	–	–	–
富山	2	2	4	4	2	1	1	–	1
石川	1	1	–	5	2	–	1	–	–
福井	3	–	–	6	–	–	1	–	–
山梨	1	–	–	5	–	–	–	–	–
長野	2	1	–	6	6	–	–	–	–
岐阜	5	–	–	11	–	–	–	–	–
静岡	8	–	–	17	–	–	3	–	–
愛知	7	3	4	13	6	7	3	–	–
三重	2	–	–	6	–	–	1	–	–
滋賀	1	1	–	3	2	–	–	–	–
京都	7	–	–	14	–	–	–	–	–
大阪	13	–	–	22	1	2	3	–	–
兵庫	11	–	–	15	3	–	3	–	–
奈良	2	–	–	3	3	–	1	–	–
和歌山	3	–	–	8	–	–	1	–	–
鳥取	1	–	–	5	–	–	–	–	–
島根	–	–	–	2	–	–	–	–	–
岡山	2	3	1	8	6	1	2	–	–
広島	4	1	–	15	9	1	–	4	–
山口	1	1	–	3	3	–	–	–	–
徳島	3	–	–	6	–	1	1	–	–
香川	3	1	–	11	–	–	1	–	–
愛媛	3	1	–	9	1	–	–	–	–
高知	2	1	–	2	1	–	–	–	–
福岡	7	2	–	22	–	–	2	–	–
佐賀	2	–	–	3	–	2	2	–	–
長崎	3	2	–	4	6	–	1	2	–
熊本	4	–	–	10	–	–	1	–	–
大分	3	1	–	7	–	–	–	–	–
宮崎	2	1	–	6	2	–	2	–	–
鹿児島	1	–	–	3	–	–	1	–	–
沖縄	1	–	–	4	–	–	–	–	–

設備状況，機器・都道府県－指定都市－中核市（再掲）別

平成29年度末現在

ＴＯＣ全有機炭素分析計			溶出試験機			赤外分光光度計（ＦＴＩＲ）		
地方衛生研究所	保健所	その他の公的研究機関等	地方衛生研究所	保健所	その他の公的研究機関等	地方衛生研究所	保健所	その他の公的研究機関等
76	**46**	**5**	**39**	**－**	**3**	**53**	**11**	**2**
3	11	－	1	－	－	1	－	－
1	－	－	－	－	－	－	－	－
1	1	－	1	－	－	－	－	－
2	－	－	－	－	－	1	－	－
1	－	－	－	－	－	－	－	－
－	－	－	1	－	－	－	－	－
1	2	1	1	－	－	－	－	－
1	－	－	1	－	－	1	－	－
2	－	－	1	－	－	1	－	－
1	－	－	－	－	1	－	2	－
2	2	2	1	－	－	3	－	－
2	1	－	1	－	－	3	－	－
2	6	－	2	－	－	2	5	－
6	－	－	1	－	－	7	－	－
2	－	－	2	－	－	1	－	－
1	1	－	－	－	2	－	－	1
1	－	－	2	－	－	1	－	－
1	－	－	1	－	－	2	－	－
1	－	－	－	－	－	－	－	－
1	－	－	1	－	－	1	－	－
2	－	－	－	－	－	2	－	－
4	－	－	4	－	－	2	－	－
2	7	1	1	－	－	1	－	1
1	－	－	1	－	－	1	－	－
1	1	－	－	－	－	－	1	－
2	－	－	1	－	－	2	－	－
2	－	1	5	－	－	3	－	－
4	6	－	1	－	－	3	－	－
1	1	－	－	－	－	1	－	－
2	－	－	－	－	－	1	－	－
2	－	－	－	－	－	1	－	－
－	－	－	－	－	－	－	－	－
1	－	－	1	－	－	－	1	－
3	1	－	－	－	－	2	－	－
－	－	－	1	－	－	1	－	－
1	－	－	1	－	－	1	－	－
2	1	－	1	－	－	1	－	－
2	1	－	1	－	－	－	－	－
－	1	－	－	－	－	－	1	－
4	－	－	1	－	－	2	－	－
1	－	－	1	－	－	1	－	－
－	3	－	－	－	－	1	1	－
2	－	－	－	－	－	－	－	－
2	－	－	1	－	－	－	－	－
2	－	－	1	－	－	2	－	－
－	－	－	－	－	－	1	－	－
1	－	－	－	－	－	－	－	－

（報告表　15）

第３表（４－４）　衛生検査機関における機器

	ＬＣ－ＭＳ			ガスクロマトグラフ質量分析装置			キャピラリー電気泳動装置		
	地方衛生研究所	保健所	その他の公的研究機関等	地方衛生研究所	保健所	その他の公的研究機関等	地方衛生研究所	保健所	その他の公的研究機関等
指定都市(再掲)									
札幌市	5	－	－	11	－	－	1	－	－
仙台市	2	－	－	6	－	－	－	－	－
さいたま市	1	－	－	－	－	－	－	－	－
千葉市	1	－	－	8	－	－	1	－	－
横浜市	4	－	－	7	－	－	1	－	－
川崎市	2	－	－	5	－	－	1	－	－
相模原市	1	－	－	3	－	－	－	－	－
新潟市	2	－	1	4	－	－	－	－	－
静岡市	2	－	－	5	－	－	2	－	－
浜松市	2	－	－	4	－	－	1	－	－
名古屋市	2	－	4	4	－	7	2	－	－
京都市	5	－	－	8	－	－	－	－	－
大阪市	・	－	－	・	－	－	・	－	－
堺市	1	－	－	3	－	－	－	－	－
神戸市	3	－	－	4	－	－	1	－	－
岡山市	・	1	－	・	3	－	・	－	－
広島市	2	－	－	7	－	1	－	－	－
北九州市	1	－	－	8	－	－	－	－	－
福岡市	4	－	－	7	－	－	1	－	－
熊本市	1	－	－	3	－	－	－	－	－
中核市(再掲)									
旭川市	・	1	－	・	2	－	・	－	－
函館市	1	－	－	3	－	－	－	－	－
青森市	・	－	－	・	－	－	・	－	－
八戸市	・	－	－	・	－	－	・	－	－
盛岡市	・	－	－	・	－	－	・	－	－
秋田市	・	－	1	・	2	－	・	－	－
郡山市	・	－	1	・	1	－	・	－	－
いわき市	・	1	－	・	3	－	・	－	－
宇都宮市	2	－	－	3	－	－	－	－	－
前橋市	・	1	－	・	－	－	・	－	－
高崎市	・	1	－	・	1	－	・	－	－
川越市	・	1	－	・	3	－	・	－	－
越谷市	・	1	－	・	1	－	・	－	－
船橋市	・	－	－	・	－	－	・	－	－
柏市	・	－	－	・	－	－	・	－	－
八王子市	・	－	－	・	－	－	・	－	－
横須賀市	1	－	－	1	－	－	－	－	－
富山市	・	2	－	・	2	－	・	－	－
金沢市	・	1	－	・	2	－	・	－	－
長野市	・	1	－	・	2	－	・	－	－
岐阜市	1	－	－	3	－	－	－	－	－
豊橋市	・	1	－	・	3	－	・	－	－
豊田市	・	1	－	・	2	－	・	－	－
岡崎市	・	1	－	・	1	－	・	－	－
大津市	・	1	－	・	2	－	・	－	－
高槻市	・	－	－	・	1	2	・	－	－
東大阪市	－	－	－	2	－	－	－	－	－
豊中市	・	－	－	・	－	－	・	－	－
枚方市	・	－	－	・	－	－	・	－	－
姫路市	1	－	－	3	－	－	－	－	－
西宮市	・	－	－	・	1	－	・	－	－
尼崎市	1	－	－	2	－	－	－	－	－
奈良市	・	－	－	・	3	－	・	－	－
和歌山市	1	－	－	4	－	－	1	－	－
倉敷市	・	1	－	・	2	－	・	－	－
福山市	・	1	－	・	3	－	・	－	－
呉市	・	－	－	・	1	－	・	－	－
下関市	・	1	－	・	3	－	・	－	－
高松市	・	1	－	・	－	－	・	－	－
松山市	・	1	－	・	1	－	・	－	－
高知市	・	1	－	・	1	－	・	－	－
久留米市	・	1	－	・	－	－	・	－	－
長崎市	－	1	－	－	2	－	－	1	－
佐世保市	・	1	－	・	4	－	・	1	－
大分市	・	1	－	・	－	－	・	－	－
宮崎市	・	1	－	・	2	－	・	－	－
鹿児島市	・	－	－	・	－	－	・	－	－
那覇市	・	－	－	・	－	－	・	－	－

設備状況，機器・都道府県－指定都市－中核市（再掲）別

平成29年度末現在

ＴＯＣ全有機炭素分析計			溶出試験機			赤外分光光度計（FTIR）		
地方衛生研究所	保健所	その他の公的研究機関等	地方衛生研究所	保健所	その他の公的研究機関等	地方衛生研究所	保健所	その他の公的研究機関等
2	–	–	–	–	–	–	–	–
1	–	–	–	–	–	1	–	–
1	–	–	–	–	–	1	–	–
1	–	–	–	–	–	2	–	–
2	–	–	–	–	–	1	–	–
1	–	–	–	–	–	2	–	–
1	–	–	–	–	–	1	–	–
1	–	–	1	–	–	–	–	–
1	–	–	1	–	–	–	–	–
1	–	–	–	–	–	–	–	–
1	–	1	–	–	–	–	–	1
1	–	–	–	–	–	1	–	–
•	–	–	•	–	–	•	–	–
1	–	–	1	–	–	1	–	–
1	–	–	–	–	–	1	–	–
•	–	–	•	–	–	•	1	–
1	–	–	–	–	–	1	–	–
1	–	–	–	–	–	–	–	–
2	–	–	–	–	–	1	–	–
1	–	–	–	–	–	–	–	–
•	1	–	•	–	–	•	–	–
–	–	–	–	–	–	–	–	–
•	–	–	•	–	–	•	–	–
•	–	–	•	–	–	•	–	–
•	1	–	•	–	–	•	–	–
•	–	–	•	–	–	•	–	–
•	1	–	•	–	–	•	–	–
•	1	–	•	–	–	•	–	–
1	–	–	–	–	–	1	–	–
•	–	–	•	–	–	•	1	–
•	–	–	•	–	–	•	1	–
•	1	–	•	–	–	•	–	–
•	1	–	•	–	–	•	–	–
•	–	–	•	–	–	•	–	–
•	1	–	•	–	–	•	–	–
•	–	–	•	–	–	•	–	–
1	–	–	–	–	–	1	–	–
•	1	–	•	–	–	•	–	–
•	–	–	•	–	–	•	–	–
•	–	–	•	–	–	•	–	–
1	–	–	–	–	–	–	–	–
•	1	–	•	–	–	•	–	–
•	1	–	•	–	–	•	–	–
•	1	–	•	–	–	•	–	–
•	1	–	•	–	–	•	1	–
•	–	1	•	–	–	•	–	–
–	–	–	–	–	–	–	–	–
•	–	–	•	–	–	•	–	–
•	–	–	•	–	–	•	–	–
1	–	–	–	–	–	–	–	–
•	1	–	•	–	–	•	–	–
1	–	–	–	–	–	1	–	–
•	1	–	•	–	–	•	–	–
1	–	–	–	–	–	1	–	–
•	–	–	•	–	–	•	–	–
•	–	–	•	–	–	•	–	–
•	1	–	•	–	–	•	–	–
•	–	–	•	–	–	•	–	–
•	1	–	•	–	–	•	–	–
•	1	–	•	–	–	•	–	–
•	1	–	•	–	–	•	1	–
•	–	–	•	–	–	•	–	–
–	1	–	–	–	–	–	1	–
•	2	–	•	–	–	•	–	–
•	–	–	•	–	–	•	–	–
•	–	–	•	–	–	•	–	–
•	–	–	•	–	–	•	–	–
•	–	–	•	–	–	•	–	–

（報告表　15）

第４表（２－１）　地方衛生研究所における職種別

	総数	医師	歯科医師	獣医師	薬剤師	保健師	看護師	診療放射線技師
全国	**2 934**	**33**	**4**	**350**	**771**	**15**	**2**	**4**
北海道	102	2	–	14	15	–	–	–
青森	27	–	–	1	3	–	–	–
岩手	46	–	–	3	5	2	–	–
宮城	92	–	–	13	19	–	–	–
秋田	37	–	–	–	2	–	–	1
山形	23	1	–	3	8	–	–	–
福島	57	1	1	–	11	–	–	–
茨城	27	–	–	3	9	–	–	–
栃木	57	–	–	8	21	–	–	–
群馬	24	1	–	3	2	–	–	–
埼玉	128	3	–	37	49	2	–	–
千葉	93	1	–	17	29	2	–	–
東京	251	3	–	26	48	5	–	–
神奈川	215	5	–	25	65	1	1	–
新潟	70	–	1	2	18	–	–	–
富山	37	1	–	2	15	–	–	–
石川	55	–	–	3	8	–	–	1
福井	29	–	–	2	9	–	–	–
山梨	34	–	–	2	8	–	–	–
長野	59	–	–	2	11	–	–	–
岐阜	47	–	–	9	9	–	–	–
静岡	97	–	–	17	42	–	–	–
愛知	86	2	–	17	39	1	–	–
三重	28	–	–	6	10	–	–	–
滋賀	23	–	1	5	5	–	–	–
京都	102	2	–	22	46	–	1	–
大阪	175	3	–	34	56	–	–	–
兵庫	92	1	–	8	19	–	–	1
奈良	29	–	–	1	12	–	–	–
和歌山	39	–	–	4	15	–	–	–
鳥取	33	–	–	4	5	–	–	–
島根	38	2	–	2	4	1	–	–
岡山	43	1	–	5	5	–	–	–
広島	69	–	–	8	9	–	–	–
山口	41	1	–	7	7	–	–	–
徳島	25	–	–	1	17	–	–	–
香川	51	–	–	3	13	–	–	–
愛媛	45	1	–	5	15	–	–	–
高知	17	–	–	2	9	–	–	1
福岡	139	2	–	4	16	–	–	–
佐賀	40	–	–	2	17	–	–	–
長崎	41	–	–	3	9	–	–	–
熊本	52	–	–	6	15	–	–	–
大分	30	–	–	1	11	–	–	–
宮崎	39	–	–	5	7	–	–	–
鹿児島	12	–	1	–	1	–	–	–
沖縄	38	–	–	3	3	1	–	–

注：地方衛生研究所には、これに準ずる施設も含まれる。

職員配置状況，職種・都道府県－指定都市－中核市（再掲）別

平成29年度末現在

臨床検査技師	衛生検査技師	管理栄養士	栄養士	保健医療関係の資格を有する職員（左記以外）	主に研究及び検査を行う職員（左記以外）				その他
					化学系技術職員	理工学系技術職員	農学系技術職員	その他の技術職員	
365	**53**	**7**	**－**	**6**	**567**	**102**	**238**	**89**	**328**
5	－	－	－	－	23	8	21	－	14
2	－	－	－	－	6	7	1	－	7
2	－	1	－	－	14	－	11	2	6
18	－	－	－	－	11	2	24	1	4
12	－	－	－	－	12	1	4	－	5
3	－	－	－	－	5	－	－	－	3
19	－	－	－	－	7	2	9	－	7
10	－	－	－	－	3	－	－	－	2
3	－	－	－	－	18	－	－	1	6
6	－	－	－	－	9	－	－	－	3
12	1	－	－	－	14	－	－	－	10
21	1	－	－	－	14	1	1	－	6
15	50	1	－	－	17	10	1	33	42
57	－	－	－	－	30	－	－	8	23
11	－	－	－	－	22	6	4	－	6
3	－	－	－	－	2	6	1	1	6
7	1	－	－	－	26	－	－	2	7
2	－	－	－	－	13	2	－	－	1
8	－	－	－	－	7	－	－	－	9
6	－	－	－	－	14	13	6	1	6
10	－	－	－	－	15	3	1	－	－
2	－	－	－	－	23	－	4	1	8
5	－	－	－	－	－	2	11	1	8
6	－	－	－	－	3	－	－	－	3
7	－	－	－	－	2	－	－	－	3
3	－	－	－	－	16	－	－	3	9
7	－	4	－	－	9	7	16	3	36
13	－	－	－	3	8	3	20	3	13
6	－	－	－	－	4	4	2	－	－
2	－	－	－	－	12	3	1	－	2
－	－	－	－	－	5	9	5	2	3
4	－	1	－	－	17	1	3	－	3
4	－	－	－	－	21	－	2	1	4
8	－	－	－	－	27	－	12	－	5
3	－	－	－	－	－	4	15	－	4
2	－	－	－	－	3	－	－	－	2
9	－	－	－	－	11	－	4	－	11
5	－	－	－	－	10	－	4	－	5
2	－	－	－	－	－	1	1	－	1
2	－	－	－	3	47	7	35	10	13
9	－	－	－	－	10	－	－	－	2
7	－	－	－	－	6	－	2	10	4
7	－	－	－	－	17	－	1	－	6
3	－	－	－	－	11	－	－	－	4
11	－	－	－	－	12	－	－	－	4
6	－	－	－	－	－	－	4	－	－
－	－	－	－	－	11	－	12	6	2

（報告表　16）

第４表（２－２）　地方衛生研究所における職種別

	総数	医師	歯科医師	獣医師	薬剤師	保健師	看護師	診療放射線技師
指定都市（再掲）								
札幌市	41	–	–	1	5	–	–	–
仙台市	39	–	–	7	1	–	–	–
さいたま市	54	1	–	14	16	2	–	–
千葉市	35	–	–	6	9	–	–	–
横浜市	58	2	–	–	28	–	–	–
川崎市	42	2	–	9	13	–	–	–
相模原市	19	–	–	3	6	–	–	–
新潟市	25	–	1	–	9	–	–	–
静岡市	18	–	–	5	5	–	–	–
浜松市	26	–	–	3	14	–	–	–
名古屋市	43	1	–	6	15	1	–	–
京都市	57	1	–	16	32	–	1	–
大阪市	·	·	·	·	·	·	·	·
堺市	21	1	–	4	9	–	–	–
神戸市	33	–	–	3	5	–	–	–
岡山市	·	·	·	·	·	·	·	·
広島市	36	–	–	4	6	–	–	–
北九州市	24	–	–	–	–	–	–	–
福岡市	48	–	–	2	7	–	–	–
熊本市	24	–	–	2	3	–	–	–
中核市（再掲）								
旭川市	·	·	·	·	·	·	·	·
函館市	7	–	–	1	–	–	–	–
青森市	·	·	·	·	·	·	·	·
八戸市	·	·	·	·	·	·	·	·
盛岡市	·	·	·	·	·	·	·	·
秋田市	·	·	·	·	·	·	·	·
郡山市	11	–	–	–	–	–	–	–
いわき市	·	·	·	·	·	·	·	·
宇都宮市	13	–	–	3	7	–	–	–
前橋市	·	·	·	·	·	·	·	·
高崎市	·	·	·	·	·	·	·	·
川越市	·	·	·	·	·	·	·	·
越谷市	·	·	·	·	·	·	·	·
船橋市	·	·	·	·	·	·	·	·
柏市	·	·	·	·	·	·	·	·
八王子市	·	·	·	·	·	·	·	·
横須賀市	22	–	–	–	–	–	1	–
富山市	·	·	·	·	·	·	·	·
金沢市	·	·	·	·	·	·	·	·
長野市	·	·	·	·	·	·	·	·
岐阜市	15	–	–	4	6	–	–	–
豊橋市	·	·	·	·	·	·	·	·
豊田市	·	·	·	·	·	·	·	·
岡崎市	·	·	·	·	·	·	·	·
大津市	·	·	·	·	·	·	·	·
高槻市	–	–	–	–	–	–	–	–
東大阪市	11	–	–	2	5	–	–	–
豊中市	·	·	·	·	·	·	·	·
枚方市	·	·	·	·	·	·	·	·
姫路市	13	–	–	–	–	–	–	–
西宮市	·	·	·	·	·	·	·	·
尼崎市	18	–	–	–	4	–	–	–
奈良市	·	·	·	·	·	·	·	·
和歌山市	16	–	–	3	8	–	–	–
倉敷市	·	·	·	·	·	·	·	·
福山市	·	·	·	·	·	·	·	·
呉市	·	·	·	·	·	·	·	·
下関市	·	·	·	·	·	·	·	·
高松市	·	·	·	·	·	·	·	·
松山市	·	·	·	·	·	·	·	·
高知市	·	·	·	·	·	·	·	·
久留米市	·	·	·	·	·	·	·	·
長崎市	9	–	–	1	–	–	–	–
佐世保市	·	·	·	·	·	·	·	·
大分市	·	·	·	·	·	·	·	·
宮崎市	·	·	·	·	·	·	·	·
鹿児島市	·	·	·	·	·	·	·	·
那覇市	·	·	·	·	·	·	·	·

注：地方衛生研究所には、これに準ずる施設も含まれる。

職員配置状況，職種・都道府県－指定都市－中核市（再掲）別

平成29年度末現在

臨床検査技師	衛生検査技師	管理栄養士	栄養士	保健医療関係の資格を有する職員（左記以外）	主に研究及び検査を行う職員（左記以外）				その他
					化学系技術職員	理工学系技術職員	農学系技術職員	その他の技術職員	
2	–	–	–	–	13	6	10	–	4
4	–	–	–	–	8	–	14	1	4
6	–	–	–	–	12	–	–	–	3
5	–	–	–	–	14	–	–	–	1
10	–	–	–	–	5	–	–	8	5
9	–	–	–	–	4	–	–	–	5
3	–	–	–	–	5	–	–	–	2
3	–	–	–	–	8	–	2	–	2
–	–	–	–	–	6	–	–	–	2
–	–	–	–	–	8	–	1	–	–
1	–	–	–	–	–	2	11	–	6
1	–	–	–	–	–	–	–	1	5
・	・	・	・	・	・	・	・	・	・
1	–	–	–	–	4	–	1	–	1
1	–	–	–	3	–	2	9	3	7
・	・	・	・	・	・	・	・	・	・
8	–	–	–	–	15	–	3	–	–
–	–	–	–	–	13	2	7	2	–
1	–	–	–	1	3	2	27	–	5
7	–	–	–	–	10	–	–	–	2
・	・	・	・	・	・	・	・	・	・
1	–	–	–	–	2	–	2	–	1
・	・	・	・	・	・	・	・	・	・
・	・	・	・	・	・	・	・	・	・
・	・	・	・	・	・	・	・	・	・
・	・	・	・	・	・	・	・	・	・
–	–	–	–	–	7	2	1	–	1
・	・	・	・	・	・	・	・	・	・
–	–	–	–	–	2	–	–	–	1
・	・	・	・	・	・	・	・	・	・
・	・	・	・	・	・	・	・	・	・
・	・	・	・	・	・	・	・	・	・
・	・	・	・	・	・	・	・	・	・
・	・	・	・	・	・	・	・	・	・
・	・	・	・	・	・	・	・	・	・
・	・	・	・	・	・	・	・	・	・
12	–	–	–	–	6	–	–	–	3
・	・	・	・	・	・	・	・	・	・
・	・	・	・	・	・	・	・	・	・
・	・	・	・	・	・	・	・	・	・
2	–	–	–	–	3	–	–	–	–
・	・	・	・	・	・	・	・	・	・
・	・	・	・	・	・	・	・	・	・
・	・	・	・	・	・	・	・	・	・
・	・	・	・	・	・	・	・	・	・
–	–	–	–	–	–	–	–	–	–
2	–	–	–	–	2	–	–	–	–
・	・	・	・	・	・	・	・	・	・
・	・	・	・	・	・	・	・	・	・
5	–	–	–	–	7	–	1	–	–
・	・	・	・	・	・	・	・	・	・
2	–	–	–	–	–	1	10	–	1
・	・	・	・	・	・	・	・	・	・
–	–	–	–	–	3	2	–	–	–
・	・	・	・	・	・	・	・	・	・
・	・	・	・	・	・	・	・	・	・
・	・	・	・	・	・	・	・	・	・
・	・	・	・	・	・	・	・	・	・
・	・	・	・	・	・	・	・	・	・
・	・	・	・	・	・	・	・	・	・
・	・	・	・	・	・	・	・	・	・
・	・	・	・	・	・	・	・	・	・
3	–	–	–	–	1	–	2	2	–
・	・	・	・	・	・	・	・	・	・
・	・	・	・	・	・	・	・	・	・
・	・	・	・	・	・	・	・	・	・
・	・	・	・	・	・	・	・	・	・
・	・	・	・	・	・	・	・	・	・

（報告表　16）

第１表　特定建築物施設数・管理技術者選任建築物数

	総数	興行場	百貨店	店舗	事務所	学校	旅館	その他
特定建築物施設数（年度末現在）	45 679	1 197	1 898	9 762	18 890	3 970	6 146	3 816
管理技術者選任建築物数（年度末現在）	45 433	1 193	1 891	9 711	18 837	3 933	6 072	3 796
立入検査等回数								
報告徴収	17 907	364	607	3 534	8 985	1 535	1 853	1 029
立入検査	8 842	264	444	2 246	2 559	692	2 124	513
説明又は資料の要求	2 564	196	17	73	1 114	666	52	446
処分件数（年度中）								
改善命令	2	1	–	–	–	–	–	1
使用停止・使用制限	2	1	–	–	–	–	–	1
改善の勧告	1	–	1	–	–	–	–	–
空気環境・空気調和の調整								
空気環境の測定実施[1]								
調査件数	17 115	404	766	3 765	7 166	1 342	2 639	1 033
不適件数	201	1	8	46	41	21	68	16
ホルムアルデヒド量の測定実施								
調査件数	1 312	41	45	358	365	106	316	81
不適件数	102	2	2	35	23	16	18	6
浮遊粉じんの量								
調査件数	16 754	396	749	3 685	7 071	1 314	2 538	1 001
不適件数	395	6	9	97	173	21	44	45
一酸化炭素の含有率								
調査件数	16 755	396	749	3 686	7 076	1 315	2 532	1 001
不適件数	56	–	2	12	19	6	12	5
二酸化炭素の含有率								
調査件数	16 782	403	750	3 692	7 080	1 314	2 538	1 005
不適件数	4 655	67	132	628	2 886	579	164	199
温度								
調査件数	14 573	383	597	2 916	6 593	1 071	2 130	883
不適件数	4 656	129	241	1 158	1 746	515	569	298
相対湿度								
調査件数	14 067	381	550	2 825	6 431	1 002	2 027	851
不適件数	8 040	188	357	1 635	3 868	595	947	450
気流								
調査件数	16 641	400	747	3 680	6 988	1 312	2 519	995
不適件数	403	7	18	104	136	40	76	22
ホルムアルデヒド量								
調査件数	1 093	35	34	297	297	78	287	65
不適件数	14	–	1	4	5	–	4	–
冷却塔への供給水に必要な措置								
調査件数	4 471	194	296	742	1 619	321	1 005	294
不適件数	105	6	7	24	23	14	25	6
加湿装置への供給水に必要な措置								
調査件数	6 251	223	196	735	3 445	453	841	358
不適件数	98	2	3	22	38	11	16	6
冷却塔、冷却水の汚れ点検（１月以内ごと）								
調査件数	5 681	243	379	941	2 179	397	1 166	376
不適件数	351	19	23	45	119	24	92	29
冷却塔、冷却水の水管清掃（１年以内ごと）								
調査件数	5 648	240	372	936	2 181	397	1 152	370
不適件数	666	26	42	82	282	59	129	46
加湿装置の汚れ点検（１月以内ごと）								
調査件数	8 102	270	227	905	4 710	585	959	446
不適件数	1 058	22	32	104	682	80	86	52
加湿装置の清掃（１年以内ごと）								
調査件数	8 081	268	225	907	4 702	580	958	441
不適件数	1 060	24	31	109	682	87	90	37
排水受けの汚れ、閉塞の状況点検								
調査件数	9 335	290	346	1 420	4 794	692	1 254	539
不適件数	1 487	28	38	294	783	117	157	70
飲料水の管理								
遊離残留塩素の含有率の検査実施[2]								
調査件数	18 465	412	644	2 770	9 099	1 672	2 914	954
不適件数	279	2	8	70	65	24	85	25
遊離残留塩素の含有率[2]								
調査件数	17 991	405	627	2 655	9 006	1 646	2 738	914
不適件数	276	4	8	29	137	45	41	12

注：1）「空気環境の測定実施」には、「ホルムアルデヒド量の測定実施」を含まない。
　　2）「飲料水の管理」の「遊離残留塩素の含有率の検査実施」、「遊離残留塩素の含有率」、「水質検査実施」及び「水質基準」には、中央式給湯設備におけるものは含まない。
　　3）「飲料水の管理」の「水質検査実施」及び「中央式給湯設備における給湯水質検査実施」には、遊離残留塩素含有率の検査実施を含まない。
　　4）「飲料水の管理」の「水質基準」及び「中央式給湯設備における給湯水質基準」には、遊離残留塩素含有率を含まない。
　　5）「貯水槽の清掃」には「貯湯槽の清掃」を含まない。

・立入検査等回数；調査項目・調査件数－不適件数，建築物の種類別

平成29年度

	総数	興行場	百貨店	店舗	事務所	学校	旅館	その他
中央式給湯設備における給湯水の遊離残留塩素含有率の検査実施								
調査件数	4 063	116	114	404	1 210	355	1 677	187
不適件数	275	11	5	18	44	33	150	14
中央式給湯設備における給湯水の遊離残留塩素含有率								
調査件数	3 507	101	101	348	1 043	302	1 458	154
不適件数	116	1	4	7	29	13	58	4
水質検査実施[2,3]								
調査件数	17 525	390	613	2 604	8 744	1 633	2 701	840
不適件数	479	10	13	92	157	27	151	29
水質基準[2,4]								
調査件数	16 906	378	589	2 476	8 558	1 604	2 505	796
不適件数	84	1	4	14	38	4	19	4
中央式給湯設備における給湯水質検査実施[3]								
調査件数	4 448	128	116	448	1 200	399	1 977	180
不適件数	402	12	4	33	61	29	244	19
中央式給湯設備における給湯水質基準[4]								
調査件数	4 007	116	112	409	1 134	368	1 712	156
不適件数	62	−	1	3	21	6	29	2
貯水槽の清掃[5]								
調査件数	17 226	370	606	2 556	8 632	1 578	2 682	802
不適件数	180	1	3	30	68	6	66	6
貯湯槽の清掃								
調査件数	4 500	124	114	480	1 242	338	2 011	191
不適件数	367	11	5	28	42	17	245	19
雑用水の管理								
遊離残留塩素の含有率の検査実施								
調査件数	3 234	133	160	429	1 296	459	580	177
不適件数	155	4	6	18	50	23	49	5
遊離残留塩素の含有率								
調査件数	3 051	128	152	405	1 232	435	529	170
不適件数	135	7	5	16	59	28	13	7
雑用水の水槽点検								
調査件数	3 004	123	155	413	1 272	377	518	146
不適件数	164	7	12	24	64	17	32	8
水質検査実施								
調査件数	3 078	132	159	416	1 192	440	557	182
不適件数	180	3	8	23	64	27	46	9
ｐＨ値								
調査件数	2 808	126	149	379	1 105	410	473	166
不適件数	76	3	5	7	30	15	11	5
臭気								
調査件数	2 810	127	149	381	1 102	409	477	165
不適件数	36	2	2	4	19	4	4	1
外観								
調査件数	2 804	127	149	381	1 102	409	476	160
不適件数	40	2	3	4	19	5	4	3
大腸菌								
調査件数	2 822	126	149	383	1 111	410	476	167
不適件数	39	−	1	5	20	4	8	1
濁度								
調査件数	2 372	112	120	341	895	348	423	133
不適件数	37	1	−	2	17	7	7	3
その他								
排水設備の清掃								
調査件数	12 498	293	586	2 858	5 008	930	2 112	711
不適件数	1 187	19	41	324	437	103	196	67
大掃除								
調査件数	15 893	371	750	3 568	6 565	1 269	2 479	891
不適件数	1 203	28	42	280	502	84	208	59
ねずみ等の防除								
調査件数	16 648	387	781	3 710	6 797	1 306	2 679	988
不適件数	865	20	34	191	357	66	157	40
帳簿書類の備付け								
調査件数	13 489	320	557	3 093	5 457	983	2 311	768
不適件数	2 097	43	60	500	869	144	372	109

（報告表　17）

第２表（８－１）　特定建築物施設数・管理技術者選任建築物数・立入検査等回数・

	総							数
	特定建築物施設数（年度末現在）	管理技術者選任建築物数（年度末現在）	立入検査等回数		説明又は資料の要求	処分件数（年度中）		改善の勧告
			報告徴収	立入検査		改善命令	使用停止・使用制限	
全国	**45 679**	**45 433**	**17 907**	**8 842**	**2 564**	**2**	**2**	**1**
北海道	2 376	2 363	1 878	598	66	–	–	–
青森	472	465	2	89	–	–	–	–
岩手	477	472	–	62	–	–	–	–
宮城	1 047	1 047	540	161	–	–	–	–
秋田	414	412	960	62	–	–	–	–
山形	456	456	–	49	1	–	–	–
福島	762	759	12	433	51	–	–	–
茨城	811	806	–	129	–	–	–	–
栃木	636	635	–	69	–	–	–	–
群馬	609	608	64	19	–	–	–	–
埼玉	1 327	1 327	–	118	386	–	–	–
千葉	1 584	1 571	–	569	–	–	–	–
東京	8 107	8 085	4 494	990	937	–	–	–
神奈川	2 860	2 846	1 203	721	246	–	–	–
新潟	787	787	267	29	88	–	–	–
富山	432	432	–	196	4	–	–	–
石川	551	551	–	74	7	–	–	–
福井	292	275	–	59	31	–	–	–
山梨	258	241	–	27	–	–	–	–
長野	927	924	5	113	1	–	–	–
岐阜	489	489	383	19	83	–	–	–
静岡	1 419	1 409	–	394	–	–	–	–
愛知	2 648	2 630	1 262	1 289	60	2	2	–
三重	591	590	–	23	2	–	–	–
滋賀	362	362	–	73	1	–	–	–
京都	856	849	–	120	–	–	–	–
大阪	3 557	3 542	2 121	817	161	–	–	–
兵庫	1 676	1 662	886	211	92	–	–	–
奈良	317	317	–	44	–	–	–	–
和歌山	268	261	115	124	1	–	–	–
鳥取	216	216	–	5	–	–	–	–
島根	268	266	–	6	–	–	–	–
岡山	596	595	1 257	95	36	–	–	–
広島	1 044	1 040	705	105	123	–	–	–
山口	472	469	106	209	–	–	–	–
徳島	157	156	–	7	–	–	–	1
香川	362	361	248	37	76	–	–	–
愛媛	454	454	–	88	–	–	–	–
高知	217	217	–	28	1	–	–	–
福岡	1 857	1 839	1 145	247	67	–	–	–
佐賀	277	274	–	35	–	–	–	–
長崎	426	419	68	80	37	–	–	–
熊本	467	467	–	61	6	–	–	–
大分	349	346	8	33	–	–	–	–
宮崎	272	272	–	80	–	–	–	–
鹿児島	398	390	178	45	–	–	–	–
沖縄	479	479	–	–	–	–	–	–

説明又は資料の要求・処分件数・改善の勧告，建築物の種類・都道府県－指定都市－中核市（再掲）別

平成29年度

興行場							
特定建築物施設数（年度末現在）	管理技術者選任建築物数（年度末現在）	立入検査等回数		説明又は資料の要求	処分件数（年度中）		改善の勧告
		報告徴収	立入検査		改善命令	使用停止・使用制限	
1 197	**1 193**	**364**	**264**	**196**	**1**	**1**	**－**
44	44	30	4	5	－	－	－
22	21	－	7	－	－	－	－
19	19	－	11	－	－	－	－
24	24	8	8	－	－	－	－
16	16	30	2	－	－	－	－
14	14	－	3	－	－	－	－
29	29	－	21	4	－	－	－
17	17	－	5	－	－	－	－
25	25	－	3	－	－	－	－
27	27	3	1	－	－	－	－
57	57	－	2	47	－	－	－
59	59	－	33	－	－	－	－
123	123	57	8	60	－	－	－
69	69	13	19	16	－	－	－
29	29	5	4	8	－	－	－
5	5	－	1	1	－	－	－
8	8	－	2	－	－	－	－
7	7	－	－	1	－	－	－
5	4	－	2	－	－	－	－
16	16	－	3	1	－	－	－
11	11	9	－	1	－	－	－
44	44	－	9	－	－	－	－
82	80	23	46	13	1	1	－
11	11	－	1	－	－	－	－
17	17	－	1	－	－	－	－
21	21	－	5	－	－	－	－
56	56	24	9	5	－	－	－
41	41	13	18	3	－	－	－
13	13	－	1	－	－	－	－
7	7	3	3	－	－	－	－
5	5	－	－	－	－	－	－
18	18	－	2	－	－	－	－
26	26	74	1	2	－	－	－
33	33	27	9	4	－	－	－
13	13	6	6	－	－	－	－
9	9	－	－	－	－	－	－
17	17	5	1	11	－	－	－
21	21	－	3	－	－	－	－
9	9	－	1	－	－	－	－
46	46	22	3	9	－	－	－
13	13	－	－	－	－	－	－
13	13	5	3	4	－	－	－
11	11	－	2	1	－	－	－
5	5	1	－	－	－	－	－
18	18	－	1	－	－	－	－
13	13	6	－	－	－	－	－
9	9	－	－	－	－	－	－

（報告表　17）

第２表（８－２）　特定建築物施設数・管理技術者選任建築物数・立入検査等回数・

	総							数
	特定建築物施設数(年度末現在)	管理技術者選任建築物数(年度末現在)	立入検査等回数		説明又は資料の要求	処分件数（年度中）		改善の勧告
			報告徴収	立入検査		改善命令	使用停止・使用制限	
指定都市(再掲)								
札幌市	1 067	1 061	1 030	215	－	－	－	－
仙台市	708	708	540	67	－	－	－	－
さいたま市	332	332	－	21	72	－	－	－
千葉市	379	377	－	71	－	－	－	－
横浜市	1 419	1 419	1 191	459	228	－	－	－
川崎市	373	359	12	62	18	－	－	－
相模原市	178	178	－	5	－	－	－	－
新潟市	346	346	267	13	84	－	－	－
静岡市	295	295	－	42	－	－	－	－
浜松市	262	262	－	54	－	－	－	－
名古屋市	1 435	1 430	1 257	974	60	2	2	－
京都市	652	652	－	63	－	－	－	－
大阪市	2 214	2 211	1 707	73	142	－	－	－
堺市	186	185	－	69	2	－	－	－
神戸市	783	769	560	32	75	－	－	－
岡山市	290	290	－	51	36	－	－	－
広島市	583	583	106	16	－	－	－	－
北九州市	382	365	272	81	－	－	－	－
福岡市	938	937	871	80	66	－	－	－
熊本市	264	264	－	30	1	－	－	－
中核市(再掲)								
旭川市	160	160	150	28	－	－	－	－
函館市	127	125	117	1	－	－	－	－
青森市	165	165	－	28	－	－	－	－
八戸市	75	74	－	8	－	－	－	－
盛岡市	174	172	－	8	－	－	－	－
秋田市	199	199	960	34	－	－	－	－
郡山市	146	146	－	101	－	－	－	－
いわき市	105	105	－	23	－	－	－	－
宇都宮市	213	213	－	28	－	－	－	－
前橋市	131	131	－	4	－	－	－	－
高崎市	125	125	－	15	－	－	－	－
川越市	76	76	－	－	－	－	－	－
越谷市	66	66	－	－	18	－	－	－
船橋市	103	103	－	22	－	－	－	－
柏市	106	106	－	29	－	－	－	－
八王子市	180	180	－	11	1	－	－	－
横須賀市	105	105	－	6	－	－	－	－
富山市	221	221	－	61	4	－	－	－
金沢市	251	251	－	18	－	－	－	－
長野市	221	221	－	15	－	－	－	－
岐阜市	140	140	118	17	－	－	－	－
豊橋市	77	77	－	19	－	－	－	－
豊田市	155	155	－	21	－	－	－	－
岡崎市	83	82	－	14	－	－	－	－
大津市	102	102	－	－	－	－	－	－
高槻市	58	58	25	17	－	－	－	－
東大阪市	98	97	20	77	－	－	－	－
豊中市	86	81	37	26	16	－	－	－
枚方市	98	95	－	71	－	－	－	－
姫路市	141	141	139	－	－	－	－	－
西宮市	99	99	－	47	－	－	－	－
尼崎市	118	118	95	15	17	－	－	－
奈良市	125	125	－	7	－	－	－	－
和歌山市	138	131	115	4	－	－	－	－
倉敷市	131	131	－	4	－	－	－	－
福山市	146	146	240	22	46	－	－	－
呉市	75	75	75	－	75	－	－	－
下関市	93	93	92	－	－	－	－	－
高松市	212	212	159	17	49	－	－	－
松山市	237	237	－	30	－	－	－	－
高知市	142	142	－	25	－	－	－	－
久留米市	78	78	2	7	1	－	－	－
長崎市	181	181	－	28	15	－	－	－
佐世保市	95	95	68	14	22	－	－	－
大分市	165	164	8	15	－	－	－	－
宮崎市	156	156	－	22	－	－	－	－
鹿児島市	198	196	178	－	－	－	－	－
那覇市	163	163	－	－	－	－	－	－

説明又は資料の要求・処分件数・改善の勧告，建築物の種類・都道府県－指定都市－中核市（再掲）別

平成29年度

興行場							
特定建築物施設数（年度末現在）	管理技術者選任建築物数（年度末現在）	立入検査等回数		説明又は資料の要求	処分件数（年度中）		改善の勧告
		報告徴収	立入検査		改善命令	使用停止・使用制限	
15	15	14	3	–	–	–	–
9	9	8	–	–	–	–	–
14	14	–	–	12	–	–	–
10	10	–	–	–	–	–	–
21	21	12	13	9	–	–	–
15	15	1	1	7	–	–	–
6	6	–	1	–	–	–	–
10	10	5	2	8	–	–	–
8	8	–	–	–	–	–	–
9	9	–	–	–	–	–	–
31	31	23	24	13	1	1	–
17	17	–	5	–	–	–	–
37	37	23	6	4	–	–	–
2	2	–	–	–	–	–	–
5	5	4	–	1	–	–	–
9	9	–	–	2	–	–	–
13	13	–	–	–	–	–	–
11	11	9	1	–	–	–	–
20	20	13	1	8	–	–	–
5	5	–	–	–	–	–	–
5	5	5	–	–	–	–	–
5	5	5	–	–	–	–	–
8	8	–	1	–	–	–	–
1	1	–	1	–	–	–	–
5	5	–	–	–	–	–	–
5	5	30	1	–	–	–	–
1	1	–	–	–	–	–	–
7	7	–	3	–	–	–	–
9	9	–	1	–	–	–	–
3	3	–	1	–	–	–	–
4	4	–	–	–	–	–	–
2	2	–	–	–	–	–	–
1	1	–	–	1	–	–	–
2	2	–	1	–	–	–	–
1	1	–	–	–	–	–	–
3	3	–	–	–	–	–	–
2	2	–	1	–	–	–	–
2	2	–	1	1	–	–	–
5	5	–	1	–	–	–	–
6	6	–	–	–	–	–	–
5	5	5	–	–	–	–	–
5	5	–	–	–	–	–	–
1	1	–	4	–	–	–	–
2	1	–	–	–	–	–	–
4	4	–	–	–	–	–	–
1	1	–	–	–	–	–	–
2	2	–	2	–	–	–	–
1	1	–	–	–	–	–	–
1	1	–	–	–	–	–	–
3	3	3	–	–	–	–	–
3	3	–	1	–	–	–	–
2	2	–	–	2	–	–	–
3	3	–	1	–	–	–	–
4	4	3	–	–	–	–	–
7	7	–	–	–	–	–	–
5	5	10	4	–	–	–	–
4	4	4	–	4	–	–	–
5	5	5	–	–	–	–	–
6	6	1	–	5	–	–	–
8	8	–	–	–	–	–	–
6	6	–	1	–	–	–	–
2	2	–	1	1	–	–	–
4	4	–	–	3	–	–	–
6	6	5	2	1	–	–	–
2	2	1	–	–	–	–	–
5	5	–	–	–	–	–	–
6	6	6	–	–	–	–	–
2	2	–	–	–	–	–	–

（報告表　17）

第２表（８－３）　特定建築物施設数・管理技術者選任建築物数・立入検査等回数・

	百貨店							
	特定建築物施設数（年度末現在）	管理技術者選任建築物数（年度末現在）	立入検査等回数		説明又は資料の要求	処分件数（年度中）		改善の勧告
			報告徴収	立入検査		改善命令	使用停止・使用制限	
全国	**1 898**	**1 891**	**607**	**444**	**17**	**－**	**－**	**1**
北海道	118	118	89	13	－	－	－	－
青森	30	30	－	6	－	－	－	－
岩手	12	12	－	－	－	－	－	－
宮城	31	31	11	7	－	－	－	－
秋田	5	5	12	－	－	－	－	－
山形	28	28	－	1	－	－	－	－
福島	10	10	－	6	－	－	－	－
茨城	73	73	－	9	－	－	－	－
栃木	19	19	－	2	－	－	－	－
群馬	34	34	－	1	－	－	－	－
埼玉	154	154	－	11	－	－	－	－
千葉	173	173	－	63	－	－	－	－
東京	60	60	62	12	2	－	－	－
神奈川	34	34	17	9	－	－	－	－
新潟	67	67	48	1	－	－	－	－
富山	33	33	－	24	－	－	－	－
石川	30	30	－	3	1	－	－	－
福井	10	10	－	3	－	－	－	－
山梨	6	6	－	1	－	－	－	－
長野	43	43	－	5	－	－	－	－
岐阜	15	15	13	－	1	－	－	－
静岡	51	50	－	6	－	－	－	－
愛知	120	118	108	147	－	－	－	－
三重	90	90	－	6	1	－	－	－
滋賀	18	18	－	7	－	－	－	－
京都	47	46	－	10	－	－	－	－
大阪	33	33	18	10	－	－	－	－
兵庫	131	131	51	21	－	－	－	－
奈良	7	7	－	1	－	－	－	－
和歌山	1	1	1	－	－	－	－	－
鳥取	11	11	－	－	－	－	－	－
島根	15	15	－	1	－	－	－	－
岡山	25	25	25	4	－	－	－	－
広島	87	87	52	11	12	－	－	－
山口	2	2	1	1	－	－	－	－
徳島	1	1	－	2	－	－	－	1
香川	2	2	2	1	－	－	－	－
愛媛	5	5	－	2	－	－	－	－
高知	16	16	－	－	－	－	－	－
福岡	144	141	84	22	－	－	－	－
佐賀	34	34	－	3	－	－	－	－
長崎	22	22	3	5	－	－	－	－
熊本	4	4	－	2	－	－	－	－
大分	27	27	－	4	－	－	－	－
宮崎	3	3	－	1	－	－	－	－
鹿児島	15	15	10	－	－	－	－	－
沖縄	2	2	－	－	－	－	－	－

説明又は資料の要求・処分件数・改善の勧告，建築物の種類・都道府県－指定都市－中核市（再掲）別

平成29年度

店							舗
特定建築物施設数（年度末現在）	管理技術者選任建築物数（年度末現在）	立入検査等回数		説明又は資料の要求	処分件数（年度中）		改善の勧告
		報告徴収	立入検査		改善命令	使用停止・使用制限	
9 762	9 711	3 534	2 246	73	–	–	–
608	604	514	94	1	–	–	–
118	118	–	24	–	–	–	–
125	123	–	8	–	–	–	–
286	286	103	40	–	–	–	–
109	109	217	4	–	–	–	–
108	108	–	16	–	–	–	–
223	222	–	152	15	–	–	–
257	254	–	43	–	–	–	–
210	210	–	23	–	–	–	–
148	147	11	4	–	–	–	–
343	343	–	49	1	–	–	–
417	410	–	190	–	–	–	–
1 016	1 012	574	181	19	–	–	–
705	703	294	170	6	–	–	–
141	141	18	2	–	–	–	–
102	102	–	61	–	–	–	–
119	119	–	12	5	–	–	–
56	55	–	20	–	–	–	–
54	54	–	4	–	–	–	–
186	186	2	5	–	–	–	–
138	138	129	2	8	–	–	–
294	294	–	99	–	–	–	–
539	534	125	240	–	–	–	–
92	92	–	4	–	–	–	–
114	114	–	51	1	–	–	–
134	131	–	35	–	–	–	–
701	697	359	305	2	–	–	–
392	388	210	28	3	–	–	–
117	117	–	19	–	–	–	–
73	72	30	33	–	–	–	–
48	48	–	1	–	–	–	–
55	55	–	1	–	–	–	–
179	179	489	11	–	–	–	–
182	182	167	18	9	–	–	–
149	147	31	87	–	–	–	–
39	39	–	2	–	–	–	–
77	77	58	4	–	–	–	–
124	124	–	44	–	–	–	–
36	36	–	4	–	–	–	–
352	348	149	79	–	–	–	–
38	38	–	6	–	–	–	–
79	77	21	5	1	–	–	–
137	137	–	14	2	–	–	–
80	80	–	5	–	–	–	–
75	75	–	38	–	–	–	–
102	101	33	9	–	–	–	–
85	85	–	–	–	–	–	–

（報告表　17）

第２表（８－４）　特定建築物施設数・管理技術者選任建築物数・立入検査等回数・

	百貨店							
	特定建築物施設数（年度末現在）	管理技術者選任建築物数（年度末現在）	立入検査等回数		説明又は資料の要求	処分件数（年度中）		改善の勧告
			報告徴収	立入検査		改善命令	使用停止・使用制限	
指定都市（再掲）								
札幌市	36	36	34	6	－	－	－	－
仙台市	12	12	11	3	－	－	－	－
さいたま市	26	26	－	－	－	－	－	－
千葉市	19	19	－	3	－	－	－	－
横浜市	17	17	17	5	－	－	－	－
川崎市	3	3	－	1	－	－	－	－
相模原市	1	1	－	－	－	－	－	－
新潟市	49	49	48	1	－	－	－	－
静岡市	34	34	－	4	－	－	－	－
浜松市	7	7	－	1	－	－	－	－
名古屋市	117	115	108	144	－	－	－	－
京都市	26	26	－	4	－	－	－	－
大阪市	12	12	12	－	－	－	－	－
堺市	9	9	－	－	－	－	－	－
神戸市	29	29	22	－	－	－	－	－
岡山市	20	20	－	4	－	－	－	－
広島市	51	51	2	7	－	－	－	－
北九州市	26	23	20	2	－	－	－	－
福岡市	63	63	64	9	－	－	－	－
熊本市	4	4	－	2	－	－	－	－
中核市（再掲）								
旭川市	14	14	12	－	－	－	－	－
函館市	2	2	2	－	－	－	－	－
青森市	8	8	－	1	－	－	－	－
八戸市	6	6	－	1	－	－	－	－
盛岡市	5	5	－	－	－	－	－	－
秋田市	2	2	12	－	－	－	－	－
郡山市	6	6	－	3	－	－	－	－
いわき市	－	－	－	－	－	－	－	－
宇都宮市	10	10	－	1	－	－	－	－
前橋市	3	3	－	－	－	－	－	－
高崎市	10	10	－	1	－	－	－	－
川越市	8	8	－	－	－	－	－	－
越谷市	6	6	－	－	－	－	－	－
船橋市	15	15	－	7	－	－	－	－
柏市	30	30	－	12	－	－	－	－
八王子市	－	－	－	－	－	－	－	－
横須賀市	4	4	－	－	－	－	－	－
富山市	11	11	－	2	－	－	－	－
金沢市	13	13	－	2	－	－	－	－
長野市	6	6	－	－	－	－	－	－
岐阜市	3	3	2	－	－	－	－	－
豊橋市	1	1	－	－	－	－	－	－
豊田市	－	－	－	－	－	－	－	－
岡崎市	－	－	－	－	－	－	－	－
大津市	5	5	－	－	－	－	－	－
高槻市	3	3	1	2	－	－	－	－
東大阪市	1	1	－	1	－	－	－	－
豊中市	2	2	1	1	－	－	－	－
枚方市	2	2	－	2	－	－	－	－
姫路市	10	10	11	－	－	－	－	－
西宮市	31	31	－	11	－	－	－	－
尼崎市	13	13	14	4	－	－	－	－
奈良市	5	5	－	－	－	－	－	－
和歌山市	1	1	1	－	－	－	－	－
倉敷市	2	2	－	－	－	－	－	－
福山市	12	12	23	－	－	－	－	－
呉市	12	12	12	－	12	－	－	－
下関市	1	1	1	－	－	－	－	－
高松市	2	2	2	1	－	－	－	－
松山市	3	3	－	1	－	－	－	－
高知市	10	10	－	－	－	－	－	－
久留米市	4	4	－	－	－	－	－	－
長崎市	18	18	－	2	－	－	－	－
佐世保市	3	3	3	3	－	－	－	－
大分市	10	10	－	－	－	－	－	－
宮崎市	2	2	－	－	－	－	－	－
鹿児島市	11	11	10	－	－	－	－	－
那覇市	1	1	－	－	－	－	－	－

説明又は資料の要求・処分件数・改善の勧告，建築物の種類・都道府県－指定都市－中核市（再掲）別

平成29年度

店舗							
特定建築物施設数（年度末現在）	管理技術者選任建築物数（年度末現在）	立入検査等回数		説明又は資料の要求	処分件数（年度中）		改善の勧告
		報告徴収	立入検査		改善命令	使用停止・使用制限	
259	256	248	43	－	－	－	－
151	151	103	22	－	－	－	－
62	62	－	4	－	－	－	－
80	79	－	25	－	－	－	－
298	298	293	108	5	－	－	－
85	83	1	18	1	－	－	－
65	65	－	－	－	－	－	－
18	18	18	－	－	－	－	－
25	25	－	4	－	－	－	－
64	64	－	9	－	－	－	－
146	146	125	138	－	－	－	－
79	79	－	8	－	－	－	－
288	286	219	14	2	－	－	－
45	45	－	25	－	－	－	－
177	173	127	5	3	－	－	－
72	72	－	5	－	－	－	－
80	80	13	4	－	－	－	－
91	88	56	27	－	－	－	－
93	92	93	5	－	－	－	－
61	61	－	6	－	－	－	－
50	50	46	7	－	－	－	－
29	29	26	1	－	－	－	－
37	37	－	6	－	－	－	－
23	23	－	4	－	－	－	－
35	35	－	1	－	－	－	－
51	51	217	2	－	－	－	－
41	41	－	39	－	－	－	－
32	32	－	16	－	－	－	－
45	45	－	5	－	－	－	－
31	31	－	－	－	－	－	－
21	21	－	4	－	－	－	－
17	17	－	－	－	－	－	－
22	22	－	－	－	－	－	－
27	27	－	4	－	－	－	－
16	16	－	2	－	－	－	－
45	45	－	3	－	－	－	－
26	26	－	－	－	－	－	－
43	43	－	15	－	－	－	－
43	43	－	1	－	－	－	－
37	37	－	－	－	－	－	－
26	26	20	－	－	－	－	－
28	28	－	7	－	－	－	－
34	34	－	6	－	－	－	－
23	23	－	3	－	－	－	－
19	19	－	－	－	－	－	－
19	19	15	3	－	－	－	－
36	36	－	36	－	－	－	－
31	30	14	15	－	－	－	－
31	31	－	29	－	－	－	－
28	28	27	－	－	－	－	－
4	4	－	4	－	－	－	－
20	20	20	2	－	－	－	－
32	32	－	1	－	－	－	－
34	33	30	－	－	－	－	－
45	45	－	－	－	－	－	－
41	41	77	2	－	－	－	－
8	8	8	－	8	－	－	－
31	31	31	－	－	－	－	－
34	34	28	4	－	－	－	－
42	42	－	5	－	－	－	－
18	18	－	4	－	－	－	－
20	20	－	2	－	－	－	－
11	11	－	3	－	－	－	－
25	25	21	－	1	－	－	－
35	35	－	5	－	－	－	－
31	31	－	6	－	－	－	－
37	37	33	－	－	－	－	－
17	17	－	－	－	－	－	－

（報告表　17）

第２表（８－５） 特定建築物施設数・管理技術者選任建築物数・立入検査等回数・

	事務所							
	特定建築物施設数(年度末現在)	管理技術者選任建築物数(年度末現在)	立入検査等回数		説明又は資料の要求	処分件数（年度中）		改善の勧告
			報告徴収	立入検査		改善命令	使用停止・使用制限	
全国	**18 890**	**18 837**	**8 985**	**2 559**	**1 114**	**－**	**－**	**－**
北海道	695	693	578	100	30	－	－	－
青森	161	160	1	27	－	－	－	－
岩手	139	138	－	7	－	－	－	－
宮城	396	396	269	33	－	－	－	－
秋田	111	111	398	3	－	－	－	－
山形	116	116	－	4	－	－	－	－
福島	178	177	5	83	11	－	－	－
茨城	257	256	－	16	－	－	－	－
栃木	162	162	－	22	－	－	－	－
群馬	185	185	6	8	－	－	－	－
埼玉	429	429	－	18	143	－	－	－
千葉	476	474	－	93	－	－	－	－
東京	5 224	5 213	2 943	597	409	－	－	－
神奈川	1 229	1 220	643	269	81	－	－	－
新潟	258	258	128	6	36	－	－	－
富山	132	132	－	41	3	－	－	－
石川	145	145	－	1	－	－	－	－
福井	93	93	－	17	5	－	－	－
山梨	66	62	－	2	－	－	－	－
長野	237	237	－	11	－	－	－	－
岐阜	153	153	102	3	36	－	－	－
静岡	417	417	－	84	－	－	－	－
愛知	1 211	1 206	706	498	26	－	－	－
三重	169	169	－	3	－	－	－	－
滋賀	107	107	－	9	－	－	－	－
京都	320	318	－	17	－	－	－	－
大阪	2 008	2 007	1 405	289	110	－	－	－
兵庫	606	602	379	54	45	－	－	－
奈良	82	82	－	8	－	－	－	－
和歌山	82	80	49	26	－	－	－	－
鳥取	57	57	－	－	－	－	－	－
島根	81	81	－	1	－	－	－	－
岡山	186	185	281	29	24	－	－	－
広島	459	459	264	16	61	－	－	－
山口	134	134	34	21	－	－	－	－
徳島	66	66	－	2	－	－	－	－
香川	155	155	110	2	40	－	－	－
愛媛	164	164	－	17	－	－	－	－
高知	86	86	－	14	1	－	－	－
福岡	791	786	590	45	35	－	－	－
佐賀	90	90	－	－	－	－	－	－
長崎	125	125	14	7	16	－	－	－
熊本	165	165	－	30	2	－	－	－
大分	121	120	6	10	－	－	－	－
宮崎	88	88	－	13	－	－	－	－
鹿児島	126	126	74	3	－	－	－	－
沖縄	152	152	－	－	－	－	－	－

説明又は資料の要求・処分件数・改善の勧告，建築物の種類・都道府県－指定都市－中核市（再掲）別

平成29年度

学							校
特定建築物施設数（年度末現在）	管理技術者選任建築物数（年度末現在）	立入検査等回数		説明又は資料の要求	処分件数（年度中）		改善の勧告
		報告徴収	立入検査		改善命令	使用停止・使用制限	
3 970	**3 933**	**1 535**	**692**	**666**	**–**	**–**	**–**
261	260	225	36	9	–	–	–
26	24	–	2	–	–	–	–
24	24	–	1	–	–	–	–
103	103	72	6	–	–	–	–
41	41	59	1	–	–	–	–
49	49	–	–	–	–	–	–
72	72	–	32	4	–	–	–
46	46	–	3	–	–	–	–
25	25	–	2	–	–	–	–
17	17	–	1	–	–	–	–
144	144	–	7	91	–	–	–
145	142	–	36	–	–	–	–
951	946	486	100	323	–	–	–
384	381	92	73	115	–	–	–
66	66	26	6	14	–	–	–
23	23	–	6	–	–	–	–
41	41	–	1	–	–	–	–
37	26	–	2	10	–	–	–
14	13	–	–	–	–	–	–
10	9	–	–	–	–	–	–
21	21	17	–	5	–	–	–
128	127	–	37	–	–	–	–
218	218	139	133	8	–	–	–
11	11	–	–	–	–	–	–
22	22	–	–	–	–	–	–
114	114	–	4	–	–	–	–
274	272	108	115	16	–	–	–
152	150	72	19	18	–	–	–
16	16	–	–	–	–	–	–
11	11	5	3	–	–	–	–
12	12	–	–	–	–	–	–
26	26	–	–	–	–	–	–
43	43	39	8	3	–	–	–
75	71	49	6	13	–	–	–
20	20	3	2	–	–	–	–
4	3	–	1	–	–	–	–
33	33	16	–	15	–	–	–
10	10	–	1	–	–	–	–
14	14	–	–	–	–	–	–
173	173	122	40	15	–	–	–
15	15	–	1	–	–	–	–
27	27	2	4	7	–	–	–
21	21	–	–	–	–	–	–
9	9	1	–	–	–	–	–
18	18	–	3	–	–	–	–
6	6	2	–	–	–	–	–
18	18	–	–	–	–	–	–

（報告表　17）

第２表（８－６）　特定建築物施設数・管理技術者選任建築物数・立入検査等回数・

	事務所							
	特定建築物施設数(年度末現在)	管理技術者選任建築物数(年度末現在)	立入検査等回数		説明又は資料の要求	処分件数（年度中）		改善の勧告
			報告徴収	立入検査		改善命令	使用停止・使用制限	
指定都市(再掲)								
札幌市	410	410	401	84	–	–	–	–
仙台市	333	333	269	28	–	–	–	–
さいたま市	172	172	–	4	31	–	–	–
千葉市	175	174	–	25	–	–	–	–
横浜市	716	716	639	190	77	–	–	–
川崎市	196	187	4	25	4	–	–	–
相模原市	51	51	–	–	–	–	–	–
新潟市	159	159	128	3	35	–	–	–
静岡市	142	142	–	24	–	–	–	–
浜松市	85	85	–	13	–	–	–	–
名古屋市	792	792	705	394	26	–	–	–
京都市	272	272	–	11	–	–	–	–
大阪市	1 545	1 544	1 227	41	105	–	–	–
堺市	67	67	–	28	–	–	–	–
神戸市	337	333	247	15	39	–	–	–
岡山市	116	116	–	24	24	–	–	–
広島市	311	311	73	3	–	–	–	–
北九州市	141	136	112	23	–	–	–	–
福岡市	513	513	478	16	35	–	–	–
熊本市	117	117	–	19	–	–	–	–
中核市(再掲)								
旭川市	44	44	43	–	–	–	–	–
函館市	37	36	34	–	–	–	–	–
青森市	74	74	–	14	–	–	–	–
八戸市	28	27	–	1	–	–	–	–
盛岡市	75	74	–	–	–	–	–	–
秋田市	76	76	398	1	–	–	–	–
郡山市	43	43	–	30	–	–	–	–
いわき市	23	23	–	1	–	–	–	–
宇都宮市	97	97	–	10	–	–	–	–
前橋市	64	64	–	1	–	–	–	–
高崎市	55	55	–	7	–	–	–	–
川越市	29	29	–	–	–	–	–	–
越谷市	17	17	–	–	2	–	–	–
船橋市	42	42	–	4	–	–	–	–
柏市	31	31	–	2	–	–	–	–
八王子市	62	62	–	1	–	–	–	–
横須賀市	46	46	–	1	–	–	–	–
富山市	87	87	–	27	3	–	–	–
金沢市	99	99	–	1	–	–	–	–
長野市	104	104	–	4	–	–	–	–
岐阜市	68	68	58	3	–	–	–	–
豊橋市	19	19	–	10	–	–	–	–
豊田市	85	85	–	–	–	–	–	–
岡崎市	37	37	–	7	–	–	–	–
大津市	43	43	–	–	–	–	–	–
高槻市	14	14	4	5	–	–	–	–
東大阪市	26	26	19	7	–	–	–	–
豊中市	26	26	14	7	5	–	–	–
枚方市	23	23	–	15	–	–	–	–
姫路市	54	54	54	–	–	–	–	–
西宮市	22	22	–	13	–	–	–	–
尼崎市	57	57	49	7	6	–	–	–
奈良市	43	43	–	–	–	–	–	–
和歌山市	56	54	49	3	–	–	–	–
倉敷市	30	30	–	–	–	–	–	–
福山市	50	50	68	3	30	–	–	–
呉市	31	31	31	–	31	–	–	–
下関市	28	28	28	–	–	–	–	–
高松市	117	117	92	2	27	–	–	–
松山市	101	101	–	12	–	–	–	–
高知市	63	63	–	12	–	–	–	–
久留米市	28	28	–	–	–	–	–	–
長崎市	75	75	–	3	4	–	–	–
佐世保市	27	27	14	3	12	–	–	–
大分市	87	86	6	9	–	–	–	–
宮崎市	63	63	–	7	–	–	–	–
鹿児島市	81	81	74	–	–	–	–	–
那覇市	80	80	–	–	–	–	–	–

説明又は資料の要求・処分件数・改善の勧告，建築物の種類・都道府県－指定都市－中核市（再掲）別

平成29年度

学校							
特定建築物施設数（年度末現在）	管理技術者選任建築物数（年度末現在）	立入検査等回数		説明又は資料の要求	処分件数（年度中）		改善の勧告
		報告徴収	立入検査		改善命令	使用停止・使用制限	
165	164	160	31	－	－	－	－
85	85	72	4	－	－	－	－
22	22	－	1	12	－	－	－
33	33	－	6	－	－	－	－
202	202	92	46	110	－	－	－
48	45	－	5	5	－	－	－
31	31	－	－	－	－	－	－
42	42	26	5	13	－	－	－
32	32	－	3	－	－	－	－
31	31	－	10	－	－	－	－
160	160	139	125	8	－	－	－
93	93	－	4	－	－	－	－
82	82	59	－	14	－	－	－
20	19	－	12	－	－	－	－
79	77	50	5	12	－	－	－
26	26	－	8	3	－	－	－
31	31	3	1	－	－	－	－
41	41	27	14	－	－	－	－
108	108	93	21	15	－	－	－
19	19	－	－	－	－	－	－
13	13	13	1	－	－	－	－
8	8	8	－	－	－	－	－
8	8	－	－	－	－	－	－
1	1	－	－	－	－	－	－
10	10	－	－	－	－	－	－
15	15	59	1	－	－	－	－
16	16	－	9	－	－	－	－
8	8	－	1	－	－	－	－
8	8	－	－	－	－	－	－
5	5	－	1	－	－	－	－
4	4	－	－	－	－	－	－
8	8	－	－	－	－	－	－
9	9	－	－	8	－	－	－
8	8	－	3	－	－	－	－
10	10	－	3	－	－	－	－
50	50	－	5	－	－	－	－
14	14	－	3	－	－	－	－
20	20	－	4	－	－	－	－
23	23	－	1	－	－	－	－
2	2	－	－	－	－	－	－
11	11	11	－	－	－	－	－
3	3	－	2	－	－	－	－
5	5	－	1	－	－	－	－
4	4	－	－	－	－	－	－
6	6	－	－	－	－	－	－
8	8	3	1	－	－	－	－
20	20	－	20	－	－	－	－
8	7	3	1	2	－	－	－
25	25	－	18	－	－	－	－
11	11	11	－	－	－	－	－
25	25	－	11	－	－	－	－
14	14	4	－	6	－	－	－
7	7	－	－	－	－	－	－
9	9	5	1	－	－	－	－
11	11	－	－	－	－	－	－
9	9	10	－	8	－	－	－
4	4	4	－	4	－	－	－
2	2	2	－	－	－	－	－
21	21	11	－	9	－	－	－
5	5	－	1	－	－	－	－
8	8	－	－	－	－	－	－
2	2	2	4	－	－	－	－
18	18	－	4	5	－	－	－
4	4	2	－	2	－	－	－
5	5	1	－	－	－	－	－
15	15	－	－	－	－	－	－
2	2	2	－	－	－	－	－
2	2	－	－	－	－	－	－

（報告表　17）

第２表（８－７）　特定建築物施設数・管理技術者選任建築物数・立入検査等回数・

	旅							館
	特定建築物施設数（年度末現在）	管理技術者選任建築物数（年度末現在）	立入検査等回数		説明又は資料の要求	処分件数（年度中）		改善の勧告
			報告徴収	立入検査		改善命令	使用停止・使用制限	
全国	**6 146**	**6 072**	**1 853**	**2 124**	**52**	**－**	**－**	**－**
北海道	450	445	314	329	6	－	－	－
青森	76	73	－	15	－	－	－	－
岩手	108	107	－	34	－	－	－	－
宮城	142	142	47	63	－	－	－	－
秋田	83	81	116	45	－	－	－	－
山形	95	95	－	22	－	－	－	－
福島	187	186	5	105	11	－	－	－
茨城	83	83	－	48	－	－	－	－
栃木	154	153	－	13	－	－	－	－
群馬	130	130	42	2	－	－	－	－
埼玉	50	50	－	26	2	－	－	－
千葉	180	179	－	135	－	－	－	－
東京	413	412	263	56	6	－	－	－
神奈川	251	251	76	125	1	－	－	－
新潟	141	141	34	10	2	－	－	－
富山	87	87	－	53	－	－	－	－
石川	150	150	－	50	1	－	－	－
福井	45	41	－	16	5	－	－	－
山梨	78	68	－	17	－	－	－	－
長野	326	324	3	80	－	－	－	－
岐阜	81	81	83	14	1	－	－	－
静岡	354	346	－	132	－	－	－	－
愛知	231	228	99	138	－	－	－	－
三重	118	117	－	6	－	－	－	－
滋賀	48	48	－	－	－	－	－	－
京都	147	147	－	45	－	－	－	－
大阪	248	243	146	47	2	－	－	－
兵庫	206	203	90	52	4	－	－	－
奈良	33	33	－	10	－	－	－	－
和歌山	68	66	15	48	1	－	－	－
鳥取	67	67	－	4	－	－	－	－
島根	43	42	－	1	－	－	－	－
岡山	81	81	206	35	－	－	－	－
広島	113	113	79	42	7	－	－	－
山口	86	85	12	66	－	－	－	－
徳島	23	23	－	－	－	－	－	－
香川	48	47	43	29	－	－	－	－
愛媛	64	64	－	19	－	－	－	－
高知	39	39	－	6	－	－	－	－
福岡	195	190	128	44	2	－	－	－
佐賀	45	42	－	20	－	－	－	－
長崎	106	105	19	52	－	－	－	－
熊本	90	90	－	6	1	－	－	－
大分	81	79	－	11	－	－	－	－
宮崎	49	49	－	21	－	－	－	－
鹿児島	99	92	33	32	－	－	－	－
沖縄	154	154	－	－	－	－	－	－

説明又は資料の要求・処分件数・改善の勧告，建築物の種類・都道府県－指定都市－中核市（再掲）別

平成29年度

その他							
特定建築物施設数（年度末現在）	管理技術者選任建築物数（年度末現在）	立入検査等回数		説明又は資料の要求	処分件数（年度中）		改善の勧告
		報告徴収	立入検査		改善命令	使用停止・使用制限	
3 816	**3 796**	**1 029**	**513**	**446**	**1**	**1**	**－**
200	199	128	22	15	－	－	－
39	39	1	8	－	－	－	－
50	49	－	1	－	－	－	－
65	65	30	4	－	－	－	－
49	49	128	7	－	－	－	－
46	46	－	3	1	－	－	－
63	63	2	34	6	－	－	－
78	77	－	5	－	－	－	－
41	41	－	4	－	－	－	－
68	68	2	2	－	－	－	－
150	150	－	5	102	－	－	－
134	134	－	19	－	－	－	－
320	319	109	36	118	－	－	－
188	188	68	56	27	－	－	－
85	85	8	－	28	－	－	－
50	50	－	10	－	－	－	－
58	58	－	5	－	－	－	－
44	43	－	1	10	－	－	－
35	34	－	1	－	－	－	－
109	109	－	9	－	－	－	－
70	70	30	－	31	－	－	－
131	131	－	27	－	－	－	－
247	246	62	87	13	1	1	－
100	100	－	3	1	－	－	－
36	36	－	5	－	－	－	－
73	72	－	4	－	－	－	－
237	234	61	42	26	－	－	－
148	147	71	19	19	－	－	－
49	49	－	5	－	－	－	－
26	24	12	11	－	－	－	－
16	16	－	－	－	－	－	－
30	29	－	－	－	－	－	－
56	56	143	7	7	－	－	－
95	95	67	3	17	－	－	－
68	68	19	26	－	－	－	－
15	15	－	－	－	－	－	－
30	30	14	－	10	－	－	－
66	66	－	2	－	－	－	－
17	17	－	3	－	－	－	－
156	155	50	14	6	－	－	－
42	42	－	5	－	－	－	－
54	50	4	4	9	－	－	－
39	39	－	7	－	－	－	－
26	26	－	3	－	－	－	－
21	21	－	3	－	－	－	－
37	37	20	1	－	－	－	－
59	59	－	－	－	－	－	－

（報告表　17）

第２表（８－８） 特定建築物施設数・管理技術者選任建築物数・立入検査等回数・

	旅館							
	特定建築物施設数(年度末現在)	管理技術者選任建築物数(年度末現在)	立入検査等回数		説明又は資料の要求	処分件数（年度中）		改善の勧告
			報告徴収	立入検査		改善命令	使用停止・使用制限	
指定都市(再掲)								
札幌市	131	129	121	39	-	-	-	-
仙台市	76	76	47	8	-	-	-	-
さいたま市	12	12	-	9	-	-	-	-
千葉市	29	29	-	9	-	-	-	-
横浜市	72	72	71	58	1	-	-	-
川崎市	13	13	5	8	-	-	-	-
相模原市	12	12	-	4	-	-	-	-
新潟市	34	34	34	2	-	-	-	-
静岡市	23	23	-	4	-	-	-	-
浜松市	41	41	-	19	-	-	-	-
名古屋市	110	107	96	101	-	-	-	-
京都市	125	125	-	29	-	-	-	-
大阪市	177	177	122	10	2	-	-	-
堺市	12	12	-	-	-	-	-	-
神戸市	93	90	68	4	4	-	-	-
岡山市	26	26	-	8	-	-	-	-
広島市	50	50	8	1	-	-	-	-
北九州市	42	37	27	6	-	-	-	-
福岡市	105	105	101	23	2	-	-	-
熊本市	39	39	-	-	1	-	-	-
中核市(再掲)								
旭川市	19	19	18	20	-	-	-	-
函館市	34	33	30	-	-	-	-	-
青森市	21	21	-	5	-	-	-	-
八戸市	12	12	-	1	-	-	-	-
盛岡市	23	23	-	6	-	-	-	-
秋田市	25	25	116	25	-	-	-	-
郡山市	26	26	-	14	-	-	-	-
いわき市	25	25	-	1	-	-	-	-
宇都宮市	26	26	-	9	-	-	-	-
前橋市	9	9	-	1	-	-	-	-
高崎市	15	15	-	1	-	-	-	-
川越市	3	3	-	-	-	-	-	-
越谷市	-	-	-	-	-	-	-	-
船橋市	2	2	-	2	-	-	-	-
柏市	10	10	-	10	-	-	-	-
八王子市	7	7	-	2	-	-	-	-
横須賀市	5	5	-	-	-	-	-	-
富山市	32	32	-	9	-	-	-	-
金沢市	42	42	-	10	-	-	-	-
長野市	27	27	-	10	-	-	-	-
岐阜市	19	19	16	14	-	-	-	-
豊橋市	10	10	-	-	-	-	-	-
豊田市	14	14	-	9	-	-	-	-
岡崎市	4	4	-	2	-	-	-	-
大津市	16	16	-	-	-	-	-	-
高槻市	3	3	-	3	-	-	-	-
東大阪市	4	4	-	3	-	-	-	-
豊中市	6	4	4	1	-	-	-	-
枚方市	3	1	-	3	-	-	-	-
姫路市	13	13	12	-	-	-	-	-
西宮市	4	4	-	3	-	-	-	-
尼崎市	6	6	5	1	-	-	-	-
奈良市	22	22	-	4	-	-	-	-
和歌山市	20	18	15	-	-	-	-	-
倉敷市	22	22	-	4	-	-	-	-
福山市	13	13	26	13	-	-	-	-
呉市	7	7	7	-	7	-	-	-
下関市	13	13	12	-	-	-	-	-
高松市	19	19	19	10	-	-	-	-
松山市	46	46	-	10	-	-	-	-
高知市	25	25	-	5	-	-	-	-
久留米市	10	10	-	-	-	-	-	-
長崎市	39	39	-	13	-	-	-	-
佐世保市	19	19	19	6	-	-	-	-
大分市	17	17	-	1	-	-	-	-
宮崎市	27	27	-	8	-	-	-	-
鹿児島市	40	38	33	-	-	-	-	-
那覇市	57	57	-	-	-	-	-	-

説明又は資料の要求・処分件数・改善の勧告，建築物の種類・都道府県－指定都市－中核市（再掲）別

平成29年度

その他							
特定建築物施設数（年度末現在）	管理技術者選任建築物数（年度末現在）	立入検査等回数		説明又は資料の要求	処分件数（年度中）		改善の勧告
		報告徴収	立入検査		改善命令	使用停止・使用制限	
51	51	52	9	－	－	－	－
42	42	30	2	－	－	－	－
24	24	－	3	17	－	－	－
33	33	－	3	－	－	－	－
93	93	67	39	26	－	－	－
13	13	1	4	1	－	－	－
12	12	－	－	－	－	－	－
34	34	8	－	28	－	－	－
31	31	－	3	－	－	－	－
25	25	－	2	－	－	－	－
79	79	61	48	13	1	1	－
40	40	－	2	－	－	－	－
73	73	45	2	15	－	－	－
31	31	－	4	2	－	－	－
63	62	42	3	16	－	－	－
21	21	－	2	7	－	－	－
47	47	7	－	－	－	－	－
30	29	21	8	－	－	－	－
36	36	29	5	6	－	－	－
19	19	－	3	－	－	－	－
15	15	13	－	－	－	－	－
12	12	12	－	－	－	－	－
9	9	－	1	－	－	－	－
4	4	－	－	－	－	－	－
21	20	－	1	－	－	－	－
25	25	128	4	－	－	－	－
13	13	－	6	－	－	－	－
10	10	－	1	－	－	－	－
18	18	－	2	－	－	－	－
16	16	－	－	－	－	－	－
16	16	－	2	－	－	－	－
9	9	－	－	－	－	－	－
11	11	－	－	7	－	－	－
7	7	－	1	－	－	－	－
8	8	－	－	－	－	－	－
13	13	－	－	1	－	－	－
8	8	－	1	－	－	－	－
26	26	－	3	－	－	－	－
26	26	－	2	－	－	－	－
39	39	－	1	－	－	－	－
8	8	6	－	－	－	－	－
11	11	－	－	－	－	－	－
16	16	－	1	－	－	－	－
13	13	－	2	－	－	－	－
9	9	－	－	－	－	－	－
10	10	2	3	－	－	－	－
9	8	1	8	－	－	－	－
12	11	1	1	9	－	－	－
13	12	－	4	－	－	－	－
22	22	21	－	－	－	－	－
10	10	－	4	－	－	－	－
6	6	3	1	3	－	－	－
13	13	－	1	－	－	－	－
14	12	12	－	－	－	－	－
14	14	－	－	－	－	－	－
16	16	26	－	8	－	－	－
9	9	9	－	9	－	－	－
13	13	13	－	－	－	－	－
13	13	6	－	8	－	－	－
32	32	－	1	－	－	－	－
12	12	－	3	－	－	－	－
12	12	－	－	－	－	－	－
16	16	－	3	3	－	－	－
11	11	4	－	6	－	－	－
9	9	－	－	－	－	－	－
13	13	－	1	－	－	－	－
21	21	20	－	－	－	－	－
4	4	－	－	－	－	－	－

（報告表　17）

第3表（8－1） 特定建築物施設数・管理技術者選任建築物数・立入検査

	特定建築物施設数（年度末現在）	管理技術者選任建築物数（年度末現在）	立入検査等回数		空気環境・					
					空気環境の[1]測定実施		ホルムアルデヒド量の測定実施		浮遊粉じんの量	
			報告徴収	立入検査	調査件数	不適件数	調査件数	不適件数	調査件数	不適件数
全国	**45 679**	**45 433**	**17 907**	**8 842**	**17 115**	**201**	**1 312**	**102**	**16 754**	**395**
北海道	2 376	2 363	1 878	598	1 367	8	49	4	1 339	65
青森	472	465	2	89	89	−	3	2	89	−
岩手	477	472	−	62	17	−	5	−	17	−
宮城	1 047	1 047	540	161	605	2	36	20	594	28
秋田	414	412	960	62	647	1	−	−	646	1
山形	456	456	−	49	34	1	7	1	33	−
福島	762	759	12	433	392	7	12	4	383	6
茨城	811	806	−	129	124	3	−	−	119	2
栃木	636	635	−	69	62	1	6	1	56	−
群馬	609	608	64	19	83	1	38	−	82	−
埼玉	1 327	1 327	−	118	74	2	4	−	72	1
千葉	1 584	1 571	−	569	550	6	25	1	543	−
東京	8 107	8 085	4 494	990	1 506	4	169	6	1 443	12
神奈川	2 860	2 846	1 203	721	642	7	139	14	623	36
新潟	787	787	267	29	13	−	4	−	13	−
富山	432	432	−	196	193	5	30	1	188	3
石川	551	551	−	74	73	1	35	2	72	−
福井	292	275	−	59	58	3	27	1	55	1
山梨	258	241	−	27	2	−	2	−	2	−
長野	927	924	5	113	91	−	43	−	83	−
岐阜	489	489	383	19	364	8	13	−	355	10
静岡	1 419	1 409	−	394	371	7	8	1	363	−
愛知	2 648	2 630	1 262	1 289	2 289	22	69	15	2 258	94
三重	591	590	−	23	17	1	4	1	15	−
滋賀	362	362	−	73	73	3	26	2	70	−
京都	856	849	−	120	114	−	33	−	114	−
大阪	3 557	3 542	2 121	817	2 553	36	70	9	2 517	66
兵庫	1 676	1 662	886	211	1 008	8	131	1	978	17
奈良	317	317	−	44	42	1	1	1	41	−
和歌山	268	261	115	124	230	4	87	1	226	1
鳥取	216	216	−	5	3	−	1	−	3	−
島根	268	266	−	6	3	−	−	−	3	−
岡山	596	595	1 257	95	207	1	4	−	206	−
広島	1 044	1 040	705	105	746	22	13	6	721	12
山口	472	469	106	209	301	2	5	1	297	−
徳島	157	156	−	7	−	−	−	−	−	−
香川	362	361	248	37	247	2	56	−	245	6
愛媛	454	454	−	88	87	4	25	1	83	1
高知	217	217	−	28	28	−	1	−	28	−
福岡	1 857	1 839	1 145	247	1 304	14	83	4	1 287	28
佐賀	277	274	−	35	21	−	10	−	21	−
長崎	426	419	68	80	100	4	4	−	96	1
熊本	467	467	−	61	60	6	10	−	54	−
大分	349	346	8	33	36	−	5	−	36	1
宮崎	272	272	−	80	80	−	6	1	80	−
鹿児島	398	390	178	45	209	4	13	1	205	3
沖縄	479	479	−	−	−	−	−	−	−	−

注：146ページの注1）～5）参照

平成29年度

空気調和の調整											
一酸化炭素の含有率		二酸化炭素の含有率		温度		相対湿度		気流		ホルムアルデヒド量	
調査件数	不適件数	調査件数	不適件数	調査件数	不適件数	調査件数	不適件数	調査件数	不適件数	調査件数	不適件数
16 755	**56**	**16 782**	**4 655**	**14 573**	**4 656**	**14 067**	**8 040**	**16 641**	**403**	**1 093**	**14**
1 339	7	1 339	470	931	280	926	566	1 335	31	38	－
89	－	89	27	78	8	67	41	89	1	1	－
17	－	17	1	17	5	16	7	17	－	5	－
596	1	596	264	557	240	555	440	594	44	15	－
646	－	646	116	556	135	556	218	646	1	－	－
33	－	33	5	32	10	32	20	32	－	5	－
383	1	383	71	239	40	228	97	383	－	6	－
119	1	119	18	119	34	119	91	112	－	－	－
56	－	61	7	61	19	61	44	55	－	3	－
82	－	82	7	82	26	82	27	82	1	38	－
72	－	72	16	24	7	24	12	72	－	4	－
543	－	541	69	517	80	511	264	543	4	21	1
1 453	－	1 453	212	1 448	30	1 431	258	1 351	1	115	3
624	8	623	242	586	296	578	510	625	33	107	－
9	－	9	1	9	－	9	1	9	－	4	－
188	3	188	13	159	13	159	17	187	3	29	1
72	－	72	2	72	－	72	－	72	－	33	－
55	－	55	13	54	28	54	39	54	－	26	－
2	－	2	－	2	－	2	－	2	－	2	－
83	－	91	2	91	7	91	18	83	－	43	－
355	2	355	82	352	223	350	242	354	21	12	－
364	－	364	62	172	79	159	108	364	6	7	－
2 259	14	2 261	931	2 093	1 114	1 689	1 388	2 256	96	52	－
15	－	15	1	15	3	15	2	15	－	3	－
70	－	70	11	70	13	57	12	70	2	21	2
114	－	114	14	85	15	85	29	114	1	32	－
2 517	3	2 517	891	2 171	601	2 171	1 502	2 517	35	55	5
984	5	984	258	769	239	769	453	983	32	119	1
41	－	41	2	41	12	38	11	40	－	－	－
226	1	226	19	226	42	226	61	222	3	85	1
3	－	3	－	3	－	3	－	3	－	1	－
3	－	3	－	3	－	3	－	3	－	－	－
206	1	206	20	206	38	197	47	206	1	3	－
721	4	721	225	695	384	695	499	720	20	3	－
297	－	297	25	273	78	273	99	297	5	4	－
－	－	－	－	－	－	－	－	－	－	－	－
245	1	244	72	245	154	245	204	245	8	55	－
83	－	83	8	83	8	83	22	83	－	24	－
28	－	28	6	13	1	13	5	28	－	1	－
1 287	2	1 287	413	965	309	965	540	1 286	44	76	－
21	－	21	－	15	－	15	－	21	－	10	－
80	1	96	13	91	18	90	31	96	4	4	－
54	－	54	5	54	－	54	3	54	－	9	－
36	－	36	9	36	6	36	18	36	－	5	－
80	1	80	4	78	3	78	15	80	－	5	－
205	－	205	28	185	58	185	79	205	6	12	－
－	－	－	－	－	－	－	－	－	－	－	－

（報告表 17）

第３表（８－２） 特定建築物施設数・管理技術者選任建築物数・立入検査

	特定建築物施設数(年度末現在)	管理技術者選任建築物数(年度末現在)	立入検査等回数		空気環境・					
					空気環境の[1]測定実施		ホルムアルデヒド量の測定実施		浮遊粉じんの量	
			報告徴収	立入検査	調査件数	不適件数	調査件数	不適件数	調査件数	不適件数
指定都市(再掲)										
札幌市	1 067	1 061	1 030	215	838	6	19	3	832	54
仙台市	708	708	540	67	542	2	33	20	535	28
さいたま市	332	332	-	21	21	-	-	-	21	-
千葉市	379	377	-	71	71	-	5	-	71	-
横浜市	1 419	1 419	1 191	459	421	-	111	6	409	29
川崎市	373	359	12	62	34	-	13	2	34	3
相模原市	178	178	-	5	5	1	-	-	4	-
新潟市	346	346	267	13	-	-	-	-	-	-
静岡市	295	295	-	42	42	-	4	-	42	-
浜松市	262	262	-	54	44	-	1	-	44	-
名古屋市	1 435	1 430	1 257	974	2 037	18	52	14	2 010	90
京都市	652	652	-	63	63	-	13	-	63	-
大阪市	2 214	2 211	1 707	73	1 780	20	19	-	1 760	39
堺市	186	185	-	69	26	2	3	1	24	-
神戸市	783	769	560	32	537	6	21	-	529	11
岡山市	290	290	-	51	45	1	2	-	44	-
広島市	583	583	106	16	106	19	7	5	87	1
北九州市	382	365	272	81	350	3	9	1	347	13
福岡市	938	937	871	80	873	8	21	3	862	13
熊本市	264	264	-	30	30	4	-	-	26	-
中核市(再掲)										
旭川市	160	160	150	28	19	-	-	-	19	-
函館市	127	125	117	1	108	-	4	-	108	7
青森市	165	165	-	28	28	-	-	-	28	-
八戸市	75	74	-	8	8	-	-	-	8	-
盛岡市	174	172	-	8	8	-	-	-	8	-
秋田市	199	199	960	34	642	-	-	-	642	1
郡山市	146	146	-	101	101	-	3	1	100	1
いわき市	105	105	-	23	23	-	-	-	23	-
宇都宮市	213	213	-	28	28	1	1	1	27	-
前橋市	131	131	-	4	4	-	-	-	4	-
高崎市	125	125	-	15	15	-	10	-	15	-
川越市	76	76	-	-	-	-	-	-	-	-
越谷市	66	66	-	-	-	-	-	-	-	-
船橋市	103	103	-	22	21	-	-	-	21	-
柏市	106	106	-	29	25	-	1	-	25	-
八王子市	180	180	-	11	9	-	3	-	9	-
横須賀市	105	105	-	6	-	-	-	-	-	-
富山市	221	221	-	61	60	2	3	-	58	2
金沢市	251	251	-	18	18	-	1	-	18	-
長野市	221	221	-	15	15	-	1	-	15	-
岐阜市	140	140	118	17	118	1	-	-	116	8
豊橋市	77	77	-	19	19	-	-	-	19	-
豊田市	155	155	-	21	21	-	2	1	21	-
岡崎市	83	82	-	14	14	1	-	-	13	-
大津市	102	102	-	-	-	-	-	-	-	-
高槻市	58	58	25	17	40	-	2	-	40	6
東大阪市	98	97	20	77	95	2	4	-	93	6
豊中市	86	81	37	26	63	5	4	3	58	3
枚方市	98	95	-	71	71	1	3	-	70	-
姫路市	141	141	139	-	136	-	6	-	124	2
西宮市	99	99	-	47	45	-	2	-	45	-
尼崎市	118	118	95	15	96	1	4	-	94	4
奈良市	125	125	-	7	7	1	-	-	6	-
和歌山市	138	131	115	4	115	-	8	1	115	1
倉敷市	131	131	-	4	-	-	-	-	-	-
福山市	146	146	240	22	232	-	2	1	232	6
呉市	75	75	75	-	75	3	-	-	72	3
下関市	93	93	92	-	87	2	3	-	85	-
高松市	212	212	159	17	159	2	6	-	157	4
松山市	237	237	-	30	30	4	2	-	26	1
高知市	142	142	-	25	25	-	1	-	25	-
久留米市	78	78	2	7	4	-	2	-	4	1
長崎市	181	181	-	28	27	-	-	-	27	-
佐世保市	95	95	68	14	68	4	3	-	64	-
大分市	165	164	8	15	23	-	5	-	23	1
宮崎市	156	156	-	22	22	-	4	1	22	-
鹿児島市	198	196	178	-	177	1	8	1	176	3
那覇市	163	163	-	-	-	-	-	-	-	-

注：146ページの注1）～5）参照

等回数；調査項目・調査件数－不適件数，都道府県－指定都市－中核市（再掲）別

平成29年度

空気調和の調整											
一酸化炭素の含有率		二酸化炭素の含有率		温度		相対湿度		気流		ホルムアルデヒド量	
調査件数	不適件数	調査件数	不適件数	調査件数	不適件数	調査件数	不適件数	調査件数	不適件数	調査件数	不適件数
832	4	832	402	535	201	535	416	832	20	16	－
535	1	535	261	531	237	529	438	535	44	13	－
21	－	21	－	19	5	19	8	21	－	－	－
71	－	71	5	71	1	71	45	71	－	4	1
411	5	409	184	412	229	408	374	411	24	91	－
34	－	34	10	25	11	23	20	34	3	9	－
4	－	4	－	4	－	4	－	4	－	－	－
－	－	－	－	－	－	－	－	－	－	－	－
42	－	42	13	42	16	29	23	42	－	4	－
44	－	44	11	12	4	12	8	44	－	1	－
2 011	10	2 013	885	1 868	1 061	1 476	1 278	2 009	91	37	－
63	－	63	11	34	5	34	18	63	－	13	－
1 760	3	1 760	672	1 760	462	1 760	1 221	1 760	25	19	4
24	－	24	5	15	1	15	9	24	－	2	－
529	4	529	149	407	120	407	290	529	21	19	－
44	1	44	3	44	1	35	6	44	－	2	－
87	－	87	44	61	28	61	53	87	3	2	－
347	－	347	121	347	207	347	265	347	15	5	－
862	2	862	290	540	92	540	258	861	29	18	－
26	－	26	5	26	－	26	3	26	－	－	－
19	－	19	1	17	5	17	15	19	－	－	－
108	1	108	29	107	36	107	61	108	7	4	－
28	－	28	12	28	－	28	27	28	－	－	－
8	－	8	2	8	8	8	1	8	－	－	－
8	－	8	1	8	5	8	7	8	－	－	－
642	－	642	116	552	135	552	218	642	1	－	－
100	－	100	21	28	2	28	15	100	－	2	－
23	－	23	5	23	14	23	20	23	－	－	－
27	－	27	－	27	8	27	22	27	－	－	－
4	－	4	－	4	－	4	－	4	1	－	－
15	－	15	2	15	3	15	4	15	－	10	－
－	－	－	－	－	－	－	－	－	－	－	－
－	－	－	－	－	－	－	－	－	－	－	－
21	－	21	4	21	5	21	15	21	－	－	－
25	－	25	7	19	7	19	15	25	1	1	－
9	－	9	－	9	－	7	－	9	－	2	－
－	－	－	－	－	－	－	－	－	－	－	－
58	2	58	2	58	2	58	2	58	2	3	－
18	－	18	2	18	－	18	－	18	－	1	－
15	－	15	－	15	－	15	6	15	－	1	－
116	1	116	43	116	88	116	96	115	13	－	－
19	－	19	3	9	1	9	3	19	－	－	－
21	－	21	1	21	5	21	8	21	－	－	－
13	－	13	3	13	3	6	5	13	－	－	－
－	－	－	－	－	－	－	－	－	－	－	－
40	－	40	11	9	4	9	5	40	－	2	－
93	－	93	34	93	59	93	71	93	1	4	－
58	－	58	27	27	11	27	19	58	3	－	－
70	－	70	16	34	5	34	25	70	－	3	－
124	－	124	39	67	19	67	45	124	3	5	－
45	－	45	18	22	14	22	21	45	－	2	－
94	1	94	31	81	38	81	50	94	4	4	－
6	－	6	－	6	－	3	－	6	－	－	－
115	1	115	15	115	30	115	46	115	3	7	1
－	－	－	－	－	－	－	－	－	－	－	－
232	4	232	67	232	130	232	188	232	4	1	－
72	－	72	30	72	63	72	67	72	3	－	－
85	－	85	8	85	22	84	27	85	1	3	－
157	1	157	62	157	98	157	145	157	4	5	－
26	－	26	8	26	8	26	22	26	－	2	－
25	－	25	6	10	－	10	3	25	－	1	－
4	－	4	－	4	1	4	－	4	－	2	－
27	－	27	4	22	1	22	7	27	3	－	－
48	－	64	8	64	16	63	23	64	－	3	－
23	－	23	9	23	6	23	15	23	－	5	－
22	1	22	2	20	1	20	3	22	－	3	－
176	－	176	28	176	56	176	77	176	6	7	－
－	－	－	－	－	－	－	－	－	－	－	－

（報告表 17）

第３表（８－３）　特定建築物施設数・管理技術者選任建築物数・立入検査

	空気環境・空気調和の調整									
	冷却塔への供給水に必要な措置		加湿装置への供給水に必要な措置		冷却塔、冷却水の汚れ点検（１月以内ごと）		冷却塔、冷却水の水管清掃（１年以内ごと）		加湿装置の汚れ点検（１月以内ごと）	
	調査件数	不適件数	調査件数	不適件数	調査件数	不適件数	調査件数	不適件数	調査件数	不適件数
全国	**4 471**	**105**	**6 251**	**98**	**5 681**	**351**	**5 648**	**666**	**8 102**	**1 058**
北海道	643	11	733	6	662	12	649	28	738	46
青森	38	2	35	1	39	8	39	1	36	8
岩手	5	－	4	－	5	1	5	－	3	－
宮城	160	2	305	8	160	1	160	21	306	36
秋田	6	－	1	－	82	－	82	－	49	－
山形	12	－	11	－	12	－	12	－	12	－
福島	134	1	144	2	133	14	133	23	145	18
茨城	35	2	20	1	32	－	34	－	18	－
栃木	18	3	5	1	17	－	17	7	6	－
群馬	47	6	41	－	46	7	46	7	40	1
埼玉	11	－	14	－	11	－	11	－	14	1
千葉	162	2	224	－	168	12	167	8	223	13
東京	555	14	1 412	35	568	48	567	117	1 440	278
神奈川	213	4	328	3	242	16	240	6	378	71
新潟	118	－	6	－	119	6	119	6	6	－
富山	67	－	68	1	69	3	65	－	70	1
石川	15	1	8	－	15	1	15	1	8	－
福井	38	2	33	1	38	6	38	5	33	2
山梨	2	－	2	－	2	－	2	－	2	－
長野	70	－	70	－	70	－	70	－	70	－
岐阜	125	19	115	7	133	18	133	7	112	14
静岡	103	2	127	1	103	15	103	4	130	11
愛知	667	19	964	20	710	42	704	213	1 110	169
三重	3	－	3	1	4	－	4	－	4	1
滋賀	22	1	21	1	20	1	22	1	17	1
京都	50	1	52	2	51	2	51	2	53	7
大阪	152	1	200	－	768	42	768	34	1 303	204
兵庫	141	3	157	2	371	33	370	131	467	75
奈良	13	－	6	－	13	－	13	2	6	－
和歌山	118	－	127	－	118	3	117	2	128	2
鳥取	3	－	3	－	3	－	3	－	3	－
島根	－	－	－	－	－	－	－	－	－	－
岡山	31	－	24	－	34	1	35	－	28	6
広島	58	3	72	4	182	11	174	2	176	14
山口	62	－	33	－	96	4	96	－	61	1
徳島	－	－	－	－	－	－	－	－	－	－
香川	87	－	124	－	88	5	88	2	122	6
愛媛	37	2	31	－	38	3	37	2	31	5
高知	1	－	12	－	1	1	1	－	12	2
福岡	318	1	575	－	319	29	319	22	580	60
佐賀	6	－	4	－	6	－	6	－	4	－
長崎	29	1	35	－	29	1	29	1	39	2
熊本	19	2	21	－	21	3	21	2	23	－
大分	9	－	－	－	12	－	12	－	8	1
宮崎	12	－	9	－	16	－	16	－	15	－
鹿児島	56	－	72	1	55	2	55	9	73	2
沖縄	－	－	－	－	－	－	－	－	－	－

注：146ページの注1）～5）参照

等回数；調査項目・調査件数－不適件数，都道府県－指定都市－中核市（再掲）別

平成29年度

				飲料水の管理					
加湿装置の清掃（1年以内ごと）		排水受けの汚れ、閉塞の状況点検		遊離残留塩素の含有率2)の検査実施		遊離残留塩素の含有率2)		中央式給湯設備における給湯水の遊離残留塩素含有率の検査実施	
調査件数	不適件数	調査件数	不適件数	調査件数	不適件数	調査件数	不適件数	調査件数	不適件数
8 081	**1 060**	**9 335**	**1 487**	**18 465**	**279**	**17 991**	**276**	**4 063**	**275**
739	64	816	31	1 316	21	1 213	17	529	43
35	2	49	9	69	1	65	2	23	10
4	－	3	－	18	－	18	－	5	1
306	77	392	69	50	1	49	－	－	－
49	－	51	－	734	1	733	－	48	－
13	－	14	1	27	3	24	1	7	1
143	15	219	43	313	9	304	1	136	17
19	－	44	－	107	8	98	3	5	－
6	－	10	－	53	3	45	－	－	－
40	1	52	7	79	4	75	2	41	7
14	1	15	1	52	3	49	1	13	3
220	11	345	41	511	7	501	6	138	9
1 439	297	1 478	330	4 992	8	4 983	15	1 253	15
374	44	481	121	586	14	564	12	121	26
6	－	4	－	231	7	221	1	16	6
69	1	98	1	148	3	140	5	41	4
8	－	22	－	34	5	29	－	11	1
33	2	31	2	53	6	47	2	31	3
2	－	2	－	26	－	25	－	2	－
70	－	70	－	90	1	88	－	70	－
112	20	164	29	267	7	255	－	36	3
132	7	190	51	327	17	306	8	51	9
1 104	219	1 141	187	1 955	25	1 928	73	245	38
4	1	5	1	12	1	10	－	－	－
17	－	22	2	47	1	40	－	7	－
53	6	65	14	101	3	98	3	40	－
1 302	191	1 310	245	2 270	60	2 209	34	320	44
467	39	604	146	837	13	824	13	355	15
6	－	26	1	42	－	42	－	15	1
129	4	112	1	209	1	208	6	81	1
3	－	3	－	3	－	3	－	3	－
－	－	－	－	3	－	3	－	－	－
27	3	43	4	243	1	241	2	9	2
170	4	247	32	552	5	499	3	15	2
61	4	157	18	202	1	201	4	54	2
－	－	－	－	－	－	－	－	－	－
122	2	123	1	231	5	226	11	66	－
31	1	37	4	68	4	64	4	21	－
12	4	13	4	23	3	19	－	4	2
579	33	678	69	1 146	20	1 125	40	197	7
4	－	5	－	23	－	13	－	5	1
38	2	52	5	92	2	89	2	12	－
23	－	12	1	59	2	57	2	8	－
8	1	18	7	32	1	31	1	2	－
15	－	32	5	47	－	47	－	8	－
73	4	80	4	185	2	182	2	19	2
－	－	－	－	－	－	－	－	－	－

（報告表　17）

第３表（８－４） 特定建築物施設数・管理技術者選任建築物数・立入検査

	空気環境・空気調和の調整									
	冷却塔への供給水に必要な措置		加湿装置への供給水に必要な措置		冷却塔、冷却水の汚れ点検（１月以内ごと）		冷却塔、冷却水の水管清掃（１年以内ごと）		加湿装置の汚れ点検（１月以内ごと）	
	調査件数	不適件数	調査件数	不適件数	調査件数	不適件数	調査件数	不適件数	調査件数	不適件数
指定都市(再掲)										
札幌市	397	9	528	4	397	8	397	21	528	30
仙台市	156	2	301	8	156	1	156	21	301	34
さいたま市	4	－	8	－	4	－	4	－	8	－
千葉市	23	－	42	－	23	－	23	1	41	5
横浜市	164	2	262	3	160	11	159	5	252	47
川崎市	5	－	5	－	10	－	10	－	20	9
相模原市	1	－	1	－	1	－	1	－	2	－
新潟市	112	－	－	－	113	6	113	6	－	－
静岡市	9	1	28	1	9	2	9	－	26	2
浜松市	9	1	11	－	9	4	9	－	11	5
名古屋市	579	13	873	17	618	33	615	206	1 016	153
京都市	24	－	31	1	24	1	24	1	31	4
大阪市	10	－	8	－	545	27	545	24	1 010	177
堺市	5	－	7	－	10	5	10	4	13	8
神戸市	12	3	2	2	202	24	202	128	258	49
岡山市	8	－	15	－	14	1	14	－	20	6
広島市	24	3	49	3	24	1	24	1	48	1
北九州市	97	－	140	－	97	19	97	1	140	39
福岡市	181	－	402	－	180	10	180	21	402	19
熊本市	11	2	13	－	11	2	11	2	13	－
中核市(再掲)										
旭川市	10	－	5	－	10	－	10	－	5	－
函館市	56	－	45	－	56	1	56	6	45	3
青森市	15	－	15	－	15	2	15	－	15	2
八戸市	6	－	6	－	6	－	6	－	6	－
盛岡市	－	－	－	－	－	－	－	－	－	－
秋田市	5	－	－	－	77	－	77	－	48	－
郡山市	17	1	28	1	17	2	17	1	28	－
いわき市	5	－	6	1	5	2	5	1	6	1
宇都宮市	11	－	2	－	11	－	11	6	2	－
前橋市	4	－	4	－	4	－	4	－	4	1
高崎市	8	－	9	－	7	1	7	1	8	－
川越市	－	－	－	－	－	－	－	－	－	－
越谷市	－	－	－	－	－	－	－	－	－	－
船橋市	11	－	10	－	11	1	11	1	10	－
柏市	5	－	8	－	5	－	5	－	8	－
八王子市	2	－	7	－	2	－	2	－	7	1
横須賀市	－	－	－	－	－	－	－	－	－	－
富山市	23	－	30	1	23	1	23	－	30	1
金沢市	11	1	8	－	11	－	11	－	8	－
長野市	15	－	15	－	15	－	15	－	15	－
岐阜市	45	13	57	6	45	－	45	－	57	4
豊橋市	4	－	8	－	4	1	4	－	9	1
豊田市	6	－	8	2	6	－	6	－	8	－
岡崎市	2	－	6	－	2	1	2	－	6	5
大津市	－	－	－	－	－	－	－	－	－	－
高槻市	7	－	9	－	7	－	7	－	9	－
東大阪市	31	－	26	－	31	1	31	－	26	2
豊中市	9	－	28	－	9	1	9	2	9	1
枚方市	18	－	32	－	18	1	18	－	32	2
姫路市	2	－	3	－	41	4	41	2	56	9
西宮市	10	－	24	－	10	－	10	－	24	1
尼崎市	21	－	37	－	21	3	21	－	37	11
奈良市	2	－	3	－	2	－	2	2	3	－
和歌山市	37	－	52	－	37	2	36	2	53	2
倉敷市	－	－	－	－	－	－	－	－	－	－
福山市	4	－	2	－	41	2	37	－	39	4
呉市	－	－	－	－	24	7	23	1	24	8
下関市	－	－	－	－	32	2	32	－	28	－
高松市	27	－	62	－	28	1	28	1	62	－
松山市	11	2	12	－	11	3	11	2	12	5
高知市	1	－	10	－	1	1	1	－	10	2
久留米市	1	－	1	－	1	－	1	－	1	－
長崎市	10	－	10	－	10	－	10	－	10	2
佐世保市	17	1	25	－	17	1	17	1	28	－
大分市	－	－	－	－	3	－	3	－	8	1
宮崎市	1	－	1	－	5	－	5	－	7	－
鹿児島市	49	－	65	1	48	－	48	7	66	1
那覇市	－	－	－	－	－	－	－	－	－	－

注：146ページの注1）～5）参照

等回数；調査項目・調査件数－不適件数，都道府県－指定都市－中核市（再掲）別

平成29年度

加湿装置の清掃（1年以内ごと）		排水受けの汚れ、閉塞の状況点検		飲料水の管理					
				遊離残留塩素の含有率[2)]の検査実施		遊離残留塩素の含有率[2)]		中央式給湯設備における給湯水の遊離残留塩素含有率の検査実施	
調査件数	不適件数	調査件数	不適件数	調査件数	不適件数	調査件数	不適件数	調査件数	不適件数
528	39	582	25	840	18	822	16	335	38
301	77	384	68	−	−	−	−	−	−
8	−	9	−	19	−	19	−	8	−
40	3	67	9	66	1	65	−	20	3
249	24	331	84	380	8	372	4	72	18
19	10	32	13	28	−	26	5	2	−
2	−	5	1	5	2	3	−	1	1
−	−	−	−	225	7	215	1	10	4
28	3	41	5	34	−	34	−	6	−
11	−	11	4	45	3	38	3	3	3
1 007	214	959	140	1 751	21	1 728	58	219	29
31	4	31	5	60	3	57	2	19	−
1 010	153	1 014	216	1 614	38	1 576	22	258	32
13	8	14	10	24	3	21	−	4	2
258	31	378	117	432	11	421	2	250	10
18	3	39	4	41	1	39	2	9	2
48	−	49	13	86	2	84	−	6	2
141	7	247	55	247	3	244	7	35	4
402	24	394	3	838	15	823	31	129	3
13	−	2	−	29	−	29	1	−	−
5	−	10	1	27	−	27	−	27	−
45	12	58	−	97	−	97	−	17	−
15	1	23	3	23	−	23	1	5	1
6	−	6	−	7	−	7	−	3	−
−	−	−	−	8	−	8	−	−	−
48	−	50	−	731	−	731	−	48	−
28	1	28	−	76	−	76	−	16	1
6	1	6	2	14	1	13	−	4	1
2	−	2	−	25	−	25	−	−	−
4	1	4	1	4	−	4	−	3	−
8	−	15	2	14	1	13	−	3	−
−	−	−	−	−	−	−	−	−	−
−	−	−	−	−	−	−	−	−	−
10	−	21	−	21	1	20	−	5	2
8	−	12	−	29	−	29	−	5	−
7	−	6	−	10	−	10	1	3	1
−	−	−	−	−	−	−	−	−	−
30	1	56	1	48	1	43	1	5	1
8	−	18	−	17	1	16	−	10	1
15	−	15	−	15	−	15	−	15	−
57	15	75	5	104	1	102	−	14	3
9	−	9	2	19	−	19	3	−	−
8	−	9	−	16	2	14	1	4	4
6	2	13	9	10	−	10	2	2	2
−	−	−	−	−	−	−	−	−	−
9	−	9	2	28	2	26	−	1	−
25	1	28	3	84	1	83	3	2	−
9	4	9	1	50	6	44	1	3	3
32	2	32	2	65	3	62	−	7	3
56	4	60	6	124	−	124	10	1	−
24	−	24	1	38	−	38	1	5	1
37	1	42	15	77	2	75	−	6	−
3	−	6	1	7	−	7	−	7	−
54	4	36	1	98	−	98	3	9	1
−	−	−	−	−	−	−	−	−	−
35	3	74	6	149	−	148	2	−	−
24	1	32	11	55	2	53	1	3	−
28	4	73	12	69	−	69	1	8	−
62	1	62	−	148	5	143	11	8	−
12	1	12	4	28	2	26	4	1	−
10	4	12	4	20	3	17	−	2	2
1	−	1	−	4	−	4	−	−	−
10	2	10	2	28	−	28	2	2	−
27	−	40	3	59	2	57	−	10	−
8	1	18	7	19	1	18	1	−	−
7	−	19	5	17	−	17	−	−	−
66	3	73	1	155	1	154	1	17	1
−	−	−	−	−	−	−	−	−	−

（報告表　17）

第３表（８－５） 特定建築物施設数・管理技術者選任建築物数・立入検査

	飲料水の管理									
	中央式給湯設備における給湯水の遊離残留塩素含有率		水質検査実施[2)3)]		水質基準[2)4)]		中央式給湯設備における[3)] 給湯水質検査実施		中央式給湯設備における[4)] 給湯水質基準	
	調査件数	不適件数	調査件数	不適件数	調査件数	不適件数	調査件数	不適件数	調査件数	不適件数
全国	**3 507**	**116**	**17 525**	**479**	**16 906**	**84**	**4 448**	**402**	**4 007**	**62**
北海道	460	32	1 278	25	1 217	4	558	33	516	12
青森	13	－	69	3	66	－	23	10	13	－
岩手	4	－	18	－	18	－	6	1	5	－
宮城	－	－	45	－	45	－	1	－	1	－
秋田	48	－	139	1	138	－	9	－	9	－
山形	6	1	22	－	22	－	9	1	8	1
福島	117	4	311	11	299	2	135	14	121	3
茨城	4	－	103	6	97	2	7	2	5	－
栃木	－	－	48	1	47	－	1	－	1	1
群馬	34	－	81	1	80	－	41	6	35	1
埼玉	10	－	52	7	45	－	13	3	10	－
千葉	101	8	502	20	466	9	201	17	180	5
東京	1 227	7	4 979	21	4 958	4	1 244	24	1 219	2
神奈川	84	4	582	14	558	2	181	24	152	1
新潟	9	－	232	10	218	－	54	16	37	－
富山	37	1	147	6	141	1	62	6	56	1
石川	10	－	31	6	25	－	14	2	12	－
福井	28	1	53	2	51	5	31	4	27	1
山梨	2	－	2	－	2	－	2	－	2	－
長野	70	－	84	－	84	－	70	－	70	－
岐阜	33	－	267	5	261	－	40	6	34	－
静岡	42	－	322	16	304	－	134	25	109	－
愛知	193	15	1 922	48	1 870	13	318	45	270	10
三重	－	－	10	－	10	1	－	－	－	－
滋賀	－	－	44	5	33	－	－	－	－	－
京都	40	－	93	3	89	1	38	2	35	－
大阪	276	14	2 269	173	2 096	18	373	77	295	15
兵庫	169	3	822	10	811	4	249	24	218	6
奈良	13	2	41	1	40	－	15	8	7	－
和歌山	80	4	204	13	181	－	85	1	84	－
鳥取	3	－	3	－	3	－	3	－	3	－
島根	－	－	3	－	3	－	－	－	－	－
岡山	7	－	139	－	139	－	7	4	3	－
広島	12	2	548	15	490	2	51	4	46	－
山口	52	3	202	3	199	1	56	6	50	－
徳島	－	－	－	－	－	－	－	－	－	－
香川	65	1	231	7	223	－	75	5	70	－
愛媛	20	－	65	7	58	－	25	3	21	－
高知	1	－	23	1	22	－	3	1	2	－
福岡	190	10	1 108	20	1 088	11	211	14	197	2
佐賀	－	－	23	－	23	－	10	1	4	－
長崎	12	2	91	4	87	－	38	3	35	1
熊本	8	－	55	5	47	－	9	－	9	－
大分	2	－	32	－	32	－	4	－	4	－
宮崎	8	1	46	1	45	－	16	9	7	－
鹿児島	17	1	184	8	175	4	26	1	25	－
沖縄	－	－	－	－	－	－	－	－	－	－

注：146ページの注1）～5）参照

平成29年度

				雑用水の管理					
貯水槽の清掃[5)]		貯湯槽の清掃		遊離残留塩素の含有率の検査実施		遊離残留塩素の含有率		雑用水の水槽点検	
調査件数	不適件数	調査件数	不適件数	調査件数	不適件数	調査件数	不適件数	調査件数	不適件数
17 226	**180**	**4 500**	**367**	**3 234**	**155**	**3 051**	**135**	**3 004**	**164**
1 324	9	552	48	248	12	234	10	238	8
64	–	20	9	3	2	1	–	3	1
16	–	11	–	7	–	7	–	7	–
58	–	22	–	1	–	1	–	1	–
91	1	2	–	56	–	56	–	5	–
31	–	19	6	11	3	8	–	7	–
309	4	128	18	26	6	20	3	26	5
103	3	30	7	11	4	7	–	10	2
48	–	4	–	10	1	9	–	8	–
78	2	55	7	34	4	30	–	34	2
52	1	13	3	11	1	10	–	11	–
474	3	207	27	119	1	118	3	122	5
4 966	4	1 196	13	396	17	372	7	525	30
584	10	158	21	97	4	93	1	97	5
232	1	48	8	4	–	4	–	4	–
146	–	62	2	47	3	44	2	47	4
34	3	20	3	40	12	28	3	8	–
53	6	38	1	31	1	30	–	31	4
2	–	2	–	2	–	2	–	2	–
83	2	71	–	59	–	59	–	59	–
263	2	53	5	82	8	73	3	76	11
323	7	123	19	49	13	36	3	50	12
1 895	19	297	52	466	10	454	33	243	7
11	–	–	–	2	2	–	–	2	2
44	–	2	–	10	1	9	–	9	–
88	2	40	3	35	3	32	2	35	2
2 269	77	339	27	236	22	214	19	234	31
852	3	356	25	211	2	201	6	212	13
38	–	13	2	3	–	3	–	3	–
203	1	86	2	68	–	68	1	67	1
3	–	3	–	3	–	3	–	3	–
3	–	–	–	–	–	–	–	–	–
79	–	7	2	12	2	10	1	10	–
380	6	52	2	89	–	81	4	64	–
189	–	59	18	15	–	15	–	15	–
–	–	–	–	–	–	–	–	–	–
230	1	70	–	89	3	86	6	90	1
65	2	25	2	31	1	30	–	31	5
23	–	5	2	1	–	1	–	1	–
1 089	8	200	18	547	13	534	26	545	13
12	1	10	1	2	1	1	–	–	–
109	1	34	7	26	–	26	1	25	–
51	–	9	–	14	–	14	1	15	–
32	–	9	1	8	2	6	–	8	–
47	–	16	1	2	–	2	–	2	–
180	1	34	5	20	1	19	–	19	–
–	–	–	–	–	–	–	–	–	–

（報告表　17）

第３表（８－６） 特定建築物施設数・管理技術者選任建築物数・立入検査

	飲料水の管理									
	中央式給湯設備における給湯水の遊離残留塩素含有率		水質検査実施[2)3)]		水質基準[2)4)]		中央式給湯設備における[3)]給湯水質検査実施		中央式給湯設備における[4)]給湯水質基準	
	調査件数	不適件数	調査件数	不適件数	調査件数	不適件数	調査件数	不適件数	調査件数	不適件数
指定都市(再掲)										
札幌市	297	27	840	20	820	2	354	24	330	10
仙台市	−	−	−	−	−	−	−	−	−	−
さいたま市	8	−	19	−	19	−	8	−	8	−
千葉市	17	1	64	3	61	−	19	1	18	−
横浜市	43	1	386	7	373	1	123	9	109	1
川崎市	2	1	28	−	28	1	2	−	2	−
相模原市	−	−	5	2	3	−	1	1	−	−
新潟市	5	−	226	10	212	−	48	14	33	−
静岡市	6	−	34	−	34	−	7	−	7	−
浜松市	−	−	40	2	38	−	15	5	10	−
名古屋市	184	13	1 725	46	1 676	9	281	35	246	6
京都市	19	−	53	3	49	−	19	2	16	−
大阪市	226	10	1 612	137	1 475	15	258	54	204	15
堺市	2	1	23	6	17	−	5	1	4	−
神戸市	69	2	432	6	425	−	132	18	108	2
岡山市	7	−	38	−	38	−	7	4	3	−
広島市	4	1	86	7	79	1	6	3	3	−
北九州市	31	−	247	2	245	−	46	7	39	−
福岡市	126	10	793	14	779	10	129	6	123	2
熊本市	−	−	28	3	25	−	−	−	−	−
中核市(再掲)										
旭川市	27	−	27	−	27	−	27	−	27	−
函館市	17	−	97	−	97	−	33	3	30	−
青森市	4	−	23	−	23	−	5	1	4	−
八戸市	3	−	7	−	7	−	3	−	3	−
盛岡市	−	−	8	−	8	−	−	−	−	−
秋田市	48	−	136	−	136	−	9	−	9	−
郡山市	15	−	76	1	75	−	16	−	16	−
いわき市	3	−	14	−	14	−	4	1	3	−
宇都宮市	−	−	25	−	25	−	−	−	−	−
前橋市	3	−	4	−	4	−	3	−	3	−
高崎市	3	−	14	−	14	−	3	−	3	−
川越市	−	−	−	−	−	−	−	−	−	−
越谷市	−	−	−	−	−	−	−	−	−	−
船橋市	3	−	20	−	20	−	5	1	4	−
柏市	5	−	25	−	25	−	5	−	5	−
八王子市	2	−	10	−	10	−	3	2	1	−
横須賀市	−	−	−	−	−	−	−	−	−	−
富山市	4	1	48	−	48	−	12	1	11	1
金沢市	9	−	17	2	15	−	10	1	9	−
長野市	15	−	15	−	15	−	15	−	15	−
岐阜市	11	−	104	−	103	−	17	4	13	−
豊橋市	−	−	19	−	19	−	2	1	1	−
豊田市	−	−	13	−	13	−	4	4	−	−
岡崎市	−	−	10	1	9	−	2	2	−	−
大津市	−	−	−	−	−	−	−	−	−	−
高槻市	1	−	28	2	26	−	7	1	6	−
東大阪市	2	−	84	3	81	1	6	−	6	−
豊中市	−	−	50	5	45	−	15	2	13	−
枚方市	4	−	65	5	60	−	7	3	4	−
姫路市	1	−	121	−	121	4	9	−	9	3
西宮市	4	−	38	3	35	−	9	1	8	−
尼崎市	6	−	65	−	65	−	7	1	6	−
奈良市	7	1	7	1	6	−	7	6	1	−
和歌山市	8	4	97	−	97	−	13	1	12	−
倉敷市	−	−	−	−	−	−	−	−	−	−
福山市	−	−	149	8	140	−	25	1	24	−
呉市	2	1	57	−	57	−	7	−	7	−
下関市	8	−	69	1	68	1	6	−	6	−
高松市	7	−	149	7	141	−	18	5	13	−
松山市	1	−	28	7	21	−	5	3	2	−
高知市	−	−	20	1	19	−	2	1	1	−
久留米市	−	−	4	−	4	−	1	−	1	−
長崎市	2	−	27	2	25	−	16	−	16	1
佐世保市	10	2	59	2	57	−	21	3	18	−
大分市	−	−	19	−	19	−	2	−	2	−
宮崎市	−	−	17	−	17	−	7	7	−	−
鹿児島市	16	1	155	6	148	4	24	−	24	−
那覇市	−	−	−	−	−	−	−	−	−	−

注：146ページの注1）～5）参照

等回数；調査項目・調査件数－不適件数，都道府県－指定都市－中核市（再掲）別

平成29年度

				雑用水の管理					
貯水槽の清掃[5)]		貯湯槽の清掃		遊離残留塩素の含有率の検査実施		遊離残留塩素の含有率		雑用水の水槽点検	
調査件数	不適件数	調査件数	不適件数	調査件数	不適件数	調査件数	不適件数	調査件数	不適件数
838	7	319	28	168	3	165	7	169	4
–	–	–	–	–	–	–	–	–	–
19	–	8	–	8	1	7	–	8	–
63	–	18	2	9	–	9	–	13	1
381	1	95	10	55	1	54	1	62	2
29	–	6	2	8	–	8	–	9	1
5	2	1	–	2	1	1	–	2	1
226	1	42	6	–	–	–	–	–	–
34	–	7	3	7	–	7	–	7	–
41	1	15	3	3	1	2	1	3	2
1 698	17	248	36	415	6	409	24	194	2
48	–	19	2	14	2	12	2	14	2
1 612	64	239	15	146	18	128	13	146	30
23	1	5	2	9	–	9	2	7	–
447	1	236	18	85	2	75	4	86	12
37	–	7	2	5	2	3	1	3	–
83	5	7	–	14	–	13	3	14	–
246	4	46	10	46	–	46	–	46	1
776	3	114	8	462	11	451	24	459	12
28	–	–	–	5	–	5	–	5	–
27	–	27	–	10	–	10	–	10	–
97	–	33	9	5	2	3	–	5	–
22	–	6	2	2	1	1	–	2	–
7	–	3	–	–	–	–	–	–	–
8	–	5	–	3	–	3	–	3	–
89	–	1	–	56	–	56	–	5	–
76	–	15	2	3	–	3	–	3	–
14	–	4	2	–	–	–	–	–	–
25	–	–	–	5	1	4	–	4	–
4	1	4	1	2	1	1	–	2	–
13	–	10	–	–	–	–	–	–	–
–	–	–	–	–	–	–	–	–	–
–	–	–	–	–	–	–	–	–	–
20	–	5	1	9	–	9	–	9	–
23	–	3	–	11	–	11	1	11	–
6	–	3	1	5	–	5	–	1	–
–	–	–	–	–	–	–	–	–	–
48	–	14	1	16	1	15	1	16	2
17	2	10	3	8	–	8	–	8	–
15	–	15	–	15	–	15	–	15	–
101	–	14	–	33	3	30	2	32	8
19	–	1	–	–	–	–	–	–	–
15	1	4	4	4	1	3	–	3	–
10	–	2	2	2	1	1	–	2	1
–	–	–	–	–	–	–	–	–	–
28	1	2	–	2	1	1	–	2	–
84	1	9	1	8	1	7	–	8	–
50	1	14	3	7	2	5	–	7	1
65	–	7	2	2	–	2	2	2	–
123	1	10	1	20	–	20	2	18	–
38	1	8	1	9	–	9	–	9	–
77	–	7	–	7	–	7	–	7	–
7	–	5	1	–	–	–	–	–	–
96	–	14	2	11	–	11	1	10	1
–	–	–	–	–	–	–	–	–	–
74	1	13	2	12	–	11	1	10	–
57	–	7	–	3	–	3	–	5	–
56	–	9	1	4	–	4	–	4	–
148	–	13	–	34	3	31	6	33	1
27	2	5	2	10	1	9	–	10	5
20	–	2	1	1	–	1	–	1	–
4	–	1	–	5	2	3	2	3	–
26	–	13	4	6	–	6	–	5	–
58	1	20	3	20	–	20	1	20	–
19	–	2	1	8	2	6	–	8	–
17	–	7	–	1	–	1	–	1	–
154	1	23	4	16	–	16	–	16	–
–	–	–	–	–	–	–	–	–	–

（報告表　17）

第３表（８－７） 特定建築物施設数・管理技術者選任建築物数・立入検査

	雑用水の管理									
	水質検査実施		pH値		臭気		外観		大腸菌	
	調査件数	不適件数	調査件数	不適件数	調査件数	不適件数	調査件数	不適件数	調査件数	不適件数
全国	**3 078**	**180**	**2 808**	**76**	**2 810**	**36**	**2 804**	**40**	**2 822**	**39**
北海道	244	11	232	16	232	7	232	7	232	3
青森	3	2	1	−	1	−	1	−	1	−
岩手	7	−	7	−	7	−	7	−	7	−
宮城	1	−	1	−	1	−	1	−	1	−
秋田	65	−	62	−	61	−	56	−	59	−
山形	11	3	8	1	8	−	8	1	8	−
福島	25	6	18	3	18	2	18	2	18	−
茨城	11	3	7	−	7	−	7	−	8	1
栃木	9	−	9	−	9	−	9	−	9	−
群馬	32	1	30	2	30	2	30	2	30	−
埼玉	11	1	10	−	10	−	10	−	10	−
千葉	118	5	112	1	112	−	112	−	112	1
東京	397	29	358	9	359	2	359	2	359	4
神奈川	100	10	84	−	85	−	85	−	86	1
新潟	4	−	4	−	4	−	4	−	4	−
富山	48	4	43	4	43	4	43	4	44	3
石川	40	−	8	−	8	−	8	−	8	1
福井	31	−	31	−	31	−	31	−	31	1
山梨	2	−	2	−	2	−	2	−	2	−
長野	60	1	59	−	59	−	59	−	59	1
岐阜	81	8	73	1	73	1	73	1	73	1
静岡	47	11	32	1	35	−	35	−	36	1
愛知	316	16	297	17	295	8	295	8	295	8
三重	2	−	−	−	−	−	−	−	−	−
滋賀	10	−	10	−	10	−	10	−	10	1
京都	35	3	32	−	32	−	32	−	32	−
大阪	235	29	204	3	205	1	205	−	206	2
兵庫	212	8	194	3	194	2	194	3	194	2
奈良	3	−	3	−	3	−	3	−	3	−
和歌山	68	−	68	1	68	1	68	1	68	1
鳥取	3	−	3	−	3	−	3	−	3	−
島根	−	−	−	−	−	−	−	−	−	−
岡山	11	2	9	−	9	−	9	−	9	−
広島	88	4	80	−	79	−	79	1	81	−
山口	15	−	15	2	15	−	15	−	15	−
徳島	−	−	−	−	−	−	−	−	−	−
香川	89	3	85	2	85	−	85	1	86	2
愛媛	31	3	28	−	28	−	28	−	28	2
高知	1	−	1	−	1	−	1	−	1	−
福岡	540	14	520	10	520	6	519	7	525	3
佐賀	2	−	1	−	1	−	1	−	2	−
長崎	25	−	25	−	25	−	25	−	25	−
熊本	15	1	14	−	14	−	14	−	14	−
大分	8	1	7	−	7	−	7	−	7	−
宮崎	2	−	2	−	2	−	2	−	2	−
鹿児島	20	1	19	−	19	−	19	−	19	−
沖縄	−	−	−	−	−	−	−	−	−	−

注：146ページの注1）～5）参照

等回数；調査項目・調査件数－不適件数，都道府県－指定都市－中核市（再掲）別

平成29年度

濁度		その他							
		排水設備の清掃		大掃除		ねずみ等の防除		帳簿書類の備付け	
調査件数	不適件数	調査件数	不適件数	調査件数	不適件数	調査件数	不適件数	調査件数	不適件数
2 372	**37**	**12 498**	**1 187**	**15 893**	**1 203**	**16 648**	**865**	**13 489**	**2 097**
222	5	1 628	200	1 658	95	1 662	52	769	53
−	−	75	12	88	11	88	7	88	30
4	−	9	−	10	−	14	−	15	−
1	−	50	1	53	−	71	−	71	2
22	−	80	1	76	1	350	1	42	1
7	1	18	−	31	−	31	2	37	11
16	−	324	48	407	31	410	39	415	99
6	1	74	−	118	−	121	2	123	11
4	−	45	3	58	1	58	2	59	2
30	−	76	4	80	9	80	4	83	5
8	−	43	1	74	1	74	−	74	1
104	2	410	24	510	39	513	17	477	42
324	−	1 418	63	1 526	44	1 528	45	1 493	506
65	−	454	44	613	61	629	48	654	171
4	−	4	−	8	−	8	−	12	4
44	3	147	−	194	−	194	6	194	25
8	1	59	2	58	4	73	3	73	9
31	−	51	8	58	19	58	8	58	15
2	−	2	−	2	−	2	−	2	−
59	1	77	−	91	−	98	3	91	10
72	1	330	104	333	92	357	18	359	16
20	−	288	20	370	20	369	9	370	63
293	12	1 508	84	2 193	85	2 367	235	1 047	194
−	−	12	−	14	1	16	−	17	4
8	−	47	5	70	3	70	4	70	3
32	−	94	7	107	9	107	4	107	2
180	4	1 888	229	2 568	411	2 568	229	2 566	448
192	3	878	150	1 018	49	1 028	21	1 019	147
3	−	40	1	42	−	42	−	42	4
68	1	230	29	231	16	232	9	232	40
3	−	3	−	3	−	3	−	3	−
−	−	−	−	3	−	3	−	3	−
8	−	69	14	76	6	237	3	110	5
77	1	411	10	694	37	716	3	261	5
14	−	243	4	300	9	300	−	301	21
−	−	−	−	−	−	−	−	−	−
80	−	239	26	241	11	245	3	235	36
28	1	69	4	87	22	86	3	88	3
1	−	14	1	27	1	27	−	28	4
268	−	747	72	1 294	78	1 294	75	1 285	60
2	−	23	−	13	−	23	−	23	8
23	−	70	3	119	4	119	2	118	6
14	−	41	3	54	7	54	2	53	5
4	−	23	1	36	−	36	1	37	9
2	−	61	1	80	6	80	−	80	16
19	−	126	8	207	20	207	5	205	1
−	−	−	−	−	−	−	−	−	−

（報告表　17）

第３表（８－８）　特定建築物施設数・管理技術者選任建築物数・立入検査

	雑用水の管理									
	水質検査実施		pH値		臭気		外観		大腸菌	
	調査件数	不適件数	調査件数	不適件数	調査件数	不適件数	調査件数	不適件数	調査件数	不適件数
指定都市（再掲）										
札幌市	168	7	161	10	161	1	161	1	161	1
仙台市	-	-	-	-	-	-	-	-	-	-
さいたま市	8	1	7	-	7	-	7	-	7	-
千葉市	8	1	7	-	7	-	7	-	7	-
横浜市	57	-	52	-	53	-	53	-	54	1
川崎市	9	-	8	-	8	-	8	-	8	-
相模原市	2	1	1	-	1	-	1	-	1	-
新潟市	-	-	-	-	-	-	-	-	-	-
静岡市	4	-	4	-	4	-	4	-	4	-
浜松市	3	1	2	-	2	-	2	-	2	-
名古屋市	261	13	247	8	245	2	245	2	246	3
京都市	14	3	11	-	11	-	11	-	11	-
大阪市	146	25	121	1	121	1	121	-	121	-
堺市	8	-	8	-	8	-	8	-	8	-
神戸市	85	8	69	1	69	-	69	-	69	-
岡山市	4	2	2	-	2	-	2	-	2	-
広島市	14	4	10	-	10	-	10	-	10	-
北九州市	46	2	44	-	44	-	44	-	44	1
福岡市	454	12	436	10	436	6	435	7	441	2
熊本市	5	-	5	-	5	-	5	-	5	-
中核市（再掲）										
旭川市	10	-	10	-	10	-	10	-	10	-
函館市	5	-	5	-	5	-	5	-	5	-
青森市	2	1	1	-	1	-	1	-	1	-
八戸市	-	-	-	-	-	-	-	-	-	-
盛岡市	3	-	3	-	3	-	3	-	3	-
秋田市	65	-	62	-	61	-	56	-	59	-
郡山市	3	-	3	-	3	-	3	-	3	-
いわき市	-	-	-	-	-	-	-	-	-	-
宇都宮市	4	-	4	-	4	-	4	-	4	-
前橋市	2	-	2	2	2	2	2	2	2	-
高崎市	-	-	-	-	-	-	-	-	-	-
川越市	-	-	-	-	-	-	-	-	-	-
越谷市	-	-	-	-	-	-	-	-	-	-
船橋市	9	-	9	-	9	-	9	-	9	-
柏市	11	-	11	-	11	-	11	-	11	-
八王子市	5	-	5	-	5	-	5	-	5	-
横須賀市	-	-	-	-	-	-	-	-	-	-
富山市	16	2	13	3	13	3	13	3	14	1
金沢市	8	-	8	-	8	-	8	-	8	1
長野市	15	-	15	-	15	-	15	-	15	1
岐阜市	33	-	33	-	33	-	33	-	33	-
豊橋市	-	-	-	-	-	-	-	-	-	-
豊田市	8	-	7	1	7	-	7	-	7	-
岡崎市	2	1	1	1	1	-	1	-	1	-
大津市	-	-	-	-	-	-	-	-	-	-
高槻市	2	1	1	-	1	-	1	-	1	-
東大阪市	8	-	8	-	8	-	8	-	8	-
豊中市	7	1	4	-	5	-	5	-	6	-
枚方市	2	-	2	-	2	-	2	-	2	2
姫路市	20	-	20	2	20	2	20	3	20	2
西宮市	9	-	9	-	9	-	9	-	9	-
尼崎市	7	-	7	-	7	-	7	-	7	-
奈良市	-	-	-	-	-	-	-	-	-	-
和歌山市	11	-	11	1	11	1	11	1	11	1
倉敷市	-	-	-	-	-	-	-	-	-	-
福山市	12	-	11	-	11	-	11	1	11	-
呉市	3	-	3	-	3	-	3	-	3	-
下関市	4	-	4	-	4	-	4	-	4	-
高松市	34	3	30	2	30	-	30	1	31	2
松山市	10	3	7	-	7	-	7	-	7	2
高知市	1	-	1	-	1	-	1	-	1	-
久留米市	3	-	3	-	3	-	3	-	3	-
長崎市	5	-	5	-	5	-	5	-	5	-
佐世保市	20	-	20	-	20	-	20	-	20	-
大分市	8	1	7	-	7	-	7	-	7	-
宮崎市	1	-	1	-	1	-	1	-	1	-
鹿児島市	16	-	16	-	16	-	16	-	16	-
那覇市	-	-	-	-	-	-	-	-	-	-

注：146ページの注1）～5）参照

等回数；調査項目・調査件数－不適件数，都道府県－指定都市－中核市（再掲）別

平成29年度

濁度		その他							
		排水設備の清掃		大掃除		ねずみ等の防除		帳簿書類の備付け	
調査件数	不適件数	調査件数	不適件数	調査件数	不適件数	調査件数	不適件数	調査件数	不適件数
156	1	1 030	112	1 030	33	1 030	7	215	29
－	－	－	－	－	－	－	－	－	－
7	－	9	1	21	－	21	－	21	－
6	－	60	2	66	4	68	3	71	1
46	－	270	18	393	39	417	33	434	131
8	－	22	4	33	3	33	5	33	22
1	－	5	1	5	2	5	3	5	2
－	－	－	－	－	－	－	－	－	－
4	－	21	－	39	3	39	1	39	18
2	－	10	－	44	－	44	1	44	2
245	6	1 300	71	1 944	80	2 115	215	781	175
11	－	52	3	56	3	56	2	56	2
121	3	1 168	112	1 780	354	1 780	153	1 780	260
3	1	12	1	36	16	36	24	34	15
69	－	557	133	561	37	559	8	559	109
1	－	40	14	41	6	44	3	45	5
10	－	52	1	106	20	106	2	106	5
43	－	211	10	352	46	352	47	352	7
185	－	467	62	865	28	865	27	855	47
5	－	17	1	30	7	30	2	30	2
10	－	28	－	28	－	28	－	28	－
1	－	113	50	113	32	113	20	113	－
－	－	15	－	28	1	28	3	28	14
－	－	7	－	7	－	7	－	7	－
－	－	1	－	2	－	6	－	7	－
22	－	75	－	71	－	345	－	34	－
3	－	67	1	100	2	100	1	101	1
－	－	15	3	23	6	23	2	23	－
2	－	28	2	28	1	28	1	28	1
2	－	4	－	4	1	4	－	4	3
－	－	15	2	15	2	15	1	15	－
－	－	－	－	－	－	－	－	－	－
－	－	－	－	－	－	－	－	－	－
5	－	21	2	21	1	21	1	21	1
11	－	25	1	25	2	25	－	25	－
5	－	2	－	9	－	9	－	9	－
－	－	－	－	－	－	－	－	－	－
14	1	40	－	60	－	60	－	60	－
8	1	10	2	3	－	18	－	18	5
15	1	15	－	15	－	15	－	15	－
32	－	118	49	118	40	118	4	118	1
－	－	12	－	19	－	19	2	19	1
7	－	9	－	17	－	20	－	17	2
1	－	10	－	14	1	14	1	14	2
－	－	－	－	－	－	－	－	－	－
1	－	41	2	41	－	41	－	41	9
8	－	53	1	97	3	97	1	97	14
3	－	63	23	63	5	63	20	63	23
2	－	71	16	71	14	71	3	71	2
20	3	58	3	137	5	137	9	137	－
7	－	35	1	45	1	45	－	45	15
7	－	54	3	95	1	95	2	95	11
－	－	5	－	7	－	7	－	7	1
11	1	115	21	114	9	115	6	115	38
－	－	－	－	－	－	－	－	－	－
9	1	122	2	233	8	240	－	－	－
1	－	53	7	74	3	74	－	74	－
3	－	80	2	87	1	87	－	87	－
25	－	159	26	159	11	159	3	159	36
7	1	17	4	30	22	30	2	30	3
1	－	11	－	24	－	24	－	25	2
3	－	1	－	4	－	4	－	4	－
3	－	13	2	28	2	28	－	28	3
20	－	54	1	68	1	68	1	67	3
4	－	10	1	23	－	23	1	23	7
1	－	9	－	22	3	22	－	22	6
16	－	97	8	178	20	178	3	178	－
－	－	－	－	－	－	－	－	－	－

（報告表　17）

第４表（５－１） 建築物環境衛生に係る登録営業所数・登録・廃止－不適件数，都道府県別

	総									数			
	登録営業所数(年度末現在)	登録件数(年度中)	登録廃止件数(年度中)	登録取消件数(年度中)	登録有効期間満了件数(年度中)	立入検査等回数(年度中)		設備		帳簿書類		その他の検査	
						報告徴収	立入検査	調査件数	不適件数	調査件数	不適件数	調査件数	不適件数
全国	**18 332**	**4 967**	**371**	**5**	**4 829**	**1 497**	**5 730**	**5 454**	**221**	**4 949**	**368**	**3 857**	**240**
北海道	1 021	274	24	－	258	813	464	806	10	848	33	639	23
青森	297	78	10	－	79	－	83	55	－	55	－	6	－
岩手	166	50	－	－	48	－	58	13	－	11	－	－	－
宮城	349	97	10	－	84	4	102	39	－	39	2	－	－
秋田	187	51	4	－	48	－	51	39	－	2	－	33	－
山形	163	56	5	－	52	－	55	55	－	55	－	27	－
福島	309	89	5	－	87	98	258	254	20	254	50	217	22
茨城	427	97	19	－	75	－	33	33	－	31	7	10	1
栃木	225	54	1	－	60	－	43	41	－	32	－	－	－
群馬	194	52	1	－	55	－	－	－	－	－	－	－	－
埼玉	741	179	12	－	158	－	186	185	－	139	－	86	－
千葉	720	202	12	－	180	－	275	117	1	117	13	88	－
東京	2 297	747	31	－	792	－	1 001	987	70	990	133	988	13
神奈川	1 144	334	18	3	327	－	407	373	56	378	88	328	77
新潟	320	125	9	－	117	147	132	107	2	79	－	3	－
富山	174	44	－	－	43	－	51	51	－	49	4	51	－
石川	272	88	3	－	83	－	－	－	－	－	－	－	－
福井	114	41	－	－	40	－	26	26	－	26	－	3	1
山梨	146	36	1	－	40	－	36	30	－	30	－	－	－
長野	282	90	3	－	85	6	45	45	－	35	－	27	－
岐阜	220	70	－	－	67	217	62	49	－	49	－	39	－
静岡	556	142	18	－	112	－	166	161	10	139	20	125	23
愛知	821	276	35	－	260	－	330	328	7	303	14	330	12
三重	244	52	3	－	45	－	66	66	－	26	－	5	－
滋賀	193	42	7	－	40	－	37	35	1	5	－	－	－
京都	306	15	5	－	34	3	23	13	－	－	－	－	－
大阪	1 281	326	19	－	336	35	256	256	42	256	2	256	61
兵庫	544	182	23	－	186	－	127	114	－	27	－	23	3
奈良	143	31	－	－	37	8	31	31	－	5	－	5	－
和歌山	203	48	3	－	17	－	45	8	－	8	－	8	－
鳥取	146	38	1	－	33	－	42	31	－	31	－	－	－
島根	139	48	6	－	46	－	19	18	－	18	－	4	－
岡山	349	98	5	－	97	55	147	130	－	60	－	－	－
広島	489	152	5	－	145	－	162	137	－	137	－	28	4
山口	195	69	2	－	77	－	121	110	1	107	－	110	－
徳島	140	40	36	2	42	－	45	1	－	－	－	－	－
香川	174	43	7	－	38	－	31	31	－	31	－	－	－
愛媛	188	44	－	－	45	1	41	42	－	42	－	42	－
高知	86	32	3	－	38	－	32	32	－	32	－	32	－
福岡	775	33	4	－	19	34	242	242	－	242	－	242	－
佐賀	119	45	4	－	47	－	49	49	－	41	－	37	－
長崎	276	21	1	－	21	－	15	5	－	5	－	1	－
熊本	244	45	－	－	50	－	18	15	－	13	－	9	－
大分	230	75	2	－	76	－	80	78	1	17	－	6	－
宮崎	198	63	9	－	58	－	113	113	－	93	2	30	－
鹿児島	280	97	3	－	100	－	84	84	－	73	－	－	－
沖縄	245	56	2	－	52	76	40	19	－	19	－	19	－

・取消・有効期間満了件数・立入検査等回数；調査項目・調査件数

平成29年度

建築物清掃業												
登録営業所数（年度末現在）	登録件数（年度中）	登録廃止件数（年度中）	登録取消件数（年度中）	登録有効期間満了件数（年度中）	立入検査等回数（年度中）		設備		帳簿書類		その他の検査	
					報告徴収	立入検査	調査件数	不適件数	調査件数	不適件数	調査件数	不適件数
3 680	**774**	**94**	**3**	**717**	**378**	**858**	**871**	**12**	**815**	**66**	**598**	**36**
331	72	13	−	63	251	104	199	7	221	19	153	3
81	21	5	−	21	−	23	15	−	15	−	3	−
27	4	−	−	3	−	6	4	−	3	−	−	−
39	9	5	−	9	−	8	8	−	8	−	−	−
33	7	−	−	7	−	7	7	−	−	−	5	−
33	8	1	−	7	−	8	8	−	8	−	3	−
68	12	2	−	13	22	50	50	−	50	5	44	4
88	23	4	−	17	−	8	8	−	8	2	2	−
36	5	−	−	9	−	4	4	−	2	−	−	−
37	7	−	−	5	−	−	−	−	−	−	−	−
121	22	4	−	16	−	22	22	−	17	−	12	−
169	39	3	−	32	−	55	26	−	26	4	17	−
400	89	7	−	88	−	111	109	−	110	19	110	−
248	62	5	1	57	−	61	55	4	56	12	47	10
54	11	3	−	7	26	11	8	−	4	−	1	−
31	5	−	−	4	−	7	7	−	6	−	7	−
75	22	2	−	18	−	−	−	−	−	−	−	−
23	8	−	−	8	−	−	−	−	−	−	−	−
33	7	1	−	9	−	5	5	−	5	−	−	−
37	10	−	−	9	−	7	7	−	6	−	6	−
33	11	−	−	9	31	10	8	−	8	−	6	−
107	21	1	−	14	−	33	33	1	33	5	25	6
165	40	8	−	40	−	34	34	−	34	−	34	−
45	12	−	−	8	−	14	14	−	4	−	2	−
51	8	4	−	10	−	8	8	−	−	−	−	−
49	5	−	−	12	−	4	2	−	−	−	−	−
211	41	5	−	43	−	31	31	−	31	−	31	11
78	17	4	−	17	−	12	11	−	2	−	2	1
26	1	−	−	1	−	1	1	−	−	−	−	−
49	7	1	−	1	−	6	1	−	1	−	1	−
39	8	−	−	6	−	8	8	−	8	−	−	−
23	6	3	−	4	−	1	1	−	1	−	−	−
99	18	1	−	19	25	27	20	−	9	−	−	−
118	24	−	−	21	−	24	21	−	21	−	4	1
35	9	−	−	12	−	21	20	−	20	−	20	−
18	2	3	2	2	−	4	−	−	−	−	−	−
47	11	3	−	8	−	7	7	−	7	−	−	−
28	4	−	−	3	−	4	4	−	4	−	4	−
19	6	−	−	7	−	6	6	−	6	−	6	−
134	7	−	−	2	8	36	36	−	36	−	36	−
29	9	1	−	10	−	11	11	−	10	−	8	−
50	3	−	−	2	−	2	1	−	1	−	−	−
53	7	−	−	10	−	1	−	−	−	−	−	−
58	13	1	−	16	−	13	12	−	4	−	2	−
37	9	2	−	8	−	16	16	−	12	−	5	−
72	25	−	−	26	−	21	21	−	16	−	−	−
43	7	2	−	4	15	6	2	−	2	−	2	−

（報告表　18）

第４表（５－２） 建築物環境衛生に係る登録営業所数・登録・廃止－不適件数，都道府県別

	建築物空気環境測定業												
	登録営業所数(年度末現在)	登録件数(年度中)	登録廃止件数(年度中)	登録取消件数(年度中)	登録有効期間満了件数(年度中)	立入検査等回数(年度中)		設備		帳簿書類		その他の検査	
						報告徴収	立入検査	調査件数	不適件数	調査件数	不適件数	調査件数	不適件数
全国	**965**	**268**	**30**	**-**	**247**	**65**	**324**	**305**	**8**	**287**	**15**	**244**	**12**
北海道	46	18	2	-	15	36	16	37	-	40	1	30	-
青森	14	5	-	-	6	-	6	2	-	2	-	1	-
岩手	8	3	-	-	2	-	3	1	-	1	-	-	-
宮城	15	3	-	-	2	1	4	1	-	1	-	-	-
秋田	10	3	-	-	3	-	3	2	-	1	-	2	-
山形	7	2	1	-	2	-	2	2	-	2	-	1	-
福島	13	5	-	-	5	3	12	12	1	12	1	12	1
茨城	24	6	2	-	3	-	2	2	-	2	1	1	-
栃木	13	5	1	-	5	-	4	4	-	4	-	-	-
群馬	18	5	1	-	6	-	-	-	-	-	-	-	-
埼玉	28	9	1	-	7	-	10	9	-	7	-	5	-
千葉	38	9	1	-	8	-	17	4	-	4	-	2	-
東京	158	49	4	-	51	-	79	79	2	79	6	79	2
神奈川	59	11	1	-	13	-	18	17	2	18	5	14	2
新潟	12	1	-	-	1	4	1	1	-	1	-	-	-
富山	14	4	-	-	3	-	4	4	-	4	-	4	-
石川	27	6	-	-	5	-	-	-	-	-	-	-	-
福井	7	3	-	-	2	-	-	-	-	-	-	-	-
山梨	4	-	-	-	-	-	2	-	-	-	-	-	-
長野	21	2	1	-	1	-	-	-	-	-	-	-	-
岐阜	9	4	-	-	5	10	4	3	-	3	-	2	-
静岡	37	6	1	-	5	-	9	8	2	8	1	7	2
愛知	60	26	5	-	21	-	26	26	-	24	-	26	-
三重	7	1	-	-	-	-	1	1	-	-	-	-	-
滋賀	3	1	-	-	1	-	1	1	-	-	-	-	-
京都	15	2	-	-	-	-	3	2	-	-	-	-	-
大阪	78	25	2	-	26	1	19	19	1	19	-	19	5
兵庫	26	9	3	-	10	-	5	5	-	3	-	2	-
奈良	7	1	-	-	1	-	1	1	-	-	-	-	-
和歌山	12	4	-	-	1	-	4	1	-	1	-	1	-
鳥取	11	1	-	-	1	-	1	1	-	1	-	-	-
島根	7	3	-	-	3	-	2	2	-	2	-	-	-
岡山	16	6	-	-	4	1	9	8	-	3	-	-	-
広島	19	5	1	-	4	-	6	5	-	5	-	-	-
山口	14	4	-	-	5	-	10	10	-	9	-	10	-
徳島	1	-	-	-	1	-	2	-	-	-	-	-	-
香川	7	1	-	-	1	-	1	1	-	1	-	-	-
愛媛	6	-	-	-	-	-	-	-	-	-	-	-	-
高知	2	1	-	-	1	-	1	1	-	1	-	1	-
福岡	35	1	1	-	1	3	15	15	-	15	-	15	-
佐賀	8	5	-	-	5	-	6	6	-	6	-	6	-
長崎	8	-	-	-	-	-	-	-	-	-	-	-	-
熊本	6	2	-	-	2	-	2	1	-	1	-	1	-
大分	10	2	-	-	1	-	2	2	-	-	-	-	-
宮崎	7	4	2	-	3	-	6	6	-	4	-	2	-
鹿児島	8	2	-	-	2	-	2	2	-	2	-	-	-
沖縄	10	3	-	-	3	6	3	1	-	1	-	1	-

・取消・有効期間満了件数・立入検査等回数；調査項目・調査件数

平成29年度

建築物飲料水水質検査業												
登録営業所数（年度末現在）	登録件数（年度中）	登録廃止件数（年度中）	登録取消件数（年度中）	登録有効期間満了件数（年度中）	立入検査等回数（年度中）		設備		帳簿書類		その他の検査	
					報告徴収	立入検査	調査件数	不適件数	調査件数	不適件数	調査件数	不適件数
556	**204**	**16**	**–**	**212**	**44**	**248**	**240**	**3**	**209**	**6**	**182**	**–**
31	10	1	–	11	25	17	33	–	33	–	27	–
10	4	–	–	3	–	4	4	–	4	–	–	–
8	2	–	–	2	–	2	–	–	–	–	–	–
9	5	–	–	6	–	5	1	–	1	–	–	–
5	1	–	–	1	–	1	1	–	–	–	1	–
11	6	–	–	6	–	6	6	–	6	–	3	–
12	4	–	–	4	3	11	11	–	11	2	11	–
12	4	2	–	2	–	2	2	–	2	–	–	–
11	3	–	–	3	–	2	2	–	1	–	–	–
13	4	–	–	6	–	–	–	–	–	–	–	–
22	7	–	–	7	–	6	6	–	4	–	4	–
24	8	–	–	8	–	11	5	–	5	–	5	–
42	22	1	–	25	–	43	43	1	43	2	43	–
24	5	1	–	6	–	8	8	–	8	–	7	–
9	4	1	–	4	4	4	3	–	2	–	–	–
10	6	–	–	7	–	8	8	–	8	–	8	–
8	3	–	–	3	–	–	–	–	–	–	–	–
4	2	–	–	2	–	–	–	–	–	–	–	–
8	1	–	–	1	–	1	1	–	1	–	–	–
20	7	1	–	6	–	2	2	–	2	–	2	–
8	5	–	–	5	8	4	3	–	3	–	2	–
17	12	–	–	11	–	10	10	–	10	2	7	–
36	22	2	–	21	–	33	33	–	25	–	33	–
5	1	–	–	1	–	1	1	–	–	–	–	–
13	5	–	–	5	–	4	4	–	–	–	–	–
9	–	–	–	2	–	1	–	–	–	–	–	–
34	12	1	–	12	–	9	9	2	9	–	9	–
22	10	3	–	11	–	10	10	–	3	–	3	–
4	1	–	–	1	1	2	2	–	–	–	–	–
5	–	–	–	–	–	–	–	–	–	–	–	–
2	–	–	–	–	–	–	–	–	–	–	–	–
3	1	–	–	1	–	1	1	–	1	–	–	–
8	4	–	–	4	2	7	6	–	3	–	–	–
17	6	1	–	7	–	7	6	–	6	–	2	–
8	3	1	–	3	–	4	1	–	1	–	1	–
5	–	–	–	–	–	–	–	–	–	–	–	–
5	1	–	–	1	–	1	1	–	1	–	–	–
5	–	–	–	–	–	–	–	–	–	–	–	–
4	3	–	–	3	–	3	3	–	3	–	3	–
20	–	–	–	–	1	9	9	–	9	–	9	–
3	1	1	–	1	–	1	1	–	1	–	1	–
5	–	–	–	–	–	–	–	–	–	–	–	–
5	1	–	–	1	–	1	1	–	1	–	1	–
2	1	–	–	1	–	1	1	–	–	–	–	–
5	1	–	–	1	–	1	1	–	1	–	–	–
7	1	–	–	2	–	1	1	–	1	–	–	–
6	5	–	–	5	–	4	–	–	–	–	–	–

（報告表　18）

第４表（５－３） 建築物環境衛生に係る登録営業所数・登録・廃止－不適件数，都道府県別

	建築物飲料水貯水槽清掃業												
	登録営業所数(年度末現在)	登録件数(年度中)	登録廃止件数(年度中)	登録取消件数(年度中)	登録有効期間満了件数(年度中)	立入検査等回数(年度中)		設備		帳簿書類		その他の検査	
						報告徴収	立入検査	調査件数	不適件数	調査件数	不適件数	調査件数	不適件数
全国	**6 865**	**2 188**	**112**	**1**	**2 193**	**467**	**2 473**	**2 315**	**120**	**2 058**	**170**	**1 601**	**106**
北海道	275	92	4	－	90	221	178	278	－	276	10	212	14
青森	104	28	2	－	29	－	29	20	－	20	－	1	－
岩手	65	21	－	－	21	－	26	6	－	5	－	－	－
宮城	125	43	2	－	40	2	43	19	－	19	－	－	－
秋田	61	22	3	－	21	－	22	15	－	1	－	12	－
山形	48	22	1	－	22	－	22	22	－	22	－	12	－
福島	113	49	2	－	47	37	104	100	12	100	22	75	10
茨城	174	42	7	－	37	－	14	14	－	13	3	3	1
栃木	109	27	－	－	32	－	20	18	－	14	－	－	－
群馬	76	23	－	－	25	－	－	－	－	－	－	－	－
埼玉	316	82	4	－	77	－	85	85	－	66	－	35	－
千葉	264	91	5	－	85	－	116	55	1	55	7	43	－
東京	856	359	8	－	397	－	448	443	39	444	68	443	7
神奈川	429	146	7	1	141	－	169	158	29	161	33	143	35
新潟	147	83	4	－	79	54	87	67	2	50	－	2	－
富山	55	17	－	－	18	－	18	18	－	18	3	18	－
石川	73	30	－	－	29	－	－	－	－	－	－	－	－
福井	41	16	－	－	17	－	15	15	－	15	－	3	1
山梨	59	17	－	－	20	－	13	13	－	13	－	－	－
長野	121	44	－	－	44	6	25	25	－	18	－	14	－
岐阜	68	21	－	－	20	67	18	15	－	15	－	11	－
静岡	211	60	6	－	52	－	72	68	6	49	9	51	10
愛知	300	109	11	－	105	－	157	155	6	142	11	157	11
三重	86	18	1	－	19	－	23	23	－	9	－	2	－
滋賀	52	13	1	－	11	－	14	14	1	4	－	－	－
京都	130	2	2	－	11	2	13	7	－	－	－	－	－
大阪	507	150	6	－	153	16	108	108	23	108	2	108	12
兵庫	216	98	8	－	99	－	73	64	－	15	－	13	2
奈良	50	14	－	－	18	5	13	13	－	2	－	2	－
和歌山	82	24	－	－	10	－	22	3	－	3	－	3	－
鳥取	51	14	－	－	12	－	14	10	－	10	－	－	－
島根	49	22	2	－	22	－	10	9	－	9	－	3	－
岡山	115	40	4	－	38	16	55	49	－	24	－	－	－
広島	155	61	1	－	59	－	63	53	－	53	－	15	3
山口	73	28	－	－	30	－	46	44	－	43	－	44	－
徳島	58	15	12	－	16	－	16	1	－	－	－	－	－
香川	56	18	1	－	19	－	15	15	－	15	－	－	－
愛媛	86	21	－	－	21	－	20	20	－	20	－	20	－
高知	40	15	2	－	19	－	15	15	－	15	－	15	－
福岡	316	13	1	－	11	16	100	100	－	100	－	100	－
佐賀	43	17	2	－	17	－	17	17	－	13	－	12	－
長崎	123	15	－	－	15	－	9	3	－	3	－	－	－
熊本	97	23	－	－	22	－	11	10	－	8	－	6	－
大分	103	38	－	－	38	－	39	38	1	10	－	3	－
宮崎	86	29	2	－	28	－	53	53	－	45	2	15	－
鹿児島	108	39	1	－	41	－	32	32	－	28	－	－	－
沖縄	93	17	－	－	16	25	11	5	－	5	－	5	－

・取消・有効期間満了件数・立入検査等回数；調査項目・調査件数

平成29年度

建築物ねずみ・昆虫等防除業												
登録営業所数(年度末現在)	登録件数(年度中)	登録廃止件数(年度中)	登録取消件数(年度中)	登録有効期間満了件数(年度中)	立入検査等回数(年度中)		設備		帳簿書類		その他の検査	
					報告徴収	立入検査	調査件数	不適件数	調査件数	不適件数	調査件数	不適件数
2 705	**766**	**56**	**–**	**725**	**225**	**885**	**821**	**40**	**732**	**50**	**546**	**39**
118	34	2	–	32	93	71	107	–	107	1	81	1
41	7	3	–	7	–	7	5	–	5	–	–	–
26	9	–	–	9	–	10	1	–	1	–	–	–
62	17	1	–	14	1	19	7	–	7	1	–	–
31	9	–	–	7	–	9	8	–	–	–	8	–
29	13	2	–	10	–	12	12	–	12	–	5	–
53	9	1	–	8	18	42	42	3	42	11	39	5
64	9	1	–	5	–	3	3	–	3	–	3	–
27	8	–	–	6	–	8	8	–	7	–	–	–
22	6	–	–	5	–	–	–	–	–	–	–	–
94	22	2	–	19	–	24	24	–	17	–	12	–
74	18	1	–	15	–	28	13	–	13	2	9	–
293	94	4	–	99	–	116	113	16	113	17	113	1
166	60	3	–	59	–	68	62	8	60	14	51	14
34	15	1	–	15	23	15	15	–	13	–	–	–
27	5	–	–	5	–	5	5	–	5	–	5	–
47	15	–	–	15	–	–	–	–	–	–	–	–
18	6	–	–	6	–	6	6	–	6	–	–	–
17	6	–	–	5	–	10	6	–	6	–	–	–
40	16	1	–	14	–	5	5	–	4	–	1	–
54	18	–	–	18	54	16	12	–	12	–	11	–
101	26	4	–	18	–	24	24	1	24	1	19	2
119	47	4	–	44	–	44	44	–	44	3	44	1
52	9	1	–	7	–	12	12	–	6	–	–	–
36	7	1	–	6	–	6	5	–	1	–	–	–
35	3	1	–	3	–	1	1	–	–	–	–	–
179	48	1	–	49	10	40	40	11	40	–	40	15
75	24	1	–	24	–	16	13	–	2	–	2	–
30	7	–	–	10	1	7	7	–	2	–	2	–
31	9	–	–	2	–	9	2	–	2	–	2	–
24	9	–	–	9	–	12	7	–	7	–	–	–
32	12	1	–	12	–	4	4	–	4	–	1	–
61	25	–	–	26	6	39	37	–	16	–	–	–
89	27	1	–	26	–	32	27	–	27	–	4	–
32	16	1	–	18	–	25	22	1	21	–	22	–
26	13	12	–	13	–	13	–	–	–	–	–	–
23	5	2	–	4	–	3	3	–	3	–	–	–
29	9	–	–	11	–	9	9	–	9	–	9	–
10	4	1	–	4	–	4	4	–	4	–	4	–
131	6	1	–	2	5	40	40	–	40	–	40	–
17	6	–	–	6	–	7	7	–	6	–	6	–
44	1	–	–	2	–	2	1	–	1	–	1	–
35	6	–	–	7	–	1	1	–	1	–	1	–
29	12	1	–	10	–	13	13	–	2	–	1	–
36	12	1	–	12	–	23	23	–	18	–	5	–
50	16	–	–	14	–	16	16	–	14	–	–	–
42	11	–	–	13	14	9	5	–	5	–	5	–

（報告表　18）

第４表（５－４） 建築物環境衛生に係る登録営業所数・登録・廃止－不適件数，都道府県別

	建築物環境衛生総合管理業												
	登録営業所数(年度末現在)	登録件数(年度中)	登録廃止件数(年度中)	登録取消件数(年度中)	登録有効期間満了件数(年度中)	立入検査等回数(年度中)		設備		帳簿書類		その他の検査	
						報告徴収	立入検査	調査件数	不適件数	調査件数	不適件数	調査件数	不適件数
全国	**2 257**	**600**	**47**	**1**	**581**	**220**	**692**	**650**	**27**	**620**	**44**	**507**	**33**
北海道	134	44	2	－	43	117	50	89	3	109	2	86	5
青森	23	8	－	－	8	－	8	4	－	4	－	－	－
岩手	25	8	－	－	9	－	8	1	－	1	－	－	－
宮城	62	15	2	－	12	－	18	3	－	3	1	－	－
秋田	26	5	1	－	5	－	5	4	－	－	－	4	－
山形	22	5	－	－	5	－	5	5	－	5	－	3	－
福島	35	10	－	－	10	11	28	28	－	28	9	26	2
茨城	46	11	3	－	7	－	－	－	－	－	－	－	－
栃木	17	5	－	－	4	－	5	5	－	4	－	－	－
群馬	13	5	－	－	5	－	－	－	－	－	－	－	－
埼玉	85	24	－	－	21	－	26	26	－	20	－	12	－
千葉	102	27	1	－	23	－	28	9	－	9	－	7	－
東京	347	106	6	－	109	－	166	163	9	164	14	163	3
神奈川	140	36	－	1	38	－	61	54	10	56	16	49	9
新潟	48	10	－	－	10	31	5	5	－	3	－	－	－
富山	22	4	－	－	4	－	6	6	－	5	－	6	－
石川	25	7	1	－	8	－	－	－	－	－	－	－	－
福井	14	3	－	－	3	－	2	2	－	2	－	－	－
山梨	12	2	－	－	2	－	2	2	－	2	－	－	－
長野	30	10	－	－	9	－	4	4	－	3	－	3	－
岐阜	36	9	－	－	9	36	8	6	－	6	－	5	－
静岡	52	12	3	－	10	－	11	11	－	11	2	10	1
愛知	83	23	4	－	21	－	24	24	1	22	－	24	－
三重	35	9	1	－	8	－	13	13	－	7	－	1	－
滋賀	25	7	1	－	6	－	4	3	－	－	－	－	－
京都	37	2	1	－	3	－	－	－	－	－	－	－	－
大阪	160	39	3	－	40	6	35	35	4	35	－	35	13
兵庫	69	19	2	－	18	－	7	7	－	1	－	1	－
奈良	20	6	－	－	6	1	6	6	－	1	－	1	－
和歌山	16	4	－	－	2	－	4	1	－	1	－	1	－
鳥取	14	5	1	－	4	－	6	4	－	4	－	－	－
島根	16	4	－	－	4	－	1	1	－	1	－	－	－
岡山	30	5	－	－	6	3	9	9	－	5	－	－	－
広島	62	23	1	－	23	－	24	20	－	20	－	2	－
山口	18	8	－	－	8	－	10	8	－	8	－	8	－
徳島	25	10	9	－	10	－	10	－	－	－	－	－	－
香川	26	7	1	－	5	－	4	4	－	4	－	－	－
愛媛	32	10	－	－	10	1	8	9	－	9	－	9	－
高知	9	3	－	－	4	－	3	3	－	3	－	3	－
福岡	103	4	1	－	3	－	37	37	－	37	－	37	－
佐賀	12	6	－	－	6	－	5	5	－	3	－	3	－
長崎	34	1	－	－	1	－	1	－	－	－	－	－	－
熊本	26	5	－	－	7	－	－	－	－	－	－	－	－
大分	19	8	－	－	8	－	10	10	－	1	－	－	－
宮崎	19	6	2	－	3	－	11	11	－	10	－	2	－
鹿児島	18	9	1	－	11	－	7	7	－	7	－	－	－
沖縄	33	11	－	－	10	14	7	6	－	6	－	6	－

・取消・有効期間満了件数・立入検査等回数；調査項目・調査件数

平成29年度

建築物空気調和用ダクト清掃業												
登録営業所数(年度末現在)	登録件数(年度中)	登録廃止件数(年度中)	登録取消件数(年度中)	登録有効期間満了件数(年度中)	立入検査等回数(年度中)		設備		帳簿書類		その他の検査	
					報告徴収	立入検査	調査件数	不適件数	調査件数	不適件数	調査件数	不適件数
127	**16**	**3**	**−**	**14**	**12**	**24**	**29**	**−**	**27**	**2**	**20**	**3**
9	1	−	−	1	8	−	8	−	8	−	8	−
−	−	−	−	−	−	−	−	−	−	−	−	−
−	−	−	−	−	−	−	−	−	−	−	−	−
7	2	−	−	−	−	2	−	−	−	−	−	−
4	1	−	−	−	−	1	1	−	−	−	1	−
1	−	−	−	−	−	−	−	−	−	−	−	−
3	−	−	−	−	1	2	2	−	2	−	2	−
−	−	−	−	−	−	−	−	−	−	−	−	−
1	−	−	−	−	−	−	−	−	−	−	−	−
1	−	−	−	1	−	−	−	−	−	−	−	−
4	−	−	−	−	−	−	−	−	−	−	−	−
5	−	−	−	1	−	−	−	−	−	−	−	−
26	2	−	−	2	−	3	3	−	3	−	3	−
5	2	−	−	2	−	2	2	−	2	2	2	1
2	−	−	−	−	1	8	7	−	6	−	−	−
3	−	−	−	−	−	−	−	−	−	−	−	−
2	1	−	−	1	−	−	−	−	−	−	−	−
−	−	−	−	−	−	−	−	−	−	−	−	−
−	−	−	−	−	−	−	−	−	−	−	−	−
2	−	−	−	−	−	−	−	−	−	−	−	−
1	−	−	−	−	1	−	−	−	−	−	−	−
3	1	1	−	−	−	−	−	−	−	−	−	−
7	1	−	−	1	−	1	1	−	1	−	1	−
1	−	−	−	−	−	−	−	−	−	−	−	−
−	−	−	−	−	−	−	−	−	−	−	−	−
3	−	−	−	−	−	−	−	−	−	−	−	−
16	3	1	−	3	1	3	3	−	3	−	3	2
1	−	−	−	−	−	−	−	−	−	−	−	−
1	−	−	−	−	−	−	−	−	−	−	−	−
−	−	1	−	−	−	−	−	−	−	−	−	−
−	−	−	−	−	−	−	−	−	−	−	−	−
1	−	−	−	−	−	−	−	−	−	−	−	−
2	−	−	−	−	−	−	−	−	−	−	−	−
1	−	−	−	−	−	−	−	−	−	−	−	−
−	−	−	−	−	−	−	−	−	−	−	−	−
1	−	−	−	−	−	−	−	−	−	−	−	−
1	−	−	−	−	−	−	−	−	−	−	−	−
−	−	−	−	−	−	−	−	−	−	−	−	−
−	−	−	−	−	−	−	−	−	−	−	−	−
4	−	−	−	−	−	−	−	−	−	−	−	−
1	−	−	−	−	−	−	−	−	−	−	−	−
1	−	−	−	−	−	−	−	−	−	−	−	−
3	−	−	−	−	−	−	−	−	−	−	−	−
−	−	−	−	−	−	−	−	−	−	−	−	−
−	−	−	−	−	−	−	−	−	−	−	−	−
3	2	−	−	2	−	2	2	−	2	−	−	−
1	−	−	−	−	−	−	−	−	−	−	−	−

（報告表　18）

第４表（５－５） 建築物環境衛生に係る登録営業所数・登録・廃止・取消・有効期間満了件数・立入検査等回数；調査項目・調査件数－不適件数，都道府県別

平成29年度

	建築物排水管清掃業												
	登録営業所数（年度末現在）	登録件数（年度中）	登録廃止件数（年度中）	登録取消件数（年度中）	登録有効期間満了件数（年度中）	立入検査等回数（年度中）		設備		帳簿書類		その他の検査	
						報告徴収	立入検査	調査件数	不適件数	調査件数	不適件数	調査件数	不適件数
全国	**1 177**	**151**	**13**	**－**	**140**	**86**	**226**	**223**	**11**	**201**	**15**	**159**	**11**
北海道	77	3	－	－	3	62	28	55	－	54	－	42	－
青森	24	5	－	－	5	－	6	5	－	5	－	1	－
岩手	7	3	－	－	2	－	3	－	－	－	－	－	－
宮城	30	3	－	－	1	－	3	－	－	－	－	－	－
秋田	17	3	－	－	4	－	3	1	－	－	－	－	－
山形	12	－	－	－	－	－	－	－	－	－	－	－	－
福島	12	－	－	－	－	3	9	9	4	9	－	8	－
茨城	19	2	－	－	4	－	4	4	－	3	1	1	－
栃木	11	1	－	－	1	－	－	－	－	－	－	－	－
群馬	14	2	－	－	2	－	－	－	－	－	－	－	－
埼玉	71	13	1	－	11	－	13	13	－	8	－	6	－
千葉	44	10	1	－	8	－	20	5	－	5	－	5	－
東京	175	26	1	－	21	－	35	34	3	34	7	34	－
神奈川	73	12	1	－	11	－	20	17	3	17	6	15	6
新潟	14	1	－	－	1	4	1	1	－	－	－	－	－
富山	12	3	－	－	2	－	3	3	－	3	1	3	－
石川	15	4	－	－	4	－	－	－	－	－	－	－	－
福井	7	3	－	－	2	－	3	3	－	3	－	－	－
山梨	13	3	－	－	3	－	3	3	－	3	－	－	－
長野	11	1	－	－	2	－	2	2	－	2	－	1	－
岐阜	11	2	－	－	1	10	2	2	－	2	－	2	－
静岡	28	4	2	－	2	－	7	7	－	4	－	6	2
愛知	51	8	1	－	7	－	11	11	－	11	－	11	－
三重	13	2	－	－	2	－	2	2	－	－	－	－	－
滋賀	13	1	－	－	1	－	－	－	－	－	－	－	－
京都	28	1	1	－	3	1	1	1	－	－	－	－	－
大阪	96	8	－	－	10	1	11	11	1	11	－	11	3
兵庫	57	5	2	－	7	－	4	4	－	1	－	－	－
奈良	5	1	－	－	－	－	1	1	－	－	－	－	－
和歌山	8	－	1	－	1	－	－	－	－	－	－	－	－
鳥取	5	1	－	－	1	－	1	1	－	1	－	－	－
島根	8	－	－	－	－	－	－	－	－	－	－	－	－
岡山	18	－	－	－	－	2	1	1	－	－	－	－	－
広島	28	6	－	－	5	－	6	5	－	5	－	1	－
山口	15	1	－	－	1	－	5	5	－	5	－	5	－
徳島	6	－	－	－	－	－	－	－	－	－	－	－	－
香川	9	－	－	－	－	－	－	－	－	－	－	－	－
愛媛	2	－	－	－	－	－	－	－	－	－	－	－	－
高知	2	－	－	－	－	－	－	－	－	－	－	－	－
福岡	32	2	－	－	－	1	5	5	－	5	－	5	－
佐賀	6	1	－	－	2	－	2	2	－	2	－	1	－
長崎	11	1	1	－	1	－	1	－	－	－	－	－	－
熊本	19	1	－	－	1	－	2	2	－	2	－	－	－
大分	9	1	－	－	2	－	2	2	－	－	－	－	－
宮崎	8	2	－	－	3	－	3	3	－	3	－	1	－
鹿児島	14	3	1	－	2	－	3	3	－	3	－	－	－
沖縄	17	2	－	－	1	2	－	－	－	－	－	－	－

（報告表　18）

第５表（２－１）　墓地・火葬場・納骨堂数，

	総数				地方公共団体				公益社団・	
	墓地	火葬場	恒常的に使用している火葬場[1)]（火葬場の再掲）	納骨堂	墓地	火葬場	恒常的に使用している火葬場[1)]（火葬場の再掲）	納骨堂	墓地	火葬場
全国	**867 918**	**4 112**	**1 437**	**12 360**	**30 623**	**1 965**	**1 374**	**728**	**578**	**14**
北海道	2 016	178	158	1 730	1 545	178	158	30	12	−
青森	2 639	36	36	41	256	36	36	3	1	−
岩手	3 251	31	30	28	198	29	29	2	6	−
宮城	2 309	27	27	93	373	25	25	15	1	−
秋田	13 053	25	22	22	891	25	22	2	−	−
山形	4 394	27	24	48	342	27	24	3	4	−
福島	7 857	25	24	68	3 036	25	24	6	2	−
茨城	27 424	32	31	84	96	31	31	8	3	−
栃木	18 173	13	13	59	1 587	13	13	11	1	−
群馬	44 250	19	18	152	80	19	18	11	10	−
埼玉	33 426	23	21	127	28	22	20	6	10	−
千葉	21 679	29	25	109	381	28	24	11	54	−
東京	9 608	27	26	419	84	19	18	19	2	−
神奈川	18 098	20	19	128	21	18	17	13	12	−
新潟	28 503	37	32	60	1 074	37	32	7	3	−
富山	2 780	16	16	22	53	16	16	2	1	−
石川	9 746	324	12	96	87	14	10	2	1	−
福井	2 156	867	14	171	359	64	14	5	−	−
山梨	2 571	13	10	28	77	13	10	4	−	−
長野	83 984	26	25	76	267	26	25	6	6	−
岐阜	11 091	260	72	149	3 245	153	69	17	2	−
静岡	18 612	36	36	138	1 187	36	36	14	13	−
愛知	13 047	42	33	221	1 353	42	33	9	1	−
三重	4 863	687	44	63	935	319	32	7	14	1
滋賀	4 691	22	16	52	766	20	16	7	3	−
京都	14 145	17	13	161	580	16	13	1	9	−
大阪	3 095	150	50	267	118	46	44	8	5	4
兵庫	20 986	65	61	244	350	58	58	5	8	−
奈良	4 944	38	35	53	47	27	27	1	8	−
和歌山	10 435	104	50	38	160	50	47	2	7	−
鳥取	15 037	76	5	143	500	32	5	26	156	−
島根	97 239	28	27	66	173	28	27	9	25	−
岡山	107 569	278	28	136	598	80	28	18	7	−
広島	68 657	153	57	213	395	58	56	11	10	7
山口	3 320	47	43	247	1 568	46	43	50	2	−
徳島	17 430	19	17	40	3 211	18	16	10	−	−
香川	2 705	44	29	59	483	27	27	7	−	−
愛媛	12 535	43	39	55	697	41	37	12	−	−
高知	9 817	14	14	75	96	14	14	25	67	−
福岡	26 924	40	40	2 997	787	40	40	217	17	−
佐賀	10 537	16	13	454	95	16	13	2	1	−
長崎	17 746	35	35	415	2 003	35	35	14	40	−
熊本	4 143	30	29	1 056	71	30	29	21	7	−
大分	333	5	4	102	19	5	4	3	4	−
宮崎	9 450	12	11	203	232	12	11	16	5	−
鹿児島	9 003	36	33	1 081	81	35	32	25	11	−
沖縄	11 647	20	20	71	38	16	16	25	27	2

注：1）「恒常的に使用している火葬場」とは、過去１年以内に稼働実績のある火葬場をいう。

平成29年度末現在

財団法人		宗教法人				個人	その他			
恒常的に使用している火葬場[1)]（火葬場の再掲）	納骨堂	墓地	火葬場	恒常的に使用している火葬場[1)]（火葬場の再掲）	納骨堂	墓地	墓地	火葬場	恒常的に使用している火葬場[1)]（火葬場の再掲）	納骨堂
3	**98**	**57 984**	**93**	**8**	**8 670**	**701 520**	**77 213**	**2 040**	**52**	**2 864**
–	6	394	–	–	1 654	30	35	–	–	40
–	–	551	–	–	38	1 660	171	–	–	–
–	3	883	2	1	23	1 694	470	–	–	–
–	–	1 355	–	–	77	544	36	2	2	1
–	–	653	–	–	19	8 159	3 350	–	–	1
–	1	1 561	–	–	40	2 142	345	–	–	4
–	–	1 617	–	–	62	3 022	180	–	–	–
–	9	1 582	–	–	62	17 285	8 458	1	–	5
–	1	991	–	–	46	14 992	602	–	–	1
–	–	1 283	–	–	51	42 674	203	–	–	90
–	5	2 744	–	–	115	28 201	2 443	1	1	1
–	3	2 382	–	–	93	14 299	4 563	1	1	2
–	–	2 811	–	–	396	6 709	2	8	8	4
–	2	2 069	–	–	113	15 868	128	2	2	–
–	1	1 940	–	–	51	22 062	3 424	–	–	1
–	–	200	–	–	19	2 489	37	–	–	1
–	–	651	–	–	94	7 869	1 138	310	2	–
–	–	492	51	–	159	422	883	752	–	7
–	–	1 502	–	–	24	992	–	–	–	–
–	4	2 047	–	–	61	81 657	7	–	–	5
–	–	627	3	2	131	6 758	459	104	1	1
–	5	2 234	–	–	118	11 615	3 563	–	–	1
–	1	3 051	–	–	210	5 474	3 168	–	–	1
1	3	741	19	1	52	1 175	1 998	348	10	1
–	3	814	–	–	40	3 103	5	2	–	2
–	–	2 124	–	–	160	9 033	2 399	1	–	–
–	–	1 267	–	–	259	1 447	258	100	6	–
–	–	1 715	–	–	238	18 200	713	7	3	1
–	2	334	1	1	47	4 550	5	10	7	3
–	–	560	7	3	36	7 289	2 419	47	–	–
–	–	534	10	–	21	11 463	2 384	34	–	96
–	2	912	–	–	50	96 084	45	–	–	5
–	–	1 157	–	–	112	98 182	7 625	198	–	6
–	4	1 276	–	–	181	64 310	2 666	88	1	17
–	–	486	–	–	195	1 246	18	1	–	2
–	–	6 061	–	–	30	6 121	2 037	1	1	–
–	–	145	–	–	51	1 356	721	17	2	1
–	–	1 095	–	–	43	8 844	1 899	2	2	–
–	7	71	–	–	37	9 518	65	–	–	6
–	14	968	–	–	1 709	23 226	1 926	–	–	1 057
–	–	1 713	–	–	385	8 710	18	–	–	67
–	6	854	–	–	394	14 810	39	–	–	1
–	–	290	–	–	381	2 306	1 469	–	–	654
–	2	143	–	–	95	56	111	–	–	2
–	–	1 023	–	–	108	1 668	6 522	–	–	79
–	8	35	–	–	352	679	8 197	1	1	696
2	6	46	–	–	38	11 527	9	2	2	2

（報告表　19）

第５表（２－２）　墓地・火葬場・納骨堂数，

	総数				地方公共団体				公益社団・	
	墓地	火葬場	恒常的に使用している火葬場[1]（火葬場の再掲）	納骨堂	墓地	火葬場	恒常的に使用している火葬場[1]（火葬場の再掲）	納骨堂	墓地	火葬場
指定都市（再掲）										
札幌市	45	2	2	247	20	2	2	1	3	－
仙台市	673	1	1	32	23	1	1	3	1	－
さいたま市	1 212	2	2	20	6	2	2	4	1	－
千葉市	333	1	1	18	4	1	1	1	1	－
横浜市	2 667	5	5	60	6	4	4	5	4	－
川崎市	197	2	2	16	3	2	2	2	－	－
相模原市	4 935	1	－	7	2	1	－	－	－	－
新潟市	3 926	5	－	35	4	5	－	1	1	－
静岡市	819	4	4	19	68	4	4	1	－	－
浜松市	1 588	7	7	22	477	7	7	3	1	－
名古屋市	689	3	3	110	15	3	3	1	－	－
京都市	2 309	1	1	117	8	1	1	1	1	－
大阪市	685	6	6	133	63	5	5	1	1	－
堺市	188	1	1	17	2	1	1	2	－	－
神戸市	150	4	4	69	4	4	4	1	3	－
岡山市	8 214	2	2	39	113	2	2	2	7	－
広島市	7 322	58	6	60	44	5	5	3	5	－
北九州市	270	2	2	470	13	2	2	20	1	－
福岡市	849	2	2	415	142	2	2	34	－	－
熊本市	1 514	2	2	267	7	2	2	2	2	－
中核市（再掲）										
旭川市	22	1	1	80	19	1	1	－	2	－
函館市	83	4	4	71	36	4	4	2	5	－
青森市	190	2	2	8	4	2	2	1	－	－
八戸市	208	1	1	1	3	1	1	－	－	－
盛岡市	79	1	1	4	3	1	1	－	1	－
秋田市	1 051	1	1	2	4	1	1	－	－	－
郡山市	488	1	1	2	2	1	1	－	－	－
いわき市	564	2	2	18	10	2	2	1	－	－
宇都宮市	1 518	1	1	12	40	1	1	3	1	－
前橋市	3 115	1	1	55	3	1	1	1	－	－
高崎市	7 255	2	2	16	6	2	2	－	－	－
川越市	650	1	1	7	－	1	1	－	－	－
越谷市	221	1	1	3	－	1	1	－	－	－
船橋市	262	1	1	10	2	1	1	2	－	－
柏市	212	1	1	3	－	1	1	－	－	－
八王子市	1 592	1	1	15	4	1	1	1	－	－
横須賀市	424	1	1	1	4	1	1	1	1	－
富山市	304	4	4	6	9	4	4	1	－	－
金沢市	693	2	2	73	4	2	2	－	－	－
長野市	9 911	3	3	9	5	3	3	－	1	－
岐阜市	355	4	2	32	279	3	1	3	－	－
豊橋市	458	1	1	11	5	1	1	－	－	－
豊田市	3 628	1	1	16	52	1	1	1	－	－
岡崎市	2 669	1	1	15	238	1	1	1	－	－
大津市	536	2	2	18	37	2	2	2	2	－
高槻市	140	1	1	10	2	1	1	1	－	－
東大阪市	90	7	7	10	6	7	7	－	－	－
豊中市	124	1	1	7	1	1	1	1	－	－
枚方市	143	1	1	6	－	1	1	－	－	－
姫路市	355	8	4	21	4	4	4	1	－	－
西宮市	6	1	1	1	6	1	1	1	－	－
尼崎市	127	1	1	22	2	1	1	－	－	－
奈良市	92	1	1	5	5	1	1	－	－	－
和歌山市	500	25	1	6	9	1	1	－	－	－
倉敷市	893	4	4	16	44	4	4	1	－	－
福山市	8 212	6	6	40	48	6	6	1	5	－
呉市	2 841	26	7	26	34	8	7	1	－	－
下関市	438	6	6	61	64	6	6	7	－	－
高松市	472	19	5	27	30	4	4	－	－	－
松山市	671	5	5	10	23	3	3	1	－	－
高知市	809	1	1	23	16	1	1	5	27	－
久留米市	7 651	1	1	240	－	1	1	－	2	－
長崎市	1 278	1	1	122	485	1	1	3	15	－
佐世保市	113	3	3	45	32	3	3	1	1	－
大分市	175	2	2	58	4	2	2	1	3	－
宮崎市	716	1	1	20	61	1	1	1	5	－
鹿児島市	683	2	2	86	18	2	2	2	9	－
那覇市	591	1	1	19	－	－	－	2	2	－

注：1）「恒常的に使用している火葬場」とは、過去１年以内に稼働実績のある火葬場をいう。

経営主体・都道府県－指定都市－中核市（再掲）別

平成29年度末現在

財団法人		宗教法人				個人	その他			
恒常的に使用している火葬場[1)]（火葬場の再掲）	納骨堂	墓地	火葬場	恒常的に使用している火葬場[1)]（火葬場の再掲）	納骨堂	墓地	墓地	火葬場	恒常的に使用している火葬場[1)]（火葬場の再掲）	納骨堂
–	–	22	–	–	242	–	–	–	–	4
–	–	176	–	–	28	473	–	–	–	1
–	1	189	–	–	15	767	249	–	–	–
–	–	136	–	–	16	43	149	–	–	1
–	2	633	–	–	53	1 948	76	1	1	–
–	–	150	–	–	14	44	–	–	–	–
–	–	129	–	–	7	4 752	52	–	–	–
–	–	362	–	–	34	3 185	374	–	–	–
–	–	427	–	–	18	280	44	–	–	–
–	1	369	–	–	17	661	80	–	–	1
–	–	619	–	–	109	5	50	–	–	–
–	–	989	–	–	116	703	608	–	–	–
–	–	541	–	–	132	–	80	1	1	–
–	–	127	–	–	15	59	–	–	–	–
–	–	70	–	–	68	71	2	–	–	–
–	–	188	–	–	37	496	7 410	–	–	–
–	–	241	–	–	54	7 029	3	53	1	3
–	2	49	–	–	419	30	177	–	–	29
–	–	173	–	–	318	532	2	–	–	63
–	–	183	–	–	115	711	611	–	–	150
–	–	1	–	–	51	–	–	–	–	29
–	–	34	–	–	68	6	2	–	–	1
–	–	41	–	–	7	145	–	–	–	–
–	–	139	–	–	1	46	20	–	–	–
–	–	53	–	–	4	21	1	–	–	–
–	–	124	–	–	1	778	145	–	–	1
–	–	194	–	–	2	282	10	–	–	–
–	–	385	–	–	17	9	160	–	–	–
–	–	69	–	–	9	806	602	–	–	–
–	–	135	–	–	5	2 977	–	–	–	49
–	–	273	–	–	12	6 976	–	–	–	4
–	–	98	–	–	7	551	1	–	–	–
–	–	72	–	–	3	48	101	–	–	–
–	–	49	–	–	8	210	1	–	–	–
–	–	64	–	–	3	145	3	–	–	–
–	–	184	–	–	12	1 404	–	–	–	2
–	–	119	–	–	–	300	–	–	–	–
–	–	46	–	–	5	249	–	–	–	–
–	–	277	–	–	73	–	412	–	–	–
–	–	240	–	–	9	9 665	–	–	–	–
–	–	74	1	1	29	–	2	–	–	–
–	–	171	–	–	11	281	1	–	–	–
–	–	499	–	–	15	434	2 643	–	–	–
–	–	200	–	–	13	2 231	–	–	–	1
–	–	151	–	–	15	343	3	–	–	1
–	–	50	–	–	9	23	65	–	–	–
–	–	31	–	–	10	6	47	–	–	–
–	–	40	–	–	6	17	66	–	–	–
–	–	45	–	–	6	98	–	–	–	–
–	–	105	–	–	19	5	241	4	–	1
–	–	–	–	–	–	–	–	–	–	–
–	–	63	–	–	22	–	62	–	–	–
–	–	83	–	–	5	4	–	–	–	–
–	–	201	4	–	6	289	1	20	–	–
–	–	196	–	–	15	653	–	–	–	–
–	1	323	–	–	31	7 651	185	–	–	7
–	–	85	–	–	24	2 716	6	18	–	1
–	–	65	–	–	54	309	–	–	–	–
–	–	52	–	–	26	65	325	15	1	1
–	–	165	–	–	9	–	483	2	2	–
–	1	25	–	–	15	731	10	–	–	2
–	–	7	–	–	107	7 642	–	–	–	133
–	1	279	–	–	117	499	–	–	–	1
–	2	48	–	–	42	10	22	–	–	–
–	1	57	–	–	55	9	102	–	–	1
–	–	19	–	–	18	57	574	–	–	1
–	2	11	–	–	80	642	3	–	–	2
–	–	4	–	–	17	584	1	1	1	–

（報告表　19）

第６表（２－１）　埋葬及び火葬の死体・死胎数

	総数			死	
	総数	埋葬	火葬	総数	埋葬
全国	**1 400 671**	**389**	**1 400 282**	**1 380 107**	**104**
北海道	65 100	6	65 094	64 149	6
青森	18 194	10	18 184	18 018	-
岩手	17 629	1	17 628	17 486	1
宮城	24 422	-	24 422	24 046	-
秋田	15 681	1	15 680	15 570	1
山形	15 656	8	15 648	15 511	7
福島	25 817	-	25 817	25 517	-
茨城	32 390	4	32 386	32 008	4
栃木	22 492	6	22 486	22 163	2
群馬	23 654	4	23 650	23 375	4
埼玉	67 433	36	67 397	66 313	6
千葉	62 619	4	62 615	61 561	3
東京	119 663	16	119 647	117 336	13
神奈川	83 284	215	83 069	81 701	6
新潟	30 261	-	30 261	29 964	-
富山	13 767	-	13 767	13 634	-
石川	12 694	-	12 694	12 551	-
福井	9 646	-	9 646	9 525	-
山梨	10 244	4	10 240	10 132	1
長野	27 718	6	27 712	27 425	4
岐阜	30 024	-	30 024	29 689	-
静岡	42 246	-	42 246	41 779	-
愛知	69 872	5	69 867	68 638	5
三重	21 249	2	21 247	20 992	1
滋賀	13 271	-	13 271	13 070	-
京都	28 762	1	28 761	28 418	1
大阪	99 482	-	99 482	97 856	-
兵庫	58 279	4	58 275	57 436	2
奈良	14 796	2	14 794	14 619	2
和歌山	13 427	1	13 426	13 276	1
鳥取	7 366	2	7 364	7 265	2
島根	9 904	15	9 889	9 803	12
岡山	23 163	2	23 161	22 859	-
広島	32 379	1	32 378	31 926	-
山口	17 777	2	17 775	17 622	2
徳島	10 723	-	10 723	10 620	-
香川	12 026	3	12 023	11 899	1
愛媛	18 441	-	18 441	18 204	-
高知	10 568	5	10 563	10 452	4
福岡	53 923	-	53 923	52 895	-
佐賀	10 989	-	10 989	10 874	-
長崎	17 976	-	17 976	17 719	-
熊本	21 971	6	21 965	21 606	-
大分	13 286	12	13 274	13 093	10
宮崎	14 354	-	14 354	14 162	-
鹿児島	22 947	4	22 943	22 646	2
沖縄	13 106	1	13 105	12 704	1

並びに改葬数，都道府県－指定都市－中核市（再掲）別

平成29年度

体	死	胎		改　葬	無縁墳墓等の改葬
火　葬	総　数	埋　葬	火　葬	（別　掲）	（改葬の再掲）
1 380 003	**20 564**	**285**	**20 279**	**104 493**	**3 384**
64 143	951	－	951	7 638	29
18 018	176	10	166	834	10
17 485	143	－	143	918	2
24 046	376	－	376	966	54
15 569	111	－	111	541	－
15 504	145	1	144	341	－
25 517	300	－	300	3 650	84
32 004	382	－	382	2 071	4
22 161	329	4	325	794	8
23 371	279	－	279	1 754	53
66 307	1 120	30	1 090	3 604	93
61 558	1 058	1	1 057	4 900	－
117 323	2 327	3	2 324	8 627	687
81 695	1 583	209	1 374	5 205	47
29 964	297	－	297	773	－
13 634	133	－	133	510	－
12 551	143	－	143	494	30
9 525	121	－	121	159	2
10 131	112	3	109	529	12
27 421	293	2	291	1 246	－
29 689	335	－	335	1 084	－
41 779	467	－	467	4 192	41
68 633	1 234	－	1 234	3 769	1 419
20 991	257	1	256	1 691	3
13 070	201	－	201	1 556	18
28 417	344	－	344	2 371	117
97 856	1 626	－	1 626	4 909	23
57 434	843	2	841	4 767	13
14 617	177	－	177	1 251	10
13 275	151	－	151	1 573	8
7 263	101	－	101	687	－
9 791	101	3	98	1 130	3
22 859	304	2	302	1 457	45
31 926	453	1	452	2 218	196
17 620	155	－	155	2 920	－
10 620	103	－	103	416	6
11 898	127	2	125	798	8
18 204	237	－	237	1 613	3
10 448	116	1	115	1 206	35
52 895	1 028	－	1 028	3 864	7
10 874	115	－	115	1 369	2
17 719	257	－	257	3 367	3
21 606	365	6	359	1 985	88
13 083	193	2	191	863	73
14 162	192	－	192	1 323	6
22 644	301	2	299	3 956	102
12 703	402	－	402	2 604	40

（報告表　20）

第６表（２－２）　埋葬及び火葬の死体・死胎数

	総数			死	
	総数	埋葬	火葬	総数	埋葬
指定都市(再掲)					
札幌市	20 456	-	20 456	20 031	-
仙台市	8 949	-	8 949	8 724	-
さいたま市	10 743	-	10 743	10 579	-
千葉市	8 780	3	8 777	8 619	2
横浜市	33 582	152	33 430	32 733	-
川崎市	11 363	57	11 306	11 105	2
相模原市	6 480	2	6 478	6 363	1
新潟市	8 995	-	8 995	8 880	-
静岡市	8 246	-	8 246	8 149	-
浜松市	8 526	-	8 526	8 422	-
名古屋市	22 064	2	22 062	21 621	2
京都市	15 036	-	15 036	14 829	-
大阪市	33 317	-	33 317	32 655	-
堺市	8 097	-	8 097	7 987	-
神戸市	15 651	-	15 651	15 383	-
岡山市	7 305	-	7 305	7 155	-
広島市	11 018	-	11 018	10 816	-
北九州市	11 776	-	11 776	11 573	-
福岡市	12 225	-	12 225	11 791	-
熊本市	7 281	3	7 278	7 086	-
中核市(再掲)					
旭川市	4 555	-	4 555	4 460	-
函館市	3 777	-	3 777	3 711	-
青森市	3 539	-	3 539	3 499	-
八戸市	2 973	-	2 973	2 934	-
盛岡市	3 206	-	3 206	3 160	-
秋田市	3 831	-	3 831	3 788	-
郡山市	3 730	-	3 730	3 666	-
いわき市	4 710	-	4 710	4 655	-
宇都宮市	4 868	-	4 868	4 773	-
前橋市	3 809	-	3 809	3 747	-
高崎市	4 179	-	4 179	4 123	-
川越市	3 370	1	3 369	3 277	-
越谷市	2 911	1	2 910	2 823	1
船橋市	5 292	-	5 292	5 148	-
柏市	5 345	1	5 344	5 259	1
八王子市	5 677	1	5 676	5 617	-
横須賀市	4 774	-	4 774	4 735	-
富山市	5 154	-	5 154	5 091	-
金沢市	4 881	-	4 881	4 791	-
長野市	4 414	-	4 414	4 352	-
岐阜市	5 132	-	5 132	5 062	-
豊橋市	3 756	-	3 756	3 690	-
豊田市	3 321	-	3 321	3 219	-
岡崎市	3 188	-	3 188	3 124	-
大津市	3 151	-	3 151	3 119	-
高槻市	3 606	-	3 606	3 553	-
東大阪市	5 447	-	5 447	5 341	-
豊中市	3 263	-	3 263	3 198	-
枚方市	3 918	-	3 918	3 880	-
姫路市	5 674	1	5 673	5 562	1
西宮市	4 126	-	4 126	4 035	-
尼崎市	4 789	-	4 789	4 734	-
奈良市	3 729	1	3 728	3 693	1
和歌山市	4 768	-	4 768	4 697	-
倉敷市	5 103	-	5 103	5 025	-
福山市	5 071	-	5 071	4 966	-
呉市	3 621	-	3 621	3 584	-
下関市	3 726	-	3 726	3 700	-
高松市	4 238	1	4 237	4 175	-
松山市	5 593	-	5 593	5 473	-
高知市	4 159	-	4 159	4 082	-
久留米市	3 259	-	3 259	3 170	-
長崎市	5 422	-	5 422	5 322	-
佐世保市	3 478	-	3 478	3 426	-
大分市	4 694	-	4 694	4 619	-
宮崎市	3 864	-	3 864	3 781	-
鹿児島市	6 443	-	6 443	6 255	-
那覇市	2 998	-	2 998	2 921	-

並びに改葬数，都道府県－指定都市－中核市（再掲）別

平成29年度

体	死胎			改葬（別掲）	無縁墳墓等の改葬（改葬の再掲）
火葬	総数	埋葬	火葬		
20 031	425	－	425	745	－
8 724	225	－	225	223	1
10 579	164	－	164	644	－
8 617	161	1	160	436	－
32 733	849	152	697	1 600	43
11 103	258	55	203	800	4
6 362	117	1	116	115	－
8 880	115	－	115	134	－
8 149	97	－	97	880	4
8 422	104	－	104	311	1
21 619	443	－	443	2 475	1 397
14 829	207	－	207	1 526	2
32 655	662	－	662	1 046	15
7 987	110	－	110	618	－
15 383	268	－	268	1 852	－
7 155	150	－	150	393	－
10 816	202	－	202	294	3
11 573	203	－	203	829	2
11 791	434	－	434	427	2
7 086	195	3	192	493	1
4 460	95	－	95	141	－
3 711	66	－	66	664	－
3 499	40	－	40	397	－
2 934	39	－	39	74	－
3 160	46	－	46	70	－
3 788	43	－	43	58	－
3 666	64	－	64	275	－
4 655	55	－	55	1 175	67
4 773	95	－	95	102	－
3 747	62	－	62	111	－
4 123	56	－	56	188	－
3 277	93	1	92	349	－
2 822	88	－	88	122	－
5 148	144	－	144	380	－
5 258	86	－	86	124	－
5 617	60	1	59	710	1
4 735	39	－	39	517	－
5 091	63	－	63	250	－
4 791	90	－	90	229	27
4 352	62	－	62	122	－
5 062	70	－	70	91	－
3 690	66	－	66	81	－
3 219	102	－	102	46	－
3 124	64	－	64	110	11
3 119	32	－	32	234	－
3 553	53	－	53	99	－
5 341	106	－	106	94	3
3 198	65	－	65	186	－
3 880	38	－	38	256	－
5 561	112	－	112	129	－
4 035	91	－	91	447	－
4 734	55	－	55	290	12
3 692	36	－	36	243	－
4 697	71	－	71	540	－
5 025	78	－	78	72	－
4 966	105	－	105	158	－
3 584	37	－	37	230	－
3 700	26	－	26	233	－
4 175	63	1	62	152	1
5 473	120	－	120	169	－
4 082	77	－	77	655	－
3 170	89	－	89	156	2
5 322	100	－	100	1 780	－
3 426	52	－	52	577	－
4 619	75	－	75	186	69
3 781	83	－	83	189	1
6 255	188	－	188	1 189	85
2 921	77	－	77	984	1

（報告表　20）

第7表　興行場数，施設の種類別；許可・廃止・

	常設の興行場数（年度末現在）			営業許可件数(年度中)		営業廃止件数(年度中)	処分件数(年度中)	
	映画館	スポーツ施設	その他	常設の興行場	仮設の興行場		営業許可取消	営業停止
全国	**1 475**	**357**	**2 928**	**128**	**279**	**123**	**-**	**-**
北海道	52	21	100	3	17	7	-	-
青森	17	21	43	1	5	2	-	-
岩手	18	3	31	1	-	-	-	-
宮城	13	6	53	4	3	6	-	-
秋田	12	3	24	-	-	1	-	-
山形	11	3	28	1	6	-	-	-
福島	17	14	83	1	3	2	-	-
茨城	29	7	59	1	1	-	-	-
栃木	17	1	66	-	1	-	-	-
群馬	21	3	40	1	4	-	-	-
埼玉	28	14	92	4	1	1	-	-
千葉	37	8	121	5	3	3	-	-
東京	316	38	541	51	87	17	-	-
神奈川	60	23	111	7	6	4	-	-
新潟	13	6	60	3	2	5	-	-
富山	6	2	31	1	1	1	-	-
石川	9	-	34	1	1	-	-	-
福井	13	6	30	-	6	1	-	-
山梨	5	1	26	-	2	-	-	-
長野	25	3	41	3	-	8	-	-
岐阜	11	3	17	-	1	1	-	-
静岡	34	23	152	2	5	6	-	-
愛知	56	19	129	6	41	2	-	-
三重	21	5	46	1	5	1	-	-
滋賀	12	1	28	-	1	-	-	-
京都	18	6	43	1	5	1	-	-
大阪	62	13	133	5	24	12	-	-
兵庫	67	7	81	2	2	3	-	-
奈良	4	1	29	1	3	-	-	-
和歌山	8	4	16	-	1	1	-	-
鳥取	12	2	26	-	-	-	-	-
島根	3	11	33	3	1	2	-	-
岡山	10	7	60	1	1	4	-	-
広島	52	4	61	2	1	4	-	-
山口	16	4	20	-	-	-	-	-
徳島	6	4	14	1	1	1	-	-
香川	28	4	21	1	3	1	-	-
愛媛	22	7	36	-	12	-	-	-
高知	9	9	13	1	1	-	-	-
福岡	166	12	122	9	7	16	-	-
佐賀	7	10	39	1	3	1	-	-
長崎	28	3	30	1	-	2	-	-
熊本	56	3	45	1	3	1	-	-
大分	14	2	31	1	2	-	-	-
宮崎	8	2	35	-	-	-	-	-
鹿児島	13	6	26	-	3	3	-	-
沖縄	13	2	28	-	4	3	-	-

処分件数，都道府県－指定都市－中核市（再掲）別

平成29年度

	常設の興行場数（年度末現在）			営業許可件数（年度中）		営業廃止件数（年度中）	処分件数（年度中）	
	映画館	スポーツ施設	その他	常設の興行場	仮設の興行場		営業許可取消	営業停止
指定都市（再掲）								
札幌市	13	9	32	2	7	1	–	–
仙台市	7	5	31	4	3	4	–	–
さいたま市	5	7	17	2	–	–	–	–
千葉市	12	6	27	4	–	1	–	–
横浜市	28	7	52	2	2	1	–	–
川崎市	4	6	28	3	–	–	–	–
相模原市	1	2	7	–	–	–	–	–
新潟市	6	1	21	–	–	–	–	–
静岡市	7	3	31	–	4	–	–	–
浜松市	4	5	17	–	–	–	–	–
名古屋市	21	6	65	3	30	2	–	–
京都市	14	5	35	1	5	1	–	–
大阪市	38	10	87	2	23	9	–	–
堺市	11	–	4	–	–	1	–	–
神戸市	47	1	20	1	1	1	–	–
岡山市	9	2	22	1	–	1	–	–
広島市	36	2	34	–	1	–	–	–
北九州市	42	5	23	1	4	7	–	–
福岡市	23	4	59	6	3	9	–	–
熊本市	24	3	7	1	–	1	–	–
中核市（再掲）								
旭川市	3	–	6	–	2	4	–	–
函館市	2	2	6	1	2	–	–	–
青森市	10	8	3	–	1	–	–	–
八戸市	1	–	8	–	1	–	–	–
盛岡市	11	2	7	–	–	–	–	–
秋田市	4	1	5	–	–	–	–	–
郡山市	2	1	8	–	1	–	–	–
いわき市	1	4	19	–	–	2	–	–
宇都宮市	7	1	13	–	1	–	–	–
前橋市	4	–	3	–	–	–	–	–
高崎市	4	–	5	1	3	–	–	–
川越市	2	–	4	–	–	–	–	–
越谷市	1	1	5	–	–	–	–	–
船橋市	1	–	6	1	–	–	–	–
柏市	4	–	4	–	2	–	–	–
八王子市	9	5	8	–	1	–	–	–
横須賀市	8	1	5	2	1	2	–	–
富山市	4	2	5	–	–	–	–	–
金沢市	6	–	11	–	–	–	–	–
長野市	7	–	12	–	–	–	–	–
岐阜市	5	1	11	–	1	–	–	–
豊橋市	2	1	3	–	1	–	–	–
豊田市	3	1	6	1	1	–	–	–
岡崎市	2	–	4	–	2	–	–	–
大津市	2	1	7	–	1	–	–	–
高槻市	1	–	3	–	–	–	–	–
東大阪市	1	1	2	–	–	–	–	–
豊中市	–	–	5	1	–	1	–	–
枚方市	3	–	3	–	–	–	–	–
姫路市	1	–	10	–	1	–	–	–
西宮市	2	2	7	1	–	1	–	–
尼崎市	5	–	5	–	–	1	–	–
奈良市	–	–	7	–	–	–	–	–
和歌山市	2	3	9	–	1	–	–	–
倉敷市	1	2	6	–	1	1	–	–
福山市	4	1	6	–	–	–	–	–
呉市	2	1	6	–	–	1	–	–
下関市	2	2	6	–	–	–	–	–
高松市	16	2	6	1	–	–	–	–
松山市	5	3	16	–	–	–	–	–
高知市	8	5	2	1	1	–	–	–
久留米市	13	1	6	2	–	–	–	–
長崎市	3	1	6	–	–	–	–	–
佐世保市	19	1	8	–	–	1	–	–
大分市	6	–	6	–	1	–	–	–
宮崎市	4	–	8	–	–	–	–	–
鹿児島市	8	2	7	–	1	–	–	–
那覇市	5	1	5	–	–	3	–	–

（報告表　21）

第８表　ホテル－旅館営業の施設数・客室数及び簡易宿所・下宿

	ホテル営業（年度末現在）		旅館営業（年度末現在）		簡易宿所営業	下宿営業	営業許可	営業廃止	処分件数（年度中）	
	施設数	客室数	施設数	客室数	施設数（年度末現在）	施設数（年度末現在）	件数（年度中）	件数（年度中）	営業許可取消	営業停止
全国	**10 402**	**907 500**	**38 622**	**688 342**	**32 451**	**675**	**5 615**	**3 359**	**－**	**－**
北海道	702	66 817	2 195	42 142	1 977	125	305	231	－	－
青森	140	11 706	553	8 755	593	10	42	67	－	－
岩手	175	12 264	651	9 719	279	23	22	33	－	－
宮城	268	23 210	517	11 020	259	32	41	58	－	－
秋田	91	7 751	474	8 200	265	18	25	27	－	－
山形	133	8 306	701	11 649	231	1	23	17	－	－
福島	264	18 093	1 317	21 909	704	140	77	127	－	－
茨城	293	15 709	680	10 579	150	27	47	66	－	－
栃木	168	11 506	1 250	23 749	377	－	76	59	－	－
群馬	227	12 561	970	17 674	701	1	43	61	－	－
埼玉	374	17 660	320	4 853	111	－	25	35	－	－
千葉	190	33 706	1 138	21 698	792	4	121	112	－	－
東京	718	110 641	1 306	58 583	1 196	13	353	131	－	－
神奈川	338	32 600	1 003	17 675	658	5	154	117	－	－
新潟	294	20 282	1 846	24 188	176	13	110	135	－	－
富山	99	8 782	334	6 252	185	1	22	18	－	－
石川	134	12 259	626	13 315	455	－	85	37	－	－
福井	76	5 194	911	10 598	399	4	33	41	－	－
山梨	128	8 420	1 213	16 852	1 324	6	90	92	－	－
長野	509	27 041	2 168	36 004	3 582	6	287	291	－	－
岐阜	210	11 927	923	13 085	472	11	70	32	－	－
静岡	380	29 752	2 624	40 175	1 083	23	133	155	－	－
愛知	301	28 769	874	30 573	126	4	81	75	－	－
三重	99	9 482	1 295	21 778	192	10	45	94	－	－
滋賀	132	9 143	374	5 349	317	5	76	52	－	－
京都	269	27 038	652	9 151	2 765	79	956	121	－	－
大阪	498	71 193	732	18 405	599	5	341	62	－	－
兵庫	434	29 578	1 091	15 126	617	28	104	96	－	－
奈良	66	4 409	340	4 788	328	－	53	25	－	－
和歌山	103	5 924	613	11 296	592	－	81	45	－	－
鳥取	60	4 519	315	4 954	375	－	36	45	－	－
島根	68	4 892	366	5 830	301	10	45	52	－	－
岡山	167	12 533	526	7 685	207	11	40	58	－	－
広島	190	18 574	507	9 649	474	1	98	79	－	－
山口	90	7 203	653	11 249	138	7	10	33	－	－
徳島	45	3 195	490	6 491	200	1	52	70	－	－
香川	132	7 999	249	4 169	341	1	55	50	－	－
愛媛	170	10 752	295	5 039	454	5	43	30	－	－
高知	88	6 222	305	4 282	387	1	30	27	－	－
福岡	418	42 470	539	9 454	398	1	191	57	－	－
佐賀	58	4 748	297	4 941	131	1	27	11	－	－
長崎	84	8 120	527	12 958	1 469	1	93	53	－	－
熊本	133	9 595	1 080	17 637	545	5	61	51	－	－
大分	175	12 966	987	13 132	730	22	99	46	－	－
宮崎	139	11 308	326	4 128	405	1	35	24	－	－
鹿児島	176	14 858	856	12 722	999	7	137	73	－	－
沖縄	396	35 823	613	8 882	3 392	6	642	88	－	－

営業の施設数・許可・廃止・処分件数，都道府県－指定都市－中核市（再掲）別

平成29年度

	ホテル営業（年度末現在）		旅館営業（年度末現在）		簡易宿所営業	下宿営業	営業許可	営業廃止	処分件数（年度中）	
	施設数	客室数	施設数	客室数	施設数〔年度末現在〕	施設数〔年度末現在〕	件数（年度中）	件数（年度中）	営業許可取消	営業停止
指定都市（再掲）										
札幌市	186	27 077	90	3 302	53	4	35	21	－	－
仙台市	133	14 593	72	2 489	17	3	9	14	－	－
さいたま市	61	3 729	31	399	4	－	4	7	－	－
千葉市	38	6 833	86	2 956	21	－	14	11	－	－
横浜市	141	16 936	80	1 626	156	－	13	10	－	－
川崎市	30	2 557	28	662	70	4	3	9	－	－
相模原市	27	2 237	54	1 091	33	－	6	4	－	－
新潟市	81	7 750	120	1 399	7	5	3	4	－	－
静岡市	57	4 403	121	2 129	61	－	5	6	－	－
浜松市	56	6 148	146	2 871	46	－	9	9	－	－
名古屋市	46	9 610	258	20 766	52	2	39	16	－	－
京都市	211	23 899	364	5 273	2 291	78	909	86	－	－
大阪市	411	61 090	377	9 563	481	3	297	39	－	－
堺市	9	957	62	2 596	14	－	3	4	－	－
神戸市	136	13 540	130	2 958	76	7	25	26	－	－
岡山市	76	6 854	89	2 018	20	1	9	6	－	－
広島市	87	11 546	135	3 042	80	－	44	9	－	－
北九州市	96	8 730	62	904	27	－	6	9	－	－
福岡市	187	24 927	94	3 212	190	－	150	19	－	－
熊本市	25	3 654	177	5 918	19	－	7	4	－	－
中核市（再掲）										
旭川市	25	3 587	75	1 388	54	－	6	11	－	－
函館市	76	5 920	65	2 373	47	5	16	8	－	－
青森市	49	3 833	51	877	25	2	3	5	－	－
八戸市	35	3 119	45	776	10	2	1	2	－	－
盛岡市	44	4 698	64	1 155	13	15	3	1	－	－
秋田市	32	3 948	47	812	16	10	1	4	－	－
郡山市	30	3 587	126	2 090	26	46	3	9	－	－
いわき市	66	4 032	161	2 784	70	19	8	22	－	－
宇都宮市	66	5 055	55	967	5	－	2	4	－	－
前橋市	35	1 910	52	631	32	－	1	4	－	－
高崎市	49	3 395	42	576	39	－	4	5	－	－
川越市	20	928	19	321	2	－	－	－	－	－
越谷市	17	564	12	229	－	－	2	1	－	－
船橋市	8	843	34	805	15	－	7	3	－	－
柏市	7	944	35	875	2	－	1	3	－	－
八王子市	24	1 759	35	865	6	－	7	5	－	－
横須賀市	26	1 433	30	429	14	1	9	3	－	－
富山市	52	5 323	117	2 073	41	1	6	5	－	－
金沢市	77	9 007	58	695	124	－	55	11	－	－
長野市	51	4 353	145	1 700	126	－	8	15	－	－
岐阜市	50	2 882	39	912	9	－	1	2	－	－
豊橋市	27	2 506	21	267	3	－	1	2	－	－
豊田市	22	2 240	47	689	17	－	1	6	－	－
岡崎市	22	1 272	23	329	7	－	4	3	－	－
大津市	28	2 211	86	1 680	58	－	23	14	－	－
高槻市	4	166	6	206	2	－	1	1	－	－
東大阪市	10	658	22	457	9	－	4	－	－	－
豊中市	9	849	11	433	6	1	4	－	－	－
枚方市	1	72	11	357	5	－	1	－	－	－
姫路市	62	4 556	52	841	32	9	12	11	－	－
西宮市	13	540	17	239	5	－	1	1	－	－
尼崎市	22	1 568	18	244	－	1	3	4	－	－
奈良市	35	3 142	74	1 326	78	－	32	8	－	－
和歌山市	20	2 146	74	1 320	26	－	8	2	－	－
倉敷市	51	3 627	88	1 420	13	10	6	5	－	－
福山市	33	2 504	69	1 455	26	－	5	2	－	－
呉市	5	324	76	1 536	58	－	8	6	－	－
下関市	6	438	199	3 498	24	3	2	3	－	－
高松市	63	4 510	75	1 265	64	－	15	33	－	－
松山市	74	5 871	84	2 562	66	－	15	12	－	－
高知市	42	4 204	70	1 669	20	－	6	3	－	－
久留米市	17	1 464	63	1 068	6	1	2	5	－	－
長崎市	17	1 931	130	4 879	41	－	7	7	－	－
佐世保市	27	3 898	71	1 227	94	1	5	12	－	－
大分市	63	5 100	44	701	9	9	－	4	－	－
宮崎市	69	6 963	55	914	36	1	6	7	－	－
鹿児島市	78	8 225	57	1 123	35	1	11	6	－	－
那覇市	112	14 624	137	2 280	136	－	53	14	－	－

（報告表　22）

第９表（２－１） 公衆浴場数，公－私営別；許可・廃止・

	公衆浴場						
	総数	公営			私		
		総数	一般公衆浴場	その他	総数	一般公衆浴場	個室付浴場
全国	**25 121**	**4 093**	**332**	**3 761**	**21 028**	**3 397**	**1 447**
北海道	1 347	270	44	226	1 077	240	49
青森	444	98	67	31	346	236	-
岩手	235	63	3	60	172	18	1
宮城	381	47	-	47	334	8	6
秋田	333	64	2	62	269	8	11
山形	251	54	-	54	197	1	1
福島	492	142	-	142	350	10	18
茨城	452	85	-	85	367	3	41
栃木	521	71	-	71	450	9	17
群馬	460	107	-	107	353	25	-
埼玉	634	151	1	150	483	46	45
千葉	863	87	-	87	776	54	49
東京	2 014	281	1	280	1 733	560	206
神奈川	1 085	134	1	133	951	151	105
新潟	611	183	-	183	428	25	9
富山	291	30	1	29	261	91	-
石川	350	80	5	75	270	71	20
福井	154	19	-	19	135	20	2
山梨	314	52	5	47	262	15	10
長野	1 107	174	6	168	933	34	-
岐阜	558	86	1	85	472	22	58
静岡	1 250	111	-	111	1 139	11	11
愛知	707	174	-	174	533	100	12
三重	341	51	1	50	290	35	4
滋賀	293	35	2	33	258	20	43
京都	455	52	6	46	403	165	-
大阪	1 029	88	45	43	941	534	18
兵庫	1 090	125	1	124	965	173	72
奈良	211	84	4	80	127	24	-
和歌山	256	41	8	33	215	23	11
鳥取	152	21	6	15	131	10	14
島根	176	55	-	55	121	2	1
岡山	316	54	-	54	262	18	2
広島	456	89	-	89	367	54	30
山口	362	55	2	53	307	23	25
徳島	193	33	5	28	160	22	10
香川	230	23	1	22	207	20	24
愛媛	624	52	2	50	572	39	9
高知	140	11	-	11	129	9	14
福岡	803	107	-	107	696	40	205
佐賀	281	54	-	54	227	1	17
長崎	331	84	3	81	247	14	-
熊本	711	140	10	130	571	60	151
大分	539	92	60	32	447	88	29
宮崎	244	43	-	43	201	18	9
鹿児島	760	130	38	92	630	246	6
沖縄	274	11	1	10	263	1	82

処分件数，都道府県－指定都市－中核市（再掲）別

平成29年度

（年度末現在） 営				営業許可件数（年度中）	営業廃止件数（年度中）	処分件数（年度中）	
ヘルスセンター	サウナ風呂	スポーツ施設	その他			営業許可取消	営業停止
1 961	**1 459**	**3 444**	**9 320**	**710**	**990**	**－**	**－**
20	69	161	538	44	80	－	－
10	35	20	45	10	14	－	－
38	17	22	76	4	5	－	－
19	19	44	238	26	15	－	－
14	4	14	218	12	5	－	－
79	37	27	52	5	3	－	－
40	26	58	198	14	20	－	－
43	21	142	117	20	15	－	－
67	17	139	201	6	10	－	－
169	22	84	53	8	14	－	－
75	70	167	80	16	27	－	－
29	29	295	320	25	26	－	－
41	230	297	399	45	91	－	－
91	65	200	339	46	58	－	－
47	18	59	270	15	25	－	－
3	12	22	133	11	14	－	－
－	22	44	113	9	10	－	－
56	15	20	22	5	3	－	－
21	9	51	156	12	9	－	－
288	49	55	507	28	25	－	－
30	42	109	211	7	29	－	－
46	46	105	920	25	40	－	－
31	39	133	218	16	33	－	－
32	19	98	102	11	16	－	－
93	9	25	68	3	6	－	－
15	19	47	157	9	9	－	－
31	35	171	152	17	66	－	－
6	79	198	437	27	47	－	－
1	3	41	58	5	7	－	－
16	17	21	127	9	4	－	－
1	1	18	87	4	5	－	－
－	12	7	99	14	11	－	－
9	18	70	145	5	8	－	－
23	24	76	160	6	19	－	－
30	12	24	193	6	9	－	－
15	5	19	89	3	8	－	－
23	2	35	103	6	8	－	－
53	27	30	414	9	20	－	－
15	7	13	71	5	10	－	－
64	53	115	219	47	52	－	－
3	5	17	184	11	7	－	－
89	19	30	95	10	11	－	－
57	36	15	252	36	25	－	－
7	19	21	283	18	14	－	－
6	5	20	143	3	4	－	－
98	38	36	206	25	43	－	－
17	82	29	52	12	10	－	－

（報告表　23）

第９表（２－２）　公衆浴場数，公－私営別；許可・廃止・

	公衆浴場						
	総数	公営			私		
		総数	一般公衆浴場	その他	総数	一般公衆浴場	個室付浴場
指定都市（再掲）							
札幌市	293	12	－	12	281	63	44
仙台市	108	11	－	11	97	5	6
さいたま市	107	14	－	14	93	11	22
千葉市	128	－	－	－	128	13	44
横浜市	318	14	1	13	304	66	26
川崎市	238	58	－	58	180	44	78
相模原市	53	7	－	7	46	6	－
新潟市	130	57	－	57	73	15	9
静岡市	106	22	－	22	84	2	1
浜松市	117	16	－	16	101	2	2
名古屋市	242	19	－	19	223	76	12
京都市	258	5	－	5	253	152	－
大阪市	509	3	－	3	506	320	18
堺市	56	9	1	8	47	23	－
神戸市	352	5	－	5	347	91	68
岡山市	101	6	－	6	95	12	2
広島市	132	27	－	27	105	22	28
北九州市	150	2	－	2	148	20	32
福岡市	297	10	－	10	287	13	170
熊本市	212	16	－	16	196	11	104
中核市（再掲）							
旭川市	80	7	－	7	73	22	2
函館市	53	7	1	6	46	21	1
青森市	59	6	5	1	53	34	－
八戸市	52	7	－	7	45	31	－
盛岡市	35	8	－	8	27	5	1
秋田市	62	－	－	－	62	1	11
郡山市	71	12	－	12	59	1	1
いわき市	70	11	－	11	59	1	16
宇都宮市	68	9	－	9	59	3	14
前橋市	44	12	－	12	32	5	－
高崎市	74	21	－	21	53	5	－
川越市	26	4	－	4	22	1	－
越谷市	23	5	1	4	18	2	－
船橋市	49	6	－	6	43	10	1
柏市	28	5	－	5	23	1	－
八王子市	42	7	－	7	35	3	2
横須賀市	50	7	－	7	43	16	－
富山市	109	4	－	4	105	39	－
金沢市	85	7	－	7	78	26	－
長野市	74	5	－	5	69	8	－
岐阜市	118	3	－	3	115	8	56
豊橋市	39	8	－	8	31	4	－
豊田市	50	7	－	7	43	－	－
岡崎市	29	6	－	6	23	1	－
大津市	117	8	－	8	109	11	43
高槻市	27	7	4	3	20	8	－
東大阪市	68	5	2	3	63	49	－
豊中市	35	7	4	3	28	18	－
枚方市	24	1	1	－	23	8	－
姫路市	62	6	－	6	56	8	2
西宮市	45	1	－	1	44	8	－
尼崎市	79	7	－	7	72	39	2
奈良市	56	12	4	8	44	7	－
和歌山市	49	2	2	－	47	14	11
倉敷市	51	2	－	2	49	4	－
福山市	90	34	－	34	56	6	－
呉市	36	3	－	3	33	14	－
下関市	104	6	－	6	98	11	25
高松市	91	6	－	6	85	11	21
松山市	183	9	1	8	174	12	9
高知市	58	－	－	－	58	7	14
久留米市	35	3	－	3	32	－	3
長崎市	61	23	2	21	38	7	－
佐世保市	53	4	－	4	49	1	－
大分市	61	－	－	－	61	22	－
宮崎市	79	16	－	16	63	－	9
鹿児島市	136	18	4	14	118	52	5
那覇市	107	7	1	6	100	－	78

処分件数，都道府県－指定都市－中核市（再掲）別

平成29年度

（年度末現在）				営業許可件数（年度中）	営業廃止件数（年度中）	処分件数（年度中）	
営							
ヘルスセンター	サウナ風呂	スポーツ施設	その他			営業許可取消	営業停止
5	30	45	94	12	18	－	－
1	8	31	46	6	5	－	－
6	15	25	14	4	5	－	－
－	6	37	28	4	5	－	－
42	25	77	68	9	22	－	－
7	5	28	18	4	8	－	－
7	7	17	9	2	1	－	－
12	12	14	11	3	－	－	－
34	1	13	33	3	3	－	－
8	9	14	66	3	3	－	－
3	12	35	85	7	12	－	－
5	9	12	75	4	4	－	－
6	26	57	79	5	35	－	－
6	－	15	3	2	5	－	－
－	41	21	126	13	3	－	－
1	14	23	43	1	2	－	－
9	6	26	14	1	1	－	－
15	34	23	24	3	2	－	－
7	11	35	51	34	36	－	－
12	13	10	46	19	7	－	－
3	21	10	15	－	5	－	－
1	－	3	20	2	2	－	－
2	7	5	5	4	2	－	－
－	6	3	5	1	2	－	－
5	4	8	4	1	1	－	－
12	2	11	25	－	1	－	－
11	－	9	37	2	2	－	－
9	3	14	16	2	4	－	－
1	6	16	19	－	1	－	－
9	4	6	8	3	－	－	－
18	9	17	4	2	2	－	－
4	9	8	－	1	2	－	－
2	4	5	5	－	－	－	－
2	5	12	13	4	2	－	－
－	－	8	14	1	2	－	－
4	3	14	9	2	1	－	－
7	9	2	9	2	3	－	－
－	6	9	51	4	2	－	－
－	5	13	34	2	1	－	－
10	8	12	31	4	7	－	－
－	15	11	25	3	19	－	－
2	15	4	6	－	2	－	－
3	2	25	13	1	2	－	－
3	1	11	7	1	1	－	－
31	2	11	11	－	1	－	－
2	－	6	4	－	－	－	－
2	4	7	1	－	2	－	－
－	－	6	4	－	2	－	－
－	2	8	5	2	1	－	－
－	11	5	30	2	8	－	－
3	10	14	9	3	4	－	－
－	3	7	21	2	6	－	－
－	－	21	16	2	4	－	－
－	16	2	4	3	－	－	－
4	2	10	29	1	1	－	－
6	9	15	20	－	2	－	－
－	5	3	11	1	3	－	－
2	2	7	51	2	2	－	－
3	1	10	39	2	5	－	－
23	11	14	105	2	6	－	－
6	6	6	19	2	1	－	－
6	3	3	17	2	1	－	－
8	5	5	13	4	4	－	－
21	3	13	11	1	5	－	－
5	8	11	15	2	2	－	－
2	－	18	34	2	1	－	－
－	8	8	45	3	8	－	－
－	18	－	4	8	7	－	－

（報告表　23）

第10表　理容－美容所の施設数・従業理容－美容師数・施設の

	理容所				美容所			
	施設数（年度末現在）	従業理容師数（年度末現在）	使用確認件数（年度中）	閉鎖命令件数（年度中）	施設数（年度末現在）	従業美容師数（年度末現在）	使用確認件数（年度中）	閉鎖命令件数（年度中）
全国	**120 965**	**221 097**	**2 287**	**－**	**247 578**	**523 543**	**13 474**	**－**
北海道	6 497	11 125	134	－	10 651	20 286	481	－
青森	2 087	3 275	26	－	3 199	5 016	116	－
岩手	2 401	3 473	35	－	3 083	4 854	98	－
宮城	2 793	5 168	65	－	4 345	9 008	231	－
秋田	2 394	3 330	40	－	3 039	4 638	103	－
山形	2 381	4 032	26	－	3 189	5 278	84	－
福島	2 713	4 972	45	－	4 235	7 968	180	－
茨城	3 669	7 245	49	－	6 124	11 785	248	－
栃木	2 237	4 190	24	－	4 169	8 369	264	－
群馬	2 320	4 159	38	－	4 880	8 325	192	－
埼玉	5 287	10 366	106	－	10 929	23 669	570	－
千葉	4 785	9 469	87	－	9 253	21 531	526	－
東京	8 167	18 479	230	－	22 844	70 906	1 919	－
神奈川	4 894	10 914	121	－	11 444	36 436	770	－
新潟	3 352	6 285	33	－	5 375	10 663	190	－
富山	1 170	2 383	13	－	2 376	4 547	84	－
石川	1 363	2 563	30	－	2 696	4 782	100	－
福井	906	1 649	13	－	1 835	3 297	64	－
山梨	1 027	1 726	7	－	2 327	4 083	87	－
長野	1 998	3 659	26	－	4 723	8 545	223	－
岐阜	2 111	3 956	29	－	4 520	8 395	195	－
静岡	3 828	7 558	51	－	8 295	15 488	392	－
愛知	5 581	11 269	116	－	12 150	28 641	766	－
三重	2 005	3 470	15	－	3 908	6 976	157	－
滋賀	1 157	2 127	18	－	2 561	5 018	141	－
京都	2 043	3 745	44	－	5 232	10 767	281	－
大阪	6 529	13 052	158	－	16 398	39 679	1 150	－
兵庫	3 976	7 051	86	－	9 641	19 580	576	－
奈良	1 103	1 810	22	－	2 514	4 856	150	－
和歌山	1 256	1 904	34	－	2 476	4 128	133	－
鳥取	740	1 200	26	－	1 601	2 736	71	－
島根	994	1 659	19	－	1 718	3 086	101	－
岡山	1 976	3 568	40	－	4 177	8 110	213	－
広島	2 691	4 808	50	－	5 767	11 940	298	－
山口	1 692	2 902	16	－	3 162	5 650	124	－
徳島	1 182	1 779	11	－	2 260	3 298	74	－
香川	1 177	2 021	19	－	2 485	4 038	87	－
愛媛	1 951	2 655	19	－	3 599	5 006	160	－
高知	953	1 399	8	－	2 022	3 235	78	－
福岡	4 413	8 029	94	－	9 887	23 377	629	－
佐賀	904	1 625	16	－	1 846	3 095	76	－
長崎	1 548	2 617	102	－	3 276	5 765	215	－
熊本	2 288	3 261	50	－	4 044	6 258	188	－
大分	1 461	2 231	13	－	2 956	4 741	215	－
宮崎	1 393	2 310	17	－	2 868	4 512	135	－
鹿児島	2 079	2 796	40	－	4 125	6 242	186	－
沖縄	1 493	1 833	26	－	3 374	4 940	153	－

使用確認件数・閉鎖命令件数，都道府県－指定都市－中核市（再掲）別

平成29年度

	理容所 施設数（年度末現在）	理容所 従業理容師数（年度末現在）	理容所 使用確認件数（年度中）	理容所 閉鎖命令件数（年度中）	美容所 施設数（年度末現在）	美容所 従業美容師数（年度末現在）	美容所 使用確認件数（年度中）	美容所 閉鎖命令件数（年度中）
指定都市（再掲）								
札幌市	1 639	3 411	59	－	3 296	8 569	241	－
仙台市	919	1 907	19	－	1 802	4 650	116	－
さいたま市	811	1 698	21	－	1 865	4 413	125	－
千葉市	649	1 215	16	－	1 442	3 516	109	－
横浜市	1 750	3 955	52	－	4 349	15 327	307	－
川崎市	664	1 476	18	－	1 449	4 827	107	－
相模原市	491	961	11	－	915	2 610	51	－
新潟市	1 076	1 945	10	－	1 860	3 938	76	－
静岡市	770	1 750	10	－	1 546	3 487	79	－
浜松市	786	1 658	11	－	1 786	3 348	95	－
名古屋市	1 570	3 173	48	－	4 000	11 173	351	－
京都市	1 095	2 135	22	－	3 197	7 209	200	－
大阪市	2 333	5 805	58	－	7 203	19 816	608	－
堺市	627	1 122	11	－	1 258	2 847	83	－
神戸市	985	1 841	23	－	2 673	5 856	207	－
岡山市	650	1 225	14	－	1 662	3 579	106	－
広島市	968	1 843	18	－	2 346	5 900	147	－
北九州市	957	1 646	23	－	1 966	3 823	111	－
福岡市	1 010	2 090	27	－	3 061	9 341	257	－
熊本市	675	1 022	21	－	1 512	2 732	107	－
中核市（再掲）								
旭川市	474	794	12	－	862	1 501	46	－
函館市	341	479	9	－	633	1 144	20	－
青森市	376	557	7	－	682	1 038	31	－
八戸市	350	586	5	－	534	1 081	20	－
盛岡市	405	648	7	－	731	1 426	30	－
秋田市	469	734	5	－	823	1 461	34	－
郡山市	401	793	13	－	734	1 632	51	－
いわき市	458	794	14	－	795	1 381	35	－
宇都宮市	516	1 052	8	－	1 145	2 558	64	－
前橋市	367	686	8	－	772	1 439	43	－
高崎市	400	697	8	－	915	1 710	48	－
川越市	234	426	1	－	585	1 373	37	－
越谷市	265	520	4	－	553	1 300	36	－
船橋市	363	731	9	－	796	2 045	45	－
柏市	249	491	4	－	590	1 579	61	－
八王子市	309	624	7	－	707	2 352	54	－
横須賀市	276	512	5	－	678	1 604	39	－
富山市	410	833	9	－	879	1 902	39	－
金沢市	490	983	15	－	1 074	2 061	44	－
長野市	331	620	5	－	859	1 746	52	－
岐阜市	427	955	9	－	1 057	2 251	52	－
豊橋市	384	740	6	－	771	1 545	35	－
豊田市	344	711	6	－	562	1 336	37	－
岡崎市	273	572	5	－	601	1 377	33	－
大津市	195	345	3	－	503	1 049	29	－
高槻市	214	375	7	－	522	1 083	37	－
東大阪市	397	653	13	－	818	1 890	43	－
豊中市	254	434	6	－	607	1 345	48	－
枚方市	248	451	3	－	602	1 287	41	－
姫路市	465	729	5	－	1 147	2 082	59	－
西宮市	230	414	9	－	776	1 627	52	－
尼崎市	365	612	6	－	824	1 698	49	－
奈良市	256	461	7	－	725	1 477	40	－
和歌山市	397	712	6	－	819	1 824	44	－
倉敷市	457	863	12	－	997	2 040	57	－
福山市	454	810	10	－	1 079	1 919	49	－
呉市	228	366	2	－	487	831	17	－
下関市	326	491	2	－	620	1 062	30	－
高松市	449	774	8	－	1 102	1 947	53	－
松山市	607	786	12	－	1 228	1 823	86	－
高知市	388	618	4	－	989	1 797	53	－
久留米市	336	581	4	－	756	1 404	45	－
長崎市	410	733	7	－	954	1 855	37	－
佐世保市	268	511	3	－	614	1 212	21	－
大分市	426	717	7	－	1 035	1 960	75	－
宮崎市	388	663	9	－	951	1 696	58	－
鹿児島市	545	812	12	－	1 232	2 228	82	－
那覇市	304	423	5	－	885	1 529	39	－

（報告表　24・25）

第11表　クリーニング師免許交付・取消件数・クリーニング無店舗取次店営業者数・従事クリーニング師数・処

	クリーニング師(年度中)		クリーニング所					無店舗取次店		
	免許件数	免許取消件数	施設数(年度末現在)	(施設数の再掲)		従事クリーニング師数(年度末現在)	使用確認件数(年度中)	営業者数(年度末現在)	(営業者数の再掲)	従事クリーニング師数(年度末現在)
				指定洗濯物を取り扱う施設数	取次所数				指定洗濯物を取り扱う営業者数	
全国	**1 139**	**8**	**94 102**	**3 495**	**67 110**	**42 762**	**1 888**	**1 939**	**943**	**81**
北海道	64	−	3 688	110	2 882	1 618	65	117	34	11
青森	13	−	857	50	486	675	25	70	1	−
岩手	6	−	1 560	68	1 231	353	20	62	44	5
宮城	14	−	1 484	38	1 121	633	44	88	51	9
秋田	19	−	757	114	467	464	17	12	5	−
山形	8	−	857	45	578	462	14	24	14	1
福島	4	−	1 295	51	865	661	28	24	13	2
茨城	31	−	1 993	250	1 403	1 024	30	18	8	−
栃木	6	−	1 249	66	769	733	37	53	13	−
群馬	1	−	2 152	151	1 635	785	19	18	9	1
埼玉	19	−	4 435	130	2 975	1 835	83	32	19	1
千葉	142	−	3 238	158	2 108	1 697	72	52	26	1
東京	135	−	9 981	138	6 407	5 857	392	112	−	6
神奈川	14	−	4 731	159	3 109	2 923	129	37	9	8
新潟	18	−	1 894	80	1 321	1 072	33	12	−	1
富山	2	−	920	37	676	405	14	11	9	2
石川	6	−	1 009	71	698	463	8	1	−	−
福井	7	−	959	26	748	340	10	7	−	−
山梨	2	−	859	7	569	412	12	3	−	1
長野	62	−	1 406	75	941	786	28	9	−	−
岐阜	20	−	1 988	43	1 516	830	19	38	33	3
静岡	5	−	3 160	121	2 048	1 605	46	34	2	−
愛知	27	−	5 068	197	3 667	2 195	81	299	290	4
三重	10	−	1 678	28	1 337	585	17	23	1	1
滋賀	15	−	1 212	17	1 015	291	19	10	−	−
京都	35	−	1 853	105	1 179	1 006	27	47	15	5
大阪	30	2	6 500	210	4 792	2 779	124	365	225	1
兵庫	14	−	3 620	108	2 462	1 719	71	56	35	3
奈良	36	−	1 348	30	1 100	323	8	53	24	2
和歌山	3	−	574	22	347	299	11	15	1	−
鳥取	103	−	403	17	280	200	16	2	−	−
島根	8	−	471	22	319	242	6	3	−	2
岡山	17	−	1 282	43	957	535	22	5	−	2
広島	37	−	2 162	120	1 594	869	33	17	−	1
山口	6	2	1 537	51	1 263	416	21	17	6	1
徳島	17	−	752	23	571	245	9	−	−	−
香川	5	1	1 201	33	1 000	286	13	2	−	−
愛媛	22	−	1 114	54	821	535	18	4	−	−
高知	−	−	470	25	289	205	7	−	−	−
福岡	45	−	4 394	78	3 536	1 274	69	90	33	4
佐賀	5	−	694	27	510	284	16	21	1	2
長崎	28	−	1 307	56	968	512	43	8	4	−
熊本	9	−	1 639	41	1 275	774	30	12	−	−
大分	39	−	1 046	55	842	318	16	9	2	−
宮崎	15	3	810	63	511	403	8	9	9	−
鹿児島	9	−	1 348	69	946	594	40	15	7	1
沖縄	6	−	1 147	13	976	240	18	23	−	−

注：クリーニング所及び無店舗取次店の「処分件数（年度中）」は計数がないため表章していない。

所施設数・従事クリーニング師数・使用確認件数・処分件数・分件数，都道府県－指定都市－中核市（再掲）別

平成29年度

	クリーニング師(年度中)		クリーニング所					無店舗取次店		
	免許件数	免許取消件数	施設数(年度末現在)	(施設数の再掲) 指定洗濯物を取り扱う施設数	(施設数の再掲) 取次所数	従事クリーニング師数(年度末現在)	使用確認件数(年度中)	営業者数(年度末現在)	(営業者数の再掲) 指定洗濯物を取り扱う営業者数	従事クリーニング師数(年度末現在)
指定都市(再掲)										
札幌市	・	・	1 198	29	985	407	21	63	33	2
仙台市	・	・	787	19	667	220	23	40	21	3
さいたま市	・	・	887	23	626	330	12	19	18	－
千葉市	・	・	549	20	384	250	18	10	－	1
横浜市	・	・	1 829	48	1 236	1 186	66	16	－	6
川崎市	・	・	819	18	539	409	20	7	1	1
相模原市	・	・	390	16	241	272	3	8	7	－
新潟市	・	・	724	36	515	327	11	7	－	－
静岡市	・	・	477	14	294	282	11	12	－	－
浜松市	・	・	518	9	290	291	8	5	2	－
名古屋市	・	・	1 571	79	1 082	822	27	117	111	3
京都市	・	・	990	40	554	646	17	25	4	4
大阪市	・	・	2 916	71	2 218	1 495	58	144	28	－
堺市	・	・	456	20	340	148	6	40	34	－
神戸市	・	・	1 163	33	771	583	23	35	29	－
岡山市	・	・	524	13	379	233	10	1	－	1
広島市	・	・	968	25	745	346	14	8	－	－
北九州市	・	・	774	19	600	238	16	26	15	2
福岡市	・	・	1 355	11	1 127	343	19	47	14	1
熊本市	・	・	494	9	358	139	19	10	－	－
中核市(再掲)										
旭川市	・	・	349	12	278	95	3	3	－	1
函館市	・	・	232	12	169	126	4	3	－	－
青森市	・	・	199	10	136	100	8	33	－	－
八戸市	・	・	164	7	98	109	－	1	1	－
盛岡市	・	・	387	24	321	98	7	29	17	2
秋田市	・	・	244	19	157	134	8	1	－	－
郡山市	・	・	221	10	138	122	8	2	1	－
いわき市	・	・	175	11	101	115	－	－	－	－
宇都宮市	・	・	305	17	194	153	7	13	13	－
前橋市	・	・	260	6	166	129	3	8	8	－
高崎市	・	・	276	13	188	128	8	3	－	1
川越市	・	・	214	6	136	118	5	－	－	－
越谷市	・	・	239	1	168	71	4	－	－	－
船橋市	・	・	327	4	226	148	10	18	15	－
柏市	・	・	176	12	120	83	8	4	2	－
八王子市	・	・	308	6	206	153	12	2	－	－
横須賀市	・	・	221	8	152	104	2	3	－	1
富山市	・	・	364	29	274	161	6	6	5	1
金沢市	・	・	388	29	277	160	2	－	－	－
長野市	・	・	264	10	175	146	5	－	－	－
岐阜市	・	・	530	11	402	199	7	18	17	－
豊橋市	・	・	232	10	116	165	4	6	5	1
豊田市	・	・	212	4	163	75	4	45	45	－
岡崎市	・	・	251	16	201	74	2	12	12	－
大津市	・	・	368	4	315	68	3	－	－	－
高槻市	・	・	264	7	223	52	1	44	42	－
東大阪市	・	・	326	13	226	124	5	37	34	－
豊中市	・	・	289	4	220	85	9	10	9	－
枚方市	・	・	218	7	163	61	4	7	5	1
姫路市	・	・	329	11	222	171	11	5	1	－
西宮市	・	・	320	21	241	117	6	7	4	－
尼崎市	・	・	475	5	357	155	2	2	1	1
奈良市	・	・	317	8	257	85	2	7	7	－
和歌山市	・	・	175	3	91	125	6	11	－	－
倉敷市	・	・	254	7	186	115	7	－	－	－
福山市	・	・	281	9	207	117	2	5	－	－
呉市	・	・	198	1	127	111	－	－	－	－
下関市	・	・	479	8	394	122	2	10	6	－
高松市	・	・	668	26	579	131	7	1	－	－
松山市	・	・	379	13	256	187	13	2	－	－
高知市	・	・	210	15	127	112	2	－	－	－
久留米市	・	・	336	11	266	104	4	2	－	－
長崎市	・	・	325	7	217	166	4	5	4	－
佐世保市	・	・	378	2	312	89	1	3	－	－
大分市	・	・	283	5	222	74	6	3	－	－
宮崎市	・	・	283	16	165	146	3	9	9	－
鹿児島市	・	・	424	17	300	180	12	10	6	－
那覇市	・	・	408	－	364	50	5	13	－	－

（報告表　26）

第１表　許可を要する食品関係営業施設数・許可・廃業施設数

	営業施設数（年度末現在）	営業許可施設数（年度中）		廃業施設数（年度中）
		継続	新規	
総数	**2 441 483**	**247 289**	**263 007**	**272 761**
飲食店営業	1 420 182	136 267	166 105	168 327
一般食堂・レストラン等	745 191	73 128	65 047	67 695
仕出し屋・弁当屋	81 122	8 705	8 083	7 997
旅館	45 210	5 355	1 580	2 083
その他	548 659	49 079	91 395	90 552
菓子（パンを含む。）製造業	167 972	16 583	23 690	18 395
乳処理業	573	95	21	19
特別牛乳さく取処理業	5	1	–	–
乳製品製造業	2 046	306	150	89
集乳業	94	9	3	2
魚介類販売業	148 556	15 320	14 392	13 655
魚介類せり売り営業	1 129	158	18	39
魚肉ねり製品製造業	2 989	367	193	274
食品の冷凍または冷蔵業	11 174	1 372	771	485
かん詰またはびん詰食品製造業（上記及び下記以外）	5 433	639	383	239
喫茶店営業	201 385	23 333	18 659	27 165
（再掲）自動販売機	173 014	21 101	11 540	20 791
あん類製造業	928	122	40	40
アイスクリーム類製造業	16 314	1 511	2 545	2 139
乳類販売業	223 662	25 585	15 622	22 621
食肉処理業	9 687	1 164	553	474
食肉販売業	144 484	14 759	14 740	13 756
食肉製品製造業	2 460	312	166	130
乳酸菌飲料製造業	255	34	11	11
食用油脂製造業	1 045	101	91	49
マーガリン又はショートニング製造業	57	7	3	1
みそ製造業	6 237	780	208	283
醤油製造業	1 687	220	36	51
ソース類製造業	3 057	321	243	162
酒類製造業	3 021	335	177	58
豆腐製造業	6 563	849	107	533
納豆製造業	475	62	8	23
めん類製造業	10 899	1 337	582	745
そうざい製造業	39 859	4 227	3 077	2 524
添加物（法第11条第１項の規定により規格が定められたものに限る。）製造業	2 090	249	84	88
食品の放射線照射業	1	1	–	2
清涼飲料水製造業	4 320	541	243	224
氷・雪製造業	1 263	130	55	63
氷雪販売業	1 581	192	31	95

・処分・告発件数・調査・監視指導施設数，営業の種類別

平成29年度

処分件数（年度中）						告発件数（年度中）		調査・監視指導施設数（年度中）
営業許可取消命令	営業禁止命令	営業停止命令	改善命令	物品廃棄命令	その他	無許可営業	その他	
–	**150**	**561**	**86**	**21**	**2 367**	**1**	**–**	**1 869 341**
–	135	522	83	5	1 379	–	–	769 899
–	72	353	73	1	519	–	–	356 628
–	17	34	2	1	141	–	–	86 911
–	9	24	1	–	53	–	–	29 721
–	37	111	7	3	666	–	–	296 639
–	2	1	–	1	238	–	–	128 205
–	1	–	–	–	8	–	–	2 250
–	–	–	–	–	–	–	–	19
–	1	–	–	–	9	–	–	4 214
–	–	–	–	–	–	–	–	174
–	9	32	3	5	210	–	–	454 832
–	–	–	–	–	9	–	–	11 581
–	–	1	–	–	14	–	–	4 609
–	–	–	–	–	10	–	–	14 291
–	–	–	–	–	5	–	–	4 421
–	–	–	–	–	75	–	–	73 207
–	–	–	–	–	55	–	–	48 828
–	–	–	–	–	2	–	–	1 830
–	–	–	–	6	35	–	–	16 565
–	–	–	–	–	80	–	–	135 232
–	–	1	–	–	30	1	–	22 657
–	1	1	–	–	129	–	–	143 435
–	–	1	–	–	8	–	–	4 702
–	–	–	–	–	1	–	–	894
–	–	–	–	–	4	–	–	1 003
–	–	–	–	–	–	–	–	117
–	–	–	–	–	8	–	–	3 905
–	–	–	–	1	1	–	–	1 759
–	–	–	–	–	10	–	–	2 772
–	–	–	–	–	3	–	–	2 046
–	–	–	–	–	6	–	–	6 931
–	–	–	–	–	1	–	–	434
–	–	–	–	–	14	–	–	8 520
–	1	2	–	2	57	–	–	37 227
–	–	–	–	–	2	–	–	1 842
–	–	–	–	–	–	–	–	9
–	–	–	–	1	14	–	–	6 005
–	–	–	–	–	5	–	–	2 119
–	–	–	–	–	–	–	–	1 635

（報告表　27）

第２表（４－１） 許可を要する食品関係営業施設数，

	総数	飲食店営業					菓子（パンを含む。）製造業	乳処理業	特別牛乳さく取処理業
		総数	一般食堂・レストラン等	仕出し屋・弁当屋	旅館	その他			
全国	**2 441 483**	**1 420 182**	**745 191**	**81 122**	**45 210**	**548 659**	**167 972**	**573**	**5**
北海道	106 198	60 666	19 135	1 846	2 702	36 983	5 885	111	1
青森	33 265	18 735	4 693	891	570	12 581	2 456	8	−
岩手	25 007	12 026	5 907	617	668	4 834	1 583	20	−
宮城	41 212	22 453	8 683	1 811	851	11 108	1 900	10	−
秋田	19 996	10 120	6 495	1 146	407	2 072	1 225	7	−
山形	22 620	12 407	4 934	668	714	6 091	1 325	11	−
福島	39 290	20 264	9 267	1 213	1 462	8 322	2 841	10	−
茨城	49 456	26 637	6 408	1 075	815	18 339	2 885	13	−
栃木	37 099	20 769	13 034	1 770	1 090	4 875	2 472	17	−
群馬	37 044	21 879	10 862	1 206	1 322	8 489	2 769	24	1
埼玉	95 374	53 434	16 190	1 682	571	34 991	6 426	9	−
千葉	93 614	52 903	18 914	3 701	1 406	28 882	7 016	20	−
東京	298 163	192 469	158 378	8 384	1 878	23 829	21 017	8	−
神奈川	123 286	75 436	46 967	5 185	1 362	21 922	5 893	14	1
新潟	42 629	21 973	14 403	1 271	1 783	4 516	3 360	20	−
富山	20 399	10 190	3 305	1 063	424	5 398	1 218	13	−
石川	26 187	13 552	6 916	700	647	5 289	2 099	7	−
福井	19 569	10 400	3 203	1 249	820	5 128	1 435	2	−
山梨	19 575	11 748	5 001	398	1 516	4 833	1 421	3	−
長野	54 319	31 644	19 689	1 592	4 094	6 269	3 367	27	−
岐阜	42 796	22 616	8 146	1 810	954	11 706	3 735	16	−
静岡	73 151	46 238	28 213	3 175	2 640	12 210	4 463	16	−
愛知	138 626	78 277	33 971	2 583	977	40 746	11 638	10	−
三重	36 322	19 619	5 779	674	885	12 281	2 713	8	−
滋賀	25 639	12 410	5 802	783	361	5 464	2 368	17	−
京都	55 159	32 828	15 348	1 616	1 125	14 739	4 388	7	1
大阪	186 121	123 977	83 399	4 802	974	34 802	10 690	10	−
兵庫	104 079	62 074	20 872	2 608	1 609	36 985	8 078	11	−
奈良	21 098	13 000	5 624	1 054	453	5 869	1 917	2	−
和歌山	21 243	12 161	6 759	675	591	4 136	1 671	7	−
鳥取	12 234	5 984	3 103	443	374	2 064	1 071	1	−
島根	14 034	6 869	4 595	738	415	1 121	1 075	5	−
岡山	36 547	18 671	9 404	1 414	533	7 320	2 814	9	−
広島	51 110	28 320	19 656	4 284	620	3 760	2 397	10	−
山口	25 769	13 864	10 112	869	457	2 426	1 934	5	−
徳島	16 804	9 312	2 569	1 197	408	5 138	1 280	1	−
香川	21 193	10 953	6 196	436	378	3 943	1 769	5	−
愛媛	28 355	14 994	5 184	1 531	531	7 748	2 379	2	−
高知	19 111	10 552	2 089	1 184	402	6 877	1 717	3	−
福岡	95 384	58 213	33 986	3 895	746	19 586	5 796	12	1
佐賀	17 441	9 822	2 543	598	322	6 359	1 206	4	−
長崎	26 402	13 861	6 130	1 387	766	5 578	1 804	5	−
熊本	36 063	18 845	11 982	1 565	883	4 415	2 641	19	−
大分	25 154	14 070	7 846	1 032	765	4 427	2 244	6	−
宮崎	23 806	13 636	4 787	883	481	7 485	1 511	8	−
鹿児島	37 846	19 537	7 049	1 436	953	10 099	2 651	5	−
沖縄	45 694	29 774	11 663	982	505	16 624	3 429	15	−

営業の種類・都道府県－指定都市－中核市（再掲）別

平成29年度末現在

乳製品製造業	集乳業	魚介類販売業	魚介類せり売り営業	魚肉ねり製品製造業	食品の冷凍または冷蔵業	かん詰またはびん詰食品製造業（左記及び右記以外）	喫茶店営業	自動販売機（喫茶店営業の再掲）	あん類製造業	アイスクリーム類製造業
2 046	**94**	**148 556**	**1 129**	**2 989**	**11 174**	**5 433**	**201 385**	**173 014**	**928**	**16 314**
387	2	8 150	123	196	1 446	169	6 750	5 371	44	281
13	1	2 614	36	36	234	200	1 283	1 099	26	486
44	8	2 020	19	10	313	82	2 140	1 666	12	42
21	7	3 500	16	108	381	56	3 498	3 103	22	93
10	1	1 562	20	7	113	105	1 514	1 036	13	68
20	3	1 668	16	12	79	212	1 694	1 444	24	32
34	3	2 597	16	28	108	249	3 592	3 119	38	142
57	4	3 536	17	23	266	83	4 259	3 871	25	470
51	6	2 186	11	6	122	166	3 237	2 906	23	380
61	10	2 447	8	3	172	49	3 334	2 964	20	178
44	3	5 962	4	21	355	48	8 320	7 594	25	52
86	7	6 174	42	54	401	80	7 132	5 759	35	969
162	－	15 376	25	149	438	55	20 274	17 458	49	2 174
66	－	8 005	25	64	314	75	9 551	8 549	31	112
35	2	2 980	31	32	93	224	3 699	3 278	37	129
17	1	1 405	12	50	68	30	2 780	2 528	9	198
18	－	1 547	17	45	132	45	3 272	3 091	14	362
9	－	1 384	20	13	70	35	1 905	1 775	5	281
25	－	1 114	2	4	44	35	1 184	992	12	250
88	3	2 481	12	2	152	344	6 789	5 472	21	634
47	－	2 332	9	13	138	132	5 196	4 744	16	585
84	2	3 037	43	89	430	111	5 826	5 090	38	68
51	2	7 599	29	54	368	83	17 498	16 760	39	1 401
23	－	2 547	50	28	196	54	3 980	3 730	22	548
31	－	1 554	6	7	57	17	3 257	3 080	11	309
40	－	2 994	6	45	135	264	4 298	3 785	19	573
74	－	8 372	18	168	469	237	13 979	12 546	33	1 147
94	4	5 358	51	87	810	138	8 343	6 856	38	1 030
6	－	1 213	2	16	45	68	607	375	6	114
13	－	1 468	39	39	121	311	1 228	1 013	10	246
6	1	921	13	21	125	24	1 292	1 121	7	163
10	－	1 247	15	51	39	12	1 136	970	7	152
37	2	2 572	20	18	152	201	4 398	3 801	15	29
41	2	3 705	17	53	255	51	5 599	4 892	26	83
6	2	2 136	34	55	194	44	2 020	1 833	5	274
2	1	1 117	15	38	102	148	1 189	920	7	167
10	1	1 169	14	50	254	130	1 605	1 394	10	295
11	－	2 058	35	148	200	81	2 060	1 800	16	306
5	2	1 430	29	58	56	54	1 262	947	9	172
43	1	5 613	16	151	524	126	6 813	5 313	32	146
14	1	1 100	10	46	141	29	1 193	888	12	164
16	4	2 199	33	271	293	46	1 286	911	9	177
36	－	2 434	23	107	112	133	2 883	2 282	22	65
24	2	1 667	21	58	85	96	1 869	1 479	13	47
22	2	1 383	22	68	116	44	1 241	1 109	10	40
16	4	2 739	60	317	304	415	1 955	1 529	10	61
36	－	1 884	27	70	152	42	3 165	771	1	619

（報告表　27）

第２表（４－２）　許可を要する食品関係営業施設数，

	総数	飲食店営業					菓子(パンを含む。)製造業	乳処理業	特別牛乳さく取処理業
		総数	一般食堂・レストラン等	仕出し屋・弁当屋	旅館	その他			
指定都市(再掲)									
札幌市	32 131	20 459	5 483	379	344	14 253	1 502	6	–
仙台市	18 600	11 676	3 688	607	195	7 186	768	1	–
さいたま市	16 140	9 501	1 814	252	45	7 390	1 038	–	–
千葉市	15 638	9 302	2 919	579	84	5 720	1 127	1	–
横浜市	48 396	30 207	17 546	1 708	173	10 780	2 236	2	1
川崎市	18 326	11 040	7 349	862	64	2 765	704	–	–
相模原市	8 823	5 217	3 216	434	74	1 493	447	–	–
新潟市	13 708	7 387	5 715	327	154	1 191	1 110	7	–
静岡市	13 991	8 926	3 563	678	187	4 498	911	1	–
浜松市	13 710	8 478	5 901	584	185	1 808	929	2	–
名古屋市	52 447	33 227	16 550	1 098	248	15 331	3 682	2	–
京都市	35 605	23 021	10 212	810	578	11 421	2 575	–	–
大阪市	98 916	71 995	46 828	1 532	621	23 014	4 517	3	–
堺市	12 420	7 388	2 621	103	69	4 595	775	2	–
神戸市	31 957	20 888	5 919	1 106	272	13 591	2 163	3	–
岡山市	13 995	8 007	3 647	414	120	3 826	942	2	–
広島市	22 163	13 578	11 500	1 727	125	226	819	4	–
北九州市	19 077	12 281	9 871	966	125	1 319	979	1	–
福岡市	32 693	21 940	16 022	1 205	204	4 509	1 454	3	–
熊本市	13 767	8 694	6 798	551	133	1 212	656	2	–
中核市(再掲)									
旭川市	6 423	3 853	1 499	190	79	2 085	350	7	–
函館市	6 565	3 733	961	187	151	2 434	394	3	–
青森市	6 813	4 224	978	242	90	2 914	464	–	–
八戸市	5 748	3 352	952	93	52	2 255	345	–	–
盛岡市	5 600	3 330	1 889	120	61	1 260	277	1	–
秋田市	5 607	3 372	2 440	227	3	702	270	1	–
郡山市	6 409	3 425	1 295	150	133	1 847	484	1	–
いわき市	7 012	3 836	1 278	272	203	2 083	447	1	–
宇都宮市	9 432	5 724	4 604	421	96	603	552	6	–
前橋市	5 943	3 545	1 680	241	62	1 562	429	4	–
高崎市	6 713	4 066	2 110	170	73	1 713	536	3	–
川越市	5 103	2 861	828	60	22	1 951	414	–	–
越谷市	4 498	2 759	495	81	25	2 158	277	–	–
船橋市	7 793	4 536	1 621	274	32	2 609	549	4	–
柏市	5 695	3 355	1 295	240	32	1 788	398	–	–
八王子市	8 465	4 919	3 790	213	46	870	783	–	–
横須賀市	5 767	3 654	2 387	222	52	993	283	2	–
富山市	8 160	4 388	1 380	395	125	2 488	474	4	–
金沢市	10 946	6 345	3 786	237	111	2 211	828	1	–
長野市	8 231	4 806	3 252	302	209	1 043	512	3	–
岐阜市	8 829	5 456	3 574	215	65	1 602	648	–	–
豊橋市	6 506	3 706	1 774	425	32	1 475	591	1	–
豊田市	7 743	3 877	1 656	84	56	2 081	600	–	–
岡崎市	6 280	3 430	1 507	102	37	1 784	605	–	–
大津市	5 392	2 979	1 383	119	108	1 369	548	1	–
高槻市	4 133	2 450	1 502	181	7	760	322	–	–
東大阪市	8 183	5 130	2 607	302	24	2 197	517	–	–
豊中市	5 318	3 284	860	217	15	2 192	399	–	–
枚方市	5 048	2 961	1 255	172	12	1 522	397	–	–
姫路市	10 597	6 294	3 506	202	113	2 473	737	–	–
西宮市	7 010	4 338	1 407	105	19	2 807	667	1	–
尼崎市	8 303	5 326	1 666	193	36	3 431	445	1	–
奈良市	6 092	4 135	1 823	244	112	1 956	523	1	–
和歌山市	7 129	4 568	2 346	221	72	1 929	458	–	–
倉敷市	7 881	4 246	2 394	340	104	1 408	531	2	–
福山市	7 797	4 359	2 367	672	99	1 221	398	1	–
呉市	3 809	1 969	1 393	307	54	215	162	–	–
下関市	5 166	2 846	2 200	160	74	412	346	1	–
高松市	9 120	5 187	3 144	169	106	1 768	761	1	–
松山市	9 802	5 883	1 768	492	140	3 483	700	–	–
高知市	7 950	4 909	990	335	69	3 515	567	–	–
久留米市	6 205	3 899	1 256	190	34	2 419	397	–	–
長崎市	7 743	4 684	2 517	263	122	1 782	474	–	–
佐世保市	4 630	2 720	1 037	283	113	1 287	294	2	–
大分市	8 348	5 025	2 845	328	61	1 791	588	2	–
宮崎市	8 552	5 542	2 035	354	114	3 039	471	3	–
鹿児島市	11 119	6 869	2 040	381	100	4 348	540	–	–
那覇市	10 750	8 028	2 440	199	22	5 367	563	–	–

営業の種類・都道府県－指定都市－中核市（再掲）別

平成29年度末現在

乳製品製造業	集乳業	魚介類販売業	魚介類せり売り営業	魚肉ねり製品製造業	食品の冷凍または冷蔵業	かん詰またはびん詰食品製造業（左記及び右記以外）	喫茶店営業	自動販売機（喫茶店営業の再掲）	あん類製造業	アイスクリーム類製造業
34	–	1 982	2	17	169	13	2 649	2 277	5	36
2	–	1 158	2	12	64	3	1 502	1 298	9	32
1	–	999	2	6	49	2	1 316	1 195	2	4
14	–	899	2	1	42	3	1 281	1 014	1	182
23	–	3 109	2	19	113	44	3 546	3 252	14	47
6	–	1 256	6	4	79	4	1 530	1 360	3	18
3	–	592	–	3	6	3	708	646	2	2
15	–	838	6	15	28	46	1 166	1 013	6	46
18	–	653	6	19	116	28	932	820	9	12
5	–	580	7	2	29	1	1 220	1 115	4	10
13	–	2 599	3	26	85	10	5 177	4 791	14	486
9	–	1 700	2	18	70	79	2 378	2 104	11	345
23	–	3 747	5	73	189	71	6 514	5 764	13	678
7	–	598	–	12	19	11	1 189	1 065	5	75
38	–	1 421	6	39	195	38	2 220	1 817	5	284
10	–	837	2	5	69	39	1 629	1 402	7	10
9	–	1 349	2	17	119	12	2 516	2 130	7	32
4	–	1 077	4	26	62	13	1 559	1 220	9	27
17	–	1 722	4	49	200	9	2 239	1 761	5	40
6	–	804	2	19	38	10	1 056	849	6	12
14	1	441	2	6	51	7	465	376	4	7
20	–	630	8	20	121	8	374	300	2	14
–	–	472	2	10	38	26	306	254	5	87
–	–	515	11	10	106	14	271	237	4	63
3	–	340	1	–	10	5	510	352	1	7
1	–	392	3	2	15	8	445	297	2	13
6	1	398	1	1	17	17	625	539	8	15
3	–	514	7	24	29	20	624	570	3	12
9	2	510	2	2	60	23	764	690	4	78
9	4	380	1	2	42	4	523	452	–	14
12	2	417	1	–	22	4	617	534	5	20
5	1	288	1	–	16	1	498	419	2	3
–	–	257	–	1	12	1	309	262	1	2
7	–	566	1	8	51	4	486	423	1	78
2	–	361	1	2	5	–	446	366	–	55
5	–	481	1	8	21	3	627	559	3	71
1	–	386	4	2	8	1	320	304	1	5
3	1	513	4	7	12	3	1 074	973	4	67
5	–	567	4	15	50	20	1 137	1 043	6	153
11	–	413	2	1	27	49	986	754	2	85
5	–	471	2	3	15	10	791	690	3	50
5	1	356	1	6	41	3	646	627	5	63
3	–	407	1	1	11	1	1 448	1 426	2	70
3	–	357	1	3	14	4	766	742	2	75
2	–	350	2	1	18	3	391	345	1	70
1	–	220	–	2	23	4	359	332	–	38
5	–	415	–	10	20	8	641	593	–	59
6	–	294	–	7	19	5	351	317	1	34
2	–	255	–	5	9	6	484	441	1	48
5	–	609	7	7	38	22	965	822	5	92
5	–	297	–	3	66	5	435	339	3	84
2	–	392	–	5	36	8	699	622	2	56
3	–	271	–	7	5	20	170	88	–	49
–	–	405	2	6	26	10	506	441	1	80
3	–	520	6	8	27	29	1 031	903	3	5
13	–	519	2	15	33	7	791	676	7	12
–	–	366	2	9	14	2	385	347	1	9
2	–	487	10	26	105	15	288	261	1	45
4	1	497	3	19	84	29	678	596	3	126
2	–	613	3	14	64	17	772	685	4	86
–	1	456	3	16	24	35	598	449	6	57
1	–	299	1	15	26	14	424	331	3	12
1	–	575	3	67	74	2	401	251	1	19
4	–	333	2	17	27	5	245	187	3	54
4	–	516	4	3	18	3	722	618	2	9
4	–	458	2	14	35	15	500	466	4	10
–	–	682	4	50	47	19	706	586	3	13
–	–	348	3	8	23	–	665	101	–	135

（報告表　27）

第２表（４－３）　許可を要する食品関係営業施設数,

	乳類販売業	食肉処理業	食肉販売業	食肉製品製造業	乳酸菌飲料製造業	食用油脂製造業	マーガリン又はショートニング製造業	みそ製造業	醤油製造業
全国	**223 662**	**9 687**	**144 484**	**2 460**	**255**	**1 045**	**57**	**6 237**	**1 687**
北海道	9 138	747	7 343	228	7	53	－	248	28
青森	3 005	68	2 126	34	1	12	－	143	21
岩手	3 044	135	1 860	45	2	14	－	132	17
宮城	4 312	146	2 991	56	1	13	－	168	33
秋田	2 192	140	1 722	21	3	8	－	136	30
山形	2 027	125	1 563	52	1	17	－	137	52
福島	4 497	148	2 551	29	8	32	－	276	52
茨城	5 459	202	3 643	68	8	40	5	186	23
栃木	3 748	82	2 284	33	11	20	1	168	16
群馬	1 650	204	2 495	54	16	11	－	115	16
埼玉	11 937	390	6 378	60	10	49	3	104	20
千葉	10 036	329	5 722	77	7	46	8	209	59
東京	26 209	816	14 791	217	7	54	3	42	8
神奈川	13 551	392	7 776	104	6	23	5	60	9
新潟	5 048	198	2 672	64	4	23	－	262	53
富山	2 263	53	1 181	22	3	13	－	119	32
石川	2 479	52	1 422	19	3	8	2	126	56
福井	1 832	61	1 113	8	1	4	－	78	34
山梨	1 659	35	1 151	18	5	7	1	78	9
長野	3 764	231	2 593	65	5	30	－	209	55
岐阜	3 650	287	2 613	56	7	16	－	132	41
静岡	6 070	240	3 798	113	5	37	2	194	33
愛知	11 316	520	7 459	62	7	29	2	61	56
三重	2 948	201	2 239	31	3	21	－	83	36
滋賀	2 516	31	1 680	29	4	6	－	120	43
京都	4 537	203	2 761	43	9	21	－	101	30
大阪	14 606	755	8 482	85	7	39	10	81	13
兵庫	8 803	386	5 319	112	8	28	9	167	54
奈良	1 961	64	1 323	13	－	4	－	61	20
和歌山	1 523	44	1 253	11	4	5	－	156	36
鳥取	1 110	94	695	13	2	10	－	90	19
島根	1 382	93	1 055	10	－	17	－	97	55
岡山	3 771	97	2 437	40	14	13	－	149	51
広島	5 278	202	3 308	42	8	18	1	98	73
山口	2 544	62	1 758	26	2	8	－	75	54
徳島	1 334	90	1 042	22	1	7	－	62	15
香川	1 838	174	1 228	15	－	56	－	68	52
愛媛	2 760	118	1 769	24	3	6	－	82	46
高知	1 480	63	1 199	9	4	4	－	123	11
福岡	8 752	277	5 888	65	8	49	2	205	102
佐賀	1 546	134	1 139	35	3	16	－	80	25
長崎	2 817	124	1 844	30	3	33	－	95	27
熊本	3 722	148	2 655	59	8	33	－	181	56
大分	2 001	113	1 577	31	8	13	－	113	34
宮崎	2 093	211	1 771	57	14	13	3	128	26
鹿児島	3 664	332	2 857	94	2	50	－	313	46
沖縄	1 790	70	1 958	59	12	16	－	126	10

営業の種類・都道府県－指定都市－中核市（再掲）別

平成29年度末現在

ソース類製造業	酒類製造業	豆腐製造業	納豆製造業	めん類製造業	そうざい製造業	添加物（法第11条第1項の規定により規格が定められたものに限る。）製造業	食品の放射線照射業	清涼飲料水製造業	氷雪製造業	氷雪販売業
3 057	3 021	6 563	475	10 899	39 859	2 090	1	4 320	1 263	1 581
219	88	245	33	450	2 598	68	1	329	150	14
120	40	90	29	199	995	14	–	180	44	16
17	56	165	14	163	913	15	–	61	28	7
81	48	147	22	117	876	29	–	44	45	18
35	57	67	12	207	521	13	–	36	18	13
54	85	98	23	192	550	13	–	107	12	9
52	80	166	29	395	859	31	–	93	23	47
60	62	201	38	297	666	77	–	83	18	45
63	55	121	17	326	513	51	–	107	3	34
36	43	153	17	333	771	53	–	96	4	22
54	51	296	10	491	593	105	–	78	8	34
88	67	235	7	169	1 351	109	–	71	47	58
73	87	526	10	657	1 948	132	–	91	132	164
57	54	237	11	253	882	100	–	76	10	93
34	138	170	27	243	910	36	–	100	7	25
17	31	75	3	96	390	25	–	55	13	17
29	53	80	5	73	593	10	–	23	28	16
19	43	85	7	94	548	9	–	42	9	23
33	114	49	9	133	287	9	–	124	6	6
60	151	165	11	427	724	33	–	209	16	7
49	74	111	4	142	612	57	–	89	2	19
77	68	148	9	263	1 358	98	–	116	35	42
65	81	168	6	388	1 042	105	–	84	42	84
25	51	72	6	118	523	54	–	63	28	32
41	58	60	5	89	809	31	–	55	2	16
80	79	185	16	157	1 152	39	–	81	16	51
107	45	294	6	371	1 577	212	–	110	29	118
107	123	188	13	754	1 524	123	–	108	28	109
20	43	70	–	176	273	19	–	41	3	11
54	46	57	3	52	511	30	–	97	16	31
59	31	70	1	49	296	3	–	47	5	11
28	46	84	–	99	392	7	–	34	10	7
80	64	100	5	174	481	53	–	60	7	13
33	81	105	3	140	951	62	–	82	26	40
22	38	65	–	67	371	21	–	39	25	19
43	40	83	1	150	442	23	–	46	9	15
71	16	69	2	723	532	29	–	35	5	15
73	53	112	1	105	773	17	–	71	20	32
103	44	68	3	59	445	12	–	101	20	14
48	79	178	13	297	1 654	54	–	130	19	77
41	25	68	4	80	441	8	–	38	3	13
36	33	92	1	510	633	8	–	54	42	16
61	63	186	23	99	1 278	20	–	99	14	38
22	62	106	7	76	640	20	–	91	16	22
141	62	106	1	119	817	16	–	58	49	18
176	142	193	6	206	1 295	20	–	220	110	46
194	71	154	2	121	1 549	17	–	266	61	4

（報告表　27）

第２表（４－４）　許可を要する食品関係営業施設数，

	乳類販売業	食肉処理業	食肉販売業	食肉製品製造業	乳酸菌飲料製造業	食用油脂製造業	マーガリン又はショートニング製造業	みそ製造業	醤油製造業
指定都市(再掲)									
札幌市	2 603	134	1 960	35	2	2	－	7	1
仙台市	1 767	45	1 273	22	1	2	－	18	6
さいたま市	2 025	37	997	4	－	2	－	4	－
千葉市	1 617	42	899	9	－	9	3	11	3
横浜市	5 184	134	3 041	36	1	6	3	13	5
川崎市	2 115	80	1 244	13	－	1	1	2	1
相模原市	1 047	29	621	4	－	4	－	8	1
新潟市	1 641	87	791	20	1	7	－	58	12
静岡市	1 083	49	697	19	2	3	1	52	2
浜松市	1 206	67	759	18	－	6	－	25	11
名古屋市	3 655	161	2 546	19	1	4	1	5	6
京都市	2 671	144	1 531	24	1	6	－	20	8
大阪市	5 742	290	3 612	32	2	17	3	9	1
堺市	1 380	66	673	3	1	7	2	5	4
神戸市	2 439	96	1 456	33	2	9	6	12	1
岡山市	1 264	36	829	14	5	1	－	30	12
広島市	1 924	110	1 201	9	3	6	－	8	10
北九州市	1 639	68	1 035	6	1	2	－	9	15
福岡市	2 621	39	1 850	7	－	12	1	13	9
熊本市	1 252	43	844	10	4	1	－	22	15
中核市(再掲)									
旭川市	529	53	432	9	－	4	－	15	4
函館市	538	17	432	11	1	3	－	5	2
青森市	565	7	400	3	－	－	－	11	1
八戸市	495	5	321	6	－	1	－	12	3
盛岡市	594	19	351	5	－	1	－	11	2
秋田市	498	26	416	3	－	1	－	13	5
郡山市	725	30	425	5	1	4	－	29	4
いわき市	746	33	390	4	－	6	－	23	8
宇都宮市	914	22	540	7	4	4	－	13	1
前橋市	300	38	394	15	1	2	－	8	2
高崎市	319	34	424	6	4	2	－	9	1
川越市	589	20	308	6	－	2	－	1	2
越谷市	527	20	278	2	－	2	－	1	－
船橋市	848	28	483	10	2	3	1	－	3
柏市	600	17	359	6	－	1	－	6	2
八王子市	912	14	480	8	－	4	－	－	－
横須賀市	617	24	346	6	－	1	－	－	－
富山市	870	14	468	9	1	3	－	28	5
金沢市	930	19	529	9	1	4	1	21	27
長野市	626	21	406	15	－	2	－	22	5
岐阜市	700	19	488	4	1	3	－	4	2
豊橋市	534	54	358	6	－	4	－	4	2
豊田市	757	38	427	5	－	1	－	8	4
岡崎市	543	20	361	2	1	1	1	5	4
大津市	486	3	334	3	1	1	－	11	3
高槻市	408	12	226	4	－	－	－	5	1
東大阪市	776	32	459	2	1	－	－	1	1
豊中市	498	23	307	4	－	1	1	1	－
枚方市	521	13	279	1	－	1	2	2	1
姫路市	948	23	559	8	－	2	－	6	3
西宮市	608	17	334	10	1	1	－	1	－
尼崎市	804	14	385	2	－	5	－	1	3
奈良市	501	5	297	1	－	3	－	8	2
和歌山市	538	6	383	4	－	3	－	3	2
倉敷市	853	2	431	4	5	3	－	15	14
福山市	844	14	501	11	2	2	－	3	8
呉市	455	22	271	6	－	－	－	8	15
下関市	474	8	302	5	－	3	－	12	13
高松市	722	40	507	3	－	5	－	15	5
松山市	858	46	508	8	2	2	－	9	7
高知市	588	16	420	2	－	2	－	15	4
久留米市	493	18	354	3	1	2	－	13	9
長崎市	778	9	440	3	－	－	－	13	－
佐世保市	478	24	289	2	2	3	－	11	5
大分市	728	39	507	5	2	2	－	6	2
宮崎市	681	38	516	17	2	4	2	16	6
鹿児島市	953	114	753	25	－	6	－	32	9
那覇市	322	3	371	4	－	6	－	8	1

営業の種類・都道府県－指定都市－中核市（再掲）別

平成29年度末現在

ソース類製造業	酒類製造業	豆腐製造業	納豆製造業	めん類製造業	そうざい製造業	添加物（法第11条第1項の規定により規格が定められたものに限る。）製造業	食品の放射線照射業	清涼飲料水製造業	氷雪製造業	氷雪販売業
21	10	25	2	74	338	9	－	28	4	2
18	6	25	4	44	105	12	－	8	6	9
5	5	45	2	32	45	4	－	7	－	6
3	1	24	－	26	104	16	－	7	1	8
22	13	81	3	90	310	38	－	20	1	32
12	6	31	4	39	83	24	－	5	2	13
7	5	25	－	28	47	7	－	4	－	3
11	27	23	10	49	258	12	－	19	2	10
11	11	29	1	52	295	21	－	20	6	6
18	5	20	3	47	233	5	－	10	4	6
22	11	43	1	151	384	45	－	21	10	37
31	41	112	12	79	629	15	－	33	5	35
56	11	135	－	200	758	101	－	35	22	62
7	4	29	－	17	92	28	－	8	1	12
44	29	41	1	83	315	33	－	26	8	23
15	9	18	－	43	116	14	－	20	3	7
5	10	19	2	40	306	10	－	13	12	11
8	6	24	1	42	134	13	－	12	4	16
9	8	36	－	92	265	9	－	14	5	21
14	7	31	2	22	157	7	－	22	2	7
10	4	15	－	32	80	2	－	22	2	2
13	2	10	1	13	160	5	－	9	16	－
14	2	2	1	39	112	3	－	13	3	3
5	4	7	2	30	142	2	－	7	14	1
4	9	11	2	25	68	－	－	10	1	2
8	7	8	2	16	71	4	－	1	3	1
2	8	25	2	34	93	10	－	4	2	7
8	4	14	4	31	187	9	－	8	8	9
15	7	16	3	38	89	5	－	10	2	6
5	3	26	3	47	122	4	－	11	1	4
3	3	23	－	32	119	13	－	10	1	5
1	2	12	2	29	26	8	－	1	1	3
1	－	10	－	8	22	2	－	3	1	2
5	2	17	－	8	73	8	－	5	5	1
6	2	13	－	15	35	3	－	1	3	1
4	3	16	1	35	50	5	－	6	－	5
2	2	8	－	14	61	3	－	1	1	14
2	7	20	1	29	106	15	－	20	5	3
19	5	22	－	25	174	4	－	12	5	8
9	9	20	3	75	88	3	－	27	2	1
6	6	12	1	24	83	9	－	7	1	5
3	2	7	2	16	62	9	－	10	1	7
3	5	11	－	10	42	－	－	3	6	2
3	2	7	1	15	40	2	－	3	－	9
3	6	11	1	12	135	1	－	9	2	4
2	3	6	1	6	29	6	－	3	－	2
7	－	12	1	19	48	10	－	5	－	4
2	－	9	－	6	54	7	－	－	－	5
1	1	10	－	9	33	5	－	－	－	1
5	10	18	1	73	122	13	－	10	3	12
5	12	6	－	16	77	4	－	6	1	7
11	－	17	－	15	44	14	－	5	2	9
5	7	10	－	22	34	3	－	6	1	3
4	5	16	2	20	45	17	－	8	1	10
12	13	12	1	20	62	10	－	10	1	2
9	8	11	－	28	152	25	－	13	4	5
1	10	8	－	9	69	5	－	7	2	2
7	5	11	－	20	114	5	－	9	3	3
14	2	13	1	212	161	9	－	13	1	4
17	5	14	1	16	120	6	－	18	1	6
17	3	12	－	16	147	5	－	16	4	11
3	19	13	1	23	136	7	－	12	－	7
1	1	13	－	32	130	2	－	6	7	7
5	4	9	－	15	64	－	－	9	2	2
4	2	13	1	18	93	8	－	12	2	8
26	4	17	－	29	93	7	－	15	12	9
25	6	24	2	27	170	11	－	16	4	9
7	9	20	1	23	175	1	－	22	3	1

（報告表　27）

第３表　許可を要する食品関係営業施設数・許可・廃業施設数・処分

	営業施設数（年度末現在）	営業許可施設数（年度中）		廃業施設数（年度中）	処分件数（年度中）					告発件数（年度中）		調査・監視指導施設数（年度中）
		継続	新規		営業禁止命令	営業停止命令	改善命令	物品廃棄命令	その他	無許可営業	その他	
全国	**2 441 483**	**247 289**	**263 007**	**272 761**	**150**	**561**	**86**	**21**	**2 367**	**1**	**－**	**1 869 341**
北海道	106 198	17 478	10 972	11 450	1	19	1	1	873	－	－	93 288
青森	33 265	3 314	2 797	3 568	－	3	－	－	－	－	－	17 501
岩手	25 007	2 822	2 092	2 201	－	7	－	－	－	－	－	20 654
宮城	41 212	3 790	6 261	6 525	－	9	－	2	28	－	－	54 540
秋田	19 996	2 262	4 913	5 352	－	4	－	－	3	－	－	12 616
山形	22 620	2 553	1 551	1 667	－	4	－	－	35	－	－	8 168
福島	39 290	4 713	5 083	5 275	－	20	－	－	83	1	－	22 010
茨城	49 456	6 145	6 623	7 374	12	1	－	－	28	－	－	26 232
栃木	37 099	3 020	4 119	4 297	8	4	－	－	6	－	－	15 009
群馬	37 044	4 267	3 111	3 589	－	12	－	－	1	－	－	17 136
埼玉	95 374	9 675	8 172	8 969	－	23	－	－	85	－	－	35 162
千葉	93 614	10 929	8 539	8 907	－	31	－	－	127	－	－	70 189
東京	298 163	28 014	34 782	33 608	－	115	80	－	1	－	－	367 383
神奈川	123 286	12 819	13 073	13 588	37	23	－	－	4	－	－	124 325
新潟	42 629	4 991	4 736	5 449	－	7	－	1	2	－	－	40 065
富山	20 399	2 683	1 642	2 127	－	3	－	－	－	－	－	26 158
石川	26 187	2 581	2 010	1 969	－	7	－	－	21	－	－	14 125
福井	19 569	1 918	1 520	1 498	－	5	－	2	－	－	－	8 264
山梨	19 575	2 296	1 467	1 714	－	5	－	－	－	－	－	8 603
長野	54 319	5 443	3 686	3 983	－	13	－	1	－	－	－	20 561
岐阜	42 796	4 562	6 496	6 667	12	－	－	1	4	－	－	26 133
静岡	73 151	9 311	6 209	6 431	15	－	－	1	31	－	－	64 442
愛知	138 626	10 678	18 374	18 317	36	－	－	4	48	－	－	127 717
三重	36 322	3 371	7 132	6 958	5	－	－	5	－	－	－	12 921
滋賀	25 639	2 460	2 041	2 234	－	14	－	－	9	－	－	10 457
京都	55 159	5 370	5 803	6 160	－	14	－	－	1	－	－	51 699
大阪	186 121	17 019	20 171	23 505	－	45	－	1	545	－	－	177 063
兵庫	104 079	9 801	10 075	9 985	1	29	－	－	20	－	－	65 229
奈良	21 098	1 734	1 873	1 712	－	9	－	－	2	－	－	11 610
和歌山	21 243	1 692	1 806	1 699	－	8	－	－	1	－	－	9 626
鳥取	12 234	1 032	1 095	1 070	1	1	－	－	19	－	－	4 461
島根	14 034	2 212	1 016	1 163	－	15	－	－	5	－	－	5 297
岡山	36 547	2 834	3 697	3 805	－	17	－	－	3	－	－	15 484
広島	51 110	4 312	4 466	4 433	22	－	－	－	－	－	－	39 976
山口	25 769	2 572	2 162	2 386	－	7	－	－	1	－	－	14 744
徳島	16 804	1 425	1 708	1 538	－	2	1	－	2	－	－	8 551
香川	21 193	3 199	3 197	3 297	－	9	－	－	1	－	－	12 939
愛媛	28 355	4 373	2 765	2 998	－	4	－	－	48	－	－	19 081
高知	19 111	2 450	1 568	1 536	－	5	－	－	3	－	－	6 954
福岡	95 384	8 506	11 821	11 883	－	17	－	1	1	－	－	70 916
佐賀	17 441	1 693	1 555	1 658	－	5	－	－	16	－	－	7 516
長崎	26 402	2 517	1 850	2 095	－	6	－	－	62	－	－	25 174
熊本	36 063	2 605	2 957	3 019	－	11	－	－	－	－	－	24 506
大分	25 154	2 292	2 170	1 891	－	11	4	－	11	－	－	12 044
宮崎	23 806	1 793	2 196	2 154	－	1	－	－	233	－	－	9 439
鹿児島	37 846	2 977	6 408	6 528	－	6	－	1	3	－	－	20 335
沖縄	45 694	2 786	5 247	4 529	－	10	－	－	1	－	－	13 038

注：「処分件数(年度中)」の「営業許可取消命令」は計数がないため表章していない。

・告発件数・調査・監視指導施設数，都道府県－指定都市－中核市（再掲）別

平成29年度

	営業施設数（年度末現在）	営業許可施設数(年度中) 継続	新規	廃業施設数（年度中）	処分件数（年度中） 営業禁止命令	営業停止命令	改善命令	物品廃棄命令	その他	告発件数（年度中） 無許可営業	その他	調査・監視指導施設数（年度中）
指定都市（再掲）												
札幌市	32 131	2 907	5 458	5 757	1	8	–	1	8	–	–	36 615
仙台市	18 600	1 700	3 900	3 923	–	5	–	–	–	–	–	35 461
さいたま市	16 140	1 496	1 529	1 815	–	5	–	–	85	–	–	9 601
千葉市	15 638	1 617	1 860	1 839	–	9	–	–	51	–	–	12 316
横浜市	48 396	4 896	5 598	5 672	29	6	–	–	–	–	–	30 918
川崎市	18 326	1 737	1 813	1 996	–	5	–	–	–	–	–	42 479
相模原市	8 823	946	937	927	–	5	–	–	1	–	–	3 841
新潟市	13 708	1 456	2 928	3 217	–	4	–	1	1	–	–	9 669
静岡市	13 991	1 920	1 435	1 507	4	–	–	–	–	–	–	13 441
浜松市	13 710	1 572	1 264	1 384	3	–	–	–	7	–	–	12 466
名古屋市	52 447	3 466	8 218	8 297	15	–	–	–	42	–	–	55 075
京都市	35 605	3 699	4 262	4 606	–	10	–	–	1	–	–	45 076
大阪市	98 916	8 029	12 076	14 504	–	24	–	1	–	–	–	110 585
堺市	12 420	1 299	1 240	1 537	–	1	–	–	–	–	–	5 035
神戸市	31 957	2 910	3 036	3 004	–	15	–	–	3	–	–	24 686
岡山市	13 995	1 073	1 560	1 623	–	5	–	–	–	–	–	5 900
広島市	22 163	1 714	2 378	2 182	15	–	–	–	–	–	–	17 813
北九州市	19 077	1 435	3 510	3 685	–	2	–	–	1	–	–	12 654
福岡市	32 693	3 063	4 374	4 216	–	10	–	1	–	–	–	39 848
熊本市	13 767	870	1 429	1 420	–	7	–	–	–	–	–	9 785
中核市（再掲）												
旭川市	6 423	626	548	467	–	2	–	–	2	–	–	2 718
函館市	6 565	1 045	557	512	–	–	–	–	–	–	–	3 889
青森市	6 813	551	685	709	–	1	–	–	–	–	–	3 640
八戸市	5 748	458	507	666	–	2	–	–	–	–	–	2 683
盛岡市	5 600	553	503	496	–	3	–	–	–	–	–	4 365
秋田市	5 607	570	1 436	1 535	–	2	–	–	–	–	–	2 469
郡山市	6 409	717	1 203	1 212	–	2	–	–	7	–	–	5 224
いわき市	7 012	809	1 515	1 571	–	5	–	–	67	1	–	2 842
宇都宮市	9 432	746	1 619	1 717	–	4	–	–	–	–	–	3 108
前橋市	5 943	658	610	838	–	3	–	–	–	–	–	2 864
高崎市	6 713	758	798	738	–	3	–	–	–	–	–	2 139
川越市	5 103	510	421	410	–	4	–	–	–	–	–	2 860
越谷市	4 498	394	569	488	–	2	–	–	–	–	–	1 662
船橋市	7 793	917	754	823	–	1	–	–	11	–	–	6 011
柏市	5 695	663	527	498	–	4	–	–	–	–	–	2 100
八王子市	8 465	893	998	876	–	6	3	–	–	–	–	2 617
横須賀市	5 767	640	563	647	–	2	–	–	–	–	–	3 861
富山市	8 160	1 004	610	806	–	–	–	–	–	–	–	5 241
金沢市	10 946	1 052	911	822	–	1	–	–	21	–	–	6 955
長野市	8 231	767	586	700	–	3	–	–	–	–	–	1 948
岐阜市	8 829	827	1 040	1 123	1	–	–	1	3	–	–	4 992
豊橋市	6 506	649	710	758	1	–	–	–	1	–	–	2 506
豊田市	7 743	688	834	733	4	–	–	–	–	–	–	2 275
岡崎市	6 280	554	726	815	2	–	–	–	–	–	–	3 167
大津市	5 392	456	524	472	–	3	–	–	3	–	–	2 013
高槻市	4 133	509	420	469	–	–	–	–	–	–	–	1 958
東大阪市	8 183	867	750	863	–	2	–	–	–	–	–	3 881
豊中市	5 318	594	546	566	–	–	–	–	–	–	–	1 901
枚方市	5 048	537	545	526	–	2	–	–	–	–	–	1 884
姫路市	10 597	1 071	1 113	1 060	–	3	–	–	7	–	–	5 726
西宮市	7 010	609	635	597	–	1	–	–	1	–	–	5 633
尼崎市	8 303	746	793	1 004	–	4	–	–	–	–	–	3 181
奈良市	6 092	557	633	571	–	3	–	–	2	–	–	3 247
和歌山市	7 129	587	724	657	–	8	–	–	1	–	–	2 349
倉敷市	7 881	660	901	925	–	5	–	–	–	–	–	2 079
福山市	7 797	724	633	672	3	–	–	–	–	–	–	6 144
呉市	3 809	319	243	309	1	–	–	–	–	–	–	2 438
下関市	5 166	633	452	631	–	2	–	–	–	–	–	2 312
高松市	9 120	1 326	1 542	1 525	–	5	–	–	–	–	–	3 788
松山市	9 802	1 351	1 232	1 286	–	3	–	–	23	–	–	3 718
高知市	7 950	938	786	739	–	3	–	–	–	–	–	3 621
久留米市	6 205	482	523	546	–	–	–	–	–	–	–	2 278
長崎市	7 743	619	583	658	–	2	–	–	–	–	–	8 075
佐世保市	4 630	398	376	432	–	4	–	–	52	–	–	5 991
大分市	8 348	797	814	752	–	3	–	–	9	–	–	2 286
宮崎市	8 552	696	933	876	–	–	–	–	–	–	–	2 732
鹿児島市	11 119	744	2 194	2 217	–	–	–	1	–	–	–	6 169
那覇市	10 750	783	1 413	1 157	–	–	–	–	–	–	–	3 137

（報告表 27）

第４表（４－１） 許可を要する食品関係営業施設に

	総数	飲食店営業					菓子(パンを含む。)製造業	乳処理業	特別牛乳さく取処理業
		総数	一般食堂・レストラン等	仕出し屋・弁当屋	旅館	その他			
全国	**1 869 341**	**769 899**	**356 628**	**86 911**	**29 721**	**296 639**	**128 205**	**2 250**	**19**
北海道	93 288	37 606	11 422	1 694	2 459	22 031	5 558	272	5
青森	17 501	8 885	2 148	564	431	5 742	1 499	10	-
岩手	20 654	7 724	2 843	977	262	3 642	1 391	34	-
宮城	54 540	19 318	4 104	3 640	775	10 799	2 603	70	-
秋田	12 616	6 451	2 412	1 053	369	2 617	744	29	-
山形	8 168	4 249	1 059	319	722	2 149	541	37	-
福島	22 010	10 602	3 425	816	1 119	5 242	2 518	89	-
茨城	26 232	12 418	2 138	926	851	8 503	2 576	36	-
栃木	15 009	6 317	2 826	1 179	483	1 829	1 256	160	-
群馬	17 136	9 037	4 241	741	650	3 405	1 715	66	-
埼玉	35 162	15 583	3 738	1 042	166	10 637	2 420	34	-
千葉	70 189	34 954	12 307	3 476	1 337	17 834	5 594	50	-
東京	367 383	142 629	100 101	13 760	2 129	26 639	19 827	75	-
神奈川	124 325	47 967	25 663	7 810	850	13 644	5 965	164	8
新潟	40 065	20 488	11 066	1 754	2 000	5 668	3 764	71	-
富山	26 158	13 762	4 908	2 074	710	6 070	1 931	72	-
石川	14 125	5 678	2 635	403	486	2 154	1 225	25	-
福井	8 264	4 477	1 221	709	684	1 863	662	2	-
山梨	8 603	3 778	1 248	340	640	1 550	758	12	-
長野	20 561	10 641	5 483	1 106	1 358	2 694	1 558	54	-
岐阜	26 133	10 798	3 124	1 739	697	5 238	2 584	84	-
静岡	64 442	30 290	16 064	5 672	2 024	6 530	6 591	73	-
愛知	127 717	55 926	19 066	2 448	547	33 865	13 884	69	-
三重	12 921	6 608	1 489	201	348	4 570	1 077	13	-
滋賀	10 457	4 777	2 233	467	212	1 865	1 184	20	-
京都	51 699	11 565	4 739	1 257	263	5 306	1 778	18	1
大阪	177 063	51 174	34 337	4 046	437	12 354	6 797	40	-
兵庫	65 229	33 223	11 218	2 237	1 488	18 280	4 841	23	-
奈良	11 610	5 508	2 083	1 181	314	1 930	1 087	5	-
和歌山	9 626	4 637	2 845	395	311	1 086	935	1	-
鳥取	4 461	1 632	680	376	100	476	402	-	-
島根	5 297	2 550	1 618	506	230	196	388	3	-
岡山	15 484	7 164	3 537	752	232	2 643	1 201	21	-
広島	39 976	17 667	9 285	6 208	312	1 862	2 855	78	-
山口	14 744	6 709	3 628	1 157	163	1 761	1 540	17	-
徳島	8 551	4 069	1 102	902	217	1 848	548	4	-
香川	12 939	5 361	1 708	293	202	3 158	1 138	31	-
愛媛	19 081	7 519	1 902	1 565	563	3 489	1 725	14	-
高知	6 954	2 765	352	501	128	1 784	807	10	-
福岡	70 916	28 216	11 761	4 078	239	12 138	4 174	52	5
佐賀	7 516	3 538	761	384	144	2 249	578	9	-
長崎	25 174	9 319	2 495	2 903	683	3 238	2 035	127	-
熊本	24 506	10 322	5 957	777	501	3 087	1 456	77	-
大分	12 044	5 213	2 175	651	270	2 117	1 182	10	-
宮崎	9 439	4 370	1 630	507	166	2 067	686	27	-
鹿児島	20 335	9 118	2 975	1 040	401	4 702	1 438	26	-
沖縄	13 038	7 297	2 876	285	48	4 088	1 189	36	-

対する調査・監視指導施設数，営業の種類・都道府県－指定都市－中核市（再掲）別

平成29年度

乳製品製造業	集乳業	魚介類販売業	魚介類せり売り営業	魚肉ねり製品製造業	食品の冷凍または冷蔵業	かん詰またはびん詰食品製造業（左記及び右記以外）	喫茶店営業	自動販売機（喫茶店営業の再掲）	あん類製造業	アイスクリーム類製造業
4 214	**174**	**454 832**	**11 581**	**4 609**	**14 291**	**4 421**	**73 207**	**48 828**	**1 830**	**16 565**
633	3	15 703	1 218	346	1 712	186	2 949	1 868	69	432
17	1	1 701	28	34	154	151	373	234	49	406
47	4	2 688	25	5	172	58	1 623	1 018	37	60
101	15	12 238	535	236	292	69	2 474	1 628	69	128
27	–	1 066	26	7	89	53	971	388	45	71
18	1	706	22	16	44	103	274	184	61	25
149	41	1 535	146	23	128	140	1 718	1 049	65	88
81	10	2 480	80	39	331	82	1 158	777	39	332
136	28	1 644	75	10	135	115	580	340	46	287
115	2	1 363	16	2	165	33	1 187	1 039	29	162
51	2	5 736	158	21	489	32	1 814	1 541	39	38
140	7	9 599	91	86	475	118	3 178	2 024	55	916
278	–	131 987	2 374	395	1 083	47	9 937	7 813	145	2 388
246	–	40 236	789	189	604	63	2 728	1 655	139	157
78	3	3 559	40	75	147	244	1 267	733	57	153
113	8	2 215	35	108	142	61	1 244	848	11	419
40	–	2 012	111	69	116	28	575	428	11	332
3	–	712	17	9	45	16	252	205	4	153
54	–	690	26	8	57	52	250	207	94	164
96	8	1 364	86	1	95	182	1 587	1 002	36	338
145	–	2 630	127	82	389	164	1 270	996	38	482
263	7	6 448	398	266	949	235	3 791	2 398	77	179
140	–	20 316	382	80	549	175	6 453	3 454	171	3 262
29	–	1 241	37	13	103	24	482	328	21	307
31	–	837	9	3	48	10	278	183	9	222
43	–	31 476	544	20	104	72	1 340	1 092	3	342
120	–	90 720	1 591	220	685	196	4 837	3 831	47	806
122	3	9 794	1 012	127	754	120	3 327	2 495	43	829
8	–	1 453	165	38	76	38	286	187	6	139
5	–	902	5	26	78	136	323	279	3	210
4	–	539	15	30	189	10	283	233	10	72
8	–	541	5	30	17	5	247	188	6	66
47	3	2 015	135	20	102	113	1 135	794	9	36
132	5	5 649	121	172	449	124	2 277	1 713	69	187
17	1	1 596	22	84	134	23	743	593	3	331
4	–	846	7	21	123	66	277	194	9	180
36	–	1 046	9	55	232	117	888	753	15	247
42	–	2 171	40	224	246	118	1 132	723	24	438
9	1	763	10	49	46	52	494	384	9	152
100	5	22 081	791	352	1 062	183	2 212	768	74	241
20	2	737	4	34	96	22	327	178	7	90
175	6	3 041	39	415	465	70	1 083	527	25	247
97	–	4 202	118	126	126	107	894	351	20	101
28	3	1 372	19	40	101	68	372	162	10	41
76	3	750	26	44	140	23	507	434	14	24
37	2	1 900	31	281	432	260	797	513	8	80
53	–	532	21	78	121	57	1 013	96	–	205

（報告表　27）

第４表（４－２） 許可を要する食品関係営業施設に

	総数	飲食店営業					菓子(パンを含む。)製造業	乳処理業	特別牛乳さく取処理業
		総数	一般食堂・レストラン等	仕出し屋・弁当屋	旅館	その他			
指定都市(再掲)									
札幌市	36 615	11 677	2 469	190	232	8 786	1 089	16	–
仙台市	35 461	11 619	1 584	2 160	393	7 482	1 454	15	–
さいたま市	9 601	2 678	288	290	9	2 091	479	–	–
千葉市	12 316	4 142	1 192	403	38	2 509	626	3	–
横浜市	30 918	12 911	7 219	1 349	73	4 270	1 293	6	8
川崎市	42 479	8 496	5 239	1 432	38	1 787	975	–	–
相模原市	3 841	1 857	967	381	40	469	322	–	–
新潟市	9 669	4 769	2 358	475	104	1 832	1 068	30	–
静岡市	13 441	6 000	2 514	842	128	2 516	724	2	–
浜松市	12 466	6 120	3 469	1 254	155	1 242	849	17	–
名古屋市	55 075	23 914	7 478	1 400	71	14 965	5 548	5	–
京都市	45 076	8 515	3 368	612	194	4 341	1 086	–	–
大阪市	110 585	28 471	18 725	1 521	283	7 942	2 945	16	–
堺市	5 035	2 476	725	96	17	1 638	433	5	–
神戸市	24 686	11 945	3 435	835	207	7 468	1 406	6	–
岡山市	5 900	2 791	1 366	215	24	1 186	381	2	–
広島市	17 813	8 516	5 446	2 805	72	193	1 110	20	–
北九州市	12 654	6 180	3 133	935	27	2 085	809	4	–
福岡市	39 848	14 361	6 249	1 835	83	6 194	1 741	12	–
熊本市	9 785	5 328	2 947	199	66	2 116	400	2	–
中核市(再掲)									
旭川市	2 718	1 252	466	97	58	631	202	17	–
函館市	3 889	1 665	559	168	55	883	405	16	–
青森市	3 640	1 956	473	139	73	1 271	278	–	–
八戸市	2 683	1 281	359	66	21	835	238	–	–
盛岡市	4 365	1 844	666	360	35	783	217	2	–
秋田市	2 469	1 490	695	213	2	580	101	2	–
郡山市	5 224	1 862	451	136	98	1 177	662	40	–
いわき市	2 842	1 616	966	83	44	523	267	3	–
宇都宮市	3 108	928	488	214	25	201	144	54	–
前橋市	2 864	1 538	591	178	43	726	278	15	–
高崎市	2 139	1 326	845	104	25	352	249	1	–
川越市	2 860	1 136	260	58	5	813	221	–	–
越谷市	1 662	675	135	62	1	477	115	–	–
船橋市	6 011	2 689	1 110	269	10	1 300	399	8	–
柏市	2 100	1 255	632	158	29	436	198	–	–
八王子市	2 617	1 343	1 061	89	13	180	306	–	–
横須賀市	3 861	1 999	857	340	13	789	394	21	–
富山市	5 241	3 092	1 276	427	106	1 283	421	29	–
金沢市	6 955	2 380	1 312	172	76	820	541	10	–
長野市	1 948	942	511	127	45	259	152	1	–
岐阜市	4 992	2 067	980	158	53	876	354	–	–
豊橋市	2 506	1 162	514	279	11	358	307	10	–
豊田市	2 275	1 056	556	61	11	428	209	1	–
岡崎市	3 167	1 702	510	64	11	1 117	418	–	–
大津市	2 013	1 028	479	52	86	411	220	2	–
高槻市	1 958	911	455	102	7	347	205	–	–
東大阪市	3 881	2 008	781	170	5	1 052	254	–	–
豊中市	1 901	1 055	273	91	3	688	156	–	–
枚方市	1 884	1 067	436	101	6	524	179	–	–
姫路市	5 726	2 977	1 163	163	123	1 528	334	–	–
西宮市	5 633	2 891	742	93	23	2 033	878	2	–
尼崎市	3 181	1 688	663	96	13	916	148	5	–
奈良市	3 247	2 036	611	539	86	800	327	2	–
和歌山市	2 349	1 175	553	121	14	487	211	–	–
倉敷市	2 079	1 105	571	116	28	390	175	4	–
福山市	6 144	2 772	1 185	1 036	34	517	473	3	–
呉市	2 438	1 023	572	348	8	95	249	–	–
下関市	2 312	1 114	676	93	27	318	197	3	–
高松市	3 788	2 029	438	69	48	1 474	359	–	–
松山市	3 718	1 707	283	367	117	940	366	–	–
高知市	3 621	1 739	352	196	50	1 141	373	–	–
久留米市	2 278	1 250	374	65	12	799	201	–	–
長崎市	8 075	3 611	986	911	137	1 577	703	–	–
佐世保市	5 991	2 219	516	839	206	658	441	83	–
大分市	2 286	1 295	648	108	16	523	188	7	–
宮崎市	2 732	1 776	676	162	33	905	176	1	–
鹿児島市	6 169	3 777	1 077	295	50	2 355	378	–	–
那覇市	3 137	2 191	853	85	4	1 249	231	–	–

対する調査・監視指導施設数，営業の種類・都道府県－指定都市－中核市（再掲）別

平成29年度

乳製品製造業	集乳業	魚介類販売業	魚介類せり売り営業	魚肉ねり製品製造業	食品の冷凍または冷蔵業	かん詰またはびん詰食品製造業（左記及び右記以外）	喫茶店営業	自動販売機（喫茶店営業の再掲）	あん類製造業	アイスクリーム類製造業
35	–	10 172	1 085	35	142	7	637	450	7	23
26	–	9 057	524	106	29	19	1 205	653	51	22
–	–	3 404	127	1	201	1	170	114	2	7
19	–	4 259	24	1	60	3	438	289	1	168
19	–	11 304	321	35	72	8	553	280	50	42
11	–	24 133	400	9	124	2	450	–	6	18
4	–	395	–	3	9	5	197	161	2	2
31	–	736	8	42	35	38	369	227	7	49
26	–	2 976	193	39	273	30	250	34	8	25
20	–	1 480	110	8	95	–	1 419	1 196	12	13
16	–	9 370	272	24	69	21	2 138	–	39	999
2	–	30 903	522	11	53	22	1 020	860	2	231
40	–	69 547	1 054	133	252	105	1 617	997	32	558
9	–	471	–	12	12	4	310	257	4	32
48	–	5 798	920	53	178	41	1 220	962	8	217
9	–	1 232	125	2	24	15	129	5	2	8
33	–	3 134	74	63	201	42	940	598	51	38
11	–	1 961	111	88	125	31	747	229	26	45
30	–	18 370	660	113	498	6	856	158	12	48
10	–	2 532	107	10	30	2	285	70	2	8
21	3	249	23	14	40	5	194	166	5	13
41	–	493	1	33	96	4	278	180	13	40
–	–	404	4	11	31	15	88	41	4	71
–	–	337	6	11	63	26	77	51	17	38
4	–	586	1	–	7	8	228	153	9	7
–	–	232	12	3	8	2	142	47	11	5
81	39	467	67	–	25	17	515	253	41	7
1	–	228	16	19	11	4	267	167	5	4
8	10	739	56	5	62	7	57	–	18	26
20	1	187	1	2	56	4	187	134	–	6
8	–	177	2	–	20	2	21	9	4	10
6	1	539	14	–	12	–	190	151	33	2
–	–	187	–	3	8	1	254	234	–	–
13	–	1 433	12	17	66	6	257	226	1	58
2	–	195	1	1	2	–	54	20	–	21
2	–	187	–	11	17	1	168	146	3	38
10	–	368	16	8	12	–	85	74	18	28
65	8	353	6	10	15	3	99	46	4	68
17	–	1 291	100	37	56	20	283	218	6	127
4	–	168	24	–	15	13	98	55	4	25
7	–	1 006	103	56	20	15	154	36	18	26
20	–	180	3	9	69	4	152	141	47	44
4	–	155	2	6	23	4	163	156	–	27
3	–	267	–	5	9	1	35	26	18	36
1	–	191	1	–	9	3	56	32	1	27
1	–	190	–	10	20	3	117	100	–	28
13	–	439	–	9	11	11	288	264	–	31
5	–	171	–	6	16	3	111	98	1	3
3	–	161	–	1	6	4	143	134	1	17
2	–	970	53	33	88	11	308	224	2	41
14	–	341	–	4	81	6	239	164	9	138
3	–	637	3	4	27	7	58	50	4	31
3	–	195	–	28	4	5	86	37	–	54
–	–	192	1	6	13	4	102	97	1	68
4	–	140	2	7	19	19	250	143	3	7
31	–	645	18	45	48	13	462	362	8	22
–	–	279	1	30	16	3	167	160	–	2
3	–	333	9	30	55	1	52	44	–	24
6	–	289	–	13	33	11	206	169	–	81
5	–	368	4	4	38	13	244	200	2	45
–	1	328	3	22	26	37	242	196	7	34
–	–	156	6	27	25	5	90	65	2	13
3	–	864	22	214	191	1	444	115	6	47
78	–	708	4	48	37	10	217	157	14	90
6	–	205	9	1	7	3	91	70	2	9
3	–	162	–	5	16	5	99	92	3	3
–	–	536	–	41	17	1	262	144	–	16
–	–	158	1	1	8	–	229	28	–	48

（報告表　27）

第４表（４－３）　許可を要する食品関係営業施設に

	乳類販売業	食肉処理業	食肉販売業	食肉製品製造業	乳酸菌飲料製造業	食用油脂製造業	マーガリン又はショートニング製造業	みそ製造業	醤油製造業
全国	**135 232**	**22 657**	**143 435**	**4 702**	**894**	**1 003**	**117**	**3 905**	**1 759**
北海道	8 847	717	11 901	361	24	46	-	213	36
青森	1 458	106	1 358	46	1	10	-	64	24
岩手	3 200	134	2 538	51	1	4	-	46	12
宮城	4 523	193	9 682	122	15	12	-	112	53
秋田	1 042	99	1 099	33	18	2	-	51	25
山形	594	90	725	73	1	6	-	42	26
福島	1 330	213	1 332	132	61	19	-	177	43
茨城	2 241	191	2 175	99	25	60	9	125	20
栃木	1 509	42	1 409	59	69	19	1	122	20
群馬	542	132	1 475	84	42	6	-	44	14
埼玉	3 657	552	3 254	64	17	21	3	30	17
千葉	6 197	467	4 966	228	17	51	15	200	87
東京	20 890	7 633	21 218	393	34	86	12	36	17
神奈川	10 635	931	10 454	318	38	46	10	42	8
新潟	3 835	352	3 201	129	25	24	-	242	79
富山	2 507	106	1 803	57	11	13	-	186	67
石川	1 144	61	1 929	36	12	7	1	44	16
福井	658	53	643	3	1	1	-	33	14
山梨	695	156	691	50	14	4	2	27	17
長野	1 637	177	1 459	73	10	16	-	97	28
岐阜	2 194	576	2 585	130	30	20	-	105	33
静岡	4 704	776	4 574	325	13	70	6	278	62
愛知	10 003	2 290	11 033	147	33	41	2	82	83
三重	1 155	150	1 129	30	2	8	-	24	13
滋賀	821	263	1 001	30	6	4	-	54	26
京都	1 862	193	1 501	25	21	4	-	25	6
大阪	6 538	1 805	7 080	146	22	51	15	62	15
兵庫	4 258	338	3 753	158	13	28	18	110	59
奈良	1 034	45	999	17	-	-	-	36	18
和歌山	835	47	920	11	-	-	-	53	17
鳥取	394	99	318	17	-	6	-	21	12
島根	532	72	488	6	-	5	-	28	19
岡山	1 262	139	1 151	46	10	10	-	44	28
広島	3 771	316	3 411	102	25	23	3	96	132
山口	1 425	79	1 327	59	10	-	-	52	61
徳島	795	159	852	52	4	18	-	31	3
香川	1 183	195	1 108	49	-	45	-	33	46
愛媛	1 935	120	1 849	48	14	5	-	91	74
高知	554	31	571	5	16	2	-	41	8
福岡	3 220	406	4 060	190	28	79	7	162	190
佐賀	706	129	769	43	9	8	-	21	16
長崎	2 972	284	2 786	103	77	33	-	84	50
熊本	1 850	909	2 366	97	35	18	-	146	84
大分	1 232	150	1 361	55	18	8	-	41	14
宮崎	714	186	858	102	42	8	13	53	9
鹿児島	1 742	394	1 794	186	12	43	-	158	50
沖縄	400	101	479	112	18	13	-	41	8

対する調査・監視指導施設数，営業の種類・都道府県－指定都市－中核市（再掲）別

平成29年度

ソース類製造業	酒類製造業	豆腐製造業	納豆製造業	めん類製造業	そうざい製造業	添加物（法第11条第1項の規定により規格が定められたものに限る。）製造業	食品の放射線照射業	清涼飲料水製造業	氷雪製造業	氷雪販売業
2 772	**2 046**	**6 931**	**434**	**8 520**	**37 227**	**1 842**	**9**	**6 005**	**2 119**	**1 635**
216	93	308	61	419	2 780	44	9	406	108	7
103	38	56	16	141	603	12	−	126	26	5
10	47	82	6	126	448	10	−	49	16	6
81	39	154	19	131	1 097	19	−	89	49	2
40	26	64	4	103	356	9	−	49	11	6
25	37	26	9	84	263	5	−	60	3	2
45	72	154	38	242	628	14	−	200	32	36
79	49	172	48	259	745	84	−	93	36	60
58	29	59	10	204	432	37	−	135	2	4
27	19	107	8	152	432	23	−	134	1	2
42	15	136	4	231	466	45	−	81	6	104
134	88	324	8	181	1 591	127	−	115	72	58
106	100	1 232	16	745	2 509	144	−	148	332	567
70	72	354	9	360	1 272	127	−	238	14	72
59	87	246	28	293	1 300	24	−	164	10	21
37	34	145	5	158	723	15	−	114	28	28
29	14	80	3	49	432	3	−	32	9	2
8	6	47	4	48	342	6	−	27	3	15
42	189	43	4	121	281	10	−	298	12	4
39	79	71	6	167	496	15	−	131	10	4
72	31	156	8	166	914	63	−	240	−	17
161	128	287	15	480	2 264	200	−	308	139	85
113	51	312	5	325	1 235	104	−	234	194	23
11	9	37	8	43	273	10	−	40	16	8
37	15	37	−	124	520	20	−	57	1	13
38	23	77	4	41	474	24	−	46	20	9
124	32	272	10	364	2 364	187	−	158	286	299
82	92	135	11	306	1 333	103	−	117	53	44
8	15	57	−	96	424	8	−	27	1	16
21	14	34	1	35	296	9	−	68	2	2
29	12	25	10	29	238	3	−	60	2	−
7	13	37	−	33	167	3	−	14	3	4
44	25	55	16	73	497	38	−	42	2	1
49	69	173	1	230	1 409	79	−	231	64	7
15	18	61	−	65	272	4	−	59	7	10
29	5	32	−	84	287	6	−	38	2	−
44	16	73	1	445	466	18	−	37	2	3
65	13	111	1	98	847	12	−	89	7	9
52	18	43	−	54	258	7	−	95	28	4
108	80	334	8	341	1 395	67	−	309	360	24
20	2	34	3	31	211	3	−	45	2	−
56	25	230	1	390	761	3	−	222	36	14
70	29	146	18	109	805	15	−	135	11	17
10	30	98	4	32	401	10	−	107	13	1
78	33	40	−	53	480	28	−	45	5	2
110	65	75	1	130	868	13	−	227	45	12
69	50	100	2	129	572	32	−	266	38	6

（報告表　27）

第４表（４－４）　許可を要する食品関係営業施設に

	乳類販売業	食肉処理業	食肉販売業	食肉製品製造業	乳酸菌飲料製造業	食用油脂製造業	マーガリン又はショートニング製造業	みそ製造業	醤油製造業
指定都市(再掲)									
札幌市	3 511	110	7 478	43	2	－	－	8	4
仙台市	2 496	88	7 908	56	15	1	－	32	22
さいたま市	862	224	1 167	3	－	1	－	－	－
千葉市	893	59	1 149	104	－	10	4	8	2
横浜市	1 904	71	1 927	38	－	6	4	3	1
川崎市	2 951	366	3 870	32	－	2	2	2	3
相模原市	435	41	384	2	－	3	－	1	－
新潟市	884	173	694	46	10	5	－	79	30
静岡市	877	325	931	40	2	8	3	18	－
浜松市	987	72	823	54	－	4	－	21	24
名古屋市	4 211	1 865	5 691	71	2	3	1	16	9
京都市	1 295	125	889	6	－	－	－	4	2
大阪市	1 613	347	2 059	65	8	24	4	14	4
堺市	562	46	475	6	2	6	2	2	2
神戸市	1 213	74	1 017	51	2	14	13	7	－
岡山市	379	39	460	7	3	1	－	4	4
広島市	1 289	162	1 191	13	12	9	－	5	12
北九州市	761	136	922	42	4	8	－	24	49
福岡市	704	38	1 508	12	－	18	3	20	21
熊本市	260	16	631	13	1	－	－	10	9
中核市(再掲)									
旭川市	283	44	216	13	－	2	－	7	4
函館市	266	17	283	32	7	4	－	3	－
青森市	294	7	305	3	－	－	－	12	1
八戸市	206	2	175	15	－	－	－	12	8
盛岡市	637	18	620	11	－	－	－	2	2
秋田市	167	10	200	6	－	－	－	3	1
郡山市	436	61	421	66	40	1	－	20	1
いわき市	126	16	142	4	－	－	－	7	2
宇都宮市	314	15	453	12	2	6	－	8	－
前橋市	57	55	220	31	5	－	－	3	1
高崎市	19	16	173	10	－	－	－	2	1
川越市	323	44	269	6	－	3	－	－	3
越谷市	263	9	121	4	－	－	－	1	－
船橋市	421	31	327	16	3	5	3	－	5
柏市	141	21	144	10	－	－	－	4	1
八王子市	274	6	191	2	－	2	－	－	－
横須賀市	337	44	301	31	－	－	－	－	－
富山市	398	18	381	16	2	－	－	25	6
金沢市	407	23	1 298	22	10	5	1	14	13
長野市	188	11	182	10	－	1	－	7	－
岐阜市	188	58	666	10	2	1	－	5	4
豊橋市	164	59	150	11	－	4	－	1	1
豊田市	225	66	197	12	－	3	－	9	12
岡崎市	272	30	274	3	－	3	1	8	2
大津市	166	2	199	2	1	－	－	3	1
高槻市	206	18	177	13	－	－	－	3	1
東大阪市	347	29	347	2	6	－	－	－	1
豊中市	160	10	159	2	－	3	3	－	－
枚方市	128	15	100	1	－	2	3	2	1
姫路市	271	50	314	9	－	2	－	6	3
西宮市	443	20	345	22	3	3	－	1	－
尼崎市	175	15	240	3	－	－	－	2	5
奈良市	227	3	221	1	－	－	－	4	3
和歌山市	215	8	268	7	－	－	－	1	－
倉敷市	140	－	95	3	3	2	－	4	8
福山市	613	34	557	30	4	3	－	4	7
呉市	225	38	195	19	－	－	－	24	41
下関市	184	4	175	14	－	－	－	7	18
高松市	294	21	280	3	－	2	－	4	5
松山市	389	36	352	9	5	3	－	11	12
高知市	271	10	255	2	－	2	－	16	6
久留米市	141	65	150	12	2	－	－	6	9
長崎市	805	28	665	31	－	－	－	5	－
佐世保市	722	81	708	23	76	4	－	18	22
大分市	157	32	171	10	3	1	－	1	－
宮崎市	170	38	161	18	2	2	－	4	1
鹿児島市	411	83	464	41	－	2	－	4	3
那覇市	90	－	100	1	－	3	－	3	2

対する調査・監視指導施設数，営業の種類・都道府県－指定都市－中核市（再掲）別

平成29年度

ソース類製造業	酒類製造業	豆腐製造業	納豆製造業	めん類製造業	そうざい製造業	添加物（法第11条第1項の規定により規格が定められたものに限る。）製造業	食品の放射線照射業	清涼飲料水製造業	氷雪製造業	氷雪販売業
24	11	46	4	51	343	9	－	40	5	1
23	19	59	8	67	465	15	－	54	5	1
2	3	22	－	19	122	3	－	5	－	98
4	1	105	－	26	167	18	－	6	2	14
6	4	63	3	55	182	14	－	9	－	6
24	6	81	1	57	379	25	－	8	9	37
11	10	46	－	35	69	4	－	3	－	1
12	10	59	13	56	367	5	－	32	5	7
11	20	31	2	92	389	27	－	33	79	7
25	4	26	1	40	174	－	－	10	6	52
28	5	106	－	152	405	33	－	51	2	9
12	10	40	3	24	269	1	－	7	15	7
86	11	189	－	230	900	138	－	65	37	21
2	－	11	－	8	120	7	－	10	1	5
36	29	27	2	60	233	24	－	31	3	10
8	3	2	－	16	241	4	－	8	1	－
15	9	29	1	69	653	19	－	50	53	－
26	8	47	2	27	383	19	－	36	16	6
15	10	55	－	135	225	12	－	20	337	8
8	7	13	－	15	72	－	－	13	－	1
7	3	15	－	15	52	2	－	13	4	－
7	2	3	1	23	144	1	－	9	2	－
13	3	2	1	32	80	6	－	14	5	－
6	1	4	－	26	123	－	－	4	6	1
2	16	6	－	49	72	－	－	12	1	4
3	2	12	1	9	43	2	－	1	1	－
1	3	25	26	30	207	1	－	48	1	13
－	5	7	1	15	58	1	－	6	6	5
9	1	5	3	19	130	2	－	12	2	1
6	3	30	3	27	100	6	－	22	－	－
2	－	21	－	12	50	3	－	10	－	－
2	1	10	1	22	16	4	－	2	－	－
－	－	1	－	3	15	－	－	1	1	－
10	2	21	－	15	155	12	－	8	18	－
2	1	12	－	6	25	2	－	1	1	－
3	2	13	－	17	23	4	－	4	－	－
7	2	27	－	67	74	2	－	2	－	8
2	1	26	2	36	112	5	－	28	10	－
20	3	27	－	21	196	－	－	24	3	－
2	3	7	1	23	53	1	－	11	1	1
4	1	18	2	14	167	5	－	13	－	8
4	1	2	1	9	64	9	－	18	－	1
11	2	10	－	12	51	－	－	8	4	3
2	－	11	1	9	41	4	－	9	－	3
2	1	6	－	4	79	－	－	6	1	1
1	2	4	1	5	31	7	－	3	－	1
8	－	4	1	12	44	3	－	11	－	2
4	－	－	－	1	30	2	－	－	－	－
1	1	8	－	8	28	4	－	－	－	－
－	3	5	－	33	144	16	－	10	39	2
14	12	7	－	18	125	5	－	9	1	2
9	－	13	－	9	73	8	－	9	1	4
2	－	8	－	8	20	2	－	7	1	－
2	1	16	1	17	27	7	－	4	－	2
9	3	6	1	11	41	10	－	7	1	－
13	11	12	－	28	212	40	－	29	5	2
－	8	26	－	22	40	5	－	21	3	1
－	2	7	－	22	51	－	－	5	2	－
3	－	2	－	76	62	3	－	5	－	1
8	1	8	1	9	61	1	－	14	1	1
21	5	21	－	20	143	5	－	24	5	3
－	3	25	－	14	64	－	－	10	－	2
－	3	59	－	120	211	－	－	24	15	3
12	4	59	－	67	103	－	－	127	11	5
2	1	17	2	6	45	3	－	11	－	1
11	1	7	－	14	44	2	－	6	1	1
6	5	3	－	31	83	1	－	3	1	－
1	5	5	－	9	49	1	－	－	1	－

（報告表 27）

第５表　許可を要しない食品関係営業施設数・処分・告発件数・監視指導施設数，営業の種類別

平成29年度

	営業施設数（年度末現在）	処分件数（年度中）				告発件数（年度中）	監視指導施設数（年度中）
		営業禁止命令	営業停止命令	物品廃棄命令	その他		
総数	**1 333 821**	**5**	**13**	**13**	**328**	**-**	**953 077**
給食施設	95 437	5	12	-	91	-	51 153
学校	15 574	1	2	-	48	-	11 984
病院・診療所	10 420	2	1	-	20	-	6 504
事業所	7 432	-	-	-	4	-	2 800
その他	62 011	2	9	-	19	-	29 865
乳さく取業	10 338	-	-	-	-	-	211
食品製造業	109 635	-	1	3	97	-	42 646
野菜果物販売業	144 833	-	-	-	6	-	206 323
そうざい販売業	158 361	-	-	-	1	-	144 720
菓子（パンを含む。）販売業	250 344	-	-	-	14	-	122 602
食品販売業（上記以外。）	403 906	-	-	9	119	-	282 777
添加物（法第11条第１項の規定により規格が定められたものを除く。）の製造業	461	-	-	-	-	-	229
添加物の販売業	71 061	-	-	-	-	-	43 563
氷雪採取業	20	-	-	-	-	-	5
器具・容器包装、おもちゃの製造業又は販売業	89 425	-	-	1	-	-	58 848

（報告表　28）

第6表　許可を要しない食品関係営業施設数・処分・告発件数・監視指導施設数，都道府県－指定都市－中核市（再掲）別

平成29年度

	営業施設数（年度末現在）	処分件数（年度中）				告発件数（年度中）	監視指導施設数（年度中）
		営業禁止命令	営業停止命令	物品廃棄命令	その他		
全国	**1 333 821**	**5**	**13**	**13**	**328**	**－**	**953 077**
北海道	29 173	－	－	－	137	－	32 621
青森	11 170	－	－	－	－	－	6 759
岩手	17 730	－	－	－	－	－	17 857
宮城	25 293	－	1	－	4	－	55 590
秋田	22 253	－	－	－	－	－	6 346
山形	16 436	－	1	－	1	－	3 861
福島	27 904	－	－	－	4	－	9 382
茨城	36 724	－	－	－	4	－	6 950
栃木	24 568	1	－	1	2	－	12 618
群馬	14 531	－	1	－	－	－	5 059
埼玉	52 094	－	－	－	11	－	25 824
千葉	47 090	－	－	－	7	－	40 865
東京	192 312	－	1	－	2	－	184 934
神奈川	82 401	1	－	2	6	－	74 042
新潟	15 367	－	2	－	1	－	10 750
富山	9 740	－	－	－	－	－	12 606
石川	12 264	－	－	－	－	－	8 109
福井	6 016	－	－	－	－	－	3 043
山梨	7 595	－	－	－	－	－	4 123
長野	30 855	－	－	－	1	－	7 948
岐阜	16 058	－	－	－	－	－	6 745
静岡	51 791	3	－	－	3	－	40 842
愛知	84 361	－	－	－	1	－	68 738
三重	8 116	－	－	－	－	－	3 260
滋賀	15 135	－	－	－	1	－	4 549
京都	14 791	－	－	－	－	－	5 251
大阪	76 961	－	－	6	27	－	100 862
兵庫	35 112	－	－	3	12	－	22 827
奈良	23 626	－	－	－	1	－	5 524
和歌山	8 777	－	1	－	4	－	1 741
鳥取	616	－	－	－	1	－	853
島根	12 316	－	－	－	－	－	2 567
岡山	15 447	－	2	－	2	－	6 896
広島	30 815	－	－	－	－	－	30 483
山口	23 980	－	－	－	1	－	8 177
徳島	9 657	－	－	－	－	－	5 034
香川	11 152	－	－	－	－	－	7 001
愛媛	8 211	－	－	－	4	－	6 667
高知	11 651	－	2	－	－	－	2 908
福岡	56 281	－	－	1	－	－	41 932
佐賀	14 263	－	－	－	1	－	2 891
長崎	27 056	－	－	－	8	－	12 012
熊本	24 243	－	－	－	－	－	13 605
大分	14 915	－	－	－	－	－	8 057
宮崎	10 326	－	1	－	82	－	2 380
鹿児島	31 001	－	－	－	－	－	11 018
沖縄	15 647	－	1	－	－	－	970

	営業施設数（年度末現在）	処分件数（年度中）				告発件数（年度中）	監視指導施設数（年度中）
		営業禁止命令	営業停止命令	物品廃棄命令	その他		
指定都市（再掲）							
札幌市	5 687	－	－	－	－	－	16 152
仙台市	10 439	－	1	－	－	－	45 704
さいたま市	8 609	－	－	－	11	－	9 285
千葉市	11 132	－	－	－	－	－	12 610
横浜市	32 276	－	－	2	3	－	19 688
川崎市	9 849	－	－	－	－	－	27 145
相模原市	7 891	－	－	－	2	－	4 116
新潟市	4 889	－	1	－	－	－	3 431
静岡市	12 216	－	－	－	－	－	10 820
浜松市	7 952	－	－	－	－	－	8 061
名古屋市	26 106	－	－	－	－	－	38 671
京都市	3 573	－	－	－	－	－	2 909
大阪市	23 974	－	－	5	1	－	66 995
堺市	6 682	－	－	－	1	－	2 140
神戸市	9 912	－	－	－	6	－	6 223
岡山市	5 498	－	－	－	－	－	2 829
広島市	8 936	－	－	－	－	－	12 606
北九州市	12 016	－	－	1	－	－	7 462
福岡市	15 303	－	－	－	－	－	25 337
熊本市	4 015	－	－	－	－	－	4 177
中核市（再掲）							
旭川市	1 403	－	－	－	－	－	657
函館市	3 232	－	－	－	－	－	2 303
青森市	2 278	－	－	－	－	－	1 351
八戸市	1 706	－	－	－	－	－	1 369
盛岡市	3 888	－	－	－	－	－	3 284
秋田市	2 539	－	－	－	－	－	883
郡山市	1 482	－	－	－	1	－	1 910
いわき市	3 761	－	－	－	－	－	1 882
宇都宮市	4 010	－	－	－	－	－	4 486
前橋市	1 310	－	－	－	－	－	769
高崎市	3 490	－	－	－	－	－	242
川越市	2 935	－	－	－	－	－	1 995
越谷市	1 121	－	－	－	－	－	455
船橋市	3 458	－	－	－	2	－	2 904
柏市	2 735	－	－	－	－	－	793
八王子市	6 118	－	－	－	－	－	638
横須賀市	1 596	－	－	－	－	－	831
富山市	2 977	－	－	－	－	－	1 482
金沢市	3 378	－	－	－	－	－	4 596
長野市	2 390	－	－	－	－	－	820
岐阜市	4 772	－	－	－	－	－	2 139
豊橋市	5 778	－	－	－	－	－	821
豊田市	4 908	－	－	－	－	－	857
岡崎市	4 136	－	－	－	－	－	1 204
大津市	2 921	－	－	－	－	－	1 162
高槻市	2 883	－	－	－	－	－	1 042
東大阪市	5 023	－	－	－	－	－	2 256
豊中市	3 929	－	－	－	－	－	1 295
枚方市	2 488	－	－	－	－	－	434
姫路市	2 765	－	－	－	1	－	3 515
西宮市	2 344	－	－	－	－	－	2 017
尼崎市	3 105	－	－	－	－	－	929
奈良市	5 068	－	－	－	1	－	1 068
和歌山市	2 883	－	－	－	3	－	724
倉敷市	2 373	－	1	－	－	－	278
福山市	5 036	－	－	－	－	－	3 858
呉市	3 941	－	－	－	－	－	2 214
下関市	3 029	－	－	－	－	－	797
高松市	4 148	－	－	－	－	－	1 506
松山市	3 013	－	－	－	1	－	3 618
高知市	3 890	－	1	－	－	－	1 393
久留米市	2 449	－	－	－	－	－	673
長崎市	4 580	－	－	－	－	－	1 322
佐世保市	5 050	－	－	－	8	－	3 054
大分市	2 714	－	－	－	－	－	769
宮崎市	5 324	－	1	－	－	－	810
鹿児島市	7 993	－	－	－	－	－	2 246
那覇市	1 128	－	－	－	－	－	153

（報告表　28）

第7表（2－1） 許可を要しない食品関係営業施設数，

	総数	給食施設					乳さく取業
		総数	学校	病院・診療所	事業所	その他	
全国	1 333 821	95 437	15 574	10 420	7 432	62 011	10 338
北海道	29 173	3 419	408	718	209	2 084	341
青森	11 170	1 665	155	171	78	1 261	26
岩手	17 730	1 090	143	127	68	752	1 174
宮城	25 293	1 249	232	142	118	757	502
秋田	22 253	697	148	69	6	474	71
山形	16 436	886	121	119	38	608	－
福島	27 904	1 281	335	125	82	739	521
茨城	36 724	1 124	187	82	19	836	125
栃木	24 568	1 599	371	105	44	1 079	748
群馬	14 531	1 265	240	110	137	778	559
埼玉	52 094	5 225	1 085	534	697	2 909	－
千葉	47 090	2 158	412	196	128	1 422	739
東京	192 312	8 641	1 818	397	287	6 139	164
神奈川	82 401	6 676	946	315	518	4 897	458
新潟	15 367	2 772	575	152	201	1 844	306
富山	9 740	692	143	89	31	429	36
石川	12 264	1 110	190	152	77	691	123
福井	6 016	829	183	105	40	501	23
山梨	7 595	690	141	75	77	397	57
長野	30 855	1 508	265	170	64	1 009	334
岐阜	16 058	1 253	235	118	133	767	96
静岡	51 791	2 023	421	129	220	1 253	285
愛知	84 361	3 678	512	184	565	2 417	403
三重	8 116	2 210	375	204	208	1 423	14
滋賀	15 135	1 279	175	98	148	858	103
京都	14 791	1 692	311	131	138	1 112	85
大阪	76 961	5 487	911	573	488	3 515	36
兵庫	35 112	5 343	766	473	970	3 134	450
奈良	23 626	1 318	153	111	125	929	49
和歌山	8 777	912	128	71	81	632	5
鳥取	616	289	22	27	3	237	－
島根	12 316	945	76	69	71	729	281
岡山	15 447	940	217	111	14	598	263
広島	30 815	2 084	313	447	89	1 235	232
山口	23 980	1 413	241	234	64	874	82
徳島	9 657	538	88	87	7	356	259
香川	11 152	1 050	139	167	59	685	142
愛媛	8 211	1 096	147	158	39	752	106
高知	11 651	906	141	181	3	581	54
福岡	56 281	3 256	594	455	143	2 064	163
佐賀	14 263	905	119	180	24	582	128
長崎	27 056	1 814	216	268	116	1 214	15
熊本	24 243	1 872	308	305	173	1 086	420
大分	14 915	1 154	143	302	77	632	110
宮崎	10 326	1 929	170	289	116	1 354	－
鹿児島	31 001	3 054	341	831	158	1 724	219
沖縄	15 647	2 421	214	264	281	1 662	31

営業の種類・都道府県－指定都市－中核市（再掲）別

平成29年度末現在

食品製造業	野菜果物販売業	そうざい販売業	菓子（パンを含む。）販売業	食品販売業（左記以外。）	添加物（法第11条第1項の規定により規格が定められたものを除く。）の製造業	添加物の販売業	氷雪採取業	器具・容器包装、おもちゃの製造業又は販売業
109 635	**144 833**	**158 361**	**250 344**	**403 906**	**461**	**71 061**	**20**	**89 425**
4 557	1 861	2 217	2 976	12 883	－	367	－	552
719	2 027	1 354	2 113	2 093	2	456	－	715
750	2 551	1 969	3 818	3 751	3	1 109	－	1 515
1 944	3 431	2 904	5 103	7 238	1	1 556	－	1 365
980	3 324	2 701	4 875	5 713	2	2 227	－	1 663
1 991	2 657	1 647	3 921	3 338	3	1 254	－	739
3 546	2 966	1 964	7 172	7 362	6	1 194	－	1 892
4 415	856	4 440	8 777	8 036	9	82	2	8 858
7 684	1 717	1 949	2 448	5 381	5	1 535	6	1 496
1 233	2 164	1 326	2 982	2 603	11	1 317	－	1 071
2 050	4 231	7 465	14 062	12 645	10	2 812	1	3 593
1 045	5 528	6 485	10 759	13 468	21	3 110	2	3 775
5 851	12 411	31 814	27 721	89 106	18	8 080	－	8 506
3 179	9 285	7 702	16 166	30 225	49	1 317	－	7 344
2 043	863	1 596	870	6 184	6	380	－	347
460	1 150	1 446	1 866	2 138	1	799	－	1 152
1 536	1 637	1 516	2 458	2 432	16	405	－	1 031
448	568	884	1 028	1 002	3	568	－	663
353	1 467	1 256	1 594	1 453	1	403	2	319
988	4 139	3 708	6 212	8 805	1	2 640	－	2 520
531	2 754	1 309	3 683	2 629	2	1 387	－	2 414
2 880	5 421	6 481	11 939	13 015	22	6 044	－	3 681
6 240	8 386	8 727	15 469	30 762	12	4 660	－	6 024
3 063	131	60	244	2 362	25	2	－	5
3 220	1 833	1 656	3 109	3 162	15	338	5	415
3 370	1 495	1 297	2 763	3 773	24	44	－	248
1 493	10 118	8 283	17 059	25 559	10	4 264	－	4 652
2 346	4 063	3 763	6 528	8 126	27	2 122	－	2 344
1 852	3 492	1 777	5 482	8 577	6	189	－	884
5 323	566	413	428	637	13	234	－	246
10	－	－	－	317	－	－	－	－
1 575	1 546	1 618	2 085	2 948	9	491	－	818
822	2 607	2 845	3 115	3 585	14	655	－	601
3 823	2 928	2 827	4 368	11 488	12	1 808	－	1 245
3 527	2 547	2 451	4 340	6 353	19	1 462	－	1 786
366	1 424	1 386	2 072	2 399	－	595	－	618
324	1 566	922	3 337	1 712	1	971	－	1 127
1 536	1 044	807	1 315	1 762	2	206	2	335
543	2 411	2 117	2 532	1 723	6	319	－	1 040
5 357	8 043	7 201	10 745	13 455	15	4 599	－	3 447
2 686	1 885	1 397	2 860	2 787	－	833	－	782
2 116	3 974	3 095	5 658	5 704	6	2 854	－	1 820
1 466	4 012	4 323	4 416	4 637	10	1 454	－	1 633
1 019	2 171	2 081	2 738	3 564	4	913	－	1 161
994	1 122	1 122	1 122	4 034	－	2	－	1
5 007	3 365	3 170	4 710	5 983	34	2 754	－	2 705
2 374	1 096	890	1 306	6 997	5	250	－	277

（報告表　28）

第７表（２－２） 許可を要しない食品関係営業施設数，

	総数	給食施設 総数	学校	病院・診療所	事業所	その他	乳さく取業
指定都市（再掲）							
札幌市	5 687	1 166	45	336	75	710	－
仙台市	10 439	527	98	54	55	320	10
さいたま市	8 609	1 115	188	50	115	762	－
千葉市	11 132	569	126	47	33	363	33
横浜市	32 276	2 937	372	138	125	2 302	3
川崎市	9 849	1 895	202	67	281	1 345	3
相模原市	7 891	296	62	20	23	191	34
新潟市	4 889	908	157	53	85	613	74
静岡市	12 216	657	129	40	80	408	8
浜松市	7 952	739	147	51	125	416	74
名古屋市	26 106	1 558	264	77	115	1 102	3
京都市	3 573	923	190	79	77	577	－
大阪市	23 974	1 905	174	225	184	1 322	1
堺市	6 682	916	145	55	210	506	12
神戸市	9 912	1 743	276	165	364	938	44
岡山市	5 498	303	60	47	－	196	28
広島市	8 936	816	136	234	63	383	13
北九州市	12 016	370	35	52	29	254	2
福岡市	15 303	1 062	109	131	66	756	19
熊本市	4 015	623	106	137	12	368	－
中核市（再掲）							
旭川市	1 403	302	53	38	59	152	17
函館市	3 232	110	13	24	3	70	7
青森市	2 278	367	25	54	14	274	－
八戸市	1 706	290	20	30	30	210	－
盛岡市	3 888	282	50	39	28	165	122
秋田市	2 539	134	52	18	2	62	3
郡山市	1 482	231	77	27	18	109	－
いわき市	3 761	167	10	24	13	120	9
宇都宮市	4 010	480	111	40	6	323	－
前橋市	1 310	122	11	14	1	96	146
高崎市	3 490	190	76	9	－	105	4
川越市	2 935	210	16	25	36	133	－
越谷市	1 121	228	37	20	37	134	－
船橋市	3 458	147	21	11	6	109	2
柏市	2 735	73	18	10	10	35	－
八王子市	6 118	333	88	26	2	217	－
横須賀市	1 596	249	54	9	18	168	1
富山市	2 977	280	80	39	10	151	17
金沢市	3 378	315	35	62	－	218	－
長野市	2 390	165	11	37	6	111	6
岐阜市	4 772	281	72	40	25	144	4
豊橋市	5 778	176	6	16	13	141	50
豊田市	4 908	226	10	11	6	199	15
岡崎市	4 136	151	13	7	11	120	9
大津市	2 921	311	18	26	27	240	10
高槻市	2 883	153	62	10	1	80	－
東大阪市	5 023	239	48	18	5	168	－
豊中市	3 929	144	50	17	1	76	－
枚方市	2 488	301	50	53	8	190	4
姫路市	2 765	574	89	52	109	324	1
西宮市	2 344	379	74	26	56	223	－
尼崎市	3 105	493	72	33	128	260	1
奈良市	5 068	253	25	31	19	178	3
和歌山市	2 883	346	30	31	16	269	4
倉敷市	2 373	197	67	18	12	100	－
福山市	5 036	420	76	63	－	281	6
呉市	3 941	195	25	42	8	120	1
下関市	3 029	266	49	73	17	127	12
高松市	4 148	501	75	99	24	303	24
松山市	3 013	329	35	49	14	231	6
高知市	3 890	354	58	107	2	187	6
久留米市	2 449	216	51	34	1	130	－
長崎市	4 580	480	70	65	21	324	1
佐世保市	5 050	351	56	60	33	202	－
大分市	2 714	400	61	151	56	132	8
宮崎市	5 324	650	70	89	42	449	－
鹿児島市	7 993	1 126	150	374	102	500	5
那覇市	1 128	327	31	49	26	221	－

営業の種類・都道府県－指定都市－中核市（再掲）別

平成29年度末現在

食品製造業	野菜果物販売業	そうざい販売業	菓子（パンを含む。）販売業	食品販売業（左記以外。）	添加物（法第11条第1項の規定により規格が定められたものを除く。）の製造業	添加物の販売業	氷雪採取業	器具・容器包装、おもちゃの製造業又は販売業
225	410	93	196	3 359	−	16	−	222
181	1 750	1 060	2 220	3 516	−	778	−	397
78	587	1 401	2 445	2 214	−	212	−	557
83	1 593	1 177	2 792	4 182	1	234	−	468
812	3 239	3 111	5 307	13 836	18	220	−	2 793
300	834	336	1 403	4 230	7	18	−	823
282	1 022	938	1 884	2 325	10	232	−	868
440	305	472	298	1 825	1	280	−	286
343	1 260	1 478	3 354	2 901	3	1 601	−	611
1 009	1 169	1 043	1 770	445	5	932	−	766
669	3 432	3 254	6 656	7 102	1	1 286	−	2 145
780	132	45	277	1 387	9	15	−	5
472	3 270	1 986	6 739	7 989	−	578	−	1 034
368	969	396	1 508	2 087	1	155	−	270
730	1 327	1 034	1 918	2 609	5	231	−	271
378	1 056	1 032	1 098	1 448	3	81	−	71
887	761	805	1 009	3 318	−	684	−	643
169	1 612	1 416	2 461	3 700	3	1 563	−	720
558	2 633	1 854	3 236	4 390	1	868	−	682
197	418	638	639	1 450	1	17	−	32
61	100	159	195	538	−	1	−	30
362	347	389	619	911	−	304	−	183
84	285	277	384	461	−	207	−	213
97	414	144	245	300	1	50	−	165
115	613	303	948	837	−	182	−	486
100	295	302	532	878	1	52	−	242
125	65	51	84	782	1	50	−	93
285	856	306	910	687	2	162	−	377
568	282	346	488	1 173	3	300	−	370
58	123	12	226	226	1	218	−	178
260	450	320	640	880	6	405	−	335
143	221	374	808	746	−	194	−	239
80	−	269	423	109	−	−	−	12
28	379	491	710	791	2	385	−	523
141	204	476	658	769	−	161	−	253
175	602	871	1 033	2 171	−	487	−	446
156	222	191	316	352	−	46	−	63
69	406	532	535	658	−	79	−	401
310	538	472	639	671	15	124	−	294
83	422	342	350	349	−	334	−	339
112	676	265	908	807	−	840	−	879
471	624	621	653	2 588	2	343	−	250
704	337	379	1 498	1 518	1	165	−	65
261	294	324	249	2 539	1	129	−	179
476	371	446	554	602	1	50	5	95
8	422	365	536	1 018	−	280	−	101
59	393	512	960	2 585	1	143	−	131
15	439	421	805	1 536	2	367	−	200
23	272	266	458	703	2	259	−	200
274	218	204	573	606	5	88	−	222
48	292	256	387	446	2	242	−	292
45	332	219	574	1 112	3	175	−	151
323	767	366	1 280	1 770	1	−	−	305
295	488	333	346	587	4	234	−	246
44	525	497	564	508	1	28	−	9
134	440	241	689	2 470	2	400	−	234
310	251	309	670	2 007	4	165	−	29
846	284	273	372	538	5	188	−	245
27	326	293	1 380	625	−	275	−	697
135	547	490	589	625	1	115	−	176
166	745	638	882	411	1	89	−	598
338	177	543	406	355	2	158	−	254
634	499	440	946	1 280	−	148	−	152
283	729	549	1 214	1 042	3	762	−	117
97	488	353	395	381	−	203	−	389
184	1 122	1 122	1 122	1 122	−	2	−	−
646	862	632	1 537	2 154	1	600	−	430
322	−	−	102	377	−	−	−	−

（報告表　28）

第8表（2－1）　許可を要しない食品関係営業施設に対する

	総数	給食施設					乳さく取業
		総数	学校	病院・診療所	事業所	その他	
全国	**953 077**	**51 153**	**11 984**	**6 504**	**2 800**	**29 865**	**211**
北海道	32 621	2 487	479	565	81	1 362	18
青森	6 759	647	147	74	18	408	－
岩手	17 857	646	188	118	2	338	2
宮城	55 590	847	238	157	62	390	2
秋田	6 346	262	60	43	6	153	－
山形	3 861	253	62	55	10	126	－
福島	9 382	586	314	97	13	162	10
茨城	6 950	476	77	69	18	312	－
栃木	12 618	269	109	4	6	150	－
群馬	5 059	622	99	50	97	376	－
埼玉	25 824	1 117	207	191	85	634	－
千葉	40 865	1 343	280	171	46	846	17
東京	184 934	10 016	2 452	448	389	6 727	－
神奈川	74 042	4 734	1 021	300	282	3 131	20
新潟	10 750	811	209	126	17	459	－
富山	12 606	578	113	108	23	334	21
石川	8 109	426	77	96	7	246	－
福井	3 043	591	192	72	6	321	－
山梨	4 123	235	48	45	21	121	1
長野	7 948	698	162	132	26	378	4
岐阜	6 745	814	310	112	69	323	－
静岡	40 842	2 175	528	154	250	1 243	24
愛知	68 738	1 924	502	108	93	1 221	6
三重	3 260	448	154	94	7	193	－
滋賀	4 549	86	7	33	3	43	－
京都	5 251	480	109	53	13	305	1
大阪	100 862	2 627	448	310	138	1 731	1
兵庫	22 827	3 459	715	448	512	1 784	44
奈良	5 524	130	40	35	5	50	5
和歌山	1 741	707	145	50	68	444	－
鳥取	853	121	15	11	4	91	－
島根	2 567	152	37	47	10	58	－
岡山	6 896	503	118	75	5	305	－
広島	30 483	1 125	196	325	92	512	17
山口	8 177	712	223	105	13	371	－
徳島	5 034	222	79	5	2	136	－
香川	7 001	252	43	2	11	196	－
愛媛	6 667	349	129	59	24	137	－
高知	2 908	248	46	90	－	112	－
福岡	41 932	2 357	390	373	35	1 559	3
佐賀	2 891	233	53	70	24	86	－
長崎	12 012	863	243	200	71	349	－
熊本	13 605	672	125	244	36	267	－
大分	8 057	474	137	131	13	193	11
宮崎	2 380	705	215	166	33	291	－
鹿児島	11 018	1 267	307	229	26	705	4
沖縄	970	404	136	54	28	186	－

監視指導施設数，営業の種類・都道府県－指定都市－中核市（再掲）別

平成29年度

食品製造業	野菜果物販売業	そうざい販売業	菓子（パンを含む。）販売業	食品販売業（左記以外。）	添加物（法第11条第1項の規定により規格が定められたものを除く。）の製造業	添加物の販売業	氷雪採取業	器具・容器包装、おもちゃの製造業又は販売業
42 646	**206 323**	**144 720**	**122 602**	**282 777**	**229**	**43 563**	**5**	**58 848**
3 847	2 944	1 311	1 690	19 217	－	225	－	882
258	1 086	913	1 183	1 544	2	540	－	586
273	2 545	2 889	3 584	3 867	1	1 981	－	2 069
2 752	6 496	11 260	11 745	18 199	1	1 077	－	3 211
206	1 155	1 115	1 266	1 264	4	481	－	593
127	568	525	865	847	1	425	－	250
1 800	1 114	1 042	1 291	2 248	3	519	－	769
1 582	293	3 162	409	911	3	69	－	45
1 587	1 320	1 616	1 522	4 359	－	953	2	990
99	870	71	958	1 061	－	685	－	693
802	1 962	5 372	5 841	8 073	12	1 383	－	1 262
654	4 825	7 840	7 586	12 214	12	2 960	1	3 413
1 640	28 913	50 121	14 296	67 187	2	5 293	－	7 466
3 059	13 908	5 788	9 690	27 945	46	1 279	－	7 573
1 637	285	990	284	6 234	－	255	－	254
490	1 552	1 905	2 557	2 891	2	1 199	－	1 411
323	1 656	1 126	1 171	2 608	4	390	－	405
172	427	365	415	588	－	207	－	278
58	769	602	733	843	3	455	2	422
501	1 160	1 175	1 275	1 457	1	627	－	1 050
502	1 353	1 623	924	903	－	277	－	349
3 899	5 856	5 724	6 623	10 822	40	2 719	－	2 960
2 400	11 291	9 611	13 110	19 070	1	5 314	－	6 011
504	552	368	685	688	3	－	－	12
176	714	800	975	1 220	－	187	－	391
246	1 854	503	480	1 210	1	190	－	286
2 859	72 317	3 692	5 285	9 203	7	2 300	－	2 571
669	6 167	2 254	2 439	5 203	19	1 174	－	1 399
451	1 162	847	1 083	1 443	－	29	－	374
299	189	182	187	175	2	－	－	－
54	102	92	115	369	－	－	－	－
61	451	432	492	489	1	271	－	218
327	1 702	963	912	1 306	－	510	－	673
3 516	4 092	3 730	3 506	10 503	9	2 107	－	1 878
220	1 167	1 251	1 490	1 679	5	888	－	765
40	887	786	954	1 032	－	524	－	589
208	899	1 057	1 345	1 517	－	851	－	872
203	829	1 298	1 317	2 116	－	179	－	376
116	767	362	428	582	1	152	－	252
1 144	12 601	2 486	3 475	17 339	13	1 209	－	1 305
179	540	431	551	579	－	160	－	218
659	1 920	1 796	1 921	2 829	－	1 036	－	988
480	2 144	2 323	2 611	4 150	2	515	－	708
131	1 344	1 287	1 510	1 625	－	803	－	872
280	112	112	112	1 059	－	－	－	－
868	1 463	1 518	1 676	1 884	14	1 165	－	1 159
288	－	4	35	225	14	－	－	－

（報告表　28）

第8表（2－2）　許可を要しない食品関係営業施設に対する

	総数	給食施設					乳さく取業
		総数	学校	病院・診療所	事業所	その他	
指定都市(再掲)							
札幌市	16 152	834	27	236	36	535	–
仙台市	45 704	537	130	70	30	307	–
さいたま市	9 285	80	53	9	3	15	–
千葉市	12 610	262	56	48	11	147	15
横浜市	19 688	1 521	430	84	23	984	–
川崎市	27 145	1 553	100	119	176	1 158	4
相模原市	4 116	114	30	7	20	57	–
新潟市	3 431	299	83	47	16	153	–
静岡市	10 820	475	85	31	48	311	–
浜松市	8 061	380	50	68	179	83	–
名古屋市	38 671	853	292	48	5	508	5
京都市	2 909	139	23	6	11	99	–
大阪市	66 995	1 170	201	92	41	836	1
堺市	2 140	560	102	49	73	336	–
神戸市	6 223	402	42	110	78	172	1
岡山市	2 829	147	30	18	–	99	–
広島市	12 606	156	–	42	58	56	–
北九州市	7 462	509	53	66	4	386	3
福岡市	25 337	571	95	85	7	384	–
熊本市	4 177	319	63	33	19	204	–
中核市(再掲)							
旭川市	657	188	56	38	3	91	–
函館市	2 303	83	12	24	–	47	–
青森市	1 351	136	23	21	7	85	–
八戸市	1 369	31	14	13	–	4	–
盛岡市	3 284	172	56	48	–	68	–
秋田市	883	42	15	–	–	27	–
郡山市	1 910	108	48	20	1	39	–
いわき市	1 882	38	17	7	–	14	–
宇都宮市	4 486	111	64	2	–	45	–
前橋市	769	150	3	27	23	97	–
高崎市	242	100	40	9	–	51	–
川越市	1 995	43	7	6	6	24	–
越谷市	455	36	9	6	–	21	–
船橋市	2 904	132	21	11	5	95	–
柏市	793	25	1	5	4	15	–
八王子市	638	17	8	1	–	8	–
横須賀市	831	195	70	12	8	105	9
富山市	1 482	142	41	37	4	60	–
金沢市	4 596	189	33	52	–	104	–
長野市	820	69	11	27	3	28	–
岐阜市	2 139	163	66	24	3	70	–
豊橋市	821	65	3	11	50	1	–
豊田市	857	50	13	–	–	37	–
岡崎市	1 204	71	6	2	–	63	–
大津市	1 162	15	4	9	2	–	–
高槻市	1 042	157	52	10	1	94	–
東大阪市	2 256	90	19	10	1	60	–
豊中市	1 295	53	11	9	–	33	–
枚方市	434	51	5	12	–	34	–
姫路市	3 515	268	39	42	88	99	–
西宮市	2 017	250	74	29	18	129	–
尼崎市	929	203	84	27	22	70	–
奈良市	1 068	27	2	7	3	15	–
和歌山市	724	134	34	9	–	91	–
倉敷市	278	94	36	18	–	40	–
福山市	3 858	116	21	41	–	54	–
呉市	2 214	245	27	66	11	141	–
下関市	797	108	41	13	–	54	–
高松市	1 506	45	29	–	4	12	–
松山市	3 618	113	48	10	3	52	–
高知市	1 393	126	20	52	–	54	–
久留米市	673	170	41	41	2	86	–
長崎市	1 322	183	56	42	9	76	–
佐世保市	3 054	166	50	43	–	73	–
大分市	769	66	6	29	13	18	–
宮崎市	810	289	70	54	5	160	–
鹿児島市	2 246	403	150	12	3	238	–
那覇市	153	37	4	8	11	14	–

監視指導施設数，営業の種類・都道府県－指定都市－中核市（再掲）別

平成29年度

食品製造業	野菜果物販売業	そうざい販売業	菓子（パンを含む。）販売業	食品販売業（左記以外。）	添加物（法第11条第1項の規定により規格が定められたものを除く。）の製造業	添加物の販売業	氷雪採取業	器具・容器包装、おもちゃの製造業又は販売業
187	1 851	182	117	12 342	-	-	-	639
1 715	5 180	9 759	10 002	16 414	-	277	-	1 820
184	456	2 490	1 688	3 974	-	268	-	145
13	1 674	3 538	1 809	4 775	-	261	-	263
219	3 764	1 780	2 829	8 217	4	124	-	1 230
1 616	6 565	547	1 888	11 706	9	8	-	3 249
137	341	302	462	2 304	2	124	-	330
407	279	207	273	1 457	-	255	-	254
527	2 747	1 899	1 283	3 037	3	344	-	505
169	1 072	1 290	1 039	2 710	-	515	-	886
977	6 180	5 468	7 928	12 709	-	2 157	-	2 394
207	1 510	126	75	852	-	-	-	-
1 724	56 802	740	2 188	4 293	-	2	-	75
25	271	254	256	275	2	253	-	244
200	3 177	63	118	2 141	8	43	-	70
172	1 056	342	227	591	-	64	-	230
1 286	1 947	1 244	979	5 343	-	782	-	869
586	1 592	785	841	2 277	6	368	-	495
204	9 686	343	1 160	12 888	1	237	-	247
24	511	682	937	1 704	-	-	-	-
37	21	74	90	247	-	-	-	-
266	230	235	449	662	-	187	-	191
26	187	219	255	304	-	104	-	120
20	292	180	190	412	-	122	-	122
90	478	555	567	584	-	441	-	397
5	189	183	138	326	-	-	-	-
202	301	296	328	327	-	162	-	186
589	103	171	130	819	-	24	-	8
408	431	581	428	1 910	-	291	-	326
36	122	23	123	133	-	92	-	90
20	45	20	25	30	-	-	-	2
28	150	390	488	566	-	178	-	152
22	-	211	172	14	-	-	-	-
67	396	342	417	1 038	-	194	-	318
74	107	104	151	161	-	63	-	108
2	63	124	63	252	-	58	-	59
54	121	97	190	134	-	19	-	12
-	260	238	268	333	-	113	-	128
20	1 131	572	551	1 805	1	147	-	180
10	148	119	125	125	-	111	-	113
171	635	842	94	182	-	2	-	50
22	124	119	112	171	-	106	-	102
13	142	128	140	170	-	104	-	110
46	185	151	187	277	-	133	-	154
68	201	185	168	332	-	95	-	98
10	144	145	147	147	-	146	-	146
12	365	376	369	381	1	331	-	331
92	189	270	250	259	3	60	-	119
4	58	47	70	114	1	48	-	41
86	881	646	402	1 057	1	3	-	171
13	258	269	333	354	3	263	-	274
13	692	1	-	20	-	-	-	-
81	179	174	229	244	-	-	-	134
45	134	131	132	146	2	-	-	-
1	42	36	35	38	-	32	-	-
160	412	762	630	1 051	2	350	-	375
610	128	118	133	909	-	56	-	15
53	107	109	114	125	-	94	-	87
121	162	176	350	280	-	160	-	212
31	442	952	872	1 080	-	60	-	68
47	539	124	176	316	-	-	-	65
16	70	74	62	165	-	58	-	58
205	201	118	218	373	-	24	-	-
49	490	512	553	598	-	385	-	301
20	143	107	112	137	-	90	-	94
73	112	112	112	112	-	-	-	-
74	394	329	373	309	-	209	-	155
15	-	-	3	98	-	-	-	-

（報告表　28）

第９表　食品衛生管理者数,

	総数	医師・歯科医師	薬剤師	獣医師
総数	**4 633**	**72**	**565**	**268**
全粉乳（その容量が1,400グラム以下であるかんに収められるものに限る。）、加糖粉乳又は調製粉乳の製造業又は加工業	53	–	5	–
食肉製品（ハム・ソーセージ・ベーコンその他これらに類するものをいう。）の製造業又は加工業	2 338	59	94	237
魚肉ハム又は魚肉ソーセージの製造業又は加工業	70	1	1	4
食品の放射線照射業	1	–	–	–
食用油脂（脱色又は脱臭の過程を経て製造されるものに限る。）の製造業又は加工業	108	1	17	4
マーガリン又はショートニングの製造業又は加工業	45	–	5	1
添加物（法第11条第１項の規定により規格が定められているものに限る。）の製造業又は加工業	2 018	11	443	22

平成29年度末現在

大学・旧制大学又は旧制専門学校で下記の課程を修めて卒業した者				登録養成施設を修了した者	登録講習会を修了した者
医学・歯学・薬学・獣医学	畜産学	水産学	農芸化学		
66	**418**	**298**	**639**	**821**	**1 486**
3	5	1	16	22	1
31	352	165	206	478	716
−	8	19	10	15	12
−	−	−	−	1	−
−	1	9	42	22	12
−	5	5	16	10	3
32	47	99	349	273	742

（報告表　29）

第10表　食品衛生管理者数,

	総数	医師・歯科医師	薬剤師	獣医師	大学・旧制大学又は旧制専門学校で下記の課程を修めて卒業した者				登録養成施設を修了した者	登録講習会を修了した者
					医学・歯学・薬学・獣医学	畜産学	水産学	農芸化学		
全国	**4 633**	**72**	**565**	**268**	**66**	**418**	**298**	**639**	**821**	**1 486**
北海道	291	7	12	25	2	47	19	13	94	72
青森	47	−	3	3	1	7	2	4	11	16
岩手	61	−	4	6	−	10	5	9	6	21
宮城	85	4	9	4	−	7	7	5	20	29
秋田	37	−	1	5	−	3	−	6	−	22
山形	75	−	−	2	−	15	2	9	15	32
福島	57	−	8	4	1	6	−	8	3	27
茨城	150	1	19	3	1	22	7	36	12	49
栃木	95	−	10	3	−	6	6	12	32	26
群馬	106	1	9	5	1	12	2	16	6	54
埼玉	173	−	23	4	14	19	10	33	18	52
千葉	199	1	24	8	3	11	10	36	50	56
東京	262	4	39	6	3	30	13	43	30	94
神奈川	198	4	17	4	2	18	16	37	36	64
新潟	115	6	11	19	−	6	3	15	11	44
富山	51	−	13	4	−	10	1	7	11	5
石川	31	−	9	2	−	5	1	2	3	9
福井	12	−	1	−	−	2	1	−	1	7
山梨	29	2	3	−	−	3	−	5	5	11
長野	90	4	8	17	1	13	2	7	11	27
岐阜	111	2	25	8	−	6	1	16	16	37
静岡	221	2	17	11	4	10	38	26	52	61
愛知	169	1	31	3	4	8	8	34	20	60
三重	87	−	11	1	2	2	12	16	13	30
滋賀	69	−	17	5	1	4	4	9	15	14
京都	92	3	10	5	6	5	5	10	22	26
大阪	314	7	50	10	5	11	18	44	39	130
兵庫	247	6	45	22	3	11	23	41	38	58
奈良	33	−	10	3	1	3	1	5	3	7
和歌山	42	−	16	−	−	1	2	2	5	16
鳥取	17	1	2	1	−	1	1	4	5	2
島根	20	−	2	2	−	1	1	11	1	2
岡山	94	5	8	2	−	7	7	6	19	40
広島	119	1	13	8	−	9	3	11	47	27
山口	52	−	8	1	−	3	4	6	17	13
徳島	47	−	17	6	−	1	−	1	12	10
香川	46	−	10	−	−	−	−	5	11	20
愛媛	44	1	2	6	−	2	2	6	6	19
高知	23	1	7	1	−	2	1	3	1	7
福岡	125	1	14	4	1	4	18	11	23	49
佐賀	47	1	1	3	1	3	3	8	10	17
長崎	55	2	1	5	−	5	9	6	13	14
熊本	81	1	7	8	5	12	4	11	14	19
大分	49	−	5	7	1	6	2	2	10	16
宮崎	75	1	5	6	1	11	4	20	9	18
鹿児島	124	1	5	15	1	19	17	11	21	34
沖縄	66	1	3	1	1	19	3	11	4	23

平成29年度末現在

	総数	医師・歯科医師	薬剤師	獣医師	大学・旧制大学又は旧制専門学校で下記の課程を修めて卒業した者				登録養成施設を修了した者	登録講習会を修了した者
					医学・歯学・薬学・獣医学	畜産学	水産学	農芸化学		
指定都市（再掲）										
札幌市	43	–	3	2	–	3	3	1	20	11
仙台市	34	1	5	1	–	4	3	1	10	9
さいたま市	8	–	–	–	–	–	1	3	1	3
千葉市	33	–	5	–	1	–	2	10	7	8
横浜市	70	1	5	–	2	7	6	15	17	17
川崎市	34	–	5	2	–	1	2	5	3	16
相模原市	11	1	–	–	–	1	3	2	1	3
新潟市	33	5	3	4	–	4	1	5	1	10
静岡市	43	–	3	–	1	1	18	–	14	6
浜松市	24	–	–	3	1	3	–	4	2	11
名古屋市	63	1	12	1	3	1	5	11	6	23
京都市	49	3	7	3	2	3	2	5	10	14
大阪市	138	2	25	3	1	4	9	20	12	62
堺市	34	–	4	1	–	–	1	2	5	21
神戸市	75	5	16	5	2	5	11	15	4	12
岡山市	28	5	3	–	–	2	2	4	4	8
広島市	20	–	2	1	–	3	2	2	6	4
北九州市	22	1	3	–	–	–	3	4	–	11
福岡市	17	–	4	–	–	–	2	–	4	7
熊本市	16	–	2	3	–	1	1	1	1	7
中核市（再掲）										
旭川市	9	–	–	3	–	1	–	–	3	2
函館市	16	1	1	3	–	2	4	1	2	2
青森市	8	–	–	–	1	–	1	–	6	–
八戸市	7	–	–	–	–	1	–	–	3	3
盛岡市	5	–	–	1	–	1	1	1	–	1
秋田市	7	–	–	1	–	1	–	–	–	5
郡山市	12	–	1	2	–	–	–	1	2	6
いわき市	13	–	2	–	1	3	–	3	–	4
宇都宮市	14	–	3	–	–	–	4	–	3	4
前橋市	22	–	–	1	1	6	1	5	–	8
高崎市	19	–	2	1	–	1	–	3	3	9
川越市	13	–	3	–	–	2	1	3	–	4
越谷市	7	–	1	–	–	2	2	–	2	–
船橋市	18	–	–	–	–	2	3	4	6	3
柏市	4	–	–	–	–	1	–	1	2	–
八王子市	12	–	2	2	–	–	1	1	3	3
横須賀市	9	1	–	–	–	1	1	2	4	–
富山市	25	–	9	1	–	6	–	6	1	2
金沢市	14	–	3	–	–	4	1	–	1	5
長野市	18	1	1	5	–	6	–	–	1	4
岐阜市	10	–	2	1	–	–	–	2	2	3
豊橋市	13	–	2	–	–	–	–	2	4	5
豊田市	5	–	–	–	–	1	–	1	–	3
岡崎市	3	–	2	–	–	–	–	–	–	1
大津市	3	–	1	1	–	–	–	–	1	–
高槻市	10	–	–	2	–	–	–	1	5	2
東大阪市	12	–	5	–	–	–	–	–	3	4
豊中市	12	–	3	–	–	–	1	2	2	4
枚方市	8	–	–	–	2	1	1	–	–	4
姫路市	21	–	5	4	–	–	1	4	3	4
西宮市	14	–	2	–	1	1	2	–	3	5
尼崎市	18	–	6	1	–	1	–	2	3	5
奈良市	4	–	–	–	1	–	–	1	–	2
和歌山市	21	–	10	–	–	1	1	1	–	8
倉敷市	15	–	–	–	–	–	1	–	3	11
福山市	47	–	5	–	–	1	–	3	29	9
呉市	12	–	–	1	–	–	1	3	3	4
下関市	12	–	1	–	–	–	–	2	7	2
高松市	12	–	4	–	–	–	–	–	3	5
松山市	15	–	1	2	–	1	–	2	1	8
高知市	7	–	1	–	–	–	1	2	–	3
久留米市	10	–	3	1	–	–	2	–	1	3
長崎市	6	–	–	–	–	–	1	–	–	5
佐世保市	1	–	–	–	–	–	–	1	–	–
大分市	13	–	3	3	–	1	1	–	1	4
宮崎市	24	–	3	4	–	1	1	7	1	7
鹿児島市	36	–	2	4	–	5	6	4	6	9
那覇市	6	1	–	–	–	1	–	1	–	3

（報告表　29）

第11表　食品衛生管理者数,

	総数	全粉乳（その容量が1,400グラム以下であるかんに収められるものに限る。）、加糖粉乳又は調製粉乳の製造業又は加工業	食肉製品（ハム・ソーセージ・ベーコンその他これらに類するものをいう。）の製造業又は加工業	魚肉ハム又は魚肉ソーセージの製造業又は加工業	食品の放射線照射業	食用油脂（脱色又は脱臭の過程を経て製造されるものに限る。）の製造業又は加工業	マーガリン又はショートニングの製造業又は加工業	添加物（法第11条第1項の規定により規格が定められているものに限る。）の製造業又は加工業
全国	**4 633**	**53**	**2 338**	**70**	**1**	**108**	**45**	**2 018**
北海道	291	–	212	12	1	4	–	62
青森	47	–	34	–	–	–	–	13
岩手	61	–	47	–	–	–	–	14
宮城	85	–	52	8	–	–	–	25
秋田	37	–	22	–	–	–	–	15
山形	75	–	60	–	–	1	–	14
福島	57	1	28	–	–	–	–	28
茨城	150	1	67	2	–	7	5	68
栃木	95	5	34	2	–	2	1	51
群馬	106	2	57	–	–	2	–	45
埼玉	173	17	54	1	–	4	–	97
千葉	199	1	70	5	–	11	8	104
東京	262	4	123	2	–	8	4	121
神奈川	198	1	93	1	–	6	3	94
新潟	115	–	76	2	–	–	–	37
富山	51	–	24	–	–	1	–	26
石川	31	–	18	–	–	–	2	11
福井	12	–	8	–	–	–	–	4
山梨	29	–	18	–	–	2	1	8
長野	90	–	62	–	–	–	–	28
岐阜	111	–	53	–	–	2	–	56
静岡	221	4	113	1	–	5	1	97
愛知	169	–	60	–	–	9	–	100
三重	87	–	26	4	–	2	–	55
滋賀	69	–	31	–	–	1	–	37
京都	92	–	49	–	–	1	–	42
大阪	314	1	83	1	–	5	8	216
兵庫	247	2	111	–	–	11	7	116
奈良	33	–	12	1	–	–	–	20
和歌山	42	1	11	–	–	1	–	29
鳥取	17	–	13	–	–	–	–	4
島根	20	–	13	–	–	–	–	7
岡山	94	–	40	–	–	2	–	52
広島	119	10	42	3	–	–	1	63
山口	52	–	28	3	–	–	–	21
徳島	47	–	21	–	–	3	–	23
香川	46	–	15	–	–	2	–	29
愛媛	44	–	25	1	–	–	–	18
高知	23	1	9	–	–	–	–	13
福岡	125	–	52	12	–	8	1	52
佐賀	47	–	38	–	–	1	–	8
長崎	55	–	43	1	–	–	–	11
熊本	81	–	60	1	–	1	–	19
大分	49	–	30	–	–	–	–	19
宮崎	75	2	54	–	–	3	3	13
鹿児島	124	–	98	5	–	–	–	21
沖縄	66	–	49	2	–	3	–	12

業種・都道府県－指定都市－中核市（再掲）別

平成29年度末現在

	総数	全粉乳（その容量が1，400グラム以下であるかんに収められるものに限る。）、加糖粉乳又は調製粉乳の製造業又は加工業	食肉製品（ハム・ソーセージ・ベーコンその他これらに類するものをいう。）の製造業又は加工業	魚肉ハム又は魚肉ソーセージの製造業又は加工業	食品の放射線照射業	食用油脂（脱色又は脱臭の過程を経て製造されるものに限る。）の製造業又は加工業	マーガリン又はショートニングの製造業又は加工業	添加物（法第11条第1項の規定により規格が定められているものに限る。）の製造業又は加工業
指定都市（再掲）								
札幌市	43	－	34	1	－	－	－	8
仙台市	34	－	22	－	－	－	－	12
さいたま市	8	－	4	－	－	－	－	4
千葉市	33	－	9	－	－	5	3	16
横浜市	70	1	29	1	－	3	2	34
川崎市	34	－	11	－	－	1	－	22
相模原市	11	－	4	－	－	－	－	7
新潟市	33	－	20	1	－	－	－	12
静岡市	43	1	19	－	－	1	1	21
浜松市	24	－	18	－	－	1	－	5
名古屋市	63	－	17	－	－	2	－	44
京都市	49	－	30	－	－	1	－	18
大阪市	138	1	32	1	－	－	3	101
堺市	34	－	3	－	－	1	1	29
神戸市	75	1	31	－	－	5	5	33
岡山市	28	－	14	－	－	－	－	14
広島市	20	－	9	－	－	－	－	11
北九州市	22	－	6	1	－	2	－	13
福岡市	17	－	7	－	－	2	－	8
熊本市	16	－	9	－	－	－	－	7
中核市（再掲）								
旭川市	9	－	7	－	－	－	－	2
函館市	16	－	11	－	－	2	－	3
青森市	8	－	4	－	－	－	－	4
八戸市	7	－	5	－	－	－	－	2
盛岡市	5	－	5	－	－	－	－	－
秋田市	7	－	3	－	－	－	－	4
郡山市	12	－	5	－	－	－	－	7
いわき市	13	－	4	－	－	－	－	9
宇都宮市	14	－	7	1	－	1	－	5
前橋市	22	1	15	－	－	1	－	5
高崎市	19	－	6	－	－	－	－	13
川越市	13	1	4	－	－	－	－	8
越谷市	7	－	2	1	－	2	－	2
船橋市	18	－	10	－	－	1	1	6
柏市	4	－	2	－	－	－	－	2
八王子市	12	－	5	2	－	－	－	5
横須賀市	9	－	6	－	－	－	－	3
富山市	25	－	9	－	－	－	－	16
金沢市	14	－	9	－	－	－	1	4
長野市	18	－	15	－	－	－	－	3
岐阜市	10	－	4	－	－	－	－	6
豊橋市	13	－	6	－	－	－	－	7
豊田市	5	－	5	－	－	－	－	－
岡崎市	3	－	2	－	－	1	－	－
大津市	3	－	2	－	－	－	－	1
高槻市	10	－	4	－	－	－	－	6
東大阪市	12	－	2	－	－	－	－	10
豊中市	12	－	3	－	－	1	1	7
枚方市	8	－	1	－	－	－	1	6
姫路市	21	－	8	－	－	－	－	13
西宮市	14	－	10	－	－	－	－	4
尼崎市	18	－	2	－	－	2	－	14
奈良市	4	－	－	1	－	－	－	3
和歌山市	21	－	4	－	－	－	－	17
倉敷市	15	－	4	－	－	1	－	10
福山市	47	10	11	1	－	－	－	25
呉市	12	－	6	1	－	－	－	5
下関市	12	－	6	2	－	－	－	4
高松市	12	－	3	－	－	－	－	9
松山市	15	－	8	－	－	－	－	7
高知市	7	－	2	－	－	－	－	5
久留米市	10	－	3	－	－	－	－	7
長崎市	6	－	3	－	－	－	－	3
佐世保市	1	－	1	－	－	－	－	－
大分市	13	－	5	－	－	－	－	8
宮崎市	24	2	14	－	－	1	2	5
鹿児島市	36	－	25	－	－	－	－	11
那覇市	6	－	6	－	－	－	－	－

（報告表　29）

第12表　製菓衛生師免許交付数，都道府県別

平成29年度

	本年度中免許交付者数	本年度末現在免許交付者数
全国	**5 256**	**202 894**
北海道	307	10 155
青森	27	1 657
岩手	71	2 387
宮城	44	3 258
秋田	19	1 435
山形	23	1 885
福島	75	3 550
茨城	57	3 524
栃木	90	3 050
群馬	107	4 001
埼玉	138	5 438
千葉	106	5 014
東京	245	15 746
神奈川	247	10 664
新潟	262	9 810
富山	53	1 781
石川	103	2 884
福井	44	1 998
山梨	25	1 028
長野	87	4 050
岐阜	102	5 248
静岡	327	9 548
愛知	294	13 782
三重	144	4 825
滋賀	…	…
京都	…	…
大阪	…	…
兵庫	…	…
奈良	63	1 922
和歌山	…	…
鳥取	13	753
島根	41	1 406
岡山	77	2 655
広島	152	3 821
山口	23	1 987
徳島	…	…
香川	41	1 539
愛媛	68	2 936
高知	24	750
福岡	157	5 309
佐賀	24	1 831
長崎	64	2 439
熊本	35	2 465
大分	33	1 978
宮崎	46	1 753
鹿児島	106	2 887
沖縄	67	1 181
関西広域連合[1]	1 225	38 564

注：1)　関西広域連合が実施した滋賀県、京都府、大阪府、兵庫県、和歌山県、徳島県分の数字である。　　（報告表　30）

第13表　食品等の収去試験状況，収去件数・

	収去したもの（実数）	試験した場所					試験				
		管下の機関で試験したもの			他に試験を依頼したもの		微生物学的検査			理化	
		保健所	地方衛生研究所	その他	登録検査機関	その他	細菌	ウイルス	その他	残留農薬	食品添加物
総数	**147 832**	**56 714**	**53 514**	**28 350**	**9 219**	**585**	**80 244**	**748**	**582**	**10 161**	**32 307**
魚介類	12 446	3 639	4 065	3 707	1 006	34	7 567	509	58	67	353
冷凍食品											
無加熱摂取冷凍食品	794	345	337	65	49	1	628	－	－	134	79
凍結直前に加熱された加熱後摂取冷凍食品	988	452	416	81	39	1	882	－	5	47	78
凍結直前未加熱の加熱後摂取冷凍食品	1 841	704	920	177	51	1	1 351	－	－	416	161
生食用冷凍鮮魚介類	94	32	27	25	7	3	82	－	1	3	7
魚介類加工品（かん詰・びん詰を除く。）	9 490	3 653	2 562	2 771	555	5	5 943	5	7	18	5 780
肉卵類及びその加工品（かん詰・びん詰を除く。）	25 997	4 071	6 677	14 999	631	90	7 974	49	198	535	2 767
乳製品	2 788	1 299	1 289	104	98	3	2 084	－	4	4	438
乳類加工品〔アイスクリーム類を除き、マーガリンを含む。〕	242	99	123	9	7	4	178	－	－	－	63
アイスクリーム類・氷菓	2 645	1 655	783	68	122	4	2 438	－	12	－	424
穀類及びその加工品（かん詰・びん詰を除く。）	8 153	3 457	3 490	711	527	30	4 632	23	71	310	2 162
野菜類・果物及びその加工品（かん詰・びん詰を除く。）	29 916	10 163	14 597	2 233	2 665	221	10 207	19	136	8 320	7 673
菓子類	13 363	5 837	5 426	1 076	987	49	7 602	19	3	13	5 222
清涼飲料水	3 835	1 355	1 750	289	439	22	2 335	3	11	38	1 603
酒精飲料	1 044	369	573	39	68	－	16	－	－	9	870
氷雪	176	82	39	55	－	－	172	－	－	－	－
水	841	229	302	201	108	1	764	－	1	26	5
かん詰・びん詰食品	2 177	604	1 136	229	191	19	180	－	4	133	1 491
その他の食品	29 758	18 351	8 252	1 437	1 582	82	25 189	121	71	88	3 014
添加物及びその製剤	65	15	30	2	18	－	4	－	－	－	18
器具及び容器包装	1 048	298	643	47	45	15	16	－	－	－	99
おもちゃ	131	5	77	25	24	－	－	－	－	－	－

試験場所・試験の内容・不良理由・食品等の種類別

平成29年度

の内容							不良理由（延数）							
学的検査				動物を用いる検査	その他	不良検体数	大腸菌群	異物	添加物使用基準	法定外添加物	残留農薬基準	残留動物用医薬品	その他	暫定的規制値の定められているものの試験した収去検体数（実数）
残留動物用医薬品	アレルギー物質	遺伝子組換え食品	その他											
18 183	**2 622**	**968**	**17 115**	**443**	**3 667**	**791**	**264**	**－**	**40**	**5**	**31**	**23**	**477**	**1 389**
1 035	10	－	2 135	376	1 168	54	2	－	1	－	－	9	48	1 251
8	2	－	15	3	2	－	－	－	－	－	－	－	－	2
8	11	－	12	－	－	2	2	－	－	－	－	－	－	－
37	11	8	32	2	2	4	－	－	－	－	3	－	1	9
8	－	－	15	6	1	－	－	－	－	－	－	－	－	－
54	162	－	837	33	47	41	22	－	12	－	－	－	7	－
16 772	57	－	1 107	－	189	60	9	－	2	－	－	14	38	62
30	4	－	711	－	143	8	6	－	－	－	－	－	2	13
4	1	－	71	－	5	－	－	－	－	－	－	－	－	－
－	5	－	426	－	3	93	84	－	－	－	－	－	13	－
5	345	351	1 641	－	120	40	・	－	1	－	－	－	40	5
9	113	428	4 298	－	1 518	114	・	－	14	－	28	－	77	29
－	1 044	58	957	－	80	140	78	－	4	4	－	－	62	－
－	31	3	1 656	－	129	5	4	－	－	－	－	－	1	2
－	－	－	233	－	21	2	・	－	－	－	－	－	2	－
－	－	－	5	－	－	1	1	－	－	－	－	－	－	－
－	－	－	184	－	29	18	4	－	－	－	－	－	14	－
8	86	87	417	6	32	2	・	－	2	－	－	－	2	1
205	740	33	1 292	17	142	207	52	－	4	1	－	－	170	5
－	－	－	44	－	1	－	・	－	・	－	・	・	－	－
－	－	－	897	－	32	－	・	・	・	－	・	・	－	10
－	－	－	130	－	3	－	・	・	・	－	・	・	－	－

（報告表　31）

第14表（２－１）　食品等の収去試験状況，収去件数・試験場所・

	収去したもの（実数）	試験した場所					試験				
		管下の機関で試験したもの			他に試験を依頼したもの		微生物学的検査			理化	
		保健所	地方衛生研究所	その他	登録検査機関	その他	細菌	ウイルス	その他	残留農薬	食品添加物
全国	**147 832**	**56 714**	**53 514**	**28 350**	**9 219**	**585**	**80 244**	**748**	**582**	**10 161**	**32 307**
北海道	2 390	1 106	1 284	–	–	–	1 199	55	–	252	599
青森	912	303	168	246	195	–	266	–	2	122	99
岩手	955	140	771	–	–	44	507	–	–	121	74
宮城	4 735	–	3 351	1 288	85	–	3 191	135	1	243	644
秋田	738	344	394	–	–	–	573	–	2	96	170
山形	967	552	214	228	7	–	431	–	–	100	178
福島	5 593	1 879	3 527	102	20	–	1 096	1	240	120	289
茨城	1 356	–	1 005	187	101	–	557	5	–	222	154
栃木	4 582	1 708	2 597	172	–	77	3 034	15	37	222	1 107
群馬	2 237	563	9	1 584	57	24	894	–	–	132	488
埼玉	2 112	389	1 677	–	36	10	1 088	–	–	252	605
千葉	3 109	1 757	933	127	427	–	2 417	–	–	167	911
東京	18 700	8 798	4 680	2 810	2 262	60	11 668	226	15	881	4 449
神奈川	10 876	915	5 869	3 975	–	115	6 282	96	–	574	2 363
新潟	2 910	568	1 026	36	1 288	2	963	2	36	277	360
富山	1 810	1 275	110	420	8	–	1 017	–	–	74	405
石川	2 375	958	1 079	338	–	–	913	64	–	177	542
福井	845	207	347	–	291	–	604	3	4	59	99
山梨	1 316	–	1 304	60	–	–	839	–	90	152	332
長野	2 672	2 218	449	–	–	11	928	–	15	268	1 323
岐阜	2 128	786	857	485	–	–	638	–	–	190	558
静岡	3 140	1 690	1 344	130	–	–	1 569	15	6	195	1 007
愛知	13 575	3 309	1 981	8 268	–	17	4 147	5	6	669	3 091
三重	2 017	1 434	265	259	–	59	1 437	–	–	90	151
滋賀	1 007	216	791	–	–	–	626	–	5	198	99
京都	2 495	269	2 226	–	–	–	756	20	–	326	490
大阪	8 260	2 022	3 593	2 523	31	91	4 478	6	10	644	1 737
兵庫	3 365	734	1 371	1 247	52	–	1 999	17	–	497	1 341
奈良	941	165	541	229	5	1	601	–	–	197	93
和歌山	1 731	150	1 526	–	36	19	761	10	–	124	342
鳥取	574	–	137	–	436	–	368	–	–	71	110
島根	443	87	90	–	274	–	176	–	–	106	52
岡山	3 618	3 244	80	–	294	–	2 736	10	–	219	1 200
広島	5 163	1 947	818	–	2 398	–	3 277	–	–	229	1 248
山口	3 602	3 242	363	–	–	–	2 804	–	–	190	619
徳島	1 316	1 291	26	–	–	–	1 049	–	–	24	150
香川	1 863	1 170	585	58	20	30	1 156	3	39	68	544
愛媛	2 050	1 670	406	–	38	15	933	–	25	124	830
高知	671	511	5	–	155	–	656	3	–	–	10
福岡	7 480	2 729	2 893	1 848	–	10	4 499	19	–	563	1 549
佐賀	1 175	–	734	445	–	–	515	–	–	136	72
長崎	2 834	2 437	174	150	73	–	2 355	–	–	154	371
熊本	1 277	725	550	–	2	–	846	25	17	159	362
大分	1 363	924	323	1	120	–	894	12	32	139	120
宮崎	1 380	148	439	420	373	–	610	–	–	175	327
鹿児島	1 828	1 328	332	168	18	–	855	–	–	136	583
沖縄	1 346	806	270	546	117	–	1 036	1	–	27	60

試験の内容・不良理由・都道府県－指定都市－中核市（再掲）別

平成29年度

の内容						不良検体数	不良理由（延数）							暫定的規制値の定められているものの試験した収去検体数（実数）
学的検査				動物を用いる検査	その他		大腸菌群	異物	添加物使用基準	法定外添加物	残留農薬基準	残留動物用医薬品	その他	
残留動物医薬品	アレルギー物質	遺伝子組換え食品	その他											
18 183	**2 622**	**968**	**17 115**	**443**	**3 667**	**791**	**264**	**－**	**40**	**5**	**31**	**23**	**477**	**1 389**
342	56	65	486	32	－	4	2	－	1	1	－	－	－	－
285	48	5	64	4	50	10	4	－	－	－	－	－	6	9
27	22	7	119	8	90	12	8	－	－	－	1	－	5	－
145	39	2	753	12	205	54	29	－	－	－	1	2	24	10
26	－	－	59	－	－	12	2	－	1	－	－	－	9	－
261	14	－	116	－	4	2	1	－	－	－	1	－	－	－
131	8	8	3 323	2	897	4	1	－	－	－	－	－	3	－
180	68	10	89	－	6	5	4	－	－	－	－	1	2	－
198	76	42	306	－	126	55	8	－	4	－	－	1	44	－
442	126	6	235	－	3	2	1	－	1	－	－	－	－	－
148	24	4	170	10	－	12	－	－	－	1	－	－	12	－
182	77	71	195	－	－	10	7	－	－	－	－	－	3	6
1 207	260	144	2 384	64	289	112	21	－	5	1	2	－	101	636
1 931	168	73	629	51	45	19	6	－	2	1	2	6	3	85
75	61	10	127	－	1 304	8	2	－	1	－	3	－	2	3
402	50	8	73	－	5	17	4	－	3	－	－	－	10	29
482	54	9	171	25	2	5	3	－	1	－	－	－	1	－
21	14	8	46	4	9	2	2	－	－	－	－	－	－	6
113	－	－	248	－	－	3	3	－	－	－	－	－	－	－
98	30	12	243	－	21	6	4	－	－	－	2	－	－	4
540	53	32	227	－	－	1	－	－	1	－	－	－	－	4
239	242	119	580	17	21	33	15	－	－	－	1	－	19	10
5 135	145	66	1 302	55	25	18	6	－	4	1	2	－	5	92
305	6	7	34	－	－	－	－	－	－	－	－	－	－	4
86	40	8	204	－	155	3	1	－	－	－	1	－	1	－
238	239	25	226	24	198	2	1	－	－	－	1	－	－	122
334	154	74	1 600	17	80	6	3	－	2	－	－	－	1	25
176	18	17	427	12	28	12	4	－	3	－	1	－	4	142
38	5	8	117	－	－	11	－	－	－	－	1	－	10	8
136	20	－	431	－	24	6	4	－	－	－	2	－	－	－
43	20	－	42	1	－	4	3	－	－	－	1	－	1	20
108	－	－	7	－	－	3	－	－	－	－	1	－	2	20
10	－	－	352	－	－	17	5	－	－	－	－	－	12	－
119	62	51	473	－	6	2	1	－	－	－	1	－	－	21
50	100	14	15	－	－	7	3	－	－	－	1	－	3	－
－	48	－	45	－	－	67	33	－	1	－	－	－	33	－
88	8	11	136	35	39	18	9	－	－	－	－	1	8	5
50	20	25	294	－	－	4	1	－	3	－	－	－	－	－
－	－	－	4	－	6	32	16	－	－	－	－	－	18	－
1 655	126	22	526	18	1	32	6	－	5	－	2	6	16	68
454	23	－	15	－	－	4	2	－	－	－	1	－	1	－
169	－	－	82	52	2	64	5	－	－	－	1	－	70	－
39	14	5	51	－	－	7	5	－	－	－	1	－	2	－
136	47	－	2	－	－	23	7	－	1	－	1	－	14	－
496	36	－	20	－	3	35	4	－	1	－	－	－	30	－
300	－	－	8	－	－	7	1	－	－	－	－	6	－	40
543	1	－	59	－	23	19	17	－	－	－	－	－	2	20

（報告表　31）

第14表（2－2） 食品等の収去試験状況，収去件数・試験場所・

	収去したもの（実数）	試験した場所					試験				
		管下の機関で試験したもの			他に試験を依頼したもの		微生物学的検査			理化	
		保健所	地方衛生研究所	その他	登録検査機関	その他	細菌	ウイルス	その他	残留農薬	食品添加物
指定都市（再掲）											
札幌市	1 093	399	694	-	-	-	590	19	-	154	308
仙台市	2 888	-	1 600	1 288	-	-	1 854	135	1	172	277
さいたま市	372	-	372	-	-	-	124	-	-	109	64
千葉市	479	-	479	-	-	-	350	-	-	79	182
横浜市	3 484	-	1 266	2 218	-	-	1 849	44	-	275	856
川崎市	1 930	-	1 509	421	-	-	1 767	-	-	61	296
相模原市	635	635	-	-	-	-	441	52	-	39	170
新潟市	696	-	660	36	-	-	472	2	24	77	182
静岡市	505	21	484	-	-	-	315	-	4	56	152
浜松市	389	-	389	-	-	-	102	15	2	51	72
名古屋市	8 932	-	1 214	7 718	-	-	1 882	-	-	304	1 634
京都市	1 765	-	1 765	-	-	-	608	12	-	146	414
大阪市	2 683	655	·	2 028	-	-	991	6	-	255	972
堺市	345	-	340	-	5	-	245	-	1	20	53
神戸市	1 755	-	620	1 135	-	-	1 199	11	-	273	901
岡山市	595	595	·	-	-	-	385	10	-	100	167
広島市	651	-	651	-	-	-	340	-	-	72	101
北九州市	1 169	-	1 169	-	-	-	450	10	-	211	306
福岡市	3 002	-	1 417	1 585	-	-	1 270	5	-	327	322
熊本市	241	-	241	-	-	-	195	16	-	42	14
中核市（再掲）											
旭川市	176	176	·	-	-	-	104	-	-	29	84
函館市	261	261	-	-	-	-	176	-	-	35	116
青森市	121	70	·	-	51	-	55	-	-	26	34
八戸市	94	-	·	-	94	-	37	-	-	18	10
盛岡市	184	140	·	-	-	44	138	-	-	21	13
秋田市	344	344	·	-	-	-	258	-	-	64	34
郡山市	1 294	1 204	·	90	-	-	270	-	-	24	50
いわき市	675	675	·	-	-	-	319	-	-	10	53
宇都宮市	963	-	803	83	-	77	495	15	-	47	318
前橋市	353	306	·	-	47	-	230	-	-	18	77
高崎市	291	257	·	-	10	24	199	-	-	24	50
川越市	273	237	·	-	36	-	170	-	-	25	113
越谷市	162	152	·	-	-	10	61	-	-	4	56
船橋市	352	228	·	-	124	-	232	-	-	-	58
柏市	99	99	·	-	-	-	89	-	-	-	34
八王子市	184	3	·	-	175	2	106	2	-	8	59
横須賀市	479	-	479	-	-	-	424	-	-	36	56
富山市	318	318	·	-	-	-	266	-	-	14	92
金沢市	883	545	·	338	-	-	361	29	-	96	70
長野市	394	383	·	-	-	11	262	-	-	28	67
岐阜市	601	601	-	-	-	-	412	-	-	34	121
豊橋市	414	240	·	167	-	7	110	-	6	76	49
豊田市	263	261	·	-	-	2	82	-	-	25	28
岡崎市	441	433	·	-	-	8	254	-	-	104	59
大津市	216	216	·	-	-	-	105	-	-	73	5
高槻市	204	186	·	-	-	18	122	-	-	10	54
東大阪市	573	541	-	-	26	6	377	-	-	24	140
豊中市	131	89	·	-	-	42	83	-	-	10	25
枚方市	150	125	·	-	-	25	106	-	-	11	22
姫路市	221	-	221	-	-	-	97	6	-	48	77
西宮市	241	165	·	48	52	-	131	-	-	20	51
尼崎市	191	-	191	-	-	-	119	-	-	35	43
奈良市	166	165	·	-	-	1	130	-	-	8	34
和歌山市	306	-	287	-	-	19	252	-	-	14	86
倉敷市	660	660	·	-	-	-	624	-	-	39	294
福山市	909	909	·	-	-	-	427	-	-	9	418
呉市	424	212	·	-	212	-	345	-	-	11	104
下関市	495	495	·	-	-	-	424	-	-	-	118
高松市	378	328	·	-	20	30	246	3	20	20	108
松山市	495	442	·	-	38	15	222	-	25	38	159
高知市	255	255	·	-	-	-	250	3	-	-	10
久留米市	189	179	·	-	-	10	167	-	-	10	57
長崎市	532	528	4	-	-	-	436	-	-	43	183
佐世保市	281	275	·	-	6	-	253	-	-	6	43
大分市	350	290	·	-	60	-	264	-	-	58	25
宮崎市	148	148	·	-	-	-	84	-	-	51	46
鹿児島市	400	340	·	60	18	-	243	-	-	36	128
那覇市	168	57	·	-	117	-	158	-	-	-	16

試験の内容・不良理由・都道府県－指定都市－中核市（再掲）別

平成29年度

の内容							不良理由（延数）							
学的検査														
残留動物用医薬品	アレルギー物質	遺伝子組換え食品	その他	動物を用いる検査	その他	不良検体数	大腸菌群	異物	添加物使用基準	法定外添加物	残留農薬基準	残留動物用医薬品	その他	暫定的規制値の定められているものの試験した収去検体数（実数）
39	23	23	313	－	－	1	－	－	－	1	－	－	－	－
127	3	2	481	12	178	9	1	－	－	－	1	2	5	10
65	－	1	94	10	－	－	－	－	－	－	－	－	－	－
55	－	－	42	－	－	－	－	－	－	－	－	－	－	－
388	160	30	324	38	16	6	1	－	2	－	2	－	2	71
34	8	21	50	6	18	1	－	－	－	－	－	－	1	－
13	－	－	16	－	－	－	－	－	－	－	－	－	－	－
49	－	－	81	－	31	4	1	－	1	－	－	－	2	3
27	－	－	109	－	－	28	15	－	－	－	1	－	14	5
12	16	－	194	4	4	－	－	－	－	－	－	－	－	5
4 769	27	46	701	31	－	8	－	－	2	1	2	－	3	22
185	211	10	226	10	－	2	1	－	－	－	1	－	－	122
215	104	45	872	5	80	2	－	－	2	－	－	－	－	23
15	5	2	34	－	－	3	2	－	－	－	－	－	1	－
27	18	7	234	12	－	1	1	－	－	－	－	－	－	116
10	－	－	68	－	－	8	－	－	－	－	－	－	8	－
42	16	1	119	－	－	－	－	－	－	－	－	－	－	13
36	16	10	168	5	－	2	1	－	1	－	－	－	－	59
1 341	62	12	183	13	1	12	3	－	－	－	2	6	1	－
－	－	－	4	－	－	－	－	－	－	－	－	－	－	－
－	－	－	28	－	－	2	1	－	1	－	－	－	－	－
－	－	－	101	－	－	1	1	－	－	－	－	－	－	－
10	－	－	16	2	－	－	－	－	－	－	－	－	－	6
3	8	－	15	－	－	－	－	－	－	－	－	－	－	－
7	2	1	10	－	－	7	7	－	－	－	－	－	2	－
24	－	－	10	－	－	1	－	－	1	－	－	－	－	－
95	－	－	35	－	897	－	－	－	－	－	－	－	－	－
－	8	－	443	－	－	1	1	－	－	－	－	－	－	－
61	40	2	73	－	83	15	5	－	1	－	－	－	10	－
22	24	－	26	－	－	1	－	－	1	－	－	－	－	－
－	22	－	38	－	3	－	－	－	－	－	－	－	－	－
6	－	－	37	－	－	2	－	－	－	－	－	－	2	－
47	2	－	8	－	－	1	－	－	－	－	－	－	1	－
－	－	－	120	－	－	－	－	－	－	－	－	－	－	－
－	13	－	－	－	－	－	－	－	－	－	－	－	－	－
－	8	－	7	－	－	2	2	－	－	－	－	－	－	－
6	－	－	13	－	－	－	－	－	－	－	－	－	－	－
8	－	－	37	－	－	－	－	－	－	－	－	－	－	10
359	－	－	33	－	－	1	－	－	1	－	－	－	－	－
7	13	2	31	－	－	2	2	－	－	－	－	－	－	－
17	5	－	122	－	－	1	－	－	1	－	－	－	－	4
167	－	－	40	－	－	1	1	－	－	－	－	－	－	4
19	16	－	17	－	－	1	1	－	－	－	－	－	－	－
30	33	－	58	－	－	2	1	－	1	－	－	－	－	－
－	2	－	39	－	22	1	－	－	－	－	1	－	－	－
3	－	2	13	－	－	－	－	－	－	－	－	－	－	2
6	2	－	－	－	－	－	－	－	－	－	－	－	－	－
4	2	－	7	－	－	－	－	－	－	－	－	－	－	－
4	－	－	8	－	－	－	－	－	－	－	－	－	－	－
12	－	－	24	－	－	1	－	－	－	－	1	－	－	14
48	－	－	8	－	－	1	－	－	1	－	－	－	－	－
－	－	－	5	－	－	2	－	－	1	－	－	－	1	7
1	－	－	10	－	－	10	－	－	－	－	－	－	10	－
16	－	－	31	－	24	2	2	－	－	－	－	－	－	－
－	－	－	41	－	－	－	－	－	－	－	－	－	－	－
2	6	－	47	－	－	1	－	－	－	－	1	－	－	－
7	－	－	31	－	－	－	－	－	－	－	－	－	－	－
－	－	－	10	－	－	1	1	－	－	－	－	－	－	－
10	－	－	55	20	－	9	4	－	－	－	－	－	5	－
31	－	－	93	－	－	－	－	－	－	－	－	－	－	－
－	－	－	4	－	－	23	7	－	－	－	－	－	17	－
－	－	－	11	－	－	－	－	－	－	－	－	－	－	－
2	－	－	26	9	－	2	2	－	－	－	－	－	－	－
－	－	－	16	－	2	57	－	－	－	－	－	－	69	－
39	17	－	2	－	－	1	－	－	－	－	1	－	－	－
－	－	－	14	－	3	6	1	－	1	－	－	－	4	－
64	－	－	8	－	－	1	1	－	－	－	－	－	－	－
－	－	－	8	－	－	4	4	－	－	－	－	－	－	－

（報告表　31）

第15表（４－１）　環境衛生及び食品衛生関係

	総数						
	総数	環境衛生監視員	水道法第39条職員	食品衛生監視員	と畜検査員	食鳥検査員	狂犬病予防員
全国	**30 103**	**6 289**	**4 675**	**8 192**	**2 522**	**2 737**	**2 323**
北海道	1 528	327	107	405	276	199	144
青森	468	57	62	124	65	65	39
岩手	495	116	84	90	49	47	24
宮城	723	129	114	237	58	43	50
秋田	291	67	43	65	21	21	23
山形	229	43	15	75	37	46	13
福島	412	108	61	122	31	27	23
茨城	549	108	64	145	71	61	50
栃木	410	76	76	88	39	36	45
群馬	595	71	61	168	75	79	62
埼玉	717	175	37	274	77	51	81
千葉	1 158	234	207	324	101	127	95
東京	2 181	527	346	813	71	152	53
神奈川	2 014	438	380	577	81	78	204
新潟	513	88	87	149	42	48	33
富山	443	100	75	112	25	27	33
石川	310	92	51	90	30	28	16
福井	314	80	76	68	12	12	12
山梨	223	32	33	59	17	27	15
長野	564	117	81	132	38	38	54
岐阜	633	98	99	137	85	78	55
静岡	847	148	187	195	34	43	52
愛知	1 834	433	324	416	80	159	179
三重	586	141	123	133	36	33	42
滋賀	362	84	79	82	14	22	18
京都	838	214	154	271	27	45	72
大阪	1 545	337	322	399	37	172	142
兵庫	1 272	252	191	347	94	107	64
奈良	346	73	42	67	29	32	34
和歌山	359	71	76	60	29	35	36
鳥取	126	30	17	41	17	9	4
島根	333	91	62	66	31	14	16
岡山	480	131	83	116	22	24	25
広島	487	73	82	162	50	28	42
山口	295	49	42	79	35	23	26
徳島	229	33	26	89	33	33	15
香川	397	76	64	79	48	37	41
愛媛	318	71	31	86	23	54	43
高知	325	59	74	75	31	33	22
福岡	774	154	74	266	63	73	64
佐賀	209	37	37	60	22	23	25
長崎	583	119	71	134	77	72	49
熊本	557	113	112	118	73	79	46
大分	402	113	61	100	21	11	54
宮崎	591	103	108	139	71	71	34
鹿児島	769	118	43	228	151	144	36
沖縄	469	83	31	130	73	71	18

職員数，専従者－兼務者・職名・都道府県－指定都市－中核市（再掲）別

平成29年度末現在

	専従者						
家庭用品衛生監視員	総数	環境衛生監視員	水道法第39条職員	食品衛生監視員	と畜検査員	狂犬病予防員	家庭用品衛生監視員
3 365	**2 308**	**308**	**277**	**1 257**	**151**	**222**	**93**
70	159	43	－	60	51	－	5
56	5	－	－	5	－	－	－
85	1	－	－	－	1	－	－
92	86	5	3	69	3	6	－
51	4	－	－	－	－	4	－
－	3	－	－	1	1	1	－
40	13	1	－	5	2	5	－
50	95	41	12	10	21	11	－
50	20	－	－	1	5	14	－
79	－	－	－	－	－	－	－
22	62	7	4	39	－	12	－
70	82	25	－	44	－	13	－
219	662	66	22	533	－	2	39
256	124	－	70	46	－	8	－
66	19	－	－	19	－	－	－
71	－	－	－	－	－	－	－
3	6	－	5	－	1	－	－
54	－	－	－	－	－	－	－
40	4	－	－	1	－	3	－
104	6	4	2	－	－	－	－
81	27	8	1	15	3	－	－
188	176	19	76	47	－	4	30
243	75	3	－	50	5	17	－
78	－	－	－	－	－	－	－
63	－	－	－	－	－	－	－
55	－	－	－	－	－	－	－
136	93	3	3	75	－	12	－
217	91	5	－	32	13	41	－
69	6	－	6	－	－	－	－
52	－	－	－	－	－	－	－
8	41	11	－	16	11	2	1
53	6	－	3	－	3	－	－
79	14	－	6	2	－	6	－
50	35	4	5	14	1	11	－
41	31	3	5	21	－	2	－
－	6	－	－	－	－	6	－
52	13	7	1	－	5	－	－
10	28	3	6	9	－	1	9
31	1	－	1	－	－	－	－
80	160	33	3	100	1	21	2
5	7	－	6	1	－	－	－
61	22	1	－	6	6	2	7
16	52	－	32	20	－	－	－
42	15	13	1	－	－	1	－
65	－	－	－	－	－	－	－
49	41	3	4	14	16	4	－
63	17	－	－	2	2	13	－

（報告表　34）

第15表（４－２）　環境衛生及び食品衛生関係

	総						数
	総数	環境衛生監視員	水道法第39条職員	食品衛生監視員	と畜検査員	食鳥検査員	狂犬病予防員
指定都市（再掲）							
札幌市	147	29	12	83	8	−	7
仙台市	192	34	18	107	22	−	6
さいたま市	123	28	10	40	15	15	7
千葉市	282	64	63	66	29	29	10
横浜市	871	207	111	316	26	26	74
川崎市	237	84	90	−	−	−	59
相模原市	173	34	33	35	−	19	19
新潟市	117	17	11	41	16	16	5
静岡市	86	18	19	30	−	9	4
浜松市	150	32	22	48	12	12	6
名古屋市	543	149	71	172	22	26	43
京都市	507	137	114	176	10	18	45
大阪市	729	160	160	176	32	86	61
堺市	91	21	21	22	−	10	9
神戸市	476	117	94	114	20	29	19
岡山市	167	30	29	37	13	17	12
広島市	107	15	−	57	16	4	4
北九州市	102	13	10	35	11	12	8
福岡市	324	65	37	113	27	32	14
熊本市	93	26	18	26	−	7	10
中核市（再掲）							
旭川市	187	28	28	30	34	27	15
函館市	65	17	8	18	9	6	4
青森市	44	7	7	14	3	3	3
八戸市	43	9	13	6	−	−	6
盛岡市	76	26	17	9	5	5	5
秋田市	80	5	5	27	18	18	2
郡山市	91	14	5	38	16	14	3
いわき市	65	19	10	14	5	5	6
宇都宮市	110	19	19	32	14	14	6
前橋市	71	13	9	22	6	6	7
高崎市	110	11	9	36	17	17	2
川越市	66	15	16	15	−	6	6
越谷市	70	8	7	20	12	12	5
船橋市	116	24	24	24	−	10	10
柏市	96	17	17	16	−	16	15
八王子市	30	9	2	12	−	−	2
横須賀市	107	21	21	22	−	11	11
富山市	66	24	9	18	−	5	5
金沢市	85	26	−	26	15	12	3
長野市	58	14	−	11	9	9	9
岐阜市	83	10	10	26	13	10	4
豊橋市	197	31	34	41	23	24	14
豊田市	130	20	14	25	19	19	19
岡崎市	79	25	7	14	4	6	16
大津市	80	24	19	21	−	−	3
高槻市	98	22	22	22	−	10	10
東大阪市	97	18	18	22	−	11	11
豊中市	103	22	22	20	−	10	10
枚方市	87	23	9	21	−	6	6
姫路市	65	4	9	17	16	13	4
西宮市	65	8	5	19	10	8	4
尼崎市	33	8	6	10	−	1	2
奈良市	67	17	17	12	−	3	6
和歌山市	66	10	8	17	7	7	7
倉敷市	93	20	20	19	−	7	7
福山市	112	17	17	23	19	9	10
呉市	49	14	14	11	−	1	1
下関市	33	7	−	12	−	−	2
高松市	142	30	29	26	16	13	13
松山市	52	15	3	10	−	7	7
高知市	119	18	24	22	14	16	13
久留米市	35	5	6	10	−	4	6
長崎市	38	8	8	17	−	−	1
佐世保市	121	18	18	33	24	17	7
大分市	56	17	8	17	−	7	7
宮崎市	93	27	31	14	7	7	7
鹿児島市	101	20	−	31	21	6	9
那覇市	53	13	12	13	2	2	2

職員数，専従者－兼務者・職名・都道府県－指定都市－中核市（再掲）別

平成29年度末現在

	専		従			者	
家庭用品衛生監視員	総数	環境衛生監視員	水道法第39条職員	食品衛生監視員	と畜検査員	狂犬病予防員	家庭用品衛生監視員
8	52	16	–	32	1	–	3
5	63	5	–	51	1	6	–
8	–	–	–	–	–	–	–
21	–	–	–	–	–	–	–
111	–	–	–	–	–	–	–
4	–	–	–	–	–	–	–
33	–	–	–	–	–	–	–
11	18	–	–	18	–	–	–
6	23	–	–	19	–	4	–
18	4	–	–	4	–	–	–
60	47	–	–	37	–	10	–
7	–	–	–	–	–	–	–
54	13	–	–	10	–	3	–
8	20	–	–	11	–	9	–
83	3	–	–	–	3	–	–
29	–	–	–	–	–	–	–
11	8	4	–	–	–	4	–
13	24	–	–	21	–	3	–
36	96	28	–	55	1	12	–
6	18	–	–	18	–	–	–
25	7	–	–	–	7	–	–
3	3	–	–	–	3	–	–
7	5	–	–	5	–	–	–
9	–	–	–	–	–	–	–
9	–	–	–	–	–	–	–
5	–	–	–	–	–	–	–
1	2	–	–	–	2	–	–
6	–	–	–	–	–	–	–
6	1	–	–	1	–	–	–
8	–	–	–	–	–	–	–
18	–	–	–	–	–	–	–
8	–	–	–	–	–	–	–
6	12	2	–	7	–	3	–
24	–	–	–	–	–	–	–
15	6	–	–	1	–	5	–
5	24	7	–	11	–	2	4
21	1	–	–	1	–	–	–
5	–	–	–	–	–	–	–
3	1	–	–	–	1	–	–
6	–	–	–	–	–	–	–
10	18	–	–	15	3	–	–
30	–	–	–	–	–	–	–
14	19	–	–	9	5	5	–
7	–	–	–	–	–	–	–
13	–	–	–	–	–	–	–
12	–	–	–	–	–	–	–
17	10	1	–	9	–	–	–
19	–	–	–	–	–	–	–
22	–	–	–	–	–	–	–
2	22	–	–	15	3	4	–
11	2	–	–	–	2	–	–
6	10	–	–	8	–	2	–
12	–	–	–	–	–	–	–
10	–	–	–	–	–	–	–
20	–	–	–	–	–	–	–
17	–	–	–	–	–	–	–
8	–	–	–	–	–	–	–
12	2	–	–	–	–	2	–
15	–	–	–	–	–	–	–
10	25	3	3	9	–	1	9
12	–	–	–	–	–	–	–
4	14	2	2	7	–	3	–
4	5	–	–	4	–	1	–
4	–	–	–	–	–	–	–
–	–	–	–	–	–	–	–
–	–	–	–	–	–	–	–
14	32	3	–	13	12	4	–
9	2	–	–	–	–	2	–

（報告表　34）

第15表（４－３）　環境衛生及び食品衛生関係

	兼				
	総数[1]	環境衛生監視員	水道法第39条職員	食品衛生監視員	と畜検査員
全国	**27 795**	**5 981**	**4 398**	**6 935**	**2 371**
北海道	1 369	284	107	345	225
青森	463	57	62	119	65
岩手	494	116	84	90	48
宮城	637	124	111	168	55
秋田	287	67	43	65	21
山形	226	43	15	74	36
福島	399	107	61	117	29
茨城	454	67	52	135	50
栃木	390	76	76	87	34
群馬	595	71	61	168	75
埼玉	655	168	33	235	77
千葉	1 076	209	207	280	101
東京	1 519	461	324	280	71
神奈川	1 890	438	310	531	81
新潟	494	88	87	130	42
富山	443	100	75	112	25
石川	304	92	46	90	29
福井	314	80	76	68	12
山梨	219	32	33	58	17
長野	558	113	79	132	38
岐阜	606	90	98	122	82
静岡	671	129	111	148	34
愛知	1 759	430	324	366	75
三重	586	141	123	133	36
滋賀	362	84	79	82	14
京都	838	214	154	271	27
大阪	1 452	334	319	324	37
兵庫	1 181	247	191	315	81
奈良	340	73	36	67	29
和歌山	359	71	76	60	29
鳥取	85	19	17	25	6
島根	327	91	59	66	28
岡山	466	131	77	114	22
広島	452	69	77	148	49
山口	264	46	37	58	35
徳島	223	33	26	89	33
香川	384	69	63	79	43
愛媛	290	68	25	77	23
高知	324	59	73	75	31
福岡	614	121	71	166	62
佐賀	202	37	31	59	22
長崎	561	118	71	128	71
熊本	505	113	80	98	73
大分	387	100	60	100	21
宮崎	591	103	108	139	71
鹿児島	728	115	39	214	135
沖縄	452	83	31	128	71

注：1）「兼務者」の「総数」は、「環境衛生監視員」、「水道法第39条職員」、「食品衛生監視員」、「と畜検査員」、「食鳥検査員」、「狂犬病予防員」、「家庭用品衛生監視員」の職務を兼務している者の累計である。

職員数，専従者－兼務者・職名・都道府県－指定都市－中核市（再掲）別

平成29年度末現在

務		者					
食鳥検査員	狂犬病予防員	家庭用品衛生監視員	（再				掲）
			食品衛生監視員のうち主に食品衛生監視業務従事者	と畜検査員のうち主にと畜検査業務従事者	食鳥検査員のうち主に食鳥検査業務従事者	狂犬病予防員のうち主に狂犬病予防業務従事者	家庭用品衛生監視員のうち主に家庭用品衛生監視業務従事者
2 737	**2 101**	**3 272**	**1 880**	**1 346**	**452**	**492**	**245**
199	144	65	107	71	15	30	15
65	39	56	27	62	-	8	-
47	24	85	17	25	-	12	1
43	44	92	68	38	5	15	25
21	19	51	28	18	-	9	14
46	12	-	19	36	-	5	-
27	18	40	39	19	-	12	8
61	39	50	38	50	61	-	-
36	31	50	34	32	-	3	4
79	62	79	23	-	-	9	-
51	69	22	27	69	9	10	10
127	82	70	48	27	12	22	5
152	51	180	72	41	4	43	13
78	196	256	209	26	31	33	13
48	33	66	45	35	11	2	3
27	33	71	66	21	-	24	-
28	16	3	29	12	-	7	-
12	12	54	32	-	-	-	-
27	12	40	41	17	-	-	-
38	54	104	32	3	3	14	10
78	55	81	37	28	2	4	2
43	48	158	13	12	5	1	-
159	162	243	110	37	24	32	11
33	42	78	33	31	4	16	8
22	18	63	6	11	-	-	-
45	72	55	4	10	-	-	-
172	130	136	49	29	32	53	10
107	23	217	86	73	17	2	16
32	34	69	19	9	3	8	6
35	36	52	14	3	8	17	10
9	2	7	5	4	-	1	-
14	16	53	37	12	-	6	3
24	19	79	76	22	13	7	35
28	31	50	64	33	17	2	5
23	24	41	24	11	5	-	-
33	9	-	36	25	25	7	-
37	41	52	19	13	3	18	4
54	42	1	-	-	-	-	-
33	22	31	24	16	10	3	5
73	43	78	77	50	6	11	-
23	25	5	6	18	-	-	-
72	47	54	38	49	3	7	1
79	46	16	17	40	15	11	3
11	53	42	-	-	-	-	-
71	34	65	9	64	64	5	1
144	32	49	35	92	19	21	-
71	5	63	41	52	26	2	4

（報告表　34）

第15表（4－4） 環境衛生及び食品衛生関係

	兼				
	総数[1]	環境衛生監視員	水道法第39条職員	食品衛生監視員	と畜検査員
指定都市(再掲)					
札幌市	95	13	12	51	7
仙台市	129	29	18	56	21
さいたま市	123	28	10	40	15
千葉市	282	64	63	66	29
横浜市	871	207	111	316	26
川崎市	237	84	90	-	-
相模原市	173	34	33	35	-
新潟市	99	17	11	23	16
静岡市	63	18	19	11	-
浜松市	146	32	22	44	12
名古屋市	496	149	71	135	22
京都市	507	137	114	176	10
大阪市	716	160	160	166	32
堺市	71	21	21	11	-
神戸市	473	117	94	114	17
岡山市	167	30	29	37	13
広島市	99	11	-	57	16
北九州市	78	13	10	14	11
福岡市	228	37	37	58	26
熊本市	75	26	18	8	-
中核市(再掲)					
旭川市	180	28	28	30	27
函館市	62	17	8	18	6
青森市	39	7	7	9	3
八戸市	43	9	13	6	-
盛岡市	76	26	17	9	5
秋田市	80	5	5	27	18
郡山市	89	14	5	38	14
いわき市	65	19	10	14	5
宇都宮市	109	19	19	31	14
前橋市	71	13	9	22	6
高崎市	110	11	9	36	17
川越市	66	15	16	15	-
越谷市	58	6	7	13	12
船橋市	116	24	24	24	-
柏市	90	17	17	15	-
八王子市	6	2	2	1	-
横須賀市	106	21	21	21	-
富山市	66	24	9	18	-
金沢市	84	26	-	26	14
長野市	58	14	-	11	9
岐阜市	65	10	10	11	10
豊橋市	197	31	34	41	23
豊田市	111	20	14	16	14
岡崎市	79	25	7	14	4
大津市	80	24	19	21	-
高槻市	98	22	22	22	-
東大阪市	87	17	18	13	-
豊中市	103	22	22	20	-
枚方市	87	23	9	21	-
姫路市	43	4	9	2	13
西宮市	63	8	5	19	8
尼崎市	23	8	6	2	-
奈良市	67	17	17	12	-
和歌山市	66	10	8	17	7
倉敷市	93	20	20	19	-
福山市	112	17	17	23	19
呉市	49	14	14	11	-
下関市	31	7	-	12	-
高松市	142	30	29	26	16
松山市	27	12	-	1	-
高知市	119	18	24	22	14
久留米市	21	3	4	3	-
長崎市	33	8	8	13	-
佐世保市	121	18	18	33	24
大分市	56	17	8	17	-
宮崎市	93	27	31	14	7
鹿児島市	69	17	-	18	9
那覇市	51	13	12	13	2

注：1）「兼務者」の「総数」は、「環境衛生監視員」、「水道法第39条職員」、「食品衛生監視員」、「と畜検査員」、「食鳥検査員」、「狂犬病予防員」、「家庭用品衛生監視員」の職務を兼務している者の累計である。

職員数，専従者－兼務者・職名・都道府県－指定都市－中核市（再掲）別

平成29年度末現在

務			者				
			（再		掲）		
食鳥検査員	狂犬病予防員	家庭用品衛生監視員	食品衛生監視員のうち主に食品衛生監視業務従事者	と畜検査員のうち主にと畜検査業務従事者	食鳥検査員のうち主に食鳥検査業務従事者	狂犬病予防員のうち主に狂犬病予防業務従事者	家庭用品衛生監視員のうち主に家庭用品衛生監視業務従事者
-	7	5	-	-	-	7	-
-	-	5	1	18	-	-	-
15	7	8	20	15	-	6	8
29	10	21	29	-	8	6	-
26	74	111	150	26	26	7	-
-	59	4	-	-	-	12	-
19	19	33	11	-	-	3	3
16	5	11	7	16	-	-	-
9	-	6	-	-	5	-	-
12	6	18	13	12	-	1	-
26	33	60	99	21	24	30	-
18	45	7	4	10	-	-	-
86	58	54	9	24	14	4	-
10	-	8	-	-	-	-	-
29	19	83	34	13	-	2	-
17	12	29	14	13	13	3	5
4	-	11	27	16	2	-	-
12	5	13	5	9	-	-	-
32	2	36	9	22	-	-	-
7	10	6	7	-	-	-	3
27	15	25	6	7	7	5	7
6	4	3	9	6	-	1	-
3	3	7	1	-	-	1	-
-	6	9	6	-	-	-	-
5	5	9	5	-	-	2	1
18	2	5	7	18	-	1	-
14	3	1	7	14	-	2	-
5	6	6	8	-	-	4	-
14	6	6	12	14	-	3	4
6	7	8	7	-	-	3	-
17	2	18	7	-	-	1	-
6	6	8	7	-	2	4	2
12	2	6	-	10	-	-	-
10	10	24	13	-	-	-	-
16	10	15	6	-	4	-	5
-	-	1	-	-	-	-	-
11	11	21	9	-	5	5	5
5	5	5	-	-	-	-	-
12	3	3	9	12	-	2	-
9	9	6	6	3	3	3	4
10	4	10	-	8	2	4	2
24	14	30	11	16	-	2	11
19	14	14	-	-	-	-	-
6	16	7	-	-	-	-	-
-	3	13	-	-	-	-	-
10	10	12	6	-	-	4	2
11	11	17	6	-	1	4	2
10	10	19	10	-	7	9	6
6	6	22	-	-	-	-	-
13	-	2	2	13	-	-	-
8	4	11	9	8	-	-	-
1	-	6	-	-	-	-	-
3	6	12	6	-	3	3	6
7	7	10	5	-	-	3	1
7	7	20	10	-	-	4	6
9	10	17	9	9	9	1	-
1	1	8	8	-	-	1	5
-	-	12	11	-	-	-	-
13	13	15	6	6	3	5	4
7	6	1	-	-	-	-	-
16	13	12	6	8	10	3	5
4	3	4	-	-	-	-	-
-	-	4	9	-	-	-	-
17	7	4	12	14	3	3	1
7	7	-	-	-	-	-	-
7	7	-	6	-	-	5	-
6	5	14	-	-	-	-	-
2	-	9	8	-	-	-	-

（報告表 34）

第16表　環境衛生及び食品衛生関係職員数，

		総数	医師	歯科医師	薬剤師	獣医師	栄養士
総数		**30 103**	**656**	**23**	**5 983**	**14 550**	**303**
	環境衛生監視員	6 289	228	6	2 094	2 152	・
	水道法第39条職員	4 675	・	・	・	・	・
	食品衛生監視員	8 192	278	14	2 284	3 909	303
	と畜検査員	2 522	・	・	・	2 522	・
	食鳥検査員	2 737	・	・	・	2 737	・
	狂犬病予防員	2 323	・	・	・	2 323	・
	家庭用品衛生監視員	3 365	150	3	1 605	907	・
専従者		**2 308**	**3**	**1**	**466**	**629**	**76**
	環境衛生監視員	308	－	－	70	48	・
	水道法第39条職員	277	・	・	・	・	・
	食品衛生監視員	1 257	1	1	331	201	76
	と畜検査員	151	・	・	・	151	・
	狂犬病予防員	222	・	・	・	222	・
	家庭用品衛生監視員	93	2	－	65	7	・
兼務者[1)]		**27 795**	**653**	**22**	**5 517**	**13 921**	**227**
	環境衛生監視員	5 981	228	6	2 024	2 104	・
	水道法第39条職員	4 398	・	・	・	・	・
	食品衛生監視員	6 935	277	13	1 953	3 708	227
	と畜検査員	2 371	・	・	・	2 371	・
	食鳥検査員	2 737	・	・	・	2 737	・
	狂犬病予防員	2 101	・	・	・	2 101	・
	家庭用品衛生監視員	3 272	148	3	1 540	900	・
再掲	主に食品衛生監視員	1 880	8	1	591	851	49
	主にと畜検査員	1 346	・	・	・	1 346	・
	主に食鳥検査員	452	・	・	・	452	・
	主に狂犬病予防員	492	・	・	・	492	・
	主に家庭用品衛生監視員	245	2	－	117	41	・

注：1）「兼務者」の数は、「環境衛生監視員」、「水道法第39条職員」、「食品衛生監視員」、「と畜検査員」、「食鳥検査員」、「狂犬病予防員」、「家庭用品衛生監視員」の職務を兼務している者の累計である。

平成29年度末現在

大学・高等専門学校等で所定の課程を修めて卒業した者				養成施設で所定の課程を修了した者	その他
農学	畜産学	水産学	その他		
1 189	**149**	**270**	**1 644**	**288**	**5 048**
391	45	88	851	61	373
・	・	・	・	・	4 675
586	79	141	411	187	・
・	・	・	・	・	・
・	・	・	・	・	・
・	・	・	・	・	・
212	25	41	382	40	・
272	**33**	**77**	**300**	**85**	**366**
21	2	5	73	−	89
・	・	・	・	・	277
250	31	69	212	85	・
・	・	・	・	・	・
・	・	・	・	・	・
1	−	3	15	−	・
917	**116**	**193**	**1 344**	**203**	**4 682**
370	43	83	778	61	284
・	・	・	・	・	4 398
336	48	72	199	102	・
・	・	・	・	・	・
・	・	・	・	・	・
・	・	・	・	・	・
211	25	38	367	40	・
166	22	38	80	74	・
・	・	・	・	・	・
・	・	・	・	・	・
・	・	・	・	・	・
20	1	5	44	15	・

（報告表　34）

第１表（12－１）　乳の収去試験状況，収去件数・試験場所・

	生										
	収去したもの（実数）	乳及び乳製品の成分規格の定めのある									
		試験した場所					試験の内容				
		管下の機関で試験したもの			他に試験を依頼したもの		微生物学的検査	理化学的検査			その他
		保健所	地方衛生研究所	その他	登録検査機関	その他		残留農薬	残留動物用医薬品	その他	
全国	**1 030**	**547**	**472**	**3**	**6**	**－**	**16**	**24**	**947**	**23**	**57**
北海道	－	－	－	－	－	－	－	－	－	－	－
青森	－	－	－	－	－	－	－	－	－	－	－
岩手	－	－	－	－	－	－	－	－	－	－	－
宮城	9	－	9	－	－	－	9	－	－	9	－
秋田	－	－	－	－	－	－	－	－	－	－	－
山形	7	－	7	－	－	－	－	－	7	－	－
福島	11	－	12	－	－	－	4	－	6	－	－
茨城	－	－	－	－	－	－	－	－	－	－	－
栃木	891	545	346	－	－	－	－	－	866	－	25
群馬	－	－	－	－	－	－	－	－	－	－	－
埼玉	9	－	4	－	5	－	－	－	9	－	－
千葉	1	－	1	－	－	－	－	－	1	1	－
東京	30	－	30	－	－	－	－	20	30	－	－
神奈川	36	－	36	－	－	－	－	－	－	4	32
新潟	4	－	4	－	－	－	－	－	4	－	－
富山	－	－	－	－	－	－	－	－	－	－	－
石川	2	2	－	－	－	－	－	2	－	－	－
福井	－	－	－	－	－	－	－	－	－	－	－
山梨	－	－	－	－	－	－	－	－	－	－	－
長野	－	－	－	－	－	－	－	－	－	－	－
岐阜	－	－	－	－	－	－	－	－	－	－	－
静岡	4	－	4	－	－	－	2	2	4	2	－
愛知	4	－	4	－	－	－	－	－	4	－	－
三重	－	－	－	－	－	－	－	－	－	－	－
滋賀	－	－	－	－	－	－	－	－	－	－	－
京都	－	－	－	－	－	－	－	－	－	－	－
大阪	3	－	－	3	－	－	－	－	3	3	－
兵庫	－	－	－	－	－	－	－	－	－	－	－
奈良	－	－	－	－	－	－	－	－	－	－	－
和歌山	－	－	－	－	－	－	－	－	－	－	－
鳥取	－	－	－	－	－	－	－	－	－	－	－
島根	1	－	－	－	1	－	－	－	1	－	－
岡山	－	－	－	－	－	－	－	－	－	－	－
広島	－	－	－	－	－	－	－	－	－	－	－
山口	－	－	－	－	－	－	－	－	－	－	－
徳島	3	－	－	－	－	－	－	－	－	－	－
香川	－	－	－	－	－	－	－	－	－	－	－
愛媛	3	－	3	－	－	－	－	－	－	3	－
高知	－	－	－	－	－	－	－	－	－	－	－
福岡	2	－	2	－	－	－	1	－	2	1	－
佐賀	－	－	－	－	－	－	－	－	－	－	－
長崎	10	－	10	－	－	－	－	－	10	－	－
熊本	－	－	－	－	－	－	－	－	－	－	－
大分	－	－	－	－	－	－	－	－	－	－	－
宮崎	－	－	－	－	－	－	－	－	－	－	－
鹿児島	－	－	－	－	－	－	－	－	－	－	－
沖縄	－	－	－	－	－	－	－	－	－	－	－

試験の内容・不適理由・乳の種類・都道府県－指定都市－中核市（再掲）別

平成29年度

乳											
事項に関する検査						乳及び乳製品の成分規格の定めのない事項に関する検査					
不適検体数	不適理由（延数）					試験した場所					検査件数
						管下の機関で試験したもの			他に試験を依頼したもの		
	比重	酸度	細菌数	残留農薬基準	残留動物用医薬品	保健所	地方衛生研究所	その他	登録検査機関	その他	
-	-	-	-	-	-	-	35	3	-	-	42
-	-	-	-	-	-	-	-	-	-	-	-
-	-	-	-	-	-	-	-	-	-	-	-
-	-	-	-	-	-	-	-	-	-	-	-
-	-	-	-	-	-	-	-	-	-	-	-
-	-	-	-	-	-	-	-	-	-	-	-
-	-	-	-	-	-	-	-	-	-	-	-
-	-	-	-	-	-	-	2	-	-	-	2
-	-	-	-	-	-	-	-	-	-	-	-
-	-	-	-	-	-	-	-	-	-	-	-
-	-	-	-	-	-	-	-	-	-	-	-
-	-	-	-	-	-	-	-	-	-	-	-
-	-	-	-	-	-	-	-	-	-	-	-
-	-	-	-	-	-	-	30	-	-	-	30
-	-	-	-	-	-	-	-	-	-	-	-
-	-	-	-	-	-	-	-	-	-	-	-
-	-	-	-	-	-	-	-	-	-	-	-
-	-	-	-	-	-	-	-	-	-	-	-
-	-	-	-	-	-	-	-	-	-	-	-
-	-	-	-	-	-	-	-	-	-	-	-
-	-	-	-	-	-	-	-	-	-	-	-
-	-	-	-	-	-	-	-	-	-	-	-
-	-	-	-	-	-	-	2	-	-	-	2
-	-	-	-	-	-	-	-	-	-	-	-
-	-	-	-	-	-	-	-	-	-	-	-
-	-	-	-	-	-	-	-	-	-	-	-
-	-	-	-	-	-	-	-	-	-	-	-
-	-	-	-	-	-	-	-	-	-	-	-
-	-	-	-	-	-	-	-	-	-	-	-
-	-	-	-	-	-	-	-	-	-	-	-
-	-	-	-	-	-	-	-	-	-	-	-
-	-	-	-	-	-	-	-	-	-	-	-
-	-	-	-	-	-	-	-	-	-	-	-
-	-	-	-	-	-	-	-	-	-	-	-
-	-	-	-	-	-	-	-	-	-	-	-
-	-	-	-	-	-	-	-	-	-	-	-
-	-	-	-	-	-	-	-	3	-	-	3
-	-	-	-	-	-	-	-	-	-	-	-
-	-	-	-	-	-	-	-	-	-	-	-
-	-	-	-	-	-	-	-	-	-	-	-
-	-	-	-	-	-	-	1	-	-	-	5
-	-	-	-	-	-	-	-	-	-	-	-
-	-	-	-	-	-	-	-	-	-	-	-
-	-	-	-	-	-	-	-	-	-	-	-
-	-	-	-	-	-	-	-	-	-	-	-
-	-	-	-	-	-	-	-	-	-	-	-
-	-	-	-	-	-	-	-	-	-	-	-
-	-	-	-	-	-	-	-	-	-	-	-

（報告表　32）

第１表（12－２） 乳の収去試験状況，収去件数・試験場所・

	生										
	収去したもの（実数）	乳及び乳製品の成分規格の定めのある									
		試験した場所					試験の内容				
		管下の機関で試験したもの			他に試験を依頼したもの		微生物学的検査	理化学的検査			その他
		保健所	地方衛生研究所	その他	登録検査機関	その他		残留農薬	残留動物用医薬品	その他	
指定都市（再掲）											
札幌市	－	－	－	－	－	－	－	－	－	－	－
仙台市	3	－	3	－	－	－	3	－	－	3	－
さいたま市	－	－	－	－	－	－	－	－	－	－	－
千葉市	1	－	1	－	－	－	－	－	1	1	－
横浜市	4	－	4	－	－	－	－	－	－	4	－
川崎市	－	－	－	－	－	－	－	－	－	－	－
相模原市	－	－	－	－	－	－	－	－	－	－	－
新潟市	－	－	－	－	－	－	－	－	－	－	－
静岡市	2	－	2	－	－	－	－	2	2	－	－
浜松市	2	－	2	－	－	－	2	－	2	2	－
名古屋市	4	－	4	－	－	－	－	－	4	－	－
京都市	－	－	－	－	－	－	－	－	－	－	－
大阪市	3	－	・	3	－	－	－	－	3	3	－
堺市	－	－	－	－	－	－	－	－	－	－	－
神戸市	－	－	－	－	－	－	－	－	－	－	－
岡山市	－	－	・	－	－	－	－	－	－	－	－
広島市	－	－	－	－	－	－	－	－	－	－	－
北九州市	1	－	1	－	－	－	－	－	1	－	－
福岡市	1	－	1	－	－	－	1	－	1	1	－
熊本市	－	－	－	－	－	－	－	－	－	－	－
中核市（再掲）											
旭川市	－	－	・	－	－	－	－	－	－	－	－
函館市	－	－	－	－	－	－	－	－	－	－	－
青森市	－	－	・	－	－	－	－	－	－	－	－
八戸市	－	－	・	－	－	－	－	－	－	－	－
盛岡市	－	－	・	－	－	－	－	－	－	－	－
秋田市	－	－	・	－	－	－	－	－	－	－	－
郡山市	－	－	・	－	－	－	－	－	－	－	－
いわき市	－	－	・	－	－	－	－	－	－	－	－
宇都宮市	340	－	340	－	－	－	－	－	340	－	－
前橋市	－	－	・	－	－	－	－	－	－	－	－
高崎市	－	－	・	－	－	－	－	－	－	－	－
川越市	5	－	・	－	5	－	－	－	5	－	－
越谷市	－	－	・	－	－	－	－	－	－	－	－
船橋市	－	－	・	－	－	－	－	－	－	－	－
柏市	－	－	・	－	－	－	－	－	－	－	－
八王子市	－	－	・	－	－	－	－	－	－	－	－
横須賀市	－	－	－	－	－	－	－	－	－	－	－
富山市	－	－	・	－	－	－	－	－	－	－	－
金沢市	2	2	・	－	－	－	－	2	－	－	－
長野市	－	－	・	－	－	－	－	－	－	－	－
岐阜市	－	－	－	－	－	－	－	－	－	－	－
豊橋市	－	－	・	－	－	－	－	－	－	－	－
豊田市	－	－	・	－	－	－	－	－	－	－	－
岡崎市	－	－	・	－	－	－	－	－	－	－	－
大津市	－	－	・	－	－	－	－	－	－	－	－
高槻市	－	－	・	－	－	－	－	－	－	－	－
東大阪市	－	－	－	－	－	－	－	－	－	－	－
豊中市	－	－	・	－	－	－	－	－	－	－	－
枚方市	－	－	・	－	－	－	－	－	－	－	－
姫路市	－	－	－	－	－	－	－	－	－	－	－
西宮市	－	－	・	－	－	－	－	－	－	－	－
尼崎市	－	－	－	－	－	－	－	－	－	－	－
奈良市	－	－	・	－	－	－	－	－	－	－	－
和歌山市	－	－	－	－	－	－	－	－	－	－	－
倉敷市	－	－	・	－	－	－	－	－	－	－	－
福山市	－	－	・	－	－	－	－	－	－	－	－
呉市	－	－	・	－	－	－	－	－	－	－	－
下関市	－	－	・	－	－	－	－	－	－	－	－
高松市	－	－	・	－	－	－	－	－	－	－	－
松山市	－	－	・	－	－	－	－	－	－	－	－
高知市	－	－	・	－	－	－	－	－	－	－	－
久留米市	－	－	・	－	－	－	－	－	－	－	－
長崎市	－	－	－	－	－	－	－	－	－	－	－
佐世保市	－	－	・	－	－	－	－	－	－	－	－
大分市	－	－	・	－	－	－	－	－	－	－	－
宮崎市	－	－	・	－	－	－	－	－	－	－	－
鹿児島市	－	－	・	－	－	－	－	－	－	－	－
那覇市	－	－	・	－	－	－	－	－	－	－	－

試験の内容・不適理由・乳の種類・都道府県－指定都市－中核市（再掲）別

平成29年度

乳											
事項に関する検査						乳及び乳製品の成分規格の定めのない事項に関する検査					
不適検体数	不適理由（延数）					試験した場所					検査件数
						管下の機関で試験したもの			他に試験を依頼したもの		
	比重	酸度	細菌数	残留農薬基準	残留動物用医薬品	保健所	地方衛生研究所	その他	登録検査機関	その他	
-	-	-	-	-	-	-	-	-	-	-	-
-	-	-	-	-	-	-	-	-	-	-	-
-	-	-	-	-	-	-	-	-	-	-	-
-	-	-	-	-	-	-	-	-	-	-	-
-	-	-	-	-	-	-	-	-	-	-	-
-	-	-	-	-	-	-	-	-	-	-	-
-	-	-	-	-	-	-	-	-	-	-	-
-	-	-	-	-	-	-	-	-	-	-	-
-	-	-	-	-	-	-	-	-	-	-	-
-	-	-	-	-	-	-	2	-	-	-	2
-	-	-	-	-	-	-	-	-	-	-	-
-	-	-	-	-	-	-	-	-	-	-	-
-	-	-	-	-	-	-	•	-	-	-	-
-	-	-	-	-	-	-	-	-	-	-	-
-	-	-	-	-	-	-	-	-	-	-	-
-	-	-	-	-	-	-	•	-	-	-	-
-	-	-	-	-	-	-	-	-	-	-	-
-	-	-	-	-	-	-	-	-	-	-	-
-	-	-	-	-	-	-	1	-	-	-	5
-	-	-	-	-	-	-	-	-	-	-	-
-	-	-	-	-	-	-	•	-	-	-	-
-	-	-	-	-	-	-	-	-	-	-	-
-	-	-	-	-	-	-	•	-	-	-	-
-	-	-	-	-	-	-	•	-	-	-	-
-	-	-	-	-	-	-	•	-	-	-	-
-	-	-	-	-	-	-	•	-	-	-	-
-	-	-	-	-	-	-	•	-	-	-	-
-	-	-	-	-	-	-	•	-	-	-	-
-	-	-	-	-	-	-	-	-	-	-	-
-	-	-	-	-	-	-	•	-	-	-	-
-	-	-	-	-	-	-	•	-	-	-	-
-	-	-	-	-	-	-	•	-	-	-	-
-	-	-	-	-	-	-	•	-	-	-	-
-	-	-	-	-	-	-	•	-	-	-	-
-	-	-	-	-	-	-	•	-	-	-	-
-	-	-	-	-	-	-	•	-	-	-	-
-	-	-	-	-	-	-	-	-	-	-	-
-	-	-	-	-	-	-	•	-	-	-	-
-	-	-	-	-	-	-	•	-	-	-	-
-	-	-	-	-	-	-	•	-	-	-	-
-	-	-	-	-	-	-	-	-	-	-	-
-	-	-	-	-	-	-	•	-	-	-	-
-	-	-	-	-	-	-	•	-	-	-	-
-	-	-	-	-	-	-	•	-	-	-	-
-	-	-	-	-	-	-	•	-	-	-	-
-	-	-	-	-	-	-	•	-	-	-	-
-	-	-	-	-	-	-	-	-	-	-	-
-	-	-	-	-	-	-	•	-	-	-	-
-	-	-	-	-	-	-	•	-	-	-	-
-	-	-	-	-	-	-	-	-	-	-	-
-	-	-	-	-	-	-	•	-	-	-	-
-	-	-	-	-	-	-	-	-	-	-	-
-	-	-	-	-	-	-	•	-	-	-	-
-	-	-	-	-	-	-	-	-	-	-	-
-	-	-	-	-	-	-	•	-	-	-	-
-	-	-	-	-	-	-	•	-	-	-	-
-	-	-	-	-	-	-	•	-	-	-	-
-	-	-	-	-	-	-	•	-	-	-	-
-	-	-	-	-	-	-	•	-	-	-	-
-	-	-	-	-	-	-	•	-	-	-	-
-	-	-	-	-	-	-	•	-	-	-	-
-	-	-	-	-	-	-	•	-	-	-	-
-	-	-	-	-	-	-	-	-	-	-	-
-	-	-	-	-	-	-	•	-	-	-	-
-	-	-	-	-	-	-	•	-	-	-	-
-	-	-	-	-	-	-	•	-	-	-	-
-	-	-	-	-	-	-	•	-	-	-	-
-	-	-	-	-	-	-	•	-	-	-	-

（報告表　32）

第１表（12－３）　乳の収去試験状況，収去件数・試験場所・

	牛										
	収去したもの（実数）	乳及び乳製品の成分規格の定めのある									
		試験した場所					試験の内容				
		管下の機関で試験したもの			他に試験を依頼したもの		微生物学的検査	理化学的検査			その他
		保健所	地方衛生研究所	その他	登録検査機関	その他		残留農薬	残留動物用医薬品	その他	
全国	**2 429**	**1 186**	**942**	**120**	**149**	**37**	**1 556**	**83**	**357**	**1 689**	**214**
北海道	67	44	23	－	－	－	55	－	15	55	－
青森	18	8	7	－	3	－	10	－	17	8	－
岩手	39	1	38	－	－	－	33	－	－	33	2
宮城	104	－	98	－	6	－	61	－	5	83	10
秋田	13	1	12	－	－	－	13	－	1	11	2
山形	53	51	2	－	－	－	51	－	－	53	－
福島	120	88	32	－	－	－	29	－	－	38	73
茨城	2	－	－	－	－	－	－	－	－	－	－
栃木	260	113	174	－	－	－	90	－	－	211	32
群馬	121	19	14	85	－	3	74	－	20	41	－
埼玉	12	－	12	－	－	－	4	－	1	7	－
千葉	35	27	5	－	－	－	32	－	5	32	－
東京	122	2	23	－	87	10	42	－	37	105	14
神奈川	87	4	74	－	－	5	61	4	42	34	20
新潟	32	12	6	－	14	－	18	－	－	15	14
富山	63	62	－	－	－	－	57	－	5	53	4
石川	25	4	21	－	－	－	18	－	－	18	－
福井	2	－	2	－	－	－	2	2	2	2	－
山梨	1	－	1	－	－	－	1	－	－	1	－
長野	94	52	35	－	－	2	62	22	26	57	2
岐阜	145	81	63	－	－	－	120	5	13	121	－
静岡	53	19	37	－	－	－	22	3	25	29	3
愛知	95	64	23	8	－	－	68	11	57	68	7
三重	7	－	5	－	－	2	－	7	7	－	－
滋賀	5	1	4	－	－	－	4	－	－	－	4
京都	30	3	15	－	－	－	18	－	10	－	－
大阪	137	9	109	7	－	11	39	20	13	76	－
兵庫	24	17	5	－	2	－	22	－	－	24	－
奈良	5	4	1	－	－	－	4	－	－	5	－
和歌山	4	－	3	－	－	1	3	－	－	3	1
鳥取	－	－	－	－	－	－	－	－	－	－	－
島根	9	2	4	－	5	－	5	3	4	2	－
岡山	35	34	－	－	－	－	34	－	－	34	－
広島	77	33	11	－	32	－	59	3	－	59	4
山口	32	32	－	－	－	－	32	－	－	32	－
徳島	3	－	－	－	－	－	－	－	－	－	－
香川	33	30	3	－	－	－	30	3	－	29	1
愛媛	41	20	21	－	－	3	19	－	－	30	－
高知	62	50	12	－	－	－	50	－	6	24	－
福岡	42	39	3	－	－	－	42	－	－	42	－
佐賀	9	－	9	4	－	－	6	－	3	5	－
長崎	203	203	－	－	－	－	200	－	－	188	15
熊本	30	15	15	－	－	－	15	－	15	15	－
大分	6	6	－	－	－	－	6	－	－	－	6
宮崎	17	2	15	－	－	－	11	－	8	11	－
鹿児島	24	20	4	－	－	－	20	－	4	20	－
沖縄	31	14	1	16	－	－	14	－	16	15	－

試験の内容・不適理由・乳の種類・都道府県－指定都市－中核市（再掲）別

平成29年度

乳														
事項に関する検査									乳及び乳製品の成分規格の定めのない事項に関する検査					
不適検体数	不適理由（延数）								試験した場所					検査件数
	無脂乳固形分	乳脂肪	比重	酸度	細菌数	大腸菌群	残留農薬基準	残留動物用医薬品	管下の機関で試験したもの			他に試験を依頼したもの		
									保健所	地方衛生研究所	その他	登録検査機関	その他	
11	**－**	**－**	**－**	**－**	**－**	**11**	**－**	**－**	**35**	**110**	**16**	**7**	**46**	**342**
－	－	－	－	－	－	－	－	－	－	－	－	－	－	－
－	－	－	－	－	－	－	－	－	－	－	－	－	－	－
－	－	－	－	－	－	－	－	－	－	－	－	－	－	－
－	－	－	－	－	－	－	－	－	－	6	－	－	－	54
1	－	－	－	－	－	1	－	－	－	－	－	－	－	－
－	－	－	－	－	－	－	－	－	－	－	－	－	－	－
1	－	－	－	－	－	1	－	－	－	3	－	－	－	3
－	－	－	－	－	－	－	－	－	－	2	－	－	－	2
－	－	－	－	－	－	－	－	－	－	12	－	－	36	48
1	－	－	－	－	－	1	－	－	－	－	10	－	－	20
－	－	－	－	－	－	－	－	－	－	－	－	－	－	－
－	－	－	－	－	－	－	－	－	－	－	－	3	－	3
－	－	－	－	－	－	－	－	－	－	23	－	3	5	40
－	－	－	－	－	－	－	－	－	－	2	－	－	4	6
－	－	－	－	－	－	－	－	－	－	6	－	－	－	6
－	－	－	－	－	－	－	－	－	4	－	－	－	－	4
－	－	－	－	－	－	－	－	－	－	－	－	－	－	－
－	－	－	－	－	－	－	－	－	－	2	－	－	－	2
－	－	－	－	－	－	－	－	－	－	－	－	－	－	－
－	－	－	－	－	－	－	－	－	－	15	－	－	－	15
－	－	－	－	－	－	－	－	－	5	5	－	－	－	10
－	－	－	－	－	－	－	－	－	－	2	－	－	－	2
－	－	－	－	－	－	－	－	－	5	5	－	－	－	10
－	－	－	－	－	－	－	－	－	－	－	－	－	－	－
－	－	－	－	－	－	－	－	－	1	3	－	－	－	4
－	－	－	－	－	－	－	－	－	－	19	－	－	－	73
－	－	－	－	－	－	－	－	－	3	－	3	－	1	10
－	－	－	－	－	－	－	－	－	－	－	－	－	－	－
－	－	－	－	－	－	－	－	－	－	1	－	－	－	1
－	－	－	－	－	－	－	－	－	－	－	－	－	－	－
－	－	－	－	－	－	－	－	－	－	－	－	－	－	－
－	－	－	－	－	－	－	－	－	－	－	－	－	－	－
－	－	－	－	－	－	－	－	－	17	－	－	1	－	22
1	－	－	－	－	－	1	－	－	－	1	－	－	－	1
－	－	－	－	－	－	－	－	－	－	－	－	－	－	－
－	－	－	－	－	－	－	－	－	－	－	3	－	－	3
－	－	－	－	－	－	－	－	－	－	3	－	－	－	3
－	－	－	－	－	－	－	－	－	－	－	－	－	－	－
6	－	－	－	－	－	6	－	－	－	－	－	－	－	－
－	－	－	－	－	－	－	－	－	－	－	－	－	－	－
－	－	－	－	－	－	－	－	－	－	－	－	－	－	－
－	－	－	－	－	－	－	－	－	－	－	－	－	－	－
－	－	－	－	－	－	－	－	－	－	－	－	－	－	－
－	－	－	－	－	－	－	－	－	－	－	－	－	－	－
－	－	－	－	－	－	－	－	－	－	－	－	－	－	－
1	－	－	－	－	－	1	－	－	－	－	－	－	－	－
－	－	－	－	－	－	－	－	－	－	－	－	－	－	－

（報告表　32）

第１表（12－４） 乳の収去試験状況，収去件数・試験場所・

	牛										
	収去したもの（実数）	乳及び乳製品の成分規格の定めのある									
		試験した場所					試験の内容				
		管下の機関で試験したもの			他に試験を依頼したもの		微生物学的検査	理化学的検査			その他
		保健所	地方衛生研究所	その他	登録検査機関	その他		残留農薬	残留動物用医薬品	その他	
指定都市（再掲）											
札幌市	11	－	11	－	－	－	11	－	3	11	－
仙台市	11	－	11	－	－	－	8	－	－	11	－
さいたま市	1	－	1	－	－	－	1	－	－	－	－
千葉市	5	－	5	－	－	－	5	－	5	5	－
横浜市	4	－	4	－	－	－	4	－	4	－	－
川崎市	－	－	－	－	－	－	－	－	－	－	－
相模原市	－	－	－	－	－	－	－	－	－	－	－
新潟市	6	－	6	－	－	－	6	－	－	5	－
静岡市	4	－	4	－	－	－	2	－	－	2	2
浜松市	13	－	13	－	－	－	5	3	5	10	－
名古屋市	10	－	2	8	－	－	4	2	－	4	－
京都市	10	－	10	－	－	－	10	－	10	－	－
大阪市	7	－	・	7	－	－	3	3	－	7	－
堺市	5	－	5	－	－	－	4	2	－	5	－
神戸市	－	－	－	－	－	－	－	－	－	－	－
岡山市	－	－	・	－	－	－	－	－	－	－	－
広島市	6	－	6	－	－	－	3	－	－	3	－
北九州市	3	－	3	－	－	－	3	－	－	3	－
福岡市	－	－	－	－	－	－	－	－	－	－	－
熊本市	－	－	－	－	－	－	－	－	－	－	－
中核市（再掲）											
旭川市	30	30	・	－	－	－	30	－	－	30	－
函館市	6	6	－	－	－	－	6	－	－	6	－
青森市	1	1	・	－	－	－	1	－	－	1	－
八戸市	3	－	・	－	3	－	3	－	3	3	－
盛岡市	1	1	・	－	－	－	1	－	－	1	－
秋田市	1	1	・	－	－	－	1	－	1	1	－
郡山市	80	80	・	－	－	－	7	－	－	7	73
いわき市	8	8	・	－	－	－	6	－	－	8	－
宇都宮市	49	－	13	－	－	－	13	－	－	13	－
前橋市	14	11	・	－	－	3	8	－	6	8	－
高崎市	8	8	・	－	－	－	8	－	－	8	－
川越市	－	－	・	－	－	－	－	－	－	－	－
越谷市	－	－	・	－	－	－	－	－	－	－	－
船橋市	8	5	・	－	－	－	5	－	－	5	－
柏市	－	－	・	－	－	－	－	－	－	－	－
八王子市	－	－	・	－	－	－	－	－	－	－	－
横須賀市	29	－	29	－	－	－	29	－	－	29	－
富山市	36	35	・	－	－	－	30	－	5	30	－
金沢市	4	4	・	－	－	－	4	－	－	4	－
長野市	5	3	・	－	－	2	3	－	2	3	－
岐阜市	15	15	－	－	－	－	10	－	5	5	－
豊橋市	3	3	・	－	－	－	3	－	3	3	－
豊田市	4	4	・	－	－	－	4	－	－	4	－
岡崎市	2	2	・	－	－	－	2	－	－	2	－
大津市	1	1	・	－	－	－	－	－	－	－	－
高槻市	2	1	・	－	－	1	1	－	－	1	－
東大阪市	6	6	－	－	－	－	3	－	－	3	－
豊中市	5	－	・	－	－	4	1	1	1	1	－
枚方市	8	2	・	－	－	6	2	1	1	4	－
姫路市	2	－	2	－	－	－	2	－	－	2	－
西宮市	6	4	・	－	2	－	4	－	－	6	－
尼崎市	3	－	3	－	－	－	3	－	－	3	－
奈良市	4	4	・	－	－	－	4	－	－	4	－
和歌山市	4	－	3	－	－	1	3	－	－	3	1
倉敷市	17	17	・	－	－	－	17	－	－	17	－
福山市	12	12	・	－	－	－	6	－	－	6	－
呉市	－	－	・	－	－	－	－	－	－	－	－
下関市	2	2	・	－	－	－	2	－	－	2	－
高松市	3	3	・	－	－	－	3	－	－	3	－
松山市	8	5	・	－	－	3	5	－	－	8	－
高知市	－	－	・	－	－	－	－	－	－	－	－
久留米市	2	2	・	－	－	－	2	－	－	2	－
長崎市	15	15	－	－	－	－	15	－	－	－	15
佐世保市	38	38	・	－	－	－	38	－	－	38	－
大分市	6	6	・	－	－	－	6	－	－	－	6
宮崎市	2	2	・	－	－	－	2	－	2	2	－
鹿児島市	7	7	・	－	－	－	7	－	－	7	－
那覇市	－	－	・	－	－	－	－	－	－	－	－

試験の内容・不適理由・乳の種類・都道府県－指定都市－中核市（再掲）別

平成29年度

乳															
事項に関する検査									乳及び乳製品の成分規格の定めのない事項に関する検査						
不適検体数	不適理由（延数）								試験した場所						検査件数
									管下の機関で試験したもの			他に試験を依頼したもの			
	無脂乳固形分	乳脂肪	比重	酸度	細菌数	大腸菌群	残留農薬基準	残留動物用医薬品	保健所	地方衛生研究所	その他	登録検査機関	その他		
–	–	–	–	–	–	–	–	–	–	–	–	–	–	–	–
–	–	–	–	–	–	–	–	–	–	–	–	–	–	–	–
–	–	–	–	–	–	–	–	–	–	–	–	–	–	–	–
–	–	–	–	–	–	–	–	–	–	–	–	–	–	–	–
–	–	–	–	–	–	–	–	–	–	2	–	–	–	2
–	–	–	–	–	–	–	–	–	–	–	–	–	–	–
–	–	–	–	–	–	–	–	–	–	–	–	–	–	–
–	–	–	–	–	–	–	–	–	–	6	–	–	–	6
–	–	–	–	–	–	–	–	–	–	–	–	–	–	–
–	–	–	–	–	–	–	–	–	–	2	–	–	–	2
–	–	–	–	–	–	–	–	–	–	–	–	–	–	–
–	–	–	–	–	–	–	–	–	–	7	–	–	–	61
–	–	–	–	–	–	–	–	–	–	・	3	–	–	6
–	–	–	–	–	–	–	–	–	–	–	–	–	–	–
–	–	–	–	–	–	–	–	–	–	–	–	–	–	–
–	–	–	–	–	–	–	–	–	–	・	–	–	–	–
–	–	–	–	–	–	–	–	–	–	–	–	–	–	–
–	–	–	–	–	–	–	–	–	–	–	–	–	–	–
–	–	–	–	–	–	–	–	–	–	–	–	–	–	–
–	–	–	–	–	–	–	–	–	–	–	–	–	–	–
–	–	–	–	–	–	–	–	–	–	・	–	–	–	–
–	–	–	–	–	–	–	–	–	–	–	–	–	–	–
–	–	–	–	–	–	–	–	–	–	・	–	–	–	–
–	–	–	–	–	–	–	–	–	–	・	–	–	–	–
–	–	–	–	–	–	–	–	–	–	・	–	–	–	–
–	–	–	–	–	–	–	–	–	–	・	–	–	–	–
–	–	–	–	–	–	–	–	–	–	・	–	–	–	–
1	–	–	–	–	–	1	–	–	–	・	–	–	–	–
–	–	–	–	–	–	–	–	–	–	–	–	–	36	36
–	–	–	–	–	–	–	–	–	–	・	–	–	–	–
–	–	–	–	–	–	–	–	–	–	・	–	–	–	–
–	–	–	–	–	–	–	–	–	–	・	–	–	–	–
–	–	–	–	–	–	–	–	–	–	・	–	–	–	–
–	–	–	–	–	–	–	–	–	–	・	–	3	–	3
–	–	–	–	–	–	–	–	–	–	・	–	–	–	–
–	–	–	–	–	–	–	–	–	–	・	–	–	–	–
–	–	–	–	–	–	–	–	–	–	–	–	–	–	–
–	–	–	–	–	–	–	–	–	1	・	–	–	–	1
–	–	–	–	–	–	–	–	–	–	・	–	–	–	–
–	–	–	–	–	–	–	–	–	–	・	–	–	–	–
–	–	–	–	–	–	–	–	–	5	–	–	–	–	5
–	–	–	–	–	–	–	–	–	–	・	–	–	–	–
–	–	–	–	–	–	–	–	–	–	・	–	–	–	–
–	–	–	–	–	–	–	–	–	–	・	–	–	–	–
–	–	–	–	–	–	–	–	–	1	・	–	–	–	1
–	–	–	–	–	–	–	–	–	–	・	–	–	–	–
–	–	–	–	–	–	–	–	–	3	–	–	–	–	3
–	–	–	–	–	–	–	–	–	–	・	–	–	1	1
–	–	–	–	–	–	–	–	–	–	・	–	–	–	–
–	–	–	–	–	–	–	–	–	–	–	–	–	–	–
–	–	–	–	–	–	–	–	–	–	・	–	–	–	–
–	–	–	–	–	–	–	–	–	–	–	–	–	–	–
–	–	–	–	–	–	–	–	–	–	・	–	–	–	–
–	–	–	–	–	–	–	–	–	–	–	–	–	–	–
–	–	–	–	–	–	–	–	–	–	・	–	–	–	–
–	–	–	–	–	–	–	–	–	–	・	–	–	–	–
–	–	–	–	–	–	–	–	–	–	・	–	–	–	–
–	–	–	–	–	–	–	–	–	–	・	–	–	–	–
–	–	–	–	–	–	–	–	–	–	・	–	–	–	–
–	–	–	–	–	–	–	–	–	–	・	–	–	–	–
–	–	–	–	–	–	–	–	–	–	・	–	–	–	–
–	–	–	–	–	–	–	–	–	–	・	–	–	–	–
–	–	–	–	–	–	–	–	–	–	–	–	–	–	–
–	–	–	–	–	–	–	–	–	–	・	–	–	–	–
–	–	–	–	–	–	–	–	–	–	・	–	–	–	–
–	–	–	–	–	–	–	–	–	–	・	–	–	–	–
–	–	–	–	–	–	–	–	–	–	・	–	–	–	–
–	–	–	–	–	–	–	–	–	–	・	–	–	–	–

（報告表　32）

第１表（12－５）　乳の収去試験状況，収去件数・試験場所・

	低脂										
	収去したもの（実数）	乳及び乳製品の成分規格の定めのある									
		試験した場所					試験の内容				
		管下の機関で試験したもの			他に試験を依頼したもの		微生物学的検査	理化学的検査			その他
		保健所	地方衛生研究所	その他	登録検査機関	その他		残留農薬	残留動物用医薬品	その他	
全国	53	38	14	－	4	－	42	1	6	39	6
北海道	3	3	－	－	－	－	3	－	－	3	－
青森	－	－	－	－	－	－	－	－	－	－	－
岩手	－	－	－	－	－	－	－	－	－	－	－
宮城	2	－	2	－	－	－	－	－	1	－	1
秋田	－	－	－	－	－	－	－	－	－	－	－
山形	－	－	－	－	－	－	－	－	－	－	－
福島	1	1	－	－	－	－	1	－	－	1	－
茨城	－	－	－	－	－	－	－	－	－	－	－
栃木	2	2	－	－	－	－	2	－	－	2	－
群馬	－	－	－	－	－	－	－	－	－	－	－
埼玉	－	－	－	－	－	－	－	－	－	－	－
千葉	－	－	－	－	－	－	－	－	－	－	－
東京	4	－	2	－	2	－	3	－	1	4	－
神奈川	－	－	－	－	－	－	－	－	－	－	－
新潟	－	－	－	－	－	－	－	－	－	－	－
富山	－	－	－	－	－	－	－	－	－	－	－
石川	－	－	－	－	－	－	－	－	－	－	－
福井	－	－	－	－	－	－	－	－	－	－	－
山梨	－	－	－	－	－	－	－	－	－	－	－
長野	7	9	－	－	－	－	9	－	－	2	－
岐阜	5	－	5	－	－	－	－	－	－	5	－
静岡	2	1	2	－	－	－	－	1	－	1	－
愛知	6	4	2	－	－	－	4	－	4	4	2
三重	－	－	－	－	－	－	－	－	－	－	－
滋賀	－	－	－	－	－	－	－	－	－	－	－
京都	－	－	－	－	－	－	－	－	－	－	－
大阪	－	－	－	－	－	－	－	－	－	－	－
兵庫	2	1	1	－	－	－	2	－	－	2	－
奈良	－	－	－	－	－	－	－	－	－	－	－
和歌山	－	－	－	－	－	－	－	－	－	－	－
鳥取	－	－	－	－	－	－	－	－	－	－	－
島根	－	－	－	－	－	－	－	－	－	－	－
岡山	5	5	－	－	－	－	5	－	－	5	－
広島	2	－	－	－	2	－	2	－	－	2	－
山口	6	6	－	－	－	－	6	－	－	6	－
徳島	－	－	－	－	－	－	－	－	－	－	－
香川	1	1	－	－	－	－	1	－	－	1	－
愛媛	2	2	－	－	－	－	1	－	－	1	－
高知	－	－	－	－	－	－	－	－	－	－	－
福岡	－	－	－	－	－	－	－	－	－	－	－
佐賀	－	－	－	－	－	－	－	－	－	－	－
長崎	3	3	－	－	－	－	3	－	－	－	3
熊本	－	－	－	－	－	－	－	－	－	－	－
大分	－	－	－	－	－	－	－	－	－	－	－
宮崎	－	－	－	－	－	－	－	－	－	－	－
鹿児島	－	－	－	－	－	－	－	－	－	－	－
沖縄	－	－	－	－	－	－	－	－	－	－	－

試験の内容・不適理由・乳の種類・都道府県－指定都市－中核市（再掲）別

平成29年度

防				牛				乳						
事項に関する検査									乳及び乳製品の成分規格の定めのない事項に関する検査					
不適検体数	不適理由（延数）								試験した場所					検査件数
	無脂乳固形分	乳脂肪	比重	酸度	細菌数	大腸菌群	残留農薬基準	残留動物用医薬品	管下の機関で試験したもの：保健所	管下の機関で試験したもの：地方衛生研究所	管下の機関で試験したもの：その他	他に試験を依頼したもの：登録検査機関	他に試験を依頼したもの：その他	
-	-	-	-	-	-	-	-	-	4	1	-	-	-	5
-	-	-	-	-	-	-	-	-	-	-	-	-	-	-
-	-	-	-	-	-	-	-	-	-	-	-	-	-	-
-	-	-	-	-	-	-	-	-	-	-	-	-	-	-
-	-	-	-	-	-	-	-	-	-	-	-	-	-	-
-	-	-	-	-	-	-	-	-	-	-	-	-	-	-
-	-	-	-	-	-	-	-	-	-	-	-	-	-	-
-	-	-	-	-	-	-	-	-	-	-	-	-	-	-
-	-	-	-	-	-	-	-	-	-	-	-	-	-	-
-	-	-	-	-	-	-	-	-	-	-	-	-	-	-
-	-	-	-	-	-	-	-	-	-	-	-	-	-	-
-	-	-	-	-	-	-	-	-	-	-	-	-	-	-
-	-	-	-	-	-	-	-	-	-	-	-	-	-	-
-	-	-	-	-	-	-	-	-	-	1	-	-	-	1
-	-	-	-	-	-	-	-	-	-	-	-	-	-	-
-	-	-	-	-	-	-	-	-	-	-	-	-	-	-
-	-	-	-	-	-	-	-	-	-	-	-	-	-	-
-	-	-	-	-	-	-	-	-	-	-	-	-	-	-
-	-	-	-	-	-	-	-	-	-	-	-	-	-	-
-	-	-	-	-	-	-	-	-	-	-	-	-	-	-
-	-	-	-	-	-	-	-	-	-	-	-	-	-	-
-	-	-	-	-	-	-	-	-	-	-	-	-	-	-
-	-	-	-	-	-	-	-	-	-	-	-	-	-	-
-	-	-	-	-	-	-	-	-	-	-	-	-	-	-
-	-	-	-	-	-	-	-	-	-	-	-	-	-	-
-	-	-	-	-	-	-	-	-	-	-	-	-	-	-
-	-	-	-	-	-	-	-	-	-	-	-	-	-	-
-	-	-	-	-	-	-	-	-	-	-	-	-	-	-
-	-	-	-	-	-	-	-	-	-	-	-	-	-	-
-	-	-	-	-	-	-	-	-	-	-	-	-	-	-
-	-	-	-	-	-	-	-	-	-	-	-	-	-	-
-	-	-	-	-	-	-	-	-	-	-	-	-	-	-
-	-	-	-	-	-	-	-	-	-	-	-	-	-	-
-	-	-	-	-	-	-	-	-	4	-	-	-	-	4
-	-	-	-	-	-	-	-	-	-	-	-	-	-	-
-	-	-	-	-	-	-	-	-	-	-	-	-	-	-
-	-	-	-	-	-	-	-	-	-	-	-	-	-	-
-	-	-	-	-	-	-	-	-	-	-	-	-	-	-
-	-	-	-	-	-	-	-	-	-	-	-	-	-	-
-	-	-	-	-	-	-	-	-	-	-	-	-	-	-
-	-	-	-	-	-	-	-	-	-	-	-	-	-	-
-	-	-	-	-	-	-	-	-	-	-	-	-	-	-
-	-	-	-	-	-	-	-	-	-	-	-	-	-	-
-	-	-	-	-	-	-	-	-	-	-	-	-	-	-
-	-	-	-	-	-	-	-	-	-	-	-	-	-	-
-	-	-	-	-	-	-	-	-	-	-	-	-	-	-
-	-	-	-	-	-	-	-	-	-	-	-	-	-	-
-	-	-	-	-	-	-	-	-	-	-	-	-	-	-

（報告表　32）

第１表（12－６） 乳の収去試験状況，収去件数・試験場所・

	低脂										
	乳及び乳製品の成分規格の定めのある										
	収去したもの（実数）	試験した場所					試験の内容				
		管下の機関で試験したもの			他に試験を依頼したもの		微生物学的検査	理化学的検査			その他
		保健所	地方衛生研究所	その他	登録検査機関	その他		残留農薬	残留動物用医薬品	その他	
指定都市（再掲）											
札幌市	－	－	－	－	－	－	－	－	－	－	－
仙台市	－	－	－	－	－	－	－	－	－	－	－
さいたま市	－	－	－	－	－	－	－	－	－	－	－
千葉市	－	－	－	－	－	－	－	－	－	－	－
横浜市	－	－	－	－	－	－	－	－	－	－	－
川崎市	－	－	－	－	－	－	－	－	－	－	－
相模原市	－	－	－	－	－	－	－	－	－	－	－
新潟市	－	－	－	－	－	－	－	－	－	－	－
静岡市	－	－	－	－	－	－	－	－	－	－	－
浜松市	1	－	1	－	－	－	－	1	－	－	－
名古屋市	－	－	－	－	－	－	－	－	－	－	－
京都市	－	－	－	－	－	－	－	－	－	－	－
大阪市	－	－	・	－	－	－	－	－	－	－	－
堺市	－	－	－	－	－	－	－	－	－	－	－
神戸市	－	－	－	－	－	－	－	－	－	－	－
岡山市	－	－	・	－	－	－	－	－	－	－	－
広島市	－	－	－	－	－	－	－	－	－	－	－
北九州市	－	－	－	－	－	－	－	－	－	－	－
福岡市	－	－	－	－	－	－	－	－	－	－	－
熊本市	－	－	－	－	－	－	－	－	－	－	－
中核市（再掲）											
旭川市	1	1	・	－	－	－	1	－	－	1	－
函館市	－	－	－	－	－	－	－	－	－	－	－
青森市	－	－	・	－	－	－	－	－	－	－	－
八戸市	－	－	・	－	－	－	－	－	－	－	－
盛岡市	－	－	・	－	－	－	－	－	－	－	－
秋田市	－	－	・	－	－	－	－	－	－	－	－
郡山市	1	1	・	－	－	－	1	－	－	1	－
いわき市	－	－	・	－	－	－	－	－	－	－	－
宇都宮市	－	－	－	－	－	－	－	－	－	－	－
前橋市	－	－	・	－	－	－	－	－	－	－	－
高崎市	－	－	・	－	－	－	－	－	－	－	－
川越市	－	－	・	－	－	－	－	－	－	－	－
越谷市	－	－	・	－	－	－	－	－	－	－	－
船橋市	－	－	・	－	－	－	－	－	－	－	－
柏市	－	－	・	－	－	－	－	－	－	－	－
八王子市	－	－	・	－	－	－	－	－	－	－	－
横須賀市	－	－	－	－	－	－	－	－	－	－	－
富山市	－	－	・	－	－	－	－	－	－	－	－
金沢市	－	－	・	－	－	－	－	－	－	－	－
長野市	－	－	・	－	－	－	－	－	－	－	－
岐阜市	－	－	－	－	－	－	－	－	－	－	－
豊橋市	－	－	・	－	－	－	－	－	－	－	－
豊田市	－	－	・	－	－	－	－	－	－	－	－
岡崎市	－	－	・	－	－	－	－	－	－	－	－
大津市	－	－	・	－	－	－	－	－	－	－	－
高槻市	－	－	・	－	－	－	－	－	－	－	－
東大阪市	－	－	－	－	－	－	－	－	－	－	－
豊中市	－	－	・	－	－	－	－	－	－	－	－
枚方市	－	－	・	－	－	－	－	－	－	－	－
姫路市	1	－	1	－	－	－	1	－	－	1	－
西宮市	1	1	・	－	－	－	1	－	－	1	－
尼崎市	－	－	－	－	－	－	－	－	－	－	－
奈良市	－	－	・	－	－	－	－	－	－	－	－
和歌山市	－	－	－	－	－	－	－	－	－	－	－
倉敷市	1	1	・	－	－	－	1	－	－	1	－
福山市	－	－	・	－	－	－	－	－	－	－	－
呉市	－	－	・	－	－	－	－	－	－	－	－
下関市	3	3	・	－	－	－	3	－	－	3	－
高松市	1	1	・	－	－	－	1	－	－	1	－
松山市	－	－	・	－	－	－	－	－	－	－	－
高知市	－	－	・	－	－	－	－	－	－	－	－
久留米市	－	－	・	－	－	－	－	－	－	－	－
長崎市	3	3	－	－	－	－	3	－	－	－	3
佐世保市	－	－	・	－	－	－	－	－	－	－	－
大分市	－	－	・	－	－	－	－	－	－	－	－
宮崎市	－	－	・	－	－	－	－	－	－	－	－
鹿児島市	－	－	・	－	－	－	－	－	－	－	－
那覇市	－	－	・	－	－	－	－	－	－	－	－

試験の内容・不適理由・乳の種類・都道府県－指定都市－中核市（再掲）別

平成29年度

防牛乳														
事項に関する検査									乳及び乳製品の成分規格の定めのない事項に関する検査					
	不適理由（延数）								試験した場所					
									管下の機関で試験したもの			他に試験を依頼したもの		
不適検体数	無脂乳固形分	乳脂肪	比重	酸度	細菌数	大腸菌群	残留農薬基準	残留動物用医薬品	保健所	地方衛生研究所	その他	登録検査機関	その他	検査件数
–	–	–	–	–	–	–	–	–	–	–	–	–	–	–
–	–	–	–	–	–	–	–	–	–	–	–	–	–	–
–	–	–	–	–	–	–	–	–	–	–	–	–	–	–
–	–	–	–	–	–	–	–	–	–	–	–	–	–	–
–	–	–	–	–	–	–	–	–	–	–	–	–	–	–
–	–	–	–	–	–	–	–	–	–	–	–	–	–	–
–	–	–	–	–	–	–	–	–	–	–	–	–	–	–
–	–	–	–	–	–	–	–	–	–	–	–	–	–	–
–	–	–	–	–	–	–	–	–	–	–	–	–	–	–
–	–	–	–	–	–	–	–	–	–	–	–	–	–	–
–	–	–	–	–	–	–	–	–	–	–	–	–	–	–
–	–	–	–	–	–	–	–	–	–	–	–	–	–	–
–	–	–	–	–	–	–	–	–	–	•	–	–	–	–
–	–	–	–	–	–	–	–	–	–	–	–	–	–	–
–	–	–	–	–	–	–	–	–	–	–	–	–	–	–
–	–	–	–	–	–	–	–	–	–	•	–	–	–	–
–	–	–	–	–	–	–	–	–	–	–	–	–	–	–
–	–	–	–	–	–	–	–	–	–	–	–	–	–	–
–	–	–	–	–	–	–	–	–	–	–	–	–	–	–
–	–	–	–	–	–	–	–	–	–	–	–	–	–	–
–	–	–	–	–	–	–	–	–	–	•	–	–	–	–
–	–	–	–	–	–	–	–	–	–	–	–	–	–	–
–	–	–	–	–	–	–	–	–	–	•	–	–	–	–
–	–	–	–	–	–	–	–	–	–	•	–	–	–	–
–	–	–	–	–	–	–	–	–	–	•	–	–	–	–
–	–	–	–	–	–	–	–	–	–	•	–	–	–	–
–	–	–	–	–	–	–	–	–	–	•	–	–	–	–
–	–	–	–	–	–	–	–	–	–	•	–	–	–	–
–	–	–	–	–	–	–	–	–	–	–	–	–	–	–
–	–	–	–	–	–	–	–	–	–	•	–	–	–	–
–	–	–	–	–	–	–	–	–	–	•	–	–	–	–
–	–	–	–	–	–	–	–	–	–	•	–	–	–	–
–	–	–	–	–	–	–	–	–	–	•	–	–	–	–
–	–	–	–	–	–	–	–	–	–	•	–	–	–	–
–	–	–	–	–	–	–	–	–	–	•	–	–	–	–
–	–	–	–	–	–	–	–	–	–	•	–	–	–	–
–	–	–	–	–	–	–	–	–	–	–	–	–	–	–
–	–	–	–	–	–	–	–	–	–	•	–	–	–	–
–	–	–	–	–	–	–	–	–	–	•	–	–	–	–
–	–	–	–	–	–	–	–	–	–	•	–	–	–	–
–	–	–	–	–	–	–	–	–	–	–	–	–	–	–
–	–	–	–	–	–	–	–	–	–	•	–	–	–	–
–	–	–	–	–	–	–	–	–	–	•	–	–	–	–
–	–	–	–	–	–	–	–	–	–	•	–	–	–	–
–	–	–	–	–	–	–	–	–	–	•	–	–	–	–
–	–	–	–	–	–	–	–	–	–	•	–	–	–	–
–	–	–	–	–	–	–	–	–	–	–	–	–	–	–
–	–	–	–	–	–	–	–	–	–	•	–	–	–	–
–	–	–	–	–	–	–	–	–	–	•	–	–	–	–
–	–	–	–	–	–	–	–	–	–	–	–	–	–	–
–	–	–	–	–	–	–	–	–	–	•	–	–	–	–
–	–	–	–	–	–	–	–	–	–	–	–	–	–	–
–	–	–	–	–	–	–	–	–	–	•	–	–	–	–
–	–	–	–	–	–	–	–	–	–	–	–	–	–	–
–	–	–	–	–	–	–	–	–	–	•	–	–	–	–
–	–	–	–	–	–	–	–	–	–	•	–	–	–	–
–	–	–	–	–	–	–	–	–	–	•	–	–	–	–
–	–	–	–	–	–	–	–	–	–	•	–	–	–	–
–	–	–	–	–	–	–	–	–	–	•	–	–	–	–
–	–	–	–	–	–	–	–	–	–	•	–	–	–	–
–	–	–	–	–	–	–	–	–	–	•	–	–	–	–
–	–	–	–	–	–	–	–	–	–	•	–	–	–	–
–	–	–	–	–	–	–	–	–	–	–	–	–	–	–
–	–	–	–	–	–	–	–	–	–	•	–	–	–	–
–	–	–	–	–	–	–	–	–	–	•	–	–	–	–
–	–	–	–	–	–	–	–	–	–	•	–	–	–	–
–	–	–	–	–	–	–	–	–	–	•	–	–	–	–
–	–	–	–	–	–	–	–	–	–	•	–	–	–	–

（報告表　32）

第１表（12－７） 乳の収去試験状況，収去件数・試験場所・

	加工乳										
	乳及び乳製品の成分規格の定めのある										
	収去したもの（実数）	試験した場所					試験の内容				
		管下の機関で試験したもの			他に試験を依頼したもの		微生物学的検査	理化学的検査			その他
		保健所	地方衛生研究所	その他	登録検査機関	その他		残留農薬	残留動物用医薬品	その他	
全国	**77**	**67**	**5**	**5**	**－**	**－**	**67**	**1**	**2**	**36**	**9**
北海道	－	－	－	－	－	－	－	－	－	－	－
青森	－	－	－	－	－	－	－	－	－	－	－
岩手	－	－	－	－	－	－	－	－	－	－	－
宮城	－	－	－	－	－	－	－	－	－	－	－
秋田	－	－	－	－	－	－	－	－	－	－	－
山形	－	－	－	－	－	－	－	－	－	－	－
福島	8	8	－	－	－	－	2	－	－	2	6
茨城	－	－	－	－	－	－	－	－	－	－	－
栃木	5	5	－	－	－	－	5	－	－	5	－
群馬	4	1	－	3	－	－	4	－	－	－	－
埼玉	－	－	－	－	－	－	－	－	－	－	－
千葉	－	－	－	－	－	－	－	－	－	－	－
東京	－	－	－	－	－	－	－	－	－	－	－
神奈川	－	－	－	－	－	－	－	－	－	－	－
新潟	－	－	－	－	－	－	－	－	－	－	－
富山	4	4	－	－	－	－	4	－	－	2	2
石川	3	－	3	－	－	－	2	－	－	2	－
福井	－	－	－	－	－	－	－	－	－	－	－
山梨	－	－	－	－	－	－	－	－	－	－	－
長野	－	－	－	－	－	－	－	－	－	－	－
岐阜	4	4	－	－	－	－	4	－	－	4	－
静岡	1	1	－	－	－	－	－	－	－	－	1
愛知	2	1	1	－	－	－	1	1	1	1	－
三重	－	－	－	－	－	－	－	－	－	－	－
滋賀	－	－	－	－	－	－	－	－	－	－	－
京都	－	－	－	－	－	－	－	－	－	－	－
大阪	3	－	1	2	－	－	2	－	1	2	－
兵庫	1	1	－	－	－	－	1	－	－	1	－
奈良	－	－	－	－	－	－	－	－	－	－	－
和歌山	－	－	－	－	－	－	－	－	－	－	－
鳥取	－	－	－	－	－	－	－	－	－	－	－
島根	－	－	－	－	－	－	－	－	－	－	－
岡山	1	1	－	－	－	－	1	－	－	1	－
広島	－	－	－	－	－	－	－	－	－	－	－
山口	－	－	－	－	－	－	－	－	－	－	－
徳島	－	－	－	－	－	－	－	－	－	－	－
香川	5	5	－	－	－	－	5	－	－	4	－
愛媛	－	－	－	－	－	－	－	－	－	－	－
高知	32	32	－	－	－	－	32	－	－	8	－
福岡	－	－	－	－	－	－	－	－	－	－	－
佐賀	－	－	－	－	－	－	－	－	－	－	－
長崎	－	－	－	－	－	－	－	－	－	－	－
熊本	－	－	－	－	－	－	－	－	－	－	－
大分	－	－	－	－	－	－	－	－	－	－	－
宮崎	－	－	－	－	－	－	－	－	－	－	－
鹿児島	4	4	－	－	－	－	4	－	－	4	－
沖縄	－	－	－	－	－	－	－	－	－	－	－

試験の内容・不適理由・乳の種類・都道府県－指定都市－中核市（再掲）別

平成29年度

（乳脂肪分3%以上）												
事項に関する検査							乳及び乳製品の成分規格の定めのない事項に関する検査					
不適検体数	不適理由（延数）						試験した場所					検査件数
	無脂乳固形分	酸度	細菌数	大腸菌群	残留農薬基準	残留動物用医薬品	管下の機関で試験したもの 保健所	地方衛生研究所	その他	他に試験を依頼したもの 登録検査機関	その他	
6	–	–	–	6	–	–	–	–	2	–	–	4
–	–	–	–	–	–	–	–	–	–	–	–	–
–	–	–	–	–	–	–	–	–	–	–	–	–
–	–	–	–	–	–	–	–	–	–	–	–	–
–	–	–	–	–	–	–	–	–	–	–	–	–
–	–	–	–	–	–	–	–	–	–	–	–	–
–	–	–	–	–	–	–	–	–	–	–	–	–
–	–	–	–	–	–	–	–	–	–	–	–	–
–	–	–	–	–	–	–	–	–	–	–	–	–
–	–	–	–	–	–	–	–	–	–	–	–	–
–	–	–	–	–	–	–	–	–	–	–	–	–
–	–	–	–	–	–	–	–	–	–	–	–	–
–	–	–	–	–	–	–	–	–	–	–	–	–
–	–	–	–	–	–	–	–	–	–	–	–	–
–	–	–	–	–	–	–	–	–	–	–	–	–
–	–	–	–	–	–	–	–	–	–	–	–	–
–	–	–	–	–	–	–	–	–	–	–	–	–
–	–	–	–	–	–	–	–	–	–	–	–	–
–	–	–	–	–	–	–	–	–	–	–	–	–
–	–	–	–	–	–	–	–	–	–	–	–	–
–	–	–	–	–	–	–	–	–	–	–	–	–
–	–	–	–	–	–	–	–	–	–	–	–	–
–	–	–	–	–	–	–	–	–	–	–	–	–
1	–	–	–	1	–	–	–	–	–	–	–	–
–	–	–	–	–	–	–	–	–	–	–	–	–
–	–	–	–	–	–	–	–	–	–	–	–	–
–	–	–	–	–	–	–	–	–	–	–	–	–
–	–	–	–	–	–	–	–	–	2	–	–	4
–	–	–	–	–	–	–	–	–	–	–	–	–
–	–	–	–	–	–	–	–	–	–	–	–	–
–	–	–	–	–	–	–	–	–	–	–	–	–
–	–	–	–	–	–	–	–	–	–	–	–	–
–	–	–	–	–	–	–	–	–	–	–	–	–
–	–	–	–	–	–	–	–	–	–	–	–	–
–	–	–	–	–	–	–	–	–	–	–	–	–
–	–	–	–	–	–	–	–	–	–	–	–	–
–	–	–	–	–	–	–	–	–	–	–	–	–
2	–	–	–	2	–	–	–	–	–	–	–	–
–	–	–	–	–	–	–	–	–	–	–	–	–
3	–	–	–	3	–	–	–	–	–	–	–	–
–	–	–	–	–	–	–	–	–	–	–	–	–
–	–	–	–	–	–	–	–	–	–	–	–	–
–	–	–	–	–	–	–	–	–	–	–	–	–
–	–	–	–	–	–	–	–	–	–	–	–	–
–	–	–	–	–	–	–	–	–	–	–	–	–
–	–	–	–	–	–	–	–	–	–	–	–	–
–	–	–	–	–	–	–	–	–	–	–	–	–
–	–	–	–	–	–	–	–	–	–	–	–	–

（報告表　32）

第１表（12－８） 乳の収去試験状況，収去件数・試験場所・

	加工乳										
	乳及び乳製品の成分規格の定めのある										
	収去したもの（実数）	試験した場所					試験の内容				
		管下の機関で試験したもの			他に試験を依頼したもの		微生物学的検査	理化学的検査			その他
		保健所	地方衛生研究所	その他	登録検査機関	その他		残留農薬	残留動物用医薬品	その他	
指定都市（再掲）											
札幌市	–	–	–	–	–	–	–	–	–	–	–
仙台市	–	–	–	–	–	–	–	–	–	–	–
さいたま市	–	–	–	–	–	–	–	–	–	–	–
千葉市	–	–	–	–	–	–	–	–	–	–	–
横浜市	–	–	–	–	–	–	–	–	–	–	–
川崎市	–	–	–	–	–	–	–	–	–	–	–
相模原市	–	–	–	–	–	–	–	–	–	–	–
新潟市	–	–	–	–	–	–	–	–	–	–	–
静岡市	–	–	–	–	–	–	–	–	–	–	–
浜松市	–	–	–	–	–	–	–	–	–	–	–
名古屋市	–	–	–	–	–	–	–	–	–	–	–
京都市	–	–	–	–	–	–	–	–	–	–	–
大阪市	2	–	·	2	–	–	2	–	–	2	–
堺市	–	–	–	–	–	–	–	–	–	–	–
神戸市	–	–	–	–	–	–	–	–	–	–	–
岡山市	–	–	·	–	–	–	–	–	–	–	–
広島市	–	–	–	–	–	–	–	–	–	–	–
北九州市	–	–	–	–	–	–	–	–	–	–	–
福岡市	–	–	–	–	–	–	–	–	–	–	–
熊本市	–	–	–	–	–	–	–	–	–	–	–
中核市（再掲）											
旭川市	–	–	·	–	–	–	–	–	–	–	–
函館市	–	–	–	–	–	–	–	–	–	–	–
青森市	–	–	·	–	–	–	–	–	–	–	–
八戸市	–	–	·	–	–	–	–	–	–	–	–
盛岡市	–	–	·	–	–	–	–	–	–	–	–
秋田市	–	–	·	–	–	–	–	–	–	–	–
郡山市	8	8	·	–	–	–	2	–	–	2	6
いわき市	–	–	·	–	–	–	–	–	–	–	–
宇都宮市	–	–	–	–	–	–	–	–	–	–	–
前橋市	–	–	·	–	–	–	–	–	–	–	–
高崎市	1	1	·	–	–	–	1	–	–	–	–
川越市	–	–	·	–	–	–	–	–	–	–	–
越谷市	–	–	·	–	–	–	–	–	–	–	–
船橋市	–	–	·	–	–	–	–	–	–	–	–
柏市	–	–	·	–	–	–	–	–	–	–	–
八王子市	–	–	·	–	–	–	–	–	–	–	–
横須賀市	–	–	–	–	–	–	–	–	–	–	–
富山市	–	–	·	–	–	–	–	–	–	–	–
金沢市	–	–	·	–	–	–	–	–	–	–	–
長野市	–	–	·	–	–	–	–	–	–	–	–
岐阜市	–	–	–	–	–	–	–	–	–	–	–
豊橋市	–	–	·	–	–	–	–	–	–	–	–
豊田市	–	–	·	–	–	–	–	–	–	–	–
岡崎市	–	–	·	–	–	–	–	–	–	–	–
大津市	–	–	·	–	–	–	–	–	–	–	–
高槻市	–	–	·	–	–	–	–	–	–	–	–
東大阪市	–	–	–	–	–	–	–	–	–	–	–
豊中市	–	–	·	–	–	–	–	–	–	–	–
枚方市	–	–	·	–	–	–	–	–	–	–	–
姫路市	–	–	–	–	–	–	–	–	–	–	–
西宮市	–	–	·	–	–	–	–	–	–	–	–
尼崎市	–	–	–	–	–	–	–	–	–	–	–
奈良市	–	–	·	–	–	–	–	–	–	–	–
和歌山市	–	–	–	–	–	–	–	–	–	–	–
倉敷市	1	1	·	–	–	–	1	–	–	1	–
福山市	–	–	·	–	–	–	–	–	–	–	–
呉市	–	–	·	–	–	–	–	–	–	–	–
下関市	–	–	·	–	–	–	–	–	–	–	–
高松市	–	–	·	–	–	–	–	–	–	–	–
松山市	–	–	·	–	–	–	–	–	–	–	–
高知市	–	–	·	–	–	–	–	–	–	–	–
久留米市	–	–	·	–	–	–	–	–	–	–	–
長崎市	–	–	–	–	–	–	–	–	–	–	–
佐世保市	–	–	·	–	–	–	–	–	–	–	–
大分市	–	–	·	–	–	–	–	–	–	–	–
宮崎市	–	–	·	–	–	–	–	–	–	–	–
鹿児島市	–	–	·	–	–	–	–	–	–	–	–
那覇市	–	–	·	–	–	–	–	–	–	–	–

試験の内容・不適理由・乳の種類・都道府県－指定都市－中核市（再掲）別

平成29年度

（乳脂肪分3％以上）事項に関する検査							乳及び乳製品の成分規格の定めのない事項に関する検査					
不適検体数	不適理由（延数）						試験した場所					検査件数
	無脂乳固形分	酸度	細菌数	大腸菌群	残留農薬基準	残留動物用医薬品	管下の機関で試験したもの			他に試験を依頼したもの		
							保健所	地方衛生研究所	その他	登録検査機関	その他	
–	–	–	–	–	–	–	–	–	–	–	–	–
–	–	–	–	–	–	–	–	–	–	–	–	–
–	–	–	–	–	–	–	–	–	–	–	–	–
–	–	–	–	–	–	–	–	–	–	–	–	–
–	–	–	–	–	–	–	–	–	–	–	–	–
–	–	–	–	–	–	–	–	–	–	–	–	–
–	–	–	–	–	–	–	–	–	–	–	–	–
–	–	–	–	–	–	–	–	–	–	–	–	–
–	–	–	–	–	–	–	–	–	–	–	–	–
–	–	–	–	–	–	–	–	–	–	–	–	–
–	–	–	–	–	–	–	–	–	–	–	–	–
–	–	–	–	–	–	–	–	–	–	–	–	–
–	–	–	–	–	–	–	–	•	2	–	–	4
–	–	–	–	–	–	–	–	–	–	–	–	–
–	–	–	–	–	–	–	–	–	–	–	–	–
–	–	–	–	–	–	–	–	•	–	–	–	–
–	–	–	–	–	–	–	–	–	–	–	–	–
–	–	–	–	–	–	–	–	–	–	–	–	–
–	–	–	–	–	–	–	–	–	–	–	–	–
–	–	–	–	–	–	–	–	–	–	–	–	–
–	–	–	–	–	–	–	–	•	–	–	–	–
–	–	–	–	–	–	–	–	–	–	–	–	–
–	–	–	–	–	–	–	–	•	–	–	–	–
–	–	–	–	–	–	–	–	•	–	–	–	–
–	–	–	–	–	–	–	–	•	–	–	–	–
–	–	–	–	–	–	–	–	•	–	–	–	–
–	–	–	–	–	–	–	–	•	–	–	–	–
–	–	–	–	–	–	–	–	•	–	–	–	–
–	–	–	–	–	–	–	–	–	–	–	–	–
–	–	–	–	–	–	–	–	•	–	–	–	–
–	–	–	–	–	–	–	–	•	–	–	–	–
–	–	–	–	–	–	–	–	•	–	–	–	–
–	–	–	–	–	–	–	–	•	–	–	–	–
–	–	–	–	–	–	–	–	•	–	–	–	–
–	–	–	–	–	–	–	–	•	–	–	–	–
–	–	–	–	–	–	–	–	•	–	–	–	–
–	–	–	–	–	–	–	–	–	–	–	–	–
–	–	–	–	–	–	–	–	•	–	–	–	–
–	–	–	–	–	–	–	–	•	–	–	–	–
–	–	–	–	–	–	–	–	•	–	–	–	–
–	–	–	–	–	–	–	–	–	–	–	–	–
–	–	–	–	–	–	–	–	•	–	–	–	–
–	–	–	–	–	–	–	–	•	–	–	–	–
–	–	–	–	–	–	–	–	•	–	–	–	–
–	–	–	–	–	–	–	–	•	–	–	–	–
–	–	–	–	–	–	–	–	•	–	–	–	–
–	–	–	–	–	–	–	–	–	–	–	–	–
–	–	–	–	–	–	–	–	•	–	–	–	–
–	–	–	–	–	–	–	–	•	–	–	–	–
–	–	–	–	–	–	–	–	–	–	–	–	–
–	–	–	–	–	–	–	–	•	–	–	–	–
–	–	–	–	–	–	–	–	–	–	–	–	–
–	–	–	–	–	–	–	–	•	–	–	–	–
–	–	–	–	–	–	–	–	•	–	–	–	–
–	–	–	–	–	–	–	–	•	–	–	–	–
–	–	–	–	–	–	–	–	•	–	–	–	–
–	–	–	–	–	–	–	–	•	–	–	–	–
–	–	–	–	–	–	–	–	•	–	–	–	–
–	–	–	–	–	–	–	–	•	–	–	–	–
–	–	–	–	–	–	–	–	•	–	–	–	–
–	–	–	–	–	–	–	–	–	–	–	–	–
–	–	–	–	–	–	–	–	•	–	–	–	–
–	–	–	–	–	–	–	–	•	–	–	–	–
–	–	–	–	–	–	–	–	•	–	–	–	–
–	–	–	–	–	–	–	–	•	–	–	–	–
–	–	–	–	–	–	–	–	•	–	–	–	–

（報告表　32）

第１表（12－９） 乳の収去試験状況，収去件数・試験場所・

	加工乳										
		乳及び乳製品の成分規格の定めのある									
	収去したもの（実数）	試験した場所					試験の内容				
		管下の機関で試験したもの			他に試験を依頼したもの		微生物学的検査	理化学的検査			その他
		保健所	地方衛生研究所	その他	登録検査機関	その他		残留農薬	残留動物用医薬品	その他	
全国	**61**	**31**	**30**	**–**	**–**	**–**	**49**	**–**	**3**	**34**	**10**
北海道	2	2	–	–	–	–	2	–	–	2	–
青森	–	–	–	–	–	–	–	–	–	–	–
岩手	–	–	–	–	–	–	–	–	–	–	–
宮城	–	–	–	–	–	–	–	–	–	–	–
秋田	–	–	–	–	–	–	–	–	–	–	–
山形	3	3	–	–	–	–	3	–	–	3	–
福島	9	9	–	–	–	–	2	–	–	2	7
茨城	–	–	–	–	–	–	–	–	–	–	–
栃木	18	1	17	–	–	–	18	–	–	4	–
群馬	1	1	–	–	–	–	1	–	–	–	–
埼玉	–	–	–	–	–	–	–	–	–	–	–
千葉	–	–	–	–	–	–	–	–	–	–	–
東京	–	–	–	–	–	–	–	–	–	–	–
神奈川	8	1	7	–	–	–	7	–	2	6	–
新潟	2	2	–	–	–	–	2	–	–	2	–
富山	1	1	–	–	–	–	1	–	–	–	1
石川	–	–	–	–	–	–	–	–	–	–	–
福井	–	–	–	–	–	–	–	–	–	–	–
山梨	–	–	–	–	–	–	–	–	–	–	–
長野	2	2	–	–	–	–	2	–	–	2	–
岐阜	1	1	–	–	–	–	1	–	–	1	–
静岡	4	3	1	–	–	–	3	–	1	3	1
愛知	1	–	1	–	–	–	–	–	–	–	1
三重	–	–	–	–	–	–	–	–	–	–	–
滋賀	–	–	–	–	–	–	–	–	–	–	–
京都	–	–	–	–	–	–	–	–	–	–	–
大阪	2	–	2	–	–	–	–	–	–	2	–
兵庫	2	–	2	–	–	–	2	–	–	2	–
奈良	–	–	–	–	–	–	–	–	–	–	–
和歌山	–	–	–	–	–	–	–	–	–	–	–
鳥取	–	–	–	–	–	–	–	–	–	–	–
島根	–	–	–	–	–	–	–	–	–	–	–
岡山	–	–	–	–	–	–	–	–	–	–	–
広島	–	–	–	–	–	–	–	–	–	–	–
山口	–	–	–	–	–	–	–	–	–	–	–
徳島	–	–	–	–	–	–	–	–	–	–	–
香川	1	1	–	–	–	–	1	–	–	1	–
愛媛	–	–	–	–	–	–	–	–	–	–	–
高知	4	4	–	–	–	–	4	–	–	4	–
福岡	–	–	–	–	–	–	–	–	–	–	–
佐賀	–	–	–	–	–	–	–	–	–	–	–
長崎	–	–	–	–	–	–	–	–	–	–	–
熊本	–	–	–	–	–	–	–	–	–	–	–
大分	–	–	–	–	–	–	–	–	–	–	–
宮崎	–	–	–	–	–	–	–	–	–	–	–
鹿児島	–	–	–	–	–	–	–	–	–	–	–
沖縄	–	–	–	–	–	–	–	–	–	–	–

試験の内容・不適理由・乳の種類・都道府県－指定都市－中核市（再掲）別

平成29年度

（乳脂肪分3％未満）												
事項に関する検査							乳及び乳製品の成分規格の定めのない事項に関する検査					
不適検体数	不適理由（延数）						試験した場所					検査件数
							管下の機関で試験したもの			他に試験を依頼したもの		
	無脂乳固形分	酸度	細菌数	大腸菌群	残留農薬基準	残留動物用医薬品	保健所	地方衛生研究所	その他	登録検査機関	その他	
－	－	－	－	－	－	－	－	－	－	－	－	－
－	－	－	－	－	－	－	－	－	－	－	－	－
－	－	－	－	－	－	－	－	－	－	－	－	－
－	－	－	－	－	－	－	－	－	－	－	－	－
－	－	－	－	－	－	－	－	－	－	－	－	－
－	－	－	－	－	－	－	－	－	－	－	－	－
－	－	－	－	－	－	－	－	－	－	－	－	－
－	－	－	－	－	－	－	－	－	－	－	－	－
－	－	－	－	－	－	－	－	－	－	－	－	－
－	－	－	－	－	－	－	－	－	－	－	－	－
－	－	－	－	－	－	－	－	－	－	－	－	－
－	－	－	－	－	－	－	－	－	－	－	－	－
－	－	－	－	－	－	－	－	－	－	－	－	－
－	－	－	－	－	－	－	－	－	－	－	－	－
－	－	－	－	－	－	－	－	－	－	－	－	－
－	－	－	－	－	－	－	－	－	－	－	－	－
－	－	－	－	－	－	－	－	－	－	－	－	－
－	－	－	－	－	－	－	－	－	－	－	－	－
－	－	－	－	－	－	－	－	－	－	－	－	－
－	－	－	－	－	－	－	－	－	－	－	－	－
－	－	－	－	－	－	－	－	－	－	－	－	－
－	－	－	－	－	－	－	－	－	－	－	－	－
－	－	－	－	－	－	－	－	－	－	－	－	－
－	－	－	－	－	－	－	－	－	－	－	－	－
－	－	－	－	－	－	－	－	－	－	－	－	－
－	－	－	－	－	－	－	－	－	－	－	－	－
－	－	－	－	－	－	－	－	－	－	－	－	－
－	－	－	－	－	－	－	－	－	－	－	－	－
－	－	－	－	－	－	－	－	－	－	－	－	－
－	－	－	－	－	－	－	－	－	－	－	－	－
－	－	－	－	－	－	－	－	－	－	－	－	－
－	－	－	－	－	－	－	－	－	－	－	－	－
－	－	－	－	－	－	－	－	－	－	－	－	－
－	－	－	－	－	－	－	－	－	－	－	－	－
－	－	－	－	－	－	－	－	－	－	－	－	－
－	－	－	－	－	－	－	－	－	－	－	－	－
－	－	－	－	－	－	－	－	－	－	－	－	－
－	－	－	－	－	－	－	－	－	－	－	－	－
－	－	－	－	－	－	－	－	－	－	－	－	－
－	－	－	－	－	－	－	－	－	－	－	－	－
－	－	－	－	－	－	－	－	－	－	－	－	－
－	－	－	－	－	－	－	－	－	－	－	－	－
－	－	－	－	－	－	－	－	－	－	－	－	－
－	－	－	－	－	－	－	－	－	－	－	－	－
－	－	－	－	－	－	－	－	－	－	－	－	－
－	－	－	－	－	－	－	－	－	－	－	－	－
－	－	－	－	－	－	－	－	－	－	－	－	－
－	－	－	－	－	－	－	－	－	－	－	－	－
－	－	－	－	－	－	－	－	－	－	－	－	－

（報告表　32）

第１表（12－10）　乳の収去試験状況，収去件数・試験場所・

	加工乳										
	乳及び乳製品の成分規格の定めのある										
	収去したもの（実数）	試験した場所					試験の内容				
		管下の機関で試験したもの			他に試験を依頼したもの		微生物学的検査	理化学的検査			その他
		保健所	地方衛生研究所	その他	登録検査機関	その他		残留農薬	残留動物用医薬品	その他	
指定都市（再掲）											
札幌市	－	－	－	－	－	－	－	－	－	－	－
仙台市	－	－	－	－	－	－	－	－	－	－	－
さいたま市	－	－	－	－	－	－	－	－	－	－	－
千葉市	－	－	－	－	－	－	－	－	－	－	－
横浜市	－	－	－	－	－	－	－	－	－	－	－
川崎市	－	－	－	－	－	－	－	－	－	－	－
相模原市	－	－	－	－	－	－	－	－	－	－	－
新潟市	－	－	－	－	－	－	－	－	－	－	－
静岡市	－	－	－	－	－	－	－	－	－	－	－
浜松市	1	－	1	－	－	－	1	－	1	1	－
名古屋市	－	－	－	－	－	－	－	－	－	－	－
京都市	－	－	－	－	－	－	－	－	－	－	－
大阪市	－	－	・	－	－	－	－	－	－	－	－
堺市	－	－	－	－	－	－	－	－	－	－	－
神戸市	－	－	－	－	－	－	－	－	－	－	－
岡山市	－	－	・	－	－	－	－	－	－	－	－
広島市	－	－	－	－	－	－	－	－	－	－	－
北九州市	－	－	－	－	－	－	－	－	－	－	－
福岡市	－	－	－	－	－	－	－	－	－	－	－
熊本市	－	－	－	－	－	－	－	－	－	－	－
中核市（再掲）											
旭川市	－	－	・	－	－	－	－	－	－	－	－
函館市	2	2	－	－	－	－	2	－	－	2	－
青森市	－	－	・	－	－	－	－	－	－	－	－
八戸市	－	－	・	－	－	－	－	－	－	－	－
盛岡市	－	－	・	－	－	－	－	－	－	－	－
秋田市	－	－	・	－	－	－	－	－	－	－	－
郡山市	9	9	・	－	－	－	2	－	－	2	7
いわき市	－	－	・	－	－	－	－	－	－	－	－
宇都宮市	－	－	－	－	－	－	－	－	－	－	－
前橋市	－	－	・	－	－	－	－	－	－	－	－
高崎市	1	1	・	－	－	－	1	－	－	－	－
川越市	－	－	・	－	－	－	－	－	－	－	－
越谷市	－	－	・	－	－	－	－	－	－	－	－
船橋市	－	－	・	－	－	－	－	－	－	－	－
柏市	－	－	・	－	－	－	－	－	－	－	－
八王子市	－	－	・	－	－	－	－	－	－	－	－
横須賀市	5	－	5	－	－	－	5	－	－	5	－
富山市	－	－	・	－	－	－	－	－	－	－	－
金沢市	－	－	・	－	－	－	－	－	－	－	－
長野市	1	1	・	－	－	－	1	－	－	1	－
岐阜市	－	－	－	－	－	－	－	－	－	－	－
豊橋市	－	－	・	－	－	－	－	－	－	－	－
豊田市	－	－	・	－	－	－	－	－	－	－	－
岡崎市	－	－	・	－	－	－	－	－	－	－	－
大津市	－	－	・	－	－	－	－	－	－	－	－
高槻市	－	－	・	－	－	－	－	－	－	－	－
東大阪市	－	－	－	－	－	－	－	－	－	－	－
豊中市	－	－	・	－	－	－	－	－	－	－	－
枚方市	－	－	・	－	－	－	－	－	－	－	－
姫路市	2	－	2	－	－	－	2	－	－	2	－
西宮市	－	－	・	－	－	－	－	－	－	－	－
尼崎市	－	－	－	－	－	－	－	－	－	－	－
奈良市	－	－	・	－	－	－	－	－	－	－	－
和歌山市	－	－	－	－	－	－	－	－	－	－	－
倉敷市	－	－	・	－	－	－	－	－	－	－	－
福山市	－	－	・	－	－	－	－	－	－	－	－
呉市	－	－	・	－	－	－	－	－	－	－	－
下関市	－	－	・	－	－	－	－	－	－	－	－
高松市	1	1	・	－	－	－	1	－	－	1	－
松山市	－	－	・	－	－	－	－	－	－	－	－
高知市	－	－	・	－	－	－	－	－	－	－	－
久留米市	－	－	・	－	－	－	－	－	－	－	－
長崎市	－	－	－	－	－	－	－	－	－	－	－
佐世保市	－	－	・	－	－	－	－	－	－	－	－
大分市	－	－	・	－	－	－	－	－	－	－	－
宮崎市	－	－	・	－	－	－	－	－	－	－	－
鹿児島市	－	－	・	－	－	－	－	－	－	－	－
那覇市	－	－	・	－	－	－	－	－	－	－	－

試験の内容・不適理由・乳の種類・都道府県－指定都市－中核市（再掲）別

平成29年度

（乳脂肪分3%未満）												
事項に関する検査							乳及び乳製品の成分規格の定めのない事項に関する検査					
不適検体数	不適理由（延数）						試験した場所					検査件数
	無脂乳固形分	酸度	細菌数	大腸菌群	残留農薬基準	残留動物用医薬品	管下の機関で試験したもの			他に試験を依頼したもの		
							保健所	地方衛生研究所	その他	登録検査機関	その他	
－	－	－	－	－	－	－	－	－	－	－	－	－
－	－	－	－	－	－	－	－	－	－	－	－	－
－	－	－	－	－	－	－	－	－	－	－	－	－
－	－	－	－	－	－	－	－	－	－	－	－	－
－	－	－	－	－	－	－	－	－	－	－	－	－
－	－	－	－	－	－	－	－	－	－	－	－	－
－	－	－	－	－	－	－	－	－	－	－	－	－
－	－	－	－	－	－	－	－	－	－	－	－	－
－	－	－	－	－	－	－	－	－	－	－	－	－
－	－	－	－	－	－	－	－	－	－	－	－	－
－	－	－	－	－	－	－	－	－	－	－	－	－
－	－	－	－	－	－	－	－	－	－	－	－	－
－	－	－	－	－	－	－	－	・	－	－	－	－
－	－	－	－	－	－	－	－	－	－	－	－	－
－	－	－	－	－	－	－	－	－	－	－	－	－
－	－	－	－	－	－	－	－	・	－	－	－	－
－	－	－	－	－	－	－	－	－	－	－	－	－
－	－	－	－	－	－	－	－	－	－	－	－	－
－	－	－	－	－	－	－	－	－	－	－	－	－
－	－	－	－	－	－	－	－	－	－	－	－	－
－	－	－	－	－	－	－	－	・	－	－	－	－
－	－	－	－	－	－	－	－	－	－	－	－	－
－	－	－	－	－	－	－	－	・	－	－	－	－
－	－	－	－	－	－	－	－	・	－	－	－	－
－	－	－	－	－	－	－	－	・	－	－	－	－
－	－	－	－	－	－	－	－	・	－	－	－	－
－	－	－	－	－	－	－	－	・	－	－	－	－
－	－	－	－	－	－	－	－	・	－	－	－	－
－	－	－	－	－	－	－	－	－	－	－	－	－
－	－	－	－	－	－	－	－	・	－	－	－	－
－	－	－	－	－	－	－	－	・	－	－	－	－
－	－	－	－	－	－	－	－	・	－	－	－	－
－	－	－	－	－	－	－	－	・	－	－	－	－
－	－	－	－	－	－	－	－	・	－	－	－	－
－	－	－	－	－	－	－	－	・	－	－	－	－
－	－	－	－	－	－	－	－	・	－	－	－	－
－	－	－	－	－	－	－	－	－	－	－	－	－
－	－	－	－	－	－	－	－	・	－	－	－	－
－	－	－	－	－	－	－	－	・	－	－	－	－
－	－	－	－	－	－	－	－	・	－	－	－	－
－	－	－	－	－	－	－	－	－	－	－	－	－
－	－	－	－	－	－	－	－	・	－	－	－	－
－	－	－	－	－	－	－	－	・	－	－	－	－
－	－	－	－	－	－	－	－	・	－	－	－	－
－	－	－	－	－	－	－	－	・	－	－	－	－
－	－	－	－	－	－	－	－	・	－	－	－	－
－	－	－	－	－	－	－	－	－	－	－	－	－
－	－	－	－	－	－	－	－	・	－	－	－	－
－	－	－	－	－	－	－	－	・	－	－	－	－
－	－	－	－	－	－	－	－	－	－	－	－	－
－	－	－	－	－	－	－	－	・	－	－	－	－
－	－	－	－	－	－	－	－	－	－	－	－	－
－	－	－	－	－	－	－	－	・	－	－	－	－
－	－	－	－	－	－	－	－	－	－	－	－	－
－	－	－	－	－	－	－	－	・	－	－	－	－
－	－	－	－	－	－	－	－	・	－	－	－	－
－	－	－	－	－	－	－	－	・	－	－	－	－
－	－	－	－	－	－	－	－	・	－	－	－	－
－	－	－	－	－	－	－	－	・	－	－	－	－
－	－	－	－	－	－	－	－	・	－	－	－	－
－	－	－	－	－	－	－	－	・	－	－	－	－
－	－	－	－	－	－	－	－	・	－	－	－	－
－	－	－	－	－	－	－	－	－	－	－	－	－
－	－	－	－	－	－	－	－	・	－	－	－	－
－	－	－	－	－	－	－	－	・	－	－	－	－
－	－	－	－	－	－	－	－	・	－	－	－	－
－	－	－	－	－	－	－	－	・	－	－	－	－
－	－	－	－	－	－	－	－	・	－	－	－	－

（報告表　32）

第１表（12－11） 乳の収去試験状況，収去件数・試験場所・

	その										
	収去したもの（実数）	乳及び乳製品の成分規格の定めのある									
		試験した場所					試験の内容				
		管下の機関で試験したもの			他に試験を依頼したもの		微生物学的検査	理化学的検査			その他
		保健所	地方衛生研究所	その他	登録検査機関	その他		残留農薬	残留動物用医薬品	その他	
全国	**106**	**58**	**40**	**2**	**7**	**－**	**92**	**1**	**10**	**64**	**8**
北海道	3	2	1	－	－	－	3	－	－	3	－
青森	－	－	－	－	－	－	－	－	－	－	－
岩手	5	2	3	－	－	－	4	－	－	－	1
宮城	12	－	12	－	－	－	9	－	－	9	3
秋田	2	－	2	－	－	－	2	－	－	2	－
山形	－	－	－	－	－	－	－	－	－	－	－
福島	－	－	－	－	－	－	－	－	－	－	－
茨城	－	－	－	－	－	－	－	－	－	－	－
栃木	6	3	3	－	－	－	6	－	－	4	－
群馬	1	1	－	－	－	－	1	－	－	－	－
埼玉	－	－	－	－	－	－	－	－	－	－	－
千葉	7	7	－	－	－	－	7	－	－	7	－
東京	2	－	1	－	1	－	2	－	1	2	－
神奈川	2	－	2	－	－	－	1	－	2	－	1
新潟	2	1	－	－	1	－	1	－	－	1	1
富山	4	4	－	－	－	－	4	－	－	3	1
石川	8	－	8	－	－	－	8	－	－	－	－
福井	－	－	－	－	－	－	－	－	－	－	－
山梨	－	－	－	－	－	－	－	－	－	－	－
長野	11	11	－	－	－	－	10	－	－	2	－
岐阜	－	－	－	－	－	－	－	－	－	－	－
静岡	2	1	2	－	－	－	－	1	－	1	－
愛知	3	3	－	－	－	－	3	－	3	3	－
三重	－	－	－	－	－	－	－	－	－	－	－
滋賀	－	－	－	－	－	－	－	－	－	－	－
京都	1	－	1	－	－	－	1	－	1	－	－
大阪	－	－	－	－	－	－	－	－	－	－	－
兵庫	3	3	－	－	－	－	3	－	－	2	－
奈良	－	－	－	－	－	－	－	－	－	－	－
和歌山	－	－	－	－	－	－	－	－	－	－	－
鳥取	－	－	－	－	－	－	－	－	－	－	－
島根	－	－	－	－	－	－	－	－	－	－	－
岡山	11	11	－	－	－	－	11	－	－	11	－
広島	5	－	－	－	5	－	5	－	－	5	－
山口	2	2	－	－	－	－	2	－	－	2	－
徳島	－	－	－	－	－	－	－	－	－	－	－
香川	－	－	－	－	－	－	－	－	－	－	－
愛媛	5	2	3	－	－	－	3	－	－	2	－
高知	－	－	－	－	－	－	－	－	－	－	－
福岡	1	－	1	－	－	－	1	－	－	1	－
佐賀	－	－	－	－	－	－	－	－	－	－	－
長崎	2	2	－	－	－	－	2	－	－	1	1
熊本	2	1	1	－	－	－	1	－	1	1	－
大分	－	－	－	－	－	－	－	－	－	－	－
宮崎	－	－	－	－	－	－	－	－	－	－	－
鹿児島	2	2	－	－	－	－	2	－	－	2	－
沖縄	2	－	－	2	－	－	－	－	2	－	－

試験の内容・不適理由・乳の種類・都道府県－指定都市－中核市（再掲）別

平成29年度

他の乳														
事項に関する検査									乳及び乳製品の成分規格の定めのない事項に関する検査					
不適検体数	不適理由（延数）								試験した場所					検査件数
	無脂乳固形分	乳脂肪	比重	酸度	細菌数	大腸菌群	残留農薬基準	残留動物用医薬品	管下の機関で試験したもの：保健所	管下の機関で試験したもの：地方衛生研究所	管下の機関で試験したもの：その他	他に試験を依頼したもの：登録検査機関	他に試験を依頼したもの：その他	
－	－	－	－	－	－	－	－	－	9	3	－	－	－	30
－	－	－	－	－	－	－	－	－	－	－	－	－	－	－
－	－	－	－	－	－	－	－	－	－	－	－	－	－	－
－	－	－	－	－	－	－	－	－	－	－	－	－	－	－
－	－	－	－	－	－	－	－	－	－	－	－	－	－	－
－	－	－	－	－	－	－	－	－	－	2	－	－	－	4
－	－	－	－	－	－	－	－	－	－	－	－	－	－	－
－	－	－	－	－	－	－	－	－	－	－	－	－	－	－
－	－	－	－	－	－	－	－	－	－	－	－	－	－	－
－	－	－	－	－	－	－	－	－	－	－	－	－	－	－
－	－	－	－	－	－	－	－	－	－	－	－	－	－	－
－	－	－	－	－	－	－	－	－	－	－	－	－	－	－
－	－	－	－	－	－	－	－	－	－	－	－	－	－	－
－	－	－	－	－	－	－	－	－	－	1	－	－	－	1
－	－	－	－	－	－	－	－	－	－	－	－	－	－	－
－	－	－	－	－	－	－	－	－	－	－	－	－	－	－
－	－	－	－	－	－	－	－	－	－	－	－	－	－	－
－	－	－	－	－	－	－	－	－	－	－	－	－	－	－
－	－	－	－	－	－	－	－	－	－	－	－	－	－	－
－	－	－	－	－	－	－	－	－	－	－	－	－	－	－
－	－	－	－	－	－	－	－	－	1	－	－	－	－	1
－	－	－	－	－	－	－	－	－	－	－	－	－	－	－
－	－	－	－	－	－	－	－	－	－	－	－	－	－	－
－	－	－	－	－	－	－	－	－	－	－	－	－	－	－
－	－	－	－	－	－	－	－	－	－	－	－	－	－	－
－	－	－	－	－	－	－	－	－	－	－	－	－	－	－
－	－	－	－	－	－	－	－	－	－	－	－	－	－	－
－	－	－	－	－	－	－	－	－	－	－	－	－	－	－
－	－	－	－	－	－	－	－	－	－	－	－	－	－	－
－	－	－	－	－	－	－	－	－	－	－	－	－	－	－
－	－	－	－	－	－	－	－	－	－	－	－	－	－	－
－	－	－	－	－	－	－	－	－	－	－	－	－	－	－
－	－	－	－	－	－	－	－	－	8	－	－	－	－	24
－	－	－	－	－	－	－	－	－	－	－	－	－	－	－
－	－	－	－	－	－	－	－	－	－	－	－	－	－	－
－	－	－	－	－	－	－	－	－	－	－	－	－	－	－
－	－	－	－	－	－	－	－	－	－	－	－	－	－	－
－	－	－	－	－	－	－	－	－	－	－	－	－	－	－
－	－	－	－	－	－	－	－	－	－	－	－	－	－	－
－	－	－	－	－	－	－	－	－	－	－	－	－	－	－
－	－	－	－	－	－	－	－	－	－	－	－	－	－	－
－	－	－	－	－	－	－	－	－	－	－	－	－	－	－
－	－	－	－	－	－	－	－	－	－	－	－	－	－	－
－	－	－	－	－	－	－	－	－	－	－	－	－	－	－
－	－	－	－	－	－	－	－	－	－	－	－	－	－	－
－	－	－	－	－	－	－	－	－	－	－	－	－	－	－
－	－	－	－	－	－	－	－	－	－	－	－	－	－	－

（報告表　32）

第１表（12－12）　乳の収去試験状況，収去件数・試験場所・

	そ					の					
	収去したもの（実数）	乳及び乳製品の成分規格の定めのある									
		試験した場所					試験の内容				
		管下の機関で試験したもの			他に試験を依頼したもの		微生物学的検査	理化学的検査			その他
		保健所	地方衛生研究所	その他	登録検査機関	その他		残留農薬	残留動物用医薬品	その他	
指定都市（再掲）											
札幌市	1	－	1	－	－	－	1	－	－	1	－
仙台市	2	－	2	－	－	－	2	－	－	2	－
さいたま市	－	－	－	－	－	－	－	－	－	－	－
千葉市	－	－	－	－	－	－	－	－	－	－	－
横浜市	－	－	－	－	－	－	－	－	－	－	－
川崎市	－	－	－	－	－	－	－	－	－	－	－
相模原市	－	－	－	－	－	－	－	－	－	－	－
新潟市	－	－	－	－	－	－	－	－	－	－	－
静岡市	－	－	－	－	－	－	－	－	－	－	－
浜松市	1	－	1	－	－	－	－	1	－	－	－
名古屋市	－	－	－	－	－	－	－	－	－	－	－
京都市	1	－	1	－	－	－	1	－	1	－	－
大阪市	－	－	・	－	－	－	－	－	－	－	－
堺市	－	－	－	－	－	－	－	－	－	－	－
神戸市	－	－	－	－	－	－	－	－	－	－	－
岡山市	－	－	・	－	－	－	－	－	－	－	－
広島市	－	－	－	－	－	－	－	－	－	－	－
北九州市	1	－	1	－	－	－	1	－	－	1	－
福岡市	－	－	－	－	－	－	－	－	－	－	－
熊本市	－	－	－	－	－	－	－	－	－	－	－
中核市（再掲）											
旭川市	－	－	・	－	－	－	－	－	－	－	－
函館市	－	－	－	－	－	－	－	－	－	－	－
青森市	－	－	・	－	－	－	－	－	－	－	－
八戸市	－	－	・	－	－	－	－	－	－	－	－
盛岡市	2	2	・	－	－	－	2	－	－	－	－
秋田市	－	－	・	－	－	－	－	－	－	－	－
郡山市	－	－	・	－	－	－	－	－	－	－	－
いわき市	－	－	・	－	－	－	－	－	－	－	－
宇都宮市	－	－	－	－	－	－	－	－	－	－	－
前橋市	1	1	・	－	－	－	1	－	－	－	－
高崎市	－	－	・	－	－	－	－	－	－	－	－
川越市	－	－	・	－	－	－	－	－	－	－	－
越谷市	－	－	・	－	－	－	－	－	－	－	－
船橋市	－	－	・	－	－	－	－	－	－	－	－
柏市	－	－	・	－	－	－	－	－	－	－	－
八王子市	－	－	・	－	－	－	－	－	－	－	－
横須賀市	－	－	－	－	－	－	－	－	－	－	－
富山市	－	－	・	－	－	－	－	－	－	－	－
金沢市	－	－	・	－	－	－	－	－	－	－	－
長野市	－	－	・	－	－	－	－	－	－	－	－
岐阜市	－	－	－	－	－	－	－	－	－	－	－
豊橋市	3	3	・	－	－	－	3	－	3	3	－
豊田市	－	－	・	－	－	－	－	－	－	－	－
岡崎市	－	－	・	－	－	－	－	－	－	－	－
大津市	－	－	・	－	－	－	－	－	－	－	－
高槻市	－	－	・	－	－	－	－	－	－	－	－
東大阪市	－	－	－	－	－	－	－	－	－	－	－
豊中市	－	－	・	－	－	－	－	－	－	－	－
枚方市	－	－	・	－	－	－	－	－	－	－	－
姫路市	－	－	－	－	－	－	－	－	－	－	－
西宮市	2	2	・	－	－	－	2	－	－	2	－
尼崎市	－	－	－	－	－	－	－	－	－	－	－
奈良市	－	－	・	－	－	－	－	－	－	－	－
和歌山市	－	－	－	－	－	－	－	－	－	－	－
倉敷市	3	3	・	－	－	－	3	－	－	3	－
福山市	－	－	・	－	－	－	－	－	－	－	－
呉市	－	－	・	－	－	－	－	－	－	－	－
下関市	2	2	・	－	－	－	2	－	－	2	－
高松市	－	－	・	－	－	－	－	－	－	－	－
松山市	－	－	・	－	－	－	－	－	－	－	－
高知市	－	－	・	－	－	－	－	－	－	－	－
久留米市	－	－	・	－	－	－	－	－	－	－	－
長崎市	1	1	－	－	－	－	1	－	－	－	1
佐世保市	1	1	・	－	－	－	1	－	－	1	－
大分市	－	－	・	－	－	－	－	－	－	－	－
宮崎市	－	－	・	－	－	－	－	－	－	－	－
鹿児島市	－	－	・	－	－	－	－	－	－	－	－
那覇市	－	－	・	－	－	－	－	－	－	－	－

試験の内容・不適理由・乳の種類・都道府県－指定都市－中核市（再掲）別

平成29年度

他の乳														
事項に関する検査									乳及び乳製品の成分規格の定めのない事項に関する検査					
不適検体数	不適理由（延数）								試験した場所					検査件数
									管下の機関で試験したもの			他に試験を依頼したもの		
	無脂乳固形分	乳脂肪	比重	酸度	細菌数	大腸菌群	残留農薬基準	残留動物用医薬品	保健所	地方衛生研究所	その他	登録検査機関	その他	
–	–	–	–	–	–	–	–	–	–	–	–	–	–	–
–	–	–	–	–	–	–	–	–	–	–	–	–	–	–
–	–	–	–	–	–	–	–	–	–	–	–	–	–	–
–	–	–	–	–	–	–	–	–	–	–	–	–	–	–
–	–	–	–	–	–	–	–	–	–	–	–	–	–	–
–	–	–	–	–	–	–	–	–	–	–	–	–	–	–
–	–	–	–	–	–	–	–	–	–	–	–	–	–	–
–	–	–	–	–	–	–	–	–	–	–	–	–	–	–
–	–	–	–	–	–	–	–	–	–	–	–	–	–	–
–	–	–	–	–	–	–	–	–	–	–	–	–	–	–
–	–	–	–	–	–	–	–	–	–	–	–	–	–	–
–	–	–	–	–	–	–	–	–	–	–	–	–	–	–
–	–	–	–	–	–	–	–	–	–	·	–	–	–	–
–	–	–	–	–	–	–	–	–	–	–	–	–	–	–
–	–	–	–	–	–	–	–	–	–	–	–	–	–	–
–	–	–	–	–	–	–	–	–	–	·	–	–	–	–
–	–	–	–	–	–	–	–	–	–	–	–	–	–	–
–	–	–	–	–	–	–	–	–	–	–	–	–	–	–
–	–	–	–	–	–	–	–	–	–	–	–	–	–	–
–	–	–	–	–	–	–	–	–	–	–	–	–	–	–
–	–	–	–	–	–	–	–	–	–	·	–	–	–	–
–	–	–	–	–	–	–	–	–	–	–	–	–	–	–
–	–	–	–	–	–	–	–	–	–	·	–	–	–	–
–	–	–	–	–	–	–	–	–	–	·	–	–	–	–
–	–	–	–	–	–	–	–	–	–	·	–	–	–	–
–	–	–	–	–	–	–	–	–	–	·	–	–	–	–
–	–	–	–	–	–	–	–	–	–	·	–	–	–	–
–	–	–	–	–	–	–	–	–	–	·	–	–	–	–
–	–	–	–	–	–	–	–	–	–	–	–	–	–	–
–	–	–	–	–	–	–	–	–	–	·	–	–	–	–
–	–	–	–	–	–	–	–	–	–	·	–	–	–	–
–	–	–	–	–	–	–	–	–	–	·	–	–	–	–
–	–	–	–	–	–	–	–	–	–	·	–	–	–	–
–	–	–	–	–	–	–	–	–	–	·	–	–	–	–
–	–	–	–	–	–	–	–	–	–	·	–	–	–	–
–	–	–	–	–	–	–	–	–	–	·	–	–	–	–
–	–	–	–	–	–	–	–	–	–	–	–	–	–	–
–	–	–	–	–	–	–	–	–	–	·	–	–	–	–
–	–	–	–	–	–	–	–	–	–	·	–	–	–	–
–	–	–	–	–	–	–	–	–	–	·	–	–	–	–
–	–	–	–	–	–	–	–	–	–	–	–	–	–	–
–	–	–	–	–	–	–	–	–	–	·	–	–	–	–
–	–	–	–	–	–	–	–	–	–	·	–	–	–	–
–	–	–	–	–	–	–	–	–	–	·	–	–	–	–
–	–	–	–	–	–	–	–	–	–	·	–	–	–	–
–	–	–	–	–	–	–	–	–	–	·	–	–	–	–
–	–	–	–	–	–	–	–	–	–	–	–	–	–	–
–	–	–	–	–	–	–	–	–	–	·	–	–	–	–
–	–	–	–	–	–	–	–	–	–	·	–	–	–	–
–	–	–	–	–	–	–	–	–	–	–	–	–	–	–
–	–	–	–	–	–	–	–	–	–	·	–	–	–	–
–	–	–	–	–	–	–	–	–	–	–	–	–	–	–
–	–	–	–	–	–	–	–	–	–	·	–	–	–	–
–	–	–	–	–	–	–	–	–	–	–	–	–	–	–
–	–	–	–	–	–	–	–	–	–	·	–	–	–	–
–	–	–	–	–	–	–	–	–	–	·	–	–	–	–
–	–	–	–	–	–	–	–	–	–	·	–	–	–	–
–	–	–	–	–	–	–	–	–	–	·	–	–	–	–
–	–	–	–	–	–	–	–	–	–	·	–	–	–	–
–	–	–	–	–	–	–	–	–	–	·	–	–	–	–
–	–	–	–	–	–	–	–	–	–	·	–	–	–	–
–	–	–	–	–	–	–	–	–	–	·	–	–	–	–
–	–	–	–	–	–	–	–	–	–	–	–	–	–	–
–	–	–	–	–	–	–	–	–	–	·	–	–	–	–
–	–	–	–	–	–	–	–	–	–	·	–	–	–	–
–	–	–	–	–	–	–	–	–	–	·	–	–	–	–
–	–	–	–	–	–	–	–	–	–	·	–	–	–	–
–	–	–	–	–	–	–	–	–	–	·	–	–	–	–

（報告表　32）

第２表（２－１） 乳処理量,

	特別牛乳（キロリットル）			牛乳				低脂肪牛		
				殺菌乳（キロリットル）				殺菌乳（キロリット		
	総数	無菌殺乳	殺菌乳 63～65℃（低温長時間殺菌法）	総数	63～65℃（低温長時間殺菌法）	75℃以上（高温短時間殺菌法）	瞬間	総数	63～65℃（低温長時間殺菌法）	75℃以上（高温短時間殺菌法）
全国	**121**	**34**	**87**	**3 093 285**	**60 444**	**135 993**	**2 896 848**	**158 173**	**804**	**4 491**
北海道	34	34	–	413 635	4 037	16 269	393 329	85 233	–	739
青森	–	–	–	6 363	89	7	6 267	–	–	–
岩手	–	–	–	51 729	14 972	6 021	30 736	16 034	30	278
宮城	–	–	–	93 765	250	–	93 515	847	–	–
秋田	–	–	–	4 890	118	183	4 589	–	–	–
山形	–	–	–	28 043	–	1 383	26 660	–	–	–
福島	–	–	–	34 445	52	16 967	17 426	–	–	–
茨城	–	–	–	180 450	1 421	–	179 029	–	–	–
栃木	–	–	–	143 254	765	7 088	135 401	118	–	–
群馬	–	–	–	109 127	4 338	2 072	102 717	3 749	632	–
埼玉	–	–	–	79 248	42	1 957	77 249	1 941	–	1 941
千葉	–	–	–	152 391	146	10 045	142 200	1 430	–	1 430
東京	–	–	–	47 435	65	98	47 272	20 329	–	–
神奈川	16	–	16	202 599	18	9	202 572	8 401	–	–
新潟	–	–	–	31 129	410	582	30 137	692	–	3
富山	–	–	–	8 275	115	1 528	6 632	–	–	–
石川	–	–	–	39 677	256	43	39 378	–	–	–
福井	–	–	–	40	–	40	–	–	–	–
山梨	–	–	–	40	40	–	–	–	–	–
長野	–	–	–	116 611	1 735	4 833	110 043	–	–	–
岐阜	–	–	–	65 156	2 931	441	61 784	–	–	–
静岡	–	–	–	57 956	466	846	56 644	682	135	–
愛知	–	–	–	164 657	268	1 247	163 142	1 230	–	–
三重	–	–	–	19 187	1 668	1 429	16 090	2 934	–	70
滋賀	–	–	–	18 940	107	3 351	15 482	–	–	–
京都	33	–	33	93 501	49	452	93 000	–	–	–
大阪	–	–	–	98 636	79	23 279	75 278	–	–	–
兵庫	–	–	–	161 185	9 069	3	152 113	1 580	–	–
奈良	–	–	–	126	16	110	–	–	–	–
和歌山	–	–	–	345	317	28	–	7	7	–
鳥取	–	–	–	30 443	–	5 009	25 434	2 589	–	–
島根	–	–	–	13 158	2 859	1 468	8 831	141	–	–
岡山	–	–	–	108 942	187	332	108 423	5 342	–	–
広島	–	–	–	50 745	135	2 041	48 569	2 566	–	–
山口	–	–	–	23 131	728	644	21 759	628	–	30
徳島	–	–	–	9 985	–	–	9 985	–	–	–
香川	–	–	–	37 173	2	17 251	19 920	–	–	–
愛媛	–	–	–	35 236	226	–	35 010	–	–	–
高知	–	–	–	8 824	1 775	277	6 772	–	–	–
福岡	38	–	38	132 315	8	6 616	125 691	–	–	–
佐賀	–	–	–	13 522	178	745	12 599	–	–	–
長崎	–	–	–	13 011	65	–	12 946	–	–	–
熊本	–	–	–	78 726	6 463	58	72 205	1 700	–	–
大分	–	–	–	43 777	2 664	7	41 106	–	–	–
宮崎	–	–	–	45 799	82	39	45 678	–	–	–
鹿児島	–	–	–	7 414	–	2	7 412	–	–	–
沖縄	–	–	–	18 249	1 233	1 193	15 823	–	–	–

乳の種類・処理方法・都道府県－指定都市－中核市（再掲）別

平成29年度

乳 ル）	加工乳（乳脂肪分３％以上） 殺菌乳（キロリットル）				加工乳（乳脂肪分３％未満） 殺菌乳（キロリットル）				その他の乳 殺菌乳（キロリットル）			
瞬間	総数	63～65℃（低温長時間殺菌法）	75℃以上（高温短時間殺菌法）	瞬間	総数	63～65℃（低温長時間殺菌法）	75℃以上（高温短時間殺菌法）	瞬間	総数	63～65℃（低温長時間殺菌法）	75℃以上（高温短時間殺菌法）	瞬間
152 878	**94 127**	**2 208**	**1 963**	**89 956**	**37 987**	**24**	**3 656**	**34 307**	**229 819**	**973**	**522**	**228 324**
84 494	8 791	8	5	8 778	2 399	－	11	2 388	32 985	4	2	32 979
－	－	－	－	－	－	－	－	－	－	－	－	－
15 726	2 041	－	－	2 041	696	－	－	696	2 751	－	40	2 711
847	－	－	－	－	－	－	－	－	5 420	－	－	5 420
－	－	－	－	－	－	－	－	－	3 175	－	－	3 175
－	1 084	－	－	1 084	189	－	－	189	－	－	－	－
－	74	－	－	74	179	－	－	179	－	－	－	－
－	－	－	－	－	－	－	－	－	13 758	－	－	13 758
118	1 280	－	1 223	57	－	－	－	－	3 734	－	－	3 734
3 117	2 288	－	6	2 282	1 308	－	－	1 308	941	941	－	－
－	13 876	－	－	13 876	1 465	－	－	1 465	19 682	－	－	19 682
－	231	－	－	231	－	－	－	－	259	－	－	259
20 329	－	－	－	－	－	－	－	－	8 079	－	－	8 079
8 401	22 280	－	－	22 280	14 020	－	－	14 020	31 589	－	－	31 589
689	317	－	－	317	834	－	－	834	105	6	－	99
－	203	－	－	203	－	－	－	－	－	－	－	－
－	7	－	7	－	－	－	－	－	4 392	－	－	4 392
－	－	－	－	－	－	－	－	－	－	－	－	－
－	－	－	－	－	－	－	－	－	－	－	－	－
－	－	－	－	－	－	－	－	－	－	－	－	－
－	72	－	72	－	1 022	－	124	898	－	－	－	－
547	4 222	－	－	4 222	－	－	－	－	－	－	－	－
1 230	2 187	－	29	2 158	24	24	－	－	38 454	－	8	38 446
2 864	19	－	19	－	－	－	－	－	－	－	－	－
－	－	－	－	－	－	－	－	－	－	－	－	－
－	－	－	－	－	110	－	－	110	9	9	－	－
－	1 314	－	540	774	3 521	－	3 521	－	457	－	457	－
1 580	65	－	－	65	10 229	－	－	10 229	13 454	－	－	13 454
－	－	－	－	－	－	－	－	－	－	－	－	－
－	－	－	－	－	－	－	－	－	－	－	－	－
2 589	－	－	－	－	－	－	－	－	－	－	－	－
141	71	－	－	71	－	－	－	－	197	－	－	197
5 342	10 455	－	－	10 455	－	－	－	－	4 618	－	－	4 618
2 566	－	－	－	－	－	－	－	－	2 844	－	－	2 844
598	3	－	3	－	254	－	－	254	417	－	－	417
－	－	－	－	－	－	－	－	－	－	－	－	－
－	2	－	2	－	－	－	－	－	－	－	－	－
－	－	－	－	－	－	－	－	－	3 101	－	－	3 101
－	211	－	49	162	419	－	－	419	5	－	5	－
－	2 823	－	－	2 823	－	－	－	－	11 846	－	－	11 846
－	－	－	－	－	－	－	－	－	－	－	－	－
－	－	－	－	－	－	－	－	－	－	－	－	－
1 700	2 200	2 200	－	－	37	－	－	37	22 962	－	－	22 962
－	－	－	－	－	－	－	－	－	3 664	－	10	3 654
－	13 496	－	－	13 496	4	－	－	4	－	－	－	－
－	156	－	－	156	－	－	－	－	652	6	－	646
－	4 359	－	8	4 351	1 277	－	－	1 277	269	7	－	262

（報告表　33）

第２表（２－２）　乳処理量，

	特別牛乳（キロリットル）			牛乳				低脂肪牛		
				殺菌乳（キロリットル）				殺菌乳（キロリット		
	総数	無菌殺菌乳	殺菌乳63～65℃（低温長時間殺菌法）	総数	63～65℃（低温長時間殺菌法）	75℃以上（高温短時間殺菌法）	瞬間	総数	63～65℃（低温長時間殺菌法）	75℃以上（高温短時間殺菌法）
指定都市（再掲）										
札幌市	–	–	–	88 237	952	124	87 161	11 195	–	–
仙台市	–	–	–	20 805	–	–	20 805	–	–	–
さいたま市	–	–	–	–	–	–	–	–	–	–
千葉市	–	–	–	18 747	–	–	18 747	–	–	–
横浜市	16	–	16	5 706	–	–	5 706	–	–	–
川崎市	–	–	–	–	–	–	–	–	–	–
相模原市	–	–	–	–	–	–	–	–	–	–
新潟市	–	–	–	18 889	–	472	18 417	–	–	–
静岡市	–	–	–	9 654	57	–	9 597	–	–	–
浜松市	–	–	–	1 934	–	46	1 888	–	–	–
名古屋市	–	–	–	30 374	13	–	30 361	–	–	–
京都市	–	–	–	–	–	–	–	–	–	–
大阪市	–	–	–	32 352	–	–	32 352	–	–	–
堺市	–	–	–	36 636	4	–	36 632	–	–	–
神戸市	–	–	–	42 345	7 815	–	34 530	620	–	–
岡山市	–	–	–	76 040	–	–	76 040	–	–	–
広島市	–	–	–	18 390	126	1 242	17 022	–	–	–
北九州市	–	–	–	14 397	–	–	14 397	–	–	–
福岡市	–	–	–	41 334	–	6 561	34 773	–	–	–
熊本市	–	–	–	56 374	729	–	55 645	1 700	–	–
中核市（再掲）										
旭川市	–	–	–	102 481	–	–	102 481	–	–	–
函館市	–	–	–	50 034	443	–	49 591	840	–	–
青森市	–	–	–	–	–	–	–	–	–	–
八戸市	–	–	–	–	–	–	–	–	–	–
盛岡市	–	–	–	8 229	–	–	8 229	–	–	–
秋田市	–	–	–	128	–	128	–	–	–	–
郡山市	–	–	–	11 823	–	–	11 823	–	–	–
いわき市	–	–	–	231	–	231	–	–	–	–
宇都宮市	–	–	–	128 990	35	30	128 925	118	–	–
前橋市	–	–	–	59 117	1 784	34	57 299	632	632	–
高崎市	–	–	–	41 480	–	–	41 480	3 117	–	–
川越市	–	–	–	–	–	–	–	–	–	–
越谷市	–	–	–	–	–	–	–	–	–	–
船橋市	–	–	–	17 063	9	–	17 054	–	–	–
柏市	–	–	–	–	–	–	–	–	–	–
八王子市	–	–	–	–	–	–	–	–	–	–
横須賀市	–	–	–	20 506	6	–	20 500	–	–	–
富山市	–	–	–	6 234	37	1 335	4 862	–	–	–
金沢市	–	–	–	2 561	195	–	2 366	–	–	–
長野市	–	–	–	18 174	–	–	18 174	–	–	–
岐阜市	–	–	–	–	–	–	–	–	–	–
豊橋市	–	–	–	23 639	–	–	23 639	1 230	–	–
豊田市	–	–	–	–	–	–	–	–	–	–
岡崎市	–	–	–	–	–	–	–	–	–	–
大津市	–	–	–	15 482	–	–	15 482	–	–	–
高槻市	–	–	–	–	–	–	–	–	–	–
東大阪市	–	–	–	–	–	–	–	–	–	–
豊中市	–	–	–	–	–	–	–	–	–	–
枚方市	–	–	–	–	–	–	–	–	–	–
姫路市	–	–	–	–	–	–	–	–	–	–
西宮市	–	–	–	59 066	–	–	59 066	960	–	–
尼崎市	–	–	–	805	–	–	805	–	–	–
奈良市	–	–	–	110	–	110	–	–	–	–
和歌山市	–	–	–	–	–	–	–	–	–	–
倉敷市	–	–	–	31 310	–	–	31 310	4 904	–	–
福山市	–	–	–	11	–	11	–	–	–	–
呉市	–	–	–	–	–	–	–	–	–	–
下関市	–	–	–	22 029	270	–	21 759	598	–	–
高松市	–	–	–	17 185	–	17 185	–	–	–	–
松山市	–	–	–	–	–	–	–	–	–	–
高知市	–	–	–	–	–	–	–	–	–	–
久留米市	–	–	–	–	–	–	–	–	–	–
長崎市	–	–	–	–	–	–	–	–	–	–
佐世保市	–	–	–	7 082	–	–	7 082	–	–	–
大分市	–	–	–	39 664	–	–	39 664	–	–	–
宮崎市	–	–	–	1 049	–	18	1 031	–	–	–
鹿児島市	–	–	–	–	–	–	–	–	–	–
那覇市	–	–	–	–	–	–	–	–	–	–

乳の種類・処理方法・都道府県－指定都市－中核市（再掲）別

平成29年度

乳	加工乳（乳脂肪分３％以上）				加工乳（乳脂肪分３％未満）				その他の乳			
ル）	殺菌乳（キロリットル）				殺菌乳（キロリットル）				殺菌乳（キロリットル）			
瞬間	総数	63～65℃（低温長時間殺菌法）	75℃以上（高温短時間殺菌法）	瞬間	総数	63～65℃（低温長時間殺菌法）	75℃以上（高温短時間殺菌法）	瞬間	総数	63～65℃（低温長時間殺菌法）	75℃以上（高温短時間殺菌法）	瞬間
11 195	1 005	－	－	1 005	－	－	－	－	11 497	－	－	11 497
－	－	－	－	－	－	－	－	－	4 220	－	－	4 220
－	－	－	－	－	－	－	－	－	－	－	－	－
－	－	－	－	－	－	－	－	－	－	－	－	－
－	16 756	－	－	16 756	3 084	－	－	3 084	31 589	－	－	31 589
－	－	－	－	－	－	－	－	－	－	－	－	－
－	－	－	－	－	－	－	－	－	－	－	－	－
－	299	－	－	299	483	－	－	483	77	－	－	77
－	－	－	－	－	－	－	－	－	－	－	－	－
－	－	－	－	－	－	－	－	－	－	－	－	－
－	－	－	－	－	－	－	－	－	－	－	－	－
－	－	－	－	－	－	－	－	－	－	－	－	－
－	635	－	－	635	－	－	－	－	－	－	－	－
－	139	－	－	139	－	－	－	－	－	－	－	－
620	－	－	－	－	－	－	－	－	1 093	－	－	1 093
－	－	－	－	－	－	－	－	－	2 247	－	－	2 247
－	－	－	－	－	－	－	－	－	－	－	－	－
－	－	－	－	－	－	－	－	－	－	－	－	－
－	－	－	－	－	－	－	－	－	2 715	－	－	2 715
1 700	－	－	－	－	－	－	－	－	22 962	－	－	22 962
－	－	－	－	－	115	－	－	115	－	－	－	－
840	－	－	－	－	－	－	－	－	2 958	－	－	2 958
－	－	－	－	－	－	－	－	－	－	－	－	－
－	－	－	－	－	－	－	－	－	－	－	－	－
－	－	－	－	－	－	－	－	－	－	－	－	－
－	－	－	－	－	－	－	－	－	－	－	－	－
－	74	－	－	74	179	－	－	179	－	－	－	－
－	－	－	－	－	－	－	－	－	－	－	－	－
118	1 223	－	1 223	－	－	－	－	－	3 734	－	－	3 734
－	1 441	－	－	1 441	－	－	－	－	941	941	－	－
3 117	841	－	－	841	1 308	－	－	1 308	－	－	－	－
－	－	－	－	－	－	－	－	－	－	－	－	－
－	－	－	－	－	－	－	－	－	－	－	－	－
－	－	－	－	－	－	－	－	－	－	－	－	－
－	－	－	－	－	－	－	－	－	－	－	－	－
－	－	－	－	－	－	－	－	－	－	－	－	－
－	－	－	－	－	56	－	－	56	－	－	－	－
－	156	－	－	156	－	－	－	－	－	－	－	－
－	－	－	－	－	－	－	－	－	4 392	－	－	4 392
－	－	－	－	－	－	－	－	－	－	－	－	－
－	－	－	－	－	－	－	－	－	－	－	－	－
1 230	－	－	－	－	－	－	－	－	3 096	－	－	3 096
－	－	－	－	－	－	－	－	－	－	－	－	－
－	－	－	－	－	－	－	－	－	－	－	－	－
－	－	－	－	－	－	－	－	－	－	－	－	－
－	－	－	－	－	－	－	－	－	－	－	－	－
－	－	－	－	－	－	－	－	－	－	－	－	－
－	－	－	－	－	－	－	－	－	－	－	－	－
－	－	－	－	－	－	－	－	－	－	－	－	－
－	－	－	－	－	－	－	－	－	－	－	－	－
960	－	－	－	－	10 229	－	－	10 229	12 361	－	－	12 361
－	－	－	－	－	－	－	－	－	－	－	－	－
－	－	－	－	－	－	－	－	－	－	－	－	－
－	－	－	－	－	－	－	－	－	－	－	－	－
4 904	10 455	－	－	10 455	－	－	－	－	－	－	－	－
－	－	－	－	－	－	－	－	－	－	－	－	－
－	－	－	－	－	－	－	－	－	－	－	－	－
598	－	－	－	－	254	－	－	254	417	－	－	417
－	－	－	－	－	－	－	－	－	－	－	－	－
－	－	－	－	－	－	－	－	－	－	－	－	－
－	－	－	－	－	－	－	－	－	－	－	－	－
－	－	－	－	－	－	－	－	－	－	－	－	－
－	－	－	－	－	－	－	－	－	－	－	－	－
－	－	－	－	－	－	－	－	－	－	－	－	－
－	－	－	－	－	－	－	－	－	3 610	－	－	3 610
－	－	－	－	－	－	－	－	－	－	－	－	－
－	－	－	－	－	－	－	－	－	－	－	－	－
－	－	－	－	－	－	－	－	－	－	－	－	－

（報告表　33）

第１表　医療法第25条の規定に基づく立入検査延件数・処分・告発件数・新規開設に伴う使用許可件数・構造設備の変更に伴う使用許可件数，施設の種類別

平成29年度

	総数	病院	診療所		助産所
			一般	歯科	
立入検査延件数	27 029	8 324	12 293	6 275	137
処分件数	3	2	1	－	－
増員又は業務の停止命令	2	2	－	－	－
改善命令	1	－	1	－	－
使用制限又は禁止	－	－	－	－	－
管理者変更	－	－	－	－	－
許可の取消	－	－	－	－	－
閉鎖命令	－	－	－	－	－
告発件数	－	－	－	－	－
新規開設に伴う使用許可件数	428	119	256	35	18
構造設備の変更に伴う使用許可件数	6 055	5 474	562	13	6

（報告表　35）

第２表　医療法第25条の規定に基づく立入検査延件数・処分・告発件数・新規開設に伴う使用許可件数・構造設備の変更に伴う使用許可件数，都道府県別

平成29年度

	立入検査延件数	処分件数						告発件数	新規開設に伴う使用許可件数	構造設備の変更に伴う使用許可件数
		増員又は業務の停止命令	改善命令	使用制限又は禁止	管理者変更	許可の取消	閉鎖命令			
全国	**27 029**	**2**	**1**	**－**	**－**	**－**	**－**	**－**	**428**	**6 055**
北海道	883	－	－	－	－	－	－	－	18	288
青森	748	－	－	－	－	－	－	－	6	56
岩手	296	－	－	－	－	－	－	－	50	80
宮城	591	－	－	－	－	－	－	－	7	120
秋田	106	－	－	－	－	－	－	－	2	39
山形	356	－	－	－	－	－	－	－	2	64
福島	444	－	－	－	－	－	－	－	4	89
茨城	707	－	－	－	－	－	－	－	7	78
栃木	155	2	－	－	－	－	－	－	3	38
群馬	188	－	－	－	－	－	－	－	5	47
埼玉	416	－	－	－	－	－	－	－	12	262
千葉	462	－	－	－	－	－	－	－	16	192
東京	3 150	－	－	－	－	－	－	－	26	493
神奈川	747	－	－	－	－	－	－	－	26	358
新潟	172	－	－	－	－	－	－	－	4	89
富山	120	－	－	－	－	－	－	－	5	28
石川	150	－	－	－	－	－	－	－	6	43
福井	379	－	－	－	－	－	－	－	1	58
山梨	353	－	－	－	－	－	－	－	2	25
長野	155	－	－	－	－	－	－	－	11	81
岐阜	639	－	－	－	－	－	－	－	6	105
静岡	1 366	－	－	－	－	－	－	－	4	99
愛知	2 733	－	－	－	－	－	－	－	14	234
三重	604	－	－	－	－	－	－	－	3	127
滋賀	119	－	－	－	－	－	－	－	20	28
京都	345	－	－	－	－	－	－	－	5	96
大阪	1 819	－	－	－	－	－	－	－	19	489
兵庫	1 017	－	－	－	－	－	－	－	3	322
奈良	115	－	1	－	－	－	－	－	1	35
和歌山	93	－	－	－	－	－	－	－	3	19
鳥取	159	－	－	－	－	－	－	－	3	25
島根	198	－	－	－	－	－	－	－	2	49
岡山	207	－	－	－	－	－	－	－	7	154
広島	506	－	－	－	－	－	－	－	1	147
山口	492	－	－	－	－	－	－	－	3	109
徳島	176	－	－	－	－	－	－	－	23	33
香川	319	－	－	－	－	－	－	－	－	58
愛媛	457	－	－	－	－	－	－	－	4	71
高知	154	－	－	－	－	－	－	－	3	80
福岡	2 208	－	－	－	－	－	－	－	17	439
佐賀	242	－	－	－	－	－	－	－	14	45
長崎	589	－	－	－	－	－	－	－	7	139
熊本	469	－	－	－	－	－	－	－	9	163
大分	431	－	－	－	－	－	－	－	4	122
宮崎	279	－	－	－	－	－	－	－	12	58
鹿児島	510	－	－	－	－	－	－	－	13	179
沖縄	205	－	－	－	－	－	－	－	15	102

（報告表　35）

第3表　医療法人に対する指導・監督数，都道府県別

平成29年度

	指導・監督の状況							
	報告徴収	立入検査	改善命令	業務停止（一部）	業務停止（全部）	役員解任勧告	設立認可取消 第65条によるもの	設立認可取消 第66条によるもの
全国	7	11	-	-	-	-	22	-
北海道	3	4	-	-	-	-	-	-
青森	-	-	-	-	-	-	-	-
岩手	-	-	-	-	-	-	-	-
宮城	-	-	-	-	-	-	-	-
秋田	-	-	-	-	-	-	-	-
山形	-	-	-	-	-	-	-	-
福島	-	-	-	-	-	-	-	-
茨城	-	-	-	-	-	-	-	-
栃木	-	-	-	-	-	-	2	-
群馬	-	-	-	-	-	-	-	-
埼玉	-	-	-	-	-	-	-	-
千葉	-	-	-	-	-	-	-	-
東京	1	-	-	-	-	-	4	-
神奈川	-	5	-	-	-	-	-	-
新潟	-	-	-	-	-	-	-	-
富山	-	-	-	-	-	-	-	-
石川	-	-	-	-	-	-	-	-
福井	-	-	-	-	-	-	-	-
山梨	-	-	-	-	-	-	-	-
長野	-	-	-	-	-	-	-	-
岐阜	-	-	-	-	-	-	-	-
静岡	-	1	-	-	-	-	-	-
愛知	-	-	-	-	-	-	-	-
三重	-	1	-	-	-	-	-	-
滋賀	-	-	-	-	-	-	-	-
京都	-	-	-	-	-	-	-	-
大阪	-	-	-	-	-	-	15	-
兵庫	-	-	-	-	-	-	-	-
奈良	-	-	-	-	-	-	-	-
和歌山	-	-	-	-	-	-	-	-
鳥取	1	-	-	-	-	-	-	-
島根	-	-	-	-	-	-	-	-
岡山	1	-	-	-	-	-	-	-
広島	-	-	-	-	-	-	-	-
山口	-	-	-	-	-	-	-	-
徳島	-	-	-	-	-	-	-	-
香川	-	-	-	-	-	-	-	-
愛媛	-	-	-	-	-	-	-	-
高知	-	-	-	-	-	-	1	-
福岡	-	-	-	-	-	-	-	-
佐賀	-	-	-	-	-	-	-	-
長崎	-	-	-	-	-	-	-	-
熊本	1	-	-	-	-	-	-	-
大分	-	-	-	-	-	-	-	-
宮崎	-	-	-	-	-	-	-	-
鹿児島	-	-	-	-	-	-	-	-
沖縄	-	-	-	-	-	-	-	-

（報告表　36）

第４表　准看護師免許交付数，都道府県別

平成29年度

	男	女
全国	**1 972**	**9 007**
北海道	82	349
青森	39	329
岩手	34	221
宮城	82	235
秋田	18	81
山形	14	119
福島	59	362
茨城	58	225
栃木	30	122
群馬	74	284
埼玉	104	507
千葉	51	283
東京	84	331
神奈川	15	134
新潟	10	42
富山	19	76
石川	10	53
福井	2	35
山梨	13	25
長野	34	110
岐阜	49	209
静岡	12	85
愛知	36	276
三重	18	102
滋賀	…	…
京都	…	…
大阪	…	…
兵庫	…	…
奈良	7	89
和歌山	…	…
鳥取	9	69
島根	17	48
岡山	12	88
広島	81	359
山口	64	350
徳島	…	…
香川	49	144
愛媛	30	113
高知	38	98
福岡	183	779
佐賀	71	180
長崎	51	207
熊本	75	301
大分	51	187
宮崎	55	246
鹿児島	46	158
沖縄	3	11
関西広域連合[1)]	183	985

注：1)　関西広域連合が実施した滋賀県、京都府、大阪府、兵庫県、和歌山県、徳島県分の数字である。

（報告表　42）

第５表　助産所数，都道府県別

平成29年度末現在

	助産所数	分娩を取り扱う助産所数（助産所数の再掲）
全国	**2 997**	**366**
北海道	54	40
青森	9	2
岩手	12	−
宮城	24	5
秋田	16	−
山形	6	−
福島	16	3
茨城	23	5
栃木	40	5
群馬	35	2
埼玉	98	20
千葉	98	12
東京	407	41
神奈川	114	28
新潟	48	1
富山	34	1
石川	29	4
福井	25	2
山梨	20	4
長野	65	15
岐阜	47	3
静岡	114	25
愛知	95	18
三重	20	5
滋賀	59	6
京都	159	10
大阪	578	24
兵庫	69	12
奈良	61	9
和歌山	43	12
鳥取	15	2
島根	32	1
岡山	26	8
広島	42	2
山口	16	2
徳島	23	−
香川	22	2
愛媛	9	2
高知	11	1
福岡	83	13
佐賀	8	1
長崎	24	3
熊本	63	3
大分	57	2
宮崎	30	4
鹿児島	103	4
沖縄	15	2

（報告表　48）

第１表　薬局数・無薬局町村数・登録販売者数，都道府県別

平成29年度末現在

	薬局数				無薬局町村	登録販売者数
	総数	（再掲）健康サポート薬局	開設者が自ら管理している薬局	開設者が自ら管理していない薬局		
全国	**59 138**	**879**	**4 834**	**54 304**	**168**	**190 336**
北海道	2 344	40	124	2 220	26	9 444
青森	608	13	38	570	27	2 803
岩手	594	2	36	558	−	2 676
宮城	1 148	12	59	1 089	1	3 347
秋田	536	12	43	493	2	1 979
山形	580	7	30	550	3	1 767
福島	894	24	69	825	11	2 693
茨城	1 290	33	127	1 163	1	3 850
栃木	877	14	57	820	−	2 238
群馬	891	6	60	831	4	2 874
埼玉	2 829	40	175	2 654	1	8 972
千葉	2 429	25	154	2 275	−	7 383
東京	6 646	87	357	6 289	7	19 010
神奈川	3 836	51	200	3 636	1	9 711
新潟	1 135	21	65	1 070	2	3 623
富山	445	5	46	399	1	2 757
石川	526	11	65	461	−	2 703
福井	291	2	37	254	1	2 058
山梨	453	8	78	375	3	1 400
長野	966	16	75	891	14	3 470
岐阜	1 021	12	147	874	2	3 822
静岡	1 813	12	174	1 639	−	6 456
愛知	3 321	36	399	2 922	2	9 287
三重	812	15	94	718	−	2 481
滋賀	597	14	58	539	1	1 881
京都	1 091	8	139	952	2	3 416
大阪	4 092	101	529	3 563	1	12 082
兵庫	2 632	5	197	2 435	−	7 031
奈良	541	7	68	473	12	2 288
和歌山	488	32	122	366	3	1 480
鳥取	276	2	20	256	−	867
島根	331	4	12	319	5	1 114
岡山	830	23	63	767	3	3 635
広島	1 613	31	137	1 476	−	3 994
山口	810	9	68	742	−	2 426
徳島	390	15	41	349	1	1 208
香川	530	6	40	490	−	1 602
愛媛	598	13	42	556	−	2 214
高知	399	4	62	337	5	1 272
福岡	2 891	36	183	2 708	1	8 862
佐賀	524	6	32	492	−	1 864
長崎	737	5	56	681	1	2 333
熊本	844	24	29	815	5	3 881
大分	572	11	37	535	1	2 592
宮崎	595	4	45	550	2	2 303
鹿児島	901	12	54	847	4	3 391
沖縄	571	3	91	480	12	1 796

（報告表　49）

第２表（５－１） 医薬品等営業許可・登録・届出施設数・

	総数		医							
			総数		薬局		専業製造業（大臣許可分）		専業製造業（知事許可分）	
	許可・登録・届出施設数（年度末現在）	立入検査施行施設数（年度中）	許可・登録・届出施設数（年度末現在）	立入検査施行施設数（年度中）	許可・登録・届出施設数（年度末現在）	立入検査施行施設数（年度中）	許可・登録・届出施設数（年度末現在）	立入検査施行施設数（年度中）	許可・登録・届出施設数（年度末現在）	立入検査施行施設数（年度中）
全国	**649 706**	**216 022**	**135 130**	**62 414**	**59 138**	**29 404**	**85**	**57**	**2 081**	**1 182**
北海道	30 016	9 573	6 023	2 342	2 344	910	3	1	29	1
青森	5 511	1 081	1 531	628	608	336	－	－	10	－
岩手	6 285	2 220	1 585	846	594	482	1	－	15	5
宮城	12 683	2 806	2 559	823	1 148	457	2	1	19	11
秋田	4 840	681	1 316	413	536	248	－	－	10	2
山形	6 419	639	1 470	396	580	201	－	－	18	29
福島	7 780	2 464	2 196	935	894	367	－	－	33	26
茨城	13 202	5 630	2 894	1 823	1 290	892	3	－	60	18
栃木	11 871	2 775	1 967	714	877	408	2	－	37	6
群馬	9 302	2 236	2 065	867	891	388	3	－	31	29
埼玉	31 174	9 735	6 120	2 557	2 829	1 371	9	－	110	51
千葉	26 907	10 230	4 822	2 451	2 429	1 128	4	－	58	21
東京	86 256	43 325	13 723	8 826	6 646	4 810	6	55	194	79
神奈川	36 563	7 222	7 094	3 012	3 836	1 760	5	－	92	61
新潟	9 482	964	2 617	426	1 135	187	2	－	24	3
富山	6 266	1 470	1 983	534	445	224	2	－	99	46
石川	5 894	1 125	1 369	579	526	345	1	－	12	16
福井	3 296	818	884	430	291	198	－	－	14	36
山梨	4 195	1 368	1 095	404	453	222	－	－	9	－
長野	10 056	9 185	2 748	1 526	966	512	－	－	32	28
岐阜	9 929	2 205	2 769	858	1 021	427	2	－	43	33
静岡	19 041	10 663	3 814	2 558	1 813	1 102	2	－	87	142
愛知	44 568	7 360	7 119	2 288	3 321	1 194	4	－	84	48
三重	9 363	3 716	1 874	893	812	442	－	－	35	29
滋賀	7 559	1 183	1 536	456	597	218	2	－	43	48
京都	12 220	1 736	2 489	709	1 091	421	2	－	36	37
大阪	47 343	26 545	10 046	6 686	4 092	2 875	4	－	262	83
兵庫	23 183	7 787	5 477	2 846	2 632	1 202	7	－	140	55
奈良	6 921	1 477	1 929	313	541	158	－	－	85	14
和歌山	4 297	1 717	1 341	824	488	467	－	－	28	19
鳥取	2 836	774	687	415	276	202	－	－	2	5
島根	4 635	524	907	350	331	200	－	－	4	1
岡山	10 410	4 822	2 037	847	830	343	1	－	43	54
広島	19 663	4 570	3 281	1 473	1 613	767	2	－	26	7
山口	5 261	1 722	1 807	722	810	315	2	－	29	13
徳島	3 762	1 046	954	383	390	137	1	－	37	33
香川	5 334	2 521	1 324	799	530	300	2	－	23	11
愛媛	7 215	1 551	1 404	850	598	222	1	－	17	12
高知	3 219	517	854	236	399	118	－	－	5	1
福岡	28 571	4 591	5 988	2 107	2 891	769	4	－	47	28
佐賀	4 517	362	1 360	159	524	47	－	－	17	19
長崎	7 143	1 941	1 680	977	737	439	－	－	9	3
熊本	9 218	3 008	2 206	987	844	440	5	－	30	8
大分	5 289	1 920	1 364	703	572	274	－	－	17	2
宮崎	6 471	1 849	1 330	926	595	303	－	－	10	7
鹿児島	7 775	3 750	2 196	1 234	901	430	－	－	15	2
沖縄	5 965	618	1 296	283	571	146	1	－	1	－

薬事監視立入検査施行施設数, 営業の種類・都道府県別

平成29年度

薬							品				
薬局医薬品製造業		製造販売業(第1種)		製造販売業(第2種)		製造販売業(薬局)		店舗販売業		卸売販売業	
許可・登録・届出施設数(年度末現在)	立入検査施行施設数(年度中)	許可・登録・届出施設数(年度末現在)	立入検査施行施設数(年度中)	許可・登録・届出施設数(年度末現在)	立入検査施行施設数(年度中)	許可・登録・届出施設数(年度末現在)	立入検査施行施設数(年度中)	許可・登録・届出施設数(年度末現在)	立入検査施行施設数(年度中)	許可・登録・届出施設数(年度末現在)	立入検査施行施設数(年度中)
5 410	**2 691**	**276**	**114**	**830**	**178**	**5 410**	**2 682**	**26 544**	**11 938**	**13 711**	**5 986**
170	59	2	-	5	-	170	52	1 216	430	627	205
55	12	-	-	4	-	55	12	332	130	169	126
22	20	-	-	2	1	22	20	323	227	145	84
67	38	-	-	5	2	67	39	479	152	330	108
46	12	-	-	1	-	46	12	251	78	122	49
39	11	3	-	8	-	39	11	252	82	135	31
112	31	1	-	4	1	112	33	380	136	215	78
117	105	1	-	5	-	117	105	545	377	293	173
77	37	1	-	8	-	77	37	351	130	182	76
48	23	1	5	8	8	48	42	444	141	194	94
185	118	5	1	20	1	185	118	1 289	515	675	256
167	80	1	-	13	-	167	80	1 071	484	395	112
481	369	151	48	211	48	481	362	2 740	1 571	1 771	1 151
254	116	4	2	13	5	254	115	1 427	634	583	203
98	10	1	-	5	1	98	10	484	120	260	34
23	9	15	7	57	12	23	9	305	114	235	99
52	24	2	-	2	-	52	24	298	132	111	29
28	18	1	1	5	3	28	16	213	92	79	62
28	12	-	-	2	-	28	8	217	115	80	31
159	68	2	12	13	16	159	68	456	180	258	107
161	56	2	-	14	2	161	56	576	186	210	58
118	38	2	1	15	10	118	41	739	448	346	164
347	178	5	3	36	11	347	178	1 343	476	681	152
64	28	-	-	5	-	64	28	390	175	163	75
56	30	2	-	19	2	56	30	288	89	121	34
112	19	3	-	13	6	112	24	527	150	230	46
769	547	45	24	126	13	769	546	1 882	1 188	1 201	983
211	90	10	6	30	12	211	90	1 048	339	478	178
56	13	1	-	55	3	56	13	381	80	192	21
64	53	1	-	11	1	64	53	275	172	134	43
25	6	-	-	2	-	25	6	145	45	83	37
24	15	-	-	-	-	24	15	191	67	81	47
87	44	1	-	10	-	87	44	425	223	234	96
104	45	1	1	9	2	104	45	560	289	393	145
57	9	1	1	8	4	57	8	340	111	170	85
25	2	4	1	12	1	25	2	204	83	102	17
80	45	4	1	9	3	80	43	244	189	144	47
47	16	-	-	5	3	47	16	293	104	156	57
30	3	-	-	4	-	30	3	183	81	69	24
224	63	-	-	13	-	224	63	1 147	442	646	193
84	11	2	-	10	1	84	11	205	44	109	25
58	28	-	-	3	3	58	28	305	215	162	80
138	55	1	-	14	-	138	55	461	262	184	55
58	25	-	-	4	1	58	12	322	124	126	47
29	30	-	-	2	1	29	29	305	193	151	90
92	50	-	-	9	1	92	50	403	250	182	60
62	20	-	-	1	-	62	20	289	73	104	19

（報告表　50）

第２表（５－２） 医薬品等営業許可・登録・届出施設数・

	医				薬				品	
	薬種商販売業		特例販売業		配置販売業		配置従事者		業務上取り扱う施設	
	許可・登録・届出施設数(年度末現在)	立入検査施行施設数(年度中)	許可・登録・届出施設数(年度末現在)	立入検査施行施設数(年度中)	許可・登録・届出施設数(年度末現在)	立入検査施行施設数(年度中)	許可・登録・届出施設数(年度末現在)	立入検査施行施設数(年度中)	許可・登録・届出施設数(年度末現在)	立入検査施行施設数(年度中)
全国	**126**	**79**	**932**	**355**	**6 573**	**397**	**14 014**	**216**	**・**	**7 135**
北海道	4	－	136	36	339	16	978	1	・	631
青森	3	4	6	1	44	7	245	－	・	－
岩手	2	1	5	5	126	1	328	－	・	－
宮城	－	－	9	8	157	2	276	1	・	4
秋田	4	2	11	6	86	4	203	－	・	－
山形	－	－	36	19	113	10	247	2	・	－
福島	－	－	8	5	158	1	279	1	・	256
茨城	7	8	10	13	176	28	270	6	・	98
栃木	5	3	1	－	142	17	207	－	・	－
群馬	－	－	18	5	152	37	227	6	・	89
埼玉	1	－	2	1	269	19	541	19	・	87
千葉	1	－	1	－	170	16	345	151	・	379
東京	3	2	24	18	310	101	705	－	・	212
神奈川	1	1	－	－	215	－	410	－	・	115
新潟	3	－	15	4	171	－	321	－	・	57
富山	1	2	4	4	178	8	596	－	・	－
石川	－	－	9	9	131	－	173	－	・	－
福井	3	1	－	－	104	3	118	－	・	－
山梨	2	2	10	2	80	7	186	2	・	3
長野	11	6	151	57	179	10	362	－	・	462
岐阜	2	1	126	26	87	11	364	1	・	1
静岡	6	1	4	1	212	10	352	13	・	587
愛知	2	1	5	2	253	9	691	－	・	36
三重	－	－	15	7	169	3	157	3	・	103
滋賀	5	2	3	3	144	－	200	－	・	－
京都	－	1	6	2	158	－	199	－	・	3
大阪	5	6	2	10	316	－	573	－	・	411
兵庫	2	2	3	－	234	6	471	1	・	865
奈良	2	－	43	2	150	9	367	－	・	－
和歌山	1	2	18	1	135	6	122	3	・	4
鳥取	3	－	3	1	50	3	73	－	・	110
島根	5	1	8	4	87	－	152	－	・	－
岡山	2	3	16	14	45	－	256	－	・	26
広島	5	3	25	17	134	4	305	－	・	148
山口	4	2	16	12	101	1	212	－	・	161
徳島	－	－	10	1	49	5	95	－	・	101
香川	4	－	5	1	60	1	139	－	・	158
愛媛	1	1	13	6	76	5	150	5	・	403
高知	－	－	18	6	51	－	65	－	・	－
福岡	6	3	15	5	170	2	601	－	・	539
佐賀	4	－	3	－	111	1	207	－	・	－
長崎	1	－	21	6	126	10	200	－	・	165
熊本	6	6	7	2	120	－	258	－	・	104
大分	2	2	9	3	27	2	169	1	・	210
宮崎	2	－	4	6	31	9	172	－	・	258
鹿児島	5	10	26	19	133	13	338	－	・	349
沖縄	－	－	52	5	44	－	109	－	・	－

薬事監視立入検査施行施設数，営業の種類・都道府県別

平成29年度

医薬部外品									
総数		製造業		製造販売業		販売業		業務上取り扱う施設	
許可・登録・届出施設数(年度末現在)	立入検査施行施設数(年度中)	許可・登録・届出施設数(年度末現在)	立入検査施行施設数(年度中)	許可・登録・届出施設数(年度末現在)	立入検査施行施設数(年度中)	許可・登録・届出施設数(年度末現在)	立入検査施行施設数(年度中)	許可・登録・届出施設数(年度末現在)	立入検査施行施設数(年度中)
3 225	**27 787**	**1 829**	**536**	**1 396**	**318**	**・**	**22 792**	**・**	**4 141**
32	660	15	1	17	2	・	654	・	3
3	−	3	−	−	−	・	−	・	−
3	−	2	−	1	−	・	−	・	−
14	426	9	3	5	−	・	420	・	3
2	−	1	−	1	−	・	−	・	−
9	1	7	1	2	−	・	−	・	−
16	331	15	7	1	−	・	148	・	176
60	755	48	12	12	3	・	713	・	27
35	325	27	2	8	−	・	323	・	−
72	152	57	23	15	6	・	90	・	33
235	352	186	34	49	11	・	306	・	1
126	1 065	97	21	29	8	・	979	・	57
604	6 881	156	55	448	118	・	6 585	・	123
168	181	118	61	50	28	・	71	・	21
8	1	5	−	3	1	・	−	・	−
89	185	49	13	40	7	・	165	・	−
14	4	8	2	6	2	・	−	・	−
15	8	6	3	9	5	・	−	・	−
16	127	8	−	8	−	・	121	・	6
36	2 743	21	12	15	7	・	672	・	2 052
59	161	36	9	23	4	・	116	・	32
112	1 922	85	72	27	16	・	1 248	・	586
108	1 113	63	34	45	11	・	1 036	・	32
47	532	32	12	15	6	・	441	・	73
52	14	35	10	17	4	・	−	・	−
65	14	36	10	29	4	・	−	・	−
570	4 906	302	31	268	28	・	4 484	・	363
140	817	90	28	50	13	・	775	・	1
103	4	63	2	40	2	・	−	・	−
63	9	43	7	20	2	・	−	・	−
3	52	1	−	2	−	・	24	・	28
3	2	3	2	−	−	・	−	・	−
43	599	34	4	9	1	・	568	・	26
28	699	16	6	12	3	・	577	・	113
3	215	2	1	1	−	・	214	・	−
23	225	14	2	9	2	・	221	・	−
37	516	20	5	17	4	・	396	・	111
40	21	25	15	15	6	・	−	・	−
19	26	11	4	8	4	・	18	・	−
75	467	38	8	37	5	・	315	・	139
17	6	11	5	6	1	・	−	・	−
−	−	−	−	−	−	・	−	・	−
16	315	9	16	7	−	・	268	・	31
21	314	12	−	9	1	・	256	・	57
2	2	1	1	1	1	・	−	・	−
9	637	5	1	4	1	・	588	・	47
10	2	4	1	6	1	・	−	・	−

（報告表　50）

第2表（5－3）　医薬品等営業許可・登録・届出施設数・

	化粧品									
	総数		製造業		製造販売業		販売業		業務上取り扱う施設	
	許可・登録・届出施設数（年度末現在）	立入検査施行施設数（年度中）	許可・登録・届出施設数（年度末現在）	立入検査施行施設数（年度中）	許可・登録・届出施設数（年度末現在）	立入検査施行施設数（年度中）	許可・登録・届出施設数（年度末現在）	立入検査施行施設数（年度中）	許可・登録・届出施設数（年度末現在）	立入検査施行施設数（年度中）
全国	**7 412**	**26 015**	**3 668**	**940**	**3 744**	**884**	**・**	**21 121**	**・**	**3 070**
北海道	146	587	65	5	81	10	・	570	・	2
青森	10	5	4	－	6	－	・	5	・	－
岩手	7	－	5	－	2	－	・	－	・	－
宮城	37	395	23	7	14	3	・	382	・	3
秋田	8	－	3	－	5	－	・	－	・	－
山形	15	2	12	2	3	－	・	－	・	－
福島	30	228	24	11	6	2	・	148	・	67
茨城	105	595	74	20	31	8	・	566	・	1
栃木	57	324	37	1	20	－	・	323	・	－
群馬	126	136	82	21	44	6	・	76	・	33
埼玉	410	353	291	55	119	26	・	272	・	－
千葉	319	937	214	39	105	21	・	877	・	－
東京	1 997	7 250	656	183	1 341	368	・	6 561	・	138
神奈川	335	268	204	104	131	71	・	72	・	21
新潟	21	2	9	2	12	－	・	－	・	－
富山	70	142	40	8	30	3	・	131	・	－
石川	27	14	14	7	13	7	・	－	・	－
福井	27	16	14	8	13	8	・	－	・	－
山梨	47	109	25	－	22	－	・	102	・	7
長野	64	2 410	37	9	27	4	・	604	・	1 793
岐阜	108	164	63	14	45	11	・	119	・	20
静岡	188	1 639	127	96	61	40	・	1 136	・	367
愛知	253	1 002	130	55	123	36	・	908	・	3
三重	91	458	52	19	39	14	・	375	・	50
滋賀	61	20	38	10	23	10	・	－	・	－
京都	147	40	74	18	73	21	・	－	・	1
大阪	1 235	4 623	590	61	645	63	・	4 136	・	363
兵庫	295	762	161	34	134	24	・	703	・	1
奈良	81	－	44	－	37	－	・	－	・	－
和歌山	58	15	35	9	23	6	・	－	・	－
鳥取	20	8	10	1	10	1	・	6	・	－
島根	8	1	6	1	2	－	・	－	・	－
岡山	77	554	48	7	29	3	・	532	・	12
広島	72	676	37	17	35	17	・	539	・	103
山口	12	176	5	3	7	1	・	172	・	－
徳島	41	229	20	4	21	4	・	221	・	－
香川	70	317	40	11	30	7	・	293	・	6
愛媛	88	43	49	26	39	17	・	－	・	－
高知	34	19	17	2	17	5	・	12	・	－
福岡	246	281	107	21	139	27	・	213	・	20
佐賀	29	8	16	6	13	2	・	－	・	－
長崎	19	5	9	2	10	3	・	－	・	－
熊本	70	293	36	16	34	6	・	271	・	－
大分	36	297	19	3	17	3	・	234	・	57
宮崎	26	9	13	6	13	3	・	－	・	－
鹿児島	40	571	18	3	22	4	・	562	・	2
沖縄	149	32	71	13	78	19	・	－	・	－

薬事監視立入検査施行施設数，営業の種類・都道府県別

平成29年度

医療機器									
総数		製造業		修理業（大臣許可分）		修理業（知事許可分）		製造販売業（第１種）	
許可・登録・届出施設数（年度末現在）	立入検査施行施設数（年度中）	許可・登録・届出施設数（年度末現在）	立入検査施行施設数（年度中）	許可・登録・届出施設数（年度末現在）	立入検査施行施設数（年度中）	許可・登録・届出施設数（年度末現在）	立入検査施行施設数（年度中）	許可・登録・届出施設数（年度末現在）	立入検査施行施設数（年度中）
502 728	**97 949**	**4 182**	**1 092**	**－**	**－**	**6 660**	**1 522**	**698**	**566**
23 741	5 948	27	6	－	－	336	73	2	－
3 967	448	9	－	－	－	97	34	－	－
4 679	1 364	20	6	－	－	84	25	－	－
10 057	1 157	33	8	－	－	194	35	1	－
3 502	267	23	－	－	－	75	11	2	－
4 911	236	35	6	－	－	74	9	1	－
5 510	883	75	11	－	－	113	18	5	－
10 119	2 331	107	26	－	－	108	22	3	1
9 789	1 403	66	3	－	－	72	1	8	－
7 026	1 076	95	24	－	－	78	16	3	1
24 366	6 456	304	99	－	－	256	77	35	23
21 589	5 773	196	29	－	－	177	29	26	9
69 746	20 037	966	293	－	－	873	284	369	441
28 883	3 723	214	99	－	－	269	96	21	5
6 825	533	59	3	－	－	127	13	5	－
4 105	605	49	9	－	－	49	4	4	1
4 475	526	36	6	－	－	101	8	5	1
2 356	352	103	21	－	－	45	22	6	1
3 032	728	34	－	－	－	39	12	2	－
7 185	1 995	118	27	－	－	143	34	11	3
6 984	1 022	59	19	－	－	86	14	4	2
14 893	4 436	112	72	－	－	160	98	8	6
37 038	2 932	191	48	－	－	397	103	25	17
7 338	1 820	37	4	－	－	63	10	－	－
5 904	690	63	18	－	－	37	8	6	1
9 485	966	97	9	－	－	131	27	16	6
35 430	10 295	464	91	－	－	546	62	70	29
17 226	3 219	145	40	－	－	192	43	15	6
4 798	1 160	31	－	－	－	39	－	2	－
2 824	866	8	2	－	－	48	9	1	－
2 117	291	17	2	－	－	44	5	－	－
3 709	170	9	2	－	－	38	2	－	－
8 241	2 809	40	13	－	－	134	17	8	1
16 260	1 694	50	11	－	－	206	46	5	1
3 421	606	15	3	－	－	71	8	1	－
2 730	208	12	4	－	－	54	9	2	1
3 892	815	23	6	－	－	91	27	－	－
5 668	632	31	13	－	－	90	16	4	3
2 305	231	8	4	－	－	45	11	－	－
22 219	1 612	101	27	－	－	363	77	17	6
3 098	189	11	2	－	－	35	4	－	－
5 421	950	9	2	－	－	76	14	1	－
6 907	1 401	21	5	－	－	85	21	－	－
3 854	598	22	6	－	－	52	8	2	－
5 096	896	20	8	－	－	82	20	1	1
5 507	1 300	12	3	－	－	110	24	－	－
4 500	300	5	2	－	－	75	16	1	－

（報告表　50）

第２表（５－４） 医薬品等営業許可・登録・届出施設数・

	医						療	
	製造販売業（第２種）		製造販売業（第３種）		販売業（高度管理医療機器等）		販売業（管理医療機器）	
	許可・登録・届出施設数（年度末現在）	立入検査施行施設数（年度中）	許可・登録・届出施設数（年度末現在）	立入検査施行施設数（年度中）	許可・登録・届出施設数（年度末現在）	立入検査施行施設数（年度中）	許可・登録・届出施設数（年度末現在）	立入検査施行施設数（年度中）
全国	**1 076**	**478**	**898**	**383**	**67 185**	**22 506**	**319 577**	**31 047**
北海道	9	2	1	－	3 336	1 027	11 847	1 166
青森	2	－	1	－	615	247	2 963	94
岩手	4	－	－	－	691	392	3 176	696
宮城	7	1	3	1	1 363	390	6 602	367
秋田	2	－	1	1	522	132	2 385	94
山形	5	1	2	1	543	98	3 851	85
福島	8	－	10	2	1 029	231	3 622	205
茨城	17	3	14	3	1 495	904	7 372	954
栃木	12	－	6	－	857	314	6 936	681
群馬	19	6	10	3	897	238	4 275	364
埼玉	53	21	67	22	3 052	1 088	13 753	1 920
千葉	31	4	33	6	2 680	819	12 211	1 246
東京	363	277	308	213	9 123	3 489	37 801	6 346
神奈川	57	21	36	14	3 931	1 264	21 742	1 488
新潟	8	1	10	2	1 192	142	4 586	266
富山	2	－	7	1	560	190	2 985	250
石川	5	1	10	－	762	265	2 619	170
福井	5	1	60	12	379	181	1 569	61
山梨	10	－	1	－	413	113	2 244	243
長野	24	3	12	1	1 088	428	3 892	565
岐阜	11	2	14	5	927	262	4 856	475
静岡	23	19	20	13	1 670	695	11 080	1 331
愛知	49	16	35	13	3 616	937	26 634	875
三重	9	1	5	2	798	288	5 706	859
滋賀	18	6	6	1	643	149	4 136	271
京都	30	13	18	7	1 414	329	6 472	316
大阪	144	38	121	43	5 547	2 303	14 123	2 880
兵庫	33	11	24	3	2 626	851	11 829	1 215
奈良	8	1	7	－	533	122	2 034	285
和歌山	2	－	3	1	489	334	1 980	301
鳥取	7	－	2	－	288	108	1 330	64
島根	1	－	1	－	395	106	2 942	27
岡山	5	1	5	1	1 167	398	5 758	824
広島	15	8	14	4	1 640	580	11 489	540
山口	3	1	－	－	720	214	2 032	320
徳島	5	1	1	1	378	121	1 882	10
香川	6	1	4	1	702	307	2 551	280
愛媛	3	2	2	1	774	187	4 151	191
高知	6	4	2	－	417	118	1 606	60
福岡	28	7	16	3	3 061	582	16 218	255
佐賀	2	1	2	1	461	60	2 305	52
長崎	3	－	－	－	734	312	3 839	415
熊本	8	1	1	－	937	327	4 363	556
大分	7	1	－	－	545	162	2 902	251
宮崎	4	1	－	－	541	266	3 829	469
鹿児島	2	－	2	－	1 007	315	3 695	537
沖縄	1	－	1	1	627	121	3 404	127

薬事監視立入検査施行施設数，営業の種類・都道府県別

平成29年度

機器									
販売業（一般医療機器）		貸与業(高度管理医療機器等)		貸与業（管理医療機器）		貸与業（一般医療機器）		業務上取り扱う施設	
許可・登録・届出施設数(年度末現在)	立入検査施行施設数(年度中)	許可・登録・届出施設数(年度末現在)	立入検査施行施設数(年度中)	許可・登録・届出施設数(年度末現在)	立入検査施行施設数(年度中)	許可・登録・届出施設数(年度末現在)	立入検査施行施設数(年度中)	許可・登録・届出施設数(年度末現在)	立入検査施行施設数(年度中)
・	**5 836**	**37 277**	**11 363**	**65 175**	**16 002**	・	**3 490**	・	**3 664**
・	911	2 904	946	5 279	959	・	783	・	75
・	–	208	73	72	–	・	–	・	–
・	–	312	129	392	116	・	–	・	–
・	139	673	143	1 181	72	・	1	・	–
・	–	210	27	282	2	・	–	・	–
・	–	266	36	134	–	・	–	・	–
・	72	417	59	231	15	・	–	・	270
・	1	534	241	469	69	・	–	・	107
・	–	306	90	1 526	314	・	–	・	–
・	43	349	81	1 300	246	・	43	・	11
・	740	1 321	360	5 525	1 557	・	483	・	66
・	1 068	1 138	300	5 097	1 040	・	859	・	364
・	40	6 816	2 535	13 127	5 977	・	103	・	39
・	122	1 209	339	1 404	228	・	17	・	30
・	1	501	43	337	8	・	1	・	53
・	66	260	68	189	16	・	–	・	–
・	–	323	68	614	7	・	–	・	–
・	–	134	53	55	–	・	–	・	–
・	150	196	41	93	100	・	68	・	1
・	–	578	215	1 319	421	・	35	・	263
・	59	444	92	583	84	・	1	・	7
・	964	817	277	1 003	232	・	89	・	640
・	44	2 227	542	3 864	269	・	11	・	57
・	184	370	145	350	174	・	61	・	92
・	–	406	107	589	129	・	–	・	–
・	–	678	143	629	115	・	–	・	1
・	376	5 117	2 019	9 298	2 072	・	330	・	52
・	82	1 032	307	1 330	279	・	7	・	375
・	210	469	94	1 675	238	・	210	・	–
・	–	200	177	93	42	・	–	・	–
・	–	160	54	269	23	・	–	・	35
・	–	186	27	137	6	・	–	・	–
・	437	546	153	578	608	・	329	・	27
・	8	883	222	1 958	162	・	–	・	112
・	–	375	43	204	–	・	–	・	17
・	–	196	61	200	–	・	–	・	–
・	–	301	87	214	8	・	–	・	98
・	61	380	69	233	30	・	59	・	–
・	–	146	34	75	–	・	–	・	–
・	58	1 383	198	1 032	1	・	–	・	398
・	–	190	29	92	40	・	–	・	–
・	–	294	81	465	126	・	–	・	–
・	–	618	236	874	205	・	–	・	50
・	–	233	57	91	1	・	–	・	112
・	–	313	131	306	–	・	–	・	–
・	–	434	108	245	1	・	–	・	312
・	–	224	23	162	10	・	–	・	–

（報告表　50）

第２表（５－５） 医薬品等営業許可・登録・届出施設数・

	体外診断用医薬品								再	
	総数		製造業		製造販売業		業務上取り扱う施設		総数	
	許可・登録・届出施設数（年度末現在）	立入検査施行施設数（年度中）	許可・登録・届出施設数（年度末現在）	立入検査施行施設数（年度中）	許可・登録・届出施設数（年度末現在）	立入検査施行施設数（年度中）	許可・登録・届出施設数（年度末現在）	立入検査施行施設数（年度中）	許可・登録・届出施設数（年度末現在）	立入検査施行施設数（年度中）
全国	**346**	**1 243**	**194**	**65**	**152**	**76**	・	**1 102**	**865**	**602**
北海道	5	16	3	3	2	3	・	10	69	20
青森	-	-	-	-	-	-	・	-	-	-
岩手	3	3	2	2	1	1	・	-	8	7
宮城	2	-	1	-	1	-	・	-	14	5
秋田	1	-	1	-	-	-	・	-	11	1
山形	-	-	-	-	-	-	・	-	14	4
福島	6	86	4	-	2	-	・	86	22	1
茨城	10	115	9	2	1	-	・	113	14	11
栃木	13	1	8	1	5	-	・	-	10	8
群馬	8	5	6	5	2	-	・	-	5	-
埼玉	16	3	10	3	6	-	・	-	27	14
千葉	18	2	12	2	6	-	・	-	33	2
東京	107	269	34	13	73	51	・	205	79	50
神奈川	37	22	24	14	13	8	・	-	46	16
新潟	2	-	1	-	1	-	・	-	9	2
富山	9	1	6	1	3	-	・	-	10	3
石川	2	-	1	-	1	-	・	-	7	2
福井	3	-	2	-	1	-	・	-	11	12
山梨	1	-	1	-	-	-	・	-	4	-
長野	2	274	1	1	1	1	・	272	21	237
岐阜	-	-	-	-	-	-	・	-	9	-
静岡	11	69	9	5	2	1	・	63	23	39
愛知	5	4	3	1	2	-	・	3	45	21
三重	3	2	3	2	-	-	・	-	10	11
滋賀	6	3	4	2	2	1	・	-	-	-
京都	18	4	11	1	7	3	・	-	16	3
大阪	23	6	11	1	12	5	・	-	39	29
兵庫	12	137	10	3	2	-	・	134	33	6
奈良	-	-	-	-	-	-	・	-	10	-
和歌山	-	-	-	-	-	-	・	-	11	3
鳥取	-	-	-	-	-	-	・	-	9	8
島根	-	-	-	-	-	-	・	-	8	1
岡山	2	9	2	-	-	-	・	9	10	4
広島	2	16	1	-	1	-	・	16	20	12
山口	3	1	3	1	-	-	・	-	15	2
徳島	5	1	4	1	1	-	・	-	9	-
香川	2	68	1	-	1	1	・	67	9	6
愛媛	1	-	1	-	-	-	・	-	14	5
高知	-	3	-	-	-	-	・	3	7	2
福岡	-	121	-	-	-	-	・	121	43	3
佐賀	2	-	1	-	1	-	・	-	11	-
長崎	-	-	-	-	-	-	・	-	23	9
熊本	1	-	1	-	-	-	・	-	18	12
大分	5	2	3	1	2	1	・	-	9	6
宮崎	-	-	-	-	-	-	・	-	17	16
鹿児島	-	-	-	-	-	-	・	-	23	8
沖縄	-	-	-	-	-	-	・	-	10	1

薬事監視立入検査施行施設数，営業の種類・都道府県別

平成29年度

生医療等製品								(別掲)指定薬物等を取り扱う施設	
製造業		製造販売業		販売業		業務上取り扱う施設			
許可・登録・届出施設数(年度末現在)	立入検査施行施設数(年度中)	許可・登録・届出施設数(年度末現在)	立入検査施行施設数(年度中)	許可・登録・届出施設数(年度末現在)	立入検査施行施設数(年度中)	許可・登録・届出施設数(年度末現在)	立入検査施行施設数(年度中)	許可・登録・届出施設数(年度末現在)	立入検査施行施設数(年度中)
5	**2**	**7**	**2**	**853**	**320**	**・**	**278**	**・**	**12**
1	2	−	−	68	18	・	−	・	−
−	−	−	−	−	−	・	−	・	−
−	−	−	−	8	7	・	−	・	−
−	−	−	−	14	5	・	−	・	−
−	−	−	−	11	1	・	−	・	−
−	−	−	−	14	4	・	−	・	−
−	−	−	−	22	1	・	−	・	−
−	−	−	−	14	11	・	−	・	−
−	−	−	−	10	8	・	−	・	−
−	−	−	−	5	−	・	−	・	−
−	−	−	−	27	14	・	−	・	−
−	−	−	−	33	2	・	−	・	−
−	−	3	−	76	32	・	18	・	12
1	−	1	1	44	15	・	−	・	−
−	−	−	−	9	2	・	−	・	−
−	−	−	−	10	3	・	−	・	−
−	−	−	−	7	2	・	−	・	−
−	−	−	−	11	12	・	−	・	−
−	−	−	−	4	−	・	−	・	−
−	−	−	−	21	11	・	226	・	−
−	−	−	−	9	−	・	−	・	−
−	−	−	−	23	6	・	33	・	−
1	−	1	1	43	20	・	−	・	−
−	−	−	−	10	11	・	−	・	−
−	−	−	−	−	−	・	−	・	−
−	−	−	−	16	3	・	−	・	−
−	−	1	−	38	29	・	−	・	−
2	−	1	−	30	6	・	−	・	−
−	−	−	−	10	−	・	−	・	−
−	−	−	−	11	3	・	−	・	−
−	−	−	−	9	8	・	−	・	−
−	−	−	−	8	1	・	−	・	−
−	−	−	−	10	4	・	−	・	−
−	−	−	−	20	12	・	−	・	−
−	−	−	−	15	2	・	−	・	−
−	−	−	−	9	−	・	−	・	−
−	−	−	−	9	5	・	1	・	−
−	−	−	−	14	5	・	−	・	−
−	−	−	−	7	2	・	−	・	−
−	−	−	−	43	3	・	−	・	−
−	−	−	−	11	−	・	−	・	−
−	−	−	−	23	9	・	−	・	−
−	−	−	−	18	12	・	−	・	−
−	−	−	−	9	6	・	−	・	−
−	−	−	−	17	16	・	−	・	−
−	−	−	−	23	8	・	−	・	−
−	−	−	−	10	1	・	−	・	−

（報告表　50）

第３表　医薬品等営業許可・登録・届出施設数・特定販売実施施設数・違反・処分・告発

	許可・登録・届出施設数 (年度末現在)	立入検査施行施設数 (年度中)	違反発見施設数 (年度中)	特定販売実施施設数 (年度末現在)	違反発見							
					無許可・無登録・無届業	無承認品	不良品	不正表示品	虚偽・誇大広告等	毒劇薬の譲渡等	毒劇薬の貯蔵陳列	処方箋医薬品の譲渡記録等
総数	**649 706**	**216 022**	**10 831**	**10 210**	**244**	**262**	**122**	**184**	**585**	**54**	**873**	**153**
医薬品	135 130	62 414	8 004	10 210	93	75	85	88	505	54	873	153
薬局	59 138	29 404	4 746	6 359	·	13	26	52	132	53	701	148
専業製造業(大臣許可分)	85	57	−	·	−	·	−	·	−	−	−	·
専業製造業(知事許可分)	2 081	1 182	35	·	10	·	8	·	−	−	−	·
薬局医薬品製造業	5 410	2 691	99	·	5	·	3	·	2	−	−	−
製造販売業(第１種)	276	114	2	·	1	1	12	3	1	−	−	·
製造販売業(第２種)	830	178	25	·	8	5	10	7	7	−	−	·
製造販売業(薬局)	5 410	2 682	73	·	5	2	3	9	2	−	−	−
店舗販売業	26 544	11 938	2 020	3 844	61	24	12	15	272	1	1	2
卸売販売業	13 711	5 986	504	·	·	5	1	2	2	−	23	3
薬種商販売業	126	79	15	7	·	−	1	−	−	−	−	−
特例販売業	932	355	38	·	·	−	2	−	1	−	−	·
配置販売業	6 573	397	40	·	·	2	−	−	2	·	·	·
配置従事者	14 014	216	2	·	3	−	−	−	−	·	·	·
業務上取り扱う施設	·	7 135	405	·	·	23	7	−	84	·	148	·
医薬部外品	3 225	27 787	47	·	9	8	5	7	11	·	·	·
製造業	1 829	536	8	·	5	·	−	·	−	·	·	·
製造販売業	1 396	318	21	·	4	1	5	6	3	·	·	·
販売業	·	22 792	10	·	·	4	−	1	3	·	·	·
業務上取り扱う施設	·	4 141	8	·	·	3	−	−	5	·	·	·
化粧品	7 412	26 015	170	·	27	7	10	45	34	·	·	·
製造業	3 668	940	29	·	15	·	2	·	3	·	·	·
製造販売業	3 744	884	101	·	12	3	8	42	5	·	·	·
販売業	·	21 121	16	·	·	−	−	2	9	·	·	·
業務上取り扱う施設	·	3 070	24	·	·	4	−	1	17	·	·	·
医療機器	502 728	97 949	2 591	·	115	170	19	43	35	·	·	·
製造業	4 182	1 092	9	·	3	·	−	·	−	·	·	·
修理業(大臣許可分)	−	−	−	·	−	·	−	·	−	·	·	·
修理業(知事許可分)	6 660	1 522	54	·	2	·	−	·	−	·	·	·
製造販売業(第１種)	698	566	66	·	−	11	12	35	−	·	·	·
製造販売業(第２種)	1 076	478	37	·	2	−	3	6	2	·	·	·
製造販売業(第３種)	898	383	24	·	−	−	1	−	1	·	·	·
販売業(高度管理医療機器等)	67 185	22 506	1 389	·	34	79	−	1	8	·	·	·
販売業(管理医療機器)	319 577	31 047	347	·	59	3	−	−	10	·	·	·
販売業(一般医療機器)	·	5 836	1	·	·	−	−	−	−	·	·	·
貸与業(高度管理医療機器等)	37 277	11 363	550	·	5	74	−	1	2	·	·	·
貸与業(管理医療機器)	65 175	16 002	85	·	10	−	−	−	1	·	·	·
貸与業(一般医療機器)	·	3 490	−	·	·	−	−	−	−	·	·	·
業務上取り扱う施設	·	3 664	29	·	·	3	3	−	11	·	·	·
体外診断用医薬品	346	1 243	5	·	−	2	3	1	−	·	·	·
製造業	194	65	1	·	−	·	−	·	−	·	·	·
製造販売業	152	76	4	·	−	2	3	1	−	·	·	·
業務上取り扱う施設	·	1 102	−	·	·	−	−	−	−	·	·	·
再生医療等製品	865	602	2	·	−	−	−	−	−	·	·	·
製造業	5	2	−	·	−	·	−	·	−	·	·	·
製造販売業	7	2	1	·	−	−	−	−	−	·	·	·
販売業	853	320	1	·	−	−	−	−	−	·	·	·
業務上取り扱う施設	·	278	−	·	·	−	−	−	−	·	·	·
(別掲)指定薬物等を取り扱う施設	·	12	12	·	·	−	·	·	−	·	·	·

薬事監視立入検査施行施設数・違反発見施設数・件数，営業の種類別

平成29年度

件数（年度中）												処分件数（年度中）					告発件数（年度中）
制限品目の販売	構造設備の不備	販売体制等の不備	特定販売に係る違反	医薬品販売業者の管理者に係る違反	製造販売後安全管理の不備	品質管理の不備	指定薬物の製造	指定薬物の輸入	指定薬物の販売・授与等	指定薬物の広告	その他	許可取消・登録取消・業務停止	改善命令等	検査命令等	廃棄等	その他	
45	**1 160**	**2 504**	**60**	**2 239**	**103**	**144**	**–**	**–**	**–**	**3**	**9 574**	**17**	**6**	**–**	**–**	**2 400**	**–**
45	1 059	2 504	60	2 239	4	13	・	・	・	・	6 225	16	6	–	–	1 780	–
13	778	1 649	25	1 468	・	・	・	・	・	・	3 811	4	–	–	–	915	–
・	–	・	・	・	・	・	・	・	・	・	–	・	–	–	–	–	–
・	18	・	・	・	・	・	・	・	・	・	19	4	3	–	–	39	–
・	30	・	・	・	・	・	・	・	・	・	79	–	–	–	–	13	–
–	–	・	・	・	1	1	・	・	・	・	1	–	–	–	–	6	–
–	–	・	・	・	3	12	・	・	・	・	4	3	2	–	–	29	–
–	・	・	・	・	・	・	・	・	・	・	75	–	・	–	–	11	–
12	212	838	35	560	・	・	・	・	・	・	1 589	2	–	–	–	378	–
2	21	・	・	190	・	・	・	・	・	・	391	3	1	–	–	173	–
–	–	1	–	5	・	・	・	・	・	・	11	–	–	–	–	6	–
18	・	・	・	・	・	・	・	・	・	・	25	–	–	–	–	13	–
–	・	16	・	9	・	・	・	・	・	・	36	–	–	–	–	12	–
–	・	・	・	・	・	・	・	・	・	・	2	–	・	–	–	2	–
・	・	・	・	7	・	・	・	・	・	・	182	・	・	–	–	183	–
・	1	・	・	・	7	11	・	・	・	・	15	–	–	–	–	37	–
・	1	・	・	・	・	・	・	・	・	・	4	–	–	–	–	7	–
・	・	・	・	・	7	11	・	・	・	・	5	–	–	–	–	19	–
・	・	・	・	・	・	・	・	・	・	・	6	・	・	–	–	3	–
・	・	・	・	・	・	・	・	・	・	・	–	・	・	–	–	8	–
・	5	・	・	・	41	60	・	・	・	・	38	–	–	–	–	145	–
・	5	・	・	・	・	・	・	・	・	・	16	–	–	–	–	26	–
・	・	・	・	・	41	60	・	・	・	・	11	–	–	–	–	93	–
・	・	・	・	・	・	・	・	・	・	・	8	・	・	–	–	10	–
・	・	・	・	・	・	・	・	・	・	・	3	・	・	–	–	16	–
・	95	・	・	・	49	58	・	・	・	・	3 293	1	–	–	–	428	–
・	・	・	・	・	・	・	・	・	・	・	8	–	–	–	–	5	–
・	–	・	・	・	・	・	・	・	・	・	–	・	–	–	–	–	–
・	1	・	・	・	・	・	・	・	・	・	52	–	–	–	–	7	–
・	–	・	・	・	9	12	・	・	・	・	5	–	–	–	–	62	–
・	1	・	・	・	23	27	・	・	・	・	–	–	–	–	–	34	–
・	2	・	・	・	17	19	・	・	・	・	1	–	–	–	–	19	–
・	62	・	・	・	・	・	・	・	・	・	1 924	1	–	–	–	160	–
・	3	・	・	・	・	・	・	・	・	・	399	–	–	–	–	90	–
・	・	・	・	・	・	・	・	・	・	・	2	・	–	–	–	–	–
・	25	・	・	・	・	・	・	・	・	・	803	–	–	–	–	21	–
・	1	・	・	・	・	・	・	・	・	・	82	–	–	–	–	19	–
・	・	・	・	・	・	・	・	・	・	・	–	・	・	–	–	–	–
・	・	・	・	・	・	・	・	・	・	・	17	・	・	–	–	11	–
・	–	・	・	・	1	1	・	・	・	・	2	–	–	–	–	5	–
・	・	・	・	・	・	・	・	・	・	・	1	–	–	–	–	–	–
・	–	・	・	・	1	1	・	・	・	・	1	–	–	–	–	5	–
・	・	・	・	・	・	・	・	・	・	・	–	・	–	–	–	–	–
・	–	・	・	・	1	1	・	・	・	・	1	–	–	–	–	2	–
・	–	・	・	・	・	・	・	・	・	・	–	・	–	–	–	–	–
・	–	・	・	・	1	1	・	・	・	・	–	–	–	–	–	1	–
・	–	・	・	・	・	・	・	・	・	・	1	–	–	–	–	1	–
・	・	・	・	・	・	・	・	・	・	・	–	・	–	–	–	–	–
・	・	・	・	・	・	・	–	–	–	3	–	・	・	–	–	3	–

（報告表　50）

第4表　医薬品等営業許可・登録・届出施設数・特定販売実施施設数・違反・処分・告発

	許可・登録・届出施設数 (年度末現在)	立入検査施行施設数 (年度中)	違反発見施設数 (年度中)	特定販売実施施設数 (年度末現在)	違反発見							
					無許可・無登録・無届業	無承認品	不良品	不正表示品	虚偽・誇大広告等	毒劇薬の譲渡等	毒劇薬の貯蔵陳列	処方箋医薬品の譲渡記録等
全国	**649 706**	**216 022**	**10 831**	**10 210**	**244**	**262**	**122**	**184**	**585**	**54**	**873**	**153**
北海道	30 016	9 573	657	247	2	17	–	2	20	4	77	3
青森	5 511	1 081	421	99	2	2	1	4	33	–	42	11
岩手	6 285	2 220	6	49	–	–	–	–	–	–	–	1
宮城	12 683	2 806	448	144	18	–	–	7	51	–	19	9
秋田	4 840	681	58	43	1	–	–	–	2	–	2	2
山形	6 419	639	305	69	–	–	–	–	8	3	43	3
福島	7 780	2 464	394	85	4	–	10	–	11	–	34	–
茨城	13 202	5 630	52	156	1	–	3	1	3	1	–	7
栃木	11 871	2 775	14	75	2	–	8	3	–	–	–	5
群馬	9 302	2 236	266	80	1	–	1	–	2	9	23	12
埼玉	31 174	9 735	238	237	17	2	7	4	19	3	22	5
千葉	26 907	10 230	815	715	4	–	–	3	9	–	50	10
東京	86 256	43 325	1 699	2 631	20	53	45	88	134	–	24	6
神奈川	36 563	7 222	48	355	14	6	3	8	6	2	–	1
新潟	9 482	964	29	434	6	6	–	–	10	–	1	–
富山	6 266	1 470	156	140	5	–	–	–	5	–	5	2
石川	5 894	1 125	90	83	1	–	–	–	–	–	2	4
福井	3 296	818	26	25	11	4	–	–	5	–	1	–
山梨	4 195	1 368	2	173	–	–	–	–	–	–	–	1
長野	10 056	9 185	236	261	1	–	5	4	17	–	17	4
岐阜	9 929	2 205	212	193	5	–	–	–	18	–	7	2
静岡	19 041	10 663	40	485	9	1	–	1	5	–	–	10
愛知	44 568	7 360	817	275	21	6	7	6	39	3	72	28
三重	9 363	3 716	31	75	–	–	–	–	2	2	–	4
滋賀	7 559	1 183	93	90	3	–	–	1	2	4	2	–
京都	12 220	1 736	61	248	–	1	–	2	–	–	–	1
大阪	47 343	26 545	114	665	32	156	19	16	12	–	–	2
兵庫	23 183	7 787	44	186	15	3	–	–	9	–	1	8
奈良	6 921	1 477	102	153	6	1	–	2	6	–	2	1
和歌山	4 297	1 717	23	85	–	–	–	–	3	–	1	1
鳥取	2 836	774	1	3	–	–	–	–	–	–	–	–
島根	4 635	524	42	114	1	–	–	–	4	–	2	–
岡山	10 410	4 822	51	224	2	1	1	–	5	–	3	–
広島	19 663	4 570	578	149	3	–	1	3	16	18	102	2
山口	5 261	1 722	236	140	3	1	2	–	5	–	27	–
徳島	3 762	1 046	244	68	5	–	2	–	28	2	51	–
香川	5 334	2 521	90	53	–	–	–	–	5	–	4	–
愛媛	7 215	1 551	60	82	7	–	–	–	5	–	5	–
高知	3 219	517	16	41	1	–	1	–	–	1	–	–
福岡	28 571	4 591	1 211	250	3	1	–	28	65	2	153	5
佐賀	4 517	362	13	78	3	–	–	–	3	–	–	–
長崎	7 143	1 941	220	36	–	–	–	–	–	–	32	–
熊本	9 218	3 008	30	119	–	–	–	–	–	–	7	–
大分	5 289	1 920	87	73	1	–	1	1	3	–	10	3
宮崎	6 471	1 849	105	49	5	–	–	–	5	–	4	–
鹿児島	7 775	3 750	296	133	3	–	5	–	10	–	23	–
沖縄	5 965	618	54	42	6	1	–	–	–	–	3	–

薬事監視立入検査施行施設数・違反発見施設数・件数，都道府県別

平成29年度

件数（年度中）												処分件数（年度中）					告発件数（年度中）
制限品目の販売	構造設備の不備	販売体制等の不備	特定販売に係る違反	医薬品販売業者の管理者に係る違反	製造販売後安全管理の不備	品質管理の不備	指定薬物の製造	指定薬物の輸入	指定薬物の販売・授与等	指定薬物の広告	その他	許可取消・登録取消・業務停止	改善命令等	検査命令等	廃棄等	その他	
45	1 160	2 504	60	2 239	103	144	-	-	-	3	9 574	17	6	-	-	2 400	-
3	53	180	-	20	-	-	-	-	-	-	785	-	-	-	-	-	-
5	68	191	3	221	-	-	-	-	-	-	355	-	-	-	-	93	-
-	-	-	-	3	-	-	-	-	-	-	4	-	-	-	-	5	-
4	107	84	7	29	-	-	-	-	-	-	357	-	-	-	-	87	-
1	8	33	-	6	1	-	-	-	-	-	24	-	-	-	-	8	-
4	31	143	2	5	-	-	-	-	-	-	206	-	-	-	-	32	-
-	14	48	2	218	-	-	-	-	-	-	654	-	-	-	-	-	-
-	6	19	2	6	-	-	-	-	-	-	11	-	-	-	-	52	-
-	-	4	-	5	-	-	-	-	-	-	1	-	-	-	-	17	-
-	76	109	1	38	-	-	-	-	-	-	264	-	-	-	-	6	-
-	30	48	6	45	-	-	-	-	-	-	138	2	1	-	-	59	-
1	34	149	1	141	-	-	-	-	-	-	568	1	-	-	-	34	-
3	102	225	7	566	-	1	-	-	-	3	1 426	3	1	-	-	237	-
-	9	2	-	6	-	-	-	-	-	-	36	1	-	-	-	49	-
-	6	4	-	-	5	2	-	-	-	-	25	-	-	-	-	46	-
2	2	15	-	13	-	-	-	-	-	-	127	-	-	-	-	11	-
-	-	4	-	18	-	-	-	-	-	-	61	-	-	-	-	3	-
-	-	6	-	-	-	-	-	-	-	-	3	-	-	-	-	26	-
-	-	1	-	-	-	-	-	-	-	-	-	-	-	-	-	-	-
1	17	29	-	9	-	-	-	-	-	-	170	-	-	-	-	199	-
1	3	92	1	32	-	-	-	-	-	-	194	-	-	-	-	24	-
-	2	12	-	23	-	1	-	-	-	-	11	-	-	-	-	44	-
7	139	307	9	151	35	50	-	-	-	-	728	-	-	-	-	419	-
-	-	4	-	12	-	-	-	-	-	-	15	-	-	-	-	15	-
-	7	16	2	18	-	-	-	-	-	-	72	-	-	-	-	-	-
-	1	25	5	-	-	-	-	-	-	-	26	-	-	-	-	-	-
4	7	17	-	67	-	-	-	-	-	-	23	2	3	-	-	88	-
2	-	21	-	44	-	-	-	-	-	-	33	3	-	-	-	76	-
-	12	17	-	46	-	2	-	-	-	-	83	-	-	-	-	13	-
-	-	6	-	4	-	-	-	-	-	-	13	1	1	-	-	3	-
-	-	-	-	-	-	-	-	-	-	-	1	-	-	-	-	1	-
-	1	12	-	-	-	-	-	-	-	-	37	-	-	-	-	12	-
-	1	2	-	-	-	-	-	-	-	-	38	-	-	-	-	6	-
2	59	48	-	33	16	21	-	-	-	-	491	-	-	-	-	132	-
-	8	22	-	78	-	1	-	-	-	-	296	-	-	-	-	6	-
-	14	92	-	48	-	2	-	-	-	-	168	2	-	-	-	14	-
-	7	22	-	29	11	17	-	-	-	-	65	2	-	-	-	35	-
-	3	2	-	3	-	-	-	-	-	-	55	-	-	-	-	21	-
-	-	4	-	2	-	-	-	-	-	-	12	-	-	-	-	6	-
-	276	332	6	177	26	37	-	-	-	-	1 434	-	-	-	-	479	-
-	-	-	-	6	-	-	-	-	-	-	1	-	-	-	-	9	-
-	12	32	-	2	-	-	-	-	-	-	176	-	-	-	-	2	-
-	3	11	2	2	-	-	-	-	-	-	24	-	-	-	-	-	-
1	9	26	1	5	-	1	-	-	-	-	50	-	-	-	-	20	-
2	18	23	-	28	-	-	-	-	-	-	38	-	-	-	-	8	-
-	8	47	3	73	-	-	-	-	-	-	255	-	-	-	-	2	-
2	7	18	-	7	9	9	-	-	-	-	20	-	-	-	-	1	-

（報告表　50）

第５表　毒物劇物営業等登録・届出・許可施設数・毒物劇物監視

	登録・届出・許可施設数（年度末現在）	立入検査施行施設数（年度中）	違反発見施設数（年度中）	違反発見件数（年度中）				
				登録違反	取扱違反	表示違反	譲渡手続違反	その他
総数	**68 174**	**26 731**	**2 500**	**103**	**926**	**540**	**916**	**768**
製造業（大臣登録分）	642	328	8	−	4	3	−	1
製造業（知事登録分）	1 885	789	55	7	18	11	4	25
輸入業（大臣登録分）	1 242	242	5	1	−	3	−	1
輸入業（知事登録分）	475	129	7	2	1	3	1	2
一般販売業	47 868	15 361	1 132	60	260	133	598	317
農業用品目販売業	11 748	4 316	617	28	202	62	262	239
特定品目販売業	1 906	466	69	4	17	11	50	17
電気めっき事業	1 472	568	54	−	29	8	−	32
金属熱処理事業	61	18	1	−	−	−	−	2
毒物劇物運送事業	851	106	6	−	2	−	−	4
しろあり防除事業	24	1	−	−	−	−	−	−
法第22条第５項の者	・	4 407	546	1	393	306	1	128
（別掲）特定毒物研究者1)	1 452	192	11	2	1	2	−	8

注：1）「特定毒物研究者」のみは人員数であり、「総数」には含まれていない。

立入検査施行施設数・違反発見施設数・違反・処分・告発件数，営業の種類別

平成29年度

毒物劇物又は政令で定める毒物劇物含有物の疑いのあるものの収去	試験の結果毒物劇物又は政令で定める毒物劇物含有物であったもの	無登録・無届・無許可施設発見件数	処分件数（年度中）								告発件数
			登録・許可取消	業務停止	設備改善命令	その他					
						登録違反	取扱違反	表示違反	譲渡手続違反	その他	
-	**-**	**78**	**-**	**-**	**-**	**84**	**118**	**101**	**59**	**191**	**-**
-	-	-	·	·	·	-	2	3	-	2	-
-	-	3	-	-	-	5	6	7	1	9	-
-	-	-	·	·	·	-	-	4	-	2	-
-	-	2	-	-	-	3	-	2	1	-	-
-	-	70	-	-	-	59	26	20	38	75	-
-	-	·	-	-	-	13	5	3	15	65	-
-	-	·	-	-	-	3	1	1	4	2	-
-	-	1	·	·	-	-	-	-	-	5	-
-	-	-	·	·	-	-	-	-	-	1	-
-	-	2	·	·	-	-	1	-	-	2	-
-	-	-	·	·	-	-	-	-	-	-	-
-	-	·	·	·	-	1	77	61	-	28	-
-	-	2	-	-	-	-	-	-	-	2	-

（報告表　51）

第6表　毒物劇物営業等登録・届出・許可施設数・毒物劇物監視

	登録・届出・許可施設数（年度末現在）	立入検査施行施設数（年度中）	違反発見施設数（年度中）	違反発見件数（年度中）				
				登録違反	取扱違反	表示違反	譲渡手続違反	その他
全国	**68 174**	**26 731**	**2 500**	**103**	**926**	**540**	**916**	**768**
北海道	2 843	482	57	-	33	19	23	4
青森	845	330	99	4	27	4	63	34
岩手	801	489	2	1	-	-	1	-
宮城	1 254	272	74	4	21	4	33	31
秋田	758	196	20	-	2	3	14	7
山形	808	226	131	-	51	10	74	33
福島	1 268	529	79	5	24	14	21	33
茨城	1 929	1 291	6	-	2	1	1	3
栃木	1 026	403	4	3	2	-	1	-
群馬	1 119	359	98	8	58	24	41	13
埼玉	2 654	1 011	59	8	27	5	10	15
千葉	2 253	1 140	168	7	7	32	100	61
東京	7 035	2 646	54	9	6	12	23	5
神奈川	2 967	924	7	3	-	-	1	3
新潟	1 526	267	15	-	4	3	3	9
富山	711	335	45	-	10	5	33	4
石川	729	237	25	-	7	9	12	6
福井	555	195	7	3	-	1	3	-
山梨	538	166	9	2	-	1	5	1
長野	1 616	1 023	151	4	78	40	40	20
岐阜	1 190	341	42	1	2	9	9	36
静岡	2 166	1 122	7	2	3	3	-	3
愛知	4 101	1 525	317	6	115	60	71	159
三重	1 008	503	3	2	1	-	-	-
滋賀	710	279	31	2	4	3	15	14
京都	1 093	267	30	-	17	2	13	2
大阪	5 730	1 699	20	6	1	10	2	4
兵庫	2 120	1 008	9	-	2	-	2	6
奈良	490	57	2	1	-	-	-	1
和歌山	772	270	7	-	-	2	4	2
鳥取	428	231	1	-	1	-	-	-
島根	554	180	11	1	4	4	4	3
岡山	1 463	591	23	1	1	2	13	7
広島	2 016	966	190	6	38	16	67	95
山口	994	337	26	1	11	10	5	3
徳島	509	185	74	1	26	6	33	25
香川	862	482	18	1	5	8	7	6
愛媛	813	507	39	1	24	8	8	7
高知	495	116	4	-	-	-	2	2
福岡	2 345	1 049	304	-	153	118	95	73
佐賀	492	23	-	-	-	-	-	-
長崎	779	374	29	-	2	-	11	16
熊本	976	548	-	-	-	-	-	-
大分	756	271	43	-	9	8	27	6
宮崎	610	443	83	3	98	48	13	1
鹿児島	1 094	698	52	1	38	32	9	10
沖縄	373	138	25	6	12	4	4	5

立入検査施行施設数・違反発見施設数・違反・処分・告発件数，都道府県別

平成29年度

毒物劇物又は政令で定める毒物劇物含有物の疑いのあるものの収去	試験の結果毒物劇物又は政令で定める毒物劇物含有物であったもの	無登録・無届・無許可施設発見件数	処分件数（年度中）								告発件数
			登録・許可取消	業務停止	設備改善命令	その他					
						登録違反	取扱違反	表示違反	譲渡手続違反	その他	
–	**–**	**78**	**–**	**–**	**–**	**84**	**118**	**101**	**59**	**191**	**–**
–	–	–	–	–	–	–	–	–	–	–	–
–	–	1	–	–	–	1	–	–	–	71	–
–	–	–	–	–	–	1	–	–	–	–	–
–	–	9	–	–	–	7	2	2	3	2	–
–	–	–	–	–	–	–	–	–	1	–	–
–	–	–	–	–	–	–	–	6	7	8	–
–	–	1	–	–	–	2	–	–	–	–	–
–	–	1	–	–	–	1	1	–	1	4	–
–	–	–	–	–	–	3	–	–	–	1	–
–	–	–	–	–	–	–	–	–	–	–	–
–	–	4	–	–	–	8	2	2	–	–	–
–	–	7	–	–	–	7	–	2	–	–	–
–	–	3	–	–	–	5	3	6	5	5	–
–	–	1	–	–	–	3	–	–	–	4	–
–	–	–	–	–	–	–	3	3	3	6	–
–	–	1	–	–	–	–	–	–	–	1	–
–	–	–	–	–	–	–	–	–	–	–	–
–	–	–	–	–	–	3	–	1	3	–	–
–	–	–	–	–	–	–	–	–	–	–	–
–	–	2	–	–	–	2	1	–	–	1	–
–	–	–	–	–	–	–	–	–	–	–	–
–	–	5	–	–	–	5	–	–	–	–	–
–	–	2	–	–	–	1	1	2	1	5	–
–	–	2	–	–	–	2	1	–	–	–	–
–	–	–	–	–	–	–	–	–	–	–	–
–	–	–	–	–	–	–	2	–	–	–	–
–	–	14	–	–	–	7	–	9	3	12	–
–	–	6	–	–	–	–	5	–	1	8	–
–	–	1	–	–	–	–	–	–	–	1	–
–	–	2	–	–	–	1	–	–	–	1	–
–	–	–	–	–	–	–	–	–	–	1	–
–	–	1	–	–	–	1	–	–	–	–	–
–	–	–	–	–	–	1	–	–	–	2	–
–	–	–	–	–	–	6	2	–	–	37	–
–	–	1	–	–	–	2	–	–	1	1	–
–	–	–	–	–	–	–	–	–	–	1	–
–	–	4	–	–	–	4	5	8	–	–	–
–	–	1	–	–	–	1	–	–	–	–	–
–	–	–	–	–	–	–	–	–	2	–	–
–	–	5	–	–	–	5	89	60	24	12	–
–	–	–	–	–	–	–	–	–	–	–	–
–	–	–	–	–	–	–	–	–	1	–	–
–	–	–	–	–	–	–	–	–	–	–	–
–	–	–	–	–	–	–	1	–	2	2	–
–	–	1	–	–	–	2	–	–	–	2	–
–	–	1	–	–	–	1	–	–	1	3	–
–	–	2	–	–	–	2	–	–	–	–	–

（報告表　51）

第７表　毒物劇物営業等登録・届出・許可施設数・

	総数		製造業（大臣登録分）		製造業（知事登録分）		輸入業（大臣登録分）		輸入業（知事登録分）		一般販売業	
	登録・届出・許可施設数（年度末現在）	立入検査施行施設数（年度中）	登録・届出・許可施設数（年度末現在）	立入検査施行施設数（年度中）	登録・届出・許可施設数（年度末現在）	立入検査施行施設数（年度中）	登録・届出・許可施設数（年度末現在）	立入検査施行施設数（年度中）	登録・届出・許可施設数（年度末現在）	立入検査施行施設数（年度中）	登録・届出・許可施設数（年度末現在）	立入検査施行施設数（年度中）
全国	**68 174**	**26 731**	**642**	**328**	**1 885**	**789**	**1 242**	**242**	**475**	**129**	**47 868**	**15 361**
北海道	2 843	482	6	−	34	4	6	−	3	−	2 059	200
青森	845	330	3	1	7	2	1	1	1	−	414	173
岩手	801	489	1	−	6	3	1	−	−	−	468	283
宮城	1 254	272	6	4	25	5	1	1	3	1	881	198
秋田	758	196	5	2	8	3	1	−	−	−	461	126
山形	808	226	4	1	9	2	1	−	1	1	434	115
福島	1 268	529	23	6	24	1	5	−	2	−	719	205
茨城	1 929	1 291	29	37	81	97	17	11	13	13	1 217	749
栃木	1 026	403	2	−	24	4	3	−	2	−	658	251
群馬	1 119	359	7	3	42	14	10	5	6	1	764	244
埼玉	2 654	1 011	48	45	135	95	33	18	20	5	1 850	721
千葉	2 253	1 140	38	14	119	43	24	9	15	4	1 505	573
東京	7 035	2 646	22	−	125	38	653	55	214	53	5 438	1 937
神奈川	2 967	924	48	16	113	41	55	23	40	10	2 282	748
新潟	1 526	267	12	3	29	11	3	−	−	−	933	143
富山	711	335	12	4	26	7	10	1	1	−	439	164
石川	729	237	2	2	11	5	−	−	1	−	529	177
福井	555	195	14	1	25	25	4	−	−	−	330	134
山梨	538	166	1	−	4	−	1	−	−	−	333	81
長野	1 616	1 023	5	3	20	19	4	4	4	2	1 308	517
岐阜	1 190	341	12	11	33	10	9	1	5	3	783	204
静岡	2 166	1 122	17	19	65	66	8	6	10	13	1 487	627
愛知	4 101	1 525	14	14	128	67	46	16	19	4	3 178	799
三重	1 008	503	19	19	53	23	7	3	1	1	615	226
滋賀	710	279	7	2	38	12	3	−	3	−	450	173
京都	1 093	267	12	6	37	8	12	2	4	−	815	173
大阪	5 730	1 699	65	17	263	59	238	61	63	12	4 633	1 294
兵庫	2 120	1 008	42	9	98	22	34	10	20	2	1 535	423
奈良	490	57	3	−	11	−	−	−	2	−	356	46
和歌山	772	270	13	3	15	4	10	1	−	−	474	163
鳥取	428	231	−	−	−	2	−	−	−	−	323	129
島根	554	180	2	−	4	1	−	−	−	−	342	99
岡山	1 463	591	33	8	29	8	3	1	−	−	1 033	376
広島	2 016	966	13	11	51	26	6	3	−	−	1 531	482
山口	994	337	32	18	26	13	3	−	−	−	677	156
徳島	509	185	6	5	7	1	8	4	−	−	308	126
香川	862	482	12	10	16	10	1	−	−	−	617	238
愛媛	813	507	10	11	10	11	1	1	1	1	466	151
高知	495	116	2	1	−	−	1	−	−	−	284	61
福岡	2 345	1 049	20	15	66	14	13	4	14	1	1 759	453
佐賀	492	23	−	−	17	1	−	−	1	1	317	14
長崎	779	374	−	−	7	3	−	−	−	−	564	280
熊本	976	548	3	−	14	−	2	−	2	−	577	272
大分	756	271	10	5	10	1	3	1	−	−	502	155
宮崎	610	443	5	2	6	2	−	−	2	−	342	168
鹿児島	1 094	698	1	−	6	3	−	−	2	1	611	268
沖縄	373	138	1	−	8	3	1	−	−	−	267	66

注：1）「特定毒物研究者」のみは人員数であり、「総数」には含まれていない。

毒物劇物監視立入検査施行施設数，営業の種類・都道府県別

平成29年度

農業用品目販売業		特定品目販売業		電気めっき事業		金属熱処理事業		毒物劇物運送事業		しろあり防除事業		法第22条第5項の者		（別掲）特定毒物研究者[1]	
登録・届出・許可施設数(年度末現在)	立入検査施行施設数(年度中)	登録・届出・許可施設数(年度末現在)	立入検査施行施設数(年度中)	登録・届出・許可施設数(年度末現在)	立入検査施行施設数(年度中)	登録・届出・許可施設数(年度末現在)	立入検査施行施設数(年度中)	登録・届出・許可施設数(年度末現在)	立入検査施行施設数(年度中)	登録・届出・許可施設数(年度末現在)	立入検査施行施設数(年度中)	登録・届出・許可施設数(年度末現在)	立入検査施行施設数(年度中)	許可人員数(年度末現在)	検査人員数(年度中)
11 748	**4 316**	**1 906**	**466**	**1 472**	**568**	**61**	**18**	**851**	**106**	**24**	**1**	**・**	**4 407**	**1 452**	**192**
493	113	193	39	11	–	1	–	37	–	–	–	・	126	71	–
359	136	46	16	9	1	1	–	4	–	–	–	・	–	–	–
260	172	40	28	17	2	–	–	8	–	–	–	・	1	14	2
229	34	82	17	8	1	1	1	18	1	–	–	・	9	22	6
239	57	30	2	8	3	–	–	6	3	–	–	・	–	6	–
289	94	38	11	25	2	–	–	7	–	–	–	・	–	33	–
391	129	40	8	22	–	3	–	39	3	–	–	・	177	26	1
461	293	44	28	36	27	2	1	29	11	–	–	・	24	46	22
264	65	41	10	31	30	–	–	1	1	–	–	・	42	22	1
191	42	26	7	54	1	2	–	17	–	–	–	・	42	39	–
371	84	73	12	103	26	3	1	18	4	–	–	・	–	75	23
436	269	44	12	16	4	–	–	56	16	–	–	・	196	55	16
155	34	133	50	272	218	4	3	19	–	–	–	・	258	123	13
208	36	66	10	100	7	11	1	43	2	1	–	・	30	83	18
455	76	30	1	31	3	1	–	32	9	–	–	・	21	25	1
154	102	14	4	29	24	1	1	25	6	–	–	・	22	18	7
153	38	15	2	14	–	1	–	3	1	–	–	・	12	25	1
134	31	21	2	18	1	–	–	9	1	–	–	・	–	9	–
161	83	11	2	24	–	2	–	1	–	–	–	・	–	11	–
167	75	29	4	73	30	3	–	3	1	–	–	・	368	45	5
255	106	50	3	32	1	4	–	7	2	–	–	・	–	24	1
422	147	64	14	50	26	4	3	39	6	–	–	・	195	50	2
411	168	121	17	125	102	2	2	57	–	–	–	・	336	67	23
259	64	22	6	10	3	2	1	20	13	–	–	・	144	17	6
195	82	6	5	7	2	–	–	1	–	–	–	・	3	26	6
142	43	33	3	37	5	–	–	1	–	–	–	・	27	20	6
167	58	58	10	157	21	3	1	83	10	–	–	・	156	80	6
295	111	23	5	37	–	1	–	35	3	–	–	・	423	53	9
105	11	5	–	7	–	–	–	1	–	–	–	・	–	13	–
220	92	14	6	8	–	–	–	13	–	5	–	・	1	30	–
92	37	8	2	3	–	–	–	2	–	–	–	・	61	10	–
196	44	7	1	2	–	–	–	1	–	–	–	・	35	7	–
273	142	48	27	6	–	–	–	35	2	3	–	・	27	27	2
326	223	44	6	14	3	3	1	25	1	3	–	・	210	30	4
201	57	18	3	6	6	–	–	30	–	1	–	・	84	27	–
155	46	14	3	2	–	–	–	8	–	1	–	・	–	11	2
165	95	37	16	3	5	1	–	10	1	–	–	・	107	11	1
273	121	33	9	7	3	1	2	11	4	–	–	・	193	21	1
187	52	14	2	2	–	1	–	4	–	–	–	・	–	16	–
264	49	130	34	18	8	2	–	59	2	–	–	・	469	59	3
141	7	9	–	3	–	1	–	2	–	1	–	・	–	14	–
188	86	16	5	2	–	–	–	1	–	1	–	・	–	11	4
339	81	25	–	7	–	–	–	5	1	2	–	・	194	14	–
180	42	30	7	4	–	–	–	17	1	–	–	・	59	14	–
219	178	20	8	6	–	–	–	4	–	6	1	・	84	18	–
424	143	30	8	16	3	–	–	4	1	–	–	・	271	20	–
84	68	11	1	–	–	–	–	1	–	–	–	・	–	14	–

（報告表　51）

第８表　特定毒物研究者許可人員数・検査

	許可人員数（年度末現在）	検査人員数（年度中）	違反発見人員数（年度中）	違反発見件数（年度中）					毒物劇物又は政令で定める毒物劇物含有物の疑いのあるものの収去	試験の結果毒物劇物又は政令で定める毒物劇物含有物であったもの
				登録違反	取扱違反	表示違反	譲渡手続違反	その他		
全国	**1 452**	**192**	**11**	**2**	**1**	**2**	**－**	**8**	**－**	**－**
北海道	71	－	－	－	－	－	－	－	－	－
青森	－	－	－	－	－	－	－	－	－	－
岩手	14	2	－	－	－	－	－	－	－	－
宮城	22	6	1	－	－	－	－	1	－	－
秋田	6	－	－	－	－	－	－	－	－	－
山形	33	－	－	－	－	－	－	－	－	－
福島	26	1	1	1	－	－	－	－	－	－
茨城	46	22	－	－	－	－	－	－	－	－
栃木	22	1	－	－	－	－	－	－	－	－
群馬	39	－	－	－	－	－	－	－	－	－
埼玉	75	23	－	－	－	－	－	－	－	－
千葉	55	16	2	－	－	－	－	2	－	－
東京	123	13	－	－	－	－	－	－	－	－
神奈川	83	18	－	－	－	－	－	－	－	－
新潟	25	1	－	－	－	－	－	－	－	－
富山	18	7	2	－	－	－	－	2	－	－
石川	25	1	－	－	－	－	－	－	－	－
福井	9	－	－	－	－	－	－	－	－	－
山梨	11	－	－	－	－	－	－	－	－	－
長野	45	5	－	－	－	－	－	－	－	－
岐阜	24	1	－	－	－	－	－	－	－	－
静岡	50	2	－	－	－	－	－	－	－	－
愛知	67	23	4	1	1	2	－	2	－	－
三重	17	6	－	－	－	－	－	－	－	－
滋賀	26	6	－	－	－	－	－	－	－	－
京都	20	6	－	－	－	－	－	－	－	－
大阪	80	6	－	－	－	－	－	－	－	－
兵庫	53	9	－	－	－	－	－	－	－	－
奈良	13	－	－	－	－	－	－	－	－	－
和歌山	30	－	－	－	－	－	－	－	－	－
鳥取	10	－	－	－	－	－	－	－	－	－
島根	7	－	－	－	－	－	－	－	－	－
岡山	27	2	－	－	－	－	－	－	－	－
広島	30	4	－	－	－	－	－	－	－	－
山口	27	－	－	－	－	－	－	－	－	－
徳島	11	2	－	－	－	－	－	－	－	－
香川	11	1	－	－	－	－	－	－	－	－
愛媛	21	1	－	－	－	－	－	－	－	－
高知	16	－	－	－	－	－	－	－	－	－
福岡	59	3	－	－	－	－	－	－	－	－
佐賀	14	－	－	－	－	－	－	－	－	－
長崎	11	4	1	－	－	－	－	1	－	－
熊本	14	－	－	－	－	－	－	－	－	－
大分	14	－	－	－	－	－	－	－	－	－
宮崎	18	－	－	－	－	－	－	－	－	－
鹿児島	20	－	－	－	－	－	－	－	－	－
沖縄	14	－	－	－	－	－	－	－	－	－

人員数・違反発見人員数・違反・処分・告発件数，都道府県別

平成29年度

無許可発見人員数	処分件数（年度中）								告発件数
	登録・許可取消	業務停止	設備改善命令	その他					
				登録違反	取扱違反	表示違反	譲渡手続違反	その他	
2	−	−	−	−	−	−	−	2	−
−	−	−	−	−	−	−	−	−	−
−	−	−	−	−	−	−	−	−	−
−	−	−	−	−	−	−	−	−	−
1	−	−	−	−	−	−	−	1	−
−	−	−	−	−	−	−	−	−	−
−	−	−	−	−	−	−	−	−	−
1	−	−	−	−	−	−	−	1	−
−	−	−	−	−	−	−	−	−	−
−	−	−	−	−	−	−	−	−	−
−	−	−	−	−	−	−	−	−	−
−	−	−	−	−	−	−	−	−	−
−	−	−	−	−	−	−	−	−	−
−	−	−	−	−	−	−	−	−	−
−	−	−	−	−	−	−	−	−	−
−	−	−	−	−	−	−	−	−	−
−	−	−	−	−	−	−	−	−	−
−	−	−	−	−	−	−	−	−	−
−	−	−	−	−	−	−	−	−	−
−	−	−	−	−	−	−	−	−	−
−	−	−	−	−	−	−	−	−	−
−	−	−	−	−	−	−	−	−	−
−	−	−	−	−	−	−	−	−	−
−	−	−	−	−	−	−	−	−	−
−	−	−	−	−	−	−	−	−	−
−	−	−	−	−	−	−	−	−	−
−	−	−	−	−	−	−	−	−	−
−	−	−	−	−	−	−	−	−	−
−	−	−	−	−	−	−	−	−	−
−	−	−	−	−	−	−	−	−	−
−	−	−	−	−	−	−	−	−	−
−	−	−	−	−	−	−	−	−	−
−	−	−	−	−	−	−	−	−	−
−	−	−	−	−	−	−	−	−	−
−	−	−	−	−	−	−	−	−	−
−	−	−	−	−	−	−	−	−	−
−	−	−	−	−	−	−	−	−	−
−	−	−	−	−	−	−	−	−	−
−	−	−	−	−	−	−	−	−	−
−	−	−	−	−	−	−	−	−	−
−	−	−	−	−	−	−	−	−	−
−	−	−	−	−	−	−	−	−	−
−	−	−	−	−	−	−	−	−	−
−	−	−	−	−	−	−	−	−	−
−	−	−	−	−	−	−	−	−	−
−	−	−	−	−	−	−	−	−	−
−	−	−	−	−	−	−	−	−	−
−	−	−	−	−	−	−	−	−	−

（報告表　51）

第１表　不妊手術件数，年齢階級・性・事由別

平成29年度

	総数	20～24歳	25 ～ 29	30 ～ 34	35 ～ 39	40 ～ 44	45 ～ 49	50歳以上	不詳
総数	**5 007**	**93**	**708**	**1 837**	**1 797**	**533**	**31**	**6**	**2**
母体の生命危険	1 187	23	161	422	427	138	13	2	1
母体の健康低下	3 820	70	547	1 415	1 370	395	18	4	1
男	**43**	**-**	**6**	**12**	**11**	**6**	**3**	**5**	**-**
母体の生命危険	10	-	-	2	1	3	2	2	-
母体の健康低下	33	-	6	10	10	3	1	3	-
女	**4 964**	**93**	**702**	**1 825**	**1 786**	**527**	**28**	**1**	**2**
母体の生命危険	1 177	23	161	420	426	135	11	-	1
母体の健康低下	3 787	70	541	1 405	1 360	392	17	1	1

（報告表　52）

第２表　不妊手術件数，性・事由・都道府県別

平成29年度

	総数			男			女		
		母体の生命危険	母体の健康低下		母体の生命危険	母体の健康低下		母体の生命危険	母体の健康低下
全国	**5 007**	**1 187**	**3 820**	**43**	**10**	**33**	**4 964**	**1 177**	**3 787**
北海道	199	43	156	−	−	−	199	43	156
青森	113	44	69	−	−	−	113	44	69
岩手	90	29	61	−	−	−	90	29	61
宮城	166	44	122	−	−	−	166	44	122
秋田	23	5	18	−	−	−	23	5	18
山形	35	19	16	−	−	−	35	19	16
福島	72	36	36	−	−	−	72	36	36
茨城	98	14	84	−	−	−	98	14	84
栃木	104	3	101	−	−	−	104	3	101
群馬	68	13	55	9	−	9	59	13	46
埼玉	236	93	143	−	−	−	236	93	143
千葉	108	30	78	−	−	−	108	30	78
東京	279	56	223	9	8	1	270	48	222
神奈川	117	30	87	−	−	−	117	30	87
新潟	29	10	19	−	−	−	29	10	19
富山	29	6	23	−	−	−	29	6	23
石川	32	15	17	−	−	−	32	15	17
福井	8	3	5	−	−	−	8	3	5
山梨	19	1	18	−	−	−	19	1	18
長野	52	1	51	−	−	−	52	1	51
岐阜	112	21	91	−	−	−	112	21	91
静岡	205	9	196	−	−	−	205	9	196
愛知	228	79	149	−	−	−	228	79	149
三重	14	8	6	2	1	1	12	7	5
滋賀	56	7	49	−	−	−	56	7	49
京都	50	12	38	−	−	−	50	12	38
大阪	268	48	220	−	−	−	268	48	220
兵庫	177	57	120	−	−	−	177	57	120
奈良	71	9	62	−	−	−	71	9	62
和歌山	60	4	56	−	−	−	60	4	56
鳥取	39	3	36	−	−	−	39	3	36
島根	80	30	50	−	−	−	80	30	50
岡山	97	77	20	7	1	6	90	76	14
広島	323	87	236	−	−	−	323	87	236
山口	73	2	71	4	−	4	69	2	67
徳島	8	1	7	−	−	−	8	1	7
香川	76	5	71	6	−	6	70	5	65
愛媛	121	20	101	−	−	−	121	20	101
高知	61	13	48	−	−	−	61	13	48
福岡	216	42	174	−	−	−	216	42	174
佐賀	56	−	56	−	−	−	56	−	56
長崎	87	17	70	−	−	−	87	17	70
熊本	86	8	78	6	−	6	80	8	72
大分	75	75	−	−	−	−	75	75	−
宮崎	198	3	195	−	−	−	198	3	195
鹿児島	120	9	111	−	−	−	120	9	111
沖縄	173	46	127	−	−	−	173	46	127

（報告表　52）

第３表　不妊手術件数，

	総数												
	総　数	20～24歳	25～29	30～34	35～39	40～44	45～49	50歳以上	不　詳	総　数	20～24歳	25～29	30～34
全国	**5 007**	**93**	**708**	**1 837**	**1 797**	**533**	**31**	**6**	**2**	**43**	**-**	**6**	**12**
北海道	199	6	30	76	69	16	2	-	-	-	-	-	-
青森	113	-	18	33	38	22	2	-	-	-	-	-	-
岩手	90	2	10	33	30	15	-	-	-	-	-	-	-
宮城	166	2	23	70	58	13	-	-	-	-	-	-	-
秋田	23	-	2	8	13	-	-	-	-	-	-	-	-
山形	35	1	1	13	13	7	-	-	-	-	-	-	-
福島	72	2	9	29	23	9	-	-	-	-	-	-	-
茨城	98	-	18	36	38	6	-	-	-	-	-	-	-
栃木	104	2	13	35	39	14	1	-	-	-	-	-	-
群馬	68	-	10	30	18	8	1	1	-	9	-	3	2
埼玉	236	5	30	93	83	23	2	-	-	-	-	-	-
千葉	108	1	18	35	47	7	-	-	-	-	-	-	-
東京	279	7	23	105	103	36	1	3	1	9	-	-	1
神奈川	117	2	11	42	53	8	1	-	-	-	-	-	-
新潟	29	1	4	10	11	3	-	-	-	-	-	-	-
富山	29	-	1	9	15	4	-	-	-	-	-	-	-
石川	32	1	4	14	11	2	-	-	-	-	-	-	-
福井	8	1	2	1	2	2	-	-	-	-	-	-	-
山梨	19	-	2	7	9	1	-	-	-	-	-	-	-
長野	52	1	4	17	21	9	-	-	-	-	-	-	-
岐阜	112	2	15	41	45	9	-	-	-	-	-	-	-
静岡	205	1	29	59	86	28	2	-	-	-	-	-	-
愛知	228	6	28	66	89	31	8	-	-	-	-	-	-
三重	14	-	2	8	4	-	-	-	-	2	-	-	1
滋賀	56	1	13	24	16	2	-	-	-	-	-	-	-
京都	50	1	9	16	19	5	-	-	-	-	-	-	-
大阪	268	7	46	92	98	25	-	-	-	-	-	-	-
兵庫	177	8	29	62	63	14	1	-	-	-	-	-	-
奈良	71	4	12	25	24	5	1	-	-	-	-	-	-
和歌山	60	2	5	30	20	3	-	-	-	-	-	-	-
鳥取	39	-	7	9	19	4	-	-	-	-	-	-	-
島根	80	-	9	39	23	9	-	-	-	-	-	-	-
岡山	97	1	18	38	30	9	1	-	-	7	-	-	2
広島	323	1	55	127	110	28	2	-	-	-	-	-	-
山口	73	-	6	33	29	3	1	1	-	4	-	1	1
徳島	8	-	1	2	4	1	-	-	-	-	-	-	-
香川	76	5	8	22	29	11	1	-	-	6	-	1	1
愛媛	121	4	18	47	39	12	1	-	-	-	-	-	-
高知	61	1	10	22	22	6	-	-	-	-	-	-	-
福岡	216	1	37	83	71	23	-	-	1	-	-	-	-
佐賀	56	1	13	20	17	5	-	-	-	-	-	-	-
長崎	87	2	11	36	29	9	-	-	-	-	-	-	-
熊本	86	1	13	42	26	4	-	-	-	6	-	1	4
大分	75	1	10	28	23	13	-	-	-	-	-	-	-
宮崎	198	4	30	78	66	20	-	-	-	-	-	-	-
鹿児島	120	2	20	45	38	15	-	-	-	-	-	-	-
沖縄	173	3	21	47	64	34	3	1	-	-	-	-	-

平成29年度

男 35～39	男 40～44	男 45～49	男 50歳以上	男 不詳	女 総数	女 20～24歳	女 25～29	女 30～34	女 35～39	女 40～44	女 45～49	女 50歳以上	女 不詳
11	**6**	**3**	**5**	**－**	**4 964**	**93**	**702**	**1 825**	**1 786**	**527**	**28**	**1**	**2**
－	－	－	－	－	199	6	30	76	69	16	2	－	－
－	－	－	－	－	113	－	18	33	38	22	2	－	－
－	－	－	－	－	90	2	10	33	30	15	－	－	－
－	－	－	－	－	166	2	23	70	58	13	－	－	－
－	－	－	－	－	23	－	2	8	13	－	－	－	－
－	－	－	－	－	35	1	1	13	13	7	－	－	－
－	－	－	－	－	72	2	9	29	23	9	－	－	－
－	－	－	－	－	98	－	18	36	38	6	－	－	－
－	－	－	－	－	104	2	13	35	39	14	1	－	－
1	1	1	1	－	59	－	7	28	17	7	－	－	－
－	－	－	－	－	236	5	30	93	83	23	2	－	－
－	－	－	－	－	108	1	18	35	47	7	－	－	－
1	3	1	3	－	270	7	23	104	102	33	－	－	1
－	－	－	－	－	117	2	11	42	53	8	1	－	－
－	－	－	－	－	29	1	4	10	11	3	－	－	－
－	－	－	－	－	29	－	1	9	15	4	－	－	－
－	－	－	－	－	32	1	4	14	11	2	－	－	－
－	－	－	－	－	8	1	2	1	2	2	－	－	－
－	－	－	－	－	19	－	2	7	9	1	－	－	－
－	－	－	－	－	52	1	4	17	21	9	－	－	－
－	－	－	－	－	112	2	15	41	45	9	－	－	－
－	－	－	－	－	205	1	29	59	86	28	2	－	－
－	－	－	－	－	228	6	28	66	89	31	8	－	－
1	－	－	－	－	12	－	2	7	3	－	－	－	－
－	－	－	－	－	56	1	13	24	16	2	－	－	－
－	－	－	－	－	50	1	9	16	19	5	－	－	－
－	－	－	－	－	268	7	46	92	98	25	－	－	－
－	－	－	－	－	177	8	29	62	63	14	1	－	－
－	－	－	－	－	71	4	12	25	24	5	1	－	－
－	－	－	－	－	60	2	5	30	20	3	－	－	－
－	－	－	－	－	39	－	7	9	19	4	－	－	－
－	－	－	－	－	80	－	9	39	23	9	－	－	－
3	1	1	－	－	90	1	18	36	27	8	－	－	－
－	－	－	－	－	323	1	55	127	110	28	2	－	－
1	－	－	1	－	69	－	5	32	28	3	1	－	－
－	－	－	－	－	8	－	1	2	4	1	－	－	－
3	1	－	－	－	70	5	7	21	26	10	1	－	－
－	－	－	－	－	121	4	18	47	39	12	1	－	－
－	－	－	－	－	61	1	10	22	22	6	－	－	－
－	－	－	－	－	216	1	37	83	71	23	－	－	1
－	－	－	－	－	56	1	13	20	17	5	－	－	－
－	－	－	－	－	87	2	11	36	29	9	－	－	－
1	－	－	－	－	80	1	12	38	25	4	－	－	－
－	－	－	－	－	75	1	10	28	23	13	－	－	－
－	－	－	－	－	198	4	30	78	66	20	－	－	－
－	－	－	－	－	120	2	20	45	38	15	－	－	－
－	－	－	－	－	173	3	21	47	64	34	3	1	－

（報告表　52）

第４表　人工妊娠中絶件数,

	総　数	13歳未満	13　歳	14	15	16	17	18	19	20～24	25～29
総　数	**164 621**	**12**	**34**	**172**	**518**	**1 421**	**2 335**	**3 523**	**6 113**	**39 270**	**32 222**
母体の健康	164 403	11	33	171	512	1 414	2 331	3 518	6 101	39 207	32 177
暴行脅迫	218	1	1	1	6	7	4	5	12	63	45
満７週以前	**90 064**	**5**	**11**	**52**	**188**	**546**	**923**	**1 498**	**2 935**	**20 099**	**17 752**
母体の健康	89 966	4	10	51	187	545	923	1 496	2 932	20 063	17 731
暴行脅迫	98	1	1	1	1	1	－	2	3	36	21
満８週～満11週	**65 059**	**5**	**13**	**78**	**247**	**681**	**1 141**	**1 708**	**2 769**	**16 975**	**12 802**
母体の健康	64 975	5	13	78	245	677	1 140	1 706	2 763	16 952	12 784
暴行脅迫	84	－	－	－	2	4	1	2	6	23	18
満12週～満15週	**3 984**	**1**	**6**	**24**	**33**	**91**	**121**	**141**	**179**	**1 012**	**737**
母体の健康	3 973	1	6	24	33	91	119	141	179	1 011	735
暴行脅迫	11	－	－	－	－	－	2	－	－	1	2
満16週～満19週	**3 343**	**1**	**3**	**13**	**28**	**72**	**100**	**117**	**160**	**765**	**557**
母体の健康	3 330	1	3	13	27	72	99	117	158	763	556
暴行脅迫	13	－	－	－	1	－	1	－	2	2	1
満20週・満21週	**2 123**	**－**	**1**	**5**	**22**	**31**	**49**	**57**	**68**	**412**	**368**
母体の健康	2 112	－	1	5	20	29	49	56	67	411	365
暴行脅迫	11	－	－	－	2	2	－	1	1	1	3
週数不詳	**48**	**－**	**－**	**－**	**－**	**－**	**1**	**2**	**2**	**7**	**6**
母体の健康	47	－	－	－	－	－	1	2	2	7	6
暴行脅迫	1	－	－	－	－	－	－	－	－	－	－

年齢階級・妊娠週数・事由別

平成29年度

30～34	35～39	40～44	45～49	50歳以上	不詳
33 082	**29 641**	**14 876**	**1 363**	**11**	**28**
33 052	29 613	14 862	1 363	11	27
30	28	14	-	-	1
18 983	**17 319**	**8 916**	**819**	**3**	**15**
18 970	17 306	8 911	819	3	15
13	13	5	-	-	-
12 317	**10 726**	**5 122**	**458**	**6**	**11**
12 308	10 716	5 114	458	6	10
9	10	8	-	-	1
749	**583**	**271**	**34**	**-**	**2**
745	581	271	34	-	2
4	2	-	-	-	-
594	**586**	**316**	**30**	**1**	**-**
591	584	315	30	1	-
3	2	1	-	-	-
427	**418**	**242**	**22**	**1**	**-**
426	418	242	22	1	-
1	-	-	-	-	-
12	**9**	**9**	**-**	**-**	**-**
12	8	9	-	-	-
-	1	-	-	-	-

（報告表　53）

第５表　人工妊娠中絶件数，事由・都道府県別

平成29年度

	総数	母体の健康	暴行脅迫
全国	**164 621**	**164 403**	**218**
北海道	7 234	7 220	14
青森	1 618	1 617	1
岩手	1 556	1 554	2
宮城	3 548	3 542	6
秋田	1 001	983	18
山形	1 168	1 167	1
福島	2 577	2 572	5
茨城	2 653	2 653	-
栃木	1 623	1 622	1
群馬	2 543	2 542	1
埼玉	5 906	5 900	6
千葉	6 051	6 043	8
東京	26 421	26 393	28
神奈川	11 164	11 159	5
新潟	2 441	2 439	2
富山	1 013	1 012	1
石川	1 353	1 353	-
福井	951	942	9
山梨	826	826	-
長野	2 130	2 104	26
岐阜	2 089	2 088	1
静岡	3 834	3 830	4
愛知	8 739	8 728	11
三重	1 987	1 985	2
滋賀	1 329	1 326	3
京都	3 364	3 361	3
大阪	13 637	13 619	18
兵庫	5 424	5 412	12
奈良	934	933	1
和歌山	1 076	1 076	-
鳥取	946	946	-
島根	737	735	2
岡山	2 267	2 262	5
広島	4 107	4 105	2
山口	1 605	1 604	1
徳島	830	828	2
香川	1 254	1 254	-
愛媛	1 831	1 827	4
高知	945	945	-
福岡	9 742	9 740	2
佐賀	1 240	1 237	3
長崎	1 936	1 936	-
熊本	3 057	3 053	4
大分	1 599	1 599	-
宮崎	1 435	1 434	1
鹿児島	2 554	2 553	1
沖縄	2 346	2 344	2

（報告表　53）

第６表　人工妊娠中絶件数，

	総数	13歳未満	13歳	14	15	16	17	18
全国	**164 621**	**12**	**34**	**172**	**518**	**1 421**	**2 335**	**3 523**
北海道	7 234	−	1	7	24	62	106	194
青森	1 618	−	−	−	5	13	32	36
岩手	1 556	−	−	−	5	7	16	23
宮城	3 548	−	−	2	4	29	47	75
秋田	1 001	−	−	−	1	3	6	12
山形	1 168	−	1	−	1	10	11	16
福島	2 577	−	−	1	5	22	33	55
茨城	2 653	−	−	3	14	29	37	63
栃木	1 623	−	−	2	3	13	24	36
群馬	2 543	1	3	2	7	24	51	46
埼玉	5 906	−	−	7	22	68	88	123
千葉	6 051	2	1	8	17	67	83	130
東京	26 421	1	7	15	45	133	218	443
神奈川	11 164	−	−	10	35	106	177	246
新潟	2 441	−	−	2	2	19	23	55
富山	1 013	−	−	−	4	6	21	13
石川	1 353	−	−	−	2	15	14	30
福井	951	−	−	−	1	8	12	18
山梨	826	−	−	1	2	8	9	20
長野	2 130	−	−	−	9	18	40	54
岐阜	2 089	−	1	2	9	24	31	45
静岡	3 834	−	−	8	12	35	67	99
愛知	8 739	−	2	6	27	64	147	190
三重	1 987	−	−	5	10	12	32	44
滋賀	1 329	−	2	3	10	13	26	32
京都	3 364	−	−	5	10	25	37	68
大阪	13 637	4	3	23	57	125	203	340
兵庫	5 424	−	−	5	11	51	76	125
奈良	934	−	1	−	1	7	21	24
和歌山	1 076	−	1	1	6	9	22	23
鳥取	946	−	−	4	4	13	13	18
島根	737	−	−	1	5	4	13	22
岡山	2 267	−	−	3	7	29	43	56
広島	4 107	−	3	5	18	39	74	86
山口	1 605	3	1	4	9	18	34	35
徳島	830	−	−	2	3	7	10	21
香川	1 254	−	−	1	7	9	32	27
愛媛	1 831	1	−	2	7	24	35	35
高知	945	−	−	1	7	9	10	23
福岡	9 742	−	2	14	40	122	160	217
佐賀	1 240	−	1	1	5	10	20	27
長崎	1 936	−	−	2	4	14	22	47
熊本	3 057	−	1	6	9	21	36	63
大分	1 599	−	−	1	6	13	20	39
宮崎	1 435	−	1	3	5	22	22	28
鹿児島	2 554	−	1	−	7	15	36	38
沖縄	2 346	−	1	4	14	27	45	63

平成29年度

19	20 ～ 24	25 ～ 29	30 ～ 34	35 ～ 39	40 ～ 44	45 ～ 49	50歳以上	不詳
6 113	**39 270**	**32 222**	**33 082**	**29 641**	**14 876**	**1 363**	**11**	**28**
344	1 923	1 408	1 348	1 156	611	49	1	–
44	346	262	354	348	171	7	–	–
40	317	321	346	319	148	14	–	–
123	791	662	747	723	326	19	–	–
18	185	183	251	222	110	7	–	3
29	219	185	277	267	141	11	–	–
82	531	515	601	479	238	15	–	–
86	518	476	564	554	280	27	1	1
62	322	299	383	327	137	15	–	–
92	592	473	504	469	244	35	–	–
199	1 172	1 068	1 228	1 226	648	57	–	–
238	1 366	1 134	1 193	1 174	575	63	–	–
981	7 767	5 973	4 739	4 033	1 866	198	2	–
371	2 760	2 075	2 208	1 998	1 089	89	–	–
79	492	482	516	484	261	26	–	–
39	223	171	192	215	117	12	–	–
42	311	259	274	251	143	12	–	–
30	210	173	226	175	93	5	–	–
24	186	187	166	139	74	9	–	1
58	441	426	448	389	223	17	–	7
76	415	366	433	436	220	30	–	1
135	733	701	834	759	414	35	1	1
292	2 077	1 659	1 819	1 546	846	62	2	–
72	440	375	450	327	204	15	1	–
67	256	220	279	260	148	13	–	–
151	878	622	636	590	315	27	–	–
568	3 656	2 806	2 521	2 140	1 085	106	–	–
205	1 200	997	1 063	1 090	551	50	–	–
43	185	172	196	187	90	7	–	–
42	223	207	210	222	99	10	1	–
32	181	184	203	184	99	11	–	–
20	165	116	155	152	76	8	–	–
78	543	476	458	360	196	18	–	–
163	984	782	822	727	356	45	–	3
57	380	295	321	296	137	15	–	–
22	160	163	194	151	86	8	–	3
43	245	251	262	230	125	20	–	2
98	400	358	390	319	141	17	–	4
37	199	179	192	181	98	9	–	–
418	2 359	1 923	1 939	1 684	797	66	–	1
46	233	233	270	255	131	8	–	–
79	398	359	441	391	164	15	–	–
112	635	615	670	594	280	15	–	–
62	335	262	379	335	135	12	–	–
45	257	248	333	305	153	13	–	–
91	551	472	563	529	227	23	1	–
78	510	449	484	443	208	18	1	1

（報告表　53）

第７表　人工妊娠中絶実施率（女子人口千対），年齢階級・都道府県別

平成29年度

	総数[1]	20歳未満[2]	20～24歳	25～29	30～34	35～39	40～44	45～49
全国	**6.4**	**4.8**	**13.0**	**10.5**	**9.5**	**7.6**	**3.2**	**0.3**
北海道	7.0	6.5	16.9	11.8	9.7	7.3	3.2	0.3
青森	7.1	4.5	15.0	10.9	11.4	9.9	4.1	0.2
岩手	7.0	3.3	13.8	12.8	11.5	9.1	3.7	0.4
宮城	7.5	5.3	13.4	11.2	11.3	9.9	4.0	0.2
秋田	6.2	2.0	13.2	10.8	11.4	8.5	3.5	0.2
山形	6.1	2.7	11.5	8.4	10.3	8.6	4.0	0.3
福島	7.7	4.4	16.1	13.2	13.1	9.2	4.0	0.3
茨城	4.8	3.4	8.6	7.7	7.6	6.6	2.8	0.3
栃木	4.3	3.1	8.3	6.8	7.2	5.5	2.0	0.2
群馬	6.8	4.7	14.1	11.5	10.5	8.4	3.5	0.5
埼玉	3.9	3.0	6.1	5.9	6.1	5.4	2.3	0.2
千葉	4.7	3.9	9.0	7.6	7.0	6.1	2.4	0.3
東京	8.2	6.8	18.7	13.5	9.9	8.0	3.3	0.4
神奈川	5.7	4.5	11.4	8.9	8.5	6.8	3.0	0.2
新潟	5.9	3.5	11.2	10.3	9.2	7.6	3.4	0.4
富山	5.2	3.3	11.7	8.1	7.7	7.4	3.1	0.3
石川	6.0	3.7	12.0	10.0	9.4	7.6	3.4	0.3
福井	6.5	3.6	14.0	10.2	11.3	8.0	3.4	0.2
山梨	5.4	3.2	10.3	11.0	8.7	6.3	2.7	0.3
長野	5.6	3.6	12.3	10.1	9.1	6.7	3.1	0.2
岐阜	5.4	3.8	9.2	8.5	8.7	7.6	3.1	0.4
静岡	5.5	4.2	10.6	8.8	8.8	7.1	3.2	0.3
愛知	5.5	4.0	10.7	8.5	8.3	6.6	3.0	0.2
三重	5.7	4.0	11.6	9.4	9.8	6.4	3.2	0.2
滋賀	4.5	4.3	7.3	6.5	7.2	5.8	2.8	0.3
京都	6.1	4.9	11.0	9.4	9.0	7.6	3.2	0.3
大阪	7.1	6.4	15.4	12.0	10.0	7.8	3.2	0.3
兵庫	4.8	3.6	9.0	7.9	7.3	6.5	2.6	0.2
奈良	3.5	2.9	5.4	5.7	5.8	4.9	1.9	0.1
和歌山	6.2	4.5	12.4	10.9	9.1	8.9	3.1	0.3
鳥取	9.3	6.5	18.1	15.3	14.5	11.5	5.2	0.6
島根	6.3	4.1	15.0	8.9	9.7	8.4	3.5	0.4
岡山	6.0	4.7	11.3	10.6	9.0	6.7	2.9	0.3
広島	7.3	5.9	15.1	12.0	11.0	8.7	3.5	0.4
山口	6.5	5.0	14.1	10.9	9.7	8.0	3.0	0.3
徳島	6.1	3.8	11.4	10.9	10.2	7.2	3.4	0.3
香川	6.9	5.2	13.6	12.6	10.9	8.2	3.6	0.6
愛媛	7.4	6.5	16.0	12.8	11.5	8.4	3.0	0.4
高知	7.6	5.4	16.6	13.8	11.3	9.5	4.1	0.4
福岡	9.1	8.2	17.5	14.9	12.8	10.1	4.2	0.4
佐賀	8.0	5.2	13.7	12.9	12.3	10.6	4.9	0.3
長崎	7.9	5.3	15.3	12.8	13.4	10.3	3.7	0.3
熊本	9.3	6.0	17.2	15.4	14.3	11.4	4.8	0.3
大分	7.6	5.2	15.2	10.9	13.1	10.2	3.5	0.3
宮崎	7.2	4.8	12.9	11.3	11.9	9.5	4.3	0.4
鹿児島	8.6	5.1	17.2	13.5	13.1	11.0	4.4	0.5
沖縄	7.6	5.8	14.6	11.8	10.5	9.2	3.9	0.4

注：1)　「総数」は、分母に15～49歳の女子人口を用い、分子に50歳以上の数値を除いた「人工妊娠中絶件数」を用いて計算した。　（報告表　53）
　　2)　「20歳未満」は、分母に15～19歳の女子人口を用い、分子に15歳未満を含めた「人工妊娠中絶件数」を用いて計算した。

第８表　人工妊娠中絶件数，妊娠週数・都道府県別

平成29年度

	総　　数	満７週以前	満８週～満11週	満12週～満15週	満16週～満19週	満20週・満21週	週数不詳
全　国	**164 621**	**90 064**	**65 059**	**3 984**	**3 343**	**2 123**	**48**
北海道	7 234	4 601	2 218	191	137	87	-
青森	1 618	903	640	34	21	20	-
岩手	1 556	911	575	29	24	17	-
宮城	3 548	1 903	1 451	77	64	53	-
秋田	1 001	603	361	13	12	11	1
山形	1 168	576	531	27	21	13	-
福島	2 577	1 491	973	48	48	15	2
茨城	2 653	1 356	1 174	44	38	40	1
栃木	1 623	745	763	41	40	34	-
群馬	2 543	1 187	1 238	34	46	38	-
埼玉	5 906	3 081	2 421	146	145	110	3
千葉	6 051	2 694	2 982	136	151	88	-
東京	26 421	15 498	9 626	585	447	265	-
神奈川	11 164	5 079	5 217	404	258	206	-
新潟	2 441	1 177	1 128	58	56	22	-
富山	1 013	636	327	20	15	15	-
石川	1 353	814	487	32	17	2	1
福井	951	645	269	8	18	11	-
山梨	826	475	315	20	9	7	-
長野	2 130	1 146	884	42	30	20	8
岐阜	2 089	1 147	817	42	58	23	2
静岡	3 834	2 231	1 413	66	76	48	-
愛知	8 739	5 043	3 149	183	240	119	5
三重	1 987	1 253	635	36	35	28	-
滋賀	1 329	740	463	54	45	27	-
京都	3 364	1 795	1 425	57	63	24	-
大阪	13 637	7 444	5 367	309	296	221	-
兵庫	5 424	3 076	2 025	189	91	43	-
奈良	934	523	349	22	27	12	1
和歌山	1 076	608	391	41	20	16	-
鳥取	946	525	364	20	27	9	1
島根	737	374	311	26	19	7	-
岡山	2 267	1 206	904	52	59	46	-
広島	4 107	2 330	1 555	88	76	58	-
山口	1 605	727	818	25	24	11	-
徳島	830	418	364	13	21	11	3
香川	1 254	812	386	13	22	21	-
愛媛	1 831	975	718	65	34	29	10
高知	945	457	433	26	19	10	-
福岡	9 742	5 591	3 602	247	191	110	1
佐賀	1 240	666	532	17	13	12	-
長崎	1 936	1 145	658	52	52	29	-
熊本	3 057	1 707	1 144	107	66	33	-
大分	1 599	925	566	62	25	21	-
宮崎	1 435	647	683	50	36	19	-
鹿児島	2 554	1 249	1 164	56	50	27	8
沖縄	2 346	929	1 243	77	61	35	1

（報告表　53）

第１表（４－１） 特定医療費（指定難病）

	総数	0～9歳	10～19	20～29	30～39	40～49	50～59	60～69	70～74	75歳以上
総数	**892 445**	**742**	**7 054**	**44 229**	**74 602**	**123 609**	**128 048**	**184 713**	**103 528**	**225 920**
球脊髄性筋萎縮症	1 232	－	－	1	16	121	273	430	192	199
筋萎縮性側索硬化症	9 636	－	2	18	113	549	1 169	2 924	1 853	3 008
脊髄性筋萎縮症	824	52	71	81	49	76	105	181	82	127
原発性側索硬化症	84	－	－	－	2	3	14	19	18	28
進行性核上性麻痺	9 967	－	－	－	－	11	101	1 338	1 727	6 790
パーキンソン病	127 536	－	4	26	138	1 223	5 188	23 038	21 551	76 368
大脳皮質基底核変性症	4 157	－	－	－	4	20	116	793	812	2 412
ハンチントン病	900	－	2	7	44	130	206	254	102	155
神経有棘赤血球症	30	－	－	2	5	7	8	5	2	1
シャルコー・マリー・トゥース病	516	4	12	21	41	77	93	135	47	86
重症筋無力症	22 532	48	159	517	1 345	2 752	3 464	5 191	2 845	6 211
先天性筋無力症候群	10	1	2	3	3	－	1	－	－	－
多発性硬化症／視神経脊髄炎	18 411	5	132	1 124	3 072	5 253	3 956	2 901	906	1 062
慢性炎症性脱髄性多発神経炎／多巣性運動ニューロパチー	4 090	－	35	109	225	511	708	991	550	961
封入体筋炎	417	－	－	－	1	4	26	104	95	187
クロウ・深瀬症候群	142	－	1	2	12	24	24	44	22	13
多系統萎縮症	11 331	－	1	3	16	208	1 276	3 830	2 213	3 784
脊髄小脳変性症(多系統萎縮症を除く。)	26 345	6	57	376	979	2 204	3 240	6 533	3 999	8 951
ライソゾーム病	1 262	5	27	245	238	261	219	176	47	44
副腎白質ジストロフィー	248	－	10	50	53	52	33	32	11	7
ミトコンドリア病	1 416	9	29	193	246	327	255	196	74	87
もやもや病	12 648	80	635	960	1 663	3 097	2 593	2 095	733	792
プリオン病	414	－	－	1	4	15	35	106	79	174
亜急性硬化性全脳炎	77	－	5	37	22	10	－	2	1	－
進行性多巣性白質脳症	32	－	－	－	2	6	1	10	5	8
HTLV－1関連脊髄症	823	－	－	2	8	30	106	265	158	254
特発性基底核石灰化症	73	－	－	－	2	8	9	31	9	14
全身性アミロイドーシス	2 471	－	－	8	47	154	333	703	435	791
ウルリッヒ病	13	1	－	8	1	3	－	－	－	－
遠位型ミオパチー	218	－	－	9	29	56	50	39	20	15
ベスレムミオパチー	10	－	1	2	－	4	2	1	－	－
自己貪食空胞性ミオパチー	6	－	1	－	－	－	1	1	－	3
シュワルツ・ヤンペル症候群	7	－	－	6	－	－	1	－	－	－
神経線維腫症	3 883	25	218	441	675	803	662	589	224	246
天疱瘡	3 347	2	5	35	109	446	616	914	454	766
表皮水疱症	299	20	34	44	49	40	50	42	9	11
膿疱性乾癬（汎発型）	1 788	4	11	58	149	356	346	415	157	292
スティーヴンス・ジョンソン症候群	150	1	3	17	21	35	23	22	13	15
中毒性表皮壊死症	50	1	1	9	7	9	4	12	2	5
高安動脈炎	4 573	1	47	454	553	629	663	951	502	773
巨細胞性動脈炎	603	－	1	－	1	－	24	119	120	338
結節性多発動脈炎	2 551	－	2	43	121	269	361	640	363	752
顕微鏡的多発血管炎	8 669	1	4	48	83	232	525	1 678	1 560	4 538
多発血管炎性肉芽腫症	2 554	－	7	46	111	216	323	674	391	786
好酸球性多発血管炎性肉芽腫症	2 640	－	1	48	156	345	541	733	328	488
悪性関節リウマチ	5 571	－	1	26	176	409	745	1 723	1 035	1 456
バージャー病	3 177	－	2	9	95	357	508	855	500	851
原発性抗リン脂質抗体症候群	407	－	－	23	57	109	86	84	23	25
全身性エリテマトーデス	60 446	3	502	4 386	9 227	14 580	11 643	11 111	4 147	4 847
皮膚筋炎／多発性筋炎	21 411	15	128	391	998	2 636	3 899	6 156	2 844	4 344

受給者証所持者数, 年齢階級・対象疾患別

平成29年度末現在

	総数	0～9歳	10～19	20～29	30～39	40～49	50～59	60～69	70～74	75歳以上
全身性強皮症	27 423	－	21	192	592	2 021	4 045	8 257	4 594	7 701
混合性結合組織病	9 871	1	45	445	1 075	2 197	1 962	2 238	848	1 060
シェーグレン症候群	13 243	－	22	239	705	1 725	2 365	3 546	1 756	2 885
成人スチル病	2 717	－	11	227	405	533	425	491	240	385
再発性多発軟骨炎	575	－	－	19	37	90	128	147	78	76
ベーチェット病	15 284	－	71	679	1 861	3 334	2 936	3 003	1 329	2 071
特発性拡張型心筋症	21 517	3	32	230	841	2 646	4 325	6 105	2 786	4 549
肥大型心筋症	4 046	－	13	125	161	370	562	1 061	606	1 148
拘束型心筋症	44	2	1	10	4	6	7	8	3	3
再生不良性貧血	8 007	12	113	436	587	823	904	1 669	967	2 496
自己免疫性溶血性貧血	898	－	6	29	41	65	91	244	120	302
発作性夜間ヘモグロビン尿症	622	－	1	38	76	116	83	103	72	133
特発性血小板減少性紫斑病	17 618	17	171	645	1 168	1 725	2 038	3 656	2 341	5 857
血栓性血小板減少性紫斑病	182	－	3	9	22	34	24	32	22	36
原発性免疫不全症候群	1 613	20	81	372	410	343	194	114	35	44
IgA腎症	7 796	－	102	801	1 353	1 925	1 508	1 406	412	289
多発性嚢胞腎	8 011	－	1	149	760	2 270	2 195	1 669	510	457
黄色靱帯骨化症	4 979	－	－	14	62	312	573	1 223	887	1 908
後縦靱帯骨化症	32 340	－	－	22	228	1 588	3 792	8 367	5 426	12 917
広範脊柱管狭窄症	5 257	－	1	11	41	124	357	1 170	927	2 626
特発性大腿骨頭壊死症	16 077	－	26	310	1 216	3 058	3 391	3 963	1 574	2 539
下垂体性ADH分泌異常症	2 830	－	25	379	447	641	483	405	181	269
下垂体性TSH分泌亢進症	140	－	1	9	14	38	27	25	14	12
下垂体性PRL分泌亢進症	2 020	－	17	248	517	567	301	203	80	87
クッシング病	787	－	2	45	85	157	166	180	76	76
下垂体性ゴナドトロピン分泌亢進症	73	－	1	16	30	13	5	5	1	2
下垂体性成長ホルモン分泌亢進症	4 160	－	5	140	345	708	763	1 113	526	560
下垂体前葉機能低下症	14 969	19	527	1 656	1 899	2 657	2 231	2 843	1 299	1 838
家族性高コレステロール血症（ホモ接合体）	245	－	2	19	24	45	59	52	17	27
甲状腺ホルモン不応症	33	－	1	5	8	4	10	5	－	－
先天性副腎皮質酵素欠損症	644	－	4	296	204	101	24	10	2	3
先天性副腎低形成症	35	－	－	27	3	5	－	－	－	－
アジソン病	229	－	－	11	19	26	36	63	23	51
サルコイドーシス	15 047	－	12	99	694	1 557	2 394	4 192	2 209	3 890
特発性間質性肺炎	11 936	－	7	14	38	166	621	2 985	2 680	5 425
肺動脈性肺高血圧症	3 456	4	42	292	433	499	520	640	331	695
肺静脈閉塞症／肺毛細血管腫症	23	－	－	－	4	1	5	6	2	5
慢性血栓塞栓性肺高血圧症	3 439	－	－	13	51	214	453	837	499	1 372
リンパ脈管筋腫症	745	－	－	23	150	312	173	61	22	4
網膜色素変性症	24 692	9	123	359	847	2 024	3 110	6 199	3 902	8 119
バッド・キアリ症候群	229	－	1	20	35	55	43	38	18	19
特発性門脈圧亢進症	253	－	2	20	29	54	40	60	24	24
原発性胆汁性胆管炎	18 047	1	－	18	200	1 143	2 920	5 869	2 917	4 979
原発性硬化性胆管炎	678	－	10	87	108	115	82	119	66	91
自己免疫性肝炎	4 772	1	7	88	157	445	837	1 506	716	1 015
クローン病	41 068	4	917	7 432	10 016	11 481	6 308	3 027	847	1 036
潰瘍性大腸炎	128 734	17	1 704	12 905	21 322	30 538	24 279	20 391	7 681	9 897
好酸球性消化管疾患	576	17	43	50	85	146	96	78	33	28
慢性特発性偽性腸閉塞症	124	－	2	14	17	27	33	20	6	5
巨大膀胱短小結腸腸管蠕動不全症	1	－	－	1	－	－	－	－	－	－

（報告表　54）

第１表（４－２） 特定医療費（指定難病）

	総数	0～9歳	10～19	20～29	30～39	40～49	50～59	60～69	70～74	75歳以上
腸管神経節細胞僅少症	10	1	–	5	2	1	1	–	–	–
ルビンシュタイン・テイビ症候群	5	–	1	4	–	–	–	–	–	–
CFC症候群	5	–	1	3	–	1	–	–	–	–
コステロ症候群	3	–	–	3	–	–	–	–	–	–
チャージ症候群	9	4	3	2	–	–	–	–	–	–
クリオピリン関連周期熱症候群	52	–	4	14	10	12	5	6	1	–
全身型若年性特発性関節炎	150	–	9	120	18	3	–	–	–	–
TNF受容体関連周期性症候群	17	–	–	6	6	2	2	1	–	–
非典型溶血性尿毒症症候群	60	–	1	8	10	10	12	12	5	2
ブラウ症候群	6	–	–	4	1	–	1	–	–	–
先天性ミオパチー	203	1	8	40	40	32	36	33	9	4
マリネスコ・シェーグレン症候群	8	–	1	1	2	1	1	2	–	–
筋ジストロフィー	3 421	38	87	398	485	848	740	534	141	150
非ジストロフィー性ミオトニー症候群	16	–	3	2	1	4	3	2	–	1
遺伝性周期性四肢麻痺	37	–	4	12	6	8	5	1	–	1
アトピー性脊髄炎	32	–	–	2	6	9	5	7	1	2
脊髄空洞症	406	3	16	18	39	67	77	80	43	63
脊髄髄膜瘤	41	2	5	19	6	8	1	–	–	–
アイザックス症候群	57	1	–	3	10	11	14	10	4	4
遺伝性ジストニア	56	–	3	14	11	13	10	5	–	–
神経フェリチン症	1	–	–	–	–	1	–	–	–	–
脳表ヘモジデリン沈着症	107	–	–	1	1	2	14	25	26	38
禿頭と変形性脊椎症を伴う常染色体劣性白質脳症	4	–	–	–	–	–	2	2	–	–
皮質下梗塞と白質脳症を伴う常染色体優性脳動脈症	62	–	–	–	2	8	23	20	4	5
神経軸索スフェロイド形成を伴う遺伝性びまん性白質脳症	35	–	–	3	7	13	4	6	–	2
ペリー症候群	3	–	–	–	–	1	2	–	–	–
前頭側頭葉変性症	733	–	–	–	2	14	88	384	147	98
ビッカースタッフ脳幹脳炎	49	2	1	2	9	5	13	8	6	3
痙攣重積型（二相性）急性脳症	56	47	8	1	–	–	–	–	–	–
先天性無痛無汗症	21	1	1	12	5	1	–	1	–	–
アレキサンダー病	26	1	–	4	2	4	6	4	4	1
先天性核上性球麻痺	2	2	–	–	–	–	–	–	–	–
メビウス症候群	14	10	2	2	–	–	–	–	–	–
中隔視神経形成異常症/ドモルシア症候群	6	1	1	2	1	1	–	–	–	–
アイカルディ症候群	5	4	1	–	–	–	–	–	–	–
片側巨脳症	10	5	3	1	–	–	–	1	–	–
限局性皮質異形成	36	7	10	10	5	2	2	–	–	–
神経細胞移動異常症	28	3	2	14	4	5	–	–	–	–
先天性大脳白質形成不全症	23	5	1	12	5	–	–	–	–	–
ドラベ症候群	23	2	2	18	1	–	–	–	–	–
海馬硬化を伴う内側側頭葉てんかん	27	1	3	4	6	4	7	2	–	–
ミオクロニー欠神てんかん	2	–	–	2	–	–	–	–	–	–
ミオクロニー脱力発作を伴うてんかん	8	5	1	1	–	1	–	–	–	–
レノックス・ガストー症候群	129	1	9	98	9	10	1	1	–	–
ウエスト症候群	74	3	4	64	3	–	–	–	–	–
大田原症候群	9	5	3	1	–	–	–	–	–	–
早期ミオクロニー脳症	8	5	1	2	–	–	–	–	–	–
遊走性焦点発作を伴う乳児てんかん	15	14	–	1	–	–	–	–	–	–
片側痙攣・片麻痺・てんかん症候群	11	3	1	4	1	2	–	–	–	–
環状20番染色体症候群	11	3	3	3	1	1	–	–	–	–

受給者証所持者数，年齢階級・対象疾患別

平成29年度末現在

	総数	0～9歳	10～19	20～29	30～39	40～49	50～59	60～69	70～74	75歳以上
ラスムッセン脳炎	21	－	1	6	7	3	1	2	1	－
ＰＣＤＨ１９関連症候群	7	3	2	1	－	1	－	－	－	－
難治頻回部分発作重積型急性脳炎	16	－	3	9	2	1	－	1	－	－
徐波睡眠期持続性棘徐波を示すてんかん性脳症	14	8	5	1	－	－	－	－	－	－
ランドウ・クレフナー症候群	4	－	4	－	－	－	－	－	－	－
レット症候群	50	1	3	38	7	1	－	－	－	－
スタージ・ウェーバー症候群	74	14	18	14	10	9	5	4	－	－
結節性硬化症	486	1	21	192	118	92	36	18	2	6
色素性乾皮症	60	－	－	23	11	1	3	9	9	4
先天性魚鱗癬	58	－	1	17	8	11	13	4	3	1
家族性良性慢性天疱瘡	41	－	－	－	2	8	14	5	3	9
類天疱瘡（後天性表皮水疱症を含む。）	2 031	1	2	1	32	86	175	447	291	996
特発性後天性全身性無汗症	126	－	16	26	30	33	15	4	1	1
眼皮膚白皮症	10	－	－	4	1	3	1	1	－	－
肥厚性皮膚骨膜症	10	－	－	3	3	2	－	2	－	－
弾性線維性仮性黄色腫	51	－	－	－	1	9	12	23	4	2
マルファン症候群	585	－	19	109	138	143	116	47	9	4
エーラス・ダンロス症候群	97	－	1	18	28	29	13	6	2	－
メンケス病	－	－	－	－	－	－	－	－	－	－
オクシピタル・ホーン症候群	1	－	－	1	－	－	－	－	－	－
ウィルソン病	510	－	3	137	126	139	78	25	2	－
低ホスファターゼ症	5	－	－	1	1	3	－	－	－	－
ＶＡＴＥＲ症候群	16	14	1	1	－	－	－	－	－	－
那須・ハコラ病	5	－	－	－	1	2	2	－	－	－
ウィーバー症候群	－	－	－	－	－	－	－	－	－	－
コフィン・ローリー症候群	3	－	－	3	－	－	－	－	－	－
有馬症候群	1	－	－	1	－	－	－	－	－	－
モワット・ウィルソン症候群	15	6	7	2	－	－	－	－	－	－
ウィリアムズ症候群	27	－	6	12	4	4	1	－	－	－
ＡＴＲ－Ｘ症候群	8	4	2	2	－	－	－	－	－	－
クルーゾン症候群	8	－	－	7	－	－	1	－	－	－
アペール症候群	6	－	2	4	－	－	－	－	－	－
ファイファー症候群	6	1	－	5	－	－	－	－	－	－
アントレー・ビクスラー症候群	－	－	－	－	－	－	－	－	－	－
コフィン・シリス症候群	4	3	1	－	－	－	－	－	－	－
ロスムンド・トムソン症候群	2	2	－	－	－	－	－	－	－	－
歌舞伎症候群	6	－	2	2	－	1	1	－	－	－
多脾症候群	21	－	2	15	3	1	－	－	－	－
無脾症候群	45	1	3	35	5	－	1	－	－	－
鰓耳腎症候群	6	2	－	3	1	－	－	－	－	－
ウェルナー症候群	95	－	－	1	1	33	34	24	2	－
コケイン症候群	4	－	－	4	－	－	－	－	－	－
プラダー・ウィリ症候群	120	2	5	57	37	15	4	－	－	－
ソトス症候群	8	1	2	3	1	1	－	－	－	－
ヌーナン症候群	35	2	4	17	7	5	－	－	－	－
ヤング・シンプソン症候群	－	－	－	－	－	－	－	－	－	－
１ｐ36欠失症候群	4	3	1	－	－	－	－	－	－	－
４ｐ欠失症候群	3	－	1	2	－	－	－	－	－	－
５ｐ欠失症候群	－	－	－	－	－	－	－	－	－	－
第14番染色体父親性ダイソミー症候群	1	－	1	－	－	－	－	－	－	－

（報告表　54）

第１表（４－３） 特定医療費（指定難病）

	総 数	0～9歳	10～19	20～29	30～39	40～49	50～59	60～69	70～74	75歳以上
アンジェルマン症候群	20	3	4	10	2	1	-	-	-	-
スミス・マギニス症候群	-	-	-	-	-	-	-	-	-	-
22 q 11.2 欠失症候群	36	5	5	15	5	4	1	1	-	-
エマヌエル症候群	4	1	2	1	-	-	-	-	-	-
脆弱Ｘ症候群関連疾患	-	-	-	-	-	-	-	-	-	-
脆弱Ｘ症候群	4	-	2	2	-	-	-	-	-	-
総動脈幹遺残症	18	-	1	15	1	1	-	-	-	-
修正大血管転位症	94	-	2	38	22	18	6	3	4	1
完全大血管転位症	104	1	8	59	26	9	-	1	-	-
単心室症	173	1	8	118	23	20	2	1	-	-
左心低形成症候群	16	-	3	13	-	-	-	-	-	-
三尖弁閉鎖症	91	1	4	52	21	11	1	1	-	-
心室中隔欠損を伴わない肺動脈閉鎖症	58	-	4	43	8	3	-	-	-	-
心室中隔欠損を伴う肺動脈閉鎖症	50	-	1	36	9	4	-	-	-	-
ファロー四徴症	332	2	18	151	66	49	34	8	2	2
両大血管右室起始症	95	-	3	68	18	6	-	-	-	-
エプスタイン病	64	-	3	23	7	7	8	12	3	1
アルポート症候群	107	-	1	45	25	12	17	6	1	-
ギャロウェイ・モワト症候群	-	-	-	-	-	-	-	-	-	-
急速進行性糸球体腎炎	549	-	3	12	16	33	43	146	98	198
抗糸球体基底膜腎炎	134	-	1	8	3	11	8	43	18	42
一次性ネフローゼ症候群	7 700	2	102	1 352	1 045	1 229	1 015	1 327	654	974
一次性膜性増殖性糸球体腎炎	153	1	1	30	16	19	37	22	12	15
紫斑病性腎炎	500	-	6	81	77	96	78	77	39	46
先天性腎性尿崩症	29	-	-	12	5	5	3	3	-	1
間質性膀胱炎（ハンナ型）	542	-	1	9	24	43	78	161	93	133
オスラー病	445	-	7	36	33	64	98	88	51	68
閉塞性細気管支炎	18	-	-	6	2	1	2	6	1	-
肺胞蛋白症（自己免疫性又は先天性）	120	-	1	2	5	30	27	30	15	10
肺胞低換気症候群	48	-	-	15	5	8	1	8	3	8
α1ーアンチトリプシン欠乏症	8	-	-	1	-	2	3	2	-	-
カーニー複合	16	-	2	4	1	3	4	2	-	-
ウォルフラム症候群	4	-	-	2	1	1	-	-	-	-
ペルオキシソーム病（副腎白質ジストロフィーを除く。）	1	-	-	-	-	1	-	-	-	-
副甲状腺機能低下症	167	-	3	26	30	40	32	29	6	1
偽性副甲状腺機能低下症	77	-	3	30	15	17	7	5	-	-
副腎皮質刺激ホルモン不応症	8	-	-	4	2	1	-	-	-	1
ビタミンD抵抗性くる病/骨軟化症	133	-	1	31	25	32	20	18	5	1
ビタミンD依存性くる病/骨軟化症	3	-	-	1	-	1	1	-	-	-
フェニルケトン尿症	181	-	2	85	62	26	5	1	-	-
高チロシン血症１型	2	-	1	1	-	-	-	-	-	-
高チロシン血症２型	-	-	-	-	-	-	-	-	-	-
高チロシン血症３型	-	-	-	-	-	-	-	-	-	-
メープルシロップ尿症	5	-	-	4	1	-	-	-	-	-
プロピオン酸血症	7	-	-	5	2	-	-	-	-	-
メチルマロン酸血症	15	-	-	9	6	-	-	-	-	-
イソ吉草酸血症	3	-	-	2	1	-	-	-	-	-
グルコーストランスポーター１欠損症	6	-	-	4	2	-	-	-	-	-
グルタル酸血症１型	2	-	1	-	1	-	-	-	-	-
グルタル酸血症２型	4	1	-	2	-	-	1	-	-	-

受給者証所持者数, 年齢階級・対象疾患別

平成29年度末現在

	総数	0～9歳	10～19	20～29	30～39	40～49	50～59	60～69	70～74	75歳以上
尿素サイクル異常症	62	–	1	31	19	6	2	–	2	1
リジン尿性蛋白不耐症	21	–	–	6	5	10	–	–	–	–
先天性葉酸吸収不全	–	–	–	–	–	–	–	–	–	–
ポルフィリン症	32	–	–	7	8	12	3	1	1	–
複合カルボキシラーゼ欠損症	2	–	1	1	–	–	–	–	–	–
筋型糖原病	19	–	2	3	4	2	3	1	1	3
肝型糖原病	76	–	–	34	17	16	5	4	–	–
ガラクトース－1－リン酸ウリジルトランスフェラーゼ欠損症	1	–	–	–	–	1	–	–	–	–
レシチンコレステロールアシルトランスフェラーゼ欠損症	2	–	–	–	–	–	–	1	1	–
シトステロール血症	8	2	–	1	2	2	1	–	–	–
タンジール病	3	–	–	–	1	1	1	–	–	–
原発性高カイロミクロン血症	15	–	–	2	4	5	2	1	1	–
脳腱黄色腫症	36	–	–	1	2	13	15	4	–	1
無βリポタンパク血症	1	–	–	–	1	–	–	–	–	–
脂肪萎縮症	22	–	–	7	9	5	1	–	–	–
家族性地中海熱	175	–	6	34	35	46	30	13	6	5
高IgD症候群	1	–	–	–	–	1	–	–	–	–
中條・西村症候群	5	–	–	2	1	2	–	–	–	–
化膿性無菌性関節炎・壊疽性膿皮症・アクネ症候群	6	–	–	3	1	2	–	–	–	–
慢性再発性多発性骨髄炎	30	–	2	5	3	4	9	4	2	1
強直性脊椎炎	2 516	–	34	179	396	590	531	498	139	149
進行性骨化性線維異形成症	17	3	5	4	–	2	2	1	–	–
肋骨異常を伴う先天性側弯症	19	12	5	1	–	–	–	1	–	–
骨形成不全症	61	–	2	30	5	9	8	6	–	1
タナトフォリック骨異形成症	2	1	1	–	–	–	–	–	–	–
軟骨無形成症	56	3	5	21	7	12	4	4	–	–
リンパ管腫症/ゴーハム病	30	–	3	16	4	2	2	3	–	–
巨大リンパ管奇形（頚部顔面病変）	4	–	–	2	–	1	–	–	–	1
巨大静脈奇形（頚部口腔咽頭びまん性病変）	29	2	6	7	1	5	2	5	1	–
巨大動静脈奇形（頚部顔面又は四肢病変）	69	3	9	10	11	19	9	6	1	1
クリッペル・トレノネー・ウェーバー症候群	186	20	37	29	29	24	28	15	2	2
先天性赤血球形成異常性貧血	3	–	–	1	–	1	1	–	–	–
後天性赤芽球癆	435	–	–	7	15	27	40	91	62	193
ダイアモンド・ブラックファン貧血	12	–	–	8	1	3	–	–	–	–
ファンコニ貧血	13	–	1	8	4	–	–	–	–	–
遺伝性鉄芽球性貧血	9	–	–	2	1	3	–	2	1	–
エプスタイン症候群	3	–	–	3	–	–	–	–	–	–
自己免疫性後天性凝固因子欠乏症	122	–	–	–	2	10	8	27	17	58
クロンカイト・カナダ症候群	108	–	–	–	2	3	21	43	18	21
非特異性多発性小腸潰瘍症	65	1	4	–	9	13	18	9	3	8
ヒルシュスプルング病（全結腸型又は小腸型）	9	1	1	2	2	3	–	–	–	–
総排泄腔外反症	10	–	1	6	1	2	–	–	–	–
総排泄腔遺残	25	1	1	17	4	2	–	–	–	–
先天性横隔膜ヘルニア	4	–	1	1	1	–	–	1	–	–
乳幼児肝巨大血管腫	1	1	–	–	–	–	–	–	–	–
胆道閉鎖症	227	3	9	155	44	14	2	–	–	–
アラジール症候群	22	–	–	17	4	–	1	–	–	–
遺伝性膵炎	19	–	2	8	3	5	–	1	–	–
嚢胞性線維症	11	–	1	4	4	1	–	1	–	–
IgG4関連疾患	1 428	1	3	5	26	100	210	488	271	324

（報告表　54）

第１表（４－４）　特定医療費（指定難病）受給者証所持者数，

年齢階級・対象疾患別

平成29年度末現在

	総　数	0～9歳	10～19	20～29	30～39	40～49	50～59	60～69	70～74	75歳以上
黄斑ジストロフィー	97	1	7	6	8	18	23	21	7	6
レーベル遺伝性視神経症	63	－	5	11	11	14	7	11	3	1
アッシャー症候群	10	－	1	3	1	4	1	－	－	－
若年発症型両側性感音難聴	11	－	1	－	5	4	1	－	－	－
遅発性内リンパ水腫	21	－	－	5	2	1	6	5	2	－
好酸球性副鼻腔炎	4 978	－	9	127	559	1 305	1 350	1 168	295	165
カナバン病	2	－	－	－	1	－	－	1	－	－
進行性白質脳症	1	－	－	－	－	－	－	1	－	－
進行性ミオクローヌスてんかん	6	－	－	2	2	－	2	－	－	－
先天異常症候群	7	1	3	3	－	－	－	－	－	－
先天性三尖弁狭窄症	2	－	1	1	－	－	－	－	－	－
先天性僧帽弁狭窄症	1	－	－	1	－	－	－	－	－	－
先天性肺静脈狭窄症	1	－	－	1	－	－	－	－	－	－
左肺動脈右肺動脈起始症	－	－	－	－	－	－	－	－	－	－
ネイルパテラ症候群（爪膝蓋骨症候群）/ＬＭＸ１Ｂ関連腎症	5	－	－	2	－	1	－	1	－	1
カルニチン回路異常症	5	－	－	4	1	－	－	－	－	－
三頭酵素欠損症	2	－	－	－	－	2	－	－	－	－
シトリン欠損症	26	－	－	5	2	4	7	7	－	1
セピアプテリン還元酵素（SR）欠損症	－	－	－	－	－	－	－	－	－	－
先天性グリコシルホスファチジルイノシトール（GPI）欠損症	－	－	－	－	－	－	－	－	－	－
非ケトーシス型高グリシン血症	－	－	－	－	－	－	－	－	－	－
β－ケトチオラーゼ欠損症	－	－	－	－	－	－	－	－	－	－
芳香族L-アミノ酸脱炭酸酵素欠損症	1	－	－	1	－	－	－	－	－	－
メチルグルタコン酸尿症	1	－	－	－	－	－	－	－	1	－
遺伝性自己炎症疾患	3	1	－	2	－	－	－	－	－	－
大理石骨病	8	－	－	2	1	2	－	2	1	－
特発性血栓症（遺伝性血栓性素因によるものに限る。）	40	－	2	10	8	11	4	4	－	1
前眼部形成異常	4	2	2	－	－	－	－	－	－	－
無虹彩症	27	4	4	3	4	4	6	1	－	1
先天性気管狭窄症	5	1	1	3	－	－	－	－	－	－

（報告表　54）

第２表　特定疾患医療受給者証所持者数，年齢階級・対象疾患別

平成29年度末現在

	総　数	0～9歳	10～19	20～29	30～39	40～49	50～59	60～69	70～74	75歳以上
総　　　　数	**1 381**	**14**	**24**	**13**	**20**	**28**	**43**	**138**	**146**	**955**
ス　　モ　　ン	1 166	－	－	－	－	－	11	91	125	939
難治性の肝炎のうちの劇症肝炎	145	14	23	13	18	19	20	23	11	4
重　症　急　性　膵　炎	69	－	1	－	2	9	12	24	10	11
プリオン病(ヒト由来乾燥硬膜移植によるクロイツフェルト・ヤコブ病に限る。)	1	－	－	－	－	－	－	－	－	1

（報告表　54の２）

第３表　特定疾患医療受給者証所持者数，対象疾患・都道府県別

平成29年度末現在

	総　　数	ス　モ　ン	難治性の肝炎のうちの劇症肝炎	重症急性膵炎	プリオン病（ヒト由来乾燥硬膜移植によるクロイツフェルト・ヤコブ病に限る。）
全　　国	**1 381**	**1 166**	**145**	**69**	**1**
北海道	76	56	17	3	－
青森	6	4	1	1	－
岩手	14	13	－	1	－
宮城	22	17	4	1	－
秋田	8	6	1	1	－
山形	21	19	2	－	－
福島	10	7	－	3	－
茨城	3	1	－	2	－
栃木	8	6	2	－	－
群馬	8	7	－	1	－
埼玉	47	25	11	11	－
千葉	39	37	－	2	－
東京	115	101	11	3	－
神奈川	54	45	6	3	－
新潟	38	31	6	1	－
富山	11	9	2	－	－
石川	10	5	5	－	－
福井	8	7	－	1	－
山梨	6	6	－	－	－
長野	38	32	6	－	－
岐阜	9	9	－	－	－
静岡	31	28	3	－	－
愛知	61	47	11	3	－
三重	22	22	－	－	－
滋賀	17	13	3	1	－
京都	41	38	－	3	－
大阪	124	107	14	3	－
兵庫	57	57	－	－	－
奈良	19	19	－	－	－
和歌山	7	7	－	－	－
鳥取	3	3	－	－	－
島根	18	17	1	－	－
岡山	144	136	－	8	－
広島	54	51	1	2	－
山口	12	6	5	1	－
徳島	42	42	－	－	－
香川	12	11	－	1	－
愛媛	13	13	－	－	－
高知	11	11	－	－	－
福岡	61	44	13	4	－
佐賀	7	6	－	－	1
長崎	9	7	－	2	－
熊本	19	11	7	1	－
大分	22	14	4	4	－
宮崎	10	9	1	－	－
鹿児島	14	4	8	2	－
沖縄	－	－	－	－	－

（報告表　54の２）

第4表　特定医療（医療給付）の支払決定件数・

	総数				入院			
	支払決定件数	支払決定金額			支払決定件数	支払決定金額		
		総額（千円）	（再掲）公費負担額（千円）	（再掲）自己負担額（千円）		総額（千円）	（再掲）公費負担額（千円）	（再掲）自己負担額（千円）
全国	**12 006 723**	**1 240 854 348**	**139 631 526**	**34 593 437**	**734 603**	**453 288 425**	**32 284 734**	**3 790 584**
北海道	629 748	72 367 314	8 652 319	1 794 373	54 092	34 970 320	2 449 898	255 220
青森	120 377	11 654 693	1 527 414	336 058	6 203	4 281 776	374 581	29 638
岩手	116 093	11 125 840	1 228 178	321 773	6 774	4 311 968	254 957	33 331
宮城	333 551	28 866 353	3 571 428	966 307	11 959	7 666 911	455 997	68 223
秋田	88 656	8 974 911	1 036 840	243 280	6 241	4 271 780	307 666	48 846
山形	104 560	10 140 262	1 077 212	292 560	6 492	4 116 547	249 500	32 623
福島	147 309	15 250 025	1 712 370	507 407	7 317	5 768 988	347 235	62 003
茨城	216 447	27 204 655	2 555 644	675 690	9 939	6 640 826	469 124	54 436
栃木	172 765	16 133 493	1 617 026	499 103	8 862	5 720 465	331 985	41 894
群馬	173 382	15 600 633	1 903 192	522 656	8 515	5 277 209	403 587	48 879
埼玉	568 786	56 115 475	6 879 289	1 785 908	28 460	18 659 204	1 329 638	164 562
千葉	527 840	67 053 243	5 492 865	1 661 399	25 553	15 937 887	980 078	139 595
東京	1 211 118	111 236 751	14 786 161	3 756 874	58 868	37 040 781	3 070 549	342 733
神奈川	724 240	65 969 275	8 443 976	2 270 369	32 738	20 666 909	1 720 511	177 512
新潟	226 697	32 173 704	2 495 693	736 119	18 590	11 959 904	648 957	90 738
富山	97 876	11 543 807	1 136 507	320 096	8 679	5 083 810	308 344	47 133
石川	112 487	13 660 611	1 384 994	391 237	10 204	6 471 546	406 869	54 238
福井	72 019	8 601 312	918 240	246 106	7 179	3 686 364	240 026	55 021
山梨	59 474	6 030 274	723 598	181 273	3 417	2 204 170	132 523	19 301
長野	200 743	19 741 356	2 051 355	572 426	11 795	7 566 559	479 880	63 811
岐阜	149 958	15 687 937	1 693 895	484 823	7 003	5 499 459	293 347	39 346
静岡	310 875	39 276 420	3 381 316	997 940	18 340	11 466 705	760 343	104 074
愛知	478 557	55 451 487	5 219 358	1 657 382	25 048	15 059 837	964 020	149 599
三重	179 049	17 418 210	1 942 263	533 339	10 525	6 723 173	471 043	56 747
滋賀	131 433	14 007 955	1 357 937	368 414	9 377	5 627 916	341 117	47 611
京都	272 795	28 566 299	3 414 127	745 786	19 023	12 138 495	902 173	92 484
大阪	892 334	65 840 155	8 965 658	2 151 635	48 941	19 827 290	1 693 876	218 830
兵庫	544 047	55 217 085	7 069 313	1 548 318	32 528	21 284 507	1 604 292	179 694
奈良	128 069	14 426 228	1 629 909	436 119	8 584	5 804 345	362 532	47 858
和歌山	105 940	10 613 186	1 268 234	294 479	6 325	4 020 145	291 747	50 452
鳥取	57 444	5 665 306	661 272	146 445	3 960	2 455 203	179 906	17 357
島根	76 615	8 087 366	876 872	201 214	5 955	3 712 350	232 566	27 868
岡山	232 438	23 150 990	2 787 400	699 393	13 004	8 242 014	584 945	66 342
広島	284 422	26 948 385	3 540 242	785 918	17 310	10 691 575	838 115	73 316
山口	155 425	17 699 251	1 867 331	452 963	15 106	9 463 017	583 261	76 637
徳島	89 484	13 631 049	1 064 138	257 204	10 991	4 621 233	365 763	55 565
香川	110 518	10 949 599	1 197 882	324 261	6 844	4 397 020	292 409	35 756
愛媛	137 423	14 293 075	1 681 171	358 715	10 033	6 007 135	423 376	42 131
高知	78 976	11 181 341	1 038 476	209 418	9 016	4 648 541	366 834	37 758
福岡	501 966	52 072 998	6 293 653	891 283	39 583	24 356 870	1 871 456	113 131
佐賀	94 846	13 087 673	1 058 532	255 933	7 315	4 373 484	315 863	37 200
長崎	174 792	15 531 657	1 950 093	459 021	12 955	7 452 917	639 511	65 238
熊本	261 889	25 434 722	2 918 573	609 303	18 750	11 496 759	782 772	90 086
大分	145 312	19 796 606	1 883 040	364 140	11 032	10 135 238	531 568	50 866
宮崎	169 553	13 132 143	1 303 102	431 227	7 161	4 304 786	203 828	60 763
鹿児島	194 972	30 004 864	2 392 659	481 198	17 836	10 608 059	821 392	75 588
沖縄	143 423	14 238 374	1 980 779	366 552	10 181	6 566 428	604 774	48 550

支払決定金額, 入院－入院外－調剤－訪問看護・都道府県別

平成29年度

入院外				調剤				訪問看護（老人含む）			
支払決定件数	支払決定金額			支払決定件数	支払決定金額			支払決定件数	支払決定金額		
	総額（千円）	（再掲）			総額（千円）	（再掲）			総額（千円）	（再掲）	
		公費負担額（千円）	自己負担額（千円）			公費負担額（千円）	自己負担額（千円）			公費負担額（千円）	自己負担額（千円）
6 023 747	**367 641 504**	**47 697 472**	**16 692 503**	**4 698 323**	**320 804 307**	**50 994 980**	**13 453 314**	**550 050**	**99 120 112**	**8 654 340**	**657 036**
299 710	18 211 950	2 854 367	908 553	242 906	16 775 380	2 930 018	601 222	33 040	2 409 664	418 036	29 378
56 996	2 993 550	415 322	156 114	53 440	3 953 676	683 290	145 776	3 738	425 691	54 221	4 530
55 280	3 042 741	385 462	144 963	49 958	3 361 941	524 697	140 018	4 081	409 190	63 062	3 461
209 992	13 140 045	1 787 270	601 189	100 665	7 107 418	1 167 795	283 002	10 935	951 979	160 366	13 893
39 785	1 665 082	226 379	88 483	40 701	2 743 350	469 602	103 106	1 929	294 699	33 193	2 845
49 594	1 626 708	274 022	123 694	44 149	4 004 862	486 585	131 325	4 325	392 145	67 105	4 918
72 949	4 230 436	584 660	224 989	62 444	4 915 228	720 903	214 225	4 599	335 373	59 572	6 190
105 626	7 442 794	837 064	312 963	94 680	7 388 908	1 169 894	299 690	6 202	5 732 127	79 562	8 601
98 226	6 189 956	728 439	288 326	59 647	3 678 381	474 559	162 411	6 030	544 691	82 043	6 472
86 386	4 562 598	607 525	254 913	70 297	4 855 175	764 031	207 378	8 184	905 651	128 049	11 486
280 074	17 754 692	2 338 989	846 978	238 165	17 508 393	2 801 433	747 492	22 087	2 193 186	409 229	26 876
290 701	34 402 777	2 298 032	857 126	208 131	14 054 370	2 141 334	659 709	3 455	2 658 209	73 421	4 969
605 520	35 586 953	5 197 505	1 807 887	473 527	31 944 520	5 292 590	1 501 235	73 203	6 664 497	1 225 517	105 019
349 133	20 180 426	2 655 565	1 040 610	304 043	21 851 369	3 495 612	998 446	38 326	3 270 571	572 288	53 801
110 912	7 230 631	795 716	353 776	88 203	6 032 453	939 946	281 955	8 992	6 950 716	111 074	9 650
45 747	3 020 237	358 444	144 978	39 513	3 081 140	424 055	123 198	3 937	358 620	45 664	4 787
52 200	2 903 549	405 894	171 466	45 955	3 282 630	510 951	158 597	4 128	1 002 886	61 280	6 936
33 375	2 045 573	293 224	104 876	26 579	2 407 701	298 694	79 294	4 886	461 674	86 296	6 915
28 001	1 763 493	260 867	79 969	25 577	1 826 522	286 960	79 129	2 479	236 089	43 248	2 874
87 399	4 912 732	558 195	243 728	92 367	6 515 813	894 882	253 951	9 182	746 252	118 398	10 936
76 740	5 296 942	653 429	250 906	59 839	4 215 336	647 767	185 594	6 376	676 200	99 352	8 977
158 369	9 468 985	1 196 099	507 084	125 566	8 787 053	1 276 271	373 806	8 600	9 553 677	148 603	12 976
250 177	17 611 598	2 142 687	868 778	182 600	12 726 756	1 831 390	604 971	20 732	10 053 296	281 261	34 034
89 195	5 135 541	615 198	261 783	71 545	4 740 011	727 659	205 640	7 784	819 485	128 363	9 169
60 879	3 202 480	344 090	149 525	55 462	4 105 038	600 105	165 171	5 715	1 072 521	72 625	6 107
126 716	6 961 483	914 512	335 659	111 001	8 145 720	1 353 222	302 310	16 055	1 320 601	244 220	15 333
436 678	23 521 844	3 568 362	1 048 364	338 893	18 254 616	2 769 302	813 605	67 822	4 236 405	934 118	70 836
254 756	14 055 462	2 019 310	690 879	217 233	15 998 997	2 751 734	627 268	39 530	3 878 119	693 977	50 477
71 120	5 151 415	703 651	257 937	38 897	2 572 124	405 913	118 064	9 468	898 344	157 813	12 260
50 629	2 873 996	406 175	127 449	41 951	2 858 712	457 900	107 145	7 035	860 333	112 412	9 433
26 518	1 130 632	160 719	61 917	24 542	1 836 840	274 098	65 305	2 424	242 631	46 549	1 866
34 754	1 835 652	266 288	85 718	32 198	2 212 614	326 119	85 048	3 708	326 750	51 899	2 580
151 681	10 636 617	1 506 147	477 720	59 598	3 514 108	573 785	146 161	8 155	758 251	122 523	9 170
141 742	7 819 254	1 208 492	379 812	115 220	7 452 939	1 313 165	324 914	10 150	984 617	180 470	7 876
71 173	3 440 942	476 848	187 197	63 706	4 246 355	722 909	181 512	5 440	548 937	84 313	7 617
42 583	2 350 002	298 034	113 892	31 872	2 056 279	327 920	83 876	4 038	4 603 535	72 421	3 871
53 859	3 025 006	378 045	151 304	46 607	2 964 997	471 674	132 919	3 208	562 576	55 754	4 282
65 068	3 596 034	462 245	169 290	54 987	3 923 837	660 420	140 411	7 335	766 069	135 130	6 883
35 407	2 076 503	280 390	89 380	32 021	2 089 007	355 151	79 966	2 532	2 367 290	36 101	2 314
239 972	12 122 480	1 791 266	241 682	203 033	13 231 620	2 271 066	516 811	19 378	2 362 028	359 865	19 659
44 450	2 150 182	280 433	117 798	38 461	2 587 142	395 875	97 411	4 620	3 976 865	66 361	3 524
83 580	3 023 998	426 711	198 640	73 961	4 654 007	808 102	190 257	4 296	400 735	75 769	4 886
163 356	8 816 043	1 301 650	340 359	71 723	4 327 099	689 225	170 212	8 060	794 821	144 926	8 646
67 855	4 806 786	578 143	173 057	60 405	4 194 932	659 909	134 990	6 020	659 650	113 420	5 227
108 211	5 660 865	700 378	254 577	49 482	2 694 016	337 068	109 426	4 699	472 476	61 828	6 461
93 118	5 691 867	679 361	229 839	75 351	5 283 978	733 985	170 893	8 667	8 420 960	157 921	4 878
67 555	3 271 972	475 868	166 376	61 222	3 840 944	775 415	148 469	4 465	559 030	124 722	3 157

（報告表　55）

第５表　特定医療（介護給付）の支払決定件数・支払決定金額，都道府県別

平成29年度

	支払決定件数	支払決定金額 総額（千円）	（再掲）公費負担額（千円）	（再掲）自己負担額（千円）
全国	469 730	13 960 897	1 232 981	320 449
北海道	17 042	557 760	45 122	13 978
青森	2 611	78 716	5 099	1 587
岩手	3 342	107 314	9 585	1 850
宮城	7 490	135 017	11 825	3 154
秋田	772	34 831	3 034	525
山形	1 673	69 227	5 398	1 978
福島	2 207	64 508	5 215	1 613
茨城	4 414	149 451	13 720	3 130
栃木	2 839	100 561	9 107	2 025
群馬	4 452	92 151	13 404	4 073
埼玉	19 871	509 817	43 701	12 905
千葉	19 577	467 766	43 608	9 270
東京	85 620	1 991 583	186 605	52 567
神奈川	38 676	967 556	82 042	29 467
新潟	5 058	301 873	27 137	5 529
富山	2 213	93 862	7 858	2 395
石川	3 401	119 778	10 566	2 208
福井	2 322	97 806	8 174	1 812
山梨	2 221	89 041	7 839	2 307
長野	7 142	298 316	25 332	6 364
岐阜	4 161	131 068	10 711	3 825
静岡	7 028	340 613	28 673	7 970
愛知	20 090	579 997	53 449	11 977
三重	4 927	190 450	15 887	4 354
滋賀	4 728	175 898	14 898	4 797
京都	17 643	585 332	53 045	11 988
大阪	59 897	1 463 775	136 059	34 431
兵庫	25 712	816 122	72 040	20 182
奈良	5 959	237 292	20 491	5 038
和歌山	3 507	168 082	13 837	3 982
鳥取	1 511	53 328	4 586	1 075
島根	3 636	133 793	11 426	2 527
岡山	7 207	212 722	18 112	5 088
広島	8 586	328 830	28 822	5 945
山口	4 587	247 911	20 555	5 272
徳島	2 520	89 405	7 390	2 212
香川	2 266	124 394	11 681	2 259
愛媛	4 570	119 517	9 847	2 760
高知	1 542	64 437	5 271	1 198
福岡	14 583	518 640	41 070	7 979
佐賀	1 559	57 950	6 624	833
長崎	3 262	131 839	11 237	2 654
熊本	9 252	232 177	19 292	3 853
大分	5 146	175 174	14 666	3 379
宮崎	2 751	109 285	8 569	1 731
鹿児島	6 854	260 124	22 189	3 161
沖縄	3 303	85 808	8 183	1 242

（報告表　56）

第6表　特定医療における支給認定件数，所得区分・医療区分別

平成29年度

	支給認定件数						
	総数	生活保護	低所得Ⅰ	低所得Ⅱ	一般所得Ⅰ	一般所得Ⅱ	上位所得
総数[1]	**870 852**	**18 521**	**852 331**	·	·	·	·
原則	698 422	18 044	117 977	144 507	223 719	150 142	44 033
（再掲）軽症高額	137 674	1 491	20 969	21 858	45 573	36 962	10 821
高額かつ長期	167 321	403	9 313	13 221	81 133	50 873	12 378
人工呼吸器等装着者[1]	5 109	74	5 035	·	·	·	·

注：医療区分の「総数」及び「人工呼吸器等装着者」の「低所得Ⅰ」については、「低所得Ⅰ」から「上位所得」までを足し上げた件数である。　（報告表　57）

第７表（２－１）　特定医療における支給認定件数，

	総数			原				
	総数	生活保護	生活保護以外	総数	生活保護	低所得Ⅰ	低所得Ⅱ	一般所得Ⅰ
全国	**870 852**	**18 521**	**852 331**	**698 422**	**18 044**	**117 977**	**144 507**	**223 719**
北海道	44 010	1 400	42 610	33 221	1 391	6 254	9 705	9 505
青森	9 283	256	9 027	7 604	252	1 782	1 785	2 411
岩手	9 191	83	9 108	7 610	83	1 458	1 958	2 641
宮城	14 867	243	14 624	11 317	241	2 002	2 812	3 602
秋田	7 781	135	7 646	7 232	132	1 595	1 165	2 891
山形	6 833	74	6 759	5 471	74	873	1 342	2 024
福島	12 785	171	12 614	10 437	170	1 932	2 573	3 386
茨城	17 997	183	17 814	14 221	182	2 642	2 625	4 740
栃木	12 544	128	12 416	9 152	123	1 707	1 635	3 162
群馬	12 589	165	12 424	9 132	145	1 442	1 674	3 279
埼玉	43 864	732	43 132	33 631	705	4 660	5 799	10 982
千葉	41 215	704	40 511	32 326	678	4 977	5 836	10 358
東京	90 490	2 828	87 662	84 041	2 773	12 093	12 163	24 758
神奈川	53 408	1 005	52 403	43 340	978	7 452	4 734	13 776
新潟	16 264	206	16 058	12 162	193	1 736	2 763	4 759
富山	7 754	33	7 721	6 175	33	699	1 697	2 119
石川	8 750	74	8 676	6 365	71	938	1 180	2 406
福井	5 598	57	5 541	4 673	57	569	1 223	1 690
山梨	4 270	41	4 229	3 354	40	647	676	1 149
長野	14 084	110	13 974	11 694	110	1 707	3 118	4 024
岐阜	11 158	63	11 095	8 752	63	1 356	1 863	3 041
静岡	23 286	203	23 083	16 675	192	1 979	3 286	6 076
愛知	40 537	573	39 964	29 823	528	3 906	5 005	9 356
三重	13 390	157	13 233	10 710	156	1 622	2 737	3 428
滋賀	9 759	86	9 673	7 615	86	1 066	1 647	2 598
京都	19 635	488	19 147	15 648	472	3 249	3 501	4 437
大阪	66 095	2 500	63 595	52 087	2 379	9 750	10 450	15 781
兵庫	38 721	1 065	37 656	29 260	1 049	5 250	6 109	8 684
奈良	11 247	150	11 097	9 630	150	1 899	1 683	3 233
和歌山	7 763	149	7 614	6 308	149	1 335	1 571	1 949
鳥取	4 238	78	4 160	3 366	76	726	777	1 187
島根	5 768	74	5 694	4 552	74	654	1 467	1 470
岡山	16 084	257	15 827	12 904	254	1 988	3 675	4 146
広島	19 418	391	19 027	16 787	388	2 020	3 925	5 679
山口	11 465	167	11 298	9 170	167	1 399	2 710	2 932
徳島	6 199	114	6 085	4 658	105	929	1 046	1 570
香川	8 275	78	8 197	6 891	78	946	1 799	2 433
愛媛	10 670	213	10 457	9 063	213	1 649	2 393	2 936
高知	5 508	164	5 344	4 604	164	826	1 219	1 567
福岡	35 582	1 116	34 466	28 621	1 110	6 360	6 422	8 534
佐賀	5 372	80	5 292	3 994	80	701	1 283	1 247
長崎	12 313	262	12 051	11 062	259	1 967	2 711	3 878
熊本	14 058	233	13 825	10 032	205	1 768	2 360	3 604
大分	9 659	251	9 408	7 631	251	1 782	1 909	2 388
宮崎	8 304	190	8 114	6 940	187	1 334	1 942	2 242
鹿児島	12 939	311	12 628	10 221	300	2 068	3 170	3 067
沖縄	9 832	480	9 352	8 260	478	2 283	1 384	2 594

医療区分・所得区分・都道府県別

平成29年度

則		（再掲）軽症高額							高額かつ長期	
一般所得Ⅱ	上位所得	総数	生活保護	低所得Ⅰ	低所得Ⅱ	一般所得Ⅰ	一般所得Ⅱ	上位所得	総数	生活保護
150 142	44 033	137 674	1 491	20 969	21 858	45 573	36 962	10 821	167 321	403
5 243	1 123	7 883	82	1 462	1 598	2 688	1 706	347	10 564	4
1 165	209	1 034	22	234	165	354	213	46	1 600	2
1 236	234	740	6	127	139	307	139	22	1 486	－
2 089	571	2 055	15	330	291	715	567	137	3 448	1
1 252	197	532	2	103	69	234	115	9	499	1
979	179	895	6	97	101	424	225	42	1 298	－
1 971	405	1 389	10	249	278	445	337	70	2 269	－
3 166	866	2 540	13	436	312	879	705	195	3 665	－
2 064	461	2 202	6	292	209	857	699	139	3 332	5
2 136	456	1 233	6	192	171	432	353	79	3 376	20
8 797	2 688	4 707	32	651	602	1 506	1 437	479	9 995	24
7 939	2 538	5 645	52	837	728	1 798	1 693	537	8 661	21
22 669	9 585	17 824	382	2 365	1 701	5 173	5 795	2 408	5 888	43
11 588	4 812	6 881	46	979	503	2 112	2 216	1 025	9 874	25
2 293	418	2 265	8	278	313	1 001	581	84	3 979	13
1 391	236	6 175	33	699	1 697	2 119	1 391	236	1 538	－
1 493	277	905	2	111	114	348	283	47	2 333	2
937	197	502	－	80	84	171	140	27	900	－
709	133	618	1	66	69	254	198	30	886	1
2 296	439	1 636	6	246	298	587	419	80	2 298	－
2 029	400	1 541	6	215	211	540	470	99	2 354	－
3 960	1 182	3 520	15	361	416	1 372	1 073	283	6 498	10
8 289	2 739	12 708	93	1 661	2 045	3 943	3 706	1 260	10 587	42
2 236	531	1 650	6	234	294	513	477	126	2 614	－
1 737	481	1 359	5	176	210	466	388	114	2 100	－
2 963	1 026	2 495	33	448	399	765	640	210	3 886	14
10 780	2 947	10 551	203	1 771	1 471	3 451	2 862	793	13 738	115
6 081	2 087	5 010	61	784	715	1 595	1 345	510	9 205	13
2 162	503	1 278	8	234	136	426	376	98	1 571	－
1 083	221	1 250	7	193	167	489	335	59	1 414	－
507	93	456	11	75	79	187	81	23	841	2
760	127	779	11	112	179	272	182	23	1 162	－
2 369	472	2 518	15	290	397	977	710	129	3 093	2
3 846	929	2 685	22	319	446	894	806	198	2 504	－
1 643	319	3 598	9	617	1 205	1 061	583	123	2 217	－
846	162	621	1	112	120	238	123	27	1 471	7
1 347	288	737	11	98	136	255	195	42	1 272	－
1 561	311	1 252	6	225	253	443	272	53	1 571	－
713	115	594	9	92	97	223	150	23	856	－
4 912	1 283	3 339	25	679	591	1 066	789	189	6 733	－
561	122	888	1	112	130	373	234	38	1 341	－
1 880	367	1 209	11	163	186	491	296	62	1 192	－
1 734	361	1 254	12	199	242	479	260	62	3 908	28
1 110	191	1 308	16	198	205	538	306	45	1 912	－
1 027	208	947	5	127	161	390	232	32	1 305	－
1 362	254	4 489	99	1 078	1 531	1 150	536	95	2 620	8
1 231	290	1 977	60	562	394	572	323	66	1 467	－

（報告表　57）

第７表（２－２） 特定医療における支給認定件数，医療区分・所得区分・都道府県別

平成29年度

	高額かつ長期					人工呼吸器等装着者		
	低所得Ⅰ	低所得Ⅱ	一般所得Ⅰ	一般所得Ⅱ	上位所得	総数	生活保護	生活保護以外
全国	**9 313**	**13 221**	**81 133**	**50 873**	**12 378**	**5 109**	**74**	**5 035**
北海道	109	158	6 178	3 436	679	225	5	220
青森	4	9	1 026	489	70	79	2	77
岩手	-	-	942	476	68	95	-	95
宮城	28	19	1 985	1 156	259	102	1	101
秋田	44	34	264	147	9	50	2	48
山形	33	49	757	395	64	64	-	64
福島	18	15	1 291	792	153	79	1	78
茨城	-	-	2 016	1 316	333	111	1	110
栃木	271	282	1 597	968	209	60	-	60
群馬	323	483	1 492	873	185	81	-	81
埼玉	671	854	4 327	3 272	847	238	3	235
千葉	487	596	3 940	2 836	781	228	5	223
東京	556	1 085	1 999	1 485	720	561	12	549
神奈川	1 103	884	3 656	3 049	1 157	194	2	192
新潟	-	952	1 925	933	156	123	-	123
富山	77	105	769	522	65	41	-	41
石川	257	467	950	560	97	52	1	51
福井	6	3	551	298	42	25	-	25
山梨	62	64	433	282	44	30	-	30
長野	-	-	1 346	785	167	92	-	92
岐阜	41	69	1 207	867	170	52	-	52
静岡	558	1 073	2 734	1 682	441	113	1	112
愛知	873	1 202	3 919	3 533	1 018	127	3	124
三重	-	-	1 495	948	171	66	1	65
滋賀	43	62	1 132	727	136	44	-	44
京都	523	534	1 506	1 000	309	101	2	99
大阪	1 600	1 871	5 491	3 681	980	270	6	264
兵庫	435	558	4 546	2 830	823	256	3	253
奈良	-	-	847	588	136	46	-	46
和歌山	-	-	912	423	79	41	-	41
鳥取	42	54	513	207	23	31	-	31
島根	-	-	785	322	55	54	-	54
岡山	63	178	1 739	931	180	87	1	86
広島	-	-	1 209	1 036	259	127	3	124
山口	-	-	1 333	751	133	78	-	78
徳島	210	232	616	344	62	70	2	68
香川	23	31	732	405	81	112	-	112
愛媛	-	-	972	506	93	36	-	36
高知	81	151	360	226	38	48	-	48
福岡	7	12	3 880	2 274	560	228	6	222
佐賀	7	9	841	417	67	37	-	37
長崎	1	-	738	386	67	59	3	56
熊本	545	760	1 737	701	137	118	-	118
大分	-	-	1 250	580	82	116	-	116
宮崎	60	93	738	365	49	59	3	56
鹿児島	134	253	1 468	634	123	98	3	95
沖縄	18	20	989	439	1	105	2	103

（報告表 57）

第８表　小児慢性特定疾病医療

	総数	０歳	１歳	２歳	３歳	４歳	５歳	６歳	７歳
総数	**113 751**	**2 717**	**3 829**	**3 910**	**4 005**	**4 378**	**4 814**	**5 213**	**5 499**
悪性新生物	14 400	107	270	426	560	629	776	762	855
慢性腎疾患	8 424	41	68	109	147	190	270	313	427
慢性呼吸器疾患	4 030	359	477	366	294	269	241	217	202
慢性心疾患	20 262	1 283	1 487	1 184	1 077	1 060	1 062	1 053	999
内分泌疾患	29 943	163	271	323	534	849	1 073	1 365	1 451
膠原病	3 763	2	13	40	41	80	84	84	124
糖尿病	6 743	4	17	46	71	95	107	160	190
先天性代謝異常	3 041	42	101	113	104	127	107	131	145
血液疾患	3 489	49	110	143	133	133	131	189	191
免疫疾患	908	11	31	58	54	44	44	45	46
神経・筋疾患	9 595	217	456	591	550	556	562	579	531
慢性消化器疾患	6 592	181	213	207	206	185	219	206	222
染色体又は遺伝子に変化を伴う症候群	2 076	249	300	285	215	143	110	91	93
皮膚疾患	485	9	15	19	19	18	28	18	23

受給者証所持者数，各歳・対象疾患群別

平成29年度末現在

8歳	9歳	10歳	11歳	12歳	13歳	14歳	15歳	16歳	17歳	18歳	19歳
5 752	**6 134**	**6 465**	**6 693**	**6 756**	**6 873**	**7 133**	**7 291**	**7 435**	**7 016**	**6 615**	**5 223**
835	847	846	803	800	815	833	879	928	862	904	663
451	417	413	461	491	592	565	700	744	730	710	585
206	171	141	154	139	134	126	143	112	102	102	75
968	947	989	978	961	941	961	929	926	911	866	680
1 762	2 120	2 364	2 497	2 474	2 363	2 309	2 082	1 825	1 548	1 428	1 142
97	137	157	210	253	260	307	354	438	397	373	312
239	253	292	331	373	426	546	639	747	772	759	676
129	151	155	158	175	189	198	214	212	225	186	179
171	193	181	194	189	198	220	224	238	224	224	154
40	49	51	39	51	36	50	42	65	46	57	49
538	539	559	533	461	483	493	478	470	398	347	254
213	212	238	264	317	365	447	530	637	729	595	406
71	69	58	46	47	43	50	41	55	40	42	28
32	29	21	25	25	28	28	36	38	32	22	20

（報告表　58）

第９表（２－１）　小児慢性特定疾病医療（給付）の支払決定件数・

	総数				入院			
	支払決定件数	支払決定金額			支払決定件数	支払決定金額		
		総額（千円）	（再掲）公費負担額（千円）	（再掲）自己負担額（千円）		総額（千円）	（再掲）公費負担額（千円）	（再掲）自己負担額（千円）
全国	**1 442 448**	**242 760 170**	**27 092 744**	**3 374 240**	**151 285**	**102 865 413**	**7 359 233**	**623 131**
北海道	58 286	8 342 595	1 163 928	127 955	3 963	3 610 601	355 269	27 152
青森	15 836	2 409 547	271 927	36 638	1 518	1 193 835	97 700	10 221
岩手	18 845	3 365 509	312 414	46 097	2 477	1 369 276	98 714	13 018
宮城	38 941	4 714 687	595 641	88 637	2 230	2 012 597	138 320	17 669
秋田	11 776	1 553 013	244 826	25 320	788	637 841	42 903	5 375
山形	12 140	1 844 217	191 523	27 176	816	828 116	42 291	3 395
福島	14 113	2 670 133	299 893	36 136	960	1 133 534	56 931	3 842
茨城	26 269	4 553 977	488 010	72 548	3 353	2 145 955	127 502	13 532
栃木	26 461	3 801 771	389 898	71 717	2 008	1 615 980	110 581	9 166
群馬	18 522	3 335 742	306 726	46 355	1 333	1 562 237	90 282	8 250
埼玉	118 654	14 535 891	1 685 805	187 466	45 024	6 674 187	535 548	37 020
千葉	64 972	11 357 509	1 190 594	149 320	4 883	3 892 512	273 702	21 169
東京	90 748	22 734 221	2 080 488	248 737	7 810	8 469 154	511 755	39 933
神奈川	67 943	10 217 956	1 577 934	191 860	5 703	4 273 579	566 837	30 579
新潟	23 792	4 209 226	435 116	51 511	1 893	1 743 255	161 085	12 586
富山	9 314	1 319 994	169 919	26 999	513	496 249	28 235	2 356
石川	12 338	2 290 301	223 126	29 544	857	1 039 654	53 251	4 221
福井	12 332	1 634 436	208 701	28 447	1 270	621 388	43 391	6 955
山梨	7 007	889 185	126 165	17 710	450	357 487	25 779	1 965
長野	34 075	6 524 780	543 987	79 222	2 736	2 990 980	168 658	22 501
岐阜	15 922	3 033 443	286 707	44 693	1 414	1 390 579	78 969	7 489
静岡	42 065	6 700 116	816 509	101 783	3 169	3 178 593	229 626	15 124
愛知	63 557	13 342 313	1 350 214	216 290	6 442	6 964 820	426 306	56 680
三重	24 751	4 389 474	438 265	52 197	1 767	1 535 808	98 115	7 524
滋賀	27 775	4 837 573	478 196	55 765	3 126	2 232 523	142 575	9 518
京都	30 711	5 813 844	584 488	75 148	2 365	2 613 213	163 501	15 812
大阪	126 918	22 059 328	2 500 449	253 990	11 717	8 734 277	642 906	38 592
兵庫	47 726	8 819 513	1 072 750	110 063	3 894	4 189 200	306 968	16 503
奈良	21 200	3 723 749	460 745	58 891	1 414	1 581 649	92 339	12 124
和歌山	9 534	1 972 038	187 133	22 590	796	864 922	41 523	5 114
鳥取	8 097	1 036 045	129 040	19 724	575	537 266	34 529	5 439
島根	8 650	1 554 847	139 968	20 346	1 015	595 083	48 059	5 717
岡山	22 781	4 340 436	511 731	58 831	1 465	1 571 959	91 895	8 218
広島	38 622	6 269 014	769 137	101 640	2 376	2 382 767	183 801	13 553
山口	18 874	2 823 978	331 752	50 398	2 435	1 059 815	70 832	11 714
徳島	5 365	1 035 571	125 875	15 844	395	487 953	54 934	4 714
香川	10 982	1 967 003	198 540	27 247	793	1 003 231	49 687	3 906
愛媛	16 713	2 984 090	309 595	39 264	1 154	1 216 395	67 258	8 151
高知	7 755	1 235 699	160 457	16 570	423	473 085	23 791	2 003
福岡	48 635	8 936 364	1 008 604	104 572	2 709	3 400 072	300 503	15 722
佐賀	11 947	2 200 899	191 478	21 924	780	705 544	44 506	2 616
長崎	21 481	2 909 122	357 703	47 346	1 434	1 311 235	99 451	6 655
熊本	24 510	3 712 354	420 444	53 076	2 807	1 856 044	117 889	14 835
大分	14 417	2 281 328	219 850	34 017	929	962 557	62 742	8 553
宮崎	21 356	3 377 485	372 975	42 781	1 139	1 251 234	77 193	5 374
鹿児島	32 034	4 216 490	434 341	66 072	1 707	1 803 531	109 032	13 715
沖縄	37 706	4 883 364	729 177	73 783	2 460	2 293 641	171 569	16 861

支払決定金額，入院－入院外－調剤－訪問看護・都道府県－指定都市－中核市（再掲）別

平成29年度

入院外				調剤				訪問看護			
支払決定件数	支払決定金額			支払決定件数	支払決定金額			支払決定件数	支払決定金額		
	総額（千円）	（再掲）公費負担額（千円）	（再掲）自己負担額（千円）		総額（千円）	（再掲）公費負担額（千円）	（再掲）自己負担額（千円）		総額（千円）	（再掲）公費負担額（千円）	（再掲）自己負担額（千円）
776 641	**77 143 137**	**11 366 129**	**2 102 392**	**437 140**	**43 732 517**	**6 866 830**	**624 247**	**77 382**	**19 019 103**	**1 500 552**	**24 470**
32 120	2 261 630	438 337	79 256	19 119	1 854 991	315 822	20 711	3 084	615 373	54 500	836
8 655	672 373	99 775	20 585	5 458	450 605	69 873	5 718	205	92 734	4 579	114
9 905	1 343 539	136 905	26 963	5 997	460 053	67 734	6 070	466	192 641	9 061	46
23 073	1 775 076	274 784	55 211	11 874	824 915	157 566	15 219	1 764	102 099	24 971	538
6 388	597 772	140 775	14 743	4 375	241 874	56 844	5 197	225	75 526	4 304	5
6 413	395 772	70 432	16 723	4 665	406 167	72 984	6 837	246	214 162	5 816	221
8 494	1 002 454	152 660	25 371	4 346	513 733	84 952	6 887	313	20 412	5 350	36
13 808	1 413 475	215 131	45 586	8 307	939 432	132 953	12 953	801	55 115	12 424	477
16 212	1 275 541	173 749	53 527	6 758	418 504	82 033	8 493	1 483	491 746	23 535	531
9 752	1 041 259	102 765	26 492	6 973	690 247	104 894	11 430	464	41 999	8 785	183
42 542	4 537 086	654 514	116 436	22 157	2 379 136	405 758	32 439	8 931	945 482	89 985	1 571
36 266	4 034 026	569 323	96 469	19 803	1 375 787	273 759	30 396	4 020	2 055 184	73 810	1 286
51 567	11 744 082	1 205 763	164 095	25 595	2 076 964	229 345	41 615	5 776	444 021	133 625	3 094
37 886	3 275 300	553 302	112 976	22 732	1 898 917	426 007	46 450	1 622	770 160	31 788	1 855
13 346	1 285 392	141 104	27 977	7 589	773 957	116 831	10 540	964	406 622	16 096	408
5 697	518 578	90 948	19 194	3 004	293 639	49 652	5 388	100	11 528	1 084	61
6 589	527 639	78 900	15 009	4 663	627 809	86 709	10 182	229	95 199	4 266	132
6 499	521 247	74 511	15 785	3 853	412 157	72 333	5 629	710	79 644	18 466	78
4 081	322 874	51 681	11 757	2 299	197 502	46 564	3 825	177	11 322	2 141	163
18 510	1 294 437	174 485	42 085	11 352	1 374 579	177 441	14 324	1 477	864 784	23 403	312
8 634	791 276	100 132	26 027	5 532	826 295	101 855	10 933	342	25 293	5 751	244
23 857	2 133 511	357 675	67 653	13 124	986 449	198 326	18 785	1 915	401 563	30 882	221
37 033	3 370 807	559 149	122 456	18 601	2 260 422	338 575	36 183	1 481	746 264	26 184	971
13 851	1 359 923	220 213	35 964	7 605	691 912	96 875	8 212	1 528	801 831	23 062	497
14 676	991 075	173 466	35 601	8 589	881 370	137 672	10 155	1 384	732 605	24 483	491
16 676	1 637 249	231 685	43 051	9 816	990 640	154 793	15 685	1 854	572 742	34 509	600
67 458	6 699 213	1 113 246	165 077	34 998	4 459 183	493 592	46 660	12 745	2 166 655	250 705	3 661
25 013	2 477 394	419 700	70 956	14 235	1 748 758	245 785	21 174	4 584	404 161	100 297	1 430
14 218	1 687 170	269 561	41 410	3 756	323 661	65 556	5 167	1 812	131 269	33 289	190
5 457	725 293	94 610	14 086	2 904	288 563	44 066	3 247	377	93 260	6 934	143
4 368	295 578	44 884	9 179	2 732	144 684	41 893	5 098	422	58 517	7 734	8
4 460	442 295	45 691	11 039	2 917	338 890	39 629	3 527	258	178 579	6 589	63
14 517	1 721 550	289 716	43 437	5 379	650 512	101 667	6 605	1 420	396 415	28 453	571
23 092	1 906 820	323 024	69 257	11 384	1 503 195	228 397	18 361	1 770	476 232	33 915	469
10 036	697 128	133 537	29 035	6 200	907 873	122 727	9 628	203	159 162	4 656	21
3 048	280 471	40 640	8 327	1 783	177 141	27 759	2 774	139	90 006	2 542	29
6 222	482 016	72 304	16 203	3 731	384 269	70 900	7 045	236	97 487	5 649	93
9 152	1 030 494	152 396	24 486	5 621	459 720	74 830	6 363	786	277 481	15 111	264
4 373	344 205	85 378	11 468	2 763	279 041	46 014	3 013	196	139 368	5 274	86
25 626	2 302 707	287 995	63 185	17 850	1 911 362	334 478	24 801	2 450	1 322 223	85 628	864
6 523	592 604	69 103	14 237	4 086	474 485	65 490	4 905	558	428 266	12 379	166
12 196	755 241	141 260	30 525	6 934	625 012	99 391	9 945	917	217 634	17 601	221
12 216	907 219	130 498	28 772	7 988	812 374	132 321	9 053	1 499	136 717	39 736	416
7 722	688 670	80 773	19 446	5 173	403 848	64 394	5 862	593	226 253	11 941	156
11 355	721 568	112 446	27 325	8 106	1 139 246	168 748	9 999	756	265 437	14 588	83
17 502	1 107 918	169 871	42 391	11 241	716 544	123 660	9 650	1 584	588 497	31 778	316
19 557	1 154 190	247 332	45 559	13 173	1 136 100	217 383	11 114	2 516	299 433	92 893	249

（報告表　59）

第９表（２－２）　小児慢性特定疾病医療（給付）の支払決定件数・

	総数				入院			
	支払決定件数	支払決定金額			支払決定件数	支払決定金額		
		総額（千円）	（再掲）公費負担額（千円）	（再掲）自己負担額（千円）		総額（千円）	（再掲）公費負担額（千円）	（再掲）自己負担額（千円）
指定都市（再掲）								
札幌市	25 117	3 051 573	517 094	47 972	1 674	1 322 113	140 744	6 507
仙台市	17 910	2 497 784	294 568	45 568	1 166	1 044 841	81 042	11 093
さいたま市	58 159	3 308 717	367 542	40 725	39 922	1 335 191	128 599	12 607
千葉市	10 427	1 847 521	218 019	30 885	752	726 718	54 621	6 923
横浜市	28 457	6 157 991	738 102	90 927	2 548	2 854 890	288 882	14 829
川崎市	12 583	2 448 340	289 109	36 910	1 002	932 451	99 224	5 245
相模原市	5 455	708 541	101 463	5 541	427	107 953	28 472	1 627
新潟市	8 923	1 168 828	140 032	17 945	646	522 703	39 475	2 298
静岡市	9 363	1 612 620	173 609	21 056	686	688 637	50 836	3 084
浜松市	10 498	1 595 941	204 230	26 106	834	794 157	65 565	5 111
名古屋市	17 941	3 320 896	399 411	52 644	1 675	1 663 237	128 133	9 625
京都市	15 213	2 714 807	302 669	40 621	1 246	1 298 503	97 364	11 398
大阪市	31 368	5 158 600	645 793	61 646	2 315	2 294 125	182 421	11 404
堺市	12 932	1 846 808	281 807	24 940	893	765 640	75 603	2 432
神戸市	11 233	2 038 646	247 450	25 465	939	1 082 376	85 652	3 664
岡山市	10 271	1 920 227	235 710	26 821	497	513 227	38 949	4 112
広島市	16 649	2 674 017	364 877	45 257	1 158	1 043 696	101 654	5 847
北九州市	8 310	1 492 973	207 688	17 532	125	703 431	65 884	2 637
福岡市	15 869	2 349 258	305 732	40 228	984	1 010 637	104 821	7 388
熊本市	10 507	1 700 319	212 914	22 560	813	742 591	56 711	4 014
中核市（再掲）								
旭川市	4 886	750 800	113 335	10 059	310	370 379	46 725	3 044
函館市	2 242	218 606	53 090	4 340	113	59 629	6 129	524
青森市	3 869	665 470	56 689	9 108	592	335 839	19 554	2 728
八戸市	2 940	361 503	67 697	7 240	202	165 145	26 112	1 848
盛岡市	4 709	724 527	97 855	10 398	378	326 126	41 010	1 271
秋田市	4 696	871 667	155 685	10 546	359	267 181	21 343	1 741
郡山市	2 841	567 066	57 063	8 389	245	279 672	14 093	1 319
いわき市	2 949	562 641	67 760	7 708	217	224 491	14 813	867
宇都宮市	6 553	848 669	105 543	18 297	467	427 273	31 083	2 089
前橋市	3 209	632 446	59 473	8 218	200	201 254	16 082	1 935
高崎市	3 786	560 830	57 694	10 678	271	335 498	20 143	2 158
川越市	4 081	644 516	73 796	8 903	276	301 123	18 431	1 693
越谷市	3 459	559 861	69 498	8 833	308	312 212	22 111	2 134
船橋市	7 635	536 631	132 742	19 042	645	179 101	25 153	3 551
柏市	5 402	1 230 750	110 780	10 010	678	355 465	27 257	1 699
八王子市	5 737	1 122 646	113 345	15 596	466	551 094	31 213	3 797
横須賀市	2 456	461 158	58 575	7 241	188	253 762	33 594	1 020
富山市	3 444	467 559	65 879	10 011	202	139 620	11 109	877
金沢市	4 519	835 189	83 882	12 235	341	433 613	21 890	1 907
長野市	6 259	1 005 349	98 020	11 870	472	445 620	26 679	1 449
岐阜市	3 910	650 615	72 025	11 375	346	296 810	18 481	1 541
豊橋市	3 660	566 614	68 514	14 223	400	352 619	24 986	2 569
豊田市	4 211	809 085	88 400	16 133	496	501 803	38 442	4 315
岡崎市	3 749	748 940	72 658	11 482	445	411 628	22 401	2 112
大津市	5 694	1 019 972	114 344	13 548	842	485 643	29 265	3 181
高槻市	6 388	952 924	163 453	12 155	436	382 293	49 104	1 223
東大阪市	6 730	718 676	101 734	12 757	624	296 288	20 583	1 763
豊中市	6 307	1 617 144	128 322	14 174	463	427 170	27 983	1 700
枚方市	7 166	944 213	128 544	12 412	456	379 612	34 126	1 472
姫路市	4 122	813 123	112 119	8 771	342	456 801	45 856	1 473
西宮市	5 776	963 041	137 040	13 654	589	369 059	40 602	2 156
尼崎市	5 468	1 095 547	134 839	13 770	396	453 078	28 326	2 474
奈良市	5 789	857 486	122 782	15 291	386	383 249	26 146	3 107
和歌山市	4 271	905 696	91 069	10 078	457	412 343	19 781	1 571
倉敷市	5 529	1 039 089	123 418	13 389	483	515 857	26 283	1 712
福山市	8 579	1 156 892	156 653	21 627	450	471 852	29 945	3 088
呉市	2 752	413 921	44 927	7 102	158	165 958	10 538	1 864
下関市	3 685	463 765	57 940	8 650	451	274 550	18 329	2 168
高松市	5 044	926 386	94 501	13 374	338	502 870	23 545	2 078
松山市	6 409	1 122 865	116 786	13 385	462	506 628	31 681	1 903
高知市	4 139	572 372	70 938	10 173	202	211 257	10 877	1 466
久留米市	3 072	557 541	54 776	5 781	199	250 113	13 803	579
長崎市	6 813	849 050	134 672	16 209	412	327 052	39 508	1 401
佐世保市	3 956	566 407	65 235	10 867	256	271 276	17 553	2 494
大分市	6 511	1 006 852	97 023	15 096	435	456 134	29 208	3 301
宮崎市	8 990	1 266 558	169 901	18 973	408	492 479	35 347	2 893
鹿児島市	12 364	1 845 827	170 202	25 072	738	702 193	46 219	4 906
那覇市	7 487	894 863	176 650	13 494	494	397 181	41 229	1 772

支払決定金額，入院－入院外－調剤－訪問看護・都道府県－指定都市－中核市（再掲）別

平成29年度

入院外				調剤				訪問看護			
支払決定件数	支払決定金額			支払決定件数	支払決定金額			支払決定件数	支払決定金額		
	総額（千円）	（再掲）			総額（千円）	（再掲）			総額（千円）	（再掲）	
		公費負担額（千円）	自己負担額（千円）			公費負担額（千円）	自己負担額（千円）			公費負担額（千円）	自己負担額（千円）
13 447	870 504	205 380	32 075	8 390	760 043	145 278	9 001	1 606	98 913	25 692	389
9 498	906 769	117 049	25 361	6 076	486 087	81 333	8 774	1 170	60 087	15 144	340
9 047	711 327	113 347	21 004	4 119	633 164	111 026	6 923	5 071	629 035	14 570	191
5 992	846 528	110 750	19 555	2 994	230 470	40 674	4 276	689	43 805	11 974	131
15 775	1 827 810	236 612	54 719	9 557	1 026 648	196 903	20 803	577	448 643	15 705	576
6 888	744 861	87 069	21 493	4 340	551 369	96 734	9 313	353	219 659	6 082	859
3 133	344 505	46 539	1 037	1 714	163 257	24 035	2 800	181	92 826	2 417	77
4 949	322 671	44 420	11 047	2 976	292 426	48 526	4 404	352	31 028	7 611	196
5 153	431 507	75 260	14 248	2 923	175 502	37 453	3 695	601	316 974	10 060	29
5 684	430 507	70 149	15 447	3 551	340 348	60 423	5 524	429	30 929	8 093	24
10 734	782 065	144 956	32 674	5 151	844 791	119 252	10 106	381	30 803	7 070	239
7 747	904 396	114 489	20 555	4 970	410 801	67 987	8 260	1 250	101 107	22 829	408
17 303	2 053 495	299 590	40 616	8 556	555 076	99 137	9 100	3 194	255 904	64 645	526
7 080	743 711	139 828	18 034	3 549	222 419	35 575	3 950	1 410	115 038	30 801	524
5 967	520 020	87 245	12 775	3 385	353 967	53 181	8 696	942	82 283	21 372	330
6 530	667 301	131 299	19 487	2 727	410 717	54 675	3 073	517	328 982	10 787	149
9 945	807 811	148 451	30 746	4 772	771 691	102 790	8 386	774	50 819	11 982	278
4 444	241 244	39 625	9 684	3 401	512 643	85 781	5 164	340	35 655	16 398	47
8 150	708 131	80 335	23 276	5 881	531 460	95 224	9 108	854	99 030	25 352	456
5 392	491 661	63 355	13 993	3 601	389 422	71 566	4 415	701	76 645	21 282	138
2 786	191 936	42 195	5 601	1 272	133 256	12 181	1 181	518	55 229	12 234	233
1 255	51 803	11 277	2 966	820	102 420	34 395	836	54	4 754	1 289	14
2 023	149 100	18 159	5 079	1 187	121 278	17 625	1 221	67	59 253	1 351	80
1 634	106 650	26 362	3 905	1 070	68 148	14 774	1 482	34	21 560	449	5
2 470	316 674	41 018	7 614	1 711	68 582	12 898	1 513	150	13 145	2 929	-
2 501	396 643	107 354	6 511	1 713	200 602	24 580	2 294	123	7 241	2 408	-
1 908	235 505	31 107	5 985	540	44 386	9 849	1 077	148	7 503	2 014	8
1 669	230 886	35 067	5 314	1 028	103 340	16 626	1 521	35	3 924	1 254	6
3 956	299 501	45 679	15 375	1 587	77 340	18 161	671	543	44 555	10 620	162
1 729	279 728	18 701	4 526	1 226	148 506	23 968	1 728	54	2 958	722	29
1 937	116 999	17 141	5 455	1 456	94 200	18 564	3 043	122	14 133	1 846	22
2 259	216 277	30 678	5 285	1 329	109 550	20 896	1 886	217	17 566	3 791	39
1 953	164 128	31 828	5 169	930	66 224	11 575	1 245	268	17 297	3 984	285
4 178	232 544	64 635	11 725	2 343	106 267	34 014	3 578	469	18 719	8 940	188
2 730	367 777	51 392	6 197	1 464	103 840	19 987	2 032	530	403 668	12 144	82
3 143	392 973	43 745	8 357	1 867	163 590	33 472	3 311	261	14 989	4 915	131
1 366	159 841	16 007	4 519	876	46 173	8 759	1 640	26	1 382	215	62
2 112	217 985	36 386	6 847	1 102	101 885	18 083	2 264	28	8 069	301	23
2 568	165 440	32 481	8 417	1 516	168 664	27 866	1 825	94	67 472	1 645	86
3 621	315 046	38 576	7 468	1 963	164 756	30 276	2 938	203	79 927	2 489	15
1 911	160 530	20 086	5 836	1 526	184 766	31 838	3 916	127	8 509	1 620	82
2 153	142 920	33 216	7 708	1 107	71 075	10 312	3 946	-	-	-	-
2 475	199 554	27 200	11 405	1 219	97 478	22 451	413	21	10 250	307	-
2 051	185 934	32 260	6 645	1 067	106 249	13 752	2 493	186	45 129	4 245	232
2 815	247 711	40 522	7 594	1 705	257 585	37 835	2 655	332	29 033	6 722	118
3 638	274 225	59 384	8 434	1 893	255 508	43 271	2 451	421	40 898	11 694	47
3 575	228 002	40 620	8 272	2 056	166 570	33 041	2 594	475	27 816	7 490	128
3 467	390 577	55 497	9 374	1 732	183 621	29 118	3 063	645	615 776	15 724	37
3 553	276 918	38 859	7 274	2 239	211 598	37 688	3 479	918	76 085	17 871	187
2 241	287 270	50 181	6 252	1 107	42 959	10 155	1 025	432	26 093	5 927	21
2 888	253 052	48 503	8 956	1 632	275 389	29 688	2 394	667	65 541	18 247	148
2 920	455 823	68 637	9 435	1 427	117 046	22 051	1 663	725	69 600	15 825	198
3 657	329 405	64 592	10 552	1 219	101 158	20 330	1 619	527	43 674	11 714	13
2 381	323 584	45 953	6 814	1 256	152 920	20 897	1 634	177	16 849	4 438	59
3 636	423 311	73 490	10 404	805	58 591	12 162	1 022	605	41 330	11 483	251
5 306	446 326	78 226	15 443	2 398	203 170	39 710	3 077	425	35 544	8 772	19
1 560	145 220	14 292	3 755	949	97 479	18 759	1 456	85	5 264	1 338	27
1 840	65 970	12 986	4 514	1 338	118 761	25 552	1 965	56	4 484	1 073	3
2 843	209 251	30 239	7 749	1 735	203 370	37 054	3 455	128	10 895	3 663	92
3 425	449 604	53 209	9 246	2 133	136 435	23 555	2 055	389	30 198	8 341	181
2 398	210 981	34 337	6 912	1 481	143 861	24 172	1 785	58	6 273	1 552	10
1 643	166 696	17 197	3 911	1 103	128 985	20 548	1 193	127	11 747	3 228	98
3 934	326 002	62 177	11 708	2 080	167 185	24 680	2 949	387	28 811	8 307	151
2 190	112 987	19 003	5 662	1 348	171 216	25 961	2 660	162	10 928	2 718	51
3 423	363 894	35 606	9 090	2 284	163 076	24 690	2 632	369	23 748	7 519	73
4 766	312 968	41 899	11 959	3 466	436 856	85 907	4 068	350	24 255	6 748	53
6 674	388 180	67 345	16 355	4 313	254 651	44 545	3 664	639	500 803	12 093	147
3 699	222 692	53 012	9 172	2 684	206 756	53 421	2 494	610	68 234	28 988	56

（報告表　59）

第10表　小児慢性特定疾病医療における支給認定件数，所得区分・医療区分別

平成29年度末現在

	支給認定件数						
	総数	生活保護	低所得Ⅰ	低所得Ⅱ	一般所得Ⅰ	一般所得Ⅱ	上位所得
総数[1]	**110 778**	**110 778**	·	·	·	·	·
原則	89 408	1 315	5 849	4 905	20 356	42 982	14 001
重症	17 080	174	841	698	4 842	8 065	2 460
人工呼吸器等装着者[2]	2 291	53	2 238	·	·	·	·
血友病患者[1]	1 999	1 999	·	·	·	·	·

注：1)　医療区分の「総数」及び「血友病患者」の「生活保護」については、「生活保護」から「上位所得」までを足し上げた件数である。
　　2)　「人工呼吸器等装着者」の「低所得Ⅰ」については、「低所得Ⅰ」から「上位所得」までを足し上げた件数である。

（報告表　60）

第11表（２－１）　小児慢性特定疾病医療における

	総数	原則						
		総数	生活保護	低所得Ⅰ	低所得Ⅱ	一般所得Ⅰ	一般所得Ⅱ	上位所得
全国	**110 778**	**89 408**	**1 315**	**5 849**	**4 905**	**20 356**	**42 982**	**14 001**
北海道	4 344	3 289	131	231	154	830	1 625	318
青森	1 238	976	9	93	89	314	405	66
岩手	1 459	1 238	9	73	75	436	562	83
宮城	2 544	2 026	28	125	135	508	943	287
秋田	966	821	5	60	50	293	360	53
山形	815	614	1	21	46	195	309	42
福島	1 341	1 031	9	67	64	318	495	78
茨城	2 483	2 145	15	127	94	483	1 106	320
栃木	2 024	1 722	6	70	103	369	921	253
群馬	1 482	1 268	7	95	47	325	658	136
埼玉	6 085	4 757	58	271	221	918	2 343	946
千葉	4 696	3 569	52	200	123	639	1 716	839
東京	8 060	6 438	95	400	199	879	2 814	2 051
神奈川	6 548	5 537	85	269	185	700	2 592	1 706
新潟	1 742	1 320	15	59	62	403	681	100
富山	826	720	−	28	25	159	435	73
石川	1 081	828	1	38	36	195	473	85
福井	794	602	2	50	23	143	320	64
山梨	571	447	6	15	18	120	224	64
長野	2 261	1 891	9	127	85	533	983	154
岐阜	1 331	1 129	2	42	59	304	588	134
静岡	3 176	2 492	16	121	128	574	1 314	339
愛知	5 660	4 539	40	228	152	770	2 464	885
三重	1 738	1 531	9	76	75	344	839	188
滋賀	1 704	1 263	10	76	55	263	664	195
京都	2 507	2 236	47	183	118	474	1 052	362
大阪	8 855	6 892	178	526	552	1 428	3 164	1 044
兵庫	4 041	2 853	62	196	177	517	1 254	647
奈良	1 866	1 427	24	107	49	333	731	183
和歌山	848	681	4	73	37	174	320	73
鳥取	509	400	8	26	23	143	175	25
島根	657	531	7	24	43	160	258	39
岡山	1 814	1 471	26	85	81	324	773	182
広島	3 450	2 861	46	168	150	646	1 465	386
山口	1 479	1 334	12	85	85	294	713	145
徳島	418	329	8	41	17	84	153	26
香川	804	698	1	38	41	198	329	91
愛媛	1 282	1 052	11	83	44	341	487	86
高知	648	539	12	45	45	162	241	34
福岡	4 346	3 604	98	312	258	773	1 651	512
佐賀	941	763	4	62	62	246	341	48
長崎	1 572	1 348	29	87	95	429	596	112
熊本	1 768	1 524	27	124	86	502	656	129
大分	1 156	970	13	69	64	276	477	71
宮崎	1 563	1 348	17	89	128	445	578	91
鹿児島	2 462	2 163	26	174	146	743	947	127
沖縄	2 823	2 191	35	290	301	649	787	129

支給認定件数，医療区分・所得区分・都道府県－指定都市－中核市（再掲）別

平成29年度末現在

重						症	人工呼吸器等装着者			血友病患者
総数	生活保護	低所得Ⅰ	低所得Ⅱ	一般所得Ⅰ	一般所得Ⅱ	上位所得	総数	生活保護	生活保護以外	
17 080	**174**	**841**	**698**	**4 842**	**8 065**	**2 460**	**2 291**	**53**	**2 238**	**1 999**
907	14	35	28	287	431	112	79	3	76	69
228	3	22	10	97	83	13	16	－	16	18
172	2	6	8	78	64	14	28	1	27	21
449	1	16	11	130	221	70	47	1	46	22
118	2	7	9	49	42	9	15	－	15	12
178	－	7	6	65	89	11	9	－	9	14
257	1	9	9	89	129	20	23	－	23	30
249	1	8	8	72	124	36	41	1	40	48
228	1	21	18	73	101	14	35	1	34	39
168	－	5	5	55	90	13	17	－	17	29
1 104	7	32	25	295	560	185	116	1	115	108
871	10	30	28	198	442	163	172	2	170	84
1 265	19	99	39	241	554	313	186	1	185	171
799	3	39	29	120	360	248	68	－	68	144
353	4	22	14	149	139	25	29	－	29	40
91	－	3	－	24	54	10	4	－	4	11
227	－	5	1	62	129	30	12	－	12	14
167	－	11	5	52	86	13	15	1	14	10
114	－	2	1	37	57	17	4	－	4	6
256	－	11	12	80	128	25	80	－	80	34
144	1	4	5	42	73	19	16	－	16	42
538	8	24	22	156	273	55	91	1	90	55
898	5	42	20	167	496	168	70	－	70	153
141	2	8	7	55	57	12	31	1	30	35
346	2	11	14	87	183	49	71	－	71	24
157	1	9	10	40	73	24	73	－	73	41
1 596	36	78	107	432	719	224	225	5	220	142
915	8	38	26	212	414	217	164	3	161	109
358	1	22	12	90	192	41	45	1	44	36
145	－	5	6	54	67	13	4	－	4	18
87	－	11	5	29	38	4	18	－	18	4
104	2	4	2	39	50	7	12	－	12	10
291	1	20	15	73	154	28	32	1	31	20
467	1	10	12	111	270	63	64	1	63	58
117	－	6	5	32	59	15	5	－	5	23
78	1	1	1	22	40	13	4	－	4	7
84	－	6	2	32	41	3	10	－	10	12
198	2	8	6	86	84	12	13	－	13	19
89	1	8	6	26	40	8	6	－	6	14
546	7	33	23	162	271	50	81	21	60	115
138	2	7	6	54	62	7	23	－	23	17
168	5	14	10	64	65	10	33	－	33	23
187	2	14	18	81	60	12	38	－	38	19
151	3	8	7	51	70	12	6	－	6	29
183	2	5	11	95	62	8	19	－	19	13
249	2	14	26	105	90	12	33	－	33	17
504	11	41	48	192	179	33	108	7	101	20

（報告表　60）

第11表（２－２）　小児慢性特定疾病医療における

	総数	原則						
		総数	生活保護	低所得Ⅰ	低所得Ⅱ	一般所得Ⅰ	一般所得Ⅱ	上位所得
指定都市(再掲)								
札幌市	1 777	1 316	81	93	57	279	629	177
仙台市	1 333	1 084	18	66	61	223	506	210
さいたま市	1 184	1 001	19	50	36	142	497	257
千葉市	765	617	15	33	24	90	297	158
横浜市	2 741	2 316	58	94	72	238	1 011	843
川崎市	1 220	1 008	12	42	25	106	473	350
相模原市	536	481	5	28	25	82	234	107
新潟市	639	517	9	27	25	145	258	53
静岡市	661	540	3	30	29	96	286	96
浜松市	721	541	6	20	26	121	288	80
名古屋市	1 599	1 313	26	81	36	206	693	271
京都市	1 292	1 109	34	110	69	199	497	200
大阪市	2 285	1 783	54	195	137	375	766	256
堺市	979	748	24	57	51	171	354	91
神戸市	1 178	941	30	67	57	142	371	274
岡山市	791	674	17	40	35	120	356	106
広島市	1 493	1 346	27	64	64	285	663	243
北九州市	742	619	14	45	61	93	333	73
福岡市	1 523	1 355	30	119	92	273	564	277
熊本市	842	721	19	68	39	211	306	78
中核市(再掲)								
旭川市	301	179	4	11	13	57	87	7
函館市	145	109	4	8	8	27	54	8
青森市	288	231	1	22	23	77	87	21
八戸市	234	197	3	18	13	58	95	10
盛岡市	380	276	6	13	18	69	143	27
秋田市	353	288	2	7	17	83	147	32
郡山市	265	210	1	16	5	64	110	14
いわき市	319	281	3	17	11	81	135	34
宇都宮市	506	416	4	18	19	57	221	97
前橋市	250	213	4	18	9	49	93	40
高崎市	317	289	2	16	15	70	150	36
川越市	324	253	3	16	12	45	141	36
越谷市	277	219	4	15	8	42	116	34
船橋市	557	450	6	14	13	83	218	116
柏市	383	288	3	19	10	56	126	74
八王子市	394	308	2	11	16	52	146	81
横須賀市	255	223	3	12	6	30	131	41
富山市	323	296	-	13	11	61	169	42
金沢市	434	343	1	12	19	70	192	49
長野市	395	325	2	16	15	83	175	34
岐阜市	302	265	1	13	17	53	130	51
豊橋市	301	271	1	15	12	53	148	42
豊田市	364	326	1	17	8	40	174	86
岡崎市	331	275	2	8	10	33	157	65
大津市	407	334	3	24	18	53	163	73
高槻市	398	223	8	9	17	50	104	35
東大阪市	452	360	12	28	33	68	178	41
豊中市	405	287	2	13	21	48	126	77
枚方市	455	310	6	22	25	54	156	47
姫路市	362	287	6	23	15	51	149	43
西宮市	428	278	5	6	12	35	125	95
尼崎市	408	283	7	22	11	68	137	38
奈良市	440	326	4	15	8	64	179	56
和歌山市	353	294	2	26	12	58	146	50
倉敷市	462	308	6	18	21	57	170	36
福山市	763	582	11	50	34	139	299	49
呉市	196	148	2	10	11	24	87	14
下関市	269	214	5	19	24	49	102	15
高松市	375	339	1	20	18	80	157	63
松山市	514	388	6	37	15	120	170	40
高知市	359	301	8	26	18	76	148	25
久留米市	272	211	8	13	14	59	99	18
長崎市	457	391	11	23	25	106	178	48
佐世保市	313	272	7	17	19	82	129	18
大分市	516	389	8	26	22	99	199	35
宮崎市	669	589	11	31	49	158	279	61
鹿児島市	989	843	11	67	56	243	402	64
那覇市	597	487	13	42	72	108	205	47

支給認定件数，医療区分・所得区分・都道府県－指定都市－中核市（再掲）別

平成29年度末現在

重症 総数	生活保護	低所得Ⅰ	低所得Ⅱ	一般所得Ⅰ	一般所得Ⅱ	上位所得	人工呼吸器等装着者 総数	生活保護	生活保護以外	血友病患者
405	9	17	16	107	187	69	30	2	28	26
210	－	11	7	44	98	50	25	1	24	14
141	1	5	3	29	63	40	26	－	26	16
100	2	3	7	18	50	20	31	－	31	17
338	1	15	9	46	142	125	27	－	27	60
166	2	4	8	26	69	57	15	－	15	31
37	－	3	1	9	21	3	8	－	8	10
100	1	2	6	42	40	9	9	－	9	13
92	3	6	10	36	33	4	16	1	15	13
144	1	6	7	28	88	14	28	－	28	8
226	2	13	6	46	104	55	19	－	19	41
88	－	2	8	19	42	17	72	－	72	23
414	6	27	38	129	172	42	48	1	47	40
192	6	14	10	48	92	22	23	1	22	16
150	5	13	7	26	59	40	56	1	55	31
99	1	6	7	25	46	14	9	－	9	9
98	－	－	－	7	66	25	25	1	24	24
89	1	9	10	20	41	8	13	1	12	21
104	6	11	5	26	47	9	29	1	28	35
90	2	8	8	32	31	9	20	－	20	11
100	1	4	9	36	44	6	14	－	14	8
27	－	1	1	11	12	2	2	1	1	7
49	－	3	1	16	22	7	5	－	5	3
34	2	1	2	17	12	－	2	－	2	1
85	1	3	2	33	34	12	12	1	11	7
48	2	2	6	16	20	2	7	－	7	10
41	－	2	2	16	18	3	7	－	7	7
28	－	－	－	10	16	2	5	－	5	5
72	－	7	6	23	32	4	9	1	8	9
28	－	－	1	14	11	2	3	－	3	6
24	－	2	3	7	10	2	3	－	3	1
53	－	2	－	18	28	5	8	－	8	10
47	－	5	－	18	19	5	3	－	3	8
82	3	2	1	13	46	17	17	1	16	8
71	1	6	－	17	31	16	18	－	18	6
68	1	4	6	14	36	7	6	－	6	12
24	－	－	3	7	9	5	3	－	3	5
24	－	1	－	7	14	2	2	－	2	1
80	－	2	－	20	40	18	6	－	6	5
49	－	1	4	18	21	5	15	－	15	6
30	－	4	2	5	17	2	2	－	2	5
27	－	－	－	8	17	2	1	－	1	2
32	1	3	－	6	18	4	－	－	－	6
38	－	3	2	6	22	5	10	－	10	8
41	－	2	6	10	19	4	22	－	22	10
157	6	4	8	43	65	31	12	1	11	6
78	1	5	5	19	42	6	8	－	8	6
103	－	3	7	20	46	27	11	－	11	4
118	2	5	3	33	53	22	18	－	18	9
46	1	2	2	14	19	8	16	－	16	13
123	－	6	3	19	50	45	15	1	14	12
94	－	6	4	23	43	18	26	1	25	5
97	1	5	2	20	55	14	15	－	15	2
50	－	3	2	17	23	5	3	－	3	6
139	－	11	5	31	80	12	12	1	11	3
155	－	5	4	42	90	14	16	－	16	10
40	－	－	1	12	24	3	3	－	3	5
52	－	1	1	14	27	9	2	－	2	1
28	－	3	－	11	13	1	2	－	2	6
115	2	3	1	48	50	11	3	－	3	8
46	1	3	1	13	24	4	3	－	3	9
46	－	1	4	15	24	2	7	－	7	8
47	5	2	4	18	16	2	11	－	11	8
30	－	2	－	10	15	3	6	－	6	5
109	3	5	2	34	56	9	3	－	3	15
65	1	1	7	33	20	3	7	－	7	8
125	－	8	14	51	46	6	16	－	16	5
81	4	7	6	28	26	10	24	5	19	5

（報告表　60）

第１表　犬の登録申請数・登録頭数・予防注射済票交付数・徘徊犬の

	登録申請数	登録頭数（年度末現在）	予防注射済票交付数			徘徊犬の抑留及び返還頭数		犬の死亡届出件数
			総数	区市町村の注射実施	その他の注射実施	抑留	返還	
全国	**413 819**	**6 326 082**	**4 519 369**	**1 519 812**	**2 999 557**	**26 124**	**10 861**	**474 611**
北海道	16 159	250 832	173 643	43 993	129 650	673	308	19 587
青森	3 841	58 476	50 395	40 354	10 041	320	157	5 894
岩手	4 427	66 537	57 326	47 077	10 249	254	140	5 904
宮城	8 271	119 461	98 225	71 361	26 864	484	337	10 185
秋田	2 307	40 423	32 256	19 145	13 111	134	50	3 375
山形	3 057	41 208	37 659	19 686	17 973	165	116	3 354
福島	6 444	100 632	75 748	36 259	39 489	598	360	9 040
茨城	11 033	169 557	113 613	40 226	73 387	1 209	122	14 626
栃木	6 899	108 128	73 900	29 840	44 060	1 150	309	9 495
群馬	6 782	116 331	86 149	45 379	40 770	1 027	507	9 700
埼玉	22 796	360 833	254 685	89 739	164 946	1 076	661	24 906
千葉	21 140	317 489	230 568	71 353	159 215	1 317	482	24 035
東京	38 411	516 306	379 995	83 996	295 999	79	50	30 084
神奈川	28 883	462 789	356 718	68 056	288 662	717	498	30 980
新潟	6 061	93 827	83 826	42 529	41 297	343	235	7 733
富山	2 632	45 908	34 911	7 557	27 354	141	98	3 820
石川	3 198	49 623	34 274	12 362	21 912	166	94	3 653
福井	2 262	31 551	23 432	4 955	18 477	54	40	2 586
山梨	2 943	47 491	34 013	19 034	14 979	465	396	3 874
長野	7 387	108 753	98 256	51 311	46 945	551	435	9 295
岐阜	8 561	124 609	97 170	28 117	69 053	497	313	10 791
静岡	15 014	214 593	169 096	107 384	61 712	594	413	17 154
愛知	28 494	444 909	337 830	47 411	290 419	1 176	784	34 575
三重	7 575	122 460	86 067	15 762	70 305	337	217	9 188
滋賀	4 842	75 568	52 127	38 569	13 558	328	103	6 466
京都	7 393	120 967	79 342	15 933	63 409	149	53	8 464
大阪	26 719	385 698	237 376	59 633	177 743	120	71	22 938
兵庫	18 481	303 461	200 930	20 287	180 643	180	54	21 932
奈良	2 706	56 925	42 849	13 228	29 621	102	46	3 357
和歌山	3 096	47 471	29 426	12 400	17 026	270	72	4 186
鳥取	1 426	22 874	17 373	5 945	11 428	158	102	2 346
島根	2 069	33 779	25 468	9 704	15 764	138	28	2 825
岡山	6 804	97 153	61 196	14 519	46 677	807	176	10 045
広島	10 257	142 813	100 295	17 207	83 088	237	76	10 705
山口	5 038	74 767	57 114	33 330	23 784	1 605	136	5 676
徳島	2 920	39 687	24 570	11 018	13 552	517	53	3 398
香川	4 331	70 760	42 057	12 992	29 065	496	33	3 919
愛媛	4 767	79 194	46 875	15 939	30 936	784	140	5 812
高知	2 528	44 003	28 177	14 280	13 897	83	49	3 157
福岡	16 530	252 222	146 458	37 903	108 555	712	266	16 785
佐賀	2 500	39 577	27 217	15 875	11 342	325	118	3 646
長崎	3 616	63 996	45 940	20 576	25 364	605	174	5 577
熊本	5 995	92 804	63 443	34 778	28 665	1 368	472	7 289
大分	3 665	61 670	37 255	11 899	25 356	520	272	5 369
宮崎	3 755	58 873	42 376	18 286	24 090	964	501	4 668
鹿児島	5 461	84 888	59 344	27 602	31 742	940	407	7 250
沖縄	4 343	64 206	32 406	15 023	17 383	1 189	337	4 967

抑留及び返還頭数・犬の死亡届出件数，都道府県－指定都市－中核市（再掲）別

平成29年度

	登録申請数	登録頭数（年度末現在）	予防注射済票交付数			徘徊犬の抑留及び返還頭数		犬の死亡届出件数
			総数	区市町村の注射実施	その他の注射実施	抑留	返還	
指定都市（再掲）								
札幌市	5 868	84 412	59 763	－	59 763	－	－	5 622
仙台市	3 560	47 487	37 499	18 538	18 961	110	83	3 098
さいたま市	3 819	60 737	42 742	10 174	32 568	104	75	3 572
千葉市	3 255	45 954	32 401	6 082	26 319	21	17	2 422
横浜市	10 979	177 016	134 409	20 460	113 949	187	138	11 434
川崎市	3 836	60 186	45 596	19 313	26 283	77	57	4 100
相模原市	2 485	39 795	31 367	3 779	27 588	83	66	2 640
新潟市	2 377	33 902	28 622	9 295	19 327	127	82	2 535
静岡市	2 580	34 437	28 934	3 602	25 332	62	36	2 061
浜松市	3 344	51 039	41 089	4 709	36 380	277	235	4 391
名古屋市	8 547	123 026	83 830	17 871	65 959	143	110	7 461
京都市	3 939	59 498	39 970	8 465	31 505	51	23	3 757
大阪市	8 340	91 024	62 023	7 670	54 353	24	13	5 395
堺市	2 496	41 223	26 113	2 506	23 607	5	2	2 048
神戸市	4 772	81 034	50 885	66	50 819	26	18	4 594
岡山市	2 348	32 842	22 931	2 032	20 899	148	32	4 966
広島市	3 981	55 438	39 439	3 593	35 846	34	13	3 159
北九州市	3 083	47 364	27 987	5 446	22 541	239	18	2 170
福岡市	4 948	67 002	36 152	2 738	33 414	28	14	4 114
熊本市	2 283	34 367	21 369	8 043	13 326	297	177	1 708
中核市（再掲）								
旭川市	1 149	16 424	11 355	571	10 784	51	45	2 784
函館市	626	14 735	7 617	1 051	6 566	52	24	779
青森市	688	11 451	9 502	3 040	6 462	35	26	1 175
八戸市	721	9 131	8 402	4 823	3 579	－	－	879
盛岡市	925	13 215	11 391	1 142	10 249	27	23	985
秋田市	746	12 965	10 646	5 383	5 263	16	6	886
郡山市	1 242	16 919	13 728	4 263	9 465	153	129	1 267
いわき市	1 236	18 010	12 983	3 214	9 769	85	50	1 212
宇都宮市	1 806	24 174	17 391	5 818	11 573	129	89	2 163
前橋市	1 160	18 489	13 666	4 988	8 678	251	81	1 443
高崎市	1 428	21 626	15 997	7 329	8 668	161	108	1 628
川越市	1 231	16 540	12 024	3 931	8 093	73	53	1 090
越谷市	1 087	17 118	12 365	2 428	9 937	49	36	1 049
船橋市	1 785	28 537	20 497	4 658	15 839	56	36	1 628
柏市	1 458	21 785	16 204	4 462	11 742	63	41	1 396
八王子市	1 843	29 344	22 045	2 832	19 213	6	3	1 849
横須賀市	1 488	23 220	18 258	2 759	15 499	36	25	1 871
富山市	1 119	18 930	13 397	1 472	11 925	33	22	1 340
金沢市	1 497	18 099	13 545	2 629	10 916	20	16	1 233
長野市	1 159	16 175	15 278	4 945	10 333	96	92	1 273
岐阜市	1 332	24 574	16 869	3 493	13 376	84	64	1 530
豊橋市	1 652	23 730	19 940	1 888	18 052	88	57	1 987
豊田市	1 413	23 659	20 362	1 820	18 542	48	34	2 923
岡崎市	1 583	24 525	19 979	1 262	18 717	58	44	1 749
大津市	1 200	18 187	14 277	2 196	12 081	29	19	1 318
高槻市	994	15 311	9 832	2 068	7 764	13	6	851
東大阪市	1 422	25 554	15 319	2 541	12 778	13	11	2 084
豊中市	896	15 721	8 730	1 749	6 981	2	2	990
枚方市	1 005	18 544	12 551	4 401	8 150	2	1	1 624
姫路市	2 129	29 613	21 219	225	20 994	38	12	2 250
西宮市	1 401	24 223	15 171	834	14 337	－	－	2 240
尼崎市	1 193	26 929	12 127	975	11 152	7	3	841
奈良市	641	14 253	10 214	2 540	7 674	12	9	712
和歌山市	1 165	18 177	10 429	989	9 440	146	36	1 646
倉敷市	1 856	24 758	14 267	2 474	11 793	417	65	1 183
福山市	1 675	24 536	15 555	2 224	13 331	13	5	1 588
呉市	768	10 923	8 019	1 496	6 523	59	22	1 344
下関市	950	13 153	10 231	3 095	7 136	59	37	1 029
高松市	1 586	30 282	15 407	3 263	12 144	140	18	1 135
松山市	1 650	23 403	15 743	4 028	11 715	204	117	1 415
高知市	1 154	16 920	11 159	4 043	7 116	60	26	1 080
久留米市	956	16 043	8 813	2 368	6 445	37	24	882
長崎市	979	16 780	12 689	3 759	8 930	75	46	1 670
佐世保市	677	13 819	9 876	2 301	7 575	84	54	1 300
大分市	1 567	21 471	13 512	864	12 648	207	169	1 210
宮崎市	1 286	19 327	13 716	2 850	10 866	232	168	1 321
鹿児島市	1 754	26 310	17 957	2 819	15 138	136	75	1 157
那覇市	590	9 675	5 472	923	4 549	14	8	827

（報告表 61）

付　　表

付表－1　興行場・旅館業・公衆浴場・理容－

	興行場数			旅館業			
				ホテル営業		旅館営業	
	映画館	スポーツ施設	その他	施設数	客室数	施設数	客室数
昭和40年（1965）	6 537	256	836	258	24 169	67 485	608 349
41（'66）	5 920	279	902	281	25 507	69 575	635 788
42（'67）	5 540	260	991	306	27 188	71 850	665 730
43（'68）	5 242	276	1 026	351	29 443	73 994	709 555
44（'69）	4 881	281	1 103	385	34 674	75 424	731 991
45（'70）	4 480	283	1 147	454	40 652	77 439	763 091
46（'71）	4 080	369	1 124	496	47 090	78 533	787 631
47（'72）	3 692	312	1 237	611	55 463	80 085	809 390
48（'73）	3 349	305	1 294	816	78 324	82 307	859 707
49（'74）	3 062	294	1 283	1 029	99 160	82 609	899 624
50（'75）	2 996	301	1 292	1 149	109 998	82 456	902 882
51（'76）	2 908	314	1 312	1 269	119 672	82 724	916 817
52（'77）	2 851	320	1 334	1 397	128 376	83 076	937 480
53（'78）	2 775	311	1 392	1 574	142 226	82 858	949 653
54（'79）	2 743	305	1 441	1 768	154 722	83 035	950 711
55（'80）	2 696	314	1 495	2 039	178 074	83 226	964 063
56（'81）	2 641	317	1 519	2 225	189 654	82 750	974 167
57（'82）	2 608	327	1 610	2 416	207 674	81 926	983 527
58（'83）	2 579	323	1 689	2 665	226 897	81 453	1 000 343
59（'84）	2 512	320	1 731	2 920	246 482	81 253	1 008 819
60（'85）	2 451	312	1 769	3 332	267 397	80 996	1 022 005
61（'86）	2 437	317	1 815	3 730	290 505	80 062	1 026 199
62（'87）	2 369	312	1 851	4 180	324 863	78 727	1 027 536
63（'88）	2 310	318	1 908	4 563	342 695	78 129	1 026 107
平成元年（'89）	2 220	324	1 962	4 970	369 011	77 269	1 024 287
2（'90）	2 128	327	2 023	5 374	397 346	75 952	1 014 765
3（'91）	2 057	331	2 064	5 837	422 211	74 889	1 015 959
4（'92）	2 015	345	2 128	6 231	452 625	73 899	1 018 221
5（'93）	2 010	350	2 227	6 633	485 658	73 033	1 010 072
6（'94）	1 993	352	2 341	6 923	515 207	72 325	1 004 790
7（'95）	1 950	363	2 450	7 174	537 401	71 556	1 002 652
8（'96）	1 943	368	2 562	7 412	556 748	70 393	1 002 024
9年度（'97）	1 908	370	2 657	7 769	582 564	68 982	982 228
10（'98）	1 938	383	2 703	7 944	595 839	67 891	974 036
11（'99）	1 984	379	2 729	8 110	612 581	66 766	967 645
12（2000）	2 024	396	2 759	8 220	622 175	64 831	949 956
13（'01）	1 976	405	2 779	8 363	637 850	63 388	934 377
14（'02）	1 920	404	2 789	8 518	649 225	61 583	915 464
15（'03）	1 822	401	2 809	8 686	664 460	59 754	898 407
16（'04）	1 860	397	2 806	8 811	681 025	58 003	870 851
17（'05）	1 839	387	2 808	8 990	698 378	55 567	850 071
18（'06）	1 815	384	2 802	9 180	721 903	54 107	843 197
19（'07）	1 761	392	2 834	9 442	755 943	52 295	822 568
20（'08）	1 750	401	2 808	9 603	780 505	50 846	807 697
21（'09）	1 702	394	2 825	9 688	798 070	48 966	791 893
22（'10）2)	1 654	373	2 822	9 710	803 248	46 906	764 316
23（'11）	1 602	382	2 871	9 863	814 355	46 196	761 448
24（'12）	1 539	373	2 894	9 796	814 984	44 744	740 977
25（'13）	1 524	364	2 894	9 809	827 211	43 363	735 271
26（'14）	1 496	360	2 889	9 879	834 588	41 899	710 019
27（'15）	1 490	355	2 940	9 967	846 332	40 661	701 656
28（'16）	1 448	356	2 943	10 101	869 810	39 489	691 962
29（'17）	1 475	357	2 928	10 402	907 500	38 622	688 342

注：平成８年までは暦年の数値である。
1）平成18年度以前の「（再掲）一般公衆浴場」は「普通浴場」の数である。
2）平成22年度は、東日本大震災の影響により、宮城県のうち仙台市以外の市町村、福島県の相双保健福祉事務所管轄内の市町村が含まれていない。

美容所・クリーニング業数，年次別

数		公衆浴場数		理容・美容所数				クリーニング業数
				理容所		美容所		
簡易宿所	下宿		(再掲)一般公衆浴場[1)]	施設数	従業理容師数	施設数	従業美容師数	
11 569	2 333	24 032	…	120 420	235 115	89 616	160 382	53 238
12 889	2 261	24 452	…	125 230	242 184	97 058	171 853	61 859
14 512	2 337	24 825	…	129 492	247 416	103 429	182 779	67 953
16 727	2 381	25 301	…	132 307	254 012	108 724	196 025	71 714
18 384	2 505	25 433	…	134 306	261 852	112 638	206 732	75 395
19 597	2 453	25 414	…	136 116	265 248	116 021	216 906	79 183
20 828	2 524	25 403	…	137 062	267 387	118 642	221 977	83 113
22 400	2 523	25 693	…	139 202	266 424	122 687	225 978	87 874
23 913	2 692	25 634	…	139 144	264 203	125 307	228 702	90 632
25 248	2 719	25 566	…	139 551	261 490	128 063	228 224	93 150
25 733	2 758	25 613	…	140 541	266 531	131 444	243 281	96 984
26 454	2 771	25 534	…	141 082	261 890	136 205	246 050	100 880
27 028	2 862	25 358	16 866	141 841	258 242	141 460	252 503	104 302
27 670	2 922	25 473	16 686	142 888	253 029	146 746	245 297	108 800
28 132	3 017	25 450	16 326	143 413	249 757	151 712	251 257	112 815
28 530	3 019	25 320	15 696	144 157	248 256	156 635	258 124	116 968
28 909	3 093	25 222	15 332	144 407	248 906	160 473	267 382	122 023
28 714	3 030	24 986	14 864	144 364	247 987	164 123	275 020	126 513
28 643	3 013	24 918	14 464	144 413	248 166	167 658	281 733	130 431
28 543	2 929	24 823	14 137	144 817	249 206	171 905	288 688	134 838
28 417	2 934	24 864	13 787	144 939	249 934	175 433	296 265	139 342
28 025	2 886	24 899	13 374	144 994	250 551	178 632	301 175	144 779
27 650	2 800	24 692	13 015	144 783	251 439	181 233	307 786	150 242
27 405	2 821	24 674	12 625	144 606	250 993	183 785	312 708	155 499
27 104	2 728	24 755	12 228	144 522	251 298	185 452	314 175	155 786
26 818	2 566	24 750	11 725	144 214	252 241	186 506	316 406	154 862
26 455	2 399	24 952	11 234	143 524	250 892	187 277	314 704	154 020
26 256	2 280	25 057	10 783	143 045	251 522	188 582	317 526	153 810
26 143	2 223	25 307	10 388	142 619	250 858	189 975	320 996	156 068
26 094	2 183	25 540	10 112	142 715	252 705	192 111	324 566	159 816
25 872	2 139	25 790	9 741	142 544	252 187	193 918	327 596	161 861
25 571	2 097	26 009	9 461	142 718	252 330	196 512	329 995	163 554
25 324	1 971	26 377	9 020	142 809	252 081	198 889	333 153	164 225
25 150	1 869	26 744	8 790	142 786	251 859	201 379	334 932	163 999
24 778	1 840	26 870	8 422	141 321	250 987	200 682	345 115	163 027
24 354	1 771	26 732	8 117	140 911	250 716	202 434	355 081	162 347
23 883	1 633	26 827	7 851	140 599	250 764	205 204	368 057	159 801
23 268	1 539	26 706	7 516	140 374	252 124	208 311	383 214	157 112
22 931	1 373	26 831	7 324	140 130	251 981	210 795	394 478	155 109
22 475	1 054	27 074	7 130	139 548	250 767	213 313	404 674	150 753
22 396	974	27 674	6 653	138 855	250 407	215 719	416 707	147 395
22 590	941	28 753	6 326	137 292	248 494	217 769	431 685	143 989
22 900	929	28 792	6 009	136 768	246 861	219 573	435 275	141 190
23 050	912	28 523	5 722	135 615	244 667	221 394	443 944	137 097
23 429	869	28 154	5 494	134 552	243 644	223 645	453 371	133 584
23 719	752	27 653	5 449	130 755	237 602	223 277	456 872	126 925
24 506	839	27 557	5 189	131 687	240 017	228 429	471 161	123 845
25 071	801	27 074	4 804	130 210	238 086	231 134	479 509	118 188
25 560	787	26 580	4 542	128 127	234 044	234 089	487 636	113 567
26 349	771	26 221	4 293	126 546	231 053	237 525	496 697	108 513
27 169	722	25 703	4 078	124 584	227 429	240 299	504 698	104 180
29 559	693	25 331	3 900	122 539	223 606	243 360	509 279	99 709
32 451	675	25 121	3 729	120 965	221 097	247 578	523 543	96 041

付表－2　不妊手術件数・実施率（20～49歳人口10万対），性・年次別

	件数			実施率（20～49歳人口10万対）[1]		
	総数	男	女	総数	男	女
昭和30年（1955）	43 255	1 528	41 727	95.7	7.0	179.2
31（'56）	44 485	1 774	42 711	96.2	7.9	179.3
32（'57）	44 400	1 864	42 536	94.0	8.1	175.0
33（'58）	41 985	1 641	40 344	87.1	7.0	163.0
34（'59）	40 092	1 205	38 887	81.6	5.0	154.2
35（'60）	38 722	1 130	37 592	78.7	4.7	148.7
36（'61）	35 483	1 049	34 434	71.4	4.3	136.4
37（'62）	32 434	964	31 470	63.7	3.9	120.7
38（'63）	32 666	832	31 834	62.4	3.2	119.1
39（'64）	29 468	708	28 760	54.8	2.7	105.0
40（'65）	27 022	697	26 325	49.2	2.6	94.2
41（'66）	22 991	535	22 456	41.1	1.9	79.1
42（'67）	21 464	553	20 911	37.8	2.0	72.7
43（'68）	18 827	377	18 450	32.7	1.3	63.4
44（'69）	17 356	366	16 990	29.8	1.3	57.8
45（'70）	15 830	297	15 533	27.0	1.0	52.5
46（'71）	14 104	255	13 849	23.9	0.9	46.6
47（'72）	11 916	232	11 684	20.1	0.8	39.1
48（'73）	11 737	251	11 486	19.5	0.8	38.0
49（'74）	10 705	217	10 488	17.7	0.7	34.6
50（'75）	10 100	244	9 856	16.5	0.8	32.4
51（'76）	9 453	166	9 287	15.5	0.5	30.5
52（'77）	9 520	174	9 346	15.5	0.6	30.7
53（'78）	9 336	158	9 178	15.2	0.5	30.1
54（'79）	9 412	168	9 244	15.3	0.5	30.3
55（'80）	9 201	140	9 061	14.9	0.5	29.6
56（'81）	8 516	116	8 400	13.9	0.4	27.5
57（'82）	8 442	96	8 346	13.7	0.3	27.3
58（'83）	8 546	99	8 447	13.8	0.3	27.6
59（'84）	8 194	88	8 106	13.2	0.3	26.4
60（'85）	7 657	88	7 569	12.3	0.3	24.5
61（'86）	7 729	82	7 647	12.4	0.3	24.7
62（'87）	7 347	131	7 216	11.7	0.4	23.2
63（'88）	7 286	60	7 226	11.6	0.2	23.2
平成元年（'89）	6 984	53	6 931	11.0	0.2	22.1
2（'90）	6 709	40	6 669	10.5	0.1	21.2
3（'91）	6 138	24	6 114	9.7	0.1	19.5
4（'92）	5 639	38	5 601	8.9	0.1	17.9
5（'93）	4 970	22	4 948	7.9	0.1	15.9
6（'94）	4 466	20	4 446	7.1	0.1	14.3
7（'95）	4 185	22	4 163	6.7	0.1	13.5
8（'96）	3 804	17	3 787	6.0	0.1	12.2
9（'97）	4 401	13	4 388	7.1	0.0	14.3
10（'98）	4 203	29	4 174	6.9	0.1	13.8
11（'99）	3 963	18	3 945	6.6	0.1	13.2
12（2000）	3 735	16	3 719	6.4	0.1	12.8
13（'01）	3 530	8	3 522	6.0	0.0	12.1
14年度（'02）	3 194	9	3 185	5.5	0.0	11.1
15（'03）	2 873	8	2 865	5.0	0.0	10.0
16（'04）	2 875	12	2 863	5.7	0.0	11.4
17（'05）	2 531	31	2 500	5.0	0.1	10.1
18（'06）	2 680	40	2 640	5.4	0.2	10.7
19（'07）	2 747	18	2 729	5.5	0.1	11.1
20（'08）	2 932	36	2 896	5.9	0.1	11.9
21（'09）	3 005	34	2 971	6.1	0.1	12.3
22（'10）[2]	3 107	16	3 091	6.4	0.1	12.9
23（'11）	3 221	29	3 192	6.6	0.1	13.3
24（'12）	3 498	27	3 471	7.3	0.1	14.6
25（'13）	3 782	18	3 764	7.9	0.1	16.0
26（'14）	3 932	38	3 894	8.3	0.2	16.7
27（'15）	4 236	51	4 185	9.1	0.2	18.3
28（'16）	4 607	42	4 565	9.8	0.2	19.8
29（'17）	5 007	43	4 964	10.8	0.2	21.8

注：平成13年までは「母体保護統計報告」による暦年の数値であり、平成14年度以降は「衛生行政報告例」による年度の数値である。
1)「実施率」は分母に、平成15年度までは15～49歳人口、平成16年度以降は20～49歳人口を用い、分子に「不妊手術件数」を用いて計算した。
2)平成22年度は、東日本大震災の影響により、福島県の相双保健福祉事務所管轄内の市町村が含まれていない。

付表－３　不妊手術件数，年齢階級・年次別

	総数	20歳未満	20～24歳	25～29	30～34	35～39	40～44	45～49	50歳以上	不詳
昭和30年 (1955)	43 255	229	1 611	10 380	17 676	10 745	2 349	203	34	28
31 ('56)	44 485	206	1 623	11 204	18 083	10 780	2 291	201	30	67
32 ('57)	44 400	300	1 581	11 149	18 435	10 432	2 207	212	41	43
33 ('58)	41 985	189	1 332	10 673	18 032	9 667	1 820	192	26	54
34 ('59)	40 092	210	1 316	10 449	17 088	9 196	1 614	151	21	47
35 ('60)	38 722	213	1 380	10 522	16 009	8 920	1 478	129	13	58
36 ('61)	35 483	239	1 299	9 805	14 915	7 718	1 316	127	21	43
37 ('62)	32 434	266	1 351	9 403	13 500	6 657	1 113	96	11	37
38 ('63)	32 666	217	1 001	9 495	14 163	6 500	1 135	84	12	59
39 ('64)	29 468	237	1 009	8 658	12 524	5 847	1 068	82	12	31
40 ('65)	27 022	242	1 023	7 901	11 589	5 192	972	67	11	25
41 ('66)	22 991	235	1 035	6 518	9 815	4 425	853	69	5	36
42 ('67)	21 464	175	721	6 125	9 265	4 322	735	77	15	29
43 ('68)	18 827	201	687	5 633	7 969	3 622	623	56	14	22
44 ('69)	17 356	145	633	5 369	7 199	3 309	616	53	3	29
45 ('70)	15 830	166	633	4 896	6 482	2 982	564	65	8	34
46 ('71)	14 104	135	596	4 386	5 699	2 703	519	43	5	18
47 ('72)	11 916	94	496	3 539	5 064	2 257	403	25	16	22
48 ('73)	11 737	72	466	3 610	4 857	2 230	440	42	13	7
49 ('74)	10 705	40	426	3 533	4 585	1 747	330	16	3	25
50 ('75)	10 100	23	400	3 349	4 247	1 625	389	43	3	21
51 ('76)	9 453	17	367	3 500	3 616	1 605	310	27	5	6
52 ('77)	9 520	11	310	3 701	3 673	1 494	287	22	7	15
53 ('78)	9 336	24	293	3 543	3 706	1 465	277	15	2	11
54 ('79)	9 412	7	239	3 275	3 961	1 629	265	20	2	14
55 ('80)	9 201	13	228	3 064	4 156	1 433	275	18	1	13
56 ('81)	8 516	14	238	2 591	4 123	1 298	225	21	1	5
57 ('82)	8 442	13	206	2 529	4 103	1 322	244	16	－	9
58 ('83)	8 546	30	229	2 460	4 005	1 532	261	17	1	11
59 ('84)	8 194	5	186	2 278	3 870	1 589	247	13	1	5
60 ('85)	7 657	9	165	2 072	3 602	1 558	236	13	－	2
61 ('86)	7 729	6	184	2 026	3 537	1 719	236	16	1	4
62 ('87)	7 347	7	165	1 854	3 268	1 774	259	16	1	3
63 ('88)	7 286	12	176	1 799	3 402	1 547	334	13	1	2
平成元年 ('89)	6 984	25	245	1 684	3 150	1 518	336	23	1	2
2 ('90)	6 709	6	153	1 504	3 110	1 552	366	16	－	2
3 ('91)	6 138	37	153	1 420	2 798	1 394	319	17	－	－
4 ('92)	5 639	6	172	1 305	2 537	1 311	292	13	－	3
5 ('93)	4 970	9	140	1 060	2 330	1 147	271	12	－	1
6 ('94)	4 466	1	125	902	1 999	1 200	224	11	2	2
7 ('95)	4 185	9	149	899	1 828	1 058	228	11	2	1
8 ('96)	3 804	17	91	769	1 702	1 009	205	8	－	3
9 ('97)	4 401	3	119	915	1 906	1 176	262	18	－	2
10 ('98)	4 203	4	134	896	1 796	1 130	229	10	2	2
11 ('99)	3 963	5	116	887	1 638	1 093	206	18	－	－
12 (2000)	3 735	4	96	752	1 554	1 085	228	13	1	2
13 ('01)	3 530	1	117	743	1 412	1 043	197	12	1	4
14年度 ('02)	3 194	5	105	666	1 306	915	182	9	－	6
15 ('03)	2 873	8	93	593	1 177	804	192	5	－	1
16 ('04)	2 875	・	97	534	1 104	834	253	25	－	28
17 ('05)	2 531	・	74	476	1 045	749	172	12	2	1
18 ('06)	2 680	・	87	477	1 084	800	200	21	10	1
19 ('07)	2 747	・	80	405	1 036	904	289	29	3	1
20 ('08)	2 932	・	92	504	1 132	984	206	8	5	1
21 ('09)	3 005	・	97	493	1 112	1 034	251	14	4	－
22 ('10)[1)]	3 107	・	111	560	1 080	1 076	265	10	3	2
23 ('11)	3 221	・	91	537	1 170	1 149	257	13	3	1
24 ('12)	3 498	・	98	615	1 245	1 179	330	27	1	3
25 ('13)	3 782	・	93	611	1 365	1 334	345	30	3	1
26 ('14)	3 932	・	81	619	1 500	1 290	405	27	10	－
27 ('15)	4 236	・	104	597	1 582	1 518	398	21	14	2
28 ('16)	4 607	・	108	697	1 695	1 609	470	25	2	1
29 ('17)	5 007	・	93	708	1 837	1 797	533	31	6	2

注：平成13年までは「母体保護統計報告」による暦年の数値であり、平成14年度以降は「衛生行政報告例」による年度の数値である。
1) 平成22年度は、東日本大震災の影響により、福島県の相双保健福祉事務所管轄内の市町村が含まれていない。

付表－4　不妊手術件数,

	昭和30年 (1955)	35 ('60)	40 ('65)	45 ('70)	50 ('75)	55 ('80)	60 ('85)	平成2年 ('90)
全国	43 255	38 722	27 022	15 830	10 100	9 201	7 657	6 709
北海道	5 482	4 752	3 038	1 599	947	988	557	416
青森	780	535	367	122	86	184	209	225
岩手	1 351	960	676	341	105	162	84	94
宮城	1 326	1 418	1 089	659	299	217	181	208
秋田	2 331	1 971	1 445	1 149	436	280	270	222
山形	1 385	1 309	1 060	388	182	195	175	83
福島	627	665	675	321	147	134	65	57
茨城	303	303	141	76	27	53	48	38
栃木	189	171	81	38	68	65	13	12
群馬	94	113	90	16	31	22	68	76
埼玉	287	104	63	17	53	63	43	23
千葉	71	106	66	34	−	51	87	54
東京	1 240	588	448	177	167	81	85	67
神奈川	578	387	343	124	210	213	169	186
新潟	2 339	2 610	2 491	1 648	1 045	696	453	253
富山	1 207	1 351	1 055	741	509	262	216	138
石川	1 102	615	583	502	475	473	431	287
福井	222	109	140	119	157	51	41	22
山梨	180	157	96	57	56	33	9	7
長野	751	647	311	130	29	38	13	45
岐阜	514	230	159	60	52	75	79	84
静岡	1 792	1 637	786	404	260	287	264	272
愛知	1 191	973	882	623	565	589	569	464
三重	104	51	14	2	51	34	60	28
滋賀	134	267	157	93	65	84	69	69
京都	582	759	427	265	195	173	122	80
大阪	1 113	1 339	806	590	523	442	447	511
兵庫	842	661	534	305	271	234	205	201
奈良	78	100	27	22	37	24	9	17
和歌山	150	136	89	19	6	8	63	27
鳥取	537	601	501	226	82	87	83	103
島根	416	562	350	149	109	112	85	104
岡山	1 182	1 539	905	415	241	234	162	135
広島	1 191	1 022	698	453	231	348	374	455
山口	1 458	746	523	323	106	119	125	124
徳島	299	429	200	202	87	100	91	85
香川	983	1 508	732	328	244	195	172	156
愛媛	1 080	695	508	260	289	309	220	177
高知	318	319	216	115	33	32	39	12
福岡	1 600	1 180	517	296	190	145	189	224
佐賀	332	131	54	55	35	−	15	12
長崎	495	339	216	89	101	62	114	116
熊本	1 348	1 704	1 293	986	676	607	261	179
大分	853	557	385	205	142	162	136	146
宮崎	2 337	2 193	1 674	1 032	437	390	370	254
鹿児島	481	173	111	55	21	38	50	74
沖縄	…	…	…	…	22	50	67	87

注：平成13年までは「母体保護統計報告」による暦年の数値であり、平成14年度以降は「衛生行政報告例」による年度の数値である。
1)平成22年度は、東日本大震災の影響により、福島県の相双保健福祉事務所管轄内の市町村が含まれていない。

7 ('95)	12 (2000)	17年度 ('05)	22[1)] ('10)	24 ('12)	25 ('13)	26 ('14)	27 ('15)	28 ('16)	29 ('17)
4 185	3 735	2 531	3 107	3 498	3 782	3 932	4 236	4 607	5 007
206	307	197	172	191	169	145	175	189	199
187	158	104	112	98	139	127	146	105	113
76	82	58	87	79	80	84	83	105	90
164	169	128	110	164	140	161	172	185	166
147	98	38	46	25	24	36	34	49	23
67	42	35	29	27	34	33	26	36	35
51	43	24	29	53	45	36	73	59	72
43	30	33	65	71	65	65	65	77	98
11	48	34	38	106	113	101	101	110	104
26	42	37	38	36	46	63	65	74	68
5	4	10	13	10	45	72	125	164	236
48	40	–	50	66	78	78	108	80	108
39	38	35	79	123	134	157	193	258	279
61	59	47	98	87	70	65	69	87	117
110	63	42	49	38	58	44	35	56	29
79	58	28	17	22	26	23	19	27	29
125	63	35	19	21	27	26	30	27	32
22	11	3	5	4	7	6	10	5	8
13	7	20	8	15	13	22	14	18	19
21	21	31	43	48	63	46	57	53	52
53	54	47	58	54	64	67	86	55	112
151	143	72	150	190	168	179	194	209	205
260	160	136	155	167	188	200	217	218	228
25	9	2	–	2	4	–	3	13	14
24	3	1	4	3	25	20	25	31	56
56	62	57	50	56	72	51	43	38	50
322	256	163	230	228	234	227	234	279	268
105	178	142	136	136	148	120	150	180	177
9	11	13	55	47	40	41	65	57	71
36	44	45	36	47	46	50	34	43	60
40	36	30	40	40	35	54	48	51	39
88	68	60	64	83	99	108	100	94	80
64	111	49	82	76	101	96	96	98	97
374	308	181	240	234	261	311	300	297	323
60	34	21	50	59	58	61	81	79	73
49	25	16	–	12	8	8	12	11	8
107	78	56	83	62	62	89	85	68	76
125	103	56	84	84	87	91	100	104	121
12	15	3	8	12	6	9	36	34	61
142	149	126	103	137	160	163	151	167	216
7	26	16	36	39	51	55	30	37	56
86	44	46	42	70	69	77	82	83	87
112	102	76	60	63	47	65	58	88	86
103	107	78	32	42	46	63	53	62	75
144	121	75	105	97	115	132	149	176	198
49	57	4	64	70	72	70	62	111	120
81	48	21	33	104	140	135	142	160	173

付表－５　不妊手術実施率（20～49歳

	昭和30年 (1955)	35 ('60)	40 ('65)	45 ('70)	50 ('75)	55 ('80)	60 ('85)	平成２年 ('90)
全国	95.7	78.7	49.2	27.0	16.5	14.9	12.3	10.5
北海道	225.9	178.3	104.6	54.0	32.1	33.1	18.9	14.4
青森	115.5	75.8	49.9	15.9	11.0	23.3	27.9	31.1
岩手	194.0	134.2	93.3	47.0	14.5	22.9	12.3	14.4
宮城	154.6	161.5	116.4	64.7	27.7	19.7	16.4	18.3
秋田	350.2	296.8	215.9	170.9	66.7	44.4	46.1	40.3
山形	207.5	199.5	163.2	59.6	29.0	32.1	30.8	14.7
福島	62.9	68.2	68.2	31.5	14.5	13.4	6.7	5.8
茨城	30.8	30.4	13.3	6.6	2.2	4.0	3.5	2.6
栃木	25.7	23.5	10.2	4.4	7.5	7.1	1.4	1.2
群馬	11.9	14.4	10.5	1.8	3.4	2.4	7.1	7.7
埼玉	25.6	8.2	3.6	0.7	1.9	2.1	1.3	0.6
千葉	6.6	9.0	4.4	1.8	－	2.0	3.1	1.8
東京	26.3	9.6	6.3	2.5	2.4	1.2	1.3	1.0
神奈川	36.5	19.3	12.4	3.7	5.6	5.4	4.1	4.1
新潟	195.9	218.7	200.3	131.5	85.0	58.1	39.5	21.8
富山	240.3	253.9	187.3	131.8	91.6	48.2	40.1	25.5
石川	235.6	125.4	110.2	92.9	85.5	84.6	76.8	50.4
福井	61.1	29.4	35.9	30.5	39.9	13.2	10.7	5.6
山梨	46.2	41.0	24.7	14.5	14.2	8.4	2.3	1.7
長野	76.1	64.8	30.3	12.7	2.9	3.9	1.3	4.5
岐阜	65.7	27.1	17.1	6.2	5.3	7.5	7.9	8.1
静岡	134.8	114.1	48.8	23.3	14.5	16.0	14.6	14.6
愛知	59.8	40.7	30.7	19.6	16.9	17.3	16.3	12.8
三重	14.1	6.7	1.7	0.2	6.0	4.0	7.1	3.2
滋賀	31.8	63.1	34.8	19.4	12.5	15.4	11.8	11.1
京都	57.0	69.5	35.2	20.6	14.7	12.9	9.2	5.9
大阪	43.5	41.2	19.7	12.8	11.0	9.4	9.4	10.7
兵庫	44.8	31.1	21.6	11.4	10.0	8.7	7.5	7.2
奈良	19.5	24.3	5.9	4.2	6.4	3.8	1.3	2.3
和歌山	29.7	26.7	16.3	3.4	1.1	1.5	12.4	5.2
鳥取	181.3	208.0	171.3	76.8	28.1	30.1	29.0	36.4
島根	96.5	135.3	86.5	38.6	29.4	31.2	24.1	30.9
岡山	143.6	184.0	104.7	45.6	25.7	25.4	17.8	14.5
広島	111.8	90.7	55.8	33.6	16.4	25.1	26.7	31.8
山口	184.6	92.5	63.9	40.1	13.3	15.4	16.9	16.9
徳島	72.6	107.2	48.3	48.6	21.0	24.7	23.4	21.9
香川	215.0	332.2	153.6	67.7	49.1	39.9	35.8	31.9
愛媛	148.5	96.8	68.6	35.0	38.7	42.1	30.7	24.9
高知	76.0	77.8	52.5	28.4	8.2	8.1	10.3	3.2
福岡	81.5	56.3	23.6	13.0	8.1	6.1	7.8	9.2
佐賀	71.6	29.6	12.7	12.9	8.4	－	3.7	3.0
長崎	59.7	41.1	27.1	11.2	12.8	8.0	15.1	15.8
熊本	149.6	194.8	147.8	113.2	77.7	69.1	30.3	21.0
大分	140.6	94.1	64.4	34.3	23.5	27.2	23.9	25.4
宮崎	433.4	411.1	313.8	190.9	78.8	68.8	66.9	46.7
鹿児島	51.4	20.1	13.1	6.7	2.5	4.6	6.1	9.3
沖縄	…	…	…	…	4.1	8.8	11.3	14.1

注：1　平成13年までは「母体保護統計報告」による暦年の数値であり、平成14年度以降は「衛生行政報告例」による年度の数値である。
　　2　分母に、平成15年度までは15～49歳人口、平成16年度以降は20～49歳人口を用い、分子に「不妊手術件数」を用いて計算した。
　1）平成22年度は、東日本大震災の影響により、福島県の相双保健福祉事務所管轄内の市町村が含まれていない。

人口10万対），年次・都道府県別

7 （'95）	12 (2000)	17年度 （'05）	22[1] （'10）	24 （'12）	25 （'13）	26 （'14）	27 （'15）	28 （'16）	29 （'17）
6.7	6.4	5.0	6.4	7.3	7.9	8.3	9.1	9.8	10.8
7.4	11.7	9.3	8.6	9.8	8.8	7.7	9.5	10.3	11.0
26.9	24.2	20.2	24.3	22.1	31.8	29.7	35.2	25.6	28.2
11.9	13.7	12.1	19.9	18.7	19.1	20.4	20.4	26.0	22.8
13.9	15.0	13.7	12.4	18.6	15.9	18.4	20.6	21.5	19.5
27.7	20.2	10.0	13.7	7.9	7.7	11.8	11.4	16.7	8.0
12.3	8.1	8.4	7.7	7.4	9.4	9.3	7.4	10.3	10.3
5.2	4.6	3.2	4.7	8.2	7.0	5.7	11.8	9.5	11.9
2.9	2.2	2.9	5.9	6.6	6.1	6.2	6.3	7.4	9.6
1.1	5.2	4.3	5.1	14.4	15.5	14.0	14.1	15.4	14.8
2.7	4.6	4.9	5.2	5.0	6.5	9.0	9.4	10.7	9.9
0.1	0.1	0.3	0.4	0.3	1.6	2.5	4.4	5.8	8.3
1.6	1.4	–	2.0	2.7	3.2	3.3	4.6	3.4	4.6
0.6	0.6	0.6	1.3	2.1	2.2	2.6	3.3	4.3	4.6
1.4	1.4	1.2	2.6	2.3	1.9	1.7	1.9	2.4	3.2
9.8	6.0	4.9	6.1	4.8	7.4	5.7	4.6	7.4	3.9
15.5	12.4	7.0	4.5	5.9	7.1	6.4	5.3	7.5	8.2
21.6	11.8	7.9	4.5	5.0	6.5	6.3	7.4	6.6	7.9
5.7	3.1	1.0	1.8	1.5	2.6	2.3	3.8	1.9	3.1
3.1	1.8	6.0	2.6	5.0	4.4	7.6	5.0	6.4	6.9
2.1	2.3	3.9	5.8	6.7	8.8	6.5	8.3	7.7	7.7
5.3	5.7	6.0	7.8	7.4	8.9	9.4	12.3	7.9	16.4
8.3	8.5	5.0	10.9	14.1	12.7	13.7	15.0	16.2	16.2
7.3	4.7	4.5	5.1	5.5	6.3	6.7	7.4	7.3	7.7
2.9	1.1	0.3	–	0.3	0.6	–	0.5	2.1	2.2
3.7	0.5	0.2	0.7	0.5	4.6	3.7	4.7	5.8	10.6
4.2	5.1	5.4	5.0	5.5	7.2	5.1	4.5	3.9	5.1
7.0	6.1	4.6	6.6	6.5	6.7	6.6	7.0	8.2	7.9
3.9	7.0	6.6	6.5	6.5	7.2	5.9	7.6	9.0	9.0
1.2	1.7	2.4	10.9	9.5	8.2	8.5	14.0	12.3	15.6
7.5	9.9	12.5	10.8	14.6	14.5	16.0	11.0	14.1	20.0
14.6	14.2	14.1	20.5	21.1	18.6	28.9	25.9	27.6	21.5
27.2	23.1	24.9	28.7	38.4	46.0	50.9	47.7	44.5	38.3
7.0	13.3	6.9	11.9	11.1	14.8	14.1	14.6	14.6	14.6
27.1	23.9	16.7	23.1	22.6	25.4	30.6	29.8	29.1	32.0
8.7	5.4	4.2	10.6	12.8	12.7	13.5	18.2	17.8	16.6
13.3	7.2	5.6	–	4.7	3.2	3.2	5.0	4.5	3.4
22.6	18.3	15.5	24.7	18.5	18.6	27.0	26.6	20.9	23.6
18.6	16.3	10.9	17.6	17.9	18.9	20.0	22.7	23.4	27.7
3.4	4.5	1.1	3.3	5.0	2.6	3.9	16.1	15.2	27.7
5.8	6.3	6.4	5.4	7.2	8.4	8.6	8.2	8.9	11.5
1.8	6.9	5.2	12.6	13.9	18.3	20.0	11.0	13.7	21.0
12.2	6.7	9.0	9.0	15.6	15.5	17.6	19.0	19.3	20.7
13.5	12.5	11.7	9.8	10.5	7.9	11.0	10.0	15.3	15.1
18.6	21.1	18.6	8.0	10.7	11.9	16.4	14.1	16.5	20.2
26.6	24.3	18.8	28.4	26.9	32.3	37.6	43.4	51.5	58.6
6.2	7.6	0.7	11.6	12.9	13.5	13.3	12.2	21.9	24.0
12.5	7.6	3.8	6.1	19.2	25.8	25.0	26.6	29.6	32.2

付表－6　人工妊娠中絶件数，

	総数	20歳未満	再				掲	
			13歳未満	13歳	14	15	16	17
昭和30年 (1955)	1 170 143	14 475	…	…	…	…	…	…
31 ('56)	1 159 288	13 585	…	…	…	…	…	…
32 ('57)	1 122 316	12 835	…	…	…	…	…	…
33 ('58)	1 128 231	13 448	…	…	…	…	…	…
34 ('59)	1 098 853	14 177	…	…	…	…	…	…
35 ('60)	1 063 256	14 697	…	…	…	…	…	…
36 ('61)	1 035 329	15 515	…	…	…	…	…	…
37 ('62)	985 351	14 386	…	…	…	…	…	…
38 ('63)	955 092	13 642	…	…	…	…	…	…
39 ('64)	878 748	12 217	…	…	…	…	…	…
40 ('65)	843 248	13 303	…	…	…	…	…	…
41 ('66)	808 378	15 452	…	…	…	…	…	…
42 ('67)	747 490	15 269	…	…	…	…	…	…
43 ('68)	757 389	15 668	…	…	…	…	…	…
44 ('69)	744 451	14 943	…	…	…	…	…	…
45 ('70)	732 033	14 314	…	…	…	…	…	…
46 ('71)	739 674	14 474	…	…	…	…	…	…
47 ('72)	732 653	14 001	…	…	…	…	…	…
48 ('73)	700 532	13 065	…	…	…	…	…	…
49 ('74)	679 837	12 261	…	…	…	…	…	…
50 ('75)	671 597	12 123	…	…	…	…	…	…
51 ('76)	664 106	13 042	…	…	…	…	…	…
52 ('77)	641 242	13 484	…	…	…	…	…	…
53 ('78)	618 044	15 232	…	…	…	…	…	…
54 ('79)	613 676	17 084	…	…	…	…	…	…
55 ('80)	598 084	19 048	…	…	…	…	…	…
56 ('81)	596 569	22 079	…	…	…	…	…	…
57 ('82)	590 299	24 478	…	…	…	…	…	…
58 ('83)	568 363	25 843	…	…	…	…	…	…
59 ('84)	568 916	28 020	…	…	…	…	…	…
60 ('85)	550 127	28 038	…	…	…	…	…	…
61 ('86)	527 900	28 424	…	…	…	…	…	…
62 ('87)	497 756	27 542	…	…	…	…	…	…
63 ('88)	486 146	28 596	…	…	…	…	…	…
平成元年 ('89)	466 876	29 675	…	…	…	…	…	…
2 ('90)	456 797	32 431	…	…	…	…	…	…
3 ('91)	436 299	33 286	…	…	…	…	…	…
4 ('92)	413 032	31 969	…	…	…	…	…	…
5 ('93)	386 807	29 776	…	…	…	…	…	…
6 ('94)	364 350	27 838	…	…	…	…	…	…
7 ('95)	343 024	26 117	…	…	…	…	…	…
8 ('96)	338 867	28 256	…	…	…	…	…	…
9 ('97)	337 799	30 984	…	…	…	…	…	…
10 ('98)	333 220	34 752	…	…	…	…	…	…
11 ('99)	337 288	39 678	…	…	…	…	…	…
12 (2000)	341 146	44 477	…	…	…	…	…	…
13 ('01)	341 588	46 511	…	…	…	…	…	…
14年度 ('02)	329 326	44 987	…	…	…	…	…	…
15 ('03)	319 831	40 475	…	…	[2)]483	1 548	4 795	7 915
16 ('04)	301 673	34 745	…	…	[2)]456	1 274	3 875	6 447
17 ('05)	289 127	30 119	…	…	[2)]308	1 056	3 277	5 607
18 ('06)	276 352	27 367	…	…	[2)]340	995	3 071	4 911
19 ('07)	256 672	23 985	…	…	[2)]345	974	2 811	4 392
20 ('08)	242 326	22 837	…	…	[2)]347	976	2 771	4 247
21 ('09)	226 878	21 535	…	…	[2)]395	947	2 548	4 031
22 ('10)[1)]	212 694	20 357	…	…	[2)]415	1 052	2 594	3 815
23 ('11)	202 106	20 903	…	…	[2)]406	1 046	2 831	4 099
24 ('12)	196 639	20 659	…	…	[2)]400	1 076	2 701	4 038
25 ('13)	186 253	19 359	22	45	251	1 005	2 648	3 817
26 ('14)	181 905	17 854	14	43	246	786	2 183	3 283
27 ('15)	176 388	16 113	16	52	202	633	1 845	2 884
28 ('16)	168 015	14 666	12	34	174	619	1 452	2 517
29 ('17)	164 621	14 128	12	34	172	518	1 421	2 335

注：平成13年までは「母体保護統計報告」による暦年の数値であり、平成14年度以降は「衛生行政報告例」による年度の数値である。
1) 平成22年度は、東日本大震災の影響により、福島県の相双保健福祉事務所管轄内の市町村が含まれていない。
2) 平成15～24年度の14歳は15歳未満の数値である。

		20～24	25～29	30～34	35～39	40～44	45～49	50歳以上	不　　詳
18	19								
…	…	181 522	309 195	315 788	225 152	109 652	13 027	268	1 064
…	…	180 127	316 782	310 804	220 873	103 004	12 752	230	1 131
…	…	173 626	313 112	301 883	212 490	95 443	11 571	270	1 086
…	…	173 875	315 100	302 719	218 101	92 748	10 874	254	1 112
…	…	173 572	309 356	293 333	210 550	86 141	10 436	274	1 014
…	…	168 626	304 100	278 978	205 361	80 716	9 650	253	875
…	…	166 645	300 624	275 671	190 935	76 089	8 702	218	930
…	…	158 319	285 282	267 877	177 162	73 181	7 840	214	1 090
…	…	153 382	275 510	260 578	170 353	72 932	7 304	230	1 161
…	…	144 992	247 866	239 158	156 208	70 195	6 805	200	1 107
…	…	142 038	235 458	230 352	145 583	68 515	6 611	237	1 151
…	…	136 143	226 063	220 153	141 002	61 602	6 537	211	1 215
…	…	124 801	199 450	204 257	138 570	57 367	6 391	177	1 208
…	…	133 206	203 004	202 307	139 320	56 495	6 030	182	1 177
…	…	137 354	201 821	192 913	135 269	54 793	6 105	166	1 087
…	…	141 355	192 866	187 142	134 464	54 101	6 656	162	973
…	…	152 653	184 507	186 447	138 073	56 379	6 024	197	920
…	…	148 943	181 291	186 379	137 432	57 801	5 668	153	985
…	…	134 053	177 748	179 887	131 010	57 658	5 985	151	975
…	…	119 592	177 639	181 644	125 097	56 737	5 816	127	924
…	…	111 468	184 281	177 452	123 060	56 634	5 596	208	775
…	…	108 187	190 876	168 720	121 427	55 598	5 386	155	715
…	…	99 123	175 803	165 923	123 832	56 573	5 774	157	573
…	…	94 616	159 926	167 894	120 744	53 431	5 614	169	418
…	…	94 062	145 012	173 976	125 973	51 521	5 228	124	696
…	…	90 337	131 826	177 506	123 277	50 280	5 215	132	463
…	…	90 525	123 825	185 099	118 528	50 724	5 246	141	402
…	…	90 257	113 945	181 148	121 809	53 133	5 095	127	307
…	…	89 235	103 597	165 680	126 215	52 862	4 539	104	288
…	…	90 293	101 304	155 376	135 629	53 571	4 366	117	240
…	…	88 733	95 195	142 474	139 594	51 302	4 434	94	263
…	…	84 931	90 479	130 218	141 675	47 299	4 511	121	242
…	…	81 178	86 633	117 866	131 514	48 262	4 408	105	248
…	…	82 585	83 734	110 868	123 387	52 477	4 241	83	175
…	…	83 931	79 579	103 459	111 373	54 409	4 237	72	141
…	…	86 367	79 205	98 232	101 705	54 924	3 753	58	122
…	…	88 217	75 446	90 803	92 676	52 203	3 538	44	86
…	…	87 461	71 978	85 849	84 055	47 757	3 853	60	50
…	…	85 422	69 975	79 066	76 121	42 412	3 954	58	23
…	…	83 309	67 667	72 653	70 998	37 778	4 014	66	27
…	…	79 712	65 727	68 592	65 470	33 586	3 734	69	17
…	…	80 743	66 833	66 045	62 069	31 227	3 583	84	27
…	…	80 252	68 963	64 877	60 007	29 422	3 178	55	61
…	…	79 762	69 402	62 396	57 122	26 855	2 823	45	63
…	…	81 524	70 864	62 107	55 015	25 557	2 455	41	47
…	…	82 598	72 626	61 836	53 078	24 117	2 287	42	85
…	…	82 540	72 621	63 153	51 391	23 085	2 139	30	118
…	…	79 224	68 766	63 293	49 403	21 618	1 885	36	114
11 087	14 647	77 469	66 297	63 923	48 687	20 950	1 853	28	149
9 747	12 946	74 711	61 881	61 628	46 878	20 067	1 666	16	81
8 236	11 635	72 217	59 911	59 748	46 038	19 319	1 663	28	84
7 191	10 859	68 563	57 698	57 516	45 856	17 725	1 572	26	29
6 245	9 218	62 523	54 653	52 718	44 161	17 145	1 447	24	16
6 071	8 425	56 419	51 726	49 473	43 392	17 066	1 379	22	12
5 683	7 931	51 339	48 621	45 847	41 644	16 544	1 302	27	19
5 190	7 291	47 089	45 724	42 206	39 964	15 983	1 334	25	12
5 264	7 257	44 087	42 708	39 917	37 648	15 697	1 108	21	17
5 344	7 100	43 269	40 900	38 362	36 112	16 133	1 163	14	27
4 807	6 764	40 268	37 999	36 757	34 115	16 477	1 237	22	19
4 679	6 620	39 851	36 594	36 621	33 111	16 558	1 281	17	18
4 181	6 300	39 430	35 429	35 884	31 765	16 368	1 340	18	41
3 747	6 111	38 561	33 050	34 256	30 307	15 782	1 352	14	27
3 523	6 113	39 270	32 222	33 082	29 641	14 876	1 363	11	28

付表－7　人工妊娠中絶実施率

	総　数[1]	20歳未満[2]	再				掲
			13歳	14	15	16	17
昭和30年 (1955)	50.2	3.4	…	…	…	…	…
31 ('56)	48.7	3.1	…	…	…	…	…
32 ('57)	46.2	2.9	…	…	…	…	…
33 ('58)	45.6	2.9	…	…	…	…	…
34 ('59)	43.6	3.0	…	…	…	…	…
35 ('60)	42.0	3.2	…	…	…	…	…
36 ('61)	40.6	3.5	…	…	…	…	…
37 ('62)	37.8	3.1	…	…	…	…	…
38 ('63)	35.7	2.8	…	…	…	…	…
39 ('64)	32.1	2.4	…	…	…	…	…
40 ('65)	30.2	2.5	…	…	…	…	…
41 ('66)	28.5	2.7	…	…	…	…	…
42 ('67)	26.0	2.8	…	…	…	…	…
43 ('68)	26.0	3.0	…	…	…	…	…
44 ('69)	25.3	3.1	…	…	…	…	…
45 ('70)	24.8	3.2	…	…	…	…	…
46 ('71)	24.9	3.4	…	…	…	…	…
47 ('72)	24.5	3.4	…	…	…	…	…
48 ('73)	23.2	3.3	…	…	…	…	…
49 ('74)	22.4	3.1	…	…	…	…	…
50 ('75)	22.1	3.1	…	…	…	…	…
51 ('76)	21.8	3.4	…	…	…	…	…
52 ('77)	21.1	3.5	…	…	…	…	…
53 ('78)	20.3	3.9	…	…	…	…	…
54 ('79)	20.1	4.3	…	…	…	…	…
55 ('80)	19.5	4.7	…	…	…	…	…
56 ('81)	19.5	5.5	…	…	…	…	…
57 ('82)	19.3	6.0	…	…	…	…	…
58 ('83)	18.5	6.1	…	…	…	…	…
59 ('84)	18.5	6.5	…	…	…	…	…
60 ('85)	17.8	6.4	…	…	…	…	…
61 ('86)	17.1	6.1	…	…	…	…	…
62 ('87)	16.0	5.8	…	…	…	…	…
63 ('88)	15.6	5.9	…	…	…	…	…
平成元年 ('89)	14.9	6.1	…	…	…	…	…
2 ('90)	14.5	6.6	…	…	…	…	…
3 ('91)	13.9	6.9	…	…	…	…	…
4 ('92)	13.2	6.8	…	…	…	…	…
5 ('93)	12.4	6.6	…	…	…	…	…
6 ('94)	11.8	6.4	…	…	…	…	…
7 ('95)	11.1	6.2	…	…	…	…	…
8 ('96)	10.9	7.0	…	…	…	…	…
9 ('97)	11.0	7.9	…	…	…	…	…
10 ('98)	11.0	9.1	…	…	…	…	…
11 ('99)	11.3	10.6	…	…	…	…	…
12 (2000)	11.7	12.1	…	…	…	…	…
13 ('01)	11.8	13.0	…	…	…	…	…
14年度 ('02)	11.4	12.8	…	…	…	…	…
15 ('03)	11.2	11.9	…	…	2.4	7.3	11.8
16 ('04)	10.6	10.5	…	…	2.1	6.1	9.8
17 ('05)	10.3	9.4	…	…	1.7	5.3	8.8
18 ('06)	9.9	8.7	…	…	1.7	5.1	7.9
19 ('07)	9.3	7.8	…	…	1.6	4.8	7.3
20 ('08)	8.8	7.6	…	…	1.7	4.7	7.2
21 ('09)	8.3	7.3	…	…	1.6	4.4	6.8
22 ('10)[3]	7.9	6.9	…	…	1.8	4.4	6.5
23 ('11)	7.5	7.1	…	…	1.8	4.8	6.9
24 ('12)	7.4	7.0	…	…	1.8	4.7	6.8
25 ('13)	7.0	6.6	0.1	0.4	1.7	4.5	6.6
26 ('14)	6.9	6.1	0.1	0.4	1.4	3.7	5.6
27 ('15)	6.8	5.5	0.1	0.4	1.1	3.2	4.9
28 ('16)	6.5	5.0	0.1	0.3	1.1	2.5	4.3
29 ('17)	6.4	4.8	0.1	0.3	0.9	2.5	4.0

注：平成13年までは「母体保護統計報告」による暦年の数値であり、平成14年度以降は「衛生行政報告例」による年度の数値である。

1)「総数」は、分母に15～49歳の女子人口を用い、分子に15歳未満を含め、50歳以上を除いた「人工妊娠中絶件数」を用いて計算した。

2)「20歳未満」は、分母に15～19歳の女子人口を用い、分子に15歳未満を含めた「人工妊娠中絶件数」を用いて計算した。

3)平成22年度は、東日本大震災の影響により、福島県の相双保健福祉事務所管轄内の市町村が含まれていない。

（女子人口千対），年齢階級・年次別

		20～24	25～29	30～34	35～39	40～44	45～49
18	19						
…	…	43.1	80.8	95.1	80.5	41.8	5.8
…	…	42.2	81.3	90.3	77.3	38.8	5.4
…	…	40.3	78.8	85.3	72.1	35.8	4.8
…	…	40.5	77.8	83.3	71.1	34.7	4.4
…	…	41.0	75.5	78.7	65.6	32.5	4.1
…	…	40.2	73.9	74.0	62.7	29.4	3.8
…	…	39.0	72.1	71.9	56.2	27.1	3.3
…	…	36.1	67.9	68.5	50.7	25.2	3.0
…	…	34.2	65.7	65.5	47.5	24.1	2.8
…	…	30.9	59.8	59.4	42.4	22.2	2.6
…	…	31.1	56.0	56.0	38.8	21.2	2.5
…	…	31.3	52.8	52.8	36.9	18.3	2.4
…	…	27.6	45.6	48.5	35.5	16.6	2.2
…	…	27.8	45.5	48.1	35.0	15.9	2.0
…	…	27.2	43.5	46.5	33.6	15.0	2.0
…	…	26.4	42.2	44.7	32.9	14.7	2.1
…	…	27.1	42.4	43.7	33.3	15.1	1.8
…	…	27.4	40.0	42.7	32.8	15.1	1.7
…	…	26.0	36.8	40.0	31.0	14.6	1.7
…	…	25.0	35.1	38.8	30.0	14.1	1.6
…	…	24.7	34.3	38.4	29.2	13.8	1.5
…	…	25.2	33.8	38.5	28.3	13.4	1.4
…	…	24.2	32.3	36.4	28.2	13.5	1.5
…	…	23.8	31.2	34.9	26.8	12.7	1.4
…	…	23.8	30.5	34.5	26.8	12.4	1.3
…	…	23.3	29.3	33.2	26.8	12.0	1.3
…	…	23.5	28.9	32.8	27.1	11.9	1.3
…	…	23.2	27.9	33.3	26.8	12.2	1.2
…	…	22.8	26.1	32.3	26.3	11.8	1.1
…	…	22.9	25.8	32.7	26.9	11.5	1.1
…	…	22.0	24.6	31.5	26.2	11.2	1.1
…	…	21.3	23.5	30.4	25.2	10.9	1.1
…	…	19.8	22.4	28.9	24.3	10.7	1.0
…	…	19.6	21.6	28.0	24.1	11.0	1.0
…	…	19.5	20.4	26.4	23.5	10.8	0.9
…	…	19.8	19.7	25.4	22.7	10.3	0.8
…	…	19.1	19.1	23.7	21.7	9.3	0.8
…	…	18.6	17.7	22.3	20.6	8.8	0.9
…	…	17.8	16.8	20.4	19.2	8.3	0.8
…	…	17.1	15.8	18.6	18.1	8.0	0.8
…	…	16.6	15.4	17.2	16.9	7.5	0.7
…	…	16.8	14.5	16.7	16.1	7.3	0.6
…	…	17.1	14.7	15.9	15.5	7.2	0.6
…	…	17.7	14.5	14.9	14.7	6.8	0.6
…	…	18.8	14.6	14.5	14.0	6.5	0.5
…	…	20.5	15.4	14.5	13.2	6.2	0.5
…	…	20.6	15.2	13.7	13.0	6.0	0.5
…	…	20.3	14.8	13.5	12.1	5.6	0.5
15.7	19.9	20.2	14.8	13.3	11.6	5.4	0.5
14.5	18.4	19.8	14.4	12.7	10.9	5.1	0.4
12.4	17.2	20.0	14.6	12.4	10.6	4.8	0.4
11.2	16.3	19.2	14.6	12.1	10.0	4.5	0.4
10.0	14.2	17.8	14.3	11.4	9.5	4.2	0.4
10.0	13.3	16.3	13.8	11.2	9.1	4.1	0.4
9.6	12.9	15.3	13.2	10.8	8.7	3.9	0.3
8.8	12.4	14.9	12.7	10.3	8.3	3.7	0.3
8.9	12.1	14.1	12.0	10.0	7.9	3.4	0.3
8.9	12.0	14.1	11.8	9.9	7.8	3.4	0.3
8.0	11.2	13.3	11.3	9.8	7.6	3.4	0.3
8.0	11.0	13.2	11.2	10.0	7.7	3.4	0.3
7.1	10.8	13.5	11.2	10.0	7.7	3.4	0.3
6.3	10.2	12.9	10.6	9.6	7.6	3.3	0.3
6.0	10.1	13.0	10.5	9.5	7.6	3.2	0.3

付表－８　人工妊娠中絶件数，

	昭和30年 (1955)	35 ('60)	40 ('65)	45 ('70)	50 ('75)	55 ('80)	60 ('85)	平成２年 ('90)
全国	1 170 143	1 063 256	843 248	732 033	671 597	598 084	550 127	456 797
北海道	83 413	77 609	60 913	55 116	50 419	50 203	44 483	33 931
青森	24 778	19 268	14 421	10 903	8 448	6 876	6 847	5 250
岩手	19 839	20 881	17 137	13 609	10 756	11 073	9 745	7 220
宮城	27 740	23 771	16 724	13 121	12 331	12 367	12 632	10 134
秋田	18 955	20 547	17 301	12 823	10 896	9 828	9 814	6 915
山形	27 059	17 910	10 177	8 376	8 002	8 872	8 116	6 385
福島	25 187	23 641	23 544	18 042	16 108	16 326	13 557	11 538
茨城	16 570	12 164	10 083	7 640	5 520	6 174	6 623	6 214
栃木	13 718	12 666	8 178	7 962	7 776	7 619	8 319	6 930
群馬	22 191	23 904	13 429	8 922	8 197	8 347	8 339	6 520
埼玉	13 716	12 486	11 652	17 171	20 806	19 499	18 338	17 579
千葉	11 656	11 875	10 769	12 289	15 636	16 367	15 992	14 098
東京	69 385	68 644	61 673	63 201	58 100	47 427	42 683	37 132
神奈川	28 675	29 642	22 366	29 329	36 253	31 268	27 051	22 862
新潟	34 049	28 392	21 109	15 155	14 180	13 197	12 850	10 424
富山	22 318	15 249	9 979	7 165	5 424	4 772	4 229	3 373
石川	10 867	7 113	6 204	6 988	7 173	6 092	4 847	4 138
福井	8 133	5 626	4 991	3 864	3 755	3 171	2 880	2 405
山梨	4 453	4 528	2 379	2 306	2 415	1 920	1 756	1 631
長野	30 659	24 630	16 503	9 244	5 738	6 576	7 835	6 714
岐阜	22 670	15 127	12 851	10 951	8 798	8 347	8 169	6 909
静岡	41 374	38 955	28 983	25 325	19 689	15 556	13 777	11 127
愛知	50 046	43 211	42 965	46 290	40 881	32 135	29 369	24 280
三重	19 046	22 374	21 343	13 111	12 599	11 844	9 949	7 948
滋賀	14 620	12 524	8 249	6 611	6 300	4 419	4 496	4 470
京都	33 998	38 914	36 449	27 415	22 017	15 551	12 959	9 981
大阪	65 802	66 463	63 218	55 159	53 640	40 775	35 254	28 855
兵庫	44 540	43 846	35 478	34 668	30 048	24 499	21 866	17 212
奈良	4 185	4 888	3 974	3 662	2 827	2 107	2 691	2 316
和歌山	14 128	13 609	9 908	4 526	4 566	4 064	3 949	3 385
鳥取	11 579	10 729	5 435	4 691	4 235	4 106	3 625	2 881
島根	15 455	13 427	9 295	5 808	4 547	4 811	3 845	3 159
岡山	28 631	37 475	26 949	22 482	17 889	15 687	12 727	10 519
広島	21 651	17 866	16 903	15 170	15 347	13 789	12 314	10 315
山口	29 928	20 028	13 653	9 480	7 997	7 589	5 923	4 713
徳島	6 589	4 929	3 686	4 475	3 831	3 472	3 188	2 132
香川	20 198	19 678	12 926	9 616	7 984	7 038	6 002	5 101
愛媛	21 254	17 259	7 229	4 459	5 299	5 148	5 859	5 347
高知	10 055	11 812	10 198	7 282	6 507	4 762	4 878	4 125
福岡	63 083	61 768	44 960	37 502	32 163	28 109	27 445	23 398
佐賀	12 769	8 221	6 998	6 041	4 918	4 795	4 711	4 981
長崎	23 377	16 682	15 402	15 732	14 992	13 022	11 455	9 750
熊本	23 660	23 047	17 658	13 245	11 413	9 810	9 454	7 955
大分	16 430	12 299	9 988	8 774	9 606	10 155	8 863	7 155
宮崎	24 806	11 632	7 705	6 506	4 386	6 216	7 174	5 746
鹿児島	16 908	15 947	11 313	9 826	9 172	9 740	10 051	8 155
沖縄	…	…	…	…	2 013	2 564	3 198	3 489

注：平成13年までは「母体保護統計報告」による暦年の数値であり、平成14年度以降は「衛生行政報告例」による年度の数値である。
　1）平成22年度は、東日本大震災の影響により、福島県の相双保健福祉事務所管轄内の市町村が含まれていない。

年次・都道府県別

7 ('95)	12 (2000)	17年度 ('05)	22[1] ('10)	24 ('12)	25 ('13)	26 ('14)	27 ('15)	28 ('16)	29 ('17)
343 024	341 146	289 127	212 694	196 639	186 253	181 905	176 388	168 015	164 621
24 184	22 642	16 622	10 645	9 725	9 047	8 800	8 483	7 987	7 234
3 938	4 429	3 310	2 342	2 103	1 927	1 772	1 757	1 607	1 618
5 546	5 295	3 796	2 435	2 205	2 092	1 990	1 786	1 677	1 556
8 007	8 230	6 577	4 807	4 527	4 269	4 206	3 948	3 696	3 548
4 699	4 035	2 712	1 749	1 499	1 395	1 321	1 231	1 083	1 001
4 213	3 954	2 897	1 784	1 622	1 408	1 360	1 352	1 218	1 168
8 449	7 980	6 243	3 739	3 656	3 233	3 211	3 038	2 856	2 577
5 647	6 438	5 634	3 457	3 327	3 162	3 088	2 889	2 609	2 653
5 988	6 179	4 935	3 372	3 148	3 020	2 867	2 748	2 666	1 623
5 605	5 924	4 847	3 203	2 858	2 715	2 670	2 499	2 535	2 543
10 577	13 908	12 720	9 982	7 975	6 807	6 725	7 072	6 158	5 906
11 487	11 145	9 094	7 067	6 146	5 856	6 096	5 879	5 747	6 051
28 354	28 589	28 628	26 660	26 612	26 068	25 846	26 672	26 501	26 421
18 891	18 061	16 579	11 992	11 878	11 152	10 967	10 665	9 849	11 164
7 111	6 974	5 269	3 604	3 123	3 077	2 885	2 721	2 568	2 441
2 896	2 598	2 299	1 570	1 382	1 186	1 119	1 151	979	1 013
2 831	3 054	2 558	1 649	1 696	1 669	1 567	1 530	1 341	1 353
2 044	2 223	1 601	1 198	1 079	1 034	991	944	1 016	951
1 216	1 384	1 423	899	810	744	804	789	794	826
5 575	6 580	5 764	3 370	3 301	3 026	3 097	2 846	2 700	2 130
4 965	5 276	4 287	2 961	2 683	2 350	2 399	2 342	2 133	2 089
8 087	8 581	7 443	5 945	5 242	5 175	4 791	4 595	4 088	3 834
18 378	17 015	14 502	10 592	10 276	9 392	9 168	9 217	8 530	8 739
5 463	5 198	4 552	3 451	2 692	2 558	2 339	2 288	2 190	1 987
3 772	3 674	2 758	2 069	1 870	1 619	1 478	1 565	1 366	1 329
6 884	6 611	5 661	4 076	3 689	3 869	3 667	2 465	3 320	3 364
19 739	19 828	19 507	16 008	15 121	14 468	14 459	13 739	14 073	13 637
13 177	12 208	10 944	7 254	6 702	6 482	6 090	5 598	5 206	5 424
1 919	1 899	1 836	1 495	1 072	1 138	958	1 111	998	934
2 316	2 705	2 244	1 476	1 359	1 368	1 331	1 251	1 147	1 076
2 150	2 244	1 960	1 286	1 181	1 084	1 089	1 043	988	946
2 107	1 749	1 294	980	935	903	817	808	708	737
7 786	6 856	4 436	3 655	3 052	3 020	2 807	2 720	2 562	2 267
8 112	8 609	7 230	5 440	4 886	4 603	4 592	4 499	4 308	4 107
3 350	3 593	3 173	2 176	2 049	1 970	1 917	1 721	1 549	1 605
2 123	1 851	1 869	1 159	1 060	1 031	999	848	788	830
3 490	3 311	2 533	1 729	1 649	1 521	1 400	1 369	1 300	1 254
4 381	4 125	3 632	2 481	2 222	2 127	2 124	2 081	1 934	1 831
3 345	3 025	2 326	1 486	1 260	1 303	1 213	1 131	1 073	945
18 439	20 105	16 747	12 258	11 517	10 619	10 400	10 312	9 904	9 742
3 966	3 552	2 824	1 846	1 662	1 614	1 491	1 416	1 257	1 240
6 435	5 695	4 245	2 771	2 483	2 304	2 312	2 101	1 983	1 936
6 398	6 497	5 540	4 154	3 681	3 414	3 445	3 148	2 882	3 057
5 347	4 972	3 474	2 251	2 056	1 973	1 978	1 914	1 739	1 599
4 265	3 712	3 024	1 917	1 685	1 752	1 637	1 620	1 427	1 435
6 474	5 488	4 534	3 691	3 302	3 153	3 070	3 021	2 588	2 554
2 898	3 145	3 044	2 563	2 581	2 556	2 552	2 465	2 387	2 346

付表－9　人工妊娠中絶実施率（15～49歳

	昭和30年(1955)	35('60)	40('65)	45('70)	50('75)	55('80)	60('85)	平成２年('90)
全国	50.2	42.0	30.2	24.8	22.1	19.5	17.8	14.5
北海道	70.1	58.5	41.6	36.4	33.5	33.1	29.5	22.8
青森	70.8	52.0	37.2	27.1	20.9	17.0	17.9	14.2
岩手	54.6	55.2	44.6	35.7	29.0	30.8	28.2	21.9
宮城	62.3	51.7	34.7	25.4	22.9	22.7	23.0	18.1
秋田	54.7	58.3	48.9	36.3	32.3	30.5	33.2	24.8
山形	76.1	50.9	28.7	24.8	25.1	29.3	28.9	23.0
福島	47.9	45.4	45.3	34.1	31.2	32.6	28.2	23.7
茨城	32.2	23.6	18.7	13.2	9.1	9.7	10.1	8.7
栃木	35.4	32.7	19.8	18.2	17.3	17.0	18.1	14.6
群馬	53.3	56.9	30.1	19.3	17.7	18.1	17.9	13.4
埼玉	23.5	19.2	13.6	15.6	15.7	13.4	11.6	10.1
千葉	20.8	19.6	14.4	13.1	13.9	13.0	11.6	9.5
東京	30.5	23.6	18.2	18.2	17.3	14.6	13.3	11.8
神奈川	36.6	30.4	17.1	18.5	20.5	16.8	13.8	10.8
新潟	54.2	45.2	32.8	23.5	22.9	22.1	22.6	18.2
富山	84.4	54.9	33.8	24.4	19.0	17.2	15.5	12.3
石川	43.6	27.1	22.3	24.9	25.5	21.6	17.0	14.5
福井	42.0	28.2	24.2	19.0	18.8	16.2	14.9	12.4
山梨	21.6	22.5	11.7	11.3	12.1	9.8	9.0	8.0
長野	59.0	46.7	30.5	17.3	11.2	13.2	15.4	13.5
岐阜	55.2	33.8	26.2	21.7	17.4	16.4	16.0	13.2
静岡	60.2	52.6	35.2	28.9	22.0	17.4	15.3	12.1
愛知	47.6	35.0	29.8	29.5	25.0	19.6	17.0	13.7
三重	48.8	55.9	50.1	30.5	29.4	27.8	23.5	17.9
滋賀	65.1	55.4	34.9	27.0	24.4	16.3	15.4	14.5
京都	64.4	69.1	59.2	42.6	33.6	23.5	19.5	14.8
大阪	50.7	41.4	31.6	24.5	23.0	17.5	14.9	12.1
兵庫	45.8	40.2	28.4	25.9	22.1	18.1	15.9	12.2
奈良	20.1	23.2	17.0	13.8	9.6	6.5	7.8	6.3
和歌山	53.7	50.9	35.1	15.9	16.5	15.0	15.1	12.8
鳥取	74.3	69.5	34.9	30.4	28.3	28.1	24.7	20.4
島根	69.3	61.8	43.6	28.6	23.8	26.6	21.6	18.8
岡山	65.3	83.1	58.1	47.4	37.5	33.5	27.3	22.3
広島	38.8	30.3	26.1	22.1	21.8	19.8	17.6	14.3
山口	73.4	47.6	31.6	22.3	19.4	19.1	15.5	12.5
徳島	30.3	23.1	16.8	20.5	17.9	16.8	16.1	10.8
香川	83.4	80.6	50.7	37.6	31.3	28.3	24.6	20.7
愛媛	55.4	44.8	18.2	11.3	13.6	13.5	15.9	14.6
高知	45.8	54.2	46.6	34.1	31.2	23.6	24.9	21.3
福岡	62.3	56.7	39.1	31.6	26.7	23.1	22.4	18.9
佐賀	52.1	34.3	30.4	26.4	22.4	22.2	22.3	23.9
長崎	54.8	39.0	36.5	37.5	36.6	32.6	29.5	25.8
熊本	49.7	48.9	37.5	28.3	25.1	21.7	21.1	18.2
大分	50.8	38.3	30.7	27.1	30.2	32.7	30.4	24.2
宮崎	88.6	41.5	27.2	22.6	15.1	21.3	24.7	20.4
鹿児島	34.3	34.4	24.7	22.1	21.0	22.6	23.7	19.9
沖縄	…	…	…	…	7.6	9.2	11.1	11.5

注：１　平成13年までは「母体保護統計報告」による暦年の数値であり、平成14年度以降は「衛生行政報告例」による年度の数値である。

２　分母に15～49歳の女子人口を用い、分子に50歳以上の数値を除いた「人工妊娠中絶件数」を用いて計算した。

1）平成22年度は、東日本大震災の影響により、福島県の相双保健福祉事務所管轄内の市町村が含まれていない。

女子人口千対），年次・都道府県別

7 （'95）	12 (2000)	17年度 （'05）	22[1)] （'10）	24 （'12）	25 （'13）	26 （'14）	27 （'15）	28 （'16）	29 （'17）
11.1	11.7	10.3	7.9	7.4	7.0	6.9	6.8	6.5	6.4
16.9	16.9	13.6	9.3	8.8	8.3	8.2	8.1	7.6	7.0
11.2	13.4	11.1	8.8	8.2	7.7	7.3	7.4	6.9	7.1
17.3	17.8	13.8	9.8	9.2	8.9	8.6	7.9	7.4	7.0
13.9	14.9	12.4	9.6	9.2	8.7	8.7	8.5	7.8	7.5
17.7	16.7	12.5	9.2	8.3	7.9	7.6	7.3	6.5	6.2
16.1	15.3	12.2	8.3	7.8	6.9	6.8	6.8	6.2	6.1
17.5	17.3	14.6	10.6	10.0	9.0	9.1	8.9	8.4	7.7
7.6	9.6	8.9	5.8	5.7	5.5	5.4	5.2	4.7	4.8
12.5	13.7	11.5	8.3	7.9	7.7	7.4	7.1	6.9	4.3
11.9	13.3	11.5	8.0	7.2	6.9	6.9	6.6	6.7	6.8
6.0	8.3	8.0	6.3	5.1	4.4	4.3	4.6	4.0	3.9
7.7	8.0	6.7	5.3	4.7	4.5	4.7	4.6	4.4	4.7
9.3	9.7	9.5	8.5	8.4	8.2	8.1	8.5	8.2	8.2
8.9	8.8	8.2	5.9	5.9	5.5	5.5	5.4	5.0	5.7
12.9	13.5	10.9	8.0	7.1	7.0	6.7	6.4	6.1	5.9
11.4	11.1	10.4	7.5	6.7	5.8	5.6	5.8	5.0	5.2
9.7	11.5	10.3	7.0	7.2	7.2	6.8	6.8	5.9	6.0
10.7	12.8	9.5	7.7	7.1	6.8	6.7	6.4	6.9	6.5
6.0	7.3	7.7	5.2	4.8	4.5	5.0	5.0	5.1	5.4
11.5	14.4	13.1	8.2	8.2	7.6	7.8	7.4	7.0	5.6
9.7	11.1	9.5	7.0	6.5	5.7	5.9	5.9	5.4	5.4
8.9	10.3	9.3	7.9	7.1	7.1	6.7	6.5	5.8	5.5
10.6	10.3	8.9	6.5	6.3	5.8	5.7	5.8	5.3	5.5
12.5	12.9	11.5	9.2	7.3	7.0	6.5	6.5	6.2	5.7
11.7	11.9	8.9	6.8	6.2	5.3	4.9	5.3	4.6	4.5
10.5	10.9	9.5	7.2	6.5	6.9	6.6	4.5	6.0	6.1
8.6	9.5	9.7	8.1	7.7	7.4	7.4	7.2	7.3	7.1
9.7	9.4	8.7	6.0	5.6	5.5	5.2	4.9	4.5	4.8
5.1	5.6	5.8	5.0	3.7	3.9	3.4	4.0	3.7	3.5
9.4	12.0	10.6	7.6	7.2	7.4	7.4	6.9	6.4	6.2
15.9	17.8	16.1	11.6	10.8	10.1	10.4	10.0	9.6	9.3
13.2	12.0	9.4	7.8	7.7	7.4	6.8	6.9	6.0	6.3
17.0	16.3	10.8	9.3	7.8	7.7	7.3	7.2	6.7	6.0
11.6	13.3	11.8	9.3	8.4	8.0	8.1	8.0	7.6	7.3
9.5	11.3	10.9	8.1	7.8	7.6	7.5	6.8	6.1	6.5
11.3	10.4	11.3	7.8	7.3	7.1	7.0	6.1	5.7	6.1
14.7	15.6	12.3	9.1	8.8	8.1	7.5	7.6	7.1	6.9
12.7	12.8	12.1	9.0	8.2	8.0	8.1	8.2	7.6	7.4
18.8	18.1	14.9	10.6	9.2	9.6	9.2	8.8	8.4	7.6
14.8	16.6	14.6	11.1	10.4	9.7	9.5	9.6	9.2	9.1
19.8	18.5	15.5	11.0	10.1	9.8	9.3	8.9	7.9	8.0
17.8	16.9	13.9	10.1	9.3	8.8	9.0	8.3	8.0	7.9
15.2	15.5	14.4	11.6	10.4	9.8	10.0	9.3	8.6	9.3
19.2	19.1	14.2	9.8	9.2	8.9	9.1	8.9	8.1	7.6
15.3	14.7	12.7	8.8	7.9	8.3	7.9	8.0	7.1	7.2
15.9	14.3	12.5	11.1	10.2	9.9	9.7	10.0	8.6	8.6
9.0	10.0	9.4	8.2	8.2	8.2	8.2	8.0	7.7	7.6

付表－10　人工妊娠中絶件数，妊娠週数・年次別

	総　　数	満７週以前（第２月以内）	満8週～満11週（第３月）	満12週～満15週（第４月）	満16週～満19週（第５月）	満20週・満21週	週数不詳
平成３年（1991）	436 299	237 612	171 877	14 471	8 369	3 807	163
4（'92）	413 032	225 460	161 760	14 156	8 042	3 531	83
5（'93）	386 807	212 241	151 234	12 843	7 227	3 232	30
6（'94）	364 350	201 979	140 643	12 001	6 768	2 897	62
7（'95）	343 024	191 460	132 407	10 554	5 960	2 605	38
8（'96）	338 867	191 292	128 544	10 460	5 969	2 550	52
9（'97）	337 799	189 652	128 447	10 814	6 226	2 527	133
10（'98）	333 220	187 369	126 591	10 618	5 965	2 570	107
11（'99）	337 288	189 519	128 438	10 577	6 026	2 623	105
12（2000）	341 146	191 708	129 847	10 690	6 065	2 665	171
13（'01）	341 588	193 438	129 140	10 484	5 880	2 532	114
14年度（'02）	329 326	185 310	125 251	10 018	5 900	2 658	189
15（'03）	319 831	180 618	121 192	9 461	5 744	2 567	249
16（'04）	301 673	170 788	113 873	9 125	5 334	2 409	144
17（'05）	289 127	163 779	109 887	8 275	4 899	2 141	146
18（'06）	276 352	155 767	105 952	7 760	4 671	2 130	72
19（'07）	256 672	144 572	98 663	6 997	4 298	2 097	45
20（'08）	242 326	134 604	94 455	6 679	4 263	2 267	58
21（'09）	226 878	126 713	87 791	6 399	3 896	2 028	51
22（'10）1)	212 694	117 538	83 044	5 958	4 048	2 065	41
23（'11）	202 106	110 595	79 918	5 679	3 858	2 006	50
24（'12）	196 639	107 633	77 388	5 445	3 783	2 344	46
25（'13）	186 253	101 027	74 512	5 082	3 582	2 015	35
26（'14）	181 905	98 509	72 882	4 828	3 624	2 038	24
27（'15）	176 388	95 878	70 584	4 299	3 475	2 115	37
28（'16）	168 015	91 652	66 859	4 118	3 277	2 059	50
29（'17）	164 621	90 064	65 059	3 984	3 343	2 123	48

注：平成13年までは「母体保護統計報告」による暦年の数値であり、平成14年度以降は「衛生行政報告例」による年度の数値である。
1）平成22年度は、東日本大震災の影響により、福島県の相双保健福祉事務所管轄内の市町村が含まれていない。

（参　考）　算出に用いた人口（単位：人）

人口10万対比率に用いた人口

都道府県別

	総人口
全　国	126 706 000
北海道	5 320 000
青　森	1 278 000
岩　手	1 255 000
宮　城	2 323 000
秋　田	996 000
山　形	1 102 000
福　島	1 882 000
茨　城	2 892 000
栃　木	1 957 000
群　馬	1 960 000
埼　玉	7 310 000
千　葉	6 246 000
東　京	13 724 000
神奈川	9 159 000
新　潟	2 267 000
富　山	1 056 000
石　川	1 147 000
福　井	779 000
山　梨	823 000
長　野	2 076 000
岐　阜	2 008 000
静　岡	3 675 000
愛　知	7 525 000
三　重	1 800 000
滋　賀	1 413 000
京　都	2 599 000
大　阪	8 823 000
兵　庫	5 503 000
奈　良	1 348 000
和歌山	945 000
鳥　取	565 000
島　根	685 000
岡　山	1 907 000
広　島	2 829 000
山　口	1 383 000
徳　島	743 000
香　川	967 000
愛　媛	1 364 000
高　知	714 000
福　岡	5 107 000
佐　賀	824 000
長　崎	1 354 000
熊　本	1 765 000
大　分	1 152 000
宮　崎	1 089 000
鹿児島	1 626 000
沖　縄	1 443 000

資料：「人口推計（平成29年10月１日現在）」（総務省統計局）

不妊手術・人工妊娠中絶実施率の算出に用いた人口

年次別１（不妊手術実施率及び平成15年までの人工妊娠中絶実施率）

年	次	総　数	男	女
昭和30年	1955 (*)	45 177 651	21 890 168	23 287 483
31	'56	46 261 000	22 438 000	23 823 000
32	'57	47 254 000	22 948 000	24 306 000
33	'58	48 187 000	23 430 000	24 757 000
34	'59	49 135 000	23 924 000	25 211 000
35	'60 (*)	49 227 872	23 938 939	25 288 933
36	'61	49 928 000	24 439 000	25 489 000
37	'62	50 956 000	24 875 000	26 081 000
38	'63	52 359 000	25 623 000	26 736 000
39	'64	53 760 000	26 372 000	27 388 000
40	'65 (*)	54 923 488	26 980 689	27 942 799
41	'66	55 898 000	27 513 000	28 385 000
42	'67	56 777 000	28 000 000	28 777 000
43	'68	57 555 000	28 436 000	29 119 000
44	'69	58 252 000	28 841 000	29 411 000
45	'70 (*)	58 609 535	29 049 505	29 560 030
46	'71	59 069 000	29 321 000	29 748 000
47	'72	59 400 000	29 536 000	29 864 000
48	'73	60 192 000	29 990 000	30 202 000
49	'74	60 488 000	30 185 000	30 303 000
50	'75 (*)	61 068 229	30 648 816	30 419 413
51	'76	61 160 000	30 720 000	30 440 000
52	'77	61 228 000	30 767 000	30 461 000
53	'78	61 309 000	30 813 000	30 496 000
54	'79	61 402 000	30 871 000	30 531 000
55	'80 (*)	61 555 825	30 937 666	30 618 159
56	'81	61 393 000	30 875 000	30 518 000
57	'82	61 579 000	30 984 000	30 596 000
58	'83	61 738 000	31 082 000	30 656 000
59	'84	61 960 000	31 210 000	30 749 000
60	'85 (**)	62 217 000	31 341 000	30 877 000
61	'86	62 398 000	31 459 000	30 941 000
62	'87	62 677 000	31 622 000	31 054 000
63	'88	63 058 000	31 848 000	31 213 000
平成元年	'89	63 531 000	32 112 000	31 418 000
2	'90 (***)	63 664 000	32 175 000	31 490 000
3	'91	63 490 000	32 088 000	31 404 000
4	'92	63 325 000	32 029 000	31 297 000
5	'93	63 148 000	31 956 000	31 193 000
6	'94	62 798 000	31 791 000	31 006 000
7	'95 (**)	62 329 900	31 440 900	30 889 000
8	'96	62 939 000	31 874 000	31 067 000
9	'97	62 170 000	31 490 000	30 679 000
10	'98	61 310 000	31 056 000	30 254 000
11	'99	60 375 000	30 583 000	29 791 000
12	2000 (**)	58 773 600	29 675 500	29 098 100
13	'01	58 876 000	29 829 000	29 047 000
14	'02	58 339 000	29 539 000	28 800 000
15	'03	57 919 000	29 330 000	28 587 000
16	'04	50 723 000	25 647 000	25 077 000
17	'05 (****)	50 130 218	25 348 071	24 782 147
18	'06	49 919 000	25 268 000	24 653 000
19	'07	49 775 000	25 214 000	24 560 000
20	'08	49 527 000	25 107 000	24 418 000
21	'09	49 128 000	24 916 000	24 212 000
22	'10 (*****)	48 559 591	24 524 492	24 035 099
23	'11	48 675 000	24 666 000	24 008 000
24	'12	48 247 000	24 463 000	23 784 000
25	'13	47 830 000	24 263 000	23 567 000
26	'14	47 418 000	24 071 000	23 348 000
27	'15 (*****)	46 379 796	23 459 953	22 919 843
28	'16	46 912 000	23 836 000	23 075 000
29	'17	46 415 000	23 600 000	22 814 000

資料：(*)　の年次は、国勢調査人口（確定数）
(**)　の年次は、国勢調査抽出速報集計結果
(***)　の年次は、総務庁の人口基礎資料に基づき、厚生省大臣官房統計情報部で作成した平成2年10月1日現在の推計人口
(****) の年次は、「平成17年国勢調査」（総務省統計局）－按分済み人口
(*****) の年次は、「国勢調査人口等基本集計」、なお、平成22年度は福島県の相双保健福祉事務所管轄内の市町村を除いた結果
その他の年次は、「人口推計（各年10月1日現在）」（総務省統計局）
注：平成15年までは15～49歳の人口、平成16年からは20～49歳の人口。

年次別２（平成16年からの人工妊娠中絶実施率）

年	次	女
平成16年	2004	28 372 000
17	'05 (****)	27 986 131
18	'06	27 781 000
19	'07	27 622 000
20	'08	27 421 000
21	'09	27 178 000
22	'10 (*****)	26 984 754
23	'11	26 966 000
24	'12	26 732 000
25	'13	26 516 000
26	'14	26 278 000
27	'15 (*****)	25 842 815
28	'16	26 012 000
29	'17	25 730 000

資料：(****) の年次は、「平成17年国勢調査」（総務省統計局）－按分済み人口
(*****) の年次は、「国勢調査人口等基本集計」、なお、平成22年度は福島県の相双保健福祉事務所管轄内の市町村を除いた結果
その他の年次は、「人口推計（各年10月1日現在）」（総務省統計局）
注：15～49歳の女子人口。

都道府県別（人工妊娠中絶実施率）

	15～49歳人口（女）	15～19歳	20～24	25～29	30～34	35～39	40～44	45～49
全　国	25 730 000	2 916 000	3 023 000	3 069 000	3 496 000	3 888 000	4 658 000	4 680 000
北海道	1 028 000	114 000	114 000	119 000	139 000	159 000	192 000	191 000
青　森	228 000	29 000	23 000	24 000	31 000	35 000	42 000	44 000
岩　手	221 000	28 000	23 000	25 000	30 000	35 000	40 000	40 000
宮　城	470 000	53 000	59 000	59 000	66 000	73 000	82 000	78 000
秋　田	161 000	20 000	14 000	17 000	22 000	26 000	31 000	31 000
山　形	193 000	25 000	19 000	22 000	27 000	31 000	35 000	34 000
福　島	334 000	45 000	33 000	39 000	46 000	52 000	60 000	59 000
茨　城	551 000	69 000	60 000	62 000	74 000	84 000	101 000	101 000
栃　木	378 000	45 000	39 000	44 000	53 000	59 000	70 000	68 000
群　馬	375 000	48 000	42 000	41 000	48 000	56 000	70 000	70 000
埼　玉	1 528 000	168 000	191 000	180 000	201 000	226 000	278 000	284 000
千　葉	1 285 000	141 000	152 000	150 000	171 000	193 000	236 000	242 000
東　京	3 228 000	272 000	416 000	442 000	477 000	501 000	558 000	562 000
神奈川	1 969 000	208 000	242 000	232 000	260 000	294 000	358 000	375 000
新　潟	414 000	52 000	44 000	47 000	56 000	64 000	77 000	74 000
富　山	195 000	25 000	19 000	21 000	25 000	29 000	38 000	38 000
石　川	225 000	28 000	26 000	26 000	29 000	33 000	42 000	41 000
福　井	146 000	19 000	15 000	17 000	20 000	22 000	27 000	26 000
山　梨	152 000	20 000	18 000	17 000	19 000	22 000	27 000	29 000
長　野	379 000	50 000	36 000	42 000	49 000	58 000	72 000	72 000
岐　阜	388 000	50 000	45 000	43 000	50 000	57 000	71 000	72 000
静　岡	697 000	85 000	69 000	80 000	95 000	107 000	129 000	132 000
愛　知	1 598 000	182 000	195 000	195 000	218 000	236 000	285 000	287 000
三　重	348 000	44 000	38 000	40 000	46 000	51 000	64 000	65 000
滋　賀	293 000	36 000	35 000	34 000	39 000	45 000	53 000	51 000
京　都	549 000	60 000	80 000	66 000	71 000	78 000	97 000	97 000
大　阪	1 910 000	208 000	238 000	234 000	252 000	275 000	344 000	359 000
兵　庫	1 130 000	133 000	133 000	127 000	146 000	167 000	209 000	215 000
奈　良	268 000	33 000	34 000	30 000	34 000	38 000	48 000	51 000
和歌山	174 000	23 000	18 000	19 000	23 000	25 000	32 000	34 000
鳥　取	102 000	13 000	10 000	12 000	14 000	16 000	19 000	18 000
島　根	117 000	16 000	11 000	13 000	16 000	18 000	22 000	21 000
岡　山	377 000	46 000	48 000	45 000	51 000	54 000	68 000	65 000
広　島	560 000	66 000	65 000	65 000	75 000	84 000	103 000	102 000
山　口	248 000	32 000	27 000	27 000	33 000	37 000	46 000	46 000
徳　島	136 000	17 000	14 000	15 000	19 000	21 000	25 000	25 000
香　川	181 000	23 000	18 000	20 000	24 000	28 000	35 000	33 000
愛　媛	249 000	31 000	25 000	28 000	34 000	38 000	47 000	46 000
高　知	125 000	16 000	12 000	13 000	17 000	19 000	24 000	24 000
福　岡	1 072 000	119 000	135 000	129 000	151 000	167 000	189 000	182 000
佐　賀	155 000	21 000	17 000	18 000	22 000	24 000	27 000	26 000
長　崎	245 000	32 000	26 000	28 000	33 000	38 000	44 000	44 000
熊　本	330 000	41 000	37 000	40 000	47 000	52 000	58 000	55 000
大　分	211 000	27 000	22 000	24 000	29 000	33 000	39 000	37 000
宮　崎	198 000	26 000	20 000	22 000	28 000	32 000	36 000	34 000
鹿児島	297 000	37 000	32 000	35 000	43 000	48 000	52 000	50 000
沖　縄	310 000	40 000	35 000	38 000	46 000	48 000	53 000	50 000

資料：「人口推計（平成29年10月１日現在）」（総務省統計局）

（不妊手術実施率）

	20～49歳人口（総数）
全　国	46 415 000
北海道	1 813 000
青　森	401 000
岩　手	395 000
宮　城	852 000
秋　田	286 000
山　形	341 000
福　島	607 000
茨　城	1 020 000
栃　木	701 000
群　馬	685 000
埼　玉	2 828 000
千　葉	2 363 000
東　京	6 027 000
神奈川	3 658 000
新　潟	741 000
富　山	354 000
石　川	403 000
福　井	258 000
山　梨	274 000
長　野	675 000
岐　阜	685 000
静　岡	1 269 000
愛　知	2 967 000
三　重	624 000
滋　賀	528 000
京　都	972 000
大　阪	3 374 000
兵　庫	1 959 000
奈　良	456 000
和歌山	300 000
鳥　取	181 000
島　根	209 000
岡　山	666 000
広　島	1 009 000
山　口	439 000
徳　島	238 000
香　川	322 000
愛　媛	437 000
高　知	220 000
福　岡	1 872 000
佐　賀	267 000
長　崎	420 000
熊　本	569 000
大　分	371 000
宮　崎	338 000
鹿児島	501 000
沖　縄	538 000

全国（人工妊娠中絶実施率）

	人口（女）
総数（15～49歳）	25 730 000
15～19歳	2 916 000
15歳	565 000
16	572 000
17	583 000
18	590 000
19	607 000
20～24歳	3 023 000
25～29	3 069 000
30～34	3 496 000
35～39	3 888 000
40～44	4 658 000
45～49	4 680 000
（参考）13歳[1)]	540 000
14歳[1)]	548 000

資料：「人口推計（平成29年10月１日現在）」（総務省統計局）
注：1) 13歳及び14歳の人工妊娠中絶実施率の算出に用いた人口。

Ⅳ　用語の定義

1　精神保健福祉関係

(1) 申請通報届出

精神保健及び精神障害者福祉に関する法律（以下「法」という。）第22条から第26条の３までの規定に基づき、一般・警察官等から、精神障害者又はその疑いのある者等について、最寄りの保健所長を経て都道府県知事に申請・通報又は届出がなされることをいう。

(2) 措置入院

法第29条に基づき、２人以上の指定医が診察した結果が、その者が精神障害者であり、かつ入院させなければその精神障害のために自身を傷つけ又は他人に害を及ぼすおそれ（自傷他害のおそれ）があることで一致した場合に、都道府県知事が国若しくは都道府県立の精神科病院又は指定病院に入院させることができる制度をいう。

(3) 医療保護入院

法第33条に基づき、指定医又は特定医師が診察した結果、精神障害者であると診断され、入院の必要があると認められた者で家族等の同意がある場合に、精神科病院の管理者が患者本人の同意がなくても精神科病院に入院させることができる制度をいう。

(4) 精神障害者保健福祉手帳

法第45条に基づき、精神障害者が都道府県知事又は指定都市の市長に申請し、精神障害の状態にあると認められたときに交付される手帳をいう。

「１級」とは、他人の援助を受けなければ、ほとんど自分の用を弁ずることができない程度、「２級」とは、必ずしも他人の助けを借りる必要はないが、日常生活が困難な程度、「３級」とは、日常生活又は社会生活に制限を受けるか、日常生活又は社会生活に制限を加えることを必要とする程度をいう。

(5) 精神保健福祉センター

法第６条に基づく、精神保健の向上及び精神障害者の福祉の増進を図るための機関をいい、すべての都道府県・指定都市に設置されている。

2　栄養関係

(1) 特定給食施設

健康増進法第20条第１項に規定される施設で、特定かつ多数の者に対して継続的に１回100食以上又は１日250食以上の食事を供給する施設をいう。

(2) その他の給食施設

健康増進法第18条第１項第２号に規定する、特定かつ多数の者に対して継続的に食事を供給する施設のうち、「特定給食施設」に該当しない施設をいう。

3　生活衛生関係

(1) 興行場

映画、演劇、音楽、スポーツ、演芸等を公衆に見せ、又は聞かせる施設をいう。

(2) 簡易宿所営業

宿泊する場所を多人数で共用する構造及び設備を設けて行う営業（山小屋、ユースホステル、カプセルホテル等）をいう。

(3) 下宿営業

１月以上の期間を単位として宿泊させる営業をいう。

(4) 一般公衆浴場

当該公衆浴場の入浴料金が、公衆浴場入浴料金の統制額の指定等に関する省令に基づく都道府県知事の統制を受け、かつ、当該施設の配置について都道府県の条例による規制の対象にされている施設をいう。

4　食品衛生関係

(1) 食品関係営業施設

食品衛生法に規定する営業の許可を要する施設34種と、食品衛生法上の営業許可を要しないが監視又は指導の対象となる施設（この報告では11種に分類）をいい、主な施設を計上している。

5　薬事関係

(1) 薬局

医薬品、医療機器等の品質、有効性及び安全性の確保等に関する法律第２条第12項に規定する、薬剤師が販売又は授与の目的で調剤の業務を行う場所をいう。ただし、病院若しくは診療所又は飼育動物診療施設の調剤所を除く。

V　報　告　表　様　式

年度報

衛生行政報告例

第 1　精神障害者申請・通報・届出及び移送の状況

政府統計

統計法に基づく国の一般統計調査です。
調査票情報の秘密の保護に万全を期します。

2	9	1	0	1	0				

都道府県
指定都市 名

平 成　29　年度分

	申請通報届出件数	調査により診察の必要がないと認めた者	診察を受けた者				移送を行った件数		
			1次診察のみ実施	2次診察実施			調査から1次診察場所まで	1次診察場所から2次診察場所まで	2次診察場所から病院まで
				法第29条該当症状の者	法第29条該当症状でなかった者				
					措置以外の入院	入院以外の処遇			
	(1)	(2)	(3)	(4)	(5)	(6)	(7)	(8)	(9)
一般からの申請 (01)									
警察官からの通報 (02)									
検察官からの通報 (03)									
保護観察所の長からの通報 (04)									
矯正施設の長からの通報 (05)									
精神科病院の管理者からの届出 (06)									
心身喪失等の状態で重大な他害行為を行った者に係る通報 (07)									
計 (08)									

衛生行政報告例

第 2　精神障害者措置入院・仮退院状況

政府統計

統計法に基づく国の一般統計調査です。
調査票情報の秘密の保護に万全を期します。

2	9	1	0	2	0				

都道府県
指定都市 名

平 成　29　年度分

	前年度末患者数 (1)	本年度中新規患者数 (2)	本年度中解除患者数 (3)	本年度末患者数 (4)
措置患者 (01)				
仮退院患者（「措置患者」の再掲） (02)		＼	＼	

（措置患者の転帰状況）

	前年度10月中の措置患者数	本年度10月1日までの症状消退届提出者数	症状消退届提出時の転帰状況				
			入院継続	通院医療	転医	死亡	その他
	(1)	(2)	(3)	(4)	(5)	(6)	(7)
一般からの申請による措置患者 (03)							
警察官からの通報による措置患者 (04)							
検察官からの通報による措置患者 (05)							
矯正施設の長からの通報による措置患者 (06)							

（緊急措置入院状況）

	計	緊急措置入院の必要なしと診察された者	緊急措置入院の必要ありと診察された者のその後の処遇		
			措置入院	措置入院以外の入院	入院以外の処遇
	(1)	(2)	(3)	(4)	(5)
診察を受けた者 (07)					

衛生行政報告例

第 3　医療保護入院・応急入院及び移送による入院届出状況

統計法に基づく国の一般統計調査です。
調査票情報の秘密の保護に万全を期します。

2	9	1	0	3	0				

都道府県
指定都市 名

平成　29　年度分

	医療保護入院												
	指定医の診察に基づく同意者						特定医師の診察に基づく同意者						退院
	配偶者 (1)	親権者 (2)	扶養義務者 (3)	後見人 (4)	保佐人 (5)	市区町村長 (6)	配偶者 (7)	親権者 (8)	扶養義務者 (9)	後見人 (10)	保佐人 (11)	市区町村長 (12)	(13)
届出数 (01)													
移送による (再掲) (02)													

	応急入院	
	指定医の診察に基づく応急入院 (14)	特定医師の診察に基づく応急入院 (15)
届出数 (01)		
移送による (再掲) (02)		

衛生行政報告例

第 4　精神医療審査会の審査状況

政府統計

統計法に基づく国の一般統計調査です。
調査票情報の秘密の保護に万全を期します。

2	9	1	0	4	0				

都道府県
指定都市 名

平成　29　年度分

（定期の報告等）

		審査件数	審査結果件数			審査中
		(1)	現在の入院形態が適当 (2)	他の入院形態への移行が適当 (3)	入院継続不要 (4)	(5)
医療保護入院時の届出 (01)						
入院中の定期報告等	任意入院 (02)					
	医療保護入院 (03)					
	措置入院 (04)					
計 (05)						

（退院等の請求）

		請求件数		請求者																審査件数	審査結果件数		審査結果等要旨の通知時期			審査中
				本人		代理人		配偶者		親権者		扶養義務者		後見人		保佐人		市区町村長								
		1回 (1)	2回以上 (2)	1回 (3)	2回以上 (4)	1回 (5)	2回以上 (6)	1回 (7)	2回以上 (8)	1回 (9)	2回以上 (10)	1回 (11)	2回以上 (12)	1回 (13)	2回以上 (14)	1回 (15)	2回以上 (16)	1回 (17)	2回以上 (18)	(19)	入院又は処遇は適当 (20)	入院又は処遇は不適当 (21)	1月以内 (22)	1月超 (23)	その他 (24)	(25)
退院の請求	任意入院者 (06)																									
	医療保護入院者 (07)																									
	措置入院者 (08)																									
	その他 (09)																									
	計 (10)																									
処遇改善の請求	任意入院者 (11)																									
	医療保護入院者 (12)																									
	措置入院者 (13)																									
	その他 (14)																									
	計 (15)																									

第 5　精神障害者保健福祉手帳交付台帳登載数

政府統計

統計法に基づく国の一般統計調査です。
調査票情報の秘密の保護に万全を期します。

2	9	1	0	5	0				

都道府県
指定都市 名

平成　29　年度分

	前年度末現在	新規交付（年度中）	転入（年度中）	転出（年度中）	返還（年度中）	障害の等級の変更（年度中）		年度末現在		認定更新（年度中）
						増	減		有効期限切れ（(8)の再掲）	
	(1)	(2)	(3)	(4)	(5)	(6)	(7)	(8)	(9)	(10)
1　級 (01)										
2　級 (02)										
3　級 (03)										
計 (04)										

第 6　精神保健福祉センターにおける相談等

政府統計

統計法に基づく国の一般統計調査です。
調査票情報の秘密の保護に万全を期します。

2	9	1	0	6	0				

都道府県
指定都市 名

平 成　29　年度分

	相談、デイ・ケア、訪問指導				
	実人員	((1)の再掲) 新規者の受付経路			
		保健所	市町村	医療機関	その他
	(1)	(2)	(3)	(4)	(5)
被指導人員 (01)					

	(再掲) 相談																		
	実人員	延人員																	
		老人精神保健	社会復帰	アルコール	薬物	ギャンブル	思春期	心の健康づくり	うつ・うつ状態	摂食障害	てんかん	その他	計	(13)の再掲					
														ひきこもり	発達障害	自殺関連	(再掲)自死遺族	犯罪被害	災害
	(1)	(2)	(3)	(4)	(5)	(6)	(7)	(8)	(9)	(10)	(11)	(12)	(13)	(14)	(15)	(16)	(17)	(18)	(19)
被指導人員 (02)																			

	(再掲) デイ・ケア			(再掲) 訪問指導						
	実人員	延人員	ひきこもり(2)の再掲	実人員	延人員	(5)の再掲				
						ひきこもり	自殺関連	(再掲)自死遺族	犯罪被害	災害
	(1)	(2)	(3)	(4)	(5)	(6)	(7)	(8)	(9)	(10)
被指導人員 (03)										

	電話相談等延人員																	
	老人精神保健	社会復帰	アルコール	薬物	ギャンブル	思春期	心の健康づくり	うつ・うつ状態	摂食障害	てんかん	その他	計	(12)の再掲					
													ひきこもり	発達障害	自殺関連	(再掲)自死遺族	犯罪被害	災害
	(1)	(2)	(3)	(4)	(5)	(6)	(7)	(8)	(9)	(10)	(11)	(12)	(13)	(14)	(15)	(16)	(17)	(18)
電話による相談 (04)																		
電子メールによる相談 (05)																		

	普及啓発				
	地域住民への講演、交流会	(再掲)薬物関連問題(アルコールを除く。)	精神障害者(家族)に対する教室等	(再掲)薬物関連問題(アルコールを除く。)	精神ボランティア育成
	(1)	(2)	(3)	(4)	(5)
開催回数 (06)					
延人員 (07)					

政府統計

統計法に基づく国の一般統計調査です。
調査票情報の秘密の保護に万全を期します。

2	9	1	0	7	0				

第 7　精神保健福祉センターにおける技術指導等

都道府県
指定都市 名

平成　29　年度分

	技術指導・援助（延件数）													教育研修	
	老人精神保健 (1)	社会復帰 (2)	アルコール (3)	薬物 (4)	ギャンブル (5)	思春期 (6)	心の健康づくり (7)	ひきこもり (8)	自殺関連 (9)	犯罪被害 (10)	災害 (11)	その他 (12)	計 (13)	延件数 (14)	参加延人員 (15)
保健所 (01)															
市町村 (02)															
福祉事務所 (03)															
医療施設 (04)															
介護老人保健施設 (05)															
障害者支援施設 (06)															
社会福祉施設 (07)															
その他 (08)															
実施件数 (09)															

	組織育成					
	患者会 (1)	家族会 (2)	依存症の自助団体・回復施設 (3)	職親会 (4)	その他 (5)	計 (6)
支援件数 (10)						

衛生行政報告例

第 8　精神保健福祉センターにおける職種別職員配置状況

政府統計　統計法に基づく国の一般統計調査です。調査票情報の秘密の保護に万全を期します。

2	9	1	0	8	0				

都道府県指定都市名

平成　29　年度末現在

	医師 (1)	保健師 (2)	看護師 (3)	作業療法士 (4)	精神保健福祉士 (5)	その他 (6)	計 (7)
実人員 (01)							
精神保健福祉士 ((01)の再掲) (02)					＼		
精神保健福祉相談員 ((01)の再掲) (03)							

衛生行政報告例

第 9　栄養士免許交付

政府統計　統計法に基づく国の一般統計調査です。調査票情報の秘密の保護に万全を期します。

2	9	1	0	9	0				

都道府県名

平成　29　年度分

栄養士免許交付数

衛生行政報告例

第 10　調理師免許交付

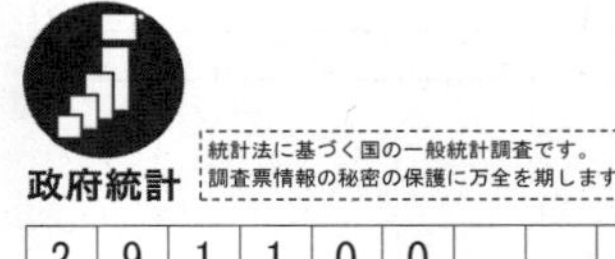

政府統計　統計法に基づく国の一般統計調査です。調査票情報の秘密の保護に万全を期します。

2	9	1	1	0	0				

都道府県名

平成　29　年度分

免許交付数					免許の取消し			登録の消除
指定養成施設卒業者 (1)	講習課程修了者 (2)	都道府県知事試験合格者 (3)	附則第3項による講習認定 (4)	計 (5)	法第6条第1号に該当する者 (6)	法第6条第2号に該当する者 (7)	計 (8)	(9)

衛生行政報告例

第 12 給 食 施 設

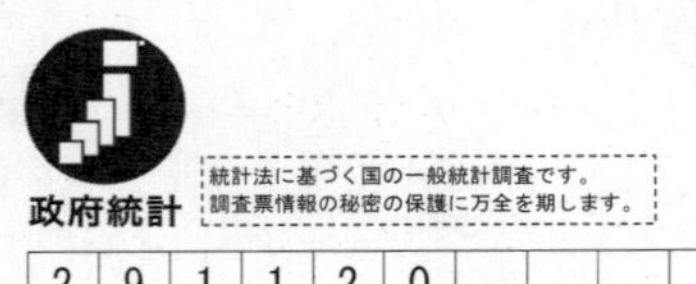

2	9	1	1	2	0				

都道府県
指定都市名
中核市

平成 29 年度末現在

		管理栄養士のみいる施設		管理栄養士・栄養士どちらもいる施設			栄養士のみいる施設		管理栄養士・栄養士どちらもいない施設数	調理師のいる施設		調理師のいない施設数
		施設数 (1)	管理栄養士数 (2)	施設数 (3)	管理栄養士数 (4)	栄養士数 (5)	施設数 (6)	栄養士数 (7)	(8)	施設数 (9)	調理師数 (10)	(11)
指定施設①	学校 (01)											
	病院 (02)											
	介護老人保健施設 (03)											
	老人福祉施設 (04)											
	児童福祉施設 (05)											
	社会福祉施設 (06)											
	事業所 (07)											
	寄宿舎 (08)											
	矯正施設 (09)											
	自衛隊 (10)											
	一般給食センター (11)											
	その他 (12)											
	計 (13)											
1回300食以上又は1日750食以上（指定施設①を除く）②	学校 (14)											
	病院 (15)											
	介護老人保健施設 (16)											
	老人福祉施設 (17)											
	児童福祉施設 (18)											
	社会福祉施設 (19)											
	事業所 (20)											
	寄宿舎 (21)											
	矯正施設 (22)											
	自衛隊 (23)											
	一般給食センター (24)											
	その他 (25)											
	計 (26)											
1回100食以上又は1日250食以上（①、②を除く）	学校 (27)											
	病院 (28)											
	介護老人保健施設 (29)											
	老人福祉施設 (30)											
	児童福祉施設 (31)											
	社会福祉施設 (32)											
	事業所 (33)											
	寄宿舎 (34)											
	矯正施設 (35)											
	自衛隊 (36)											
	一般給食センター (37)											
	その他 (38)											
	計 (39)											
その他の給食施設	学校 (40)											
	病院 (41)											
	介護老人保健施設 (42)											
	老人福祉施設 (43)											
	児童福祉施設 (44)											
	社会福祉施設 (45)											
	事業所 (46)											
	寄宿舎 (47)											
	矯正施設 (48)											
	自衛隊 (49)											
	一般給食センター (50)											
	その他 (51)											
	計 (52)											

第 13　特定給食施設に対する指導・監督

政府統計 統計法に基づく国の一般統計調査です。調査票情報の秘密の保護に万全を期します。

2	9	1	1	3	0				

都道府県
指定都市名
中核市

平成　29　年度分

	指定施設										指定施設以外の特定給食施設					
	指導・助言件数			立入検査件数	勧告件数		命令件数		罰則処分件数		指導・助言件数		立入検査件数	勧告件数	命令件数	罰則処分件数
	管理栄養士配置 (1)	栄養管理 (2)	(再掲)肥満及びやせに関する栄養管理 (3)	(4)	管理栄養士配置 (5)	栄養管理 (6)	管理栄養士配置 (7)	栄養管理 (8)	管理栄養士配置 (9)	栄養管理 (10)	(11)	(再掲)肥満及びやせに関する栄養管理 (12)	(13)	(14)	(15)	(16)
学校 (01)																
病院 (02)			＼									＼				
介護老人保健施設 (03)			＼									＼				
老人福祉施設 (04)			＼									＼				
児童福祉施設 (05)																
社会福祉施設 (06)			＼									＼				
事業所 (07)																
寄宿舎 (08)																
矯正施設 (09)			＼									＼				
自衛隊 (10)			＼									＼				
一般給食センター (11)			＼									＼				
その他 (12)			＼									＼				
計 (13)																

政府統計 統計法に基づく国の一般統計調査です。調査票情報の秘密の保護に万全を期します。

2 9 1 1 4 0

第 14 衛 生 検 査

都道府県
指定都市名
中核市

平成 29 年度分

区分	細分	項目		依頼によるもの 住民 (1)	保健所 (2)	保健所以外の行政機関 (3)	その他（医療機関、学校、事業所等） (4)	依頼によらないもの (5)
結核		分離・同定・検出	(01)					
		核酸検査	(02)					
		化学療法剤に対する耐性検査	(03)					
性病		梅毒	(04)					
		その他	(05)					
ウイルス・リケッチア等検査	分離・同定・検出	ウイルス	(06)					
		リケッチア	(07)					
		クラミジア・マイコプラズマ	(08)					
	抗体検査	ウイルス	(09)					
		リケッチア	(10)					
		クラミジア・マイコプラズマ	(11)					
病原微生物の動物試験			(12)					
寄生虫等	原虫・寄生虫	原虫	(13)					
		寄生虫	(14)					
		そ族・節足動物	(15)					
		真菌・その他	(16)					
食中毒	病原微生物検査	細菌	(17)					
		ウイルス	(18)					
		核酸検査	(19)					
		理化学的検査	(20)					
		動物を用いる検査	(21)					
		その他	(22)					
臨床検査		血液検査（血液一般検査）	(23)					
	血清等検査	エイズ（HIV）検査	(24)					
		HBs抗原、抗体検査	(25)					
		その他	(26)					
	生化学検査	先天性代謝異常検査	(27)					
		その他	(28)					
	尿検査	尿一般	(29)					
		神経芽細胞腫	(30)					
		その他	(31)					
		アレルギー検査（抗原検査・抗体検査）	(32)					
		その他	(33)					
食品等検査		微生物学的検査	(34)					
		理化学的検査（残留農薬・食品添加物等）	(35)					
		動物を用いる検査	(36)					
		その他	(37)					
（上記以外）細菌検査		分離・同定・検出	(38)					
		核酸検査	(39)					
		抗体検査	(40)					
		化学療法剤に対する耐性検査	(41)					
		医薬品	(42)					

区分	細分	項目		依頼によるもの 住民 (1)	保健所 (2)	保健所以外の行政機関 (3)	その他（医療機関、学校、事業所等） (4)	依頼によらないもの (5)
医薬品・家庭用品等検査		医薬部外品	(43)					
		化粧品	(44)					
		医療機器	(45)					
		毒劇物	(46)					
		家庭用品	(47)					
		その他	(48)					
栄養関係検査			(49)					
水道等水質検査	水道原水	細菌学的検査	(50)					
		理化学的検査	(51)					
		生物学的検査	(52)					
	飲用水	細菌学的検査	(53)					
		理化学的検査	(54)					
	利用水等（プール水等を含む）	細菌学的検査	(55)					
		理化学的検査	(56)					
廃棄物関係検査	一般廃棄物	細菌学的検査	(57)					
		理化学的検査	(58)					
		生物学的検査	(59)					
	産業廃棄物	細菌学的検査	(60)					
		理化学的検査	(61)					
		生物学的検査	(62)					
環境・公害関係検査	大気検査	SO_2・NO_2・O_X等	(63)					
		浮遊粒子状物質	(64)					
		降下煤塵	(65)					
		有害化学物質・重金属等	(66)					
		酸性雨	(67)					
		その他	(68)					
	水質検査	公共用水域	(69)					
		工場・事業場排水	(70)					
		浄化槽放流水	(71)					
		その他	(72)					
		騒音・振動	(73)					
		悪臭検査	(74)					
		土壌・底質検査	(75)					
	環境生物検査	藻類・プランクトン・魚介類	(76)					
		その他	(77)					
		一般室内環境	(78)					
		その他	(79)					
放射能		環境試料（雨水・空気・土壌等）	(80)					
		食品	(81)					
		その他	(82)					
温泉（鉱泉）泉質検査			(83)					
その他			(84)					

衛生行政報告例

第 15　衛生検査機関における機器設備状況

政府統計

統計法に基づく国の一般統計調査です。
調査票情報の秘密の保護に万全を期します。

2	9	1	1	5	0				

都道府県
指定都市名
中核市

平成　29　年度末現在

		DNAシークエンサー (1)	PCR遺伝子増幅装置 (2)	定量PCR装置 (3)	ブロッティング装置 (4)	パルスフィールド電気泳動装置 (5)	電子顕微鏡 (6)	ICP−MS (7)	LC−MS (8)	ガスクロマトグラフ質量分析装置 (9)	キャピラリー電気泳動装置 (10)	TOC全有機炭素分析計 (11)	溶出試験機 (12)	赤外分光光度計（FTIR） (13)
保有台数	地方衛生研究所 (01)													
	保健所 (02)													
	その他の公的研究機関等 (03)													

衛生行政報告例

第 16　地方衛生研究所における職種別職員配置状況

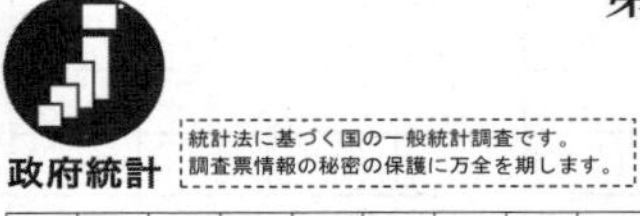

2	9	1	1	6	0				

都道府県
指定都市名
中核市

平成　29　年度末現在

	医師 (1)	歯科医師 (2)	獣医師 (3)	薬剤師 (4)	保健師 (5)	看護師 (6)	診療放射線技師 (7)	臨床検査技師 (8)	衛生検査技師 (9)	管理栄養士 (10)	栄養士 (11)	保健医療関係の資格を有する職員（左記以外） (12)
実人員 (01)												

	主に研究及び検査を行う職員（上記以外）				その他	計
	化学系技術職員 (13)	理工学系技術職員 (14)	農学系技術職員 (15)	その他の技術職員 (16)	(17)	(18)
実人員 (01)						

第 17　特定建築物における環境衛生

政府統計

統計法に基づく国の一般統計調査です。
調査票情報の秘密の保護に万全を期します。

2	9	1	1	7	0				

都道府県
指定都市名
中 核 市

平 成　　29　　年度分

	興行場 (1)	百貨店 (2)	店舗 (3)	事務所 (4)	学校 (5)	旅館 (6)	その他 (7)
特定建築物施設数（年度末現在）(01)							
管理技術者選任建築物数（年度末現在）(02)							
立入検査等回数　報告徴収 (03)							
立入検査等回数　立入検査 (04)							
説明又は資料の要求 (05)							
処分件数（年度中）　改善命令 (06)							
処分件数（年度中）　使用停止・使用制限 (07)							
改善の勧告 (08)							

空気環境・空気調和の調整	興行場		百貨店		店舗		事務所		学校		旅館		その他	
	調査件数 (1)	不適件数 (2)	調査件数 (3)	不適件数 (4)	調査件数 (5)	不適件数 (6)	調査件数 (7)	不適件数 (8)	調査件数 (9)	不適件数 (10)	調査件数 (11)	不適件数 (12)	調査件数 (13)	不適件数 (14)
空気環境の測定実施（(10)を除く）(09)														
ホルムアルデヒド量の測定実施 (10)														
浮遊粉じんの量 (11)														
一酸化炭素の含有率 (12)														
二酸化炭素の含有率 (13)														
温度 (14)														
相対湿度 (15)														
気流 (16)														
ホルムアルデヒド量 (17)														
冷却塔への供給水に必要な措置 (18)														
加湿装置への供給水に必要な措置 (19)														
冷却塔、冷却水の汚れ点検（1月以内ごと）(20)														
冷却塔、冷却水の水管清掃（1年以内ごと）(21)														
加湿装置の汚れ点検（1月以内ごと）(22)														
加湿装置の清掃（1年以内ごと）(23)														
排水受けの汚れ、閉塞の状況点検 (24)														

飲料水の管理	興行場		百貨店		店舗		事務所		学校		旅館		その他	
	調査件数 (1)	不適件数 (2)	調査件数 (3)	不適件数 (4)	調査件数 (5)	不適件数 (6)	調査件数 (7)	不適件数 (8)	調査件数 (9)	不適件数 (10)	調査件数 (11)	不適件数 (12)	調査件数 (13)	不適件数 (14)
遊離残留塩素の含有率の検査実施（(27)を除く）(25)														
遊離残留塩素の含有率（(28)を除く）(26)														
中央式給湯設備における給湯水の遊離残留塩素含有率の検査実施 (27)														
中央式給湯設備における給湯水の遊離残留塩素含有率 (28)														
水質検査実施（(25)、(27)、(31)を除く）(29)														
水質基準（(26)、(28)、(32)を除く）(30)														
中央式給湯設備における給湯水質検査実施（(27)を除く）(31)														
中央式給湯設備における給湯水質基準（(28)を除く）(32)														
貯水槽の清掃（(34)を除く）(33)														
貯湯槽の清掃 (34)														

雑用水の管理	興行場		百貨店		店舗		事務所		学校		旅館		その他	
	調査件数 (1)	不適件数 (2)	調査件数 (3)	不適件数 (4)	調査件数 (5)	不適件数 (6)	調査件数 (7)	不適件数 (8)	調査件数 (9)	不適件数 (10)	調査件数 (11)	不適件数 (12)	調査件数 (13)	不適件数 (14)
遊離残留塩素の含有率の検査実施 (35)														
遊離残留塩素の含有率 (36)														
雑用水の水槽点検 (37)														
水質検査実施 (38)														
pH値 (39)														
臭気 (40)														
外観 (41)														
大腸菌 (42)														
濁度 (43)														

その他	興行場		百貨店		店舗		事務所		学校		旅館		その他	
	調査件数 (1)	不適件数 (2)	調査件数 (3)	不適件数 (4)	調査件数 (5)	不適件数 (6)	調査件数 (7)	不適件数 (8)	調査件数 (9)	不適件数 (10)	調査件数 (11)	不適件数 (12)	調査件数 (13)	不適件数 (14)
排水設備の清掃 (44)														
大掃除 (45)														
ねずみ等の防除 (46)														
帳簿書類の備付け (47)														

衛生行政報告例

第 18　建築物環境衛生に係る登録営業所

政府統計　統計法に基づく国の一般統計調査です。調査票情報の秘密の保護に万全を期します。

2	9	1	1	8	0				

都道府県名

平成　29　年度分

	登録営業所数(年度末現在)(1)	登録件数(年度中)(2)	登録廃止件数(年度中)(3)	登録取消件数(年度中)(4)	登録有効期間満了件数(年度中)(5)	立入検査等回数(年度中)		設備		帳簿書類		その他の検査	
						報告徴収(6)	立入検査(7)	調査件数(8)	不適件数(9)	調査件数(10)	不適件数(11)	調査件数(12)	不適件数(13)
建築物清掃業 (01)													
建築物空気環境測定業 (02)													
建築物飲料水水質検査業 (03)													
建築物飲料水貯水槽清掃業 (04)													
建築物ねずみ・昆虫等防除業 (05)													
建築物環境衛生総合管理業 (06)													
建築物空気調和用ダクト清掃業 (07)													
建築物排水管清掃業 (08)													
計 (09)													

衛生行政報告例

第 19　墓地、火葬場及び納骨堂

政府統計　統計法に基づく国の一般統計調査です。調査票情報の秘密の保護に万全を期します。

2	9	1	1	9	0				

都道府県
指定都市名
中核市

平成　29　年度末現在

	墓地(1)	火葬場(2)	(再掲)恒常的に使用している火葬場(3)	納骨堂(4)
地方公共団体 (01)				
公益社団・財団法人 (02)				
宗教法人 (03)				
個人 (04)		＼	＼	＼
その他 (05)				
計 (06)				

衛生行政報告例

第 20　埋葬及び火葬並びに改葬

政府統計　統計法に基づく国の一般統計調査です。調査票情報の秘密の保護に万全を期します。

2	9	1	2	0	0				

都道府県
指定都市名
中核市

平成　29　年度分

	埋葬(1)	火葬(2)	計(3)
死体 (01)			
死胎 (02)			

改葬(4)	無縁墳墓等の改葬((4)の再掲)(5)

第21 興　行　場

政府統計

統計法に基づく国の一般統計調査です。
調査票情報の秘密の保護に万全を期します。

2	9	1	2	1	0				

都道府県
指定都市名
中核市

平成　29　年度分

常設の興行場数（年度末現在）			営業許可件数（年度中）		営業廃止件数（年度中）	処分件数（年度中）	
映画館 (1)	スポーツ施設 (2)	その他 (3)	常設の興行場 (4)	仮設の興行場 (5)	(6)	営業許可取消 (7)	営業停止 (8)

第22　ホテル営業、旅館営業、簡易宿所営業及び下宿営業

政府統計

統計法に基づく国の一般統計調査です。
調査票情報の秘密の保護に万全を期します。

2	9	1	2	2	0				

都道府県
指定都市名
中核市

平成　29　年度分

ホテル営業（年度末現在）		旅館営業（年度末現在）		簡易宿所営業施設数（年度末現在）	下宿営業施設数（年度末現在）	営業許可件数（年度中）	営業廃止件数（年度中）	処分件数（年度中）	
施設数 (1)	客室数 (2)	施設数 (3)	客室数 (4)	(5)	(6)	(7)	(8)	営業許可取消 (9)	営業停止 (10)

第23 公　衆　浴　場

政府統計

統計法に基づく国の一般統計調査です。
調査票情報の秘密の保護に万全を期します。

2	9	1	2	3	0				

都道府県
指定都市名
中核市

平成　29　年度分

公衆浴場（年度末現在）								営業許可件数（年度中）	営業廃止件数（年度中）	処分件数（年度中）	
公営		私営									
一般公衆浴場 (1)	その他 (2)	一般公衆浴場 (3)	個室付浴場 (4)	ヘルスセンター (5)	サウナ風呂 (6)	スポーツ施設 (7)	その他 (8)	(9)	(10)	営業許可取消 (11)	営業停止 (12)

衛生行政報告例

第 24 理　容　所

政府統計
統計法に基づく国の一般統計調査です。
調査票情報の秘密の保護に万全を期します。

2	9	1	2	4	0				

都道府県
指定都市名
中 核 市

平 成　29　年度分

施設数 （年度末現在） (1)	従業理容師数 （年度末現在） (2)	使用確認件数 （年度中） (3)	閉鎖命令件数 （年度中） (4)

衛生行政報告例

第 25 美　容　所

政府統計
統計法に基づく国の一般統計調査です。
調査票情報の秘密の保護に万全を期します。

2	9	1	2	5	0				

都道府県
指定都市名
中 核 市

平 成　29　年度分

施設数 （年度末現在） (1)	従業美容師数 （年度末現在） (2)	使用確認件数 （年度中） (3)	閉鎖命令件数 （年度中） (4)

衛生行政報告例

第 26 クリーニング

政府統計
統計法に基づく国の一般統計調査です。
調査票情報の秘密の保護に万全を期します。

2	9	1	2	6	0				

都道府県
指定都市名
中 核 市

平 成　29　年度分

クリーニング師（年度中）		クリーニング所						
			(3) の 再 掲				処分件数（年度中）	
免許件数 (1)	免許取消件数 (2)	施設数 （年度末現在） (3)	指定洗濯物を取り扱う施設数 (4)	取次所数 (5)	従事クリーニング師数 （年度末現在） (6)	使用確認件数 （年度中） (7)	措置命令 (8)	閉鎖・停止命令 (9)

無店舗取次店				
			処分件数（年度中）	
営業者数 （年度末現在） (10)	指定洗濯物を取り扱う営業者数 ((10)の再掲) (11)	従事クリーニング師数 （年度末現在） (12)	措置命令 (13)	停止命令 (14)

第 27　許可を要する食品関係営業施設

政府統計
統計法に基づく国の一般統計調査です。
調査票情報の秘密の保護に万全を期します。

2	9	1	2	7	0				

都道府県
指定都市名
中核市

平成　29　年度分

	営業施設数（年度末現在）	営業許可施設数（年度中）		廃業施設数（年度中）	処分件数（年度中）						告発件数（年度中）		調査・監視指導施設数（年度中）
		継続	新規		営業許可取消命令	営業禁止命令	営業停止命令	改善命令	物品廃棄命令	その他	無許可営業	その他	
	(1)	(2)	(3)	(4)	(5)	(6)	(7)	(8)	(9)	(10)	(11)	(12)	(13)
飲食店営業 一般食堂・レストラン等 (01)													
飲食店営業 仕出し屋・弁当屋 (02)													
飲食店営業 旅館 (03)													
飲食店営業 その他 (04)													
菓子（パンを含む。）製造業 (05)													
乳処理業 (06)													
特別牛乳さく取処理業 (07)													
乳製品製造業 (08)													
集乳業 (09)													
魚介類販売業 (10)													
魚介類せり売り営業 (11)													
魚肉ねり製品製造業 (12)													
食品の冷凍または冷蔵業 (13)													
かん詰またはびん詰食品製造業（上記および下記以外） (14)													
喫茶店営業 (15)													
（再掲）自動販売機 (16)													
あん類製造業 (17)													
アイスクリーム類製造業 (18)													
乳類販売業 (19)													
食肉処理業 (20)													
食肉販売業 (21)													
食肉製品製造業 (22)													
乳酸菌飲料製造業 (23)													
食用油脂製造業 (24)													
マーガリン又はショートニング製造業 (25)													
みそ製造業 (26)													
醤油製造業 (27)													
ソース類製造業 (28)													
酒類製造業 (29)													
豆腐製造業 (30)													
納豆製造業 (31)													
めん類製造業 (32)													
そうざい製造業 (33)													
添加物（法第11条第1項の規定により規格が定められたものに限る。）製造業 (34)													
食品の放射線照射業 (35)													
清涼飲料水製造業 (36)													
氷雪製造業 (37)													
氷雪販売業 (38)													
計 (39)													

衛生行政報告例

第 28　許可を要しない食品関係営業施設

政府統計　統計法に基づく国の一般統計調査です。調査票情報の秘密の保護に万全を期します。

2	9	1	2	8	0				

都道府県
指定都市名
中核市

平成　29　年度分

		営業施設数（年度末現在）	処分件数（年度中）				告発件数（年度中）	監視指導施設数（年度中）
			営業禁止命令	営業停止命令	物品廃棄命令	その他		
		(1)	(2)	(3)	(4)	(5)	(6)	(7)
給食施設	学校 (01)							
	病院・診療所 (02)							
	事業所 (03)							
	その他 (04)							
乳さく取業 (05)								
食品製造業 (06)								
野菜果物販売業 (07)								
そうざい販売業 (08)								
菓子（パンを含む。）販売業 (09)								
食品販売業（上記以外。） (10)								
添加物（法第11条第1項の規定により規格が定められたものを除く。）の製造業 (11)								
添加物の販売業 (12)								
氷雪採取業 (13)								
器具・容器包装、おもちゃの製造業又は販売業 (14)								
計 (15)								

衛生行政報告例

第 29　食品衛生管理者

政府統計　統計法に基づく国の一般統計調査です。調査票情報の秘密の保護に万全を期します。

2	9	1	2	9	0				

都道府県
指定都市名
中核市

平成　29　年度末現在

	医師・歯科医師	薬剤師	獣医師	大学・旧制大学又は旧制専門学校で下記の課程を修めて卒業した者				登録養成施設を修了した者	登録講習会を修了した者	計
				医学・歯学・薬学・獣医学	畜産学	水産学	農芸化学			
	(1)	(2)	(3)	(4)	(5)	(6)	(7)	(8)	(9)	(10)
全粉乳（その容量が1,400グラム以下であるかんに収められるものに限る。）、加糖粉乳又は調製粉乳の製造業又は加工業 (01)										
食肉製品（ハム・ソーセージ・ベーコンその他これらに類するものをいう。）の製造業又は加工業 (02)										
魚肉ハム又は魚肉ソーセージの製造業又は加工業 (03)										
食品の放射線照射業 (04)										
食用油脂（脱色又は脱臭の過程を経て製造されるものに限る。）の製造業又は加工業 (05)										
マーガリン又はショートニングの製造業又は加工業 (06)										
添加物（法第11条第1項の規定により規格が定められているものに限る。）の製造業又は加工業 (07)										
計 (08)										

衛生行政報告例

第 30　製菓衛生師免許交付状況

政府統計　統計法に基づく国の一般統計調査です。調査票情報の秘密の保護に万全を期します。

2	9	1	3	0	0				

都道府県名

平成　29　年度分

本年度中免許交付者数 (1)	本年度末現在免許交付者数 (2)

第31 食品等の収去試験

政府統計
統計法に基づく国の一般統計調査です。
調査票情報の秘密の保護に万全を期します。

2	9	1	3	1	0				

都道府県
指定都市名
中核市

平成 29 年度分

	収去したもの（実数）	試験した場所 管下の機関で試験したもの 保健所	試験した場所 管下の機関で試験したもの 地方衛生研究所	試験した場所 管下の機関で試験したもの その他	試験した場所 他に試験を依頼したもの 登録検査機関	試験した場所 他に試験を依頼したもの その他	試験の内容 微生物学的検査 細菌	試験の内容 微生物学的検査 ウイルス	試験の内容 微生物学的検査 その他	試験の内容 理化学的検査 残留農薬	試験の内容 理化学的検査 食品添加物	試験の内容 理化学的検査 残留動物用医薬品	試験の内容 理化学的検査 アレルギー物質	試験の内容 理化学的検査 遺伝子組換え食品	試験の内容 理化学的検査 その他	試験の内容 動物を用いる検査	試験の内容 その他	不良検体数	不良理由（延数） 大腸菌群	不良理由（延数） 異物	不良理由（延数） 添加物使用基準	不良理由（延数） 法定外添加物	不良理由（延数） 残留農薬基準	不良理由（延数） 残留動物用医薬品	不良理由（延数） その他	暫定的規制値の定められているものの試験した収去検体数（実数）
	(1)	(2)	(3)	(4)	(5)	(6)	(7)	(8)	(9)	(10)	(11)	(12)	(13)	(14)	(15)	(16)	(17)	(18)	(19)	(20)	(21)	(22)	(23)	(24)	(25)	(26)
魚介類 (01)																										
冷凍食品 無加熱摂取冷凍食品 (02)																										
冷凍食品 凍結直前に加熱された加熱後摂取冷凍食品 (03)																										
冷凍食品 凍結直前未加熱の加熱後摂取冷凍食品 (04)																										
冷凍食品 生食用冷凍鮮魚介類 (05)																										
魚介類加工品（かん詰・びん詰を除く。） (06)																										
肉卵類及びその加工品（かん詰・びん詰を除く。） (07)																										
乳製品 (08)																										
乳類加工品（アイスクリーム類を除き、マーガリンを含む。） (09)																										
アイスクリーム類・氷菓 (10)																										
穀類及びその加工品（かん詰・びん詰を除く。） (11)																										
野菜類・果物及びその加工品（かん詰・びん詰を除く。） (12)																										
菓子類 (13)																										
清涼飲料水 (14)																										
酒精飲料 (15)																										
氷雪 (16)																										
水 (17)																										
かん詰・びん詰食品 (18)																										
その他の食品 (19)																										
添加物及びその製剤 (20)																										
器具及び容器包装 (21)																										
おもちゃ (22)																										
計 (23)																										

衛生行政報告例

第32 乳の収去試験

政府統計
統計法に基づく国の一般統計調査です。
調査票情報の秘密の保護に万全を期します。

2	9	1	3	2	0				

都道府県
指定都市名
中核市

平成 29 年度分

	収去したもの（実数）	乳及び乳製品の成分規格の定めのある事項に関する検査																			乳及び乳製品の成分規格の定めのない事項に関する検査					
		試験した場所					試験の内容					不適検体数	不適理由（延数）								試験した場所					検査件数
		管下の機関で試験したもの			他に試験を依頼したもの		微生物学的検査	理化学的検査			その他										管下の機関で試験したもの			他に試験を依頼したもの		
		保健所	地方衛生研究所	その他	登録検査機関	その他		残留農薬	残留動物用医薬品	その他			無脂乳固形分	乳脂肪	比重	酸度	細菌数	大腸菌群	残留農薬基準	残留動物用医薬品	保健所	地方衛生研究所	その他	登録検査機関	その他	
	(1)	(2)	(3)	(4)	(5)	(6)	(7)	(8)	(9)	(10)	(11)	(12)	(13)	(14)	(15)	(16)	(17)	(18)	(19)	(20)	(21)	(22)	(23)	(24)	(25)	(26)
生乳 (01)																										
牛乳 (02)																										
低脂肪牛乳 (03)																										
加工乳 乳脂肪分3%以上 (04)																										
加工乳 乳脂肪分3%未満 (05)																										
その他の乳 (06)																										

衛生行政報告例

第33 乳　処　理　量

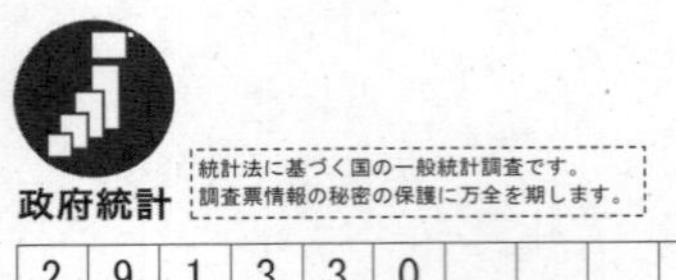

2	9	1	3	3	0				

都道府県
指定都市名
中 核 市

平 成　29　年度分

	無殺菌乳 (キロリットル) (1)	殺菌乳 (キロリットル) 63℃～65℃ (低温長時間殺菌法) (2)	75℃以上 (高温短時間殺菌法) (3)	瞬間 (4)	計 (5)
特別牛乳 (01)					
牛乳 (02)					
低脂肪牛乳 (03)					
加工乳 乳脂肪分3%以上 (04)					
加工乳 乳脂肪分3%未満 (05)					
その他の乳 (06)					

衛生行政報告例

第34 環境衛生及び食品衛生関係職員

政府統計
統計法に基づく国の一般統計調査です。
調査票情報の秘密の保護に万全を期します。

(第 2 表)

2	9	1	3	4	0				

都道府県
指定都市名
中 核 市

平 成　29　年度末現在

		医師 (1)	歯科医師 (2)	薬剤師 (3)	獣医師 (4)	栄養士 (5)	大学・高等専門学校等で所定の課程を修めて卒業した者 農学 (6)	畜産学 (7)	水産学 (8)	その他 (9)	養成施設で所定の課程を修了した者 (10)	その他 (11)	計 (12)
専従者	環境衛生監視員 (01)												
	水道法第39条職員 (02)												
	食品衛生監視員 (03)												
	と畜検査員 (04)												
	狂犬病予防員 (05)												
	家庭用品衛生監視員 (06)												
	計 (07)												
兼務者	環境衛生監視員 (08)												
	水道法第39条職員 (09)												
	食品衛生監視員 (10)												
	と畜検査員 (11)												
	食鳥検査員 (12)												
	狂犬病予防員 (13)												
	家庭用品衛生監視員 (14)												
	計 (15)												
再掲	食品衛生監視員のうち主に食品衛生監視業務に従事している者 (16)												
	と畜検査員のうち主にと畜検査業務に従事している者 (17)												
	食鳥検査員のうち主に食鳥検査業務に従事している者 (18)												
	狂犬病予防員のうち主に狂犬病予防業務に従事している者 (19)												
	家庭用品衛生監視員のうち主に家庭用品衛生監視業務に従事している者 (20)												

衛生行政報告例

第 35　医療法第25条の規定に基づく立入検査

政府統計

統計法に基づく国の一般統計調査です。
調査票情報の秘密の保護に万全を期します。

2	9	1	3	5	0				

都道府県名

平成　29　年度分

		立入検査延件数 (1)	処分件数						告発件数 (8)	新規開設に伴う使用許可件数 (9)	構造設備の変更に伴う使用許可件数 (10)
			増員又は業務の停止命令 (2)	改善命令 (3)	使用制限又は禁止 (4)	管理者変更 (5)	許可の取消 (6)	閉鎖命令 (7)			
病院	(01)										
診療所 一般	(02)										
診療所 歯科	(03)										
助産所	(04)										
計	(05)										

衛生行政報告例

第 36　医療法人に対する指導・監督

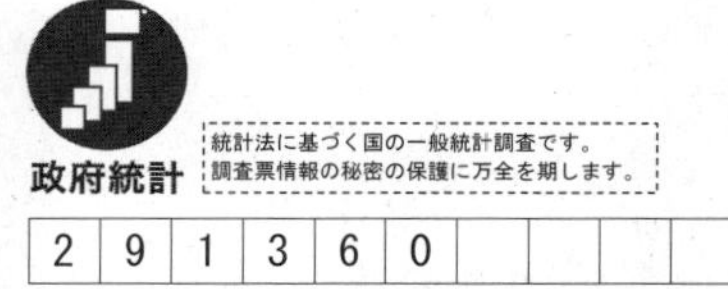

2	9	1	3	6	0				

都道府県名

平成　29　年度分

	指導・監督の状況							
	報告徴収 (1)	立入検査 (2)	改善命令 (3)	業務停止（一部） (4)	業務停止（全部） (5)	役員解任勧告 (6)	設立認可取消 第65条によるもの (7)	設立認可取消 第66条によるもの (8)
医療法人								

衛生行政報告例

第 42　准看護師の免許交付

政府統計　統計法に基づく国の一般統計調査です。調査票情報の秘密の保護に万全を期します。

2	9	1	4	2	0				

都道府県名

平 成　29　年度分

男 (1)	女 (2)

衛生行政報告例

第 48　助　産　所

政府統計　統計法に基づく国の一般統計調査です。調査票情報の秘密の保護に万全を期します。

2	9	1	4	8	0				

都道府県名

平 成　29　年度末現在

助産所数 (1)	分娩を取り扱う助産所数((1)の再掲) (2)

衛生行政報告例

第 49　薬 局 及 び 登 録 販 売 者

政府統計　統計法に基づく国の一般統計調査です。調査票情報の秘密の保護に万全を期します。

2	9	1	4	9	0				

都道府県名

平 成　29　年度末現在

開設者が自ら管理している薬局 (1)	開設者が自ら管理していない薬局 (2)	計 (3)	健康サポート薬局 ((3)の再掲) (4)

無薬局町村 (5)

登録販売者数 (6)

第50 薬事監視

2	9	1	5	0	0				

都道府県名

平成　29　年度分

							違反発見件数（年度中）																				処分件数（年度中）					
区分	業種	番号	許可・登録・届出施設数（年度末現在）(1)	立入検査施行施設数（年度中）(2)	違反発見施設数（年度中）(3)	特定販売実施施設数（年度末現在）(4)	無許可・無登録・無届業 (5)	無承認品 (6)	不良品 (7)	不正表示品 (8)	虚偽・誇大広告等 (9)	毒劇薬の譲渡等 (10)	毒劇薬の貯蔵陳列 (11)	処方箋医薬品の譲渡記録等 (12)	制限品目の販売 (13)	構造設備の不備 (14)	販売体制等の不備 (15)	特定販売に係る違反 (16)	医薬品販売業者の管理者に係る違反 (17)	製造販売後安全管理の不備 (18)	品質管理の不備 (19)	指定薬物の製造 (20)	指定薬物の輸入 (21)	指定薬物の販売・授与等 (22)	指定薬物の広告 (23)	その他 (24)	許可・登録取消・業務停止 (25)	改善命令等 (26)	検査命令等 (27)	廃棄等 (28)	その他 (29)	告発件数（年度中）(30)
医薬品	薬局	(01)																														
医薬品	製造業 専業 大臣許可分	(02)																														
医薬品	製造業 専業 知事許可分	(03)																														
医薬品	製造業 薬局	(04)																														
医薬品	製造販売業 第1種	(05)																														
医薬品	製造販売業 第2種	(06)																														
医薬品	製造販売業 薬局	(07)																														
医薬品	店舗販売業	(08)																														
医薬品	卸売販売業	(09)																														
医薬品	薬種商販売業	(10)																														
医薬品	特例販売業	(11)																														
医薬品	配置 販売業	(12)																														
医薬品	配置 従事者	(13)																														
医薬品	業務上取り扱う施設	(14)																														
医薬部外品	製造業	(15)																														
医薬部外品	製造販売業	(16)																														
医薬部外品	販売業	(17)																														
医薬部外品	業務上取り扱う施設	(18)																														
化粧品	製造業	(19)																														
化粧品	製造販売業	(20)																														
化粧品	販売業	(21)																														
化粧品	業務上取り扱う施設	(22)																														
医療機器	製造業	(23)																														
医療機器	修理業 大臣許可分	(24)																														
医療機器	修理業 知事許可分	(25)																														
医療機器	製造販売業 第1種	(26)																														
医療機器	製造販売業 第2種	(27)																														
医療機器	製造販売業 第3種	(28)																														
医療機器	販売業 高度管理医療機器等	(29)																														
医療機器	販売業 管理医療機器	(30)																														
医療機器	販売業 一般医療機器	(31)																														
医療機器	貸与業 高度管理医療機器等	(32)																														
医療機器	貸与業 管理医療機器	(33)																														
医療機器	貸与業 一般医療機器	(34)																														
医療機器	業務上取り扱う施設	(35)																														
体外診断用医薬品	製造業	(36)																														
体外診断用医薬品	製造販売業	(37)																														
体外診断用医薬品	業務上取り扱う施設	(38)																														
再生医療等製品	製造業	(39)																														
再生医療等製品	製造販売業	(40)																														
再生医療等製品	販売業	(41)																														
再生医療等製品	業務上取り扱う施設	(42)																														
小計		(43)																														
指定薬物等を取り扱う施設		(44)																														
総計		(45)																														

第 51　毒物劇物監視

政府統計　統計法に基づく国の一般統計調査です。調査票情報の秘密の保護に万全を期します。

2	9	1	5	1	0				

都道府県名

平成　29　年度分

	登録・届出・許可施設数(年度末現在)	立入検査施行施設数(年度中)	違反発見施設数(年度中)	違反発見件数(年度中) 登録違反	違反発見件数(年度中) 取扱違反	違反発見件数(年度中) 表示違反	違反発見件数(年度中) 譲渡手続違反	違反発見件数(年度中) その他	毒物劇物又は政令で定める毒物劇物含有物の疑いのあるものの収去	試験の結果毒物劇物又は政令で定める毒物劇物含有物であったもの	無登録・無届・無許可施設発見件数	処分件数(年度中) 登録・許可取消	処分件数(年度中) 業務停止	処分件数(年度中) 設備改善命令	処分件数(年度中) その他 登録違反	処分件数(年度中) その他 取扱違反	処分件数(年度中) その他 表示違反	処分件数(年度中) その他 譲渡手続違反	処分件数(年度中) その他 その他	告発件数
	(1)	(2)	(3)	(4)	(5)	(6)	(7)	(8)	(9)	(10)	(11)	(12)	(13)	(14)	(15)	(16)	(17)	(18)	(19)	(20)
製造業 大臣登録分 (01)																				
製造業 知事登録分 (02)																				
輸入業 大臣登録分 (03)																				
輸入業 知事登録分 (04)																				
一般販売業 (05)																				
農業用品目販売業 (06)																				
特定品目販売業 (07)																				
電気めっき事業 (08)																				
金属熱処理事業 (09)																				
毒物劇物運送事業 (10)																				
しろあり防除事業 (11)																				
法第22条第5項の者 (12)																				
計 (13)																				
特定毒物研究者 (14)																				

衛生行政報告例

第 52 不 妊 手 術

政府統計

統計法に基づく国の一般統計調査です。
調査票情報の秘密の保護に万全を期します。

2	9	1	5	2	0				

都道府県名

平 成 29 年度分

			20～24歳 (1)	25～29歳 (2)	30～34歳 (3)	35～39歳 (4)	40～44歳 (5)	45～49歳 (6)	50歳以上 (7)	不 詳 (8)	計 (9)
男	第 1 号 該 当	(01)									
	第 2 号 該 当	(02)									
	計	(03)									
女	第 1 号 該 当	(04)									
	第 2 号 該 当	(05)									
	計	(06)									
合 計		(07)									

衛生行政報告例

第 53 人工妊娠中絶

政府統計

統計法に基づく国の一般統計調査です。
調査票情報の秘密の保護に万全を期します。

2	9	1	5	3	0				

都道府県名

平 成 29 年度分

			13歳未満 (1)	13歳 (2)	14歳 (3)	15歳 (4)	16歳 (5)	17歳 (6)	18歳 (7)	19歳 (8)	20～24歳 (9)	25～29歳 (10)	30～34歳 (11)	35～39歳 (12)	40～44歳 (13)	45～49歳 (14)	50歳以上 (15)	不詳 (16)	計 (17)
満7週以前	第 1 号 該 当	(01)																	
	第 2 号 該 当	(02)																	
	計	(03)																	
満8週～満11週	第 1 号 該 当	(04)																	
	第 2 号 該 当	(05)																	
	計	(06)																	
満12週～満15週	第 1 号 該 当	(07)																	
	第 2 号 該 当	(08)																	
	計	(09)																	
満16週～満19週	第 1 号 該 当	(10)																	
	第 2 号 該 当	(11)																	
	計	(12)																	
満20週・満21週	第 1 号 該 当	(13)																	
	第 2 号 該 当	(14)																	
	計	(15)																	
週数不詳	第 1 号 該 当	(16)																	
	第 2 号 該 当	(17)																	
	計	(18)																	
合 計		(19)																	

第 54　特定医療費（指定難病）受給者証所持者数

政府統計

統計法に基づく国の一般統計調査です。
調査票情報の秘密の保護に万全を期します。

2	9	1	5	4	0				

都道府県名

平 成　29　年度末現在

（5−1）

	0 ～ 9 歳 (1)	10～19歳 (2)	20～29歳 (3)	30～39歳 (4)	40～49歳 (5)	50～59歳 (6)	60～69歳 (7)	70～74歳 (8)	75歳以上 (9)
球脊髄性筋萎縮症 (01)									
筋萎縮性側索硬化症 (02)									
脊髄性筋萎縮症 (03)									
原発性側索硬化症 (04)									
進行性核上性麻痺 (05)									
パーキンソン病 (06)									
大脳皮質基底核変性症 (07)									
ハンチントン病 (08)									
神経有棘赤血球症 (09)									
シャルコー・マリー・トゥース病 (10)									
重症筋無力症 (11)									
先天性筋無力症候群 (12)									
多発性硬化症／視神経脊髄炎 (13)									
慢性炎症性脱髄性多発神経炎／多巣性運動ニューロパチー (14)									
封入体筋炎 (15)									
クロウ・深瀬症候群 (16)									
多系統萎縮症 (17)									
脊髄小脳変性症（多系統萎縮症を除く。） (18)									
ライソゾーム病 (19)									
副腎白質ジストロフィー (20)									
ミトコンドリア病 (21)									
もやもや病 (22)									
プリオン病 (23)									
亜急性硬化性全脳炎 (24)									
進行性多巣性白質脳症 (25)									
HTLV-1関連脊髄症 (26)									
特発性基底核石灰化症 (27)									
全身性アミロイドーシス (28)									
ウルリッヒ病 (29)									
遠位型ミオパチー (30)									
ベスレムミオパチー (31)									
自己貪食空胞性ミオパチー (32)									
シュワルツ・ヤンペル症候群 (33)									
神経線維腫症 (34)									
天疱瘡 (35)									
表皮水疱症 (36)									
膿疱性乾癬（汎発型） (37)									
スティーヴンス・ジョンソン症候群 (38)									
中毒性表皮壊死症 (39)									
高安動脈炎 (40)									
巨細胞性動脈炎 (41)									
結節性多発動脈炎 (42)									
顕微鏡的多発血管炎 (43)									
多発血管炎性肉芽腫症 (44)									
好酸球性多発血管炎性肉芽腫症 (45)									
悪性関節リウマチ (46)									
バージャー病 (47)									
原発性抗リン脂質抗体症候群 (48)									
全身性エリテマトーデス (49)									
皮膚筋炎／多発性筋炎 (50)									
全身性強皮症 (51)									
混合性結合組織病 (52)									
シェーグレン症候群 (53)									
成人スチル病 (54)									
再発性多発軟骨炎 (55)									
ベーチェット病 (56)									
特発性拡張型心筋症 (57)									
肥大型心筋症 (58)									
拘束型心筋症 (59)									
再生不良性貧血 (60)									
自己免疫性溶血性貧血 (61)									
発作性夜間ヘモグロビン尿症 (62)									
特発性血小板減少性紫斑病 (63)									
血栓性血小板減少性紫斑病 (64)									
原発性免疫不全症候群 (65)									
IgA腎症 (66)									
多発性嚢胞腎 (67)									
黄色靱帯骨化症 (68)									
後縦靱帯骨化症 (69)									
広範脊柱管狭窄症 (70)									

（5−2）

	0～9歳 (1)	10～19歳 (2)	20～29歳 (3)	30～39歳 (4)	40～49歳 (5)	50～59歳 (6)	60～69歳 (7)	70～74歳 (8)	75歳以上 (9)
特発性大腿骨頭壊死症 (71)									
下垂体性ADH分泌異常症 (72)									
下垂体性TSH分泌亢進症 (73)									
下垂体性PRL分泌亢進症 (74)									
クッシング病 (75)									
下垂体性ゴナドトロピン分泌亢進症 (76)									
下垂体性成長ホルモン分泌亢進症 (77)									
下垂体前葉機能低下症 (78)									
家族性高コレステロール血症（ホモ接合体） (79)									
甲状腺ホルモン不応症 (80)									
先天性副腎皮質酵素欠損症 (81)									
先天性副腎低形成症 (82)									
アジソン病 (83)									
サルコイドーシス (84)									
特発性間質性肺炎 (85)									
肺動脈性肺高血圧症 (86)									
肺静脈閉塞症／肺毛細血管腫症 (87)									
慢性血栓塞栓性肺高血圧症 (88)									
リンパ脈管筋腫症 (89)									
網膜色素変性症 (90)									
バッド・キアリ症候群 (91)									
特発性門脈圧亢進症 (92)									
原発性胆汁性胆管炎 (93)									
原発性硬化性胆管炎 (94)									
自己免疫性肝炎 (95)									
クローン病 (96)									
潰瘍性大腸炎 (97)									
好酸球性消化管疾患 (98)									
慢性特発性偽性腸閉塞症 (99)									
巨大膀胱短小結腸腸管蠕動不全症 (100)									
腸管神経節細胞僅少症 (101)									
ルビンシュタイン・テイビ症候群 (102)									
CFC症候群 (103)									
コステロ症候群 (104)									
チャージ症候群 (105)									
クリオピリン関連周期熱症候群 (106)									
全身型若年性特発性関節炎 (107)									
TNF受容体関連周期性症候群 (108)									
非典型溶血性尿毒症症候群 (109)									
ブラウ症候群 (110)									
先天性ミオパチー (111)									
マリネスコ・シェーグレン症候群 (112)									
筋ジストロフィー (113)									
非ジストロフィー性ミオトニー症候群 (114)									
遺伝性周期性四肢麻痺 (115)									
アトピー性脊髄炎 (116)									
脊髄空洞症 (117)									
脊髄髄膜瘤 (118)									
アイザックス症候群 (119)									
遺伝性ジストニア (120)									
神経フェリチン症 (121)									
脳表ヘモジデリン沈着症 (122)									
禿頭と変形性脊椎症を伴う常染色体劣性白質脳症 (123)									
皮質下梗塞と白質脳症を伴う常染色体優性脳動脈症 (124)									
神経軸索スフェロイド形成を伴う遺伝性びまん性白質脳症 (125)									
ペリー症候群 (126)									
前頭側頭葉変性症 (127)									
ビッカースタッフ脳幹脳炎 (128)									
痙攣重積型（二相性）急性脳症 (129)									
先天性無痛無汗症 (130)									
アレキサンダー病 (131)									
先天性核上性球麻痺 (132)									
メビウス症候群 (133)									
中隔視神経形成異常症/ドモルシア症候群 (134)									
アイカルディ症候群 (135)									
片側巨脳症 (136)									
限局性皮質異形成 (137)									
神経細胞移動異常症 (138)									
先天性大脳白質形成不全症 (139)									
ドラベ症候群 (140)									
海馬硬化を伴う内側側頭葉てんかん (141)									
ミオクロニー欠神てんかん (142)									
ミオクロニー脱力発作を伴うてんかん (143)									
レノックス・ガストー症候群 (144)									
ウエスト症候群 (145)									
大田原症候群 (146)									
早期ミオクロニー脳症 (147)									
遊走性焦点発作を伴う乳児てんかん (148)									
片側痙攣・片麻痺・てんかん症候群 (149)									
環状20番染色体症候群 (150)									

(5−3)

	0～9歳 (1)	10～19歳 (2)	20～29歳 (3)	30～39歳 (4)	40～49歳 (5)	50～59歳 (6)	60～69歳 (7)	70～74歳 (8)	75歳以上 (9)
ラスムッセン脳炎(151)									
PCDH19関連症候群(152)									
難治頻回部分発作重積型急性脳炎(153)									
徐波睡眠期持続性棘徐波を示すてんかん性脳症(154)									
ランドウ・クレフナー症候群(155)									
レット症候群(156)									
スタージ・ウェーバー症候群(157)									
結節性硬化症(158)									
色素性乾皮症(159)									
先天性魚鱗癬(160)									
家族性良性慢性天疱瘡(161)									
類天疱瘡（後天性表皮水疱症を含む。）(162)									
特発性後天性全身性無汗症(163)									
眼皮膚白皮症(164)									
肥厚性皮膚骨膜症(165)									
弾性線維性仮性黄色腫(166)									
マルファン症候群(167)									
エーラス・ダンロス症候群(168)									
メンケス病(169)									
オクシピタル・ホーン症候群(170)									
ウィルソン病(171)									
低ホスファターゼ症(172)									
VATER症候群(173)									
那須・ハコラ病(174)									
ウィーバー症候群(175)									
コフィン・ローリー症候群(176)									
有馬症候群(177)									
モワット・ウィルソン症候群(178)									
ウィリアムズ症候群(179)									
ATR－X症候群(180)									
クルーゾン症候群(181)									
アペール症候群(182)									
ファイファー症候群(183)									
アントレー・ビクスラー症候群(184)									
コフィン・シリス症候群(185)									
ロスムンド・トムソン症候群(186)									
歌舞伎症候群(187)									
多脾症候群(188)									
無脾症候群(189)									
鰓耳腎症候群(190)									
ウェルナー症候群(191)									
コケイン症候群(192)									
プラダー・ウィリ症候群(193)									
ソトス症候群(194)									
ヌーナン症候群(195)									
ヤング・シンプソン症候群(196)									
1p36欠失症候群(197)									
4p欠失症候群(198)									
5p欠失症候群(199)									
第14番染色体父親性ダイソミー症候群(200)									
アンジェルマン症候群(201)									
スミス・マギニス症候群(202)									
22q11.2欠失症候群(203)									
エマヌエル症候群(204)									
脆弱X症候群関連疾患(205)									
脆弱X症候群(206)									
総動脈幹遺残症(207)									
修正大血管転位症(208)									
完全大血管転位症(209)									
単心室症(210)									
左心低形成症候群(211)									
三尖弁閉鎖症(212)									
心室中隔欠損を伴わない肺動脈閉鎖症(213)									
心室中隔欠損を伴う肺動脈閉鎖症(214)									
ファロー四徴症(215)									
両大血管右室起始症(216)									
エプスタイン病(217)									
アルポート症候群(218)									
ギャロウェイ・モワト症候群(219)									
急速進行性糸球体腎炎(220)									
抗糸球体基底膜腎炎(221)									
一次性ネフローゼ症候群(222)									
一次性膜性増殖性糸球体腎炎(223)									
紫斑病性腎炎(224)									
先天性腎性尿崩症(225)									
間質性膀胱炎（ハンナ型）(226)									
オスラー病(227)									
閉塞性細気管支炎(228)									
肺胞蛋白症（自己免疫性又は先天性）(229)									
肺胞低換気症候群(230)									

（5－4）

	0～9歳 (1)	10～19歳 (2)	20～29歳 (3)	30～39歳 (4)	40～49歳 (5)	50～59歳 (6)	60～69歳 (7)	70～74歳 (8)	75歳以上 (9)
α1－アンチトリプシン欠乏症(231)									
カーニー複合(232)									
ウォルフラム症候群(233)									
ペルオキシソーム病（副腎白質ジストロフィーを除く。）(234)									
副甲状腺機能低下症(235)									
偽性副甲状腺機能低下症(236)									
副腎皮質刺激ホルモン不応症(237)									
ビタミンD抵抗性くる病／骨軟化症(238)									
ビタミンD依存性くる病／骨軟化症(239)									
フェニルケトン尿症(240)									
高チロシン血症1型(241)									
高チロシン血症2型(242)									
高チロシン血症3型(243)									
メープルシロップ尿症(244)									
プロピオン酸血症(245)									
メチルマロン酸血症(246)									
イソ吉草酸血症(247)									
グルコーストランスポーター1欠損症(248)									
グルタル酸血症1型(249)									
グルタル酸血症2型(250)									
尿素サイクル異常症(251)									
リジン尿性蛋白不耐症(252)									
先天性葉酸吸収不全(253)									
ポルフィリン症(254)									
複合カルボキシラーゼ欠損症(255)									
筋型糖原病(256)									
肝型糖原病(257)									
ガラクトース－1－リン酸ウリジルトランスフェラーゼ欠損症(258)									
レシチンコレステロールアシルトランスフェラーゼ欠損症(259)									
シトステロール血症(260)									
タンジール病(261)									
原発性高カイロミクロン血症(262)									
脳腱黄色腫症(263)									
無βリポタンパク血症(264)									
脂肪萎縮症(265)									
家族性地中海熱(266)									
高IgD症候群(267)									
中條・西村症候群(268)									
化膿性無菌性関節炎・壊疽性膿皮症・アクネ症候群(269)									
慢性再発性多発性骨髄炎(270)									
強直性脊椎炎(271)									
進行性骨化性線維異形成症(272)									
肋骨異常を伴う先天性側弯症(273)									
骨形成不全症(274)									
タナトフォリック骨異形成症(275)									
軟骨無形成症(276)									
リンパ管腫症／ゴーハム病(277)									
巨大リンパ管奇形（頚部顔面病変）(278)									
巨大静脈奇形（頚部口腔咽頭びまん性病変）(279)									
巨大動静脈奇形（頚部顔面又は四肢病変）(280)									
クリッペル・トレノネー・ウェーバー症候群(281)									
先天性赤血球形成異常性貧血(282)									
後天性赤芽球癆(283)									
ダイアモンド・ブラックファン貧血(284)									
ファンコニ貧血(285)									
遺伝性鉄芽球性貧血(286)									
エプスタイン症候群(287)									
自己免疫性後天性凝固因子欠乏症(288)									
クロンカイト・カナダ症候群(289)									
非特異性多発性小腸潰瘍症(290)									
ヒルシュスプルング病（全結腸型又は小腸型）(291)									
総排泄腔外反症(292)									
総排泄腔遺残(293)									
先天性横隔膜ヘルニア(294)									
乳幼児肝巨大血管腫(295)									
胆道閉鎖症(296)									
アラジール症候群(297)									
遺伝性膵炎(298)									
嚢胞性線維症(299)									
IgG4関連疾患(300)									
黄斑ジストロフィー(301)									
レーベル遺伝性視神経症(302)									
アッシャー症候群(303)									
若年発症型両側性感音難聴(304)									
遅発性内リンパ水腫(305)									
好酸球性副鼻腔炎(306)									
カナバン病(307)									
進行性白質脳症(308)									
進行性ミオクローヌスてんかん(309)									
先天異常症候群(310)									

(5−5)

	0 ～ 9 歳 (1)	10～19歳 (2)	20～29歳 (3)	30～39歳 (4)	40～49歳 (5)	50～59歳 (6)	60～69歳 (7)	70～74歳 (8)	75歳以上 (9)
先天性三尖弁狭窄症 (311)									
先天性僧帽弁狭窄症 (312)									
先天性肺静脈狭窄症 (313)									
左肺動脈右肺動脈起始症 (314)									
ネイルパテラ症候群(爪膝蓋骨症候群)/LMX1B関連腎症 (315)									
カルニチン回路異常症 (316)									
三頭酵素欠損症 (317)									
シトリン欠損症 (318)									
セピアプテリン還元酵素（SR）欠損症 (319)									
先天性グリコシルホスファチジルイノシトール(GPI)欠損症 (320)									
非ケトーシス型高グリシン血症 (321)									
β－ケトチオラーゼ欠損症 (322)									
芳香族L-アミノ酸脱炭酸酵素欠損症 (323)									
メチルグルタコン酸尿症 (324)									
遺伝性自己炎症疾患 (325)									
大理石骨病 (326)									
特発性血栓症(遺伝性血栓性素因によるものに限る。) (327)									
前眼部形成異常 (328)									
無虹彩症 (329)									
先天性気管狭窄症 (330)									

衛生行政報告例

統計法に基づく国の一般統計調査です。
調査票情報の秘密の保護に万全を期します。

2	9	1	5	4	2				

第 54の２　特定疾患医療受給者証所持者数

都道府県名

平成　29　年度末現在

	0 ～ 9 歳 (1)	10～19歳 (2)	20～29歳 (3)	30～39歳 (4)	40～49歳 (5)	50～59歳 (6)	60～69歳 (7)	70～74歳 (8)	75歳以上 (9)
スモン (01)									
難治性の肝炎のうちの劇症肝炎 (02)									
重症急性膵炎 (03)									
プリオン病（ヒト由来乾燥硬膜移植によるクロイツフェルト・ヤコブ病に限る。） (04)									

衛生行政報告例

統計法に基づく国の一般統計調査です。
調査票情報の秘密の保護に万全を期します。

2	9	1	5	5	0				

第 55　特定医療（医療給付）

都道府県名

平成　29　年度分

	支払決定件数	支払決定		
		総額	(2)の再掲	
			公費負担額	自己負担額
	(1)	（千円） (2)	（千円） (3)	（千円） (4)
入院 (01)				
入院外 (02)				
調剤 (03)				
訪問看護（老人含む） (04)				

衛生行政報告例

統計法に基づく国の一般統計調査です。
調査票情報の秘密の保護に万全を期します。

2	9	1	5	6	0				

第 56　特定医療（介護給付）

都道府県名

平成　29　年度分

支払決定件数	支払決定		
	総額	(2)の再掲	
		公費負担額	自己負担額
(1)	（千円） (2)	（千円） (3)	（千円） (4)

衛生行政報告例

第 57　特定医療における所得区分の状況

政府統計
統計法に基づく国の一般統計調査です。
調査票情報の秘密の保護に万全を期します。

2	9	1	5	7	0				

都道府県名
平 成　29　年度末現在

	支給認定件数					
	生活保護 (1)	低所得Ⅰ (2)	低所得Ⅱ (3)	一般所得Ⅰ (4)	一般所得Ⅱ (5)	上位所得 (6)
原則 (01)						
軽症高額 ((01)の再掲) (02)						
高額かつ長期 (03)						
人工呼吸器等装着者 (04)						

衛生行政報告例

第 58　小児慢性特定疾病医療受給者証所持者数

政府統計
統計法に基づく国の一般統計調査です。
調査票情報の秘密の保護に万全を期します。

2	9	1	5	8	0				

都道府県
指定都市名
中 核 市
平 成　29　年度末現在

	0歳 (1)	1歳 (2)	2歳 (3)	3歳 (4)	4歳 (5)	5歳 (6)	6歳 (7)	7歳 (8)	8歳 (9)	9歳 (10)	10歳 (11)	11歳 (12)	12歳 (13)	13歳 (14)	14歳 (15)	15歳 (16)	16歳 (17)	17歳 (18)	18歳 (19)	19歳 (20)
悪性新生物 (01)																				
慢性腎疾患 (02)																				
慢性呼吸器疾患 (03)																				
慢性心疾患 (04)																				
内分泌疾患 (05)																				
膠原病 (06)																				
糖尿病 (07)																				
先天性代謝異常 (08)																				
血液疾患 (09)																				
免疫疾患 (10)																				
神経・筋疾患 (11)																				
慢性消化器疾患 (12)																				
染色体又は遺伝子に変化を伴う症候群 (13)																				
皮膚疾患 (14)																				

衛生行政報告例

第 59　小児慢性特定疾病医療（給付）

政府統計
統計法に基づく国の一般統計調査です。
調査票情報の秘密の保護に万全を期します。

2	9	1	5	9	0				

都道府県
指定都市名
中 核 市

平 成　29　年度分

	支払決定件数	支払決定		
		総　額	(2)の再掲	
			公費負担額（千円）	自己負担額（千円）
	(1)	（千円）(2)	(3)	(4)
入　院 (01)				
入　院　外 (02)				
調　剤 (03)				
訪　問　看　護 (04)				

衛生行政報告例

第 60　小児慢性特定疾病医療における所得区分の状況

政府統計
統計法に基づく国の一般統計調査です。
調査票情報の秘密の保護に万全を期します。

2	9	1	6	0	0				

都道府県
指定都市名
中 核 市

平 成　29　年度末現在

	支　給　認　定　件　数					
	生活保護 (1)	低所得Ⅰ (2)	低所得Ⅱ (3)	一般所得Ⅰ (4)	一般所得Ⅱ (5)	上位所得 (6)
原　則 (01)						
重　症 (02)						
人工呼吸器等装着者 (03)						
血　友　病　患　者 (04)						

衛生行政報告例

第 61　狂　犬　病　予　防

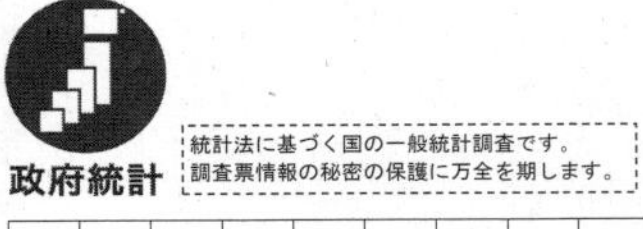

2	9	1	6	1	0				

都道府県
指定都市名
中 核 市

平 成　29　年度分

登録申請数	登録頭数（年度末現在）	予防注射済票交付数			徘徊犬の抑留及び返還頭数		犬の死亡届出件数
		区市町村の注射実施	その他の注射実施	計	抑　留	返　還	
(1)	(2)	(3)	(4)	(5)	(6)	(7)	(8)

○平成28年度衛生行政報告例正誤表

【保健師・助産師・看護師・准看護師】

第2表　就業保健師数，実人員ー常勤換算・就業場所・性・年齢階級別

382・383頁（修正箇所は下線部）

【正】

	業務に従事する場所（常勤換算）				
	総数	病院	・・・	看護師等学校養成所又は研究機関	その他
総数	47805.1	3109.2	・・・	1150.9	2175.4
・					

【誤】

	業務に従事する場所（実人員）				
	総数	病院	・・・	看護師等学校養成所又は研究機関	その他
総数	47805.1	3109.2	・・・	1150.9	2175.4
・					

第3表　就業保健師数，実人員ー常勤換算・就業場所・都道府県・性別

386・387・390・391・394・395頁（修正箇所は下線部）

【正】

	総数					男					女				
	業務に従事する場所（常勤換算）					業務に従事する場所（常勤換算）					業務に従事する場所（常勤換算）				
	総数	病院	・・・	看護師等学校養成所又は研究機関	その他	総数	病院	・・・	看護師等学校養成所又は研究機関	その他	総数	病院	・・・	看護師等学校養成所又は研究機関	その他
全国	47805.1	3109.2	・・・	1150.9	2175.4	1129.3	101.8	・・・	63.8	51.2	46675.8	3007.4	・・・	1087.1	2124.2
・															

【誤】

	総数					男					女				
	業務に従事する場所（実人員）					業務に従事する場所（実人員）					業務に従事する場所（実人員）				
	総数	病院	・・・	看護師等学校養成所又は研究機関	その他	総数	病院	・・・	看護師等学校養成所又は研究機関	その他	総数	病院	・・・	看護師等学校養成所又は研究機関	その他
全国	47805.1	3109.2	・・・	1150.9	2175.4	1129.3	101.8	・・・	63.8	51.2	46675.8	3007.4	・・・	1087.1	2124.2
・															

定価は表紙に表示してあります。

平成31年２月18日　発 行

平 成 29 年 度

衛 生 行 政 報 告 例

編　集　厚生労働省政策統括官（統計・情報政策、政策評価担当）

発　行　一般財団法人　厚生労働統計協会
郵便番号 103-0001
東京都中央区日本橋小伝馬町４－９
小伝馬町新日本橋ビルディング３Ｆ
電　話　03－5623－4123（代表）

印　刷　統 計 プ リ ン ト 株 式 会 社